BOUQUINS

COLLECTION DIRIGÉE PAR

GUY SCHOELLER

Les grands romans
*d'*ALEXANDRE DUMAS

II. LES MOUSQUETAIRES

LE VICOMTE DE BRAGELONNE

*

ÉDITION ÉTABLIE
PAR CLAUDE SCHOPP

ROBERT LAFFONT

Première édition 1991
Première réimpression 1996
Deuxième réimpression 1998

Chacune des œuvres publiées dans « Bouquins »
est reproduite dans son intégralité.

ISBN: 2-221-06453-4

Ce volume contient :

DUMAS BAROQUE
par Dominique Fernandez

LE VICOMTE
DE BRAGELONNE
Chapitres I à CXXXIII

AVERTISSEMENT DE L'ÉDITEUR

« Les grands romans d'Alexandre Dumas » ont débuté par la publication de *Mémoires d'un médecin*, titre général des œuvres prérévolutionnaires et révolutionnaires :

Joseph Balsamo (1 volume, 1990)
Le Collier de la reine - Ange Pitou (1 volume, 1990)
La Comtesse de Charny - Le Chevalier de Maison-Rouge (1 volume, 1990)

La série des *Mousquetaires* regroupe :

Les Trois Mousquetaires - Vingt Ans après (1 volume)
Le Vicomte de Bragelonne (2 volumes)

Le lecteur trouvera à la suite de la préface précédant *Les Trois Mousquetaires* un dictionnaire des personnages et, en fin de volume, un index des lieux de l'action.

Dans la première partie du dictionnaire, « Personnages des romans de Dumas », sont rassemblés les personnages que l'auteur a mis en scène ; parmi ceux-ci, des héros historiques auxquels Dumas prête, pour les besoins de l'intrigue, des actions fictives qui s'entremêlent à celles consignées par l'Histoire. Ici, le roman l'emporte sur l'Histoire, la fiction sur la réalité.
Dans la seconde partie du dictionnaire figurent les personnes et personnages historiques qui restent en coulisse et ne sont que cités.

La bibliographie chronologique, figurant dans le deuxième volume du *Vicomte de Bragelonne*, a été augmentée et complétée.

Dans la même collection ont été publiés *Mes Mémoires*, suivis d'un Quid de Dumas, où le lecteur trouvera d'innombrables informations, souvent inédites, et des anecdotes sur la vie et l'œuvre d'Alexandre Dumas.

Troisième partie

LE VICOMTE DE BRAGELONNE

DUMAS BAROQUE

par Dominique Fernandez

« En dehors de Shakespeare, mon plus cher, mon meilleur ami est sans doute d'Artagnan — le d'Artagnan âgé du *Vicomte de Bragelonne.* Je ne connais pas d'âme plus humaine, ni, à sa manière, plus belle, et je plains sincèrement l'homme qui serait à ce point pédant en matière de mœurs pour ne pouvoir rien apprendre du capitaine des mousquetaires. » Stevenson rangeait ce roman de Dumas parmi les livres qui l'avaient le plus marqué, à côté des pièces de Shakespeare et de Molière, des *Essais* de Montaigne, d'un ou deux romans de Walter Scott, et de *L'Égoïste*, de Meredith. « Quel roman a plus d'humanité ? » disait-il, dans cet admirable article[1] qui fait honte à l'intelligentsia française, obstinée à bouder l'auteur des *Trois Mousquetaires.*

Emboucherons-nous à nouveau la trompette pour réclamer la place qui est due à cet immense romancier ? Il me semble plus judicieux d'indiquer les causes de sa disgrâce. *Les Trois Mousquetaires* datent de 1844 ; *Vingt Ans après*, de 1845 ; et le troisième volet de la trilogie, *Le Vicomte de Bragelonne*, a été publié entre 1848 et 1850. C'était le règne de Louis-Philippe, l'époque de l'essor industriel et commercial. La bourgeoisie s'installait solidement aux affaires, imposant à la nation une nouvelle morale fondée sur le respect de l'ordre, la recherche de l'efficacité, le culte du rendement. Sa Majesté l'Argent était montée sur le trône de France.

Comment les écrivains réagirent-ils ? Fascination horrifiée de Balzac pour l'idolâtrie banquière ; dégoût de Stendhal, qui trouva en Italie un antidote à la platitude de ses compatriotes ; phobie obsessionnelle de Flaubert à l'égard du « bourgeois » : à ces trois illustres contestataires, on oublie de joindre Alexandre Dumas, dont la protestation ne fut ni moins véhémente ni moins originale. Il entreprit de ressusciter, en plein siècle du matérialisme et du lucre, l'idéal chevaleresque de la France d'avant Colbert ; montrant que la France moderne, cupide, basse d'esprit et d'ambitions, n'avait pas

1. A propos d'un roman de Dumas, in *Essais sur l'art de la fiction*, La Table Ronde, 1988. Voir aussi *Des livres qui m'ont influencé.*

commencé avec Thiers et Guizot, mais avec Colbert, justement ; exaltant, dans *Les Trois Mousquetaires*, l'idéologie du duel, du jeu, du panache, de la gratuité brillante ; dans *Vingt Ans après*, décrivant la Fronde comme le dernier sursaut de la turbulence héroïque ; et enfin, dans *Le Vicomte de Bragelonne*, racontant en détail, comme je vais l'exposer, le passage d'une ère à une autre. De l'individualisme anarchique des mousquetaires à l'absolutisme étatique de Louis XIV, du culte insolent de la gloire au docile respect de la loi, de la France libertaire et prodigue à la France centralisée, ordonnée, économe. Ou, en deux mots : le passage de l'âge baroque à l'âge classique.

Le Vicomte de Bragelonne n'est qu'une longue élégie nostalgique. Dumas aurait pu intituler ce roman *A la recherche du baroque perdu*. Si le terme ne figure pas sous sa plume, l'idée, l'amour, le regret passionné de l'âge baroque éclatent à chaque page ; et c'est pourquoi les Français, viscéralement antibaroques, colbertiens, bourgeois, ont rangé Dumas parmi les amuseurs, les romanciers pour adolescents, les auteurs de deuxième ordre, moyen commode de ne pas entendre ce qu'il avait à leur dire.

Je tiens les sept premiers chapitres des *Trois Mousquetaires* pour la plus belle exposition de roman jamais faite. La suite du livre est plus facile, plus « roman d'aventures », confiée au hasard des rebondissements, mais, dans les cent pages du début, l'art du roman est poussé à son plus haut point, et naturellement, semble-t-il, sans le secours d'aucune de ces béquilles théoriques dont s'enorgueillissent nos contemporains. Que faut-il communiquer, d'entrée de jeu, au lecteur ? Il doit identifier les principaux personnages, se faire une idée de leur état civil et social, prendre un aperçu de leur caractère, du contexte historique où ils vont évoluer, enfin du climat moral de leur époque. Ce tour de force, qui consiste à fournir tant d'informations à la fois, sans nuire au mouvement du récit, Dumas le réussit avec un brio extraordinaire. Voici, croqués en quelques traits typiques, les quatre protagonistes, milieu d'origine, psychologie, logement, ressources financières. Voici le décor de l'intrigue : la rivalité du roi et de Richelieu. Voici l'atmosphère de ces années fiévreuses, suggérée par la manie des duels et l'exagération du point d'honneur.

Les quatre mousquetaires apparaissent, d'emblée, comme les quatre variations d'un même thème.

Porthos

Tout en bas, si l'on peut dire, de l'échelle des valeurs baroques, il y a Porthos. « Il ne portait pas, pour le moment, la casaque d'uniforme, qui, au reste, n'était pas absolument obligatoire dans cette époque de liberté moindre mais d'indépendance plus grande, mais un justaucorps bleu de ciel, tant soit peu fané et râpé, et sur cet habit un baudrier magnifique, en broderies d'or, et qui reluisait comme les écailles dont l'eau se couvre au grand soleil. Un manteau long de velours cramoisi tombait avec grâce sur ses épaules, découvrant par-devant seulement le splendide baudrier, auquel pendait une gigantesque rapière. » Que de signaux en peu de mots ! *Dans cette époque de liberté moindre mais d'indépendance plus grande* : par rapport à la France de Louis-Philippe, où les libertés fondamentales sont garanties par la Constitution, la France de Louis XIII était livrée à l'arbitraire politique. En revanche, aucune comparaison possible entre le conformisme des années 1840, dû à l'extension des habitudes égalitaires (ce que Stendhal appelait : « faire sa cour à son cordonnier »), et l'indépendance frondeuse répandue dans les années 1620. La couleur historique étant donnée, Dumas accommode son objectif sur le cas particulier de Porthos. Quelques épithètes, « magnifique », « d'or », « splendide », « gigantesque », suffisent à caractériser le personnage ; auquel un détail vestimentaire, choisi comme symbole, donne un relief prodigieux.

La splendeur du baudrier n'est qu'une illusion, comme le lecteur, grâce à la naïveté effrontée de d'Artagnan, ne tarde pas à l'apprendre. La réalité de cette pièce de vêtement ne correspond pas à ce que l'on en voit du dehors. « Comme la plupart des choses de ce monde qui n'ont pour elles que l'apparence, le baudrier était d'or par-devant et de simple buffle par-derrière. Porthos, en vrai glorieux qu'il était, ne pouvant avoir un baudrier d'or tout entier, en avait au moins la moitié. » *En vrai glorieux qu'il était* : notons l'adjectif *glorieux*, de saveur cornélienne. Avoir le sentiment de sa gloire, c'est chercher, comme le Rodrigue du *Cid*, comme Polyeucte, à se montrer toujours sous son aspect le plus éclatant, à se tenir constamment au faîte de soi-même : par la bravoure, l'intrépidité devant l'obstacle, le sacrifice de ses intérêts personnels, de son confort, de son bonheur, mais aussi, quand il n'y a pas de circonstances exceptionnelles qui engagent l'âme à se dépasser, par le faste, l'ostentation, ou même — un degré plus bas — par la parade vaniteuse. Porthos est le double comique du héros cornélien.

Le voyageur qui visite Naples ou Palerme a lieu de s'étonner quand, derrière la façade somptueuse des palais et des églises, il n'aperçoit qu'un bâtiment ordinaire. Les murs latéraux et l'arrière sont en vulgaires moellons sans ornements, en brique nue ; peu de recherche à l'intérieur. Au-dehors, sur le devant, portails fastueux, frontons magnifiques, balcons pansus, volutes, colonnes, statues. Ce qui n'est pas en montre est sacrifié. Le baudrier de Porthos ressemble à un monument baroque de l'Italie méridionale : brillante façade, le reste quelconque. Son logis relève du même principe. Il habite à Paris un appartement « d'une très somptueuse apparence », et son valet Mousqueton se tient toujours « en grande livrée » à la fenêtre, en sorte que le mousquetaire puisse dire à ses amis, chaque fois qu'il passe avec eux sur le trottoir : *Voilà ma demeure !* « Mais jamais on ne le trouvait chez lui, jamais il n'invitait personne à y monter, et nul ne pouvait se faire une idée de ce que cette somptueuse apparence renfermait de richesses réelles. »

Quand, devenu riche, Porthos aura un château à Bracieux, il poussera l'ostentation jusqu'à la caricature. « Ce n'étaient que dorures de haut en bas, les corniches étaient dorées, les moulures étaient dorées, les bois des fauteuils étaient dorés. » A Pierrefonds, dans son autre château, où d'Artagnan va le visiter au début du *Vicomte de Bragelonne*, Porthos invente une manière bien plus amusante de se montrer baroque. Il a distribué les plaisirs selon les jours de la semaine. L'essai d'introduire dans la gratuité ludique des divertissements un peu de rationalité française est d'une drôlerie irrésistible. Le dimanche, plaisirs religieux : messe, bénédiction du pain, discours. Le lundi, plaisirs mondains : visites, musique, danses, bouts-rimés. Le mardi, plaisirs savants : astronomie, à l'aide d'une sphère mobile et de petites ficelles pour accrocher le soleil et la lune. Le mercredi, plaisirs champêtres : contemplation des moutons, des chèvres et des bergères du domaine. Le jeudi, plaisirs olympiques : luttes et courses entre les jeunes vassaux de monseigneur. Le vendredi, plaisirs nobles et guerriers : maniement des armes, dressage des faucons, domptage des chevaux, chasse. Le samedi, plaisirs spirituels : « Nous regardons les tableaux et les statues de monseigneur, nous écrivons même et nous traçons des plans ; enfin nous tirons les canons de monseigneur. »

C'est Mousqueton qui expose à d'Artagnan cet impayable emploi du temps, avec la touche surréaliste des canons ; Mousqueton qui, devenu impotent à force de s'empiffrer, se plaint que ses jambes ne le portent plus. « Vous les nourrissez pourtant bien, à ce qu'il paraît », lui fait observer d'Artagnan. A quoi le goinfre répond : « Elles n'ont rien à me reprocher sous ce rapport-là. J'ai toujours fait tout ce que j'ai pu pour mon corps. Je ne suis pas égoïste. » Molière n'aurait pas trouvé de mot plus admirable que ce *Je ne suis pas égoïste.*

Pour la gloutonnerie, Porthos, un vrai colosse d'ailleurs, comme les statues démesurées qui ornent Saint-Pierre de Rome, n'est pas en reste. C'est lui qui, en toute circonstance, au milieu des expéditions les plus risquées, malgré le péril imminent, pense d'abord à dîner. Il ne s'agit pas de la gourmandise française, délicate, fine, sélective, mais du goût, païen, sensuel, brutal, d'avaler vite et beaucoup. Les viandes, les graisses, les sucres qu'il dévore, étant pour Porthos un sujet de fierté et une source de prestige, doivent, comme tels, présenter un caractère fastueux et excessif. De même, dans une église de Bavière ou d'Autriche, il faut que les stucs, les marbres et les dorures surabondent en une débauche immodérée. La plénitude baroque a un aspect physique, je dirais : comestible. Les sentiments baroques passent par la bouche. Primauté de l'oral. C'est pourquoi la parole, un usage foisonnant de la parole, est un autre signe distinctif de Porthos. Non la parole-raison, non la parole véhicule de la pensée, mais la parole-jouissance, la parole-sonorité agréable, la parole-bruit, la parole-gloire. « Il parlait pour le plaisir de parler et pour le plaisir de s'entendre. » Remarque qui, dans *Le Vicomte de Bragelonne*, sera affinée ainsi : « La parole, chez Porthos, au lieu de déguiser la pensée, la complète toujours. » Parole redondante, naïve, souvent gaffeuse, car au lieu d'être au service de l'esprit, elle reste pure émanation du corps, expansion sonore de la chair.

Aramis

Aramis incarne une autre figure du baroque : le secret, le mystère, l'intrigue, la feinte, la dissimulation. Contrairement à Porthos, il habite un petit logement à l'écart, qui donne sur un jardinet « impénétrable aux yeux du voisinage ». Dans un retable d'église, il serait un de ces anges qui gardent le doigt sur la bouche. Il parle peu, lui, et en exploitant à fond les doubles sens du langage. C'est le jésuite des mousquetaires, au figuré et au propre, puisqu'il songe, dans *Les Trois Mousquetaires*, à entrer dans la Compagnie de Jésus, et qu'il finira, dans *Le Vicomte de Bragelonne*, non seulement sectateur d'Ignace de Loyola, mais évêque de Vannes et général des Jésuites. A qui s'étonnerait de voir ranger sous la même étiquette de « baroque » un paon flamboyant et une terreuse couleuvre, il faut rappeler quelle part ont eue les jésuites dans la politique de la Contre-Réforme et dans l'esthétique du faste et de l'opulence recommandée par le concile de Trente.

La scène entre Aramis et le supérieur des jésuites à l'auberge de Crèvecœur, et la discussion pour savoir si un prêtre doit bénir d'une seule main ou des deux mains à la fois, avec les aperçus emberlificotés sur le libre arbitre et la doctrine des pélagiens et des demi-pélagiens, sont d'un comique juste et saisissant. Dumas s'amuse à pasticher Pascal, et ce chapitre des *Trois Mousquetaires* (« La thèse d'Aramis ») constitue une dix-neuvième *Provinciale*, non moins caustique que les autres. Et encore plus drôle, du fait que la controverse théologique est doublée d'une polémique sur la nourriture. Aramis, décidé à entrer dans les ordres, se contente, pour son dîner, d'un plat de tétragones. « Qu'entendez-vous par tétragones ? » lui demande d'Artagnan saisi d'une légitime inquiétude. « J'entends des épinards », dit Aramis. Formidable malice de ces deux répliques : le candidat à la tonsure a beau, en se contraignant à cette chiche pitance, montrer sa volonté de contrition, l'esprit « mousquetaire », le panache langagier de l'époque se manifestent en lui par l'emploi de ce rare et bizarre vocable. Il ne peut les appeler « épinards » comme tout le monde, il faut qu'il les hausse à la dignité précieuse et chantournée de « tétragones ». Quitte d'ailleurs, quand il apprend que d'Artagnan lui apporte une lettre de Mme de Chevreuse, à jeter aux orties soutane, calotte, vocation et herbe cuite, pour commander à pleine voix « un lièvre piqué, un chapon gras, un gigot à l'ail et quatre bouteilles de vieux bourgogne ». L'instinct de la dépense superflue, le goût du faste ont repris le dessus.

Athos

Si Porthos représente la santé jouisseuse, ostentatoire, ingénue du baroque, si Aramis en personnifie la subtilité jésuite et retorse, Athos, tout en haut de l'échelle des valeurs, campe dans l'air pur des cimes. Conscience droite et sévère, il s'efforce de tirer ses deux amis, l'un vers la simplicité, l'autre vers la sincérité. Il cherche ses modèles parmi les antiques champions de l'idéal chevaleresque, « ces preux du temps de Charlemagne, sur lesquels tout cavalier doit chercher à se modeler ». Sobre, discret, d'une vertu irréprochable, il se tient si au-dessus des exagérations de la gloriole comme des tortuosités de l'intrigue, qu'il semble incarner déjà la raison morale, l'ordre, l'esprit de mesure et de discipline. Est-il encore un baroque ? N'est-ce pas plutôt un préclassique ? On ne l'entend jamais rire. Ses paroles sont « brèves et expressives, disant toujours ce qu'elles veulent dire, et rien de plus :

pas d'enjolivements, pas de broderies, pas d'arabesques. Sa conversation est un fait sans aucun épisode. » Plus loin on apprend que « sévère sur le point d'honneur » (ce qui est conforme à l'idéologie baroque de la gloire), Athos est un « puritain » (ce qui paraît mettre en danger l'harmonie idéologique du roman).

Il faut attendre le chapitre LXIII de *Vingt Ans après* pour découvrir, chez Athos, une pensée supérieure du baroque, incommensurablement plus noble et plus élevée que celle, immédiate et vaniteuse, de Porthos, ou celle, cauteleuse et égoïste, d'Aramis — et pourtant parfaitement déraisonnable, aux antipodes de la « sagesse » qu'on avait envie de prêter au personnage. Les quatre amis se trouvent en Angleterre et se demandent, après que Charles Ier a été vaincu et fait prisonnier par Cromwell, si leur mission n'est pas terminée. Tous sont d'avis qu'ils n'ont plus qu'à rentrer en France — tous, sauf Athos, qui déclare, à la stupeur générale, que, n'ayant pas réussi à défendre le roi Charles, il leur reste à le sauver. Entreprise de toute évidence impossible, puisque le roi est au milieu d'une armée qui le conduit à Londres pour le livrer au bourreau.

« Écoutez bien », dit Athos à ses amis. Relisons à notre tour ce passage, qui donne la clef des idées politiques de Dumas et de son aversion contre la France de Louis-Philippe. « Tout est pauvre et mesquin en France en ce moment. Nous avons un roi de dix ans [Louis XIV] qui ne sait pas encore ce qu'il veut ; nous avons une reine [Anne d'Autriche] qu'une passion tardive rend aveugle ; nous avons un ministre [Mazarin] qui régit la France comme il ferait d'une vaste ferme, c'est-à-dire ne se préoccupant que de ce qu'il peut y pousser d'or en la labourant avec l'intrigue et l'astuce italiennes ; nous avons des princes qui font de l'opposition personnelle et égoïste, qui n'arriveront à rien qu'à tirer des mains de Mazarin quelques lingots d'or, quelques bribes de puissance. Je les ai servis, non par enthousiasme, Dieu sait que je les estime à ce qu'ils valent, et qu'ils ne sont pas bien haut dans mon estime, mais par principe. Aujourd'hui c'est autre chose ; aujourd'hui je rencontre sur ma route une haute infortune, une infortune royale, une infortune européenne, je m'y attache. Si nous parvenons à sauver le roi, ce sera beau ; si nous mourons pour lui, ce sera grand ! »

D'Artagnan lui-même croit son ami devenu fou. Athos en effet pousse la morale du panache, du don gratuit, jusqu'à l'absurde. Critiquant au passage les ambitions de Porthos (l'or, symbole du capitalisme moderne) et les moyens d'Aramis (l'intrigue et l'astuce, allusion aux politiciens contemporains de Dumas), il proclame que les seules causes dignes d'être défendues, dans un monde petit, mesquin, intéressé, égoïste, sont celles qui exigent le sacrifice de soi-même. C'est l'époque où Louis XIV, lui aussi épris de « grandeur », s'apprête à saisir les rênes du pouvoir ; mais tandis que le roi, s'étant fixé un projet moderne de grandeur, la fondera sur les calculs mercantiles de Colbert et le développement rationnel de l'économie, Athos se prévaut d'une conception archaïque du devoir chevaleresque. Fascination de l'échec, pourvu qu'il réclame de l'héroïsme et confère l'adoubement de la gloire. Le mousquetaire s'enivre, non pas à l'idée de pouvoir sauver

Charles Ier, mais de courir au-devant de la mort, dans un vertige d'immolation qui l'apparente, là encore, au Rodrigue, à l'Horace de Corneille. A la plate réalité, il préfère une chimère étincelante. Paladin du Graal, au siècle des premières manufactures, il pourrait dire, comme le Cid : « Que je meure au combat ou meure de tristesse, / Je rendrai mon sang pur comme je l'ai reçu. »

D'Artagnan

J'aurais rapproché Athos de Don Quichotte également, si Dumas n'avait réservé la comparaison à d'Artagnan. « Ceux qui ont appelé fou Don Quichotte parce qu'il marchait à la conquête d'un empire avec le seul Sancho, son écuyer, ceux-là certainement n'eussent point porté un autre jugement sur d'Artagnan », dit-il de son héros, au début du *Vicomte de Bragelonne*, lorsque le mousquetaire décide de se rendre en Angleterre pour y enlever le général Monk. D'Artagnan, en vérité, est un Don Quichotte tempéré par les deux qualités — ou défauts — qui distinguent respectivement Porthos et Aramis. Avec Porthos, d'Artagnan partage le désir de l'or, et avec Aramis, le goût de la ruse. Le quatrième mousquetaire participe de la nature des trois autres ; dans l'échelle des valeurs baroques, il tient le milieu. A la fois (ou tour à tour) généreux et intéressé, naïf et sagace, délicat et rustre, brutal et tendre, capable de dévouements sublimes comme d'épaisses goujateries (il profite de l'obscurité pour se substituer à de Wardes dans le lit de Milady), doué d'une robuste jovialité méridionale mais n'ignorant pas les crises de doute et d'abattement (à lui aussi, comme à Porthos, il arrive de « mélancoliser », selon le joli néologisme de Dumas), en somme contradictoire et versatile : c'est pourquoi, sans doute, Stevenson déclare qu'il ne connaît pas d'âme plus humaine.

En outre, des quatre amis, lui seul évolue, lui seul affine et nuance son caractère, pendant les trente-cinq ans qui s'écoulent du début des *Trois Mousquetaires* à la fin du *Vicomte de Bragelonne.* Au début, ce n'est que le cadet de Gascogne, tout feu tout flamme, un peu simplet, brave à toute épreuve, mais avec plus de bras que de cervelle. On le voit peu à peu changer, mûrir, alors que les autres restent tout d'une pièce, chacun en proie à sa passion dominante : la vanité pour Porthos, la duplicité pour Aramis, la noblesse d'âme pour Athos. D'Artagnan, lui, enrichit au fil des ans la palette de ses couleurs. Il se sert de moins en moins de son épée et de plus en plus de son intelligence, qui se révèle admirable, surtout son intelligence politique, qui lui permet de s'entretenir d'égal à égal avec un Mazarin, avec un Fouquet, avec un Louis XIV. Ses discussions avec les grands personnages de l'époque comptent parmi les plus belles réussites de *Bragelonne.* La scène où il oblige de Wardes fils à présenter ses excuses à Raoul, devant Guiche et une partie de la cour, est un exemple de sa virtuosité dialectique. Il arrive, lui, gentilhomme de petite extraction, à établir sa supériorité sur des seigneurs de haut lignage, par la force tranquille de son raisonnement. A mesure qu'on avance dans le roman, on le découvre plus ouvert, plus attentif aux autres, rayonnant d'une lumière plus douce, comme un soleil d'automne.

Dumas trouve le symbole linguistique qui marque l'évolution de son héros vers une maturité bienveillante. Le capitaine a renoncé à son exclamation préférée pour un dubitatif et prudent *Bah !* « C'était le mot concluant à l'aide duquel d'Artagnan, devenu sage, terminait maintenant chaque pensée et chaque période de son style. Autrefois il disait : *Mordioux !* ce qui était un coup d'éperon, mais maintenant il avait vieilli, et il murmurait ce *Bah !* philosophique qui sert de bride à toutes les passions. »

Un curieux passage de *Bragelonne* donne un aperçu nouveau sur la fameuse bravoure du mousquetaire, qui paraissait un peu courte dans le premier volet de la trilogie. « D'Artagnan, grâce à son imagination sans cesse errante, avait peur d'une ombre, et, honteux d'avoir eu peur, il marchait à cette ombre, et devenait alors extravagant de bravoure si le danger était réel. » La lecture la plus attentive des *Trois Mousquetaires* ne permet pas de déceler la complexité de cet enchaînement de sentiments : peur, honte, courage. Mais la phrase suivante est encore plus intéressante : « Aussi, tout en lui était émotions, et partant jouissance. » La jouissance, catégorie baroque par excellence : le courage n'est pas affaire de devoir pour d'Artagnan, mais de plaisir, d'intime volupté physique. Il n'expose pas sa vie pour remplir une obligation morale, mais pour sentir vibrer plus intensément son moi.

Il ne dédaigne pas l'argent, loin de là. Sa pauvreté lui pèse, et il lui arrive de changer de maître par dépit de ne s'être pas enrichi avec le précédent. N'y aurait-il pas, dans cette inclination pour les biens matériels (non les dorures d'apparat de Porthos, mais l'or sonnant et trébuchant de Figaro), quelque signe d'un tempérament bourgeois ? Lorsqu'il rencontre, pendant les émeutes de la Fronde, dans *Vingt Ans après*, son ancien valet Planchet faisant faire l'exercice, fusil à l'épaule, à des boutiquiers révoltés, il s'écrie : « Ces bourgeois sont affreusement ridicules. » Voilà qui met, semble-t-il, d'Artagnan au-dessus de tout soupçon. Il aime l'or, mais il n'est pas bourgeois. On remarquera un détail fort intrigant. Alors que les trois autres valets ne sont que le reflet exagéré de leur maître, Grimaud, encore moins loquace qu'Athos, Bazin, dissimulé comme Aramis, Mousqueton, gonflé comme Porthos, Planchet, qui s'établit comme confiseur, qui a peur des coups et aime le confort douillet de son magasin de la rue des Lombards, Planchet apparaît comme l'antithèse de d'Artagnan. Qu'est-ce à dire ? Je crois que l'argent, qui préoccupait fort Dumas, se présentait à son esprit sous deux aspects différents, voire opposés, et qu'il a incarné chacune des deux sortes d'argent dans le maître et dans le valet : l'argent bourgeois dans Planchet, l'argent baroque dans d'Artagnan.

Que signifie une notion baroque de l'argent ? L'intelligence historique de Dumas se montre ici à plein. De même que d'Artagnan se bat à l'épée en s'écartant « à tout moment des règles reçues » (duel inaugural contre Jussac), de même il entretient avec l'argent un rapport qui n'a rien de mercantile. Louis XIII, pour le récompenser de son exploit contre les gardes du cardinal, met une poignée d'or dans la main du mousquetaire. « A cette époque, les idées de fierté qui sont de mise de nos jours n'étaient point encore de mode. Un gentilhomme recevait de la main à la main de l'argent du roi, et n'en était pas le moins du monde humilié. D'Artagnan mit donc les quarante pistoles dans sa poche sans faire aucune façon, et en remerciant tout au contraire grandement Sa Majesté. » *Les idées de fierté* : allusion à la morale financière bourgeoise, selon laquelle il faut gagner l'argent qu'on reçoit, par un travail dûment tarifé. Avec d'Artagnan, nous en sommes encore à l'économie du don sans cause, scandale pour la pensée rationnelle. Non seulement il accepte le cadeau du roi, mais il espère que Mme Bonacieux, sa maîtresse, lui remettra une chaîne d'or ou un diamant. « Nous avons dit que les jeunes cavaliers recevaient sans honte de leur roi ; ajoutons qu'en ce temps de facile morale, ils n'avaient pas plus de vergogne à l'endroit de leurs maîtresses, et que celles-ci leur laissaient presque toujours de précieux et durables souvenirs, comme si elles eussent essayé de conquérir la fragilité de leurs sentiments par la solidité de leurs dons. »

De Milady elle-même, femme qu'il n'a séduite que par vengeance et au prix d'un subterfuge qui ne lui fait pas honneur, il accepte et garde un superbe saphir. « On aurait tort de juger les actions d'une époque au point de vue d'une autre époque. Ce qui aujourd'hui serait regardé comme une honte par un galant homme était dans ce temps une chose toute simple et toute naturelle, et les cadets des meilleurs familles se faisaient en général entretenir par leurs maîtresses. »

Dumas insiste donc sur ce point, caractéristique d'une économie précapitaliste. Il pouvait s'imaginer qu'il était devenu lui-même riche, non en spéculant sur les nouvelles possibilités de la grande presse, mais grâce au seul enthousiasme de ses lecteurs. Ce qui d'ailleurs n'est pas entièrement faux. En tout cas il se ruina aussi souvent qu'il s'enrichit, anarchique dans ses finances comme dans sa vie privée, et content de prouver qu'on pouvait être millionnaire sans pour autant s'embourgeoiser.

Le don, le don gratuit, qu'il porte sur quarante pistoles ou sur un saphir de quarante mille francs, perturbe les lois du marché : il introduit un élément d'imprévu, de caprice, dans une organisation qui, selon la pensée moderne, ne doit répondre qu'au calcul de l'offre et de la demande. Contre-épreuve dans *Bragelonne* : à l'époque où Colbert arrive aux affaires, où la France se prépare à entrer dans un système d'économie rationnelle, la première conséquence du changement est la proscription du don. Fouquet, sous le prétexte que « le luxe est la vertu du roi », veut offrir six magnifiques chevaux d'Angleterre au jeune Louis XIV. Le roi se sent obligé de les refuser, de même qu'il décline la donation de Mazarin, les quarante millions qui seraient pourtant bien nécessaires à son trésor vide. Si l'on veut mettre de l'ordre dans les finances, il faut commencer par éliminer l'habitude déréglante des cadeaux. Rien ne paraît plus offensant, en régime de labeur et d'épargne, que le coup de tête du prodigue qui se sert de l'argent autrement que comme une valeur d'échange.

D'Artagnan, récompensé royalement par Charles II à qui il a permis de remonter sur le trône, revient riche d'Angleterre. Bien qu'il s'agisse d'une richesse donnée, non gagnée, c'est-à-dire baroque, non bourgeoise, il se demande s'il n'a pas déchu quelque peu de la vertu principale qui trempait son caractère. Il raisonne ainsi : le mépris des richesses était l'article premier du code de la bravoure. « On est brave parce qu'on n'a rien. On n'a rien parce qu'on méprise les richesses. » Ce raisonnement le tourmente. Étant devenu riche, est-il encore brave ? Occasion pour lui de découvrir, sous un autre aspect, la vraie nature, riche et complexe, de son courage. Pourquoi se bat-il ? Pourquoi s'est-il toujours battu ? Pour défendre sa peau, « cette précieuse peau de M. d'Artagnan, qui vaut toutes les maisons et tous les trésors du monde ». Autrement dit, par appétit de vivre. Or l'argent, loin de nuire au sentiment vital, ne fait que l'amplifier, l'exalter. « Donc, je désire vivre, et en réalité je vis bien mieux, bien plus complètement depuis que je suis riche. Qui diable disait que l'argent gâtait la vie ? Il n'en est rien, sur mon âme ; il me semble, au contraire, que maintenant j'absorbe double quantité d'air et de soleil. Mordieu ! que sera-ce donc si je double encore cette fortune, et si, au lieu de cette badine que je tiens en ma main, je porte jamais le bâton de maréchal ? »

Bien mieux, bien plus complètement : voilà le secret de la personnalité de d'Artagnan, la clef de son humanité. Ce n'était pas un homme à s'enrichir sou par sou, à force d'économies et de privations. Le *Mordieu !* a jailli spontanément de ses lèvres, « coup d'éperon » de celui qui reste prêt à sauter sur le dos de sa monture, et signe qu'il ne sera jamais l'esclave de son capital. La fortune, pourquoi pas ? à condition qu'elle lui vienne par surprise. La richesse, tant mieux, puisqu'elle lui est tombée dessus, comme une manne du ciel, comme un prodige inattendu. Comme une grâce. Le monde baroque est le monde de la grâce. Un monde ouvert, où tout peut arriver, où il n'y a pas de lois, où l'on va à l'aventure, et d'aventures en aventures. Où l'individu est libre de dilater ses possibilités vitales jusqu'au sentiment de totale complétude.

Et c'est ce monde brillant, généreux, anarchique, fou, dont Dumas entreprend, dans *Le Vicomte de Bragelonne*, de décrire l'irrémédiable déclin, sous la poussée d'une nouvelle époque, qui apporte et impose de nouvelles valeurs. Les mousquetaires ne seront pas vaincus seulement par l'âge, la vieillesse et la mort, mais par l'anachronisme de leur idéal dans une France en pleine mutation.

O tempora, o mores ! La conscience du changement et le regret de l'ancien temps courent comme un fil noir dans les 276 chapitres, sans compter l'épilogue, de l'énorme roman. Les prouesses de rapière ne sont plus possibles aujourd'hui : non seulement parce que Louis XIV a interdit les duels, mais parce que l'insolence provocatrice et la témérité héroïque sont passées de mode. « Bah ! dit d'Artagnan au jeune Raoul, le petit pleurard de roi fait payer l'amende aux gens qui dégainent. Quel règne, mon pauvre Raoul, quel règne ! Quand on pense que de mon temps on assiégeait les mousquetaires dans les maisons, comme Hector et Priam dans la ville de Troie ; et alors les femmes pleuraient, et alors les murailles riaient, et alors cinq cents gredins battaient des mains et criaient : Tue ! tue ! quand il ne s'agissait pas d'un mousquetaire. Mordioux ! vous ne verrez pas cela, vous autres » (chap. LI).

La référence à Homère n'est pas fortuite : la France des cartels était une France épique, où chacun se faisait soi-même justice, au mépris de sa propre vie. Le duel représentait une dépense gratuite, ruineuse pour la jeunesse française ; et c'est pourquoi l'État, quand il a voulu devenir fort, a commencé par le proscrire, substituant au code du sang le règne des lois. Guiche, qu'une rivalité féroce oppose à Wardes, mesure toutes les conséquences de cette réforme. « Il se dit que le temps était passé des grands coups d'épée entre gentilshommes, mais que la haine, en s'extravasant au fond du cœur au lieu de se répandre au-dehors, n'en était pas moins de la haine ; que parfois le sourire était aussi sinistre que la menace, et qu'en un mot, enfin, après les pères qui s'étaient haïs avec le cœur et combattus avec le bras, viendraient les fils qui, eux aussi, se haïraient avec le cœur, mais qui ne combattraient plus qu'avec l'intrigue ou la trahison » (chap. LXXXI).

L'intrigue ou la trahison : il appartient à d'Artagnan de dénoncer, dans la scène de remontrances au roi, une des plus fortes du livre (chap. CCIII), les ravages moraux causés par l'obligation de renoncer à l'éthique de la gloire. « Sire, choisissez ! voulez-vous des amis ou des valets ? des soldats ou des danseurs à révérences ? des grands hommes ou des polichinelles ? voulez-vous qu'on vous serve ou voulez-vous qu'on plie ? Voulez-vous qu'on vous aime ou voulez-vous qu'on ait peur de vous ? — Si vous préférez la bassesse, l'intrigue, la couardise, oh ! dites-le, sire : nous partirons, nous autres, qui sommes les seuls restes, je dirai plus, les seuls modèles de la vaillance d'autrefois ; nous qui avons servi et dépassé peut-être en courage, en mérite, des hommes déjà grands dans la postérité. Choisissez, sire, et hâtez-vous. Ce qui vous reste de grands seigneurs, gardez-le ; vous aurez toujours assez de courtisans. »

Dans cette nouvelle France où il n'est plus possible de s'affirmer par le courage, on prouvera sa valeur par la galanterie. Les petits soins de l'amour remplacent le souci de la gloire, tel est un autre leit motiv du roman. Certes, l'amour n'était absent ni des *Trois Mousquetaires* ni de *Vingt Ans après*, mais, toujours expéditif, il y tenait un rang subalterne. Dumas le traitait par allusions rapides : d'Artagnan et Constance Bonacieux, Aramis et la duchesse de Chevreuse, Anne d'Autriche et Buckingham, quand il n'en faisait pas une peinture parodique (Felton et Milady) ou franchement burlesque (Porthos et la procureuse). Le sujet ne l'intéressait pas. D'Artagnan, pour s'excuser de sa conduite déloyale avec Milady, explique, trente-cinq ans après, pourquoi les mousquetaires avaient autre chose à faire qu'à être honnêtes avec les dames. « J'en appelle à vous, messieurs : cela se passait en 1626, et c'était un temps où l'amour n'était pas scrupuleux, où les consciences ne distillaient pas comme aujourd'hui le miel et la myrrhe. Nous étions de jeunes soldats toujours battant, toujours battus, toujours l'épée hors du fourreau, ou tout au moins à moitié tirée ; toujours entre deux morts ; la guerre nous faisait durs, et le cardinal nous faisait pressés » (chap. XCIV).

Il en va tout autrement dans *Le Vicomte de Bragelonne*. On a le temps d'aimer, maintenant. Aucun autre roman de Dumas ne fait une place aussi belle à l'amour : qu'il s'agisse de l'amour-passion (Raoul et Louise de

La Vallière), de l'amour-caprice (Louis XIV et La Vallière), de l'amour-sentiment (Guiche et Henriette) ou de l'amour-bergerie (Henriette et ses soupirants). Or l'amour, quel qu'il soit, est un principe d'énervement, d'affadissement, qui relâche les fibres du cœur. Pas d'obstacle plus grand à la gloire que la complaisance dans l'amour. Henriette, dite Madame, incarnation du marivaudage de salon, reine du flirt élégant, illustre la nouvelle époque. « Jeune, gracieuse, spirituelle, coquette, amoureuse, plutôt de fantaisie, d'imagination ou d'ambition que de cœur, Madame inaugurait cette époque de plaisirs faciles et passagers qui signala les cent vingt ans qui s'écoulèrent entre la moitié du dix-septième siècle et les trois quarts du dix-huitième » (chap. CXXXII). Ainsi dépeinte, Madame est déjà un personnage de Boucher, de Fragonard.

Raoul, lui, plus sérieux, garçon entier et pur, personnifie un autre aspect de l'amour ; de tout son cœur, de toute son âme il s'est engagé à la jeune Louise de La Vallière ; mais cette honnêteté, cette droiture dans l'amour sont encore plus dangereuses, aux yeux d'un mousquetaire de l'ancien temps. Athos s'oppose à ce que son fils continue à fréquenter Louise, parce qu'il sait que la tendresse est fatale à la vaillance. « Je ne suis pas un père barbare ni injuste ; je respecte l'amour vrai ; mais je pense pour vous à un avenir... à un immense avenir. Un règne nouveau va luire comme une aurore ; la guerre appelle le jeune roi plein d'esprit chevaleresque. Ce qu'il faut à cette ardeur héroïque, c'est un bataillon de lieutenants, jeunes et libres, qui courent aux coups avec enthousiasme et tombent en criant : Vive le roi, au lieu de crier : Adieu, ma femme !... Vous comprenez cela, Raoul. Tout brutal que paraisse être mon raisonnement, je vous adjure donc de me croire et de détourner vos regards de ces premiers jours de jeunesse, où vous prîtes l'habitude d'aimer, jours de molle insouciance, qui attendrissent le cœur et le rendent incapable de contenir ces fortes liqueurs amères qu'on appelle la gloire et l'adversité. Ainsi, Raoul, je vous le répète, voyez dans mon conseil le seul désir de vous être utile, la seule ambition de vous voir prospérer. Je vous crois capable de devenir un homme remarquable ; marchez seul, vous marcherez mieux et plus vite » (chap. L).

Raoul voudrait bien obéir à son père, mais la passion amoureuse le domine. Désespéré d'avoir pour rival le jeune roi lui-même, il ne songe plus désormais qu'à mourir, ce qui lui attire une véhémente mercuriale de d'Artagnan. Au jeune homme qui lui annonce, « d'un air sombre », son intention de se battre en duel mais avec le dessein de ne pas tuer son adversaire, il réplique : « Oui, oh ! oui, vous prenez de ces airs-là, vous autres, aujourd'hui, vous vous ferez tuer, n'est-ce pas ? Ah ! que c'est joli ! et comme je te regretterai, par exemple ! Comme je dirai toute la journée : C'était un fier niais que le petit Bragelonne ! une double brute ! J'avais passé ma vie à lui faire tenir proprement une épée, et ce drôle est allé se faire embrocher comme un oison. Allez, Raoul, allez vous faire tuer, mon ami. Je ne sais pas qui vous a appris la logique, mais, Dieu me damne ! comme disent les Anglais, celui-là, monsieur, a volé l'argent de votre père » (chap. CXC).

Ni la paternelle sollicitude d'Athos ni l'affection bourrue de d'Artagnan n'empêcheront le jeune homme d'aller chercher la mort en Afrique. On ne peut dire que l'héroïsme manque au vicomte : mais c'est un héroïsme retourné, le suicide n'étant que le double inversé du défi. Raoul, personnage déjà romantique, déjà 1830, se fait tuer au lieu de tuer : jamais on n'a si bien montré que le sentiment romantique de la vie est l'opposé exact du sentiment baroque, « l'air sombre » la contrepartie bourgeoise du geste « glorieux » révolu.

Dumas est-il un bon peintre de l'amour ? La promenade de Louis XIV et de La Vallière, dans la forêt de Fontainebleau (Flaubert, qui utilisera le même décor, pour une autre promenade sentimentale, connaissait-il ce passage ?), peut sembler mièvre. Il y a de l'emphase dans la douleur de Raoul. Louise et Raoul, les deux fiancés d'enfance, séparés ensuite par la toquade du roi, restent deux pâles figures, à côté des savoureux, puissants mousquetaires. Le vicomte de Bragelonne n'est qu'un reflet charmant du grave et profond comte de la Fère. Ce qu'on se rappelle de Louise ? Qu'elle est si maigre qu'elle peut « servir de modèle aux ostéologistes », et « d'une assez médiocre beauté pour que ce caprice devienne une grande passion ». La première fois qu'elle rencontre le roi, lors de l'étape de Louis XIV à Blois, la femme de Gaston d'Orléans la présente au souverain comme la belle-fille de son maître d'hôtel, « qui a présidé à la confection de cette excellente daube truffée que Votre Majesté a si fort appréciée ». Commentaire de Dumas, que cette carte de visite aurait dû pourtant ravir : « Que ces paroles de Madame fussent une plaisanterie ou une naïveté, c'était en tout cas l'immolation impitoyable de tout ce que Louis venait de trouver charmant et poétique dans la jeune fille » (chap. VIII).

Rien d'étonnant, au reste, que Dumas, ennemi idéologique de l'époque qui a remplacé la gloire par l'amour, réussisse mieux dans la satire et la parodie de l'amour, que dans son exaltation. Si Louise demeure dans notre souvenir, c'est à cause de son caractère, d'une trempe toute masculine, non de ses émois virginaux, d'une fadeur bien conventionnelle. Lorsqu'elle déclare à Colbert : « Quand le roi agit bien, si le roi fait tort à moi ou aux miens, je me tais ; mais le roi me servît-il, moi ou ceux que j'aime, si le roi agit mal, je le lui dis », elle annonce ce que Montesquieu écrira dans ses *Cahiers* : « Si je savais quelque chose qui me fût utile, et qui fût préjudiciable à ma famille, je la rejetterais de mon esprit. Si je savais quelque chose utile à ma famille, et qui ne le fût pas à ma patrie, je chercherais à l'oublier. Si je savais quelque chose utile à ma patrie, et qui fût préjudiciable à l'Europe, ou bien qui fût utile à l'Europe et préjudiciable au Genre humain, je la regarderais comme un crime. » Enfin, Louise nous émeut lorsque, tout à la fin du roman, nous la découvrons supplantée dans le cœur du roi par Mme de Montespan, abandonnée, bafouée : la première de ces héroïnes de l'échec qui peupleront la seconde moitié du siècle, dans les romans de Flaubert, de Tolstoï, de Maupassant.

Une très révélatrice lettre à son fils nous apprend de quels modèles littéraires Dumas se réclamait[1]. Au jeune garçon de seize ans, il recommande de lire :

1. Citée par Henri Clouard (*Alexandre Dumas*, Albin Michel, 1955), qui la date de 1839 ou 1840, et Claude Schopp (*Alexandre Dumas*, Mazarine, 1985), qui précise : fin décembre 1840.

Homère, Sophocle, Euripide, Shakespeare, Dante, la Bible, Schiller. Schiller, l'auteur héroïque de *Guillaume Tell* et de *Don Carlo*, et non Goethe, le poète élégiaque du *Divan*. Parmi les Français : Molière, parce que c'est « un grand modèle de la langue de Louis XIV », le fier Chénier, Hugo pour ses vers politiques, et Lamartine. Dumas avait sans doute sur Lamartine le même jugement qu'Henri Guillemin, qui trouve au poète du *Lac* « une énergie, une virilité, dont s'étonnent ceux-là seulement qui se font de Lamartine l'image, incroyablement inexacte, d'un chétif *pleurard à nacelle*[1] ». Enfin Dumas place au premier rang Corneille. « Lis Corneille, apprends-en des morceaux par cœur. Corneille n'est pas toujours poétique, mais il parle toujours une belle langue, colorée et concise. » Pas un mot de Racine. Le choix de Corneille contre Racine est typique. Dumas préfère l'apologiste de la force morale, au poète de la passion destructrice. D'ailleurs, quand il veut (amours de Madame et Guiche, de Louis et Louise) faire du Racine, il minaude, il n'arrive à faire que du Quinault.

« Si d'Artagnan eût été poète, écrit Dumas lors du voyage du mousquetaire à Belle-Isle, c'était un beau spectacle que celui de ces immenses grèves, d'une lieue et plus, que couvre la mer aux marées, et qui, au reflux, apparaissent grisâtres, désolées, jonchées de polypes et d'algues mortes avec leurs galets épars et blancs, comme des ossements dans un vaste cimetière » (chap. LXVII). On voit que Dumas lui-même n'était pas inapte à l'évocation poétique. S'il refuse à d'Artagnan le loisir de contempler les beautés de la nature, c'est par parti pris polémique contre la poésie, coupable de s'associer trop souvent à l'amour. Elle détend le ressort de l'énergie, ralentit l'action et empêche un homme de se dépasser. Stendhal eût pensé de même.

Venons-en au personnage principal du *Vicomte de Bragelonne* : c'est *la raison d'État*, au nom de laquelle il faut renoncer à l'économie de la dépense, à l'habitude des duels, au faste baroque, à l'indépendance individuelle. La raison d'État entre en action dès le chapitre XIII. Louis XIV, amant de Marie de Mancini, rompt avec sa maîtresse parce que la raison d'État l'oblige à épouser l'infante d'Espagne Marie-Thérèse, ce mariage servant de gage à l'alliance entre les deux monarchies. D'Artagnan, qui a surpris le secret du renoncement de Louis XIV à la jeune Italienne, présente aussitôt sa démission au roi, car il ne supporte plus de servir un souverain qui n'est pas libre d'être lui-même. Au chapitre XIV, il expose au monarque, dans la première de ces remontrances qui ponctueront le livre de leur rude et passionnée éloquence, pourquoi l'époque actuelle dégoûte un mousquetaire de l'ancien temps. « Oh ! ce fut un beau temps, sire, semé de batailles, comme une épopée du Tasse ou de l'Arioste ! Les merveilles de ce temps-là, auxquelles le nôtre refuserait de croire, furent pour nous des banalités. Pendant cinq ans je fus un héros de tous les jours, à ce que m'ont dit du moins quelques personnages de mérite ; et c'est long, croyez-moi, sire, un héroïsme de cinq ans ! » Il n'y a aucune jactance dans ce propos : d'Artagnan est conscient de mener un

1. *Vérités complémentaires*, Seuil, 1990, p. 102.

combat d'arrière-garde, le combat de la gloire contre la raison d'État ; il ne se vante pas de ce qu'il a été, il déplore que la conception épique de la vie ne soit plus possible à l'époque du réalisme politique.

La raison d'État montre plusieurs faces. Une face comique, dans le chapitre CLVIII, où d'Artagnan affronte à nouveau son souverain, à la suite d'un incident survenu à la cour. Guiche, un des plus valeureux gentilshommes, a été blessé, en des circonstances mystérieuses, dans le bois Rochin, près de Paris. Le roi a chargé d'Artagnan de mener l'enquête. D'Artagnan, dans un chapitre précédent, a rapporté au roi la vérité, à savoir que deux hommes se sont battus au pistolet. Il a relevé la trace des balles et tous les détails du duel, par la seule force d'un talent déductif qui en fait un émule de Zadig. Mais Louis XIV, entre-temps, a appris que Guiche avait provoqué Wardes pour sauver l'honneur de Louise de La Vallière, compromise par son aventure avec le roi. Celui-ci veut empêcher que l'affaire ne s'ébruite. Il décide donc de lancer une version officielle de l'événement, selon laquelle Guiche aurait été blessé par un sanglier, lors d'un affût malheureux. Et de convoquer une nouvelle fois d'Artagnan.

« — Dites-moi donc, comment se fait-il que vous ayez la vue si trouble, vous qui d'ordinaire avez de si bons yeux ?

— J'ai la vue trouble, moi, sire ?

— Sans doute.

— Cela doit être certainement, puisque Votre Majesté le dit. Mais en quoi, trouble, s'il vous plaît ?

— Mais à propos de cet événement du bois Rochin.

— Ah ! ah !

— Sans doute. Vous avez vu les traces de deux chevaux, vous avez reconnu les pas de deux hommes, vous avez relevé les détails d'un combat. Rien de tout cela n'a existé ; illusion pure.

— Ah ! ah ! fit encore d'Artagnan.

— C'est comme ces piétinements du cheval, c'est comme ces indices de lutte. Lutte de Guiche contre le sanglier, pas autre chose ; seulement la lutte a été longue et terrible, à ce qu'il paraît.

— Ah ! ah ! continua d'Artagnan.

— Et quand je pense que j'ai un instant ajouté foi à une pareille erreur ! mais aussi vous parliez avec un tel aplomb !

— En effet, sire, il faut que j'aie eu la berlue, dit d'Artagnan avec une belle humeur qui charma le roi.

— Vous en convenez alors ?

— Pardieu, sire, si j'en conviens !

— De sorte que maintenant vous voyez la chose ?

— Tout autrement que je ne la voyais il y a une demi-heure.

— Et vous attribuez cette différence dans votre opinion ?

— Oh ! à une chose bien simple, sire : il y a une demi-heure je revenais du bois Rochin, où je n'avais pour m'éclairer qu'une méchante lanterne d'écurie...

— Tandis qu'à cette heure ?

— A cette heure, j'ai tous les flambeaux de votre cabinet, et de plus les deux yeux du roi, qui éclairent comme des soleils. »

Scène de haute et juteuse comédie, comme il y en a tant dans *Le Vicomte de Bragelonne*. La raison d'État présente aussi une face rocambolesque : Dumas, reprenant à sa façon la légende du Masque de fer, imagine que Louis XIV a un jumeau, et que ce double, dangereux pour la paix civile en France, a été dès sa naissance sacrifié par sa mère, Anne d'Autriche, qui le condamna à rester au secret dans un cachot impénétrable. Les manigances d'Aramis pour substituer à Louis son frère Philippe, les scènes à la Bastille avec M. de Baisemaux, le pleutre gouverneur, les faux plafonds de Vaux, le plancher qui descend dans la cave, etc., nous plongent en plein roman-feuilleton. *Le Vicomte de Bragelonne*, roman historique et psychologique à ranger entre *Les Illusions perdues* et *La Chartreuse de Parme*, dans le même rayon de la bibliothèque, appartient aussi, par ces quelques chapitres extravagants, à l'étagère inférieure où Ponson du Terrail voisine avec Gaston Leroux.

Cependant, la raison d'État, le plus souvent, arbore un visage sérieux, morose, sévère : le visage même de Colbert, petit-bourgeois monté à la cour. « M. Colbert, avec sa tête carrée, son gros luxe d'habits débraillés qui le faisaient ressembler quelque peu à un seigneur flamand après la bière. » Inutile de dire qu'un tel personnage répugne à d'Artagnan, et vice versa. Dès leur première rencontre (chap. LIII), ils se jaugent, se jugent, et comprennent qu'ils incarnent deux principes incompatibles. « Ces deux hommes se regardèrent alors : d'Artagnan, l'œil ouvert et flamboyant ; Colbert, l'œil à demi couvert et nuageux. La franche intrépidité de l'un déplut à l'autre ; la cauteleuse circonspection du financier déplut au soldat. » L'avare, laborieux, opiniâtre Colbert représente tout ce que déteste Dumas, qui aurait pu en faire un portrait caricatural, sans le besoin de rendre justice à l'intelligence politique du ministre. Il le montre tantôt bas et ignoble, se servant de faux papiers et volant une lettre privée pour perdre Fouquet, mais tantôt aussi dans toute sa grandeur d'homme d'État. En une page magistrale, résumé de l'histoire de France et de l'expansion économique sous Louis XIV, Colbert se justifie auprès de d'Artagnan d'avoir été dans l'obligation de faire arrêter et emprisonner Fouquet. « Je voulais administrer les finances, et les administrer seul, parce que je suis ambitieux, et que surtout j'ai la confiance la plus entière dans mon mérite, parce que je sais que tout l'or de ce pays va me tomber sous la vue, et que j'aime à voir l'or du roi ; parce que si je vis trente ans, en trente ans pas un denier ne me restera dans la main ; parce qu'avec cet or, moi, je bâtirai des greniers, des édifices, des villes, je creuserai des ports ; parce que je créerai une marine, j'équiperai des navires qui iront porter le nom de la France aux peuples les plus éloignés ; parce que je créerai des bibliothèques, des académies ; parce que je ferai de la France le premier pays du monde et le plus riche. Voilà les raisons de mon animosité contre M. Fouquet, qui m'empêchait d'agir. Et puis, quand je serai grand et fort, quand la France sera grande et forte, à mon tour je crierai : Miséricorde ! » (chap. CCXLVII).

Fouquet, c'est l'anti-Colbert. L'idéologie baroque se divise en deux valeurs : la gloire, personnifiée par d'Artagnan, et le plaisir, incarné par Fouquet. L'entrée de Fouquet dans le roman (XVII) est admirable : on ne le voit pas encore, il passe dans sa voiture, caché aux yeux des spectateurs. « De longs éclats de rire [...] qui sortaient du même carrosse, laissaient comme une traînée de joie sur le passage du rapide cortège. » Plus loin, Louis XIV apprend l'arrivée de Fouquet au Louvre par le bruit qui précède le surintendant des finances. « C'était lui qui faisait ce bruit dans la galerie ; c'étaient ses laquais qui faisaient ce bruit dans les antichambres ; c'étaient ses chevaux qui faisaient ce bruit dans la cour. En outre, on entendait un long murmure sur son passage qui ne s'éteignait que longtemps après qu'il avait passé » (chap. XLVII).

De même que d'Artagnan dépense son courage, Fouquet dépense son argent. Devise du surintendant : « Sera mon ennemi, quiconque me conseillera d'épargner. » C'est l'homme du bruit, des plaisirs, de la fête, du jeu, de la rapidité légère et heureuse. L'homme qui a « les défauts féconds » et « les vices utiles ». Il dit : « J'ai de l'ordre, par esprit de paresse, pour m'épargner de chercher. » « C'est mon homme », pense d'Artagnan. Dans le tableau des différentes espèces du genre *barocchus* établi par Eugenio d'Ors, Fouquet pourrait prendre place sous une rubrique non prévue par l'essayiste espagnol, le *barocchus monetarius*. Il faut qu'il jette l'or à pleines mains, qu'il fasse de sa fête à Vaux une « héroïque magnificence », magnificence par l'éclat de la décoration et des divertissements, héroïque parce qu'elle le perdra auprès du roi jaloux de tant de splendeurs.

Cependant, l'irritation de Louis XIV ne peut être réduite à une mesquine aigreur. Lui aussi saura dépenser, pour Versailles et les fêtes de Versailles ; s'il tient de Colbert par le souci de la grandeur étatique, il tient de Fouquet par la gourmandise, l'appétit de jouissance, la vitalité prodigue. Différence entre Vaux et Versailles : Vaux, c'était de l'argent dépensé *pour rien*, une folie ruineuse, une offense à la mesure, à la raison, à l'unité ; Versailles, ce sera de l'argent dépensé par calcul politique, pour établir la monarchie dans toute sa pompe et sa puissance.

Paul Morand a tort d'appeler Fouquet le « dernier homme de la Renaissance ». Morand partageait le préjugé antibaroque commun aux Français. Quand il écrit : « Cette montée en volutes, ces lignes plus courbes que le dos des courtisans, ces arabesques en porte à faux comme la morale d'Escobar, et, pour finir, ce grand arc brisé, c'est bien l'architecture jésuite, c'est la vie même de Fouquet[1] », il laisse entrevoir l'origine d'une telle prévention. Assimiler la ligne courbe, principe en effet cardinal de l'esthétique baroque, au dos plié des courtisans, autorise à discréditer un art, une culture, une mentalité que seule cette image représente comme serviles. Les architectes, les sculpteurs et les peintres baroques n'ont pas emprunté la ligne courbe aux courbettes des courtisans, mais à l'arabesque dessinée par les violons,

1. *Fouquet ou le soleil offusqué*, Gallimard, 1961.

aux fioritures du *bel canto*, à la palme qui se balance au vent, à l'aile de l'oiseau, à la trompe de l'éléphant, au cours d'eau serpentin.

Fouquet est le dernier homme du baroque, du moins le dernier homme du baroque en France, peut-être même le seul qu'on puisse comparer aux compatriotes de Bernini et d'Urbain VIII ; de la race de ces grands seigneurs plus dociles à leur fantaisie que soumis à leur souverain. Ils vivaient pour la façade et ressemblaient à leurs palais. La confession de Fouquet à d'Artagnan (CCXXV) le montre conscient de sa fragilité, de sa précarité. « Je ne vis pas tout seul, moi ; je ne suis rien tout seul. » Plus que tout au monde, il craint la solitude. « La solitude, à moi homme de bruit, à moi, homme de plaisirs, à moi qui ne suis que parce que les autres sont ! » Paroles profondes, qui définissent Fouquet comme l'homme du paraître : il n'existe que par le reflet brillant de son argent, de ses fêtes, dans le regard admiratif des autres. En face de lui, décidé à le détruire, se dresse Louis XIV, l'homme de l'être, celui pour qui l'argent, les fêtes ne sont qu'un moyen d'affermir l'État.

On distingue mieux maintenant l'architecture du livre. Deux mouvements s'y dessinent. Premier mouvement : Colbert triomphe de Fouquet. Second mouvement : Louis XIV plie d'Artagnan.

Premier mouvement. Colbert combat Fouquet, ainsi qu'il l'explique à la duchesse de Chevreuse, moins par opposition de caractères que par conflit doctrinal. « Madame, en politique, les différences de système peuvent amener des dissidences entre les hommes. M. Fouquet m'a paru pratiquer un système opposé aux vrais intérêts du roi » (chap. CCXLII). Fouquet avait déjà exposé au roi (chap. CXXI) en quoi ces deux systèmes étaient incompatibles. « Votre Majesté a en M. Colbert et en moi deux hommes précieux. L'un lui fera dépenser son argent, et ce sera moi, si toutefois mon service agrée toujours à Sa Majesté ; l'autre lui économisera, et ce sera M. Colbert... Moi je suis l'homme qu'il faut pour faire entrer l'argent, lui l'homme qu'il faut pour l'empêcher de sortir. » Et encore : « Sur l'honneur, je ne connais pas en France un meilleur commis que M. Colbert. » Ou : « M. Colbert a fait les choses avec infiniment d'ordre. » Et Dumas de souligner la nuance méprisante des deux termes employés par Fouquet : « Ce mot *ordre* fit le pendant du mot *commis*. »

Impuissant au début contre le faste ostentatoire du surintendant des finances, l'obscur scribe ourdit peu à peu la trame qui va renverser les rôles, porter le comptable au pouvoir, et précipiter le grand seigneur dans la disgrâce et la ruine. La victoire de Colbert a plusieurs significations. La France de l'anarchie scintillante cède la place à la France de l'ordre et de la mesure, la subversion baroque se soumet à la raison classique, mais aussi : le principe du réel (des réalités économiques) l'emporte sur le principe du plaisir, l'État accapare et étouffe les profuses énergies du moi ; et encore : la monarchie change d'âge, ce n'est plus l'adolescence batailleuse du règne de Louis XIII, ni l'ardeur brouillonne de la Fronde, mais la maturité rassise de la royauté absolue.

Le génie de Dumas est d'avoir incarné ce changement dans la métamorphose physiologique et psychologique des quatre mousquetaires eux-mêmes. Jeunes et primesautiers dans *Les Trois Mousquetaires*, toujours juvéniles dans *Vingt Ans après*, les voilà maintenant au seuil de la vieillesse. Athos est devenu lent, Porthos obèse, ses jambes commencent à lui manquer, d'Artagnan se plaint de sentir ses facultés décliner. Ils ont vieilli en même temps que la France, les pesanteurs individuelles de l'âge reflétant la grande mutation historique. La nation se refroidit, s'alourdit, à mesure que ses héros s'ankylosent. L'action du roman court moins vite, parce que l'heure n'est plus aux démonstrations brillantes mais aux confirmations laborieuses. La France, pour être forte et grande, doit s'alentir, s'épaissir, comme le sang dans les veines aux approches ou au-delà (pour Athos) de la soixantaine.

Autre signe de ce durcissement des artères : les quatre amis, qui étaient solidaires dans leur jeunesse, se mentent et se trompent à présent. A vingt ans, entre camarades, on peut se sentir emportés par le même élan ; on est tous un peu boy-scouts à vingt ans. L'âge venu, chacun prend ses distances, chacun accentue ses différences. D'Artagnan, devant Aramis, déplore (chap. CCXX) que leur grande amitié, qu'ils croyaient incorruptible, soit morte comme leurs autres illusions. Admirable lucidité de Dumas, qui lui a coûté bon nombre de lecteurs. Car son public, fait d'abord d'enfants et d'adolescents, aime *Les Trois Mousquetaires* et *Vingt Ans après* à cause de l'optimisme qui s'en dégage, mais boude *Le Vicomte de Bragelonne*, roman beaucoup moins populaire bien qu'infiniment supérieur, dont le pessimisme, inattendu chez Dumas, séduirait les lecteurs plus mûrs, si ne perdurait le préjugé contre l'« amuseur ».

D'Artagnan, averti du danger qui menace Fouquet, désire sauver celui qui lui inspire une instinctive sympathie. Il lui conseille donc (chap. CCXLIV) de s'échapper de Nantes, où le roi tient conseil, avant qu'il ne soit trop tard ; mais comme un exposé trop explicite de la situation serait contraire à la volonté du roi, d'Artagnan se contente d'allusions indirectes. D'où une nouvelle scène de ruse et de virtuosité ironique, entre le surintendant et le capitaine « dont les yeux ne cessaient de parler un langage opposé au langage des lèvres ». Ayant ensuite reçu de Louis XIV l'ordre formel d'arrêter Fouquet, d'Artagnan aperçoit le surintendant qui vient de s'enfuir à cheval en direction de la côte. Il se lance à sa poursuite. Le cheval blanc du fugitif et le cheval noir du capitaine (chap. CCXLVI) courent à perdre haleine. Jamais Dumas ne s'est éloigné davantage de la vérité historique (Fouquet fut arrêté à Nantes, pacifiquement, à la sortie du Conseil, par d'Artagnan, qui le cueillit dans sa chaise à porteurs[1]), mais rarement il a écrit une scène plus belle et plus juste, psychologiquement et historiquement, que cette double galopade le long de la Loire et son dénouement. D'Artagnan rejoint Fouquet ; il lui crie de se défendre ; que chacun fasse son devoir : lui, d'Artagnan, d'arrêter Fouquet, et Fouquet d'éviter d'être arrêté. Fouquet met pied à terre,

1. Voir les *Mémoires de monsieur d'Artagnan*, par Courtilz de Sandras, Mercure de France, 1987.

sans opposer de résistance à d'Artagnan, lequel, épuisé par la course, s'évanouit entre les bras de son prisonnier. Fouquet, qui a une nouvelle occasion de s'échapper, ranime d'Artagnan et lui permet de l'arrêter. Scène prodigieuse de vérité, qui montre quel puissant courant d'attraction réciproque circule entre ces deux hommes en principe ennemis, puisque l'un sert le roi, auquel l'autre porte ombrage. Fouquet en se rendant confie à d'Artagnan qu'il ne s'est perdu que pour une seule faute. « J'aurais dû vous avoir pour ami. » Mot qui dépasse de beaucoup la circonstance où il est prononcé. Fouquet veut dire qu'il a été fou de ne pas comprendre que l'alliance de l'homme de la gloire et de l'homme du plaisir était naturelle par essence. Elle aurait pu changer le cours de l'histoire. A eux deux, s'ils avaient fait front commun, ils n'auraient peut-être pas été vaincus par l'homme de l'État.

Second mouvement. Après avoir éliminé Fouquet, Louis XIV mate d'Artagnan. Depuis le début du roman, le capitaine des mousquetaires est en conflit avec son souverain, dans les limites imposées par le respect de la majesté. Il a même démissionné une fois du service, et reste toujours tenté de reprendre sa liberté ; et Louis XIV, constamment irrité par les velléités d'indépendance du mousquetaire, ne l'a gardé près de lui que parce qu'il est la plus fine lame et le cœur le plus intrépide du royaume. Vient enfin (CCLIX) la grande explication entre les deux hommes, dans le chapitre intitulé significativement « Le roi Louis XIV ». D'Artagnan ne supporte pas que le roi ait donné l'ordre de prendre d'assaut Belle-Isle et de capturer pour les faire pendre les deux défenseurs de la forteresse, qui ne sont autres que Porthos et Aramis. Il présente donc à nouveau sa démission au roi, qui d'abord l'accepte, non sans lui donner une magistrale leçon de politique.

« — Assez, monsieur d'Artagnan, assez de ces intérêts dominateurs qui viennent ôter le soleil à mes intérêts. Je fonde un État dans lequel il n'y aura qu'un maître, je vous l'ai promis autrefois ; le moment est venu de tenir ma promesse. Vous voulez être, selon vos goûts et vos amitiés, libre d'entraver mes plans et de sauver mes ennemis ? Je vous brise et je vous quitte. Cherchez un maître plus commode. » Plus loin : « Comprendriez-vous, monsieur d'Artagnan, de servir un roi qui aurait cent autres rois, ses égaux, dans le royaume ? Pourrais-je, dites-le-moi, faire avec cette faiblesse les grandes choses que je médite ? Avez-vous jamais vu l'artiste pratiquer des œuvres solides avec un instrument rebelle ? Loin de nous, monsieur, ces vieux levains des abus féodaux ! La Fronde, qui devait perdre la monarchie, l'a émancipée. Je suis maître chez moi, capitaine d'Artagnan, et j'aurai des serviteurs qui, manquant peut-être de votre génie, pousseront le dévouement et l'obéissance jusqu'à l'héroïsme. Qu'importe, je vous le demande, qu'importe que Dieu n'ait pas donné du génie à des bras et à des jambes ? C'est à la tête qu'il le donne, et à la tête, vous le savez, le reste obéit. Je suis la tête, moi ! »

Stupeur du mousquetaire. « D'Artagnan demeurait étourdi, muet, flottant pour la première fois de sa vie. Il venait de trouver un adversaire digne de lui. Ce n'était plus de la ruse, c'était du calcul ; ce n'était plus de la violence, c'était de la force ; ce n'était plus de la colère, c'était de la volonté ; ce n'était plus de la jactance, c'était du conseil. Ce jeune homme qui avait terrassé Fouquet et qui pouvait se passer de d'Artagnan, dérangeait tous les calculs un peu entêtés du mousquetaire. » Celui-ci, médusé par le roi, reprend sa démission, non sans évaluer avec une amère lucidité quel sera dorénavant son rôle.

« — Votre capitaine des mousquetaires sera désormais un officier gardant les portes basses. Vrai, sire, si tel doit être désormais l'emploi, profitez de ce que nous sommes bien ensemble pour me l'ôter. N'allez pas croire que j'aie gardé rancune ; non, vous m'avez dompté, comme vous dites ; mais il faut l'avouer, en me dominant, vous m'avez amoindri ; en me courbant, vous m'avez convaincu de faiblesse. Si vous saviez comme cela me va bien de porter haut la tête, et comme j'aurai piteuse mine à flairer la poussière de vos tapis ! Oh ! sire, je regrette sincèrement, et vous regretterez comme moi, ce temps où le roi de France voyait dans ses vestibules tous ces gentilshommes insolents, maigres, maugréant toujours, hargneux, mâtins qui mordaient mortellement les jours de bataille. Ces gens-là sont les meilleurs courtisans pour la main qui les nourrit ; ils la lèchent ; mais pour la main qui les frappe, oh ! le beau coup de dent ! Un peu d'or sur les galons de ces manteaux, un peu de ventre dans les hauts-de-chausse, un peu de gris dans ces cheveux secs, et vous verrez les beaux ducs et pairs, les fiers maréchaux de France !

« Mais pourquoi dire tout cela ? Le roi est mon maître, il veut que je fasse des vers, il veut que je polisse avec des souliers de satin les mosaïques de ses antichambres ; mordioux ! c'est difficile, mais j'ai fait plus difficile que cela. Je le ferai. Pourquoi le ferai-je ? Parce que j'aime l'argent ? J'en ai. Parce que je suis ambitieux ? Ma carrière est bornée. Parce que j'aime la cour ? Non. Je resterai, parce que j'ai l'habitude depuis trente ans d'aller prendre le mot d'ordre du roi et de m'entendre dire : Bonsoir, d'Artagnan, avec un sourire que je ne mendiais pas. Ce sourire, je le mendierai. Êtes-vous content, sire ?

« Et d'Artagnan courba lentement sa tête argentée, sur laquelle le roi souriant posa sa blanche main avec orgueil. »

D'Artagnan gagne, par cette soumission, son bâton de maréchal. Mais quelle abdication que ce couronnement ! Quel échec que cet aboutissement ! Le mousquetaire transformé en courtisan, le héros de Corneille en valet docile (« Mange mon meilleur pain et dors tranquille », lui dit le roi en le congédiant), la valeur individuelle asservie à l'État, la volonté organisatrice imposant sa loi, les énergies mises au pas, voilà tout ce qui signale le passage d'une époque à l'autre. Si d'Artagnan n'avait pas eu la tête « argentée », aurait-il supporté de renier ainsi sa jeunesse ? Mais sa jeunesse l'a abandonné la première. La mélancolie de ce chapitre est double. La tristesse de la vieillesse biologique s'ajoute au chagrin de devoir sacrifier à l'idéologie absolutiste les valeurs baroques devenues inacceptables à l'État.

Je m'en voudrais d'essayer de « sauver » Dumas du dédain où on le tient, en en faisant un précurseur de Proust ; ce serait pur académisme et capitulation devant la mode ; Proust n'est pas la pierre de touche de la « modernité », sinon dans l'esprit des pédants. « L'aspect des objets extérieurs est un mystérieux conducteur, qui correspond aux fibres de la mémoire et va les réveiller quelquefois malgré nous. » Qui a écrit cela le premier ? Proust ? Non, Dumas, dans *Vingt Ans après*. Et il n'y a pas de plus grand évocateur de la durée, il n'y a pas d'écrivain qui nous fasse mieux sentir le destructeur écoulement du temps, que l'auteur du *Vicomte de Bragelonne*. La décrépite duchesse de Chevreuse, qui extirpe de son sein « rougi » et « éraillé » par le frottement des papiers la liasse qu'elle vend à Colbert pour perdre Fouquet, aurait pu, dans *Le Temps retrouvé*, apparaître à la dernière soirée des Guermantes. Tous les personnages de la trilogie, d'Anne d'Autriche à Grimaud, grands et petits, maîtres et serviteurs, têtes couronnées et valetaille, se retrouvent, trente-cinq ans après le début, rongés, usés, flétris par les ans.

Que reste-t-il aux mousquetaires de Louis XIII, en cette année 1661, qui n'est nullement de grâce pour eux ? Ils s'efforcent chacun de combattre le déclin, sans illusions mais non sans courage : d'Artagnan par les plaisirs de l'intelligence, Athos par les douceurs de la paternité et par la conscience de maintenir intacte la notion de l'honneur (dans la scène de remontrances à Louis XIV, chapitre CXCVII, il établit la supériorité de l'ancienne morale aristocratique sur l'arbitraire royal), Aramis par les finesses de l'ambition, Porthos enfin par des joies plus simples, plus concrètes. D'abord la boulimie. Plus il vieillit, plus il mange. Dans la boutique du malheureux Planchet, épicier et confiseur, il égraine dans ses lèvres, d'un seul coup, les grappes de muscat sec dont une demi-livre passe ainsi, d'un seul coup, de sa bouche dans son estomac. Allongeant sa main vers un petit baril de miel, il en avale une bonne demi-livre. Il croque, mâche, casse, grignote, suce et engloutit la moitié du magasin, à la grande épouvante des commis, qui se demandent s'il n'aura pas envie aussi de chair fraîche (chap. CXLIII). Il leur apparaît comme un survivant de « la race de ces titans qui avaient porté les dernières cuirasses d'Hugues Capet, de Philippe-Auguste et de François Ier ». Porthos-titan, Porthos à « la rotondité colossale », met l'épopée dans la gastronomie. Soupant à la table du roi, après avoir ingurgité un salmis de lièvre, un demi-agneau, une terrine de perdreaux et de râles, les trois quarts d'une hure de sanglier, il avale pour dessert « un nougat capable de coller l'une à l'autre les deux mâchoires d'un crocodile » (chap. CLIII).

Des quatre mousquetaires, Porthos est celui qui amuse le plus Dumas, par son énormité bonhomme. Nous aussi il nous réjouit, à chacune de ses apparitions : quand il exige que le tailleur prenne ses mesures sans le toucher, ou quand, pour se rappeler le nom de Molière, il imagine un moyen mnémotechnique qui semble sortir d'une pièce d'Ionesco. « Molière ou Poquelin », lui dit d'Artagnan. « J'aime mieux Molière, répond Porthos. Quand je voudrai me rappeler son nom, je penserai à volière, et comme j'en ai une à Pierrefonds... » Résultat : il dit toujours « Volière », jusqu'au moment où, agacé, il se rabat sur Poquelin. « Je me rappellerai madame Coquenard » (la procureuse qu'il a épousée). « Je changerai Coc en Poc, nard en lin, et au lieu de Coquenard, j'aurai Poquelin » (chap. CCXI).

D'Artagnan, abasourdi, applaudit à ce stratagème, qui donne les effets les plus cocasses, tantôt Coquelin et tantôt Poquenard, pour finir dans un grandiose Coquelin de Volière, façon bourgeois gentilhomme. Si Porthos garde le plus longtemps ce fruité, cette saveur, cette drôlerie de héros baroque, c'est que, trop naïf pour soupçonner les intrigues du nouveau règne, trop simple pour comprendre que le temps de sa jeunesse est révolu, il reste jusqu'à sa mort le personnage glorieux que ses amis, plus futés, ont renoncé à être.

Mais tous, une suprême consolation les attend : de quitter le terrain solide de l'histoire, où ils sont perdants, pour entrer dans l'aura salvatrice du mythe. Plusieurs cérémonies des adieux préparent cette ascension mythique des quatre mousquetaires. Porthos et Aramis, avant de partir pour Belle-Isle, prennent un congé solennel d'Athos (chap. CCXXXII). « Ce dernier les vit sur le grand chemin s'allonger dans l'ombre avec leurs manteaux blancs. Pareils à deux fantômes, ils grandissaient en s'éloignant de terre, et ce n'est pas dans la brume, dans la pente du sol qu'ils se perdirent : à bout de perspective, tous deux semblèrent avoir donné du pied un élan qui les faisait disparaître évaporés dans les nuages. » Puis c'est au tour de d'Artagnan de se séparer d'Athos et de Raoul (chap. CCXXXIX). Il s'éloigne, mais, cédant à un pressentiment, revient étreindre une dernière fois les deux têtes chéries du comte de la Fère et de son fils. « Il les tint longtemps embrassés sans dire un mot, sans laisser échapper un soupir qui brisait sa poitrine. Puis, aussi rapidement qu'il était venu, il repartit en appuyant les deux éperons aux flancs du cheval furieux. »

Plus déchirants que tous, plus empreints d'une douceur impalpable qui en transfigure la portée, les adieux d'Athos à son fils, qui part guerroyer en Afrique (chap. CCXXXIX). « Nous nous aimons trop, dit le comte, pour que à partir de ce moment où nous nous séparons, une part de nos deux âmes ne voyage pas avec l'un et l'autre de nous, et n'habite pas où nous habiterons. Quand vous serez triste, Raoul, je sens que mon cœur se noiera de tristesse, et, quand vous voudrez sourire en pensant à moi, songez bien que vous m'enverrez de là-bas un rayon de votre joie. » Le navire qui emporte Raoul s'éloigne ; assis sur le môle, Athos ne quitte pas des yeux le jeune homme. « Chaque seconde lui enleva un des traits, une des nuances du teint pâle de son fils. Les bras pendants, l'œil fixe, la bouche ouverte, il resta confondu avec Raoul dans un même regard, dans une même pensée, dans une même stupeur.

« La mer emporta, peu à peu, chaloupes et figures jusqu'à cette distance où les hommes ne sont plus que des points, les amours des souvenirs. »

Le bateau s'efface à l'horizon, Athos continue à le fixer du regard.

« Raoul lui apparut jusqu'au dernier moment, et l'imperceptible atome passant du noir au pâle, du pâle au blanc, du blanc à rien, disparut pour Athos, disparut bien longtemps après que, pour tous les yeux des assistants, avaient disparu puissants navires et voiles gonflées.

« Vers midi, quand déjà le soleil dévorait l'espace et qu'à peine l'extrémité des mâts dominait la ligne incandescente de la mer, Athos vit s'élever une ombre douce, aérienne, aussitôt évanouie que vue : c'était la fumée d'un coup de canon que M. de Beaufort venait de faire tirer pour saluer une dernière fois la côte de France. »

Après les adieux, la mort, qui va sublimer chacun des mousquetaires, en révélant son essence surnaturelle. Ils ne sont pas seulement des hommes, ils sont les quatre éléments incarnés. Porthos le titan, lié à la terre par sa simplicité d'esprit comme par sa vigueur herculéenne, périt écrasé dans la grotte de Locmaria, sous le poids des rochers fendus par l'explosion. Chapitre célèbre (CCLVI), où sont décrites toutes les phases de la lutte du colosse contre l'élément, et qui s'achève sur cette phrase, digne de l'apocalypse qui a englouti l'Atlas : « Plus rien ! Le géant dormait de l'éternel sommeil, dans le sépulcre que Dieu lui avait fait à sa taille. »

La mort de Porthos est la plus spectaculaire ; la mort d'Athos, la plus poétique. Le gentilhomme appartient à l'air, lui. Sans nouvelles de Raoul, dévoré par le chagrin, il se laisse mourir par détachement de la matière. « Couché pour n'avoir plus à porter son corps, il laissait l'âme et l'esprit s'élancer hors de l'enveloppe et retourner à son fils ou à Dieu » (chap. CCLXII). Agonisant, il a une vision qui lui montre Raoul, telle une forme blanche, l'invitant à décoller du monde avec lui. « Athos étendait la main pour arriver près de son fils bien-aimé, sur le plateau, et celui-ci lui tendait aussi la sienne ; mais soudain, comme si le jeune homme eût été entraîné malgré lui, reculant toujours, il quitta la terre, et Athos vit le ciel briller entre les pieds de son enfant et le sol de la colline » (chap. CCLXIII). Enfin l'ange de la mort vient enlever dans les airs le noble comte. « Les mains jointes sur sa poitrine, le visage tourné vers la fenêtre, baigné par l'air frais de la nuit qui apportait à son chevet les arômes des fleurs et des bois, Athos entra, pour n'en plus sortir, dans la contemplation de ce paradis que les vivants ne voient jamais » (chap. CCLXIV). « Athos était guidé par l'âme pure et sereine de son fils, qui aspirait l'âme paternelle. Tout pour ce juste fut mélodie et parfum, dans le rude chemin que prennent les âmes pour retourner dans la céleste patrie » (*id.*).

A cette fusion dans l'ineffable, s'oppose la mort brutale, immédiate, de d'Artagnan. Le signe du feu l'auréole. A Colbert qui, au début de la campagne de Hollande, lui demande s'il sait nager, pour le cas où il tomberait dans un canal ou un marécage de ces Pays-Bas, il répond : « C'est mon état de mourir pour Sa Majesté. Seulement, comme il est rare qu'à la guerre on trouve beaucoup d'eau sans un peu de feu, je vous déclare à l'avance que je ferai mon possible pour choisir le feu. Je me fais vieux, l'eau me glace ; le feu réchauffe, monsieur Colbert » (Épilogue). Son vœu sera exaucé, il mourra comme il l'aura voulu, emporté par un boulet de canon, serrant dans ses doigts déjà raides le bâton de maréchal qu'on vient de lui remettre.

Aramis est le seul qui survit : duc, ambassadeur, ondoyant comme l'eau, insaisissable comme l'eau, comme l'eau inaccessible aux coups, aux blessures et aux tragédies. S'il ne meurt pas, c'est aussi parce qu'il ne mérite pas cet épanouissement ultime. Le voilà condamné à vivre, à s'user dans le quotidien. Dumas le punit de ses félonies en lui refusant la mort, cette apothéose des héros.

Stevenson affirme qu'il a lu cinq ou six fois *Le Vicomte de Bragelonne*, ne connaissant pas de plus grand plaisir que de s'asseoir avec ce roman pour une longue soirée silencieuse et solitaire. « Au fait, je ne sais pas pourquoi je la dis silencieuse, alors qu'elle était animée par le martèlement de tant de sabots de chevaux, les crépitements de tant de mousquets, le brouhaha de tant de conversations, ni pourquoi je dis solitaires des soirées où je me faisais tant d'amis. » Et de résumer les qualités du livre, dans cette manière libre et primesautière qui lui est propre. « Quel autre roman offre une telle variété épique, une telle noblesse dans les rebondissements souvent invraisemblables, je vous l'accorde, parfois dans le style d'un conte arabe, et pourtant toujours basés sur la nature humaine ? Car si l'on en vient là, quel roman a plus d'humanité ? Non pas étudiée au microscope, mais vue largement, en plein jour et à l'œil nu ? Quel roman a plus de bon sens, de gaieté d'esprit, d'habileté littéraire soutenue, admirable ? De bonnes âmes, je suppose, doivent quelquefois le lire dans le travestissement malhonnête d'une traduction. Mais il n'existe pas de style aussi intraduisible, léger comme une crème fouettée, résistant comme de la soie, prolixe comme un conte villageois, concis comme la dépêche d'un général, avec tous les défauts, mais jamais lassant, sans mérite, mais d'une justesse inimitable. Encore une fois, pour en finir avec les éloges, quel roman est inspiré par une moralité plus libre et plus saine ? »

C'est surtout pour d'Artagnan, dit-il, qu'il goûte *Le Vicomte de Bragelonne*. Comment ne pas être d'accord avec cette opinion ? Athos est devenu avec l'âge un peu prédicateur et janséniste, Porthos trop farcesque, Aramis tout à fait antipathique. Seul d'Artagnan a gagné du moelleux, de la liberté, de l'aisance, une perception des choses plus juste et plus aiguë, l'intelligence alliée à la bonté. « Je ne dis pas qu'il n'y a pas de personnage aussi bien campé dans Shakespeare, je dis simplement qu'il n'y en a aucun que j'aime aussi complètement. » Et Stevenson de conclure : « L'homme tout entier sonne comme une bonne pièce d'or. »

Le Gascon, fils du soleil et maître du feu, aurait agréé cet hommage. On appelle « gloire » baroque le faisceau de rayons qui divergent d'un personnage sacré. D'Artagnan, dans notre souvenir, se tient au centre d'une telle gloire, la main crispée sur le bâton de velours brodé de fleurs de lys d'or.

D.F.

I

LA LETTRE

Vers le milieu du mois de mai de l'année 1660[1], à neuf heures du matin, lorsque le soleil déjà chaud séchait la rosée sur les ravenelles du château de Blois[2], une petite cavalcade, composée de trois hommes et de deux pages, rentra par le pont de la ville sans produire d'autre effet sur les promeneurs du quai qu'un premier mouvement de la main à la tête pour saluer, et un second mouvement de la langue pour exprimer cette idée dans le plus pur français qui se parle en France :

— Voici Monsieur qui revient de la chasse[3].

Et ce fut tout.

Cependant, tandis que les chevaux gravissaient la pente raide qui de la rivière conduit au château, plusieurs courtauds de boutique

---

1. Dumas regroupe autour de cette date et dans un même lieu des événements qui se sont déroulés dans des lieux et à des dates différents.

2. Dumas, en route vers la Vendée, avait visité le château de Blois, au mois d'août 1830 : « Je m'arrêtai à Blois d'abord. Je voulais voir son château taché de sang. J'y montai par son échelle de rues. Je cherchai vainement au-dessus de son portail la statue équestre de Louis XII, devant laquelle madame de Nemours s'était arrêtée tout éplorée pour demander vengeance du double meurtre de ses petits-fils. J'entrai dans la cour, j'admirai cette enceinte carrée bâtie sous quatre règnes différents, dont chacun offre son architecture distincte : l'aile de Charles XII, belle de simplicité sévère ; la façade de François Ier avec ses colonnades surchargées d'ornements ; l'escalier de Henri III découpé à jour comme une dentelle ; puis, protestant contre le gothique et la Renaissance, c'est-à-dire contre le beau et l'art, la bâtisse froide et plate de Mansard, devant laquelle depuis une heure le concierge me poussait, s'étonnant qu'on pût regarder dans cette cour merveilleuse autre chose que cette merveille.

« La rapidité avec laquelle je l'examinai, l'espèce de grimace involontaire qu'imprima à ma figure ma lèvre inférieure, prolongée plus que d'habitude, me valurent de sa part un sourire de mépris. [...] Et tout ce château, demeure royale, avec ses souvenirs de mort et ses merveilles d'art, est maintenant une caserne de cuirassiers qui s'y roulent, buvant, chantant, et dans leurs transports d'amour ou de patriotisme, grattant avec la pointe de leurs longs sabres une arabesque ravissante de Jean Goujon pour écrire sur le bois aplani : J'aime Sophie, ou Vive Louis-Philippe ! », « La Vendée après le 29 Juillet », *Revue des Deux Mondes*, janvier 1831.

3. Rappelons que Gaston d'Orléans est mort le 2 février 1660.

s'approchèrent du dernier cheval, qui portait, pendus à l'arçon de la selle, divers oiseaux attachés par le bec.

A cette vue, les curieux manifestèrent avec une franchise toute rustique leur dédain pour une aussi maigre capture, et après une dissertation qu'ils firent entre eux sur le désavantage de la chasse au vol, ils revinrent à leurs occupations. Seulement un des curieux, gros garçon joufflu et de joyeuse humeur, ayant demandé pourquoi Monsieur, qui pouvait tant s'amuser, grâce à ses gros revenus, se contentait d'un si piteux divertissement :

— Ne sais-tu pas, lui fut-il répondu, que le principal divertissement de Monsieur est de s'ennuyer ?

Le joyeux garçon haussa les épaules avec un geste qui signifiait clair comme le jour : « En ce cas, j'aime mieux être Gros-Jean que d'être prince. »

Et chacun reprit ses travaux.

Cependant Monsieur continuait sa route avec un air si mélancolique et si majestueux à la fois qu'il eût certainement fait l'admiration des spectateurs s'il eût eu des spectateurs ; mais les bourgeois de Blois ne pardonnaient pas à Monsieur d'avoir choisi cette ville si gaie pour s'y ennuyer à son aise ; et toutes les fois qu'ils apercevaient l'auguste ennuyé, ils s'esquivaient en bâillant ou rentraient la tête dans l'intérieur de leurs chambres, pour se soustraire à l'influence soporifique de ce long visage blême, de ces yeux noyés et de cette tournure languissante. En sorte que le digne prince était à peu près sûr de trouver les rues désertes chaque fois qu'il s'y hasardait.

Or, c'était de la part des habitants de Blois une irrévérence bien coupable, car Monsieur était, après le roi, et même avant le roi peut-être, le plus grand seigneur du royaume. En effet, Dieu, qui avait accordé à Louis XIV, alors régnant, le bonheur d'être le fils de Louis XIII, avait accordé à Monsieur l'honneur d'être le fils de Henri IV. Ce n'était donc pas, ou du moins ce n'eût pas dû être un mince sujet d'orgueil pour la ville de Blois, que cette préférence à elle donnée par Gaston d'Orléans, qui tenait sa cour dans l'ancien château des États.

Mais il était dans la destinée de ce grand prince d'exciter médiocrement partout où il se rencontrait l'attention du public et son admiration. Monsieur en avait pris son parti avec l'habitude.

C'est peut-être ce qui lui donnait cet air de tranquille ennui. Monsieur avait été fort occupé dans sa vie. On ne laisse pas couper la tête à une douzaine de ses meilleurs amis sans que cela cause quelque tracas. Or, comme depuis l'avènement de M. Mazarin on n'avait coupé la tête à personne, Monsieur n'avait plus eu d'occupation, et son moral s'en ressentait.

La vie du pauvre prince était donc fort triste. Après sa petite chasse du matin sur les bords du Beuvron ou dans les bois de Cheverny, Monsieur passait la Loire, allait déjeuner à Chambord avec ou sans appétit, et la ville de Blois n'entendait plus parler, jusqu'à la prochaine chasse, de son souverain et maître[1].

Voilà pour l'ennui extra-muros ; quant à l'ennui à l'intérieur, nous en donnerons une idée au lecteur s'il veut suivre avec nous la cavalcade et monter jusqu'au porche majestueux du château des États.

Monsieur montait un petit cheval d'allure, équipé d'une large selle de velours rouge de Flandre, avec des étriers en forme de brodequins ; le cheval était de couleur fauve ; le pourpoint de Monsieur, fait de velours cramoisi, se confondait avec le manteau de même nuance, avec l'équipement du cheval, et c'est seulement à cet ensemble rougeâtre qu'on pouvait reconnaître le prince entre ses deux compagnons vêtus l'un de violet, l'autre de vert. Celui de gauche, vêtu de violet, était l'écuyer ; celui de droite, vêtu de vert, était le grand veneur.

L'un des pages portait deux gerfauts sur un perchoir, l'autre un cornet de chasse, dans lequel il soufflait nonchalamment à vingt pas du château. Tout ce qui entourait ce prince nonchalant faisait tout ce qu'il avait à faire avec nonchalance.

A ce signal, huit gardes qui se promenaient au soleil dans la cour carrée accoururent prendre leurs hallebardes, et Monsieur fit son entrée solennelle dans le château.

Lorsqu'il eut disparu sous les profondeurs du porche, trois ou quatre vauriens, montés du mail au château derrière la cavalcade, en se montrant l'un à l'autre les oiseaux accrochés, se dispersèrent, en faisant à leur tour leurs commentaires sur ce qu'ils venaient de voir ; puis, lorsqu'ils furent partis, la rue, la place et la cour demeurèrent désertes.

Monsieur descendit de cheval sans dire un mot, passa dans son appartement, où son valet de chambre le changea d'habits ; et comme Madame n'avait pas encore envoyé prendre les ordres pour le déjeuner, Monsieur s'étendit sur une chaise longue et s'endormit d'aussi bon cœur que s'il eût été onze heures du soir.

Les huit gardes, qui comprenaient que leur service était fini pour le reste de la journée, se couchèrent sur des bancs de pierre, au soleil ; les palefreniers disparurent avec leurs chevaux dans les écuries, et, à part quelques joyeux oiseaux s'effarouchant les uns les autres, avec des pépiements aigus, dans les touffes des giroflées, on eût dit qu'au château tout dormait comme Monseigneur.

Tout à coup, au milieu de ce silence si doux, retentit un éclat de rire nerveux, éclatant, qui fit ouvrir un œil à quelques-uns des hallebardiers enfoncés dans leur sieste.

Cet éclat de rire partait d'une croisée du château, visitée en ce moment

---

1. Le Beuvron, qui se jette dans la Loire en aval de Blois, arrose le village de Bracieux, qui figure parmi les terres de Porthos ; Cheverny et Chambord sont situés à une douzaine de kilomètres de Blois, sur la rive gauche.

par le soleil, qui l'englobait dans un de ces grands angles que dessinent avant midi, sur les cours, les profils des cheminées.

Le petit balcon de fer ciselé qui s'avançait au-delà de cette fenêtre était meublé d'un pot de giroflées rouges, d'un autre pot de primevères, et d'un rosier hâtif, dont le feuillage, d'un vert magnifique, était diapré de plusieurs paillettes rouges annonçant des roses.

Dans la chambre qu'éclairait cette fenêtre, on voyait une table carrée vêtue d'une vieille tapisserie à larges fleurs de Harlem ; au milieu de cette table, une fiole de grès à long col, dans laquelle plongeaient des iris et du muguet ; à chacune des extrémités de cette table, une jeune fille.

L'attitude de ces deux enfants était singulière : on les eût prises pour deux pensionnaires échappées du couvent. L'une, les deux coudes appuyés sur la table, une plume à la main, traçait des caractères sur une feuille de beau papier de Hollande ; l'autre, à genoux sur une chaise, ce qui lui permettait de s'avancer de la tête et du buste par-dessus le dossier et jusqu'en pleine table, regardait sa compagne écrire. De là mille cris, mille railleries, mille rires, dont l'un, plus éclatant que les autres, avait effrayé les oiseaux des ravenelles et troublé le sommeil des gardes de Monsieur.

Nous en sommes aux portraits, on nous passera donc, nous l'espérons, les deux derniers de ce chapitre.

Celle qui était appuyée sur la chaise, c'est-à-dire la bruyante, la rieuse, était une belle fille de dix-neuf à vingt ans, brune de peau, brune de cheveux, resplendissante, par ses yeux, qui s'allumaient sous des sourcils vigoureusement tracés, et surtout par ses dents, qui éclataient comme des perles sous ses lèvres d'un corail sanglant.

Chacun de ses mouvements semblait le résultat du jeu d'une mime ; elle ne vivait pas, elle bondissait.

L'autre, celle qui écrivait, regardait sa turbulente compagne avec un œil bleu, limpide et pur comme était le ciel ce jour-là. Ses cheveux, d'un blond cendré, roulés avec un goût exquis, tombaient en grappes soyeuses sur ses joues nacrées ; elle promenait sur le papier une main fine, mais dont la maigreur accusait son extrême jeunesse. A chaque éclat de rire de son amie, elle soulevait, comme dépitée, ses blanches épaules d'une forme poétique et suave, mais auxquelles manquait ce luxe de vigueur et de modelé qu'on eût désiré voir à ses bras et à ses mains.

— Montalais ! Montalais ! dit-elle enfin d'une voix douce et caressante comme un chant, vous riez trop fort, vous riez comme un homme ; non seulement vous vous ferez remarquer de MM. les gardes, mais vous n'entendrez pas la cloche de Madame, lorsque Madame appellera.

La jeune fille qu'on appelait Montalais, ne cessant ni de rire ni de gesticuler à cette admonestation, répondit :

— Louise, vous ne dites pas votre façon de penser, ma chère ; vous savez que MM. les gardes, comme vous les appelez, commencent leur somme, et que le canon ne les réveillerait pas ; vous savez que la cloche de Madame s'entend du pont de Blois, et que par conséquent je l'entendrai quand mon service m'appellera chez Madame. Ce qui vous ennuie, c'est que je ris quand vous écrivez ; ce que vous craignez, c'est que Mme de Saint-Remy, votre mère, ne monte ici, comme elle fait quelquefois quand nous rions trop ; qu'elle ne nous surprenne, et qu'elle ne voie cette énorme feuille de papier sur laquelle, depuis un quart d'heure, vous n'avez encore tracé que ces mots : *Monsieur Raoul*. Or vous avez raison, ma chère Louise, parce que, après ces mots, *Monsieur Raoul*, on peut en mettre tant d'autres, si significatifs et si incendiaires, que Mme de Saint-Remy, votre chère mère, aurait droit de jeter feu et flammes. Hein ! n'est-ce pas cela, dites ?

Et Montalais redoublait ses rires et ses provocations turbulentes.

La blonde jeune fille se courrouça tout à fait ; elle déchira le feuillet sur lequel, en effet, ces mots, *Monsieur Raoul*, étaient écrits d'une belle écriture, et, froissant le papier dans ses doigts tremblants, elle le jeta par la fenêtre.

— Là ! là ! dit Mlle de Montalais, voilà notre petit mouton, notre Enfant Jésus, notre colombe qui se fâche !... N'ayez donc pas peur, Louise ; Mme de Saint-Remy ne viendra pas, et si elle venait, vous savez que j'ai l'oreille fine. D'ailleurs, quoi de plus permis que d'écrire à un vieil ami qui date de douze ans, surtout quand on commence la lettre par ces mots : *Monsieur Raoul* ?

— C'est bien, je ne lui écrirai pas, dit la jeune fille.

— Ah ! en vérité, voilà Montalais bien punie ! s'écria toujours en riant la brune railleuse. Allons, allons, une autre feuille de papier, et terminons vite notre courrier. Bon ! voici la cloche qui sonne, à présent ! Ah ! ma foi, tant pis ! Madame attendra, ou se passera pour ce matin de sa première fille d'honneur !

Une cloche sonnait, en effet ; elle annonçait que Madame avait terminé sa toilette et attendait Monsieur, lequel lui donnait la main au salon pour passer au réfectoire.

Cette formalité accomplie en grande cérémonie, les deux époux déjeunaient et se séparaient jusqu'au dîner, invariablement fixé à deux heures.

Le son de la cloche fit ouvrir dans les offices, situées à gauche de la cour, une porte par laquelle défilèrent deux maîtres d'hôtel, suivis de huit marmitons qui portaient une civière chargée de mets couverts de cloches d'argent.

L'un de ces maîtres d'hôtel, celui qui paraissait le premier en titre, toucha silencieusement de sa baguette un des gardes qui ronflait sur un banc ; il poussa même la bonté jusqu'à mettre dans les mains de cet homme, ivre de sommeil, sa hallebarde dressée le long du mur, près de lui ; après quoi, le soldat, sans demander compte de rien, escorta jusqu'au réfectoire *la viande* de Monsieur, précédée par un page et les deux maîtres d'hôtel.

Partout où la *viande* passait, les sentinelles portaient les armes.

Mlle de Montalais et sa compagne avaient suivi de leur fenêtre le détail de ce cérémonial, auquel pourtant elles devaient être accoutumées. Elles ne regardaient au reste avec tant de curiosité que pour être sûres de n'être pas dérangées. Aussi marmitons, gardes, pages et maîtres d'hôtel une fois passés, elles se remirent à leur table, et le soleil, qui, dans l'encadrement de la fenêtre, avait éclairé un instant ces deux charmants visages, n'éclaira plus que les giroflées, les primevères et le rosier.

— Bah ! dit Montalais en reprenant sa place, Madame déjeunera bien sans moi.

— Oh ! Montalais, vous serez punie, répondit l'autre jeune fille en s'asseyant tout doucement à la sienne.

— Punie ! ah ! oui, c'est-à-dire privée de promenade ; c'est tout ce que je demande, que d'être punie ! Sortir dans ce grand coche, perchée sur une portière ; tourner à gauche, virer à droite par des chemins pleins d'ornières où l'on avance d'une lieue en deux heures ; puis revenir droit sur l'aile du château où se trouve la fenêtre de Marie de Médicis, en sorte que Madame ne manque jamais de dire : « Croirait-on que c'est par là que la reine Marie s'est sauvée !... Quarante-sept pieds de hauteur !... La mère de deux princes et de trois princesses[1] ! » Si c'est là un divertissement, Louise, je demande à être punie tous les jours, surtout quand ma punition est de rester avec vous et d'écrire des lettres aussi intéressantes que celles que nous écrivons.

— Montalais ! Montalais ! on a des devoirs à remplir.

— Vous en parlez bien à votre aise, mon cœur, vous qu'on laisse libre au milieu de cette cour. Vous êtes la seule qui en récoltiez les avantages sans en avoir les charges, vous plus fille d'honneur de Madame que moi-même, parce que Madame fait ricocher ses affections de votre beau-père à vous ; en sorte que vous entrez dans cette triste maison comme les oiseaux dans cette tour, humant l'air, becquetant les fleurs, picotant

---

1. Exilée à Blois en 1617, à l'instigation de Luynes, Marie de Médicis s'en était évadée en 1619 : « Dans la nuit du 21 au 22 février, la reine mère descendait, à l'aide d'une échelle, par la fenêtre de son cabinet, sur une terrasse inférieure, distante au moins de vingt pieds, et élevée au-dessus du sol de la rue d'une trentaine de pieds. Elle était accompagnée d'une femme de chambre, du comte de Brenne et de trois ou quatre de ses serviteurs. Mais elle avait eu si grand'peur dans son trajet aérien, qu'arrivée sur la terrasse, la prisonnière déclara que, si on ne lui trouvait pas un autre moyen de faire la seconde descente, elle resterait où elle était. On la mit alors dans un manteau qu'on laissa doucement glisser jusqu'en bas à l'aide de cordes », Dumas, *Les Grands Hommes en robe de chambre. Louis XIII et Richelieu*, chap. V. Marie avait donné à Henri IV six enfants dont cinq avaient survécu : trois princes, Louis et Gaston-Jean-Baptiste, Nicolas (mort jeune), et trois princesses, Élisabeth, reine d'Espagne, Christine-Marie, dite Chrétienne, duchesse de Savoie, Henriette-Marie, reine d'Angleterre.

les graines, sans avoir le moindre service à faire, ni le moindre ennui à supporter. C'est vous qui me parlez de devoirs à remplir ! En vérité, ma belle paresseuse, quels sont vos devoirs à vous, sinon d'écrire à ce beau Raoul ? Encore voyons-nous que vous ne lui écrivez pas, de sorte que vous aussi, ce me semble, vous négligez un peu vos devoirs.

Louise prit son air sérieux, appuya son menton sur sa main, et d'un ton plein de candeur :

— Reprochez-moi donc mon bien-être, dit-elle. En aurez-vous le cœur ? Vous avez un avenir, vous ; vous êtes de la cour ; le roi, s'il se marie, appellera Monsieur près de lui ; vous verrez des fêtes splendides, vous verrez le roi, qu'on dit si beau, si charmant.

— Et de plus je verrai Raoul, qui est près de M. le prince, ajouta malignement Montalais.

— Pauvre Raoul ! soupira Louise.

— Voilà le moment de lui écrire, chère belle ; allons, recommençons ce fameux *Monsieur Raoul*, qui brillait en tête de la feuille déchirée.

Alors elle lui tendit la plume, et, avec un sourire charmant, encouragea sa main, qui traça vite les mots désignés.

— Maintenant ? demanda la plus jeune des deux jeunes filles.

— Maintenant, écrivez ce que vous pensez, Louise, répondit Montalais.

— Êtes-vous bien sûre que je pense quelque chose ?

— Vous pensez à quelqu'un, ce qui revient au même, ou plutôt ce qui est bien pis.

— Vous croyez, Montalais ?

— Louise, Louise, vos yeux bleus sont profonds comme la mer que j'ai vue à Boulogne l'an passé. Non, je me trompe, la mer est perfide, vos yeux sont profonds comme l'azur que voici là-haut, tenez, sur nos têtes.

— Eh bien ! puisque vous lisez si bien dans mes yeux, dites-moi ce que je pense, Montalais.

— D'abord, vous ne pensez pas *Monsieur Raoul* ; vous pensez *Mon cher Raoul*.

— Oh !

— Ne rougissez pas pour si peu. *Mon cher Raoul*, disons-nous, vous me suppliez de vous écrire à Paris, où vous retient le service de M. le prince. Comme il faut que vous vous ennuyiez là-bas pour chercher des distractions dans le souvenir d'une provinciale...

Louise se leva tout à coup.

— Non, Montalais, dit-elle en souriant, non, je ne pense pas un mot de cela. Tenez, voici ce que je pense.

Et elle prit hardiment la plume et traça d'une main ferme les mots suivants :

J'eusse été bien malheureuse si vos instances pour obtenir de moi un souvenir eussent été moins vives. Tout ici me parle de nos premières années, si vite écoulées, si doucement enfuies, que jamais d'autres n'en remplaceront le charme dans le cœur.

Montalais, qui regardait courir la plume, et qui lisait au rebours à mesure que son amie écrivait, l'interrompit par un battement de mains.

— A la bonne heure ! dit-elle, voilà de la franchise, voilà du cœur, voilà du style ! Montrez à ces Parisiens, ma chère, que Blois est la ville du beau langage.

— Il sait que pour moi, répondit la jeune fille, Blois a été le paradis.

— C'est ce que je voulais dire, et vous parlez comme un ange.

— Je termine, Montalais.

Et la jeune fille continua en effet :

Vous pensez à moi, dites-vous, monsieur Raoul ; je vous en remercie ; mais cela ne peut me surprendre, moi qui sais combien de fois nos cœurs ont battu l'un près de l'autre.

— Oh ! oh ! dit Montalais, prenez garde, mon agneau, voilà que vous semez votre laine, et il y a des loups là-bas.

Louise allait répondre, quand le galop d'un cheval retentit sous le porche du château.

— Qu'est-ce que cela ? dit Montalais en s'approchant de la fenêtre. Un beau cavalier, ma foi !

— Oh ! Raoul ! s'écria Louise, qui avait fait le même mouvement que son amie, et qui, devenant toute pâle, tomba palpitante auprès de sa lettre inachevée.

— Voilà un adroit amant, sur ma parole, s'écria Montalais, et qui arrive bien à propos !

— Retirez-vous, retirez-vous, je vous en supplie ! murmura Louise.

— Bah ! il ne me connaît pas ; laissez-moi donc voir ce qu'il vient faire ici.

II

LE MESSAGER

Mlle de Montalais avait raison, le jeune cavalier était bon à voir.

C'était un jeune homme de vingt-quatre à vingt-cinq ans[1], grand, élancé, portant avec grâce sur ses épaules le charmant costume militaire

1. Né en 1633, Raoul a presque vingt-sept ans.

de l'époque. Ses grandes bottes à entonnoir enfermaient un pied que Mlle de Montalais n'eût pas désavoué si elle se fût travestie en homme. D'une de ses mains fines et nerveuses il arrêta son cheval au milieu de la cour, et de l'autre souleva le chapeau à longues plumes qui ombrageait sa physionomie grave et naïve à la fois.

Les gardes, au bruit du cheval, se réveillèrent et furent promptement debout.

Le jeune homme laissa l'un d'eux s'approcher de ses arçons, et s'inclinant vers lui, d'une voix claire et précise, qui fut parfaitement entendue de la fenêtre où se cachaient les deux jeunes filles :

— Un messager pour Son Altesse Royale, dit-il.

— Ah ! ah ! s'écria le garde ; officier, un messager !

Mais ce brave soldat savait bien qu'il ne paraîtrait aucun officier, attendu que le seul qui eût pu paraître demeurait au fond du château, dans un petit appartement sur les jardins. Aussi se hâta-t-il d'ajouter :

— Mon gentilhomme, l'officier est en ronde, mais en son absence on va prévenir M. de Saint-Remy, le maître d'hôtel.

— M. de Saint-Remy ! répéta le cavalier en rougissant.

— Vous le connaissez ?

— Mais oui... Avertissez-le, je vous prie, pour que ma visite soit annoncée le plus tôt possible à Son Altesse.

— Il paraît que c'est pressé, dit le garde, comme s'il se parlait à lui-même, mais dans l'espérance d'obtenir une réponse.

Le messager fit un signe de tête affirmatif.

— En ce cas, reprit le garde, je vais moi-même trouver le maître d'hôtel.

Le jeune homme cependant mit pied à terre, et tandis que les autres soldats observaient avec curiosité chaque mouvement du beau cheval qui avait amené ce jeune homme, le soldat revint sur ses pas en disant :

— Pardon, mon gentilhomme, mais votre nom, s'il vous plaît ?

— Le vicomte de Bragelonne, de la part de Son Altesse M. le prince de Condé[1].

Le soldat fit un profond salut, et, comme si ce nom du vainqueur de Rocroi et de Lens lui eût donné des ailes, il gravit légèrement le perron pour gagner les antichambres.

M. de Bragelonne n'avait pas eu le temps d'attacher son cheval aux barreaux de fer de ce perron, que M. de Saint-Remy accourut hors d'haleine, soutenant son gros ventre avec l'une de ses mains, pendant que de l'autre il fendait l'air comme un pêcheur fend les flots avec une rame.

---

1. Condé, après avoir témoigné de la douleur de sa conduite passée, n'avait été remis en ses charges et dignités qu'après le traité des Pyrénées. Monsieur alla au-devant du roi hors du parc de Chambord (janvier 1660) ; le lendemain, la cour dîna à Blois. Voir Mlle de Montpensier, *Mémoires*, troisième partie.

— Ah ! monsieur le vicomte, vous à Blois ! s'écria-t-il ; mais c'est une merveille ! Bonjour, monsieur Raoul, bonjour !

— Mille respects, monsieur de Saint-Remy.

— Que Mme de La Vall... je veux dire que Mme de Saint-Remy va être heureuse de vous voir ! Mais venez. Son Altesse Royale déjeune, faut-il l'interrompre ? la chose est-elle grave ?

— Oui et non, monsieur de Saint-Remy. Toutefois, un moment de retard pourrait causer quelques désagréments à Son Altesse Royale.

— S'il en est ainsi, forçons la consigne, monsieur le vicomte. Venez. D'ailleurs, Monsieur est d'une humeur charmante aujourd'hui. Et puis, vous nous apportez des nouvelles, n'est-ce pas ?

— De grandes, monsieur de Saint-Remy.

— Et de bonnes, je présume ?

— D'excellentes.

— Venez vite, bien vite, alors ! s'écria le bonhomme, qui se rajusta tout en cheminant.

Raoul le suivit son chapeau à la main, et un peu effrayé du bruit solennel que faisaient ses éperons sur les parquets de ces immenses salles.

Aussitôt qu'il eut disparu dans l'intérieur du palais, la fenêtre de la cour se repeupla, et un chuchotement animé trahit l'émotion des deux jeunes filles ; bientôt elles eurent pris une résolution, car l'une des deux figures disparut de la fenêtre : c'était la tête brune ; l'autre demeura derrière le balcon, cachée sous les fleurs, regardant attentivement, par les échancrures des branches, le perron sur lequel M. de Bragelonne avait fait son entrée au palais.

Cependant l'objet de tant de curiosité continuait sa route en suivant les traces du maître d'hôtel. Un bruit de pas empressés, un fumet de vin et de viandes, un cliquetis de cristaux et de vaisselle l'avertirent qu'il touchait au terme de sa course.

Les pages, les valets et les officiers, réunis dans l'office qui précédait le réfectoire, accueillirent le nouveau venu avec une politesse proverbiale en ce pays ; quelques-uns connaissaient Raoul, presque tous savaient qu'il venait de Paris. On pourrait dire que son arrivée suspendit un moment le service.

Le fait est qu'un page qui versait à boire à Son Altesse, entendant les éperons dans la chambre voisine, se retourna comme un enfant, sans s'apercevoir qu'il continuait de verser, non plus dans le verre du prince, mais sur la nappe.

Madame, qui n'était pas préoccupée comme son glorieux époux, remarqua cette distraction du page.

— Eh bien ! dit-elle.

M. de Saint-Remy, qui introduisait sa tête par la porte, profita du moment.

— Pourquoi me dérangerait-on? dit Gaston en attirant à lui une tranche épaisse d'un des plus gros saumons qui aient jamais remonté la Loire pour se faire prendre entre Paimbœuf et Saint-Nazaire.

— C'est qu'il arrive un messager de Paris. Oh ! mais, après le déjeuner de Monseigneur, nous avons le temps.

— De Paris ! s'écria le prince en laissant tomber sa fourchette ; un messager de Paris, dites-vous ? Et de quelle part vient ce messager ?

— De la part de M. le prince, se hâta de dire le maître d'hôtel.

On sait que c'est ainsi qu'on appelait M. de Condé.

— Un messager de M. le prince ? fit Gaston avec une inquiétude qui n'échappa à aucun des assistants, et qui par conséquent redoubla la curiosité générale.

Monsieur se crut peut-être ramené au temps de ces bienheureuses conspirations où le bruit des portes lui donnait des émotions, où toute lettre pouvait renfermer un secret d'État, où tout message servait une intrigue bien sombre et bien compliquée. Peut-être aussi ce grand nom de M. le prince se déploya-t-il sous les voûtes de Blois avec les proportions d'un fantôme.

Monsieur repoussa son assiette.

— Je vais faire attendre l'envoyé ? demanda M. de Saint-Remy.

Un coup d'œil de Madame enhardit Gaston, qui répliqua :

— Non pas, faites-le entrer sur-le-champ, au contraire. A propos, qui est-ce ?

— Un gentilhomme de ce pays, M. le vicomte de Bragelonne.

— Ah ! oui, fort bien !... Introduisez, Saint-Remy, introduisez.

Et lorsqu'il eut laissé tomber ces mots avec sa gravité accoutumée, Monsieur regarda d'une certaine façon les gens de son service, qui tous, pages, officiers et écuyers, quittèrent la serviette, le couteau, le gobelet, et firent vers la seconde chambre une retraite aussi rapide que désordonnée.

Cette petite armée s'écarta en deux files lorsque Raoul de Bragelonne, précédé de M. de Saint-Remy, entra dans le réfectoire.

Ce court moment de solitude dans lequel cette retraite l'avait laissé avait permis à Monseigneur de prendre une figure diplomatique. Il ne se retourna pas, et attendit que le maître d'hôtel eût amené en face de lui le messager.

Raoul s'arrêta à la hauteur du bas-bout de la table, de façon à se trouver entre Monsieur et Madame. Il fit de cette place un salut très profond pour Monsieur, un autre très humble pour Madame, puis se redressa et attendit que Monsieur lui adressât la parole.

Le prince, de son côté, attendait que les portes fussent hermétiquement fermées, il ne voulait pas se retourner pour s'en assurer, ce qui n'eût pas été digne ; mais il écoutait de toutes ses oreilles le bruit de la serrure, qui lui promettait au moins une apparence de secret.

La porte fermée, Monsieur leva les yeux sur le vicomte de Bragelonne et lui dit :

— Il paraît que vous arrivez de Paris, monsieur ?

— A l'instant, monseigneur.

— Comment se porte le roi ?

— Sa Majesté est en parfaite santé, monseigneur.

— Et ma belle-sœur ?

— Sa Majesté la reine mère souffre toujours de la poitrine. Toutefois, depuis un mois, il y a du mieux.

— Que me disait-on, que vous veniez de la part de M. le prince ? On se trompait assurément.

— Non, monseigneur. M. le prince m'a chargé de remettre à Votre Altesse Royale une lettre que voici, et j'en attends la réponse.

Raoul avait été un peu ému de ce froid et méticuleux accueil ; sa voix était tombée insensiblement au diapason de la voix basse.

Le prince oublia qu'il était cause de ce mystère, et la peur le reprit.

Il reçut avec un coup d'œil hagard la lettre du prince de Condé, la décacheta comme il eût décacheté un paquet suspect, et, pour la lire sans que personne pût en remarquer l'effet produit sur sa physionomie, il se retourna.

Madame suivait avec une anxiété presque égale à celle du prince chacune des manœuvres de son auguste époux.

Raoul, impassible, et un peu dégagé par l'attention de ses hôtes, regardait de sa place et par la fenêtre ouverte devant lui les jardins et les statues qui les peuplaient.

— Ah ! mais, s'écria tout à coup Monsieur avec un sourire rayonnant, voilà une agréable surprise et une charmante lettre de M. le prince ! Tenez, madame.

La table était trop large pour que le bras du prince joignît la main de la princesse ; Raoul s'empressa d'être leur intermédiaire ; il le fit avec une bonne grâce qui charma la princesse et valut un remerciement flatteur au vicomte.

— Vous savez le contenu de cette lettre, sans doute ? dit Gaston à Raoul.

— Oui, monseigneur : M. le prince m'avait donné d'abord le message verbalement, puis Son Altesse a réfléchi et pris la plume.

— C'est d'une belle écriture, dit Madame, mais je ne puis lire.

— Voulez-vous lire à Madame, monsieur de Bragelonne, dit le duc.

— Oui, lisez, je vous prie, monsieur.

Raoul commença la lecture à laquelle Monsieur donna de nouveau toute son attention.

La lettre était conçue en ces termes :

Monseigneur,

Le roi part pour la frontière ; vous aurez appris que le mariage de Sa Majesté va se conclure ; le roi m'a fait l'honneur de me nommer maréchal des logis pour ce voyage, et comme je sais toute la joie que Sa Majesté aurait de passer une journée à Blois, j'ose demander à Votre Altesse Royale la permission de marquer de ma craie le château qu'elle habite. Si cependant l'imprévu de cette demande pouvait causer à Votre Altesse Royale quelque embarras, je la supplierai de me le mander par le messager que j'envoie, et qui est un gentilhomme à moi, M. le vicomte de Bragelonne. Mon itinéraire dépendra de la résolution de Votre Altesse Royale, et au lieu de prendre par Blois, j'indiquerai Vendôme[1] ou Romorantin. J'ose espérer que Votre Altesse Royale prendra ma demande en bonne part, comme étant l'expression de mon dévouement sans bornes et de mon désir de lui être agréable.

— Il n'est rien de plus gracieux pour nous, dit Madame, qui s'était consultée plus d'une fois pendant cette lecture dans les regards de son époux. Le roi ici ! s'écria-t-elle un peu plus haut peut-être qu'il n'eût fallu pour que le secret fût gardé.

— Monsieur, dit à son tour Son Altesse, prenant la parole, vous remercierez M. le prince de Condé, et vous lui exprimerez toute ma reconnaissance pour le plaisir qu'il me fait.

Raoul s'inclina.

— Quel jour arrive Sa Majesté ? continua le prince.

— Le roi, monseigneur, arrivera ce soir, selon toute probabilité.

— Mais comment alors aurait-on su ma réponse, au cas où elle eût été négative ?

— J'avais mission, monseigneur, de retourner en toute hâte à Beaugency pour donner contrordre au courrier, qui fût lui-même retourné en arrière donner contrordre à M. le prince.

— Sa Majesté est donc à Orléans ?

— Plus près, monseigneur : Sa Majesté doit être arrivée à Meung[2] en ce moment.

— La cour l'accompagne ?

— Oui, monseigneur.

— A propos, j'oubliais de vous demander des nouvelles de M. le cardinal.

— Son Éminence paraît jouir d'une bonne santé, monseigneur.

— Ses nièces l'accompagnent sans doute ?

— Non, monseigneur ; Son Éminence a ordonné à Mlles de Mancini

---

1. Le roi étant à Orléans (pour ne pas passer à Orléans, « il prit par Gergeau [Jargeau] », dit Mlle de Montpensier, *op. cit.*), Vendôme, sur la rive droite de la Loire, au nord-ouest de Blois, ne semble plus appartenir à un itinéraire possible.

2. Meung-sur-Loire, à 13 km d'Orléans et à 7 km de Beaugency, est, on s'en souvient, la ville où s'ouvre *Les Trois Mousquetaires*.

de partir pour Brouage[1]. Elles suivent la rive gauche de la Loire pendant que la cour vient par la rive droite.

— Quoi ! Mlle Marie de Mancini quitte aussi la cour ? demanda Monsieur, dont la réserve commençait à s'affaiblir.

— Mlle Marie de Mancini surtout, répondit discrètement Raoul.

Un sourire fugitif, vestige imperceptible de son ancien esprit d'intrigues brouillonnes, éclaira les joues pâles du prince.

— Merci, monsieur de Bragelonne, dit alors Monsieur ; vous ne voudrez peut-être pas rendre à M. le prince la commission dont je voudrais vous charger, à savoir que son messager m'a été fort agréable ; mais je le lui dirai moi-même.

Raoul s'inclina pour remercier Monsieur de l'honneur qu'il lui faisait.

Monseigneur fit un signe à Madame, qui frappa sur un timbre placé à sa droite.

Aussitôt M. de Saint-Remy entra, et la chambre se remplit de monde.

— Messieurs, dit le prince, Sa Majesté me fait l'honneur de venir passer un jour à Blois ; je compte que le roi, mon neveu, n'aura pas à se repentir de la faveur qu'il fait à ma maison.

— Vive le roi ! s'écrièrent avec un enthousiasme frénétique les officiers de service, et M. de Saint-Remy avant tous.

Gaston baissa la tête avec une sombre tristesse ; toute sa vie, il avait dû entendre ou plutôt subir ce cri de : « Vive le roi ! » qui passait au-dessus de lui. Depuis longtemps, ne l'entendant plus, il avait reposé son oreille, et voilà qu'une royauté plus jeune, plus vivace, plus brillante, surgissait devant lui comme une nouvelle, comme une plus douloureuse provocation.

Madame comprit les souffrances de ce cœur timide et ombrageux ; elle se leva de table, Monsieur l'imita machinalement, et tous les serviteurs, avec un bourdonnement semblable à celui des ruches, entourèrent Raoul pour le questionner.

Madame vit ce mouvement et appela M. de Saint-Remy.

— Ce n'est pas le moment de jaser, mais de travailler, dit-elle avec l'accent d'une ménagère qui se fâche.

M. de Saint-Remy s'empressa de rompre le cercle formé par les officiers autour de Raoul, en sorte que celui-ci put gagner l'antichambre.

— On aura soin de ce gentilhomme, j'espère, ajouta Madame en s'adressant à M. de Saint-Remy.

Le bonhomme courut aussitôt derrière Raoul.

---

1. Marie de Mancini partit pour Brouage le 22 juin 1659 en compagnie de ses sœurs Hortense et Marie-Anne. Mazarin partit à son tour pour la conférence de l'île aux Faisans le 26 juin. Le roi ne se mit en route pour Bordeaux, depuis Fontainebleau, que le jour même où Mazarin arrivait à Saint-Jean-de-Luz (juillet). Voir Dumas, *Louis XIV et son siècle*, chap. XXXIII.

— Madame nous charge de vous faire rafraîchir ici, dit-il ; il y a en outre un logement au château pour vous.

— Merci, monsieur de Saint-Remy, répondit Bragelonne. Vous savez combien il me tarde d'aller présenter mes devoirs à M. le comte mon père.

— C'est vrai, c'est vrai, monsieur Raoul, présentez-lui en même temps mes bien humbles respects, je vous prie.

Raoul se débarrassa encore du vieux gentilhomme et continua son chemin.

Comme il passait sous le porche tenant son cheval par la bride, une petite voix l'appela du fond d'une allée obscure.

— Monsieur Raoul ! dit la voix.

Le jeune homme se retourna surpris, et vit une jeune fille brune qui appuyait un doigt sur ses lèvres et qui lui tendait la main.

Cette jeune fille lui était inconnue.

III

L'ENTREVUE

Raoul fit un pas vers la jeune fille qui l'appelait ainsi.

— Mais mon cheval, madame, dit-il.

— Vous voilà bien embarrassé ! Sortez ; il y a un hangar dans la première cour, attachez là votre cheval et venez vite.

— J'obéis, madame.

Raoul ne fut pas quatre minutes à faire ce qu'on lui avait recommandé ; il revint à la petite porte, où, dans l'obscurité, il revit sa conductrice mystérieuse qui l'attendait sur les premiers degrés d'un escalier tournant.

— Êtes-vous assez brave pour me suivre, monsieur le chevalier errant ? demanda la jeune fille en riant du moment d'hésitation qu'avait manifesté Raoul.

Celui-ci répondit en s'élançant derrière elle dans l'escalier sombre. Ils gravirent ainsi trois étages, lui derrière elle, effleurant de ses mains, lorsqu'il cherchait la rampe, une robe de soie qui frôlait aux deux parois de l'escalier. A chaque faux pas de Raoul, sa conductrice lui criait un *chut !* sévère et lui tendait une main douce et parfumée.

— On monterait ainsi jusqu'au donjon du château sans s'apercevoir de la fatigue, dit Raoul.

— Ce qui signifie, monsieur, que vous êtes fort intrigué, fort las et fort inquiet ; mais rassurez-vous, nous voici arrivés.

La jeune fille poussa une porte qui, sur-le-champ, sans transition aucune, emplit d'un flot de lumière le palier de l'escalier au haut duquel

Raoul apparaissait, tenant la rampe. La jeune fille marchait toujours, il la suivit ; elle entra dans une chambre, Raoul entra comme elle.

Aussitôt qu'il fut dans le piège, il entendit pousser un grand cri, se retourna, et vit à deux pas de lui, les mains jointes, les yeux fermés, cette belle jeune fille blonde, aux prunelles bleues, aux blanches épaules, qui, le reconnaissant, l'avait appelé Raoul.

Il la vit et devina tant d'amour, tant de bonheur dans l'expression de ses yeux, qu'il se laissa tomber à genoux tout au milieu de la chambre, en murmurant de son côté le nom de Louise.

— Ah ! Montalais ! Montalais ! soupira celle-ci, c'est un grand péché que de tromper ainsi.

— Moi ! Je vous ai trompée ?

— Oui, vous me dites que vous allez savoir en bas des nouvelles, et vous faites monter ici Monsieur.

— Il le fallait bien. Comment eût-il reçu sans cela la lettre que vous lui écriviez ?

Et elle désignait du doigt cette lettre qui était encore sur la table. Raoul fit un pas pour la prendre ; Louise, plus rapide, bien qu'elle se fût élancée avec une hésitation classique assez remarquable, allongea la main pour l'arrêter. Raoul rencontra donc cette main toute tiède et toute tremblante ; il la prit dans les siennes et l'approcha si respectueusement de ses lèvres, qu'il y déposa un souffle plutôt qu'un baiser.

Pendant ce temps, Mlle de Montalais avait pris la lettre, l'avait pliée soigneusement, comme font les femmes, en trois plis, et l'avait glissée dans sa poitrine.

— N'ayez pas peur, Louise, dit-elle ; Monsieur n'ira pas plus la prendre ici, que le défunt roi Louis XIII ne prenait les billets dans le corsage de Mlle de Hautefort[1].

Raoul rougit en voyant le sourire des deux jeunes filles, et il ne remarqua pas que la main de Louise était restée entre les siennes.

— Là ! dit Montalais, vous m'avez pardonné, Louise, de vous avoir amené Monsieur ; vous, monsieur, ne m'en voulez plus de m'avoir suivie pour voir Mademoiselle. Donc, maintenant que la paix est faite, causons comme de vieux amis. Présentez-moi, Louise, à M. de Bragelonne.

— Monsieur le vicomte, dit Louise avec sa grâce sérieuse et son candide sourire, j'ai l'honneur de vous présenter Mlle Aure de Montalais, jeune fille d'honneur de Son Altesse Royale Madame, et de plus mon amie, mon excellente amie.

---

1. « Un jour, Mme de Hautefort tenait un billet. Il le voulut voir ; elle ne le voulut pas. Enfin, il fit un effort pour l'avoir ; elle qui le connaissait bien, se le mit dans le sein et luy dit : "Si vous le voulez, vous le prendrez donc là ?" Sçavez-vous bien ce qu'il fit ? Il prit les pincettes de la cheminée, de peur de toucher à la gorge de cette belle fille », Tallemant des Réaux, *Historiettes* (« Louis treiziesme », Pléiade, tome LXXXVI).

Raoul salua cérémonieusement.

— Et moi, Louise, dit-il, ne me présentez-vous pas aussi à Mademoiselle ?

— Oh ! elle vous connaît ! elle connaît tout !

Ce mot naïf fit rire Montalais et soupirer de bonheur Raoul, qui l'avait interprété ainsi : Elle connaît *tout notre amour*.

— Les politesses sont faites, monsieur le vicomte, dit Montalais ; voici un fauteuil, et dites-nous bien vite la nouvelle que vous nous apportez ainsi courant.

— Mademoiselle, ce n'est plus un secret. Le roi, se rendant à Poitiers, s'arrête à Blois pour visiter Son Altesse Royale.

— Le roi ici ! s'écria Montalais en frappant ses mains l'une contre l'autre ; nous allons voir la cour ! Concevez-vous cela, Louise ? la vraie cour de Paris ! Oh ! mon Dieu ! Mais quand cela, monsieur ?

— Peut-être ce soir, mademoiselle ; assurément demain.

Montalais fit un geste de dépit.

— Pas le temps de s'ajuster ! pas le temps de préparer une robe ! Nous sommes ici en retard comme des Polonaises ! Nous allons ressembler à des portraits du temps de Henri IV !... Ah ! monsieur, la méchante nouvelle que vous nous apportez là !

— Mesdemoiselles, vous serez toujours belles.

— C'est fade !... nous serons toujours belles, oui, parce que la nature nous a faites passables ; mais nous serons ridicules, parce que la mode nous aura oubliées... Hélas ! ridicules ! on me verra ridicule, moi ?

— Qui cela ? dit naïvement Louise.

— Qui cela ? vous êtes étrange, ma chère !... Est-ce une question à m'adresser ? *On*, veut dire tout le monde ; *on*, veut dire les courtisans, les seigneurs ; *on*, veut dire le roi.

— Pardon, ma bonne amie, mais comme ici tout le monde a l'habitude de nous voir telles que nous sommes...

— D'accord ; mais cela va changer, et nous serons ridicules, même pour Blois ; car près de nous on va voir les modes de Paris, et l'on comprendra que nous sommes à la mode de Blois ! C'est désespérant !

— Consolez-vous, mademoiselle.

— Ah bast ! au fait, tant pis pour ceux qui ne me trouveront pas à leur goût ! dit philosophiquement Montalais.

— Ceux-là seraient bien difficiles, répliqua Raoul fidèle à son système de galanterie régulière.

— Merci, monsieur le vicomte. Nous disions donc que le roi vient à Blois ?

— Avec toute la cour.

— Mlles de Mancini y seront-elles ?

— Non pas, justement.

— Mais puisque le roi, dit-on, ne peut se passer de Mlle Marie ?

— Mademoiselle, il faudra bien que le roi s'en passe. M. le cardinal le veut. Il exile ses nièces à Brouage.

— Lui ! l'hypocrite !

— Chut ! dit Louise en collant son doigt sur ses lèvres roses.

— Bah ! personne ne peut m'entendre. Je dis que le vieux Mazarino Mazarini est un hypocrite qui grille de faire sa nièce reine de France.

— Mais non, mademoiselle, puisque M. le cardinal, au contraire, fait épouser à Sa Majesté l'infante Marie-Thérèse.

Montalais regarda en face Raoul et lui dit :

— Vous croyez à ces contes, vous autres Parisiens ? Allons, nous sommes plus forts que vous à Blois.

— Mademoiselle, si le roi dépasse Poitiers et part pour l'Espagne, si les articles du contrat de mariage sont arrêtés entre don Luis de Haro et Son Éminence[1], vous entendez bien que ce ne sont plus des jeux d'enfant.

— Ah çà ! mais, le roi est le roi, je suppose ?

— Sans doute, mademoiselle, mais le cardinal est le cardinal.

— Ce n'est donc pas un homme, que le roi ? Il n'aime donc pas Marie de Mancini ?

— Il l'adore.

— Eh bien ! il l'épousera ; nous aurons la guerre avec l'Espagne ; M. Mazarin dépensera quelques-uns des millions qu'il a de côté ; nos gentilshommes feront des prouesses à l'encontre des fiers Castillans, et beaucoup nous reviendront couronnés de lauriers, et que nous couronnerons de myrte. Voilà comme j'entends la politique.

— Montalais, vous êtes une folle, dit Louise, et chaque exagération vous attire, comme le feu attire les papillons.

— Louise, vous êtes tellement raisonnable que vous n'aimerez jamais.

— Oh ! fit Louise avec un tendre reproche, comprenez donc, Montalais ! La reine mère désire marier son fils avec l'infante ; voulez-vous que le roi désobéisse à sa mère ? Est-il d'un cœur royal comme le sien de donner le mauvais exemple ? Quand les parents défendent l'amour, chassons l'amour !

Et Louise soupira ; Raoul baissa les yeux d'un air contraint. Montalais se mit à rire.

— Moi, je n'ai pas de parents, dit-elle.

— Vous savez sans doute des nouvelles de la santé de M. le comte de La Fère, dit Louise à la suite de ce soupir, qui avait tant révélé de douleurs dans son éloquente expansion.

— Non, mademoiselle, répliqua Raoul, je n'ai pas encore rendu visite à mon père ; mais j'allais à sa maison, quand Mlle de Montalais a bien

1. Le traité des Pyrénées fut signé le 7 novembre 1659.

voulu m'arrêter ; j'espère que M. le comte se porte bien. Vous n'avez rien ouï dire de fâcheux, n'est-ce pas ?

— Rien, monsieur Raoul, rien, Dieu merci !

Ici s'établit un silence pendant lequel deux âmes qui suivaient la même idée s'entendirent parfaitement, même sans l'assistance d'un seul regard.

— Ah ! mon Dieu ! s'écria tout à coup Montalais, on monte !...

— Qui cela peut-il être ? dit Louise en se levant tout inquiète.

— Mesdemoiselles, je vous gêne beaucoup ; j'ai été bien indiscret sans doute, balbutia Raoul, fort mal à son aise.

— C'est un pas lourd, dit Louise.

— Ah ! si ce n'est que M. Malicorne, répliqua Montalais, ne nous dérangeons pas.

Louise et Raoul se regardèrent pour se demander ce que c'était que M. Malicorne.

— Ne vous inquiétez pas, poursuivit Montalais, il n'est pas jaloux.

— Mais, mademoiselle... dit Raoul.

— Je comprends... Eh bien ! il est aussi discret que moi.

— Mon Dieu ! s'écria Louise, qui avait appuyé son oreille sur la porte entrebâillée, je reconnais les pas de ma mère !

— Mme de Saint-Remy ! Où me cacher ? dit Raoul, en sollicitant vivement la robe de Montalais, qui semblait un peu avoir perdu la tête.

— Oui, dit celle-ci, oui, je reconnais aussi les patins qui claquent. C'est notre excellente mère !... Monsieur le vicomte, c'est bien dommage que la fenêtre donne sur un pavé et cela à cinquante pieds de haut.

Raoul regarda le balcon d'un air égaré, Louise saisit son bras et le retint.

— Ah çà ! suis-je folle ? dit Montalais, n'ai-je pas l'armoire aux robes de cérémonie ? Elle a vraiment l'air d'être faite pour cela.

Il était temps, Mme de Saint-Remy montait plus vite qu'à l'ordinaire ; elle arriva sur le palier au moment où Montalais, comme dans les scènes de surprises, fermait l'armoire en appuyant son corps sur la porte.

— Ah ! s'écria Mme de Saint-Remy, vous êtes ici, Louise ?

— Oui ! madame, répondit-elle, plus pâle que si elle eût été convaincue d'un grand crime.

— Bon ! bon !

— Asseyez-vous, madame, dit Montalais en offrant un fauteuil à Mme de Saint-Remy, et en le plaçant de façon qu'elle tournât le dos à l'armoire.

— Merci, mademoiselle Aure, merci ; venez vite, ma fille, allons.

— Où voulez-vous donc que j'aille, madame ?

— Mais, au logis ; ne faut-il pas préparer votre toilette ?

— Plaît-il ? fit Montalais, se hâtant de jouer la surprise, tant elle craignait de voir Louise faire quelque sottise.

— Vous ne savez donc pas la nouvelle ? dit Mme de Saint-Remy.

— Quelle nouvelle, madame, voulez-vous que deux filles apprennent en ce colombier ?

— Quoi !... vous n'avez vu personne ?...

— Madame, vous parlez par énigmes et vous nous faites mourir à petit feu ! s'écria Montalais, qui, effrayée de voir Louise de plus en plus pâle, ne savait à quel saint se vouer.

Enfin elle surprit de sa compagne un regard parlant, un de ces regards qui donneraient de l'intelligence à un mur. Louise indiquait à son amie le chapeau, le malencontreux chapeau de Raoul qui se pavanait sur la table.

Montalais se jeta au-devant, et, le saisissant de sa main gauche, le passa derrière elle dans la droite, et le cacha ainsi tout en parlant.

— Eh bien ! dit Mme de Saint-Remy, un courrier nous arrive qui annonce la prochaine arrivée du roi. Çà, mesdemoiselles, il s'agit d'être belles !

— Vite ! vite ! s'écria Montalais, suivez Mme votre mère, Louise, et me laissez ajuster ma robe de cérémonie.

Louise se leva, sa mère la prit par la main et l'entraîna sur le palier.

— Venez, dit-elle.

Et tout bas :

— Quand je vous défends de venir chez Montalais, pourquoi y venez-vous ?

— Madame, c'est mon amie. D'ailleurs, j'arrivais.

— On n'a fait cacher personne devant vous ?

— Madame !

— J'ai vu un chapeau d'homme, vous dis-je : celui de ce drôle, de ce vaurien !

— Madame ! s'écria Louise.

— De ce fainéant de Malicorne ! Une fille d'honneur fréquenter ainsi... fi !

Et les voix se perdirent dans les profondeurs du petit escalier.

Montalais n'avait pas perdu un mot de ces propos que l'écho lui renvoyait comme par un entonnoir.

Elle haussa les épaules, et, voyant Raoul qui, sorti de sa cachette, avait écouté aussi :

— Pauvre Montalais ! dit-elle, victime de l'amitié !... Pauvre Malicorne !... victime de l'amour !

Elle s'arrêta sur la mine tragi-comique de Raoul, qui s'en voulut d'avoir en un jour surpris tant de secrets.

— Oh ! mademoiselle, dit-il, comment reconnaître vos bontés ?

— Nous ferons quelque jour nos comptes, répliqua-t-elle ; pour le moment, gagnez au pied, monsieur de Bragelonne, car Mme de Saint-Remy n'est pas indulgente, et quelque indiscrétion de sa part pourrait amener ici une visite domiciliaire fâcheuse pour nous tous. Adieu !

— Mais Louise... comment savoir ?...

— Allez ! allez ! le roi Louis XI savait bien ce qu'il faisait lorsqu'il inventa la poste[1].

— Hélas ! dit Raoul.

— Et ne suis-je pas là, moi, qui vaux toutes les postes du royaume ? Vite à votre cheval ! et que si Mme de Saint-Remy remonte pour me faire de la morale, elle ne vous trouve plus ici.

— Elle le dirait à mon père, n'est-ce pas ? murmura Raoul.

— Et vous seriez grondé ! Ah ! vicomte, on voit bien que vous venez de la cour : vous êtes peureux comme le roi. Peste ! à Blois, nous nous passons mieux que cela du consentement de papa ! Demandez à Malicorne.

Et, sur ces mots, la folle jeune fille mit Raoul à la porte par les épaules ; celui-ci se glissa le long du porche, retrouva son cheval, sauta dessus et partit comme s'il eût les huit gardes de Monsieur à ses trousses.

IV

LE PÈRE ET LE FILS

Raoul suivit la route bien connue, bien chère à sa mémoire, qui conduisait de Blois à la maison du comte de La Fère.

Le lecteur nous dispensera d'une description nouvelle de cette habitation. Il y a pénétré avec nous en d'autres temps ; il la connaît[2]. Seulement, depuis le dernier voyage que nous y avons fait, les murs avaient pris une teinte plus grise, et la brique des tons de cuivre plus harmonieux ; les arbres avaient grandi, et tel autrefois allongeait ses bras grêles par-dessus les haies, qui maintenant, arrondi, touffu, luxuriant, jetait au loin, sous ses rameaux gonflés de sève, l'ombre épaisse des fleurs ou des fruits pour le passant.

Raoul aperçut au loin le toit aigu, les deux petites tourelles, le colombier dans les ormes, et les volées de pigeons qui tournoyaient incessamment, sans pouvoir le quitter jamais, autour du cône de briques, pareils aux doux souvenirs qui voltigent autour d'une âme sereine.

Lorsqu'il s'approcha, il entendit le bruit des poulies qui grinçaient sous le poids des seaux massifs ; il lui sembla aussi entendre le mélancolique gémissement de l'eau qui retombe dans le puits, bruit triste, funèbre, solennel, qui frappe l'oreille de l'enfant et du poète rêveurs,

1. Louis XI institua un service régulier de courriers royaux qui inaugura l'ère de la poste moderne (édit de Luxies, 19 juin 1464).

2. Voir *Vingt Ans après*, chap. XV.

que les Anglais appellent *splash*[1], les poètes arabes *gasgachau*, et que nous autres Français, qui voudrions bien être poètes, nous ne pouvons traduire que par une périphrase : *le bruit de l'eau tombant dans l'eau.*

Il y avait plus d'un an que Raoul n'était venu voir son père. Il avait passé tout ce temps chez M. le prince.

En effet, après toutes ces émotions de la Fronde dont nous avons autrefois essayé de reproduire la première période, Louis de Condé avait fait avec la cour une réconciliation publique, solennelle et franche. Pendant tout le temps qu'avait duré la rupture de M. le prince avec le roi, M. le prince, qui s'était depuis longtemps affectionné à Bragelonne, lui avait vainement offert tous les avantages qui peuvent éblouir un jeune homme. Le comte de La Fère, toujours fidèle à ses principes de loyauté et de royauté, développés un jour devant son fils dans les caveaux de Saint-Denis, le comte de La Fère, au nom de son fils, avait toujours refusé. Il y avait plus : au lieu de suivre M. de Condé dans sa rébellion, le vicomte avait suivi M. de Turenne, combattant pour le roi. Puis, lorsque M. de Turenne, à son tour, avait paru abandonner la cause royale[2], il avait quitté M. de Turenne, comme il avait fait de M. de Condé. Il résultait de cette ligne invariable de conduite que, comme jamais Turenne et Condé n'avaient été vainqueurs l'un de l'autre que sous les drapeaux du roi, Raoul avait, si jeune qu'il fût encore, dix victoires inscrites sur l'état de ses services, et pas une défaite dont sa bravoure et sa conscience eussent à souffrir.

Donc Raoul avait, selon le vœu de son père, servi opiniâtrement et passivement la fortune du roi Louis XIV, malgré toutes les tergiversations, qui étaient endémiques et, on peut dire, inévitables à cette époque.

M. de Condé, rentré en grâce, avait usé de tout, d'abord de son privilège d'amnistie pour redemander beaucoup de choses qui lui avaient été accordées et, entre autres choses, Raoul. Aussitôt M. le comte de La Fère, dans son bon sens inébranlable, avait renvoyé Raoul au prince de Condé.

Un an donc s'était écoulé depuis la dernière séparation du père et du fils ; quelques lettres avaient adouci, mais non guéri, les douleurs de son absence. On a vu que Raoul laissait à Blois un autre amour que l'amour filial.

Mais rendons-lui cette justice que, sans le hasard et Mlle de Montalais, deux démons tentateurs, Raoul, après le message accompli, se fût mis à galoper vers la demeure de son père en retournant la tête sans doute, mais sans s'arrêter un seul instant, eût-il vu Louise lui tendre les bras.

Aussi, la première partie du trajet fut-elle donnée par Raoul au regret

1. Texte : « splass ».
2. Turenne fit sa paix avec le Parlement en 1651.

du passé qu'il venait de quitter si vite, c'est-à-dire à l'amante ; l'autre moitié à l'ami qu'il allait retrouver, trop lentement au gré de ses désirs.

Raoul trouva la porte du jardin ouverte et lança son cheval sous l'allée, sans prendre garde aux grands bras que faisait, en signe de colère, un vieillard vêtu d'un tricot de laine violette et coiffé d'un large bonnet de velours râpé. Ce vieillard, qui sarclait de ses doigts une plate-bande de rosiers nains et de marguerites, s'indignait de voir un cheval courir ainsi dans ses allées sablées et ratissées.

Il hasarda même un vigoureux *hum !* qui fit retourner le cavalier. Ce fut alors un changement de scène ; car aussitôt qu'il eut vu le visage de Raoul, ce vieillard se redressa et se mit à courir dans la direction de la maison avec des grognements interrompus qui semblaient être chez lui le paroxysme d'une joie folle. Raoul arriva aux écuries, remit son cheval à un petit laquais, et enjamba le perron avec une ardeur qui eût bien réjoui le cœur de son père.

Il traversa l'antichambre, la salle à manger et le salon sans trouver personne ; enfin, arrivé à la porte de M. le comte de La Fère, il heurta impatiemment et entra presque sans attendre le mot : *Entrez !* que lui jeta une voix grave et douce tout à la fois.

Le comte était assis devant une table couverte de papiers et de livres : c'était bien toujours le noble et le beau gentilhomme d'autrefois, mais le temps avait donné à sa noblesse, à sa beauté, un caractère plus solennel et plus distinct. Un front blanc et sans rides sous ses longs cheveux plus blancs que noirs, un œil perçant et doux sous des cils de jeune homme, la moustache fine et à peine grisonnante, encadrant des lèvres d'un modèle pur et délicat, comme si jamais elles n'eussent été crispées par les passions mortelles ; une taille droite et souple, une main irréprochable mais amaigrie, voilà quel était encore l'illustre gentilhomme dont tant de bouches illustres avaient fait l'éloge sous le nom d'Athos. Il s'occupait alors de corriger les pages d'un cahier manuscrit, tout entier rempli de sa main[1].

Raoul saisit son père par les épaules, par le cou, comme il put, et l'embrassa si tendrement, si rapidement, que le comte n'eut pas la force ni le temps de se dégager, ni de surmonter son émotion paternelle.

— Vous ici, vous voici, Raoul ! dit-il, est-ce bien possible ?

— Oh ! monsieur, monsieur, quelle joie de vous revoir !

— Vous ne me répondez pas, vicomte. Avez-vous un congé pour être à Blois, ou bien est-il arrivé quelque malheur à Paris ?

— Dieu merci ! monsieur, répliqua Raoul en se calmant peu à peu, il n'est rien arrivé que d'heureux ; le roi se marie, comme j'ai eu

1. Mention des fictives *Mémoires de M. le comte de La Fère, concernant quelques-uns des événemens qui se passèrent en France vers la fin du règne du roi Louis XIII et le commencement du règne du roi Louis XIV*, manuscrit qui serait à l'origine des *Trois Mousquetaires* (voir *Les Trois Mousquetaires*, Préface).

l'honneur de vous le mander dans ma dernière lettre, et il part pour l'Espagne. Sa Majesté passera par Blois.

— Pour rendre visite à Monsieur ?

— Oui, monsieur le comte. Aussi, craignant de le prendre à l'improviste, ou désirant lui être particulièrement agréable, M. le prince m'a-t-il envoyé pour préparer les logements.

— Vous avez vu Monsieur ? demanda le comte vivement.

— J'ai eu cet honneur.

— Au château ?

— Oui, monsieur, répondit Raoul en baissant les yeux, parce que, sans doute, il avait senti dans l'interrogation du comte plus que de la curiosité.

— Ah ! vraiment, vicomte ?... Je vous fais mon compliment.

Raoul s'inclina.

— Mais vous avez encore vu quelqu'un à Blois ?

— Monsieur, j'ai vu Son Altesse Royale Madame.

— Très bien. Ce n'est pas de Madame que je parle.

Raoul rougit extrêmement et ne répondit point.

— Vous ne m'entendez pas, à ce qu'il paraît, monsieur le vicomte ? insista M. de La Fère sans accentuer plus nerveusement sa question, mais en forçant l'expression un peu plus sévère de son regard.

— Je vous entends parfaitement, monsieur, répliqua Raoul, et si je prépare ma réponse, ce n'est pas que je cherche un mensonge, vous le savez, monsieur.

— Je sais que vous ne mentez jamais. Aussi, je dois m'étonner que vous preniez un si long temps pour me dire : oui ou non.

— Je ne puis vous répondre qu'en vous comprenant bien, et si je vous ai bien compris, vous allez recevoir en mauvaise part mes premières paroles. Il vous déplaît sans doute, monsieur le comte, que j'aie vu...

— Mlle de La Vallière, n'est-ce pas ?

— C'est d'elle que vous voulez parler, je le sais bien, monsieur le comte, dit Raoul avec une inexprimable douceur.

— Et je vous demande si vous l'avez vue.

— Monsieur, j'ignorais absolument, lorsque j'entrai au château, que Mlle de La Vallière pût s'y trouver ; c'est seulement en m'en retournant, après ma mission achevée, que le hasard nous a mis en présence. J'ai eu l'honneur de lui présenter mes respects.

— Comment s'appelle le hasard qui vous a réuni à Mlle de La Vallière ?

— Mlle de Montalais, monsieur.

— Qu'est-ce que Mlle de Montalais ?

— Une jeune personne que je ne connaissais pas, que je n'avais jamais vue. Elle est fille d'honneur de Madame.

— Monsieur le vicomte, je ne pousserai pas plus loin mon

interrogatoire, que je me reproche déjà d'avoir fait durer. Je vous avais recommandé d'éviter Mlle de La Vallière, et de ne la voir qu'avec mon autorisation. Oh ! je sais que vous m'avez dit vrai, et que vous n'avez pas fait une démarche pour vous rapprocher d'elle. Le hasard m'a fait du tort ; je n'ai pas à vous accuser. Je me contenterai donc de ce que je vous ai déjà dit concernant cette demoiselle. Je ne lui reproche rien, Dieu m'en est témoin ; seulement il n'entre pas dans mes desseins que vous fréquentiez sa maison. Je vous prie encore une fois, mon cher Raoul, de l'avoir pour entendu.

On eût dit que l'œil si limpide et si pur de Raoul se troublait à cette parole.

— Maintenant, mon ami, continua le comte avec son doux sourire et sa voix habituelle, parlons d'autre chose. Vous retournez peut-être à votre service ?

— Non, monsieur, je n'ai plus qu'à demeurer auprès de vous tout aujourd'hui. M. le prince ne m'a heureusement fixé d'autre devoir que celui-là, qui était si bien d'accord avec mes désirs.

— Le roi se porte bien ?

— A merveille.

— Et M. le prince aussi ?

— Comme toujours, monsieur.

Le comte oubliait Mazarin : c'était une vieille habitude.

— Eh bien ! Raoul, puisque vous n'êtes plus qu'à moi, je vous donnerai, de mon côté, toute ma journée. Embrassez-moi... encore... encore... Vous êtes chez vous, vicomte... Ah ! voici notre vieux Grimaud !... Venez, Grimaud, M. le comte veut vous embrasser aussi.

Le grand vieillard ne se le fit pas répéter ; il accourait les bras ouverts. Raoul lui épargna la moitié du chemin.

— Maintenant, voulez-vous que nous passions au jardin, Raoul ? Je vous montrerai le nouveau logement que j'ai fait préparer pour vous à vos congés, et, tout en regardant les plantations de cet hiver et deux chevaux de main que j'ai changés, vous me donnerez des nouvelles de nos amis de Paris.

Le comte ferma son manuscrit, prit le bras du jeune homme et passa au jardin avec lui.

Grimaud regarda mélancoliquement partir Raoul, dont la tête effleurait presque la traverse de la porte, et, tout en caressant sa royale blanche, il laissa échapper ce mot profond :

— Grandi !

V

OÙ IL SERA PARLÉ DE CROPOLI, DE CROPOLE ET D'UN GRAND PEINTRE INCONNU

Tandis que le comte de La Fère visite avec Raoul les nouveaux bâtiments qu'il a fait bâtir, et les chevaux neufs qu'il a fait acheter, nos lecteurs nous permettront de les ramener à la ville de Blois et de les faire assister au mouvement inaccoutumé qui agitait la ville.

C'était surtout dans les hôtels que s'était fait sentir le contrecoup de la nouvelle apportée par Raoul.

En effet, le roi et la cour à Blois, c'est-à-dire cent cavaliers, dix carrosses, deux cents chevaux, autant de valets que de maîtres, où se caserait tout ce monde, où se logeraient tous ces gentilshommes des environs qui allaient arriver dans deux ou trois heures peut-être, aussitôt que la nouvelle aurait élargi le centre de son retentissement, comme ces circonférences croissantes que produit la chute d'une pierre dans l'eau d'un lac tranquille ?

Blois, aussi paisible le matin, nous l'avons vu, que le lac le plus calme du monde, à l'annonce de l'arrivée royale, s'emplit soudain de tumulte et de bourdonnement.

Tous les valets du château, sous l'inspection des officiers, allaient en ville quérir les provisions, et dix courriers à cheval galopaient vers les réserves de Chambord pour chercher le gibier, aux pêcheries du Beuvron pour le poisson, aux serres de Cheverny pour les fleurs et pour les fruits.

On tirait du garde-meuble les tapisseries précieuses, les lustres à grands chaînons dorés ; une armée de pauvres balayaient les cours et lavaient les devantures de pierre, tandis que leurs femmes foulaient les prés au-delà de la Loire pour récolter des jonchées de verdure et de fleurs des champs. Toute la ville, pour ne pas demeurer au-dessous de ce luxe de propreté, faisait sa toilette à grand renfort de brosses, de balais et d'eau.

Les ruisseaux de la ville supérieure, gonflés par ces lotions continues, devenaient fleuves au bas de la ville, et le petit pavé, parfois très boueux, il faut le dire, se nettoyait, se diamantait aux rayons amis du soleil.

Enfin, les musiques se préparaient, les tiroirs se vidaient ; on accaparait chez les marchands cires, rubans et nœuds d'épées ; les ménagères faisaient provision de pain, de viandes et d'épices. Déjà même bon nombre de bourgeois, dont la maison était garnie comme pour soutenir un siège, n'ayant plus à s'occuper de rien, endossaient des habits de fête et se dirigeaient vers la porte de la ville pour être les premiers à signaler ou à voir le cortège. Ils savaient bien que le roi n'arriverait qu'à la nuit, peut-être même au matin suivant. Mais qu'est-ce que l'attente, sinon une sorte de folie, et qu'est-ce que la folie, sinon un excès d'espoir ?

Dans la ville basse, à cent pas à peine du château des États, entre le mail et le château, dans une rue assez belle qui s'appelait alors rue Vieille, et qui devait en effet être bien vieille, s'élevait un vénérable édifice, à pignon aigu, à forme trapue et large ornée de trois fenêtres sur la rue au premier étage, de deux au second, et d'un petit œil-de-bœuf au troisième.

Sur les côtés de ce triangle on avait récemment construit un parallélogramme assez vaste qui empiétait sans façon sur la rue, selon les us tout familiers de l'édilité d'alors. La rue s'en voyait bien rétrécie d'un quart, mais la maison s'en trouvait élargie de près de moitié ; n'est-ce pas là une compensation suffisante ?

Une tradition voulait que cette maison à pignon aigu fût habitée, du temps de Henri III, par un conseiller des États que la reine Catherine était venue, les uns disent visiter, les autres étrangler. Quoi qu'il en soit, la bonne dame avait dû poser un pied circonspect sur le seuil de ce bâtiment.

Après le conseiller mort par strangulation ou mort naturellement, il n'importe, la maison avait été vendue, puis abandonnée, enfin isolée des autres maisons de la rue. Vers le milieu du règne de Louis XIII seulement, un Italien nommé Cropoli, échappé des cuisines du maréchal d'Ancre[1], était venu s'établir en cette maison. Il y avait fondé une petite hôtellerie où se fabriquait un macaroni tellement raffiné, qu'on en venait quérir ou manger là de plusieurs lieues à la ronde.

L'illustration de la maison était venue de ce que la reine Marie de Médicis, prisonnière, comme on sait, au château des États, en avait envoyé chercher une fois.

C'était précisément le jour où elle s'était évadée par la fameuse fenêtre[2]. Le plat de macaroni était resté sur la table, effleuré seulement par la bouche royale.

De cette double faveur faite à la maison triangulaire, d'une strangulation et d'un macaroni, l'idée était venue au pauvre Cropoli de nommer son hôtellerie d'un titre pompeux. Mais sa qualité d'Italien n'était pas une recommandation en ce temps-là, et son peu de fortune soigneusement cachée l'empêchait de se mettre trop en évidence.

Quand il se vit près de mourir, ce qui arriva en 1643, après la mort du roi Louis XIII, il fit venir son fils, jeune marmiton de la plus belle espérance, et, les larmes aux yeux, il lui recommanda de bien garder le secret du macaroni, de franciser son nom, d'épouser une Française, et enfin, lorsque l'horizon politique serait débarrassé des nuages qui

1. Concino Concini, maréchal d'Ancre, fut assassiné par Vitry le 24 avril 1617.
2. Le 21 février 1619 (voir ci-dessus, chap. I, p. 6, note 1).

le couvraient — on pratiquait déjà à cette époque cette figure, fort en usage de nos jours dans les premiers Paris[1] et à la Chambre, — de faire tailler par le forgeron voisin une belle enseigne, sur laquelle un fameux peintre qu'il désigna tracerait deux portraits de la reine avec ces mots en légende : *Aux Médicis*.

Le bonhomme Cropoli, après ces recommandations, n'eut que la force d'indiquer à son jeune successeur une cheminée sous la dalle de laquelle il avait enfoui mille louis de dix francs, et il expira.

Cropoli fils, en homme de cœur, supporta la perte avec résignation et le gain sans insolence. Il commença par accoutumer le public à faire sonner si peu l'*i* final de son nom, que, la complaisance générale aidant, on ne l'appela plus que M. Cropole, ce qui est un nom tout français. Ensuite il se maria, ayant justement sous la main une petite Française dont il était amoureux, et aux parents de laquelle il arracha une dot raisonnable en montrant le dessous de la dalle de la cheminée.

Ces deux premiers points accomplis, il se mit à la recherche du peintre qui devait faire l'enseigne.

Le peintre fut bientôt trouvé.

C'était un vieil Italien émule des Raphaël et des Carrache, mais émule malheureux. Il se disait de l'école vénitienne, sans doute parce qu'il aimait fort la couleur. Ses ouvrages, dont jamais il n'avait vendu un seul, tiraient l'œil à cent pas et déplaisaient formidablement aux bourgeois, si bien qu'il avait fini par ne plus rien faire.

Il se vantait toujours d'avoir peint une salle de bains pour Mme la maréchale d'Ancre, et se plaignait que cette salle eût été brûlée[2] lors du désastre du maréchal.

Cropoli, en sa qualité de compatriote, était indulgent pour Pittrino. C'était le nom de l'artiste. Peut-être avait-il vu les fameuses peintures de la salle de bains. Toujours est-il qu'il avait dans une telle estime, voire dans une telle amitié, le fameux Pittrino, qu'il le retira chez lui.

Pittrino, reconnaissant et nourri de macaroni, apprit à propager la réputation de ce mets national, et, du temps de son fondateur, il avait rendu par sa langue infatigable des services signalés à la maison Cropoli.

En vieillissant, il s'attacha au fils comme au père, et peu à peu devint l'espèce de surveillant d'une maison où sa probité intègre, sa sobriété reconnue, sa chasteté proverbiale, et mille autres vertus que nous jugeons inutile d'énumérer ici, lui donnèrent place éternelle au foyer, avec droit d'inspection sur les domestiques. En outre, c'était lui qui goûtait le macaroni, pour maintenir le goût pur de l'antique tradition ; il faut dire qu'il ne pardonnait pas un grain de poivre de plus, ou un atome de

---

1. *Premier Paris* : article de tête, souvent politique, des journaux parisiens.
2. Situé rue de Tournon (actuellement n° 10), l'hôtel du maréchal d'Ancre — construit sur l'emplacement de l'hôtel Garancière — avait été pillé en 1616, puis de nouveau le 25 avril 1617 après l'assassinat du favori de Marie de Médicis, mais il n'avait pas été brûlé.

parmesan en moins. Sa joie fut bien grande le jour où, appelé à partager le secret de Cropole fils, il fut chargé de peindre la fameuse enseigne.

On le vit fouiller avec ardeur dans une vieille boîte, où il retrouva des pinceaux un peu mangés par les rats, mais encore passables, des couleurs dans des vessies à peu près desséchées, de l'huile de lin dans une bouteille, et une palette qui avait appartenu autrefois au Bronzino, ce *diou de la pittoure*, comme disait, dans son enthousiasme toujours juvénile, l'artiste ultramontain.

Pittrino était grandi de toute la joie d'une réhabilitation.

Il fit comme avait fait Raphaël, il changea de manière et peignit à la façon d'Albane deux déesses plutôt que deux reines. Ces dames illustres étaient tellement gracieuses sur l'enseigne, elles offraient aux regards étonnés un tel assemblage de lis et de roses, résultat enchanteur du changement de manière de Pittrino ; elles affectaient des poses de sirènes tellement anacréontiques, que le principal échevin, lorsqu'il fut admis à voir ce morceau capital dans la salle de Cropole, déclara tout de suite que ces dames étaient trop belles et d'un charme trop animé pour figurer comme enseigne à la vue des passants.

— Son Altesse Royale Monsieur, fut-il dit à Pittrino, qui vient souvent dans notre ville, ne s'arrangerait pas de voir Mme son illustre mère aussi peu vêtue, et il vous enverrait aux oubliettes des États[1], car il n'a pas toujours le cœur tendre, ce glorieux prince. Effacez donc les deux sirènes ou la légende, sans quoi je vous interdis l'exhibition de l'enseigne. Cela est dans votre intérêt, maître Cropole, et dans le vôtre, seigneur Pittrino.

Que répondre à cela ? Il fallut remercier l'échevin de sa gracieuseté ; c'est ce que fit Cropole.

Mais Pittrino demeura sombre et déçu.

Il sentait bien ce qui allait arriver.

L'édile ne fut pas plutôt parti que Cropole, se croisant les bras :

— Eh bien ! maître, dit-il, qu'allons-nous faire ?

— Nous allons ôter la légende, dit tristement Pittrino. J'ai là du noir d'ivoire excellent, ce sera fait en un tour de main, et nous remplacerons les Médicis par les *Nymphes* ou les *Sirènes*, comme il vous plaira.

— Non pas, dit Cropole, la volonté de mon père ne serait pas remplie. Mon père tenait...

— Il tenait aux figures, dit Pittrino.

— Il tenait à la légende, dit Cropole.

1. « [Le concierge du château de Blois me montra] les oubliettes de Catherine de Médicis avec leurs quatre-vingts pieds de profondeur, leurs lames d'acier tranchantes comme des rasoirs, leurs crampons aigus comme des fers de lance, si nombreux et si artistiquement disposés en spirales, qu'un homme qui tombait d'en haut, créature de Dieu, perdant un membre ou un lambeau de chair à chaque choc, n'était plus, arrivé en bas, qu'une masse informe et hachée, sur laquelle le lendemain on jetait de la chaux vive pour empêcher la corruption », A. Dumas, « La Vendée après le 29 Juillet », article cité.

— La preuve qu'il tenait aux figures, c'est qu'il les avait commandées ressemblantes, et elles le sont, répliqua Pittrino.

— Oui, mais si elles ne l'eussent pas été, qui les eût reconnues sans la légende ? Aujourd'hui même que la mémoire des Blésois s'oblitère un peu à l'endroit de ces personnes célèbres, qui reconnaîtrait Catherine et Marie sans ces mots : *Aux Médicis* ?

— Mais enfin, mes figures ? dit Pittrino désespéré, car il sentait que le petit Cropole avait raison. Je ne veux pas perdre le fruit de mon travail.

— Je ne veux pas que vous alliez en prison et moi dans les oubliettes.

— Effaçons Médicis, dit Pittrino suppliant.

— Non, répliqua fermement Cropole. Il me vient une idée, une idée sublime... votre peinture paraîtra, et ma légende aussi... *Médici* ne veut-il pas dire médecin en italien ?

— Oui, au pluriel.

— Vous m'allez donc commander une autre plaque d'enseigne chez le forgeron ; vous y peindrez six médecins, et vous écrirez dessous : *Aux Médicis*... ce qui fait un jeu de mots agréable.

— Six médecins ! Impossible ! Et la composition ? s'écria Pittrino.

— Cela vous regarde, mais il en sera ainsi, je le veux, il le faut. Mon macaroni brûle.

Cette raison était péremptoire ; Pittrino obéit. Il composa l'enseigne des six médecins avec la légende ; l'échevin applaudit et autorisa.

L'enseigne eut par la ville un succès fou. Ce qui prouve bien que la poésie a toujours eu tort devant les bourgeois, comme dit Pittrino.

Cropole, pour dédommager son peintre ordinaire, accrocha dans sa chambre à coucher les nymphes de la précédente enseigne, ce qui faisait rougir Mme Cropole chaque fois qu'elle les regardait en se déshabillant le soir.

Voilà comment la maison au pignon eut une enseigne, voilà comment, faisant fortune, l'hôtellerie des Médicis fut forcée de s'agrandir du quadrilatère que nous avons dépeint. Voilà comment il y avait à Blois une hôtellerie de ce nom ayant pour propriétaire maître Cropole et pour peintre ordinaire maître Pittrino.

VI

L'INCONNU

Ainsi fondée et recommandée par son enseigne, l'hôtellerie de maître Cropole marchait vers une solide prospérité.

Ce n'était pas une fortune immense que Cropole avait en perspective, mais il pouvait espérer de doubler les mille louis d'or légués par son père, de faire mille autre louis de la vente de la maison et du fonds, et libre enfin, de vivre heureux comme un bourgeois de la ville.

Cropole était âpre au gain, il accueillit en homme fou de joie la nouvelle de l'arrivée du roi Louis XIV.

Lui, sa femme, Pittrino et deux marmitons firent aussitôt main basse sur tous les habitants du colombier, de la basse-cour et des clapiers, en sorte qu'on entendit dans les cours de l'Hôtellerie des Médicis autant de lamentations et de cris que jadis on en avait entendu dans Rama[1].

Cropole n'avait pour le moment qu'un seul voyageur.

C'était un homme de trente ans à peine, beau, grand, austère, ou plutôt mélancolique dans chacun de ses gestes et de ses regards.

Il était vêtu d'un habit de velours noir avec des garnitures de jais; un col blanc, simple comme celui des puritains les plus sévères, faisait ressortir la teinte mate et fine de son cou plein de jeunesse; une légère moustache blonde couvrait à peine sa lèvre frémissante et dédaigneuse.

Il parlait aux gens en les regardant en face, sans affectation, il est vrai, mais sans scrupule; de sorte que l'éclat de ses yeux bleus devenait tellement insupportable que plus d'un regard se baissait devant le sien, comme fait l'épée la plus faible dans un combat singulier.

En ce temps où les hommes, tous créés égaux par Dieu, se divisaient, grâce aux préjugés, en deux castes distinctes, le gentilhomme et le roturier, comme ils se divisent réellement en deux races, la noire et la blanche, en ce temps, disons-nous, celui dont nous venons d'esquisser le portrait ne pouvait manquer d'être pris pour un gentilhomme, et de la meilleure race. Il ne fallait pour cela que consulter ses mains, longues, effilées et blanches, dont chaque muscle, chaque veine transparaissaient sous la peau au moindre mouvement, dont les phalanges rougissaient à la moindre crispation.

Ce gentilhomme était donc arrivé seul chez Cropole. Il avait pris sans hésiter, sans réfléchir même, l'appartement le plus important, que l'hôtelier lui avait indiqué dans un but de rapacité fort condamnable, diront les uns, fort louable, diront les autres, s'ils admettent que Cropole fût physionomiste et jugeât les gens à première vue.

Cet appartement était celui qui composait toute la devanture de la vieille maison triangulaire: un grand salon éclairé par deux fenêtres au premier étage, une petite chambre à côté, une autre au-dessus.

Or, depuis qu'il était arrivé, ce gentilhomme avait à peine touché au repas qu'on lui avait servi dans sa chambre. Il n'avait dit que deux mots à l'hôte pour le prévenir qu'il viendrait un voyageur du nom de Parry, et recommander qu'on laissât monter ce voyageur.

---

1. Aujourd'hui Er-Râm. Voir Matthieu, II, 18, d'après Jérémie, XXXI, 15.

Ensuite, il avait gardé un silence tellement profond, que Cropole en avait été presque offensé, lui qui aimait les gens de bonne compagnie.

Enfin, ce gentilhomme s'était levé de bonne heure le matin du jour où commence cette histoire, et s'était mis à la fenêtre de son salon, assis sur le rebord et appuyé sur la rampe du balcon, regardant tristement et opiniâtrement aux deux côtés de la rue pour guetter sans doute la venue de ce voyageur qu'il avait signalé à l'hôte.

Il avait vu, de cette façon, passer le petit cortège de Monsieur revenant de la chasse, puis avait savouré de nouveau la profonde tranquillité de la ville, absorbé qu'il était dans son attente.

Tout à coup, le remue-ménage des pauvres allant aux prairies, des courriers partant, des laveurs de pavé, des pourvoyeurs de la maison royale, des courtauds de boutiques effarouchés et bavards, des chariots en branle, des coiffeurs en course et des pages en corvée ; ce tumulte et ce vacarme l'avaient surpris, mais sans qu'il perdît rien de cette majesté impassible et suprême qui donne à l'aigle et au lion ce coup d'œil serein et méprisant au milieu des hourras et des trépignements des chasseurs ou des curieux.

Bientôt les cris des victimes égorgées dans la basse-cour, les pas pressés de Mme Cropole dans le petit escalier de bois si étroit et si sonore, les allures bondissantes de Pittrino, qui, le matin encore, fumait sur la porte avec le flegme d'un Hollandais, tout cela donna au voyageur un commencement de surprise et d'agitation.

Comme il se levait pour s'informer, la porte de la chambre s'ouvrit. L'inconnu pensa que sans doute on lui amenait le voyageur si impatiemment attendu.

Il fit donc, avec une sorte de précipitation, trois pas vers cette porte qui s'ouvrait.

Mais au lieu de la figure qu'il espérait voir, ce fut maître Cropole qui apparut, et derrière lui, dans la pénombre de l'escalier, le visage assez gracieux, mais rendu trivial par la curiosité, de Mme Cropole, qui donna un coup d'œil furtif au beau gentilhomme et disparut.

Cropole s'avança l'air souriant, le bonnet à la main, plutôt courbé qu'incliné.

Un geste de l'inconnu l'interrogea sans qu'aucune parole fût prononcée.

— Monsieur, dit Cropole, je venais demander comment dois-je dire : Votre Seigneurie, ou Monsieur le comte, ou Monsieur le marquis ?...

— Dites « Monsieur », et dites vite, répondit l'inconnu avec cet accent hautain qui n'admet ni discussion ni réplique.

— Je venais donc m'informer comment Monsieur avait passé la nuit, et si Monsieur était dans l'intention de garder cet appartement.

— Oui.

— Monsieur, c'est qu'il arrive un incident sur lequel nous n'avions pas compté.

— Lequel ?

— Sa Majesté Louis XIV entre aujourd'hui dans notre ville et s'y repose un jour, deux jours peut-être.

Un vif étonnement se peignit sur le visage de l'inconnu.

— Le roi de France vient à Blois ?

— Il est en route, monsieur.

— Alors, raison de plus pour que je reste, dit l'inconnu.

— Fort bien, monsieur ; mais Monsieur garde-t-il tout l'appartement ?

— Je ne vous comprends pas. Pourquoi aurais-je aujourd'hui moins que je n'ai eu hier ?

— Parce que, monsieur, Votre Seigneurie me permettra de le lui dire, hier je n'ai pas dû, lorsque vous avez choisi votre logis, fixer un prix quelconque qui eût fait croire à Votre Seigneurie que je préjugeais ses ressources... tandis qu'aujourd'hui...

L'inconnu rougit. L'idée lui vint sur-le-champ qu'on le soupçonnait pauvre et qu'on l'insultait.

— Tandis qu'aujourd'hui, reprit-il froidement, vous préjugez ?

— Monsieur, je suis un galant homme, Dieu merci ! et, tout hôtelier que je paraisse être, il y a en moi du sang de gentilhomme ; mon père était serviteur et officier de feu M. le maréchal d'Ancre. Dieu veuille avoir son âme !...

— Je ne vous conteste pas ce point, monsieur ; seulement, je désire savoir, et savoir vite, à quoi tendent vos questions.

— Vous êtes, monsieur, trop raisonnable pour ne pas comprendre que notre ville est petite, que la cour va l'envahir, que les maisons regorgeront d'habitants, et que, par conséquent, les loyers vont acquérir une valeur considérable.

L'inconnu rougit encore.

— Faites vos conditions, monsieur, dit-il.

— Je les fais avec scrupule, monsieur, parce que je cherche un gain honnête et que je veux faire une affaire sans être incivil ou grossier dans mes désirs... Or, l'appartement que vous occupez est considérable, et vous êtes seul...

— Cela me regarde.

— Oh ! bien certainement ; aussi je ne congédie pas Monsieur.

Le sang afflua aux tempes de l'inconnu ; il lança sur le pauvre Cropole, descendant d'un officier de M. le maréchal d'Ancre, un regard qui l'eût fait rentrer sous cette fameuse dalle de la cheminée, si Cropole n'eût pas été vissé à sa place par la question de ses intérêts.

— Voulez-vous que je parte ? expliquez-vous, mais promptement.

— Monsieur, monsieur, vous ne m'avez pas compris. C'est fort délicat, ce que je fais ; mais je m'exprime mal, ou peut-être, comme Monsieur est étranger, ce que je reconnais à l'accent...

En effet, l'inconnu parlait avec le léger grasseyement qui est le caractère principal de l'accentuation anglaise, même chez les hommes de cette nation qui parlent le plus purement le français.

— Comme Monsieur est étranger, dis-je, c'est peut-être lui qui ne saisit pas les nuances de mon discours. Je prétends que Monsieur pourrait abandonner une ou deux des trois pièces qu'il occupe, ce qui diminuerait son loyer de beaucoup et soulagerait ma conscience ; en effet, il est dur d'augmenter déraisonnablement le prix des chambres, lorsqu'on a l'honneur de les évaluer à un prix raisonnable.

— Combien le loyer depuis hier ?

— Monsieur, un louis, avec la nourriture et le soin du cheval.

— Bien. Et celui d'aujourd'hui ?

— Ah ! voilà la difficulté. Aujourd'hui c'est le jour d'arrivée du roi ; si la cour vient pour la couchée, le jour de loyer compte. Il en résulte que trois chambres à deux louis la pièce font six louis. Deux louis, monsieur, ce n'est rien, mais six louis sont beaucoup.

L'inconnu, de rouge qu'on l'avait vu, était devenu très pâle.

Il tira de sa poche, avec une bravoure héroïque, une bourse brodée d'armes, qu'il cacha soigneusement dans le creux de sa main. Cette bourse était d'une maigreur, d'un flasque, d'un creux qui n'échappèrent pas à l'œil de Cropole.

L'inconnu vida cette bourse dans sa main. Elle contenait trois louis doubles, qui faisaient une valeur de six louis, comme l'hôtelier le demandait.

Toutefois, c'était sept que Cropole avait exigés.

Il regarda donc l'inconnu comme pour lui dire : Après ?

— Il reste un louis, n'est-ce pas, maître hôtelier ?

— Oui, monsieur, mais...

L'inconnu fouilla dans la poche de son haut-de-chausses et la vida ; elle renfermait un petit portefeuille, une clef d'or et quelque monnaie blanche.

De cette monnaie il composa le total d'un louis.

— Merci, monsieur, dit Cropole. Maintenant, il me reste à savoir si Monsieur compte habiter demain encore son appartement, auquel cas je l'y maintiendrais ; tandis que si Monsieur n'y comptait pas, je le promettrais aux gens de Sa Majesté qui vont venir.

— C'est juste, fit l'inconnu après un assez long silence, mais comme je n'ai plus d'argent, ainsi que vous l'avez pu voir, comme cependant je garde cet appartement, il faut que vous vendiez ce diamant dans la ville ou que vous le gardiez en gage.

Cropole regarda si longtemps le diamant, que l'inconnu se hâta de dire :

— Je préfère que vous le vendiez, monsieur, car il vaut trois cents pistoles[1]. Un juif, y a-t-il un juif dans Blois ? vous en donnera deux cents, cent cinquante même ; prenez ce qu'il vous en donnera, ne dût-il vous en offrir que le prix de votre logement. Allez !

— Oh ! monsieur, s'écria Cropole, honteux de l'infériorité subite que lui rétorquait l'inconnu par cet abandon si noble et si désintéressé, comme aussi par cette inaltérable patience envers tant de chicanes et de soupçons ; oh ! monsieur, j'espère bien qu'on ne vole pas à Blois comme vous le paraissez croire, et le diamant s'élevant à ce que vous dites...

L'inconnu foudroya encore une fois Cropole de son regard azuré.

— Je ne m'y connais pas, monsieur, croyez-le bien, s'écria celui-ci.

— Mais les joailliers s'y connaissent, interrogez-les, dit l'inconnu. Maintenant, je crois que nos comptes sont terminés, n'est-il pas vrai, monsieur l'hôte ?

— Oui, monsieur, et à mon regret profond, car j'ai peur d'avoir offensé Monsieur.

— Nullement, répliqua l'inconnu avec la majesté de la toute-puissance.

— Ou d'avoir paru écorcher un noble voyageur... Faites la part, monsieur, de la nécessité.

— N'en parlons plus, vous dis-je, et veuillez me laisser chez moi.

Cropole s'inclina profondément et partit avec un air égaré qui accusait chez lui un cœur excellent et du remords véritable.

L'inconnu alla fermer lui-même la porte, regarda, quand il fut seul, le fond de sa bourse, où il avait pris un petit sac de soie renfermant le diamant, sa ressource unique.

Il interrogea aussi le vide de ses poches, regarda les papiers de son portefeuille et se convainquit de l'absolu dénuement où il allait se trouver.

Alors il leva les yeux au ciel avec un sublime mouvement de calme et de désespoir, essuya de sa main tremblante quelques gouttes de sueur qui sillonnaient son noble front, et reporta sur la terre un regard naguère empreint d'une majesté divine.

L'orage venait de passer loin de lui, peut-être avait-il prié du fond de l'âme.

Il se rapprocha de la fenêtre, reprit sa place au balcon, et demeura là immobile, atone, mort, jusqu'au moment où, le ciel commençant à s'obscurcir, les premiers flambeaux traversèrent la rue embaumée, et donnèrent le signal de l'illumination à toutes les fenêtres de la ville.

1. Rappelons que la pistole valait dix livres ; l'écu, trois livres.

VII

PARRY

Comme l'inconnu regardait avec intérêt ces lumières et prêtait l'oreille à tous ces bruits, maître Cropole entrait dans sa chambre avec deux valets qui dressèrent la table.

L'étranger ne fit pas la moindre attention à eux.

Alors Cropole, s'approchant de son hôte, lui glissa dans l'oreille avec un profond respect :

— Monsieur, le diamant a été estimé.

— Ah ! fit le voyageur. Eh bien ?

— Eh bien ! monsieur, le joaillier de Son Altesse Royale en donne deux cent quatre-vingts pistoles.

— Vous les avez ?

— J'ai cru devoir les prendre, monsieur ; toutefois, j'ai mis dans les conditions du marché que si Monsieur voulait garder son diamant jusqu'à une rentrée de fonds... le diamant serait rendu.

— Pas du tout ; je vous ai dit de le vendre.

— Alors j'ai obéi ou à peu près, puisque, sans l'avoir définitivement vendu, j'en ai touché l'argent.

— Payez-vous, ajouta l'inconnu.

— Monsieur, je le ferai, puisque vous l'exigez absolument.

Un sourire triste effleura les lèvres du gentilhomme.

— Mettez l'argent sur ce bahut, dit-il en se détournant en même temps qu'il indiquait le meuble du geste.

Cropole déposa un sac assez gros, sur le contenu duquel il préleva le prix du loyer.

— Maintenant, dit-il, Monsieur ne me fera pas la douleur de ne pas souper... Déjà le dîner a été refusé ; c'est outrageant pour la maison des *Médicis*. Voyez, monsieur, le repas est servi, et j'oserai même ajouter qu'il a bon air.

L'inconnu demanda un verre de vin, cassa un morceau de pain et ne quitta pas la fenêtre pour manger et boire.

Bientôt l'on entendit un grand bruit de fanfares et de trompettes ; des cris s'élevèrent au loin, un bourdonnement confus emplit la partie basse de la ville, et le premier bruit distinct qui frappa l'oreille de l'étranger fut le pas des chevaux qui s'avançaient.

— Le roi ! le roi ! répétait une foule bruyante et pressée.

— Le roi ! répéta Cropole, qui abandonna son hôte et ses idées de délicatesse pour satisfaire sa curiosité.

Avec Cropole se heurtèrent et se confondirent dans l'escalier Mme Cropole, Pittrino, les aides et les marmitons.

Le cortège s'avançait lentement, éclairé par des milliers de flambeaux, soit de la rue, soit des fenêtres.

Après une compagnie de mousquetaires et un corps tout serré de gentilshommes, venait la litière de M. le cardinal Mazarin. Elle était traînée comme un carrosse par quatre chevaux noirs.

Les pages et les gens du cardinal marchaient derrière.

Ensuite venait le carrosse de la reine mère, ses filles d'honneur aux portières, ses gentilshommes à cheval des deux côtés.

Le roi paraissait ensuite, monté sur un beau cheval de race saxonne à large crinière. Le jeune prince montrait, en saluant à quelques fenêtres d'où partaient les plus vives acclamations, son noble et gracieux visage, éclairé par les flambeaux de ses pages.

Aux côtés du roi, mais deux pas en arrière, le prince de Condé, M. Dangeau et vingt autres courtisans, suivis de leurs gens et de leurs bagages, fermaient la marche véritablement triomphale.

Cette pompe était d'une ordonnance militaire.

Quelques-uns des courtisans seulement, et parmi les vieux, portaient l'habit de voyage ; presque tous étaient vêtus de l'habit de guerre. On en voyait beaucoup ayant le hausse-col et le buffle comme au temps de Henri IV et de Louis XIII.

Quand le roi passa devant lui, l'inconnu, qui s'était penché sur le balcon pour mieux voir, et qui avait caché son visage en l'appuyant sur son bras, sentit son cœur se gonfler et déborder d'une amère jalousie.

Le bruit des trompettes l'enivrait, les acclamations populaires l'assourdissaient ; il laissa tomber un moment sa raison dans ce flot de lumières, de tumulte et de brillantes images.

— Il est roi, lui ! murmura-t-il avec un accent de désespoir et d'angoisse qui dut monter jusqu'au pied du trône de Dieu.

Puis, avant qu'il fût revenu de sa sombre rêverie, tout ce bruit, toute cette splendeur s'évanouirent. A l'angle de la rue il ne resta plus au-dessous de l'étranger que des voix discordantes et enrouées qui criaient encore par intervalles : « Vive le roi ! »

Il resta aussi les six chandelles que tenaient les habitants de l'Hôtellerie des Médicis, savoir : deux chandelles pour Cropole, une pour Pittrino, une pour chaque marmiton.

Cropole ne cessait de répéter :

— Qu'il est bien, le roi, et qu'il ressemble à feu son illustre père !

— En beau, disait Pittrino.

— Et qu'il a une fière mine ! ajoutait Mme Cropole, déjà en promiscuité de commentaires avec les voisins et les voisines.

Cropole alimentait ces propos de ses observations personnelles, sans remarquer qu'un vieillard à pied, mais traînant un petit cheval irlandais par la bride, essayait de fendre le groupe de femmes et d'hommes qui stationnait devant les Médicis.

Mais en ce moment la voix de l'étranger se fit entendre à la fenêtre.

— Faites donc en sorte, monsieur l'hôtelier, qu'on puisse arriver jusqu'à votre maison.

Cropole se retourna, vit alors seulement le vieillard, et lui fit faire passage.

La fenêtre se ferma.

Pittrino indiqua le chemin au nouveau venu, qui entra sans proférer une parole.

L'étranger l'attendait sur le palier, il ouvrit ses bras au vieillard et le conduisit à un siège, mais celui-ci résista.

— Oh ! non pas, non pas, milord, dit-il. M'asseoir devant vous ! jamais !

— Parry, s'écria le gentilhomme, je vous en supplie... vous qui venez d'Angleterre... de si loin ! Ah ! ce n'est pas à votre âge qu'on devrait subir des fatigues pareilles à celles de mon service. Reposez-vous...

— J'ai ma réponse à vous donner avant tout, milord.

— Parry... je t'en conjure, ne me dis rien... car si la nouvelle eût été bonne, tu ne commencerais pas ainsi ta phrase. Tu prends un détour, c'est que la nouvelle est mauvaise.

— Milord, dit le vieillard, ne vous hâtez pas de vous alarmer. Tout n'est pas perdu, je l'espère. C'est de la volonté, de la persévérance qu'il faut, c'est surtout de la résignation.

— Parry, répondit le jeune homme, je suis venu ici seul, à travers mille pièges et mille périls : crois-tu à ma volonté ? J'ai médité ce voyage dix ans, malgré tous les conseils et tous les obstacles : crois-tu à ma persévérance ? J'ai vendu ce soir le dernier diamant de mon père, car je n'avais plus de quoi payer mon gîte, et l'hôte m'allait chasser.

Parry fit un geste d'indignation auquel le jeune homme répondit par une pression de main et un sourire.

— J'ai encore deux cent soixante-quatorze pistoles, et je me trouve riche ; je ne désespère pas, Parry : crois-tu à ma résignation ?

Le vieillard leva au ciel ses mains tremblantes.

— Voyons, dit l'étranger, ne me déguise rien : qu'est-il arrivé ?

— Mon récit sera court, milord ; mais au nom du Ciel ne tremblez pas ainsi !

— C'est d'impatience, Parry. Voyons, que t'a dit le général ?

— D'abord, le général n'a pas voulu me recevoir.

— Il te prenait pour quelque espion.

— Oui, milord, mais je lui ai écrit une lettre.

— Eh bien ?

— Il l'a reçue, il l'a lue, milord.

— Cette lettre expliquait bien ma position, mes vœux ?

— Oh ! oui, dit Parry avec un triste sourire... elle peignait fidèlement votre pensée.

— Alors, Parry ?...

— Alors le général m'a renvoyé la lettre par un aide de camp, en me faisant annoncer que le lendemain, si je me trouvais encore dans la circonscription de son commandement, il me ferait arrêter.

— Arrêter ! murmura le jeune homme ; arrêter ! toi, mon plus fidèle serviteur !

— Oui, milord.

— Et tu avais signé *Parry*, cependant !

— En toutes lettres, milord ; et l'aide de camp m'a connu à Saint-James, et, ajouta le vieillard avec un soupir, à White Hall !

Le jeune homme s'inclina, rêveur et sombre.

— Voilà ce qu'il a fait devant ses gens, dit-il en essayant de se donner le change... mais sous main... de lui à toi... qu'a-t-il fait ? Réponds.

— Hélas ! milord, il m'a envoyé quatre cavaliers qui m'ont donné le cheval sur lequel vous m'avez vu revenir. Ces cavaliers m'ont conduit toujours courant jusqu'au petit port de Tenby[1], m'ont jeté plutôt qu'embarqué sur un bateau de pêche qui faisait voile vers la Bretagne et me voici.

— Oh ! soupira le jeune homme en serrant convulsivement de sa main nerveuse sa gorge, où montait un sanglot... Parry, c'est tout, c'est bien tout ?

— Oui, milord, c'est tout !

Il y eut après cette brève réponse de Parry un long intervalle de silence ; on n'entendait que le bruit du talon de ce jeune homme tourmentant le parquet avec furie.

Le vieillard voulut tenter de changer la conversation.

— Milord, dit-il, quel est donc tout ce bruit qui me précédait ? Quels sont ces gens qui crient : « Vive le roi ! »... De quel roi est-il question, et pourquoi toutes ces lumières ?

— Ah ! Parry, tu ne sais pas, dit ironiquement le jeune homme, c'est le roi de France qui visite sa bonne ville de Blois ; toutes ces trompettes sont à lui, toutes ces housses dorées sont à lui, tous ces gentilshommes ont des épées qui sont à lui. Sa mère le précède dans un carrosse magnifiquement incrusté d'argent et d'or ! Heureuse mère ! Son ministre lui amasse des millions et le conduit à une riche fiancée. Alors tout ce peuple est joyeux, il aime son roi, il le caresse de ses acclamations, et il crie : « Vive le roi ! vive le roi ! »

— Bien ! bien ! milord, dit Parry, plus inquiet de la tournure de cette nouvelle conversation que de l'autre.

1. Tenby, port de la baie de Carmarthen (pays de Galles), sur le canal de Bristol.

— Tu sais, reprit l'inconnu, que ma mère à moi, que ma sœur, tandis que tout cela se passe en l'honneur du roi Louis XIV, n'ont plus d'argent, plus de pain ; tu sais que, moi, je serai misérable et honni dans quinze jours, quand toute l'Europe apprendra ce que tu viens de me raconter !... Parry... y a-t-il des exemples qu'un homme de ma condition se soit...

— Milord, au nom du Ciel !

— Tu as raison, Parry, je suis un lâche, et si je ne fais rien pour moi, que fera Dieu ? Non, non, j'ai deux bras, Parry, j'ai une épée...

Et il frappa violemment son bras avec sa main et détacha son épée accrochée au mur.

— Qu'allez-vous faire, milord ?

— Parry, ce que je vais faire ? ce que tout le monde fait dans ma famille : ma mère vit de la charité publique, ma sœur mendie pour ma mère, j'ai quelque part des frères[1] qui mendient également pour eux ; moi, l'aîné, je vais faire comme eux tous, je m'en vais demander l'aumône !

Et sur ces mots, qu'il coupa brusquement par un rire nerveux et terrible, le jeune homme ceignit son épée, prit son chapeau sur le bahut, se fit attacher à l'épaule un manteau noir qu'il avait porté pendant toute la route, et serrant les deux mains du vieillard qui le regardait avec anxiété :

— Mon bon Parry, dit-il, fais-toi faire du feu, bois, mange, dors, sois heureux ; soyons bien heureux, mon fidèle ami, mon unique ami : nous sommes riches comme des rois !

Il donna un coup de poing au sac de pistoles, qui tomba lourdement par terre, se remit à rire de cette lugubre façon qui avait tant effrayé Parry, et tandis que toute la maison criait, chantait et se préparait à recevoir et à installer les voyageurs devancés par leurs laquais, il se glissa par la grande salle dans la rue, où le vieillard, qui s'était mis à la fenêtre, le perdit de vue après une minute.

VIII

CE QU'ÉTAIT SA MAJESTÉ LOUIS XIV A L'ÂGE DE VINGT-DEUX ANS

On l'a vu par le récit que nous avons essayé d'en faire, l'entrée du roi Louis XIV dans la ville de Blois avait été bruyante et brillante, aussi la jeune majesté en avait-elle paru satisfaite.

En arrivant sous le porche du château des États, le roi y trouva, environné de ses gardes et de ses gentilshommes, Son Altesse Royale

1. James, duc d'York, et Henry, duc de Glocester (ou Gloucester).

le duc Gaston d'Orléans, dont la physionomie, naturellement assez majestueuse, avait emprunté à la circonstance solennelle dans laquelle on se trouvait un nouveau lustre et une nouvelle dignité.

De son côté, Madame, parée de ses grands habits de cérémonie, attendait sur un balcon intérieur l'entrée de son neveu. Toutes les fenêtres du vieux château, si désert et si morne dans les jours ordinaires, resplendissaient de dames et de flambeaux.

Ce fut donc au bruit des tambours, des trompettes et des vivats, que le jeune roi franchit le seuil de ce château, dans lequel Henri III, soixante-douze ans auparavant, avait appelé à son aide l'assassinat et la trahison pour maintenir sur sa tête et dans sa maison une couronne qui déjà glissait de son front pour tomber dans une autre famille[1].

Tous les yeux, après avoir admiré le jeune roi, si beau, si charmant, si noble, cherchaient cet autre roi de France, bien autrement roi que le premier, et si vieux, si pâle, si courbé, que l'on appelait le cardinal Mazarin.

Louis était alors comblé de tous ces dons naturels qui font le parfait gentilhomme : il avait l'œil brillant et doux, d'un bleu pur et azuré ; mais les plus habiles physionomistes, ces plongeurs de l'âme, en y fixant leurs regards, s'il eût été donné à un sujet de soutenir le regard du roi, les plus habiles physionomistes, disons-nous, n'eussent jamais pu trouver le fond de cet abîme de douceur. C'est qu'il en était des yeux du roi comme de l'immense profondeur des azurs célestes, ou de ceux plus effrayants et presque aussi sublimes que la Méditerranée ouvre sous la carène de ses navires par un beau jour d'été, miroir gigantesque où le ciel aime à réfléchir tantôt ses étoiles et tantôt ses orages.

Le roi était petit de taille, à peine avait-il cinq pieds deux pouces ; mais sa jeunesse faisait encore excuser ce défaut, racheté d'ailleurs par une grande noblesse de tous ses mouvements et par une certaine adresse dans tous les exercices du corps.

Certes, c'était déjà bien le roi, et c'était beaucoup que d'être le roi à cette époque de respect et de dévouement traditionnels ; mais, comme jusque-là on l'avait assez peu et toujours assez pauvrement montré au peuple, comme ceux auxquels on le montrait voyaient auprès de lui sa mère, femme d'une haute taille, et M. le cardinal, homme d'une belle prestance, beaucoup le trouvaient assez peu roi pour dire : Le roi est moins grand que M. le cardinal.

Quoi qu'il en soit de ces observations physiques qui se faisaient, surtout dans la capitale, le jeune prince fut accueilli comme un dieu par les habitants de Blois, et presque comme un roi par son oncle et sa tante, Monsieur et Madame, les habitants du château.

Cependant, il faut le dire, lorsqu'il vit dans la salle de réception des

1. Le duc de Guise fut assassiné le 23 décembre 1588.

fauteuils égaux de taille pour lui, sa mère, le cardinal, sa tante et son oncle, disposition habilement cachée par la forme demi-circulaire de l'assemblée, Louis XIV rougit de colère, et regarda autour de lui pour s'assurer par la physionomie des assistants si cette humiliation lui avait été préparée ; mais comme il ne vit rien sur le visage impassible du cardinal, rien sur celui de sa mère, rien sur celui des assistants, il se résigna et s'assit, ayant soin de s'asseoir avant tout le monde.

Les gentilshommes et les dames furent présentés à Leurs Majestés et à M. le cardinal.

Le roi remarqua que sa mère et lui connaissaient rarement le nom de ceux qu'on leur présentait, tandis que le cardinal, au contraire, ne manquait jamais, avec une mémoire et une présence d'esprit admirables, de parler à chacun de ses terres, de ses aïeux ou de ses enfants, dont il leur nommait quelques-uns, ce qui enchantait ces dignes hobereaux et les confirmait dans cette idée que celui-là est seulement et véritablement roi qui connaît ses sujets, par cette même raison que le soleil n'a pas de rival, parce que seul le soleil échauffe et éclaire.

L'étude du jeune roi, commencée depuis longtemps sans que l'on s'en doutât, continuait donc, et il regardait attentivement, pour tâcher de démêler quelque chose dans leur physionomie, les figures qui lui avaient d'abord paru les plus insignifiantes et les plus triviales.

On servit une collation. Le roi, sans oser la réclamer de l'hospitalité de son oncle, l'attendait avec impatience. Aussi cette fois eut-il tous les honneurs dus, sinon à son rang, du moins à son appétit.

Quant au cardinal, il se contenta d'effleurer de ses lèvres flétries un bouillon servi dans une tasse d'or. Le ministre tout-puissant qui avait pris à la reine mère sa régence, au roi sa royauté, n'avait pu prendre à la nature un bon estomac.

Anne d'Autriche, souffrant déjà du cancer dont six ou huit ans plus tard elle devait mourir[1], ne mangeait guère plus que le cardinal.

Quant à Monsieur, encore tout ébouriffé du grand événement qui s'accomplissait dans sa vie provinciale, il ne mangeait pas du tout.

Madame seule, en véritable Lorraine, tenait tête à Sa Majesté ; de sorte que Louis XIV, qui, sans partenaire, eût mangé à peu près seul, sut grand gré à sa tante d'abord, puis ensuite à M. de Saint-Remy, son maître d'hôtel, qui s'était réellement distingué.

La collation finie, sur un signe d'approbation de M. de Mazarin, le roi se leva, et sur l'invitation de sa tante, il se mit à parcourir les rangs de l'assemblée.

Les dames observèrent alors, il y a certaines choses pour lesquelles les femmes sont aussi bonnes observatrices à Blois qu'à Paris, les dames

1. Anne d'Autriche meurt le 20 janvier 1666, soit à peine six ans après l'époque à laquelle Dumas situe le début du *Vicomte de Bragelonne*.

observèrent alors que Louis XIV avait le regard prompt et hardi, ce qui promettait aux attraits de bon aloi un appréciateur distingué. Les hommes, de leur côté, observèrent que le prince était fier et hautain, qu'il aimait à faire baisser les yeux qui le regardaient trop longtemps ou trop fixement, ce qui semblait présager un maître.

Louis XIV avait accompli le tiers de sa revue à peu près, quand ses oreilles furent frappées d'un mot que prononça Son Éminence, laquelle s'entretenait avec Monsieur.

Ce mot était un nom de femme.

A peine Louis XIV eut-il entendu ce mot, qu'il n'entendit ou plutôt qu'il n'écouta plus rien autre chose, et que, négligeant l'arc du cercle qui attendait sa visite, il ne s'occupa plus que d'expédier promptement l'extrémité de la courbe.

Monsieur, en bon courtisan, s'informait près de Son Éminence de la santé de ses nièces. En effet, cinq ou six ans auparavant, trois nièces étaient arrivées d'Italie au cardinal : c'étaient Mlles Hortense, Olympe et Marie de Mancini[1].

Monsieur s'informait donc de la santé des nièces du cardinal ; il regrettait, disait-il, de n'avoir pas le bonheur de les recevoir en même temps que leur oncle ; elles avaient certainement grandi en beauté et en grâce, comme elles promettaient de le faire la première fois que Monsieur les avait vues.

Ce qui avait d'abord frappé le roi, c'était un certain contraste dans la voix des deux interlocuteurs. La voix de Monsieur était calme et naturelle lorsqu'il parlait ainsi, tandis que celle de M. de Mazarin sauta d'un ton et demi pour lui répondre au-dessus du diapason de sa voix ordinaire.

On eût dit qu'il désirait que cette voix allât frapper au bout de la salle une oreille qui s'éloignait trop.

— Monseigneur, répliqua-t-il, Mlles de Mazarin ont encore toute une éducation à terminer, des devoirs à remplir, une position à apprendre. Le séjour d'une cour jeune et brillante les dissipe un peu.

Louis, à cette dernière épithète, sourit tristement. La cour était jeune, c'est vrai, mais l'avarice du cardinal avait mis bon ordre à ce qu'elle ne fût point brillante.

— Vous n'avez cependant point l'intention, répondait Monsieur, de les cloîtrer ou de les faire bourgeoises ?

— Pas du tout, reprit le cardinal en forçant sa prononciation italienne de manière que, de douce et veloutée qu'elle était, elle devint aiguë et

1. Mazarin fit venir successivement ses nièces à la cour : d'abord, en septembre 1648, Anne-Marie Martinozzi, Laure et Olympe Mancini ; en mars 1653, Laure Martinozzi, Hortense et Marie Mancini ; enfin, un peu plus tard, Marie-Anne Mancini.

vibrante ; pas du tout. J'ai bel et bien l'intention de les marier, et du mieux qu'il me sera possible.

— Les partis ne manqueront pas, monsieur le cardinal, répondait Monsieur avec une bonhomie de marchand qui félicite son confrère.

— Je l'espère, monseigneur, d'autant plus que Dieu leur a donné à la fois la grâce, la sagesse et la beauté.

Pendant cette conversation, Louis XIV, conduit par Madame, accomplissait, comme nous l'avons dit, le cercle des présentations.

— Mlle Arnoux, disait la princesse en présentant à Sa Majesté une grosse blonde de vingt-deux ans, qu'à la fête d'un village on eût prise pour une paysanne endimanchée, Mlle Arnoux, fille de ma maîtresse de musique.

Le roi sourit. Madame n'avait jamais pu tirer quatre notes justes de la viole ou du clavecin.

— Mlle Aure de Montalais, continua Madame, fille de qualité et bonne servante.

Cette fois ce n'était plus le roi qui riait, c'était la jeune fille présentée, parce que, pour la première fois de sa vie, elle s'entendait donner par Madame, qui d'ordinaire ne la gâtait point, une si honorable qualification.

Aussi Montalais, notre ancienne connaissance, fit-elle à Sa Majesté une révérence profonde, et cela autant par respect que par nécessité, car il s'agissait de cacher certaines contractions de ses lèvres rieuses que le roi eût bien pu ne pas attribuer à leur motif réel.

Ce fut juste en ce moment que le roi entendit le mot qui le fit tressaillir.

— Et la troisième s'appelle ? demandait Monsieur.

— Marie, monseigneur, répondait le cardinal.

Il y avait sans doute dans ce mot quelque puissance magique, car, nous l'avons dit, à ce mot le roi tressaillit, et, entraînant Madame vers le milieu du cercle, comme s'il eût voulu confidentiellement lui faire quelque question, mais en réalité pour se rapprocher du cardinal :

— Madame ma tante, dit-il en riant et à demi-voix, mon maître de géographie ne m'avait point appris que Blois fût à une si prodigieuse distance de Paris.

— Comment cela, mon neveu ? demanda Madame.

— C'est qu'en vérité il paraît qu'il faut plusieurs années aux modes pour franchir cette distance. Voyez ces demoiselles.

— Eh bien ! je les connais.

— Quelques-unes sont jolies.

— Ne dites pas cela trop haut, monsieur mon neveu, vous les rendriez folles.

— Attendez, attendez, ma chère tante, dit le roi en souriant, car la seconde partie de ma phrase doit servir de correctif à la première. Eh bien ! ma chère tante, quelques-unes paraissent vieilles et quelques autres laides, grâce à leurs modes de dix ans.

— Mais, sire, Blois n'est cependant qu'à cinq journées de Paris.

— Eh ! dit le roi, c'est cela, deux ans de retard par journée.

— Ah ! vraiment, vous trouvez ? C'est étrange, je ne m'aperçois point de cela, moi.

— Tenez, ma tante, dit Louis XIV en se rapprochant toujours de Mazarin sous prétexte de choisir son point de vue, voyez, à côté de ces affiquets vieillis et de ces coiffures prétentieuses, regardez cette simple robe blanche. C'est une des filles d'honneur de ma mère, probablement, quoique je ne la connaisse pas. Voyez quelle tournure simple, quel maintien gracieux ! A la bonne heure ! c'est une femme, cela, tandis que toutes les autres ne sont que des habits.

— Mon cher neveu, répliqua Madame en riant, permettez-moi de vous dire que, cette fois, votre science divinatoire est en défaut. La personne que vous louez ainsi n'est point une Parisienne, mais une Blésoise.

— Ah ! ma tante ! reprit le roi avec l'air du doute.

— Approchez, Louise, dit Madame.

Et la jeune fille qui déjà nous est apparue sous ce nom s'approcha, timide, rougissante et presque courbée sous le regard royal.

— Mlle Louise-Françoise de La Baume Le Blanc[1], fille du marquis de La Vallière, dit cérémonieusement Madame au roi.

La jeune fille s'inclina avec tant de grâce au milieu de cette timidité profonde que lui inspirait la présence du roi, que celui-ci perdit en la regardant quelques mots de la conversation du cardinal et de Monsieur.

— Belle-fille, continua Madame, de M. de Saint-Remy, mon maître d'hôtel, qui a présidé à la confection de cette excellente daube truffée que Votre Majesté a si fort appréciée.

Il n'y avait point de grâce, de beauté ni de jeunesse qui pût résister à une pareille présentation. Le roi sourit. Que les paroles de Madame fussent une plaisanterie ou une naïveté, c'était, en tout cas, l'immolation impitoyable de tout ce que Louis venait de trouver charmant et poétique dans la jeune fille.

Mlle de La Vallière, pour Madame, et par contrecoup pour le roi, n'était plus momentanément que la belle-fille d'un homme qui avait un talent supérieur sur les dindes truffées.

Mais les princes sont ainsi faits. Les dieux aussi étaient comme cela dans l'Olympe. Diane et Vénus devaient bien maltraiter la belle Alcmène et la pauvre Io, quand on descendait par distraction à parler, entre le nectar et l'ambroisie, de beautés mortelles à la table de Jupiter.

Heureusement que Louise était courbée si bas qu'elle n'entendit point

1. Sur Laurent de La Baume Le Blanc, seigneur (et non marquis) de La Vallière, voir Dictionnaire. Contemporains.

les paroles de Madame, qu'elle ne vit point le sourire du roi. En effet, si la pauvre enfant, qui avait tant de bon goût que seule elle avait imaginé de se vêtir de blanc entre toutes ses compagnes ; si ce cœur de colombe, si facilement accessible à toutes les douleurs, eût été touché par les cruelles paroles de Madame, par l'égoïste et froid sourire du roi, elle fût morte sur le coup.

Et Montalais elle-même, la fille aux ingénieuses idées, n'eût pas tenté d'essayer de la rappeler à la vie, car le ridicule tue tout, même la beauté.

Mais par bonheur, comme nous l'avons dit, Louise, dont les oreilles étaient bourdonnantes et les yeux voilés, Louise ne vit rien, n'entendit rien, et le roi, qui avait toujours l'attention braquée aux entretiens du cardinal et de son oncle, se hâta de retourner près d'eux.

Il arriva juste au moment où Mazarin terminait en disant :

— Marie, comme ses sœurs, part en ce moment pour Brouage. Je leur fais suivre la rive opposée de la Loire à celle que nous avons suivie, et si je calcule bien leur marche, d'après les ordres que j'ai donnés, elles seront demain à la hauteur de Blois.

Ces paroles furent prononcées avec ce tact, cette mesure, cette sûreté de ton, d'intention et de portée, qui faisaient de signor Giulio Mazarini le premier comédien du monde.

Il en résulta qu'elles portèrent droit au cœur de Louis XIV, et que le cardinal, en se retournant sur le simple bruit des pas de Sa Majesté, qui s'approchait, en vit l'effet immédiat sur le visage de son élève, effet qu'une simple rougeur trahit aux yeux de Son Éminence. Mais aussi, qu'était un tel secret à éventer pour celui dont l'astuce avait joué depuis vingt ans tous les diplomates européens ?

Il sembla dès lors, une fois ces dernières paroles entendues, que le jeune roi eût reçu dans le cœur un trait empoisonné. Il ne tint plus en place, il promena un regard incertain, atone, mort, sur toute cette assemblée. Il interrogea plus de vingt fois du regard la reine mère, qui, livrée au plaisir d'entretenir sa belle-sœur, et retenue d'ailleurs par le coup d'œil de Mazarin, ne parut pas comprendre toutes les supplications contenues dans les regards de son fils.

A partir de ce moment, musique, fleurs, lumières, beauté, tout devint odieux et insipide à Louis XIV. Après qu'il eut cent fois mordu ses lèvres, détiré ses bras et ses jambes, comme l'enfant bien élevé qui, sans oser bâiller, épuise toutes les façons de témoigner son ennui, après avoir inutilement imploré de nouveau mère et ministre, il tourna un œil désespéré vers la porte, c'est-à-dire vers la liberté.

A cette porte, encadrée par l'embrasure à laquelle elle était adossée, il vit surtout, se détachant en vigueur, une figure fière et brune, au nez aquilin, à l'œil dur mais étincelant, aux cheveux gris et longs, à la moustache noire, véritable type de beauté militaire, dont le hausse-col, plus étincelant qu'un miroir, brisait tous les reflets lumineux qui venaient s'y concentrer et les renvoyait en éclairs. Cet officier avait le chapeau gris à plume rouge sur la tête, preuve qu'il était appelé là par son service et non par son plaisir. S'il y eût été appelé par son plaisir, s'il eût été courtisan au lieu d'être soldat, comme il faut toujours payer le plaisir un prix quelconque, il eût tenu son chapeau à la main.

Ce qui prouvait bien mieux encore que cet officier était de service et accomplissait une tâche à laquelle il était accoutumé, c'est qu'il surveillait, les bras croisés, avec une indifférence remarquable et avec une apathie suprême, les joies et les ennuis de cette fête. Il semblait surtout, comme un philosophe, et tous les vieux soldats sont philosophes, il semblait surtout comprendre infiniment mieux les ennuis que les joies ; mais des uns il prenait son parti, sachant bien se passer des autres.

Or, il était là adossé, comme nous l'avons dit, au chambranle sculpté de la porte, lorsque les yeux tristes et fatigués du roi rencontrèrent par hasard les siens.

Ce n'était pas la première fois, à ce qu'il paraît, que les yeux de l'officier rencontraient ces yeux-là, et il en savait à fond le style et la pensée, car aussitôt qu'il eut arrêté son regard sur la physionomie de Louis XIV, et que, par la physionomie, il eut lu ce qui se passait dans son cœur, c'est-à-dire tout l'ennui qui l'oppressait, toute la résolution timide de partir qui s'agitait au fond de ce cœur, il comprit qu'il fallait rendre service au roi sans qu'il le demandât, lui rendre service presque malgré lui, enfin, et hardi, comme s'il eût commandé la cavalerie un jour de bataille :

— Le service du roi ! cria-t-il d'une voix retentissante.

A ces mots, qui firent l'effet d'un roulement de tonnerre prenant le dessus sur l'orchestre, les chants, les bourdonnements et les promenades, le cardinal et la reine mère regardèrent avec surprise Sa Majesté.

Louis XIV, pâle mais résolu, soutenu qu'il était par cette intuition de sa propre pensée qu'il avait retrouvée dans l'esprit de l'officier de mousquetaires, et qui venait de se manifester par l'ordre donné, se leva de son fauteuil et fit un pas vers la porte.

— Vous partez, mon fils ? dit la reine, tandis que Mazarin se contentait d'interroger avec son regard, qui eût pu paraître doux s'il n'eût été si perçant.

— Oui, madame, répondit le roi, je me sens fatigué et voudrais d'ailleurs écrire ce soir.

Un sourire erra sur les lèvres du ministre, qui parut, d'un signe de tête, donner congé au roi.

Monsieur et Madame se hâtèrent alors pour donner des ordres aux officiers qui se présentèrent.

Le roi salua, traversa la salle et atteignit la porte.

A la porte, une haie de vingt mousquetaires attendait Sa Majesté.

A l'extrémité de cette haie se tenait l'officier impassible et son épée nue à la main.

Le roi passa, et toute la foule se haussa sur la pointe des pieds pour le voir encore.

Dix mousquetaires, ouvrant la foule des antichambres et des degrés, faisaient faire place au roi.

Les dix autres enfermaient le roi et Monsieur, qui avait voulu accompagner Sa Majesté.

Les gens du service marchaient derrière.

Ce petit cortège escorta le roi jusqu'à l'appartement qui lui était destiné.

Cet appartement était le même qu'avait occupé le roi Henri III lors de son séjour aux États.

Monsieur avait donné ses ordres. Les mousquetaires, conduits par leur officier, s'engagèrent dans le petit passage qui communique parallèlement d'une aile du château à l'autre.

Ce passage se composait d'abord d'une petite antichambre carrée et sombre, même dans les beaux jours.

Monsieur arrêta Louis XIV.

— Vous passez, sire, lui dit-il, à l'endroit même où le duc de Guise reçut le premier coup de poignard.

Le roi, fort ignorant des choses d'histoire, connaissait le fait, mais sans en savoir ni les localités ni les détails[1].

— Ah ! fit-il tout frissonnant.

Et il s'arrêta.

Tout le monde s'arrêta devant et derrière lui.

— Le duc, sire, continua Gaston, était à peu près où je suis ; il marchait dans le sens où marche Votre Majesté ; M. de Loignac était à l'endroit où se trouve en ce moment votre lieutenant des mousquetaires ; M. de Sainte-Maline et les ordinaires de Sa Majesté étaient derrière lui et autour de lui. C'est là qu'il fut frappé.

---

1. « Je ne tardai pas à justifier entièrement [le mépris du concierge du château de Blois] en ne voulant pas reconnaître, malgré ses assurances obstinées, la place où, disait-il, le duc de Guise avait été assassiné. Il est vrai qu'à l'autre bout de l'appartement je retrouvais, à ne pouvoir m'y tromper, la salle des ordinaires, l'escalier dérobé par lequel le duc de Guise sortit de la salle des États, le corridor par lequel on se rendait à l'oratoire du roi, et tout jusqu'à la place même où il devait être tombé, lorsque le roi sortant de son cabinet souleva, pâle et priant, sa portière de tapisserie, et dit à voix basse : "Messieurs, tout est-il fait ?" car ce ne fut qu'en ce moment qu'il aperçut que le sang coulait jusqu'à la porte, et qu'il avait les pieds dedans. Alors il s'avança, donna un coup de talon par le visage à ce pauvre mort, tout ainsi que le duc de Guise en avait donné un à l'Amiral le jour de la Saint-Barthélemy ; puis il se dit en reculant, comme effrayé de son courage : "Seigneur mon Dieu, qu'il est grand ! il paraît plus grand encore mort que vivant !" [...] Puis [le concierge] continuait à me montrer la cheminée où les corps du duc et du cardinal coupés en morceaux avaient été brûlés, la fenêtre par laquelle les cendres avaient été jetées au vent », A. Dumas, « La Vendée après le 29 Juillet », article cité.

Le roi se tourna du côté de son officier, et vit comme un nuage passer sur sa physionomie martiale et audacieuse.

— Oui, par-derrière, murmura le lieutenant avec un geste de suprême dédain.

Et il essaya de se remettre en marche, comme s'il eût été mal à l'aise entre ces murs visités autrefois par la trahison.

Mais le roi, qui paraissait ne pas mieux demander que d'apprendre, parut disposé à donner encore un regard à ce funèbre lieu.

Gaston comprit le désir de son neveu.

— Voyez, sire, dit-il en prenant un flambeau des mains de M. de Saint-Remy, voici où il est allé tomber. Il y avait là un lit dont il déchira les rideaux en s'y retenant.

— Pourquoi le parquet semble-t-il creusé à cet endroit ? demanda Louis.

— Parce que c'est à cet endroit que coula le sang, répondit Gaston, que le sang pénétra profondément dans le chêne, et que ce n'est qu'à force de le creuser qu'on est parvenu à le faire disparaître, et encore, ajouta Gaston en approchant son flambeau de l'endroit désigné, et encore cette teinte rougeâtre a-t-elle résisté à toutes les tentatives qu'on a faites pour la détruire.

Louis XIV releva le front. Peut-être pensait-il à cette trace sanglante qu'on lui avait un jour montrée au Louvre, et qui, comme pendant à celle de Blois, y avait été faite un jour par le roi son père avec le sang de Concini.

— Allons ! dit-il.

On se remit aussitôt en marche, car l'émotion sans doute avait donné à la voix du jeune prince un ton de commandement auquel de sa part on n'était point accoutumé.

Arrivé à l'appartement réservé au roi, et auquel on communiquait, non seulement par le petit passage que nous venons de suivre, mais encore par un grand escalier donnant sur la cour :

— Que Votre Majesté, dit Gaston, veuille bien accepter cet appartement, tout indigne qu'il est de la recevoir.

— Mon oncle, répondit le jeune prince, je vous rends grâce de votre cordiale hospitalité.

Gaston salua son neveu, qui l'embrassa, puis il sortit.

Des vingt mousquetaires qui avaient accompagné le roi, dix reconduisirent Monsieur jusqu'aux salles de réception, qui n'avaient point désempli malgré le départ de Sa Majesté.

Les dix autres furent postés par l'officier, qui explora lui-même en cinq minutes toutes les localités avec ce coup d'œil froid et dur que ne donne pas toujours l'habitude, attendu que ce coup d'œil appartenait au génie.

Puis, quand tout son monde fut placé, il choisit pour son quartier général l'antichambre dans laquelle il trouva un grand fauteuil, une lampe, du vin, de l'eau et du pain sec.

Il raviva la lampe, but un demi-verre de vin, tordit ses lèvres sous un sourire plein d'expression, s'installa dans le grand fauteuil et prit toutes ses dispositions pour dormir.

IX

OÙ L'INCONNU DE L'HÔTELLERIE DES MÉDICIS PERD SON INCOGNITO[1]

Cet officier qui dormait ou qui s'apprêtait à dormir était cependant, malgré son air insouciant, chargé d'une grave responsabilité.

Lieutenant des mousquetaires du roi, il commandait toute la compagnie qui était venue de Paris, et cette compagnie était de cent vingt hommes ; mais, excepté les vingt dont nous avons parlé, les cent autres étaient occupés de la garde de la reine mère et surtout de M. le cardinal.

M. Giulio Mazarini économisait sur les frais de voyage de ses gardes, il usait en conséquence de ceux du roi, et largement, puisqu'il en prenait cinquante pour lui, particularité qui n'eût pas manqué de paraître bien inconvenante à tout homme étranger aux usages de cette cour.

Ce qui n'eût pas manqué non plus de paraître, sinon inconvenant, du moins extraordinaire à cet étranger, c'est que le côté du château destiné à M. le cardinal était brillant, éclairé, mouvementé. Les mousquetaires y montaient des factions devant chaque porte et ne laissaient entrer personne, sinon les courriers qui, même en voyage, suivaient le cardinal pour ses correspondances.

Vingt hommes étaient de service chez la reine mère ; trente se reposaient pour relayer leurs compagnons le lendemain.

Du côté du roi, au contraire, obscurité, silence et solitude. Une fois les portes fermées, plus d'apparence de royauté. Tous les gens du service s'étaient retirés peu à peu. M. le prince avait envoyé savoir si Sa Majesté requérait ses bons offices et sur le *non* banal du lieutenant des mousquetaires, qui avait l'habitude de la question et de la réponse, tout commençait à s'endormir, ainsi que chez un bon bourgeois.

Et cependant il était aisé d'entendre, du corps de logis habité par le jeune roi, les musiques de la fête et de voir les fenêtres richement illuminées de la grande salle.

---

1. Ce chapitre s'inspire de la démarche de Charles II qui rejoignit Mazarin à Fontarabie pour tenter d'obtenir son aide : le cardinal ne le reçut pas.

Dix minutes après son installation chez lui, Louis XIV avait pu reconnaître, à un certain mouvement plus marqué que celui de sa sortie, la sortie du cardinal, lequel, à son tour, gagnait son lit avec grande escorte des gentilshommes et des dames.

D'ailleurs, il n'eut, pour apercevoir tout ce mouvement, qu'à regarder par la fenêtre, dont les volets n'avaient pas été fermés.

Son Éminence traversa la cour, reconduite par Monsieur lui-même, qui lui tenait un flambeau ; ensuite passa la reine mère, à qui Madame donnait familièrement le bras, et toutes deux s'en allaient chuchotant comme deux vieilles amies.

Derrière ces deux couples tout défila, grandes dames, pages, officiers ; les flambeaux embrasèrent toute la cour comme d'un incendie aux reflets mouvants ; puis le bruit des pas et des voix se perdit dans les étages supérieurs.

Alors personne ne songeait plus au roi, accoudé à sa fenêtre et qui avait tristement regardé s'écouler toute cette lumière, qui avait écouté s'éloigner tout ce bruit ; personne, si ce n'est toutefois cet inconnu de l'hôtellerie des Médicis, que nous avons vu sortir enveloppé dans son manteau noir.

Il était monté droit au château et était venu rôder, avec sa figure mélancolique, aux environs du palais, que le peuple entourait encore, et voyant que nul ne gardait la grande porte ni le porche, attendu que les soldats de Monsieur fraternisaient avec les soldats royaux, c'est-à-dire sablaient le beaugency à discrétion, ou plutôt à indiscrétion, l'inconnu traversa la foule, puis franchit la cour, puis vint jusqu'au palier de l'escalier qui conduisait chez le cardinal.

Ce qui, selon toute probabilité, l'engageait à se diriger de ce côté, c'était l'éclat des flambeaux et l'air affairé des pages et des hommes de service.

Mais il fut arrêté net par une évolution de mousquet et par le cri de la sentinelle.

— Où allez-vous, l'ami ? lui demanda le factionnaire.

— Je vais chez le roi, répondit tranquillement et fièrement l'inconnu.

Le soldat appela un des officiers de Son Éminence, qui, du ton avec lequel un garçon de bureau dirige dans ses recherches un solliciteur du ministère, laissa tomber ces mots :

— L'autre escalier en face.

Et l'officier, sans plus s'inquiéter de l'inconnu, reprit la conversation interrompue.

L'étranger, sans rien répondre, se dirigea vers l'escalier indiqué.

De ce côté, plus de bruit, plus de flambeaux.

L'obscurité, au milieu de laquelle on voyait errer une sentinelle pareille à une ombre.

Le silence, qui permettait d'entendre le bruit de ses pas accompagnés du retentissement des éperons sur les dalles.

Ce factionnaire était un des vingt mousquetaires affectés au service du roi, et qui montait la garde avec la raideur et la conscience d'une statue.

— Qui vive ? dit ce garde.

— Ami, répondit l'inconnu.

— Que voulez-vous ?

— Parler au roi.

— Oh ! oh ! mon cher monsieur, cela ne se peut guère.

— Et pourquoi ?

— Parce que le roi est couché.

— Couché déjà ?

— Oui.

— N'importe, il faut que je lui parle.

— Et moi je vous dis que c'est impossible.

— Cependant...

— Au large !

— C'est donc la consigne ?

— Je n'ai pas de compte à vous rendre. Au large !

Et cette fois le factionnaire accompagna la parole d'un geste menaçant ; mais l'inconnu ne bougea pas plus que si ses pieds eussent pris racine.

— Monsieur le mousquetaire, dit-il, vous êtes gentilhomme ?

— J'ai cet honneur.

— Eh bien ! moi aussi je le suis, et entre gentilshommes on se doit quelques égards.

Le factionnaire abaissa son arme, vaincu par la dignité avec laquelle avaient été prononcées ces paroles.

— Parlez, monsieur, dit-il, et si vous me demandez une chose qui soit en mon pouvoir...

— Merci. Vous avez un officier, n'est-ce pas ?

— Notre lieutenant, oui, monsieur.

— Eh bien ! je désire parler à votre lieutenant.

— Ah ! pour cela, c'est différent. Montez, monsieur.

L'inconnu salua le factionnaire d'une haute façon, et monta l'escalier, tandis que le cri : « Lieutenant, une visite ! » transmis de sentinelle en sentinelle, précédait l'inconnu et allait troubler le premier somme de l'officier.

Traînant sa botte, se frottant les yeux et agrafant son manteau, le lieutenant fit trois pas au-devant de l'étranger.

— Qu'y a-t-il pour votre service, monsieur ? demanda-t-il.

— Vous êtes l'officier de service, lieutenant des mousquetaires ?

— J'ai cet honneur, répondit l'officier.

— Monsieur, il faut absolument que je parle au roi.

Le lieutenant regarda attentivement l'inconnu, et dans ce regard, si rapide qu'il fût, il vit tout ce qu'il voulait voir, c'est-à-dire une profonde distinction sous un habit ordinaire.

— Je ne suppose pas que vous soyez un fou, répliqua-t-il, et cependant vous me semblez de condition à savoir, monsieur, qu'on n'entre pas ainsi chez un roi sans qu'il y consente.

— Il y consentira, monsieur.

— Monsieur, permettez-moi d'en douter ; le roi rentre il y a un quart d'heure, il doit être en ce moment en train de se dévêtir. D'ailleurs, la consigne est donnée.

— Quand il saura qui je suis, répondit l'inconnu en redressant la tête, il lèvera la consigne.

L'officier était de plus en plus surpris, de plus en plus subjugué.

— Si je consentais à vous annoncer, puis-je au moins savoir qui j'annoncerais, monsieur ?

— Vous annonceriez Sa Majesté Charles II, roi d'Angleterre, d'Écosse et d'Irlande.

L'officier poussa un cri d'étonnement, recula, et l'on put voir sur son visage pâle une des plus poignantes émotions que jamais homme d'énergie ait essayé de refouler au fond de son cœur.

— Oh ! oui, sire : en effet, j'aurais dû vous reconnaître.

— Vous avez vu mon portrait ?

— Non, sire.

— Ou vous m'avez vu moi-même autrefois à la cour, avant qu'on me chassât de France[1] ?

— Non sire, ce n'est point encore cela.

— Comment m'eussiez-vous reconnu alors, si vous ne connaissiez ni mon portrait ni ma personne ?

— Sire, j'ai vu Sa Majesté le roi votre père dans un moment terrible.

— Le jour...

— Oui.

Un sombre nuage passa sur le front du prince ; puis, l'écartant de la main :

— Voyez-vous encore quelque difficulté à m'annoncer ? dit-il.

— Sire, pardonnez-moi, répondit l'officier, mais je ne pouvais deviner un roi sous cet extérieur si simple ; et pourtant, j'avais l'honneur de le dire tout à l'heure à Votre Majesté, j'ai vu le roi Charles Ier... Mais, pardon, je cours prévenir le roi.

Puis, revenant sur ses pas :

— Votre Majesté désire sans doute le secret pour cette entrevue ? demanda-t-il.

1. Au printemps 1647, Charles II et son frère le duc d'York « sortent de Paris pour aller chercher asile en Flandre », Mme de Motteville, *Mémoires*. Charles II choisit Cologne, puis Bruxelles comme lieux d'exil.

— Je ne l'exige pas, mais si c'est possible de le garder...

— C'est possible, sire, car je puis me dispenser de prévenir le premier gentilhomme de service ; mais il faut pour cela que Votre Majesté consente à me remettre son épée.

— C'est vrai. J'oubliais que nul ne pénètre armé chez le roi de France.

— Votre Majesté fera exception si elle le veut, mais alors je mettrai ma responsabilité à couvert en prévenant le service du roi.

— Voici mon épée, monsieur. Vous plaît-il maintenant de m'annoncer à Sa Majesté ?

— A l'instant, sire.

Et l'officier courut aussitôt heurter à la porte de communication, que le valet de chambre lui ouvrit.

— Sa Majesté le roi d'Angleterre ! dit l'officier.

— Sa Majesté le roi d'Angleterre ! répéta le valet de chambre.

A ces mots, un gentilhomme ouvrit à deux battants la porte du roi, et l'on vit Louis XIV sans chapeau et sans épée, avec son pourpoint ouvert, s'avancer en donnant les signes de la plus grande surprise.

— Vous, mon frère ! vous à Blois ! s'écria Louis XIV en congédiant d'un geste le gentilhomme et le valet de chambre qui passèrent dans une pièce voisine.

— Sire, répondit Charles II, je m'en allais à Paris dans l'espoir de voir Votre Majesté, lorsque la renommée m'a appris votre prochaine arrivée en cette ville. J'ai alors prolongé mon séjour, ayant quelque chose de très particulier à vous communiquer.

— Ce cabinet vous convient-il, mon frère ?

— Parfaitement, sire, car je crois qu'on ne peut nous entendre.

— J'ai congédié mon gentilhomme et mon veilleur : ils sont dans la chambre voisine. Là, derrière cette cloison, est un cabinet solitaire donnant sur l'antichambre, et dans l'antichambre vous n'avez vu qu'un officier, n'est-ce pas ?

— Oui, sire.

— Eh bien ! parlez donc, mon frère, je vous écoute.

— Sire, je commence, et veuille Votre Majesté prendre en pitié les malheurs de notre maison.

Le roi de France rougit et rapprocha son fauteuil de celui du roi d'Angleterre.

— Sire, dit Charles II, je n'ai pas besoin de demander à Votre Majesté si elle connaît les détails de ma déplorable histoire.

Louis XIV rougit plus fort encore que la première fois, puis étendant sa main sur celle du roi d'Angleterre :

— Mon frère, dit-il, c'est honteux à dire, mais rarement le cardinal parle politique devant moi. Il y a plus : autrefois je me faisais faire des lectures historiques par La Porte, mon valet de chambre, mais il a fait cesser ces lectures et m'a ôté La Porte[1], de sorte que je prie mon frère Charles de me dire toutes ces choses comme à un homme qui ne saurait rien.

— Eh bien ! sire, j'aurai, en reprenant les choses de plus haut, une chance de plus de toucher le cœur de Votre Majesté.

— Dites, mon frère, dites.

— Vous savez, sire, qu'appelé en 1650 à Édimbourg, pendant l'expédition de Cromwell en Irlande, je fus couronné à Scone[2]. Un an après, blessé dans une des provinces qu'il avait usurpées, Cromwell revint sur nous. Le rencontrer était mon but, sortir de l'Écosse était mon désir.

— Cependant, reprit le jeune roi, l'Écosse est presque votre pays natal, mon frère.

— Oui ; mais les Écossais étaient pour moi de cruels compatriotes ! Sire, ils m'avaient forcé à renier la religion de mes pères ; ils avaient pendu lord Montrose, mon serviteur le plus dévoué, parce qu'il n'était pas covenantaire, et comme le pauvre martyr, à qui l'on avait offert une faveur en mourant, avait demandé que son corps fût mis en autant de morceaux qu'il y avait de villes en Écosse, afin qu'on rencontrât partout des témoins de sa fidélité, je ne pouvais sortir d'une ville ou entrer dans une autre sans passer sur quelque lambeau de ce corps qui avait agi, combattu, respiré pour moi.

« Je traversai donc, par une marche hardie, l'armée de Cromwell, et j'entrai en Angleterre. Le Protecteur se mit à la poursuite de cette fuite étrange, qui avait une couronne pour but. Si j'avais pu arriver à Londres avant lui, sans doute le prix de la course était à moi, mais il me rejoignit à Worcester.

« Le génie de l'Angleterre n'était plus en nous, mais en lui. Sire, le 3 septembre 1651, jour anniversaire de cette autre bataille de Dunbar[3], déjà si fatale aux Écossais, je fus vaincu. Deux mille hommes tombèrent autour de moi avant que je songeasse à faire un pas en arrière. Enfin il fallut fuir.

« Dès lors mon histoire devint un roman. Poursuivi avec acharnement, je me coupai les cheveux, je me déguisai en bûcheron. Une journée passée dans les branches d'un chêne donna à cet arbre le nom de *chêne royal*, qu'il porte encore. Mes aventures du comté de Strafford, d'où je sortis menant en croupe la fille de mon hôte, font encore le récit de toutes

1. Voir les *Mémoires* de P. de La Porte, dans la « Collection des Mémoires relatifs à l'histoire de France, depuis l'avènement de Henri IV jusqu'à la paix de Paris, conclue en 1763 », par Ch. Petitot (que nous désignerons désormais par Petitot), Paris, Foulcauld, 1820-1829, tome LIX.

2. Texte : « Stone ». Charles II y fut couronné le 1er janvier 1651. Il avait abordé en Angleterre à Storeham (Sussex).

3. Dunbar, dans le comté d'Haddington, avait vu la défaite des Écossais, face à Cromwell le 3 septembre 1650, et face à Édouard Ier en 1296.

les veillées et fourniront le sujet d'une ballade. Un jour j'écrirai tout cela, sire, pour l'instruction des rois mes frères.

« Je dirai comment, en arrivant chez M. Norton, je rencontrai un chapelain de la cour qui regardait jouer aux quilles, et un vieux serviteur qui me nomma en fondant en larmes, et qui manqua presque aussi sûrement de me tuer avec sa fidélité qu'un autre eût fait avec sa trahison. Enfin, je dirai mes terreurs ; oui, sire, mes terreurs, lorsque, chez le colonel Windham, un maréchal qui visitait nos chevaux déclara qu'ils avaient été ferrés dans le nord.

— C'est étrange, murmura Louis XIV, j'ignorais tout cela. Je savais seulement votre embarquement à Brighelmsted et votre débarquement en Normandie[1].

— Oh ! fit Charles, si vous permettez, mon Dieu ! que les rois ignorent ainsi l'histoire les uns des autres, comment voulez-vous qu'ils se secourent entre eux !

— Mais dites-moi, mon frère, continua Louis XIV, comment, ayant été si rudement reçu en Angleterre, espérez-vous encore quelque chose de ce malheureux pays et de ce peuple rebelle ?

— Oh sire ! c'est que, depuis la bataille de Worcester, toutes choses sont bien changées là-bas ! Cromwell est mort après avoir signé avec la France un traité dans lequel il a écrit son nom au-dessus du vôtre. Il est mort le 3 septembre 1658, nouvel anniversaire des batailles de Worcester et de Dunbar.

— Son fils lui a succédé.

— Mais certains hommes, sire, ont une famille et pas d'héritier. L'héritage d'Olivier était trop lourd pour Richard. Richard, qui n'était ni républicain ni royaliste ; Richard, qui laissait ses gardes manger son dîner et ses généraux gouverner la république ; Richard a abdiqué le protectorat le 22 avril 1659. Il y a un peu plus d'un an, sire.

« Depuis ce temps, l'Angleterre n'est plus qu'un tripot où chacun joue aux dés la couronne de mon père. Les deux joueurs les plus acharnés sont Lambert et Monck. Eh bien ! sire, à mon tour, je voudrais me mêler à cette partie, où l'enjeu est jeté sur mon manteau royal. Sire, un million pour corrompre un de ces joueurs, pour m'en faire un allié, ou deux cents de vos gentilshommes pour les chasser de mon palais de White Hall, comme Jésus chassa les vendeurs du temple[2].

— Ainsi, reprit Louis XIV, vous venez me demander...

— Votre aide ; c'est-à-dire ce que non seulement les rois se doivent entre eux, mais ce que les simples chrétiens se doivent les uns aux autres ; votre aide, sire, soit en argent soit en hommes ; vctre aide, sire, et dans un mois, soit que j'oppose Lambert à Monck, ou Monck à Lambert,

1. La fuite du roi aboutit à Brighton où il se cacha au George Inn ; il débarqua à Fécamp le 16 octobre 1651.

2. Matthieu, XXI, 12-13 ; Marc, XI, 15-17 ; Luc, XIX, 45-46 ; Jean, II, 14-16.

j'aurai reconquis l'héritage paternel sans avoir coûté une guinée à mon pays, une goutte de sang à mes sujets, car ils sont ivres maintenant de révolution, de protectorat et de république, et ne demandent pas mieux que d'aller tout chancelants tomber et s'endormir dans la royauté ; votre aide, sire, et je devrai plus à Votre Majesté qu'à mon père. Pauvre père ! qui a payé si chèrement la ruine de notre maison ! Vous voyez, sire, si je suis malheureux, si je suis désespéré, car voilà que j'accuse mon père.

Et le sang monta au visage pâle de Charles II, qui resta un instant la tête entre ses deux mains et comme aveuglé par ce sang qui semblait se révolter du blasphème filial.

Le jeune roi n'était pas moins malheureux que son frère aîné ; il s'agitait dans son fauteuil et ne trouvait pas un mot à répondre.

Enfin, Charles II, à qui dix ans de plus donnaient une force supérieure pour maîtriser ses émotions, retrouva le premier la parole.

— Sire, dit-il, votre réponse ? je l'attends comme un condamné son arrêt. Faut-il que je meure ?

— Mon frère, répondit le prince français à Charles II, vous me demandez un million, à moi ! mais je n'ai jamais possédé le quart de cette somme ! mais je ne possède rien ! Je ne suis pas plus roi de France que vous n'êtes roi d'Angleterre. Je suis un nom, un chiffre habillé de velours fleurdelisé, voilà tout. Je suis un trône visible, voilà mon seul avantage sur Votre Majesté. Je n'ai rien, je ne puis rien.

— Est-il vrai ! s'écria Charles II.

— Mon frère, dit Louis en baissant la voix, j'ai supporté des misères que n'ont pas supportées mes plus pauvres gentilshommes. Si mon pauvre La Porte était près de moi, il vous dirait que j'ai dormi dans des draps déchirés à travers lesquels mes jambes passaient ; il vous dirait que, plus tard, quand je demandais mes carrosses, on m'amenait des voitures à moitié mangées par les rats de mes remises ; il vous dirait que, lorsque je demandais mon dîner, on allait s'informer aux cuisines du cardinal s'il y avait à manger pour le roi[1]. Et tenez, aujourd'hui encore, aujourd'hui que j'ai vingt-deux ans, aujourd'hui que j'ai atteint l'âge des grandes majorités royales, aujourd'hui que je devrais avoir la clef du trésor, la direction de la politique, la suprématie de la paix et de la guerre, jetez les yeux autour de moi, voyez ce qu'on me laisse : regardez cet abandon, ce dédain, ce silence, tandis que là-bas, tenez, voyez là-bas, regardez cet empressement, ces lumières, ces hommages ! Là ! là ! voyez-vous, là est le véritable roi de France, mon frère.

— Chez le cardinal ?

— Chez le cardinal, oui.

---

1. La Porte, *Mémoires* (Petitot, tome LIX, p. 418). Voir *Vingt Ans après*, chap. XIX, p. 696, note 2.

— Alors, je suis condamné, sire.

Louis XIV ne répondit rien.

— Condamné est le mot, car je ne solliciterai jamais celui qui eût laissé mourir de froid et de faim ma mère et ma sœur, c'est-à-dire la fille et la petite-fille de Henri IV, si M. de Retz et le Parlement ne leur eussent envoyé du bois et du pain[1].

— Mourir ! murmura Louis XIV.

— Eh bien ! continua le roi d'Angleterre, le pauvre Charles II, ce petit-fils de Henri IV comme vous, sire, n'ayant ni Parlement ni cardinal de Retz, mourra de faim comme ont manqué de mourir sa sœur et sa mère.

Louis fronça le sourcil et tordit violemment les dentelles de ses manchettes.

Cette atonie, cette immobilité, servant de masque à une émotion si visible, frappèrent le roi Charles, qui prit la main du jeune homme.

— Merci, dit-il, mon frère ; vous m'avez plaint, c'est tout ce que je pouvais exiger de vous dans la position où vous êtes.

— Sire, dit tout à coup Louis XIV en relevant la tête, c'est un million qu'il vous faut, ou deux cents gentilshommes, m'avez-vous dit ?

— Sire, un million me suffira.

— C'est bien peu.

— Offert à un seul homme, c'est beaucoup. On a souvent payé moins cher des convictions ; moi, je n'aurai affaire qu'à des vénalités.

— Deux cents gentilshommes, songez-y, c'est un peu plus qu'une compagnie, voilà tout.

— Sire, il y a dans notre famille une tradition, c'est que quatre hommes, quatre gentilshommes français dévoués à mon père, ont failli sauver mon père, jugé par un Parlement, gardé par une armée, entouré par une nation.

— Donc, si je peux vous avoir un million ou deux cents gentilshommes, vous serez satisfait, et vous me tiendrez pour votre bon frère ?

— Je vous tiendrai pour mon sauveur, et si je remonte sur le trône de mon père, l'Angleterre sera, tant que je régnerai, du moins, une sœur à la France, comme vous aurez été un frère pour moi.

— Eh bien ! mon frère, dit Louis en se levant, ce que vous hésitez à me demander, je le demanderai, moi ! ce que je n'ai jamais voulu faire pour mon propre compte, je le ferai pour le vôtre. J'irai trouver le roi de France, l'autre, le riche, le puissant, et je solliciterai, moi, ce million ou ces deux cents gentilshommes et nous verrons !

— Oh ! s'écria Charles, vous êtes un noble ami, sire, un cœur créé par Dieu ! Vous me sauvez, mon frère, et quand vous aurez besoin de la vie que vous me rendez, demandez-la-moi !

---

1. Retz, *Mémoires*. Voir *Vingt Ans après*, chap. XVI, p. 675, note 1.

— Silence ! mon frère, silence ! dit tout bas Louis. Gardez qu'on ne vous entende ! Nous ne sommes pas au bout. Demander de l'argent à Mazarin ! c'est plus que traverser la forêt enchantée dont chaque arbre enferme un démon ; c'est plus que d'aller conquérir un monde !

— Mais cependant, sire, quand vous demandez...

— Je vous ai déjà dit que je ne demandais jamais, répondit Louis avec une fierté qui fit pâlir le roi d'Angleterre.

Et comme celui-ci, pareil à un homme blessé, faisait un mouvement de retraite :

— Pardon, mon frère, reprit-il : je n'ai pas une mère, une sœur qui souffrent ; mon trône est dur et nu, mais je suis bien assis sur mon trône. Pardon, mon frère, ne me reprochez pas cette parole : elle est d'un égoïste ; aussi la rachèterai-je par un sacrifice. Je vais trouver M. le cardinal. Attendez-moi, je vous prie. Je reviens.

X

L'ARITHMÉTIQUE DE M. DE MAZARIN

Tandis que le roi se dirigeait rapidement vers l'aile du château occupée par le cardinal, n'emmenant avec lui que son valet de chambre, l'officier de mousquetaires sortait, en respirant comme un homme qui a été forcé de retenir longuement son souffle, du petit cabinet dont nous avons déjà parlé et que le roi croyait solitaire. Ce petit cabinet avait autrefois fait partie de la chambre ; il n'en était séparé que par une mince cloison. Il en résultait que cette séparation, qui n'en était une que pour les yeux, permettait à l'oreille la moins indiscrète d'entendre tout ce qui se passait dans cette chambre.

Il n'y avait donc pas de doute que ce lieutenant des mousquetaires n'eût entendu tout ce qui s'était passé chez Sa Majesté.

Prévenu par les dernières paroles du jeune roi, il en sortit donc à temps pour le saluer à son passage et pour l'accompagner du regard jusqu'à ce qu'il eût disparu dans le corridor.

Puis, lorsqu'il eut disparu, il secoua la tête d'une façon qui n'appartenait qu'à lui, et d'une voix à laquelle quarante ans passés hors de la Gascogne n'avaient pu faire perdre son accent gascon :

— Triste service ! dit-il ; triste maître !

Puis, ces mots prononcés, le lieutenant reprit sa place dans son fauteuil, étendit les jambes et ferma les yeux en homme qui dort ou qui médite.

Pendant ce court monologue et la mise en scène qui l'avait suivi, tandis que le roi, à travers les longs corridors du vieux château, s'acheminait chez M. de Mazarin, une scène d'un autre genre se passait chez le cardinal.

Mazarin s'était mis au lit un peu tourmenté de la goutte, mais comme c'était un homme d'ordre qui utilisait jusqu'à la douleur, il forçait sa veille à être la très humble servante de son travail. En conséquence, il s'était fait apporter par Bernouin, son valet de chambre, un petit pupitre de voyage, afin de pouvoir écrire sur son lit. Mais la goutte n'est pas un adversaire qui se laisse vaincre si facilement, et comme, à chaque mouvement qu'il faisait, de sourde la douleur devenait aiguë :

— Brienne n'est pas là ? demanda-t-il à Bernouin.

— Non, monseigneur, répondit le valet de chambre. M. de Brienne[1], sur votre congé, s'est allé coucher ; mais si c'est le désir de Votre Éminence, on peut parfaitement le réveiller.

— Non, ce n'est point la peine. Voyons cependant. Maudits chiffres !

Et le cardinal se mit à rêver tout en comptant sur ses doigts.

— Oh ! des chiffres ! dit Bernouin. Bon ! si Votre Éminence se jette dans ses calculs, je lui promets pour demain la plus belle migraine ! et avec cela que M. Guénaud n'est pas ici.

— Tu as raison, Bernouin. Eh bien ! tu vas remplacer Brienne, mon ami. En vérité, j'aurais dû emmener avec moi M. de Colbert. Ce jeune homme va bien, Bernouin, très bien. Un garçon d'ordre !

— Je ne sais pas, dit le valet de chambre, mais je n'aime pas sa figure, moi, à votre jeune homme qui va bien.

— C'est bon, c'est bon, Bernouin ! On n'a pas besoin de votre avis. Mettez-vous là, prenez la plume, et écrivez.

— M'y voici, monseigneur. Que faut-il que j'écrive ?

— Là, c'est bien, à la suite de deux lignes déjà tracées.

— M'y voici.

— Écris. Sept cent soixante mille livres.

— C'est écrit.

— Sur Lyon...

Le cardinal paraissait hésiter.

— Sur Lyon, répéta Bernouin.

— Trois millions neuf cent mille livres.

— Bien, monseigneur.

— Sur Bordeaux, sept millions.

— Sept, répéta Bernouin.

— Eh ! oui, dit le cardinal avec humeur, sept.

Puis, se reprenant :

— Tu comprends, Bernouin, ajouta-t-il, que tout cela est de l'argent à dépenser.

---

1. Les comptes de Mazarin s'inspirent des *Mémoires inédits de Louis-Henri de Lomélie, comte de Brienne, secrétaire d'État sous Louis XIV, publiés sur les manuscrits autographes, avec un essai sur les mœurs et les usages du XVIIe siècle*, par F. Barrière, Ponthieu et Cie, 1828.

— Eh ! monseigneur, que ce soit à dépenser ou à encaisser, peu m'importe, puisque tous ces millions ne sont pas à moi.

— Ces millions sont au roi ; c'est l'argent du roi que je compte. Voyons, nous disions ?... Tu m'interromps toujours !

— Sept millions, sur Bordeaux.

— Ah ! oui, c'est vrai. Sur Madrid, quatre. Je t'explique bien à qui est cet argent, Bernouin, attendu que tout le monde a la sottise de me croire riche à millions. Moi, je repousse la sottise. Un ministre n'a rien à soi, d'ailleurs. Voyons, continue. Rentrées générales, sept millions. Propriétés, neuf millions. As-tu écrit, Bernouin ?

— Oui, monseigneur.

— Bourse, six cent mille livres ; valeurs diverses, deux millions. Ah ! j'oubliais : mobilier des différents châteaux...

— Faut-il mettre *de la Couronne* ? demanda Bernouin.

— Non, non, inutile ; c'est sous-entendu. As-tu écrit, Bernouin ?

— Oui, monseigneur.

— Et les chiffres ?

— Sont alignés au-dessous les uns des autres.

— Additionne, Bernouin.

— Trente-neuf millions deux cent soixante mille livres, monseigneur.

— Ah ! fit le cardinal avec une expression de dépit, il n'y a pas encore quarante millions !

Bernouin recommença l'addition.

— Non, monseigneur, il s'en manque sept cent quarante mille livres.

Mazarin demanda le compte et le revit attentivement.

— C'est égal, dit Bernouin, trente-neuf millions deux cent soixante mille livres, cela fait un joli denier.

— Ah ! Bernouin, voilà ce que je voudrais voir au roi.

— Son Éminence me disait que cet argent était celui de Sa Majesté.

— Sans doute, mais bien clair, bien liquide. Ces trente-neuf millions sont engagés, et bien au-delà.

Bernouin sourit à sa façon, c'est-à-dire en homme qui ne croit que ce qu'il veut croire, tout en préparant la boisson de nuit du cardinal et en lui redressant l'oreiller.

— Oh ! dit Mazarin lorsque le valet de chambre fut sorti, pas encore quarante millions ! Il faut pourtant que j'arrive à ce chiffre de quarante-cinq millions que je me suis fixé. Mais qui sait si j'aurai le temps ! Je baisse, je m'en vais, je n'arriverai pas. Pourtant, qui sait si je ne trouverai pas deux ou trois millions dans les poches de nos bons amis les Espagnols ? Ils ont découvert le Pérou, ces gens-là, et, que diable ! il doit leur en rester quelque chose.

Comme il parlait ainsi, tout occupé de ses chiffres et ne pensant plus à sa goutte, repoussée par une préoccupation qui, chez le cardinal, était la plus puissante de toutes les préoccupations, Bernouin se précipita dans sa chambre tout effaré.

— Eh bien ! demanda le cardinal, qu'y a-t-il donc ?

— Le roi ! Monseigneur, le roi !

— Comment, le roi ! fit Mazarin en cachant rapidement son papier. Le roi ici ! le roi à cette heure ! Je le croyais couché depuis longtemps. Qu'y a-t-il donc ?

Louis XIV put entendre ces derniers mots et voir le geste effaré du cardinal se redressant sur son lit, car il entrait en ce moment dans la chambre.

— Il n'y a rien, monsieur le cardinal, ou du moins rien qui puisse vous alarmer ; c'est une communication importante que j'avais besoin de faire ce soir-même à Votre Éminence, voilà tout.

Mazarin pensa aussitôt à cette attention si marquée que le roi avait donnée à ses paroles touchant Mlle de Mancini, et la communication lui parut devoir venir de cette source. Il se rasséréna donc à l'instant même et prit son air le plus charmant, changement de physionomie dont le jeune roi sentit une joie extrême, et quand Louis se fut assis :

— Sire, dit le cardinal, je devrais certainement écouter Votre Majesté debout, mais la violence de mon mal...

— Pas d'étiquette entre nous, cher monsieur le cardinal, dit Louis affectueusement ; je suis votre élève et non le roi, vous le savez bien, et ce soir surtout, puisque je viens à vous comme un requérant, comme un solliciteur, et même comme un solliciteur très humble et très désireux d'être bien accueilli.

Mazarin, voyant la rougeur du roi, fut confirmé dans sa première idée, c'est-à-dire qu'il y avait une pensée d'amour sous toutes ces belles paroles. Cette fois, le rusé politique, tout fin qu'il était, se trompait : cette rougeur n'était point causée par les pudibonds élans d'une passion juvénile, mais seulement par la douloureuse contraction de l'orgueil royal.

En bon oncle, Mazarin se disposa à faciliter la confidence.

— Parlez, dit-il, sire, et puisque Votre Majesté veut bien un instant oublier que je suis son sujet pour m'appeler son maître et son instituteur, je proteste à Votre Majesté de tous mes sentiments dévoués et tendres.

— Merci, monsieur le cardinal, répondit le roi. Ce que j'ai à mander à Votre Éminence est d'ailleurs peu de chose pour elle.

— Tant pis, répondit le cardinal, tant pis, sire. Je voudrais que Votre Majesté me demandât une chose importante et même un sacrifice... mais, quoi que ce soit que vous me demandiez, je suis prêt à soulager votre cœur en vous l'accordant, mon cher sire.

— Eh bien ! voici de quoi il s'agit, dit le roi avec un battement de cœur qui n'avait d'égal en précipitation que le battement de cœur du ministre : je viens de recevoir la visite de mon frère le roi d'Angleterre.

Mazarin bondit dans son lit comme s'il eût été mis en rapport avec la bouteille de Leyde ou la pile de Volta[1], en même temps qu'une surprise ou plutôt qu'un désappointement manifeste éclairait sa figure d'une telle lueur de colère que Louis XIV, si peu diplomate qu'il fût, vit bien que le ministre avait espéré entendre toute autre chose.

— Charles II ! s'écria Mazarin avec une voix rauque et un dédaigneux mouvement des lèvres. Vous avez reçu la visite de Charles II !

— Du roi Charles II, reprit Louis XIV, accordant avec affectation au petit-fils de Henri IV le titre que Mazarin oubliait de lui donner. Oui, monsieur le cardinal, ce malheureux prince m'a touché le cœur en me racontant ses infortunes. Sa détresse est grande, monsieur le cardinal, et il m'a paru pénible à moi, qui me suis vu disputer mon trône, qui ai été forcé, dans des jours d'émotion, de quitter ma capitale ; à moi, enfin, qui connais le malheur de laisser sans appui un frère dépossédé et fugitif.

— Eh ! dit avec dépit le cardinal, que n'a-t-il comme vous, sire, un Jules Mazarin près de lui ! sa couronne lui eût été gardée intacte.

— Je sais tout ce que ma maison doit à votre Éminence, repartit fièrement le roi, et croyez bien que pour ma part, monsieur, je ne l'oublierai jamais. C'est justement parce que mon frère le roi d'Angleterre n'a pas près de lui le génie puissant qui m'a sauvé, c'est pour cela, dis-je, que je voudrais lui concilier l'aide de ce même génie, et prier votre bras de s'étendre sur sa tête, bien assuré, monsieur le cardinal, que votre main, en le touchant seulement, saurait lui remettre au front sa couronne, tombée au pied de l'échafaud de son père.

— Sire, répliqua Mazarin, je vous remercie de votre bonne opinion à mon égard, mais nous n'avons rien à faire là-bas : ce sont des enragés qui renient Dieu et qui coupent la tête à leurs rois. Ils sont dangereux, voyez-vous, sire, et sales à toucher depuis qu'ils se sont vautrés dans le sang royal et dans la boue covenantaire. Cette politique-là ne m'a jamais convenu, et je la repousse.

— Aussi pouvez-vous nous aider à lui en substituer une autre.

— Laquelle ?

— La restauration de Charles II, par exemple.

— Eh ! mon Dieu ! répliqua Mazarin, est-ce que par hasard le pauvre sire se flatterait de cette chimère ?

— Mais oui, répliqua le jeune roi, effrayé des difficultés que semblait entrevoir dans ce projet l'œil si sûr de son ministre ; il ne demande même pour cela qu'un million.

1. Si les savants de Leyde, Musschenbrœck, Allaman et Cunœus, avaient, en 1646, expérimenté leur bouteille, ancêtre des condensateurs d'électricité, Volta ne mettra au point la pile qui porte son nom qu'en 1800.

— Voilà tout. Un petit million, s'il vous plaît ? fit ironiquement le cardinal en forçant son accent italien. Un petit million, s'il vous plaît, mon frère ? Famille de mendiants, va !

— Cardinal, dit Louis XIV en relevant la tête, cette famille de mendiants est une branche de ma famille.

— Êtes-vous assez riche pour donner des millions aux autres, sire ? avez-vous des millions ?

— Oh ! répliqua Louis XIV avec une suprême douleur qu'il força cependant, à force de volonté, de ne point éclater sur son visage ; oh ! oui, monsieur le cardinal, je sais que je suis pauvre, mais enfin la couronne de France vaut bien un million, et pour faire une bonne action, j'engagerai, s'il le faut, ma couronne. Je trouverai des juifs qui me prêteront bien un million ?

— Ainsi, sire, vous dites que vous avez besoin d'un million ? demanda Mazarin.

— Oui, monsieur, je le dis.

— Vous vous trompez beaucoup, sire, et vous avez besoin de bien plus que cela. Bernouin !... Vous allez voir, sire, de combien vous avez besoin en réalité... Bernouin !

— Eh quoi ! cardinal, dit le roi, vous allez consulter un laquais sur mes affaires ?

— Bernouin ! cria encore le cardinal sans paraître remarquer l'humiliation du jeune prince. Avance ici, et dis-moi le chiffre que je te demandais tout à l'heure, mon ami.

— Cardinal, cardinal, ne m'avez-vous pas entendu ? dit Louis pâlissant d'indignation.

— Sire, ne vous fâchez pas ; je traite à découvert les affaires de Votre Majesté, moi. Tout le monde en France le sait, mes livres sont à jour. Que te disais-je de me faire tout à l'heure, Bernouin ?

— Votre Éminence me disait de lui faire une addition.

— Tu l'as faite, n'est-ce pas ?

— Oui, monseigneur.

— Pour constater la somme dont Sa Majesté avait besoin en ce moment ? Ne te disais-je pas cela ? Sois franc, mon ami.

— Votre Éminence me le disait.

— Eh bien ! quelle somme désirais-je ?

— Quarante-cinq millions, je crois.

— Et quelle somme trouverions-nous en réunissant toutes nos ressources ?

— Trente-neuf millions deux cent soixante mille francs.

— C'est bien, Bernouin, voilà tout ce que je voulais savoir ; laisse-nous maintenant, dit le cardinal en attachant son brillant regard sur le jeune roi, muet de stupéfaction.

— Mais cependant... balbutia le roi.

— Ah ! vous doutez encore, sire, dit le cardinal. Eh bien ! voici la preuve de ce que je vous disais.

Et Mazarin tira de dessous son traversin le papier couvert de chiffres, qu'il présenta au roi, lequel détourna la vue, tant sa douleur était profonde.

— Ainsi, comme c'est un million que vous désirez, sire, que ce million n'est point porté là, c'est donc de quarante-six millions qu'a besoin Votre Majesté. Eh bien ! il n'y a pas de juifs au monde qui prêtent une pareille somme, même sur la couronne de France.

Le roi, crispant ses poings sous ses manchettes, repoussa son fauteuil.

— C'est bien, dit-il, mon frère le roi d'Angleterre mourra donc de faim.

— Sire, répondit sur le même ton Mazarin, rappelez-vous ce proverbe que je vous donne ici comme l'expression de la plus saine politique : « Réjouis-toi d'être pauvre quand ton voisin est pauvre aussi. »

Louis médita quelques moments, tout en jetant un curieux regard sur le papier dont un bout passait sous le traversin.

— Alors, dit-il, il y a impossibilité à faire droit à ma demande d'argent, monsieur le cardinal ?

— Absolue, sire.

— Songez que cela me fera un ennemi plus tard s'il remonte sans moi sur le trône.

— Si Votre Majesté ne craint que cela, qu'elle se tranquillise, dit vivement le cardinal.

— C'est bien, je n'insiste plus, dit Louis XIV.

— Vous ai-je convaincu, au moins, sire ? dit le cardinal en posant sa main sur celle du roi.

— Parfaitement.

— Toute autre chose, demandez-la, sire, et je serai heureux de vous l'accorder, vous ayant refusé celle-ci.

— Toute autre chose, monsieur ?

— Eh ! oui, ne suis-je pas corps et âme au service de Votre Majesté ? Holà ! Bernouin, des flambeaux, des gardes pour Sa Majesté ! Sa Majesté rentre dans ses appartements.

— Pas encore, monsieur, et puisque vous mettez votre bonne volonté à ma disposition, je vais en user.

— Pour vous, sire ? demanda le cardinal, espérant qu'il allait enfin être question de sa nièce.

— Non, monsieur, pas pour moi, répondit Louis, mais pour mon frère Charles toujours.

La figure de Mazarin se rembrunit, et il grommela quelques paroles que le roi ne put entendre.

XI

LA POLITIQUE DE M. DE MAZARIN

Au lieu de l'hésitation avec laquelle il avait un quart d'heure auparavant abordé le cardinal, on pouvait lire alors dans les yeux du jeune roi cette volonté contre laquelle on peut lutter, qu'on brisera peut-être par sa propre impuissance, mais qui au moins gardera, comme une plaie au fond du cœur, le souvenir de sa défaite.

— Cette fois, monsieur le cardinal, il s'agit d'une chose plus facile à trouver qu'un million.

— Vous croyez cela, sire ? dit Mazarin en regardant le roi de cet œil rusé qui lisait au plus profond des cœurs.

— Oui, je le crois, et lorsque vous connaîtrez l'objet de ma demande...

— Et croyez-vous donc que je ne le connaisse pas, sire ?

— Vous savez ce qui me reste à vous dire ?

— Écoutez, sire, voilà les propres paroles du roi Charles...

— Oh ! par exemple !

— Écoutez. Et si cet avare, ce pleutre d'Italien, a-t-il dit...

— Monsieur le cardinal !...

— Voilà le sens, sinon les paroles. Eh ! mon Dieu ! je ne lui en veux pas pour cela, sire ; chacun voit avec ses passions. Il a donc dit : Et si ce pleutre d'Italien vous refuse le million que nous lui demandons, sire ; si nous sommes forcés, faute d'argent, de renoncer à la diplomatie, eh bien ! nous lui demanderons cinq cents gentilshommes...

Le roi tressaillit, car le cardinal ne s'était trompé que sur le chiffre.

— N'est-ce pas, sire, que c'est cela ? s'écria le ministre avec un accent triomphateur ; puis il a ajouté de belles paroles, il a dit : J'ai des amis de l'autre côté du détroit ; à ces amis il manque seulement un chef et une bannière. Quand ils me verront, quand ils verront la bannière de France, ils se rallieront à moi, car ils comprendront que j'ai votre appui. Les couleurs de l'uniforme français vaudront près de moi le million que M. de Mazarin nous aura refusé. (Car il savait bien que je le refuserais, ce million.) Je vaincrai avec ces cinq cents gentilshommes, sire, et tout l'honneur en sera pour vous. Voilà ce qu'il a dit, ou à peu près, n'est-ce pas ? en entourant ces paroles de métaphores brillantes, d'images pompeuses, car ils sont bavards dans la famille ! Le père a parlé jusque sur l'échafaud.

La sueur de la honte coulait au front de Louis. Il sentait qu'il n'était pas de sa dignité d'entendre ainsi insulter son frère, mais il ne savait pas encore comment on voulait, surtout en face de celui devant qui il avait vu tout plier, même sa mère. Enfin il fit un effort.

— Mais, dit-il, monsieur le cardinal, ce n'est pas cinq cents hommes, c'est deux cents.

— Vous voyez bien que j'avais deviné ce qu'il demandait.

— Je n'ai jamais nié, monsieur, que vous n'eussiez un œil profond, et c'est pour cela que j'ai pensé que vous ne refuseriez pas à mon frère Charles une chose aussi simple et aussi facile à accorder que celle que je vous demande en son nom, monsieur le cardinal, ou plutôt au mien.

— Sire, dit Mazarin, voilà trente ans que je fais de la politique. J'en ai fait d'abord avec M. le cardinal de Richelieu, puis tout seul. Cette politique n'a pas toujours été très honnête, il faut l'avouer ; mais elle n'a jamais été maladroite. Or, celle que l'on propose en ce moment à Votre Majesté est malhonnête et maladroite à la fois.

— Malhonnête, monsieur !

— Sire, vous avez fait un traité[1] avec M. Cromwell.

— Oui ; et dans ce traité même M. Cromwell a signé au-dessus de moi.

— Pourquoi avez-vous signé si bas, sire ? M. Cromwell a trouvé une bonne place, il l'a prise ; c'était assez son habitude. J'en reviens donc à M. Cromwell. Vous avez fait un traité avec lui, c'est-à-dire avec l'Angleterre, puisque quand vous avez signé ce traité M. Cromwell était l'Angleterre.

— M. Cromwell est mort.

— Vous croyez cela, sire ?

— Mais sans doute, puisque son fils Richard lui a succédé et a abdiqué même[2].

— Eh bien ! voilà justement ! Richard a hérité à la mort de Cromwell, et l'Angleterre à l'abdication de Richard. Le traité faisait partie de l'héritage, qu'il fût entre les mains de M. Richard ou entre les mains de l'Angleterre. Le traité est donc bon toujours, valable autant que jamais. Pourquoi l'éluderiez-vous, sire ? Qu'y a-t-il de changé ? Charles II veut aujourd'hui ce que nous n'avons pas voulu il y a dix ans ; mais c'est un cas prévu. Vous êtes l'allié de l'Angleterre, sire, et non celui de Charles II. C'est malhonnête sans doute, au point de vue de la famille, d'avoir signé un traité avec un homme qui a fait couper la tête au beau-frère du roi votre père, et d'avoir contracté une alliance avec un Parlement qu'on appelle là-bas un Parlement Croupion ; c'est malhonnête, j'en conviens, mais ce n'était pas maladroit au point de vue de la politique, puisque, grâce à ce traité, j'ai sauvé à Votre Majesté, mineure encore, les tracas d'une guerre extérieure, que la Fronde... vous

1. Le traité de commerce et de non-agression conclu entre Cromwell et Mazarin fut signé le 24 août 1655. Il comportait comme clause secrète l'expulsion de France de Charles II.

2. Richard Cromwell avait abdiqué en 1659.

vous rappelez la Fronde, sire (le jeune roi baissa la tête), que la Fronde eût fatalement compliqués. Et voilà comme quoi je prouve à Votre Majesté que changer de route maintenant sans prévenir nos alliés serait à la fois maladroit et malhonnête. Nous ferions la guerre en mettant les torts de notre côté ; nous la ferions, méritant qu'on nous la fît, et nous aurions l'air de la craindre, tout en la provoquant ; car une permission à cinq cents hommes, à deux cents hommes, à cinquante hommes, à dix hommes, c'est toujours une permission. Un Français, c'est la nation ; un uniforme, c'est l'armée. Supposez, par exemple, sire, que vous avez la guerre avec la Hollande, ce qui tôt ou tard arrivera certainement, ou avec l'Espagne, ce qui arrivera peut-être si votre mariage manque (Mazarin regarda profondément le roi), et il y a mille causes qui peuvent faire manquer votre mariage ; eh bien ! approuveriez-vous l'Angleterre d'envoyer aux Provinces-Unies ou à l'infante[1] un régiment, une compagnie, une escouade même de gentilshommes anglais ? Trouveriez-vous qu'elle se renferme honnêtement dans les limites de son traité d'alliance ?

Louis écoutait ; il lui semblait étrange que Mazarin invoquât la bonne foi, lui l'auteur de tant de supercheries politiques qu'on appelait des mazarinades.

— Mais enfin, dit le roi, sans autorisation manifeste, je ne puis empêcher des gentilshommes de mon État de passer en Angleterre si tel est leur bon plaisir.

— Vous devez les contraindre à revenir, sire, ou tout au moins protester contre leur présence en ennemis dans un pays allié.

— Mais enfin, voyons, vous, monsieur le cardinal, vous un génie si profond, cherchons un moyen d'aider ce pauvre roi sans nous compromettre.

— Et voilà justement ce que je ne veux pas, mon cher sire, dit Mazarin. L'Angleterre agirait d'après mes désirs qu'elle n'agirait pas mieux ; je dirigerais d'ici la politique d'Angleterre que je ne la dirigerais pas autrement. Gouvernée ainsi qu'on la gouverne, l'Angleterre est pour l'Europe un nid éternel à procès. La Hollande protège Charles II : laissez faire la Hollande ; ils se fâcheront, ils se battront ; ce sont les deux seules puissances maritimes ; laissez-les détruire leurs marines l'une par l'autre ; nous construirons la nôtre avec les débris de leurs vaisseaux, et encore quand nous aurons de l'argent pour acheter des clous.

— Oh ! que tout ce que vous me dites là est pauvre et mesquin, monsieur le cardinal !

---

1. Les Pays-Bas espagnols n'étaient plus gouvernés par une infante : en mai 1656, don Juan, bâtard de Philippe IV, en avait été nommé gouverneur et capitaine général, mais il avait regagné l'Espagne après la déroute des Dunes (14 juin 1658), laissant le gouvernement à son second, le marquis de Caracena.

— Oui, mais comme c'est vrai, sire, avouez-le. Il y a plus : j'admets un moment la possibilité de manquer à votre parole et d'éluder le traité ; cela se voit souvent, qu'on manque à sa parole et qu'on élude un traité, mais c'est quand on a quelque grand intérêt à le faire ou quand on se trouve par trop gêné par le contrat ; eh bien ! vous autoriseriez l'engagement qu'on vous demande ; la France, sa bannière, ce qui est la même chose, passera le détroit et combattra ; la France sera vaincue.

— Pourquoi cela ?

— Voilà ma foi un habile général, que Sa Majesté Charles II, et Worcester nous donne de belles garanties !

— Il n'aura plus affaire à Cromwell, monsieur.

— Oui, mais il aura affaire à Monck, qui est bien autrement dangereux. Ce brave marchand de bière dont nous parlons était un illuminé, il avait des moments d'exaltation, d'épanouissement, de gonflement, pendant lesquels il se fendait comme un tonneau trop plein ; par les fentes alors s'échappaient toujours quelques gouttes de sa pensée, et à l'échantillon on connaissait la pensée tout entière. Cromwell nous a ainsi, plus de dix fois, laissé pénétrer dans son âme, quand on croyait cette âme enveloppée d'un triple airain, comme dit Horace[1]. Mais Monck ! Ah ! sire, Dieu vous garde de faire jamais de la politique avec M. Monck ! C'est lui qui m'a fait depuis un an tous les cheveux gris que j'ai ! Monck n'est pas un illuminé, lui, malheureusement, c'est un politique ; il ne se fend pas, il se resserre. Depuis dix ans il a les yeux fixés sur un but, et nul n'a pu encore deviner lequel. Tous les matins, comme le conseillait Louis XI, il brûle son bonnet de la nuit. Aussi, le jour où ce plan lentement et solitairement mûri éclatera, il éclatera avec toutes les conditions de succès qui accompagnent toujours l'imprévu.

« Voilà Monck, sire, dont vous n'aviez peut-être jamais entendu parler, dont vous ne connaissiez peut-être pas même le nom, avant que votre frère Charles II, qui sait ce qu'il est, lui, le prononçât devant vous, c'est-à-dire une merveille de profondeur et de ténacité, les deux seules choses contre lesquelles l'esprit et l'ardeur s'émoussent. Sire, j'ai eu de l'ardeur quand j'étais jeune, j'ai eu de l'esprit toujours. Je puis m'en vanter, puisqu'on me le reproche. J'ai fait un beau chemin avec ces deux qualités, puisque de fils d'un pêcheur de Piscina[2], je suis devenu Premier ministre du roi de France, et que dans cette qualité, Votre Majesté veut bien le reconnaître, j'ai rendu quelques services au trône de Votre Majesté. Eh bien ! sire, si j'eusse rencontré Monck sur ma route, au lieu d'y trouver M. de Beaufort, M. de Retz, ou M. le prince, eh bien !

1. *Odes*, I, 3, 9.

2. Sur Piscina, voir *Vingt Ans après*, chap. XIX, p. 698, note 2. Les mazarinades font plutôt de Pietro Mazarini un tailleur ou un chapelier.

nous étions perdus. Engagez-vous à la légère, sire, et vous tomberez dans les griffes de ce soldat politique. Le casque de Monck, sire, est un coffre de fer au fond duquel il enferme ses pensées, et dont personne n'a la clef. Aussi, près de lui, ou plutôt devant lui, je m'incline, sire, moi qui n'ai qu'une barrette de velours.

— Que pensez-vous donc que veuille Monck, alors ?

— Eh ! si je le savais, sire, je ne vous dirais pas de vous défier de lui, car je serais plus fort que lui ; mais avec lui j'ai peur de deviner ; de deviner ! vous comprenez mon mot ? car si je crois avoir deviné, je m'arrêterai à une idée, et, malgré moi, je poursuivrai cette idée. Depuis que cet homme est au pouvoir là-bas, je suis comme ces damnés de Dante à qui Satan a tordu le cou, qui marchent en avant et qui regardent en arrière[1] : je vais du côté de Madrid, mais je ne perds pas de vue Londres. Deviner, avec ce diable d'homme, c'est se tromper, et se tromper, c'est se perdre. Dieu me garde de jamais chercher à deviner ce qu'il désire ; je me borne, et c'est bien assez, à espionner ce qu'il fait ; or, je crois — vous comprenez la portée du mot je crois ? je crois, relativement à Monck, n'engage à rien —, je crois qu'il a tout bonnement envie de succéder à Cromwell. Votre Charles II lui a déjà fait faire des propositions par dix personnes ; il s'est contenté de chasser les dix entremetteurs sans rien leur dire autre chose que : « Allez-vous-en, ou je vous fais pendre ! » C'est un sépulcre que cet homme ! Dans ce moment-ci, Monck fait du dévouement au Parlement Croupion ; de ce dévouement, par exemple, je ne suis pas dupe : Monck ne veut pas être assassiné. Un assassinat l'arrêterait au milieu de son œuvre, et il faut que son œuvre s'accomplisse ; aussi je crois, mais ne croyez pas ce que je crois, je dis je crois par habitude ; je crois que Monck ménage le Parlement jusqu'au moment où il le brisera. On vous demande des épées, mais c'est pour se battre contre Monck. Dieu nous garde de nous battre contre Monck, sire, car Monck nous battra, et battu par Monck, je ne m'en consolerais de ma vie ! Cette victoire, je me dirais que Monck la prévoyait depuis dix ans. Pour Dieu ! sire, par amitié pour vous, si ce n'est par considération pour lui, que Charles II se tienne tranquille ; Votre Majesté lui fera ici un petit revenu ; elle lui donnera un de ses châteaux. Eh ! eh ! attendez donc ! mais je me rappelle le traité, ce fameux traité dont nous parlions tout à l'heure ! Votre Majesté n'en a pas même le droit, de lui donner un château !

— Comment cela ?

— Oui, oui, Sa Majesté s'est engagée à ne pas donner l'hospitalité au roi Charles, à le faire sortir de France même. C'est pour cela que

1. *L'Enfer*, chant XX.

vous ferez comprendre à votre frère qu'il ne peut rester chez nous, que c'est impossible, qu'il nous compromet, ou moi-même...

— Assez, monsieur ! dit Louis XIV en se levant. Que vous me refusiez un million, vous en avez le droit : vos millions sont à vous ; que vous me refusiez deux cents gentilshommes, vous en avez le droit encore, car vous êtes Premier ministre, et vous avez, aux yeux de la France, la responsabilité de la paix et de la guerre ; mais que vous prétendiez m'empêcher, moi le roi, de donner l'hospitalité au petit-fils de Henri IV, à mon cousin germain, au compagnon de mon enfance ! là s'arrête votre pouvoir, là commence ma volonté.

— Sire, dit Mazarin, enchanté d'en être quitte à si bon marché, et qui n'avait d'ailleurs si chaudement combattu que pour en arriver là ; sire, je me courberai toujours devant la volonté de mon roi ; que mon roi garde donc près de lui ou dans un de ses châteaux le roi d'Angleterre, que Mazarin le sache, mais que le ministre ne le sache pas.

— Bonne nuit, monsieur, dit Louis XIV, je m'en vais désespéré.

— Mais convaincu, c'est tout ce qu'il me faut, sire, répliqua Mazarin.

Le roi ne répondit pas, et se retira tout pensif, convaincu, non pas de tout ce que lui avait dit Mazarin, mais d'une chose au contraire qu'il s'était bien gardé de lui dire, c'était de la nécessité d'étudier sérieusement ses affaires et celles de l'Europe, car il les voyait difficiles et obscures.

Louis retrouva le roi d'Angleterre assis à la même place où il l'avait laissé.

En l'apercevant, le prince anglais se leva ; mais du premier coup d'œil il vit le découragement écrit en lettres sombres sur le front de son cousin.

Alors, prenant la parole le premier, comme pour faciliter à Louis l'aveu pénible qu'il avait à lui faire :

— Quoi qu'il en soit, dit-il, je n'oublierai jamais toute la bonté, toute l'amitié dont vous avez fait preuve à mon égard.

— Hélas ! répliqua sourdement Louis XIV, bonne volonté stérile, mon frère !

Charles II devint extrêmement pâle, passa une main froide sur son front, et lutta quelques instants contre un éblouissement qui le fit chanceler.

— Je comprends, dit-il enfin, plus d'espoir !

Louis saisit la main de Charles II.

— Attendez, mon frère, dit-il, ne précipitez rien, tout peut changer ; ce sont les résolutions extrêmes qui ruinent les causes ; ajoutez, je vous en supplie, une année d'épreuve encore aux années que vous avez déjà subies. Il n'y a, pour vous décider à agir en ce moment plutôt qu'en un autre, ni occasion ni opportunité ; venez avec moi, mon frère, je vous donnerai une de mes résidences, celle qu'il vous plaira d'habiter ; j'aurai l'œil avec vous sur les événements, nous les préparerons ensemble ; allons, mon frère, du courage !

Charles II dégagea sa main de celle du roi, et se reculant pour le saluer avec plus de cérémonie :

— De tout mon cœur, merci, répliqua-t-il, sire, mais j'ai prié sans résultat le plus grand roi de la terre, maintenant je vais demander un miracle à Dieu.

Et il sortit sans vouloir en entendre davantage, le front haut, la main frémissante, avec une contraction douloureuse de son noble visage, et cette sombre profondeur du regard qui, ne trouvant plus d'espoir dans le monde des hommes, semble aller au-delà en demander à des mondes inconnus.

L'officier des mousquetaires, en le voyant ainsi passer livide, s'inclina presque à genoux pour le saluer.

Il prit ensuite un flambeau, appela deux mousquetaires et descendit avec le malheureux roi l'escalier désert, tenant à la main gauche son chapeau, dont la plume balayait les degrés.

Arrivé à la porte, l'officier demanda au roi de quel côté il se dirigeait, afin d'y envoyer les mousquetaires.

— Monsieur, répondit Charles II à demi-voix, vous qui avez connu mon père, dites-vous, peut-être avez-vous prié pour lui ? Si cela est ainsi, ne m'oubliez pas non plus dans vos prières. Maintenant je m'en vais seul, et vous prie de ne point m'accompagner ni de me faire accompagner plus loin.

L'officier s'inclina et renvoya ses mousquetaires dans l'intérieur du palais.

Mais lui demeura un instant sous le porche pour voir Charles II s'éloigner et se perdre dans l'ombre de la rue tournante.

— A celui-là, comme autrefois à son père, murmura-t-il, Athos, s'il était là, dirait avec raison : « Salut à la Majesté tombée ! »

Puis, montant les escaliers :

— Ah ! le vilain service que je fais ! dit-il à chaque marche. Ah ! le piteux maître ! La vie ainsi faite n'est plus tolérable, et il est temps enfin que je prenne mon parti !... Plus de générosité, plus d'énergie ! continua-t-il. Allons, le maître a réussi, l'élève est atrophié pour toujours. Mordioux ! je n'y résisterai pas. Allons, vous autres, continua-t-il en entrant dans l'antichambre, que faites-vous là à me regarder ainsi ? Éteignez ces flambeaux et rentrez à vos postes ! Ah ! vous me gardiez ? Oui, vous veillez sur moi, n'est-ce pas, bonnes gens ? Braves niais ! je ne suis pas le duc de Guise, allez, et l'on ne m'assassinera pas dans le petit couloir. D'ailleurs, ajouta-t-il tout bas, ce serait une résolution, et l'on ne prend plus de résolutions depuis que M. le cardinal de Richelieu est mort. Ah ! à la bonne heure, c'était un homme, celui-là ! C'est décidé, dès demain je jette la casaque aux orties !

Puis, se ravisant :

— Non, dit-il, pas encore ! J'ai une superbe épreuve à faire, et je la ferai ; mais celle-là, je le jure, ce sera la dernière, mordioux !

Il n'avait pas achevé, qu'une voix partit de la chambre du roi.

— Monsieur le lieutenant ! dit cette voix.

— Me voici, répondit-il.

— Le roi demande à vous parler.

— Allons, dit le lieutenant, peut-être est-ce pour ce que je pense.

Et il entra chez le roi.

XII

LE ROI ET LE LIEUTENANT

Lorsque le roi vit l'officier près de lui, il congédia son valet de chambre et son gentilhomme.

— Qui est de service demain, monsieur ? demanda-t-il alors.

Le lieutenant inclina la tête avec une politesse de soldat et répondit :

— Moi, sire.

— Comment, encore vous ?

— Moi toujours.

— Comment cela se fait-il, monsieur ?

— Sire, les mousquetaires, en voyage, fournissent tous les postes de la maison de Votre Majesté, c'est-à-dire le vôtre, celui de la reine mère et celui de M. le cardinal, qui emprunte au roi la meilleure partie ou plutôt la plus nombreuse partie de sa garde royale.

— Mais les intérims ?

— Il n'y a d'intérim, sire, que pour vingt ou trente hommes qui se reposent sur cent vingt. Au Louvre, c'est différent, et si j'étais au Louvre, je me reposerais sur mon brigadier ; mais en route, sire, on ne sait ce qui peut arriver et j'aime assez faire ma besogne moi-même.

— Ainsi, vous êtes de garde tous les jours ?

— Et toutes les nuits, oui, sire.

— Monsieur, je ne puis souffrir cela, et je veux que vous vous reposiez.

— C'est fort bien, sire, mais moi, je ne le veux pas.

— Plaît-il ? fit le roi, qui ne comprit pas tout d'abord le sens de cette réponse.

— Je dis, sire, que je ne veux pas m'exposer à une faute. Si le diable avait un mauvais tour à me jouer, vous comprenez, sire, comme il connaît l'homme auquel il a affaire, il choisirait le moment où je ne serais point là. Mon service avant tout et la paix de ma conscience.

— Mais à ce métier-là, monsieur, vous vous tuerez.

— Eh ! sire, il y a trente-cinq ans que je le fais, ce métier-là, et je suis l'homme de France et de Navarre qui se porte le mieux. Au surplus, sire, ne vous inquiétez pas de moi, je vous prie ; cela me semblerait trop étrange, attendu que je n'en ai pas l'habitude.

Le roi coupa court à la conversation par une question nouvelle.

— Vous serez donc là demain matin ? demanda-t-il.

— Comme à présent, oui, sire.

Le roi fit alors quelques tours dans sa chambre ; il était facile de voir qu'il brûlait du désir de parler, mais qu'une crainte quelconque le retenait.

Le lieutenant, debout, immobile, le feutre à la main, le poing sur la hanche, le regardait faire ses évolutions, et tout en le regardant, il grommelait en mordant sa moustache :

« Il n'a pas de résolution pour une demi-pistole, ma parole d'honneur ! Gageons qu'il ne parlera point. »

Le roi continuait de marcher, tout en jetant de temps en temps un regard de côté sur le lieutenant.

« C'est son père tout craché, poursuivait celui-ci dans son monologue secret ; il est à la fois orgueilleux, avare et timide. Peste soit du maître, va ! »

Louis s'arrêta.

— Lieutenant ? dit-il.

— Me voilà, sire.

— Pourquoi donc, ce soir, avez-vous crié là-bas, dans la salle : « Le service du roi, les mousquetaires de Sa Majesté » ?

— Parce que vous m'en avez donné l'ordre, sire.

— Moi ?

— Vous-même.

— En vérité, je n'ai pas dit un seul mot de cela, monsieur.

— Sire, on donne un ordre par un signe, par un geste, par un clin d'œil, aussi franchement, aussi clairement qu'avec la parole. Un serviteur qui n'aurait que des oreilles ne serait que la moitié d'un bon serviteur.

— Vos yeux sont bien perçants alors, monsieur.

— Pourquoi cela, sire ?

— Parce qu'ils voient ce qui n'est point.

— Mes yeux sont bons, en effet, sire, quoiqu'ils aient beaucoup servi et depuis longtemps leur maître ; aussi, toutes les fois qu'ils ont quelque chose à voir, ils n'en manquent pas l'occasion. Or, ce soir ils ont vu que Votre Majesté rougissait à force d'avoir envie de bâiller ; que Votre Majesté regardait avec des supplications éloquentes, d'abord Son Éminence, ensuite Sa Majesté la reine mère, enfin la porte par laquelle on sort ; et ils ont si bien remarqué tout ce que je viens de dire, qu'ils ont vu les lèvres de Votre Majesté articuler ces paroles : « Qui donc me sortira de là ? »

— Monsieur !

— Ou tout au moins ceci, sire : « Mes mousquetaires ! » Alors je n'ai pas hésité. Ce regard était pour moi, la parole était pour moi ; j'ai crié aussitôt : « Les mousquetaires de Sa Majesté ! » Et d'ailleurs, cela est si vrai, sire, que Votre Majesté, non seulement ne m'a pas donné tort, mais encore m'a donné raison en partant sur-le-champ.

Le roi se détourna pour sourire ; puis, après quelques secondes, il ramena son œil limpide sur cette physionomie si intelligente, si hardie et si ferme, qu'on eût dit le profil énergique et fier de l'aigle en face du soleil.

— C'est bien, dit-il après un court silence, pendant lequel il essaya, mais en vain, de faire baisser les yeux à son officier.

Mais voyant que le roi ne disait plus rien, celui-ci pirouetta sur ses talons et fit trois pas pour s'en aller en murmurant : « Il ne parlera pas, mordioux ! il ne parlera pas ! »

— Merci, monsieur, dit alors le roi.

« En vérité, poursuivit le lieutenant, il n'eût plus manqué que cela, être blâmé pour avoir été moins sot qu'un autre. »

Et il gagna la porte en faisant sonner militairement ses éperons.

Mais arrivé sur le seuil, et sentant que le désir du roi l'attirait en arrière, il se retourna.

— Votre Majesté m'a tout dit ? demanda-t-il d'un ton que rien ne saurait rendre et qui, sans paraître provoquer la confiance royale, contenait tant de persuasive franchise, que le roi répliqua sur-le-champ :

— Si fait, monsieur, approchez.

« Allons donc ! murmura l'officier, il y vient enfin ! »

— Écoutez-moi.

— Je ne perds pas une parole, sire.

— Vous monterez à cheval, monsieur, demain, vers quatre heures du matin, et vous me ferez seller un cheval pour moi.

— Des écuries de Votre Majesté ?

— Non, d'un de vos mousquetaires.

— Très bien, sire. Est-ce tout ?

— Et vous m'accompagnerez.

— Seul ?

— Seul.

— Viendrai-je quérir Votre Majesté, ou l'attendrai-je ?

— Vous m'attendrez.

— Où cela, sire ?

— A la petite porte du parc.

Le lieutenant s'inclina, comprenant que le roi lui avait dit tout ce qu'il avait à lui dire.

En effet, le roi le congédia par un geste tout aimable de sa main.

L'officier sortit de la chambre du roi et revint se placer philosophiquement sur sa chaise, où, bien loin de s'endormir, comme on aurait pu le croire, vu l'heure avancée de la nuit, il se mit à réfléchir plus profondément qu'il n'avait jamais fait.

Le résultat de ces réflexions ne fut point aussi triste que l'avaient été les réflexions précédentes.

« Allons, il a commencé, dit-il ; l'amour le pousse, il marche, il marche ! Le roi est nul chez lui, mais l'homme vaudra peut-être quelque chose. D'ailleurs, nous verrons bien demain matin... Oh ! oh ! s'écria-t-il tout à coup en se redressant, voilà une idée gigantesque, mordioux ! et peut-être ma fortune est-elle dans cette idée-là ! »

Après cette exclamation, l'officier se leva et arpenta, les mains dans les poches de son justaucorps, l'immense antichambre qui lui servait d'appartement.

La bougie flambait avec fureur sous l'effort d'une brise fraîche qui, s'introduisant par les gerçures de la porte et par les fentes de la fenêtre, coupait diagonalement la salle. Elle projetait une lueur rougeâtre, inégale, tantôt radieuse, tantôt ternie, et l'on voyait marcher sur la muraille la grande ombre du lieutenant, découpée en silhouette comme une figure de Callot, avec l'épée en broche et le feutre empanaché.

« Certes, murmurait-il, ou je me trompe fort, ou le Mazarin tend là un piège au jeune amoureux ; le Mazarin a donné ce soir un rendez-vous et une adresse aussi complaisamment que l'eût pu faire M. Dangeau[1] lui-même. J'ai entendu et je sais la valeur des paroles. "Demain matin, a-t-il dit, elles passeront à la hauteur du pont de Blois." Mordioux ! c'est clair, cela ! et surtout pour un amant ! C'est pourquoi cet embarras, c'est pourquoi cette hésitation, c'est pourquoi cet ordre : "Monsieur le lieutenant de mes mousquetaires, à cheval demain, à quatre heures du matin." Ce qui est aussi clair que s'il m'eût dit : "Monsieur le lieutenant de mes mousquetaires, demain, à quatre heures du matin, au pont de Blois, entendez-vous ?" Il y a donc là un secret d'État que moi, chétif, je tiens à l'heure qu'il est. Et pourquoi est-ce que je le tiens ? Parce que j'ai de bons yeux, comme je le disais tout à l'heure à Sa Majesté. C'est qu'on dit qu'il l'aime à la fureur, cette petite poupée d'Italienne ! C'est qu'on dit qu'il s'est jeté aux genoux de sa mère pour lui demander de l'épouser ! C'est qu'on dit que la reine a été jusqu'à consulter la cour de Rome pour savoir si un pareil mariage, fait contre sa volonté, serait valable ! Oh ! si j'avais encore vingt-cinq ans ! si j'avais là, à mes côtés, ceux que je n'ai plus ! si je ne méprisais pas profondément tout le monde,

1. Dangeau n'avait alors que vingt-deux ans et n'était pas encore le parangon des courtisans qu'il fut plus tard.

je brouillerais M. de Mazarin avec la reine mère, la France avec l'Espagne, et je ferais une reine de ma façon ; mais, bah ! »

Et le lieutenant fit claquer ses doigts en signe de dédain.

« Ce misérable Italien, ce pleutre, ce ladre vert, qui vient de refuser un million au roi d'Angleterre, ne me donnerait peut-être pas mille pistoles pour la nouvelle que je lui porterais. Oh ! mordioux ! voilà que je tombe en enfance ! voilà que je m'abrutis ! Le Mazarin donner quelque chose, ha ! ha ! ha ! »

Et l'officier se mit à rire formidablement tout seul.

« Dormons, dit-il, dormons, et tout de suite. J'ai l'esprit fatigué de ma soirée, demain il verra plus clair qu'aujourd'hui. »

Et sur cette recommandation faite à lui-même, il s'enveloppa de son manteau, narguant son royal voisin.

Cinq minutes après, il dormait les poings fermés, les lèvres entrouvertes, laissant échapper, non pas son secret, mais un ronflement sonore qui se développait à l'aise sous la voûte majestueuse de l'antichambre.

XIII

MARIE DE MANCINI

Le soleil éclairait à peine de ses premiers rayons les grands bois du parc et les hautes girouettes du château, quand le jeune roi, réveillé déjà depuis plus de deux heures, et tout entier à l'insomnie de l'amour, ouvrit son volet lui-même et jeta un regard curieux sur les cours du palais endormi.

Il vit qu'il était l'heure convenue : la grande horloge de la cour marquait même quatre heures un quart.

Il ne réveilla point son valet de chambre, qui dormait profondément à quelque distance ; il s'habilla seul, et ce valet, tout effaré, arrivait, croyant avoir manqué à son service, lorsque Louis le renvoya dans sa chambre en lui recommandant le silence le plus absolu.

Alors il descendit le petit escalier, sortit par une porte latérale, et aperçut le long du mur du parc un cavalier qui tenait un cheval de main.

Ce cavalier était méconnaissable dans son manteau et sous son chapeau.

Quant au cheval, sellé comme celui d'un bourgeois riche, il n'offrait rien de remarquable à l'œil le plus exercé.

Louis vint prendre la bride de ce cheval ; l'officier lui tint l'étrier, sans quitter lui-même la selle, et demanda d'une voix discrète les ordres de Sa Majesté.

— Suivez-moi, répondit Louis XIV.

L'officier mit son cheval au trot derrière celui de son maître, et ils descendirent ainsi vers le pont.

Lorsqu'ils furent de l'autre côté de la Loire :

— Monsieur, dit le roi, vous allez me faire le plaisir de piquer devant vous jusqu'à ce que vous aperceviez un carrosse ; alors vous reviendrez m'avertir ; je me tiens ici.

— Votre Majesté daignera-t-elle me donner quelques détails sur le carrosse que je suis chargé de découvrir ?

— Un carrosse dans lequel vous verrez deux dames et probablement aussi leurs suivantes.

— Sire, je ne veux point faire d'erreur ; y a-t-il encore un autre signe auquel je puisse reconnaître ce carrosse ?

— Il sera, selon toute probabilité, aux armes de M. le cardinal.

— C'est bien, sire, répondit l'officier, entièrement fixé sur l'objet de sa reconnaissance.

Il mit alors son cheval au grand trot et piqua du côté indiqué par le roi. Mais il n'eut pas fait cinq cents pas qu'il vit quatre mules, puis un carrosse poindre derrière un monticule.

Derrière ce carrosse en venait un autre.

Il n'eut besoin que d'un coup d'œil pour s'assurer que c'étaient bien là les équipages qu'il était venu chercher.

Il tourna bride sur-le-champ, et se rapprochant du roi :

— Sire, dit-il, voici les carrosses. Le premier, en effet, contient deux dames avec leurs femmes de chambre ; le second renferme des valets de pied, des provisions, des hardes.

— Bien, bien, répondit le roi d'une voix tout émue. Eh bien ! allez, je vous prie, dire à ces dames qu'un cavalier de la cour désire présenter ses hommages à elles seules.

L'officier partit au galop.

— Mordioux ! disait-il tout en courant, voilà un emploi nouveau et honorable, j'espère ! Je me plaignais de n'être rien, je suis confident du roi. Un mousquetaire, c'est à en crever d'orgueil !

Il s'approcha du carrosse et fit sa commission en messager galant et spirituel.

Deux dames étaient en effet dans le carrosse : l'une d'une grande beauté, quoique un peu maigre ; l'autre moins favorisée de la nature, mais vive, gracieuse, et réunissant dans les légers plis de son front tous les signes de la volonté.

Ses yeux vifs et perçants, surtout, parlaient plus éloquemment que toutes les phrases amoureuses de mise en ces temps de galanterie.

Ce fut à celle-là que d'Artagnan s'adressa sans se tromper, quoique, ainsi que nous l'avons dit, l'autre fût plus jolie peut-être.

— Mesdames, dit-il, je suis le lieutenant des mousquetaires, et il y a sur la route un cavalier qui vous attend et qui désire vous présenter ses hommages.

A ces mots, dont il suivait curieusement l'effet, la dame aux yeux noirs[1] poussa un cri de joie, se pencha hors de la portière, et, voyant accourir le cavalier, tendit les bras en s'écriant :

— Ah ! mon cher sire !

Et les larmes jaillirent aussitôt de ses yeux.

Le cocher arrêta ses chevaux, les femmes de chambre se levèrent avec confusion au fond du carrosse, et la seconde dame ébaucha une révérence terminée par le plus ironique sourire que la jalousie ait jamais dessiné sur des lèvres de femme.

— Marie ! chère Marie ! s'écria le roi en prenant dans ses deux mains la main de la dame aux yeux noirs.

Et, ouvrant lui-même la lourde portière, il l'attira hors du carrosse avec tant d'ardeur qu'elle fut dans ses bras avant de toucher la terre.

Le lieutenant, posté de l'autre côté du carrosse, voyait et entendait sans être remarqué.

Le roi offrit son bras à Mlle de Mancini, et fit signe aux cochers et aux laquais de poursuivre leur chemin.

Il était six heures à peu près ; la route était fraîche et charmante ; de grands arbres aux feuillages encore noués dans leur bourre dorée laissaient filtrer la rosée du matin suspendue comme des diamants liquides à leurs branches frémissantes ; l'herbe s'épanouissait au pied des haies ; les hirondelles, revenues depuis quelques jours, décrivaient leurs courbes gracieuses entre le ciel et l'eau ; une brise parfumée par les bois dans leur floraison courait le long de cette route et ridait la nappe d'eau du fleuve ; toutes ces beautés du jour, tous ces parfums des plantes, toutes ces aspirations de la terre vers le ciel, enivraient les deux amants, marchant côte à côte, appuyés l'un à l'autre, les yeux sur les yeux, la main dans la main, et qui, s'attardant par un commun désir, n'osaient parler, tant ils avaient de choses à se dire.

L'officier vit que le cheval abandonné errait çà et là et inquiétait Mlle de Mancini. Il profita du prétexte pour se rapprocher en arrêtant le cheval, et, à pied aussi entre les deux montures qu'il maintenait, il ne perdit pas un mot ni un geste des deux amants.

Ce fut Mlle de Mancini qui commença.

— Ah ! mon cher sire, dit-elle, vous ne m'abandonnez donc pas, vous ?

1. Dumas emprunte les éléments de ce chapitre aux deux dernières entrevues de Louis XIV et de Marie Mancini : les adieux du 22 juin 1659 et la rencontre postérieure à Cognac (10 août 1659).

— Non, répondit le roi : vous le voyez bien, Marie.

— On me l'avait tant dit, cependant : qu'à peine serions-nous séparés, vous ne penseriez plus à moi !

— Chère Marie, est-ce donc d'aujourd'hui que vous vous apercevez que nous sommes entourés de gens intéressés à nous tromper ?

— Mais enfin, sire, ce voyage, cette alliance avec l'Espagne ? On vous marie !

Louis baissa la tête.

En même temps l'officier put voir luire au soleil les regards de Marie de Mancini, brillants comme une dague qui jaillit du fourreau.

— Et vous n'avez rien fait pour notre amour ? demanda la jeune fille après un instant de silence.

— Ah ! mademoiselle, comment pouvez-vous croire cela ! Je me suis jeté aux genoux de ma mère ; j'ai prié, j'ai supplié ; j'ai dit que tout mon bonheur était en vous ; j'ai menacé...

— Eh bien ? demanda vivement Marie.

— Eh bien ! la reine mère a écrit en cour de Rome, et on lui a répondu qu'un mariage entre nous n'aurait aucune valeur et serait cassé par le Saint-Père[1]. Enfin, voyant qu'il n'y avait pas d'espoir pour nous, j'ai demandé qu'on retardât au moins mon mariage avec l'infante.

— Ce qui n'empêche point que vous ne soyez en route pour aller au-devant d'elle.

— Que voulez-vous ! à mes prières, à mes supplications, à mes larmes, on a répondu par la raison d'État.

— Eh bien ?

— Eh bien ! que voulez-vous faire, mademoiselle, lorsque tant de volontés se liguent contre moi ?

Ce fut au tour de Marie de baisser la tête.

— Alors, il me faudra vous dire adieu pour toujours, dit-elle. Vous savez qu'on m'exile, qu'on m'ensevelit ; vous savez qu'on fait plus encore, vous savez qu'on me marie, aussi, moi !

Louis devint pâle et porta une main à son cœur.

— S'il ne se fût agi que de ma vie, moi aussi j'ai été si fort persécutée que j'eusse cédé, mais j'ai cru qu'il s'agissait de la vôtre, mon cher sire, et j'ai combattu pour conserver votre bien.

— Oh ! oui, mon bien, mon trésor ! murmura le roi, plus galamment que passionnément peut-être.

— Le cardinal eût cédé, dit Marie, si vous vous fussiez adressé à lui, si vous eussiez insisté. Le cardinal appeler le roi de France son neveu ! comprenez-vous, sire ! Il eût tout fait pour cela, même la guerre ; le cardinal, assuré de gouverner seul, sous le double prétexte qu'il avait élevé le roi et qu'il lui avait donné sa nièce, le cardinal eût combattu

1. Le pape était alors Alexandre VII.

toutes les volontés, renversé tous les obstacles. Oh ! sire, sire, je vous en réponds. Moi, je suis une femme et je vois clair dans tout ce qui est amour.

Ces paroles produisirent sur le roi une impression singulière. On eût dit qu'au lieu d'exalter sa passion, elles la refroidissaient. Il ralentit le pas et dit avec précipitation :

— Que voulez-vous, mademoiselle ! tout a échoué.

— Excepté votre volonté, n'est-ce pas, mon cher sire ?

— Hélas ! dit le roi rougissant, est-ce que j'ai une volonté, moi !

— Oh ! laissa échapper douloureusement Mlle de Mancini, blessée de ce mot.

— Le roi n'a de volonté que celle que lui dicte la politique, que celle que lui impose la raison d'État.

— Oh ! c'est que vous n'avez pas d'amour ! s'écria Marie ; si vous m'aimiez, sire, vous auriez une volonté.

En prononçant ces mots, Marie leva les yeux sur son amant, qu'elle vit plus pâle et plus défait qu'un exilé qui va quitter à jamais sa terre natale.

— Accusez-moi, murmura le roi, mais ne me dites point que je ne vous aime pas.

Un long silence suivit ces mots, que le jeune roi avait prononcés avec un sentiment bien vrai et bien profond.

— Je ne puis penser, sire, continua Marie, tentant un dernier effort, que demain, après-demain, je ne vous verrai plus ; je ne puis penser que j'irai finir mes tristes jours loin de Paris, que les lèvres d'un vieillard, d'un inconnu, toucheraient cette main que vous tenez dans les vôtres ; non, en vérité, je ne puis penser à tout cela, mon cher sire, sans que mon pauvre cœur éclate de désespoir.

Et, en effet, Marie de Mancini fondit en larmes.

De son côté, le roi, attendri, porta son mouchoir à ses lèvres et étouffa un sanglot.

— Voyez, dit-elle, les voitures se sont arrêtées ; ma sœur m'attend, l'heure est suprême : ce que vous allez décider sera décidé pour toute la vie ! Oh ! sire, vous voulez donc que je vous perde ? Vous voulez donc, Louis, que celle à qui vous avez dit : « Je vous aime » appartienne à un autre qu'à son roi, à son maître, à son amant ? Oh ! du courage, Louis ! un mot, un seul mot ! dites : « Je veux ! » et toute ma vie est enchaînée à la vôtre, et tout mon cœur est à vous à jamais.

Le roi ne répondit rien.

Marie alors le regarda comme Didon regarda Énée aux Champs élyséens, farouche et dédaigneuse[1].

1. Virgile, *L'Énéide*, livre VI, vers 467-468.

— Adieu, donc, dit-elle, adieu la vie, adieu l'amour, adieu le Ciel !

Et elle fit un pas pour s'éloigner ; le roi la retint, lui saisit la main, qu'il colla sur ses lèvres, et, le désespoir l'emportant sur la résolution qu'il paraissait avoir prise intérieurement, il laissa tomber sur cette belle main une larme brûlante de regret qui fit tressaillir Marie comme si effectivement cette larme l'eût brûlée.

Elle vit les yeux humides du roi, son front pâle, ses lèvres convulsives, et s'écria avec un accent que rien ne pourrait rendre :

— Oh ! sire, vous êtes roi, vous pleurez, et je pars[1] !

Le roi, pour toute réponse, cacha son visage dans son mouchoir.

L'officier poussa comme un rugissement qui effraya les deux chevaux.

Mlle de Mancini, indignée, quitta le roi et remonta précipitamment dans son carrosse en criant au cocher :

— Partez, partez vite !

Le cocher obéit, fouetta ses chevaux, et le lourd carrosse s'ébranla sur ses essieux criards, tandis que le roi de France, seul, abattu, anéanti, n'osait plus regarder ni devant ni derrière lui.

XIV

OÙ LE ROI ET LE LIEUTENANT FONT CHACUN PREUVE DE MÉMOIRE

Quand le roi, comme tous les amoureux du monde, eut longtemps et attentivement regardé à l'horizon disparaître le carrosse qui emportait sa maîtresse ; lorsqu'il se fut tourné et retourné cent fois du même côté, et qu'il eut enfin réussi à calmer quelque peu l'agitation de son cœur et de sa pensée, il se souvint enfin qu'il n'était pas seul.

1. « Le roi en fut aussi affligé que le peut être un amant à qui l'on ôte sa maîtresse ; mais mademoiselle de Mancini, qui ne se contentait pas des mouvements de son cœur, et qui aurait voulu qu'il eût témoigné son amour par des actions d'autorité, lui reprocha, en lui voyant répandre des larmes lorsqu'elle monta en carrosse, "qu'il pleurait et qu'il était le maître" », Madame de La Fayette, *Histoire de Madame Henriette d'Angleterre*, première partie.

« Voici l'endroit de ma vie qui offre le plus beau champ à ma plume pour s'étendre sur le penchant favorable que Sa Majesté avait pour moi, comme le bruit en a assez couru dans le monde. Mais ma modestie ne me permet pas d'en parler, non plus que du regret que ce prince eut de mon départ et des larmes dont il l'accompagna, se retirant à Chantilly pour huit jours, d'où il ne fit que m'envoyer incessamment des courriers, dont le premier fut un mousquetaire, qui m'apporta cinq lettres de sa part... », *Apologie ou les Véritables Mémoires de Madame la connétable de Colonna, Maria Mancini, écrits par elle-même.* La phrase prêtée à Marie Mancini serait à l'origine du vers fameux de Racine, dans *Bérénice* : « Vous êtes empereur, seigneur, et vous pleurez ! », acte IV, scène V, vers 1154.

L'officier tenait toujours le cheval par la bride, et n'avait pas perdu tout espoir de voir le roi revenir sur sa résolution.

« Il a encore la ressource de remonter à cheval et de courir après le carrosse : on n'aura rien perdu pour attendre. »

Mais l'imagination du lieutenant des mousquetaires était trop brillante et trop riche ; elle laissa en arrière celle du roi, qui se garda bien de se porter à un pareil excès de luxe.

Il se contenta de se rapprocher de l'officier, et d'une voix dolente :

— Allons, dit-il, nous avons fini... A cheval.

L'officier imita ce maintien, cette lenteur, cette tristesse et enfourcha lentement et tristement sa monture. Le roi piqua, le lieutenant le suivit.

Au pont, Louis se retourna une dernière fois. L'officier, patient comme un dieu qui a l'éternité devant et derrière lui, espéra encore un retour d'énergie. Mais ce fut inutilement, rien ne parut. Louis gagna la rue qui conduisait au château et rentra comme sept heures sonnaient.

Une fois que le roi fut bien rentré et que le mousquetaire eut bien vu, lui qui voyait tout, un coin de tapisserie se soulever à la fenêtre du cardinal, il poussa un grand soupir comme un homme qu'on délie des plus étroites entraves, et il dit à demi-voix :

— Pour le coup, mon officier, j'espère que c'est fini !

Le roi appela son gentilhomme.

— Je ne recevrai personne avant deux heures, dit-il, entendez-vous, monsieur ?

— Sire, répliqua le gentilhomme, il y a cependant quelqu'un qui demandait à entrer.

— Qui donc ?

— Votre lieutenant de mousquetaires.

— Celui qui m'a accompagné ?

— Oui, sire.

— Ah ! fit le roi. Voyons, qu'il entre.

L'officier entra.

Le roi fit signe, le gentilhomme et le valet de chambre sortirent.

Louis les suivit des yeux jusqu'à ce qu'ils eussent refermé la porte, et lorsque les tapisseries furent retombées derrière eux :

— Vous me rappelez par votre présence, monsieur, dit le roi, ce que j'avais oublié de vous recommander, c'est-à-dire la discrétion la plus absolue.

— Oh ! sire, pourquoi Votre Majesté se donne-t-elle la peine de me faire une pareille recommandation ? on voit bien qu'elle ne me connaît pas.

— Oui, monsieur, c'est la vérité ; je sais que vous êtes discret ; mais comme je n'avais rien prescrit...

L'officier s'inclina.

— Votre Majesté n'a plus rien à me dire ? demanda-t-il.

— Non, monsieur, et vous pouvez vous retirer.

— Obtiendrai-je la permission de ne pas le faire avant d'avoir parlé au roi, sire ?

— Qu'avez-vous à me dire ? Expliquez-vous, monsieur.

— Sire, une chose sans importance pour vous, mais qui m'intéresse énormément, moi. Pardonnez-moi donc de vous en entretenir. Sans l'urgence, sans la nécessité, je ne l'eusse jamais fait, et je fusse disparu, muet, et petit, comme j'ai toujours été.

— Comment, disparu ! Je ne vous comprends pas.

— Sire, en un mot, dit l'officier, je viens demander mon congé à Votre Majesté.

Le roi fit un mouvement de surprise, mais l'officier ne bougea pas plus qu'une statue.

— Votre congé, à vous, monsieur ? et pour combien de temps, je vous prie ?

— Mais pour toujours, sire.

— Comment, vous quitteriez mon service, monsieur ? dit Louis avec un mouvement qui décelait plus que de la surprise.

— Sire, j'ai ce regret.

— Impossible.

— Si fait, sire : je me fais vieux ; voilà trente-quatre ou trente-cinq ans que je porte le harnais ; mes pauvres épaules sont fatiguées ; je sens qu'il faut laisser la place aux jeunes. Je ne suis pas du nouveau siècle, moi ! j'ai encore un pied pris dans l'ancien ; il en résulte que tout étant étrange à mes yeux, tout m'étonne et tout m'étourdit. Bref ! j'ai l'honneur de demander mon congé à Votre Majesté.

— Monsieur, dit le roi en regardant l'officier, qui portait sa casaque avec une aisance que lui eût enviée un jeune homme, vous êtes plus fort et plus vigoureux que moi.

— Oh ! répondit l'officier avec un sourire de fausse modestie. Votre Majesté me dit cela parce que j'ai encore l'œil assez bon et le pied assez sûr, parce que je ne suis pas mal à cheval et que ma moustache est encore noire ; mais, sire, vanité des vanités que tout cela ; illusions que tout cela, apparence, fumée, sire ! J'ai l'air jeune encore, c'est vrai, mais je suis vieux au fond, et avant six mois, j'en suis sûr, je serai cassé, podagre, impotent. Ainsi donc, sire...

— Monsieur, interrompit le roi, rappelez-vous vos paroles d'hier, vous me disiez à cette même place où vous êtes que vous étiez doué de la meilleure santé de France, que la fatigue vous était inconnue, que vous n'aviez aucun souci de passer nuits et jours à votre poste. M'avez-vous dit cela, oui ou non ? Rappelez vos souvenirs, monsieur.

L'officier poussa un soupir.

— Sire, dit-il, la vieillesse est vaniteuse, et il faut bien pardonner aux vieillards de faire leur éloge que personne ne fait plus. Je disais cela, c'est possible ; mais le fait est, sire, que je suis très fatigué et que je demande ma retraite.

— Monsieur, dit le roi en avançant sur l'officier avec un geste plein de finesse et de majesté, vous ne me donnez pas la véritable raison ; vous voulez quitter mon service, c'est vrai, mais vous me déguisez le motif de cette retraite.

— Sire, croyez bien...

— Je crois ce que je vois, monsieur ; je vois un homme énergique, vigoureux, plein de présence d'esprit, le meilleur soldat de France, peut-être, et ce personnage-là ne me persuade pas le moins du monde que vous ayez besoin de repos.

— Ah ! sire, dit le lieutenant avec amertume, que d'éloges ! Votre Majesté me confond, en vérité ! Énergique, vigoureux, spirituel, brave, le meilleur soldat de l'armée ! mais, sire, Votre Majesté exagère mon peu de mérite, à ce point que si bonne opinion que j'aie de moi, je ne me reconnais plus en vérité. Si j'étais assez vain pour croire à moitié seulement aux paroles de Votre Majesté, je me regarderais comme un homme précieux, indispensable ; je dirais qu'un serviteur, lorsqu'il réunit tant et de si brillantes qualités, est un trésor sans prix. Or, sire, j'ai été toute ma vie, je dois le dire, excepté aujourd'hui, apprécié, à mon avis, fort au-dessous de ce que je valais. Je le répète, Votre Majesté exagère donc.

Le roi fronça le sourcil, car il voyait une raillerie sourire amèrement au fond des paroles de l'officier.

— Voyons, monsieur, dit-il, abordons franchement la question. Est-ce que mon service ne vous plaît pas, dites ? Allons, point de détours, répondez hardiment, franchement, je le veux.

L'officier, qui roulait depuis quelques instants d'un air assez embarrassé son feutre entre ses mains, releva la tête à ces mots.

— Oh ! sire, dit-il, voilà qui me met un peu plus à l'aise. A une question posée aussi franchement, je répondrai moi-même franchement. Dire vrai est une bonne chose, tant à cause du plaisir qu'on éprouve à se soulager le cœur, qu'à cause de la rareté du fait. Je dirai donc la vérité à mon roi, tout en le suppliant d'excuser la franchise d'un vieux soldat.

Louis regarda son officier avec une vive inquiétude qui se manifesta par l'agitation de son geste.

— Eh bien ! donc, parlez, dit-il ; car je suis impatient d'entendre les vérités que vous avez à me dire.

L'officier jeta son chapeau sur une table, et sa figure, déjà si intelligente et si martiale, prit tout à coup un étrange caractère de grandeur et de solennité.

— Sire, dit-il, je quitte le service du roi parce que je suis mécontent. Le valet, en ce temps-ci, peut s'approcher respectueusement de son maître comme je le fais, lui donner l'emploi de son travail, lui rapporter les outils, lui rendre compte des fonds qui lui ont été confiés, et dire : « Maître, ma journée est faite, payez-moi, je vous prie, et séparons-nous. »

— Monsieur, monsieur ! s'écria le roi, pourpre de colère.

— Ah ! sire, répondit l'officier en fléchissant un moment le genou, jamais serviteur ne fut plus respectueux que je ne le suis devant Votre Majesté ; seulement, vous m'avez ordonné de dire la vérité. Or, maintenant que j'ai commencé de la dire, il faut qu'elle éclate, même si vous me commandiez de la taire.

Il y avait une telle résolution exprimée dans les muscles froncés du visage de l'officier, que Louis XIV n'eut pas besoin de lui dire de continuer ; il continua donc, tandis que le roi le regardait avec une curiosité mêlée d'admiration.

— Sire, voici bientôt trente-cinq ans, comme je le disais, que je sers la maison de France ; peu de gens ont usé autant d'épées que moi à ce service, et les épées dont je parle étaient de bonnes épées, sire. J'étais enfant, j'étais ignorant de toutes choses excepté du courage, quand le roi votre père devina en moi un homme. J'étais un homme, sire, lorsque le cardinal de Richelieu, qui s'y connaissait, devina en moi un ennemi. Sire, l'histoire de cette inimitié de la fourmi et du lion, vous l'eussiez pu lire depuis la première jusqu'à la dernière ligne dans les archives secrètes de votre famille. Si jamais l'envie vous en prend, sire, faites-le ; cette histoire en vaut la peine, c'est moi qui vous le dis. Vous y lirez que le lion, fatigué, lassé, haletant, demanda enfin grâce, et, il faut lui rendre cette justice, qu'il fit grâce aussi. Oh ! ce fut un beau temps, sire, semé de batailles, comme une épopée du Tasse ou de l'Arioste ! Les merveilles de ce temps-là, auxquelles le nôtre refuserait de croire, furent pour nous tous des banalités. Pendant cinq ans, je fus un héros tous les jours, à ce que m'ont dit du moins quelques personnages de mérite ; et c'est long, croyez-moi, sire, un héroïsme de cinq ans ! Cependant je crois à ce que m'ont dit ces gens-là, car c'étaient de bons appréciateurs : on les appelait M. de Richelieu, M. de Buckingham, M. de Beaufort, M. de Retz, un rude génie aussi, celui-là, dans la guerre des rues ! enfin, le roi Louis XIII, et même la reine, votre auguste mère, qui voulut bien me dire un jour : *Merci* ! Je ne sais plus quel service j'avais eu l'honneur de lui rendre. Pardonnez-moi, sire, de parler si hardiment ; mais ce que je vous raconte là, j'ai déjà eu l'honneur de le dire à Votre Majesté, c'est de l'histoire.

Le roi se mordit les lèvres et s'assit violemment dans un fauteuil.

— J'obsède Votre Majesté, dit le lieutenant. Eh ! sire, voilà ce que c'est que la vérité ! C'est une dure compagne, elle est hérissée de fer ; elle blesse qui elle atteint, et parfois aussi qui la dit.

— Non, monsieur, répondit le roi ; je vous ai invité à parler, parlez donc.

— Après le service du roi et du cardinal, vint le service de la régence, sire ; je me suis bien battu aussi dans la Fronde, moins bien cependant que la première fois. Les hommes commençaient à diminuer de taille. Je n'en ai pas moins conduit les mousquetaires de Votre Majesté en quelques occasions périlleuses qui sont restées à l'ordre du jour de la compagnie. C'était un beau sort alors que le mien ! J'étais le favori de M. de Mazarin : Lieutenant par-ci ! lieutenant par-là ! lieutenant à droite ! lieutenant à gauche ! Il ne se distribuait pas un horion en France que votre très humble serviteur ne fût chargé de la distribution ; mais bientôt il ne se contenta point de la France, M. le cardinal ! il m'envoya en Angleterre pour le compte de M. Cromwell. Encore un monsieur qui n'était pas tendre, je vous en réponds, sire. J'ai eu l'honneur de le connaître, et j'ai pu l'apprécier. On m'avait beaucoup promis à l'endroit de cette mission ; aussi, comme j'y fis tout autre chose que ce que l'on m'avait recommandé de faire, je fus généreusement payé, car on me nomma enfin capitaine de mousquetaires, c'est-à-dire à la charge la plus enviée de la cour, à celle qui donne le pas sur les maréchaux de France ; et c'est justice, car qui dit capitaine de mousquetaires dit la fleur du soldat et le roi des braves !

— Capitaine, monsieur, répliqua le roi, vous faites erreur, c'est lieutenant que vous voulez dire.

— Non pas, sire, je ne fais jamais d'erreur ; que Votre Majesté s'en rapporte à moi sur ce point : M. de Mazarin m'en donna le brevet.

— Eh bien ?

— Mais M. de Mazarin, vous le savez mieux que personne, ne donne pas souvent, et même parfois reprend ce qu'il donne : il me le reprit quand la paix fut faite et qu'il n'eut plus besoin de moi. Certes, je n'étais pas digne de remplacer M. de Tréville, d'illustre mémoire ; mais enfin, on m'avait promis, on m'avait donné, il fallait en demeurer là.

— Voilà ce qui vous mécontente, monsieur ? Eh bien ! je prendrai des informations. J'aime la justice, moi, et votre réclamation, bien que faite militairement, ne me déplaît pas.

— Oh ! sire, dit l'officier, Votre Majesté m'a mal compris, je ne réclame plus rien maintenant.

— Excès de délicatesse, monsieur ; mais je veux veiller à vos affaires, et plus tard...

— Oh ! sire, quel mot ! Plus tard ! Voilà trente ans que je vis sur ce mot plein de bonté, qui a été prononcé par tant de grands personnages, et que vient à son tour de prononcer votre bouche. Plus tard ! voilà comment j'ai reçu vingt blessures, et comment j'ai atteint cinquante-quatre ans sans jamais avoir un louis dans ma bourse et sans jamais avoir trouvé un protecteur sur ma route, moi qui ai protégé tant de gens ! Aussi, je change de formule, sire, et quand on me dit : *Plus tard*, maintenant, je réponds : *Tout de suite*. C'est le repos que je sollicite, sire. On peut bien me l'accorder : cela ne coûtera rien à personne.

— Je ne m'attendais pas à ce langage, monsieur, surtout de la part d'un homme qui a toujours vécu près des grands. Vous oubliez que vous parlez au roi, à un gentilhomme qui est d'aussi bonne maison que vous, je suppose, et quand je dis plus tard, moi, c'est une certitude.

— Je n'en doute pas, sire ; mais voici la fin de cette terrible vérité que j'avais à vous dire : Quand je verrais sur cette table le bâton de maréchal, l'épée de connétable, la couronne de Pologne, au lieu de *plus tard*, je vous jure, sire, que je dirais encore *tout de suite*. Oh ! excusez-moi, sire, je suis du pays de votre aïeul Henri IV : je ne dis pas souvent, mais je dis tout quand je dis.

— L'avenir de mon règne vous tente peu, à ce qu'il paraît, monsieur ? dit Louis avec hauteur.

— Oubli, oubli partout ! s'écria l'officier avec noblesse ; le maître a oublié le serviteur, et voilà que le serviteur en est réduit à oublier son maître. Je vis dans un temps malheureux, sire ! Je vois la jeunesse pleine de découragement et de crainte, je la vois timide et dépouillée, quand elle devrait être riche et puissante. J'ouvre hier soir, par exemple, la porte du roi de France à un roi d'Angleterre dont moi, chétif, j'ai failli sauver le père, si Dieu ne s'était pas mis contre moi, Dieu, qui inspirait son élu Cromwell ! J'ouvre, dis-je, cette porte, c'est-à-dire le palais d'un frère à un frère, et je vois, tenez, sire, cela me serre le cœur ! et je vois le ministre de ce roi chasser le proscrit et humilier son maître en condamnant à la misère un autre roi, son égal ; enfin je vois mon prince, qui est jeune, beau, brave, qui a le courage dans le cœur et l'éclair dans les yeux, je le vois trembler devant un prêtre qui rit de lui derrière les rideaux de son alcôve, où il digère dans son lit tout l'or de la France, qu'il engloutit ensuite dans des coffres inconnus. Oui, je comprends votre regard, sire. Je me fais hardi jusqu'à la démence ; mais que voulez-vous ! je suis un vieux, et je vous dis là, à vous, mon roi, des choses que je ferais rentrer dans la gorge de celui qui les prononcerait devant moi. Enfin, vous m'avez commandé de vider devant vous le fond de mon cœur, sire, et je répands aux pieds de Votre Majesté la bile que j'ai amassée depuis trente ans, comme je répandrais tout mon sang si Votre Majesté me l'ordonnait.

Le roi essuya sans mot dire les flots d'une sueur froide et abondante qui ruisselait de ses tempes.

La minute de silence qui suivit cette véhémente sortie représenta pour celui qui avait parlé et pour celui qui avait entendu des siècles de souffrance.

— Monsieur, dit enfin le roi, vous avez prononcé le mot oubli, je n'ai entendu que ce mot ; je répondrai donc à lui seul. D'autres ont pu être oublieux, mais je ne le suis pas, moi, et la preuve, c'est que je me souviens qu'un jour d'émeute, qu'un jour où le peuple furieux, furieux et mugissant comme la mer, envahissait le Palais-Royal ; qu'un jour enfin où je feignais de dormir dans mon lit, un seul homme, l'épée nue, caché derrière mon chevet, veillait sur ma vie, prêt à risquer la sienne pour moi, comme il l'avait déjà vingt fois risquée pour ceux de ma famille[1]. Est-ce que ce gentilhomme, à qui je demandai alors son nom, ne s'appelait pas M. d'Artagnan, dites, monsieur ?

— Votre Majesté a bonne mémoire, répondit froidement l'officier.

— Voyez alors, monsieur, continua le roi, si j'ai de pareils souvenirs d'enfance, ce que je puis en amasser dans l'âge de raison.

— Votre Majesté a été richement douée par Dieu, dit l'officier avec le même ton.

— Voyons, monsieur d'Artagnan, continua Louis avec une agitation fébrile, est-ce que vous ne serez pas aussi patient que moi ? est-ce que vous ne ferez pas ce que je fais ? voyons.

— Et que faites-vous, sire ?

— J'attends.

— Votre Majesté le peut, parce qu'elle est jeune ; mais moi, sire, je n'ai pas le temps d'attendre : la vieillesse est à ma porte, et la mort la suit, regardant jusqu'au fond de ma maison. Votre Majesté commence la vie ; elle est pleine d'espérance et de fortune à venir ; mais moi, sire, moi, je suis à l'autre bout de l'horizon, et nous nous trouvons si loin l'un de l'autre, que je n'aurais jamais le temps d'attendre que Votre Majesté vînt jusqu'à moi.

Louis fit un tour dans la chambre, toujours essuyant cette sueur qui eût bien effrayé les médecins, si les médecins eussent pu voir le roi dans un pareil état.

— C'est bien, monsieur, dit alors Louis XIV d'une voix brève ; vous désirez votre retraite ? vous l'aurez. Vous m'offrez votre démission du grade de lieutenant de mousquetaires ?

— Je la dépose bien humblement aux pieds de Votre Majesté, sire.

— Il suffit. Je ferai ordonnancer votre pension.

— J'en aurai mille obligations à Votre Majesté.

— Monsieur, dit encore le roi en faisant un violent effort sur lui-même, je crois que vous perdez un bon maître.

— Et moi, j'en suis sûr, sire.

— En retrouverez-vous jamais un pareil ?

— Oh ! sire, je sais bien que Votre Majesté est unique dans le monde ; aussi ne prendrai-je désormais plus de service chez aucun roi de la terre, et n'aurai plus d'autre maître que moi.

— Vous le dites ?

— Je le jure à Votre Majesté.

---

1. Voir *Vingt Ans après*, chap. LV.

— Je retiens cette parole, monsieur.

D'Artagnan s'inclina.

— Et vous savez que j'ai bonne mémoire, continua le roi.

— Oui, sire, et cependant je désire que cette mémoire fasse défaut à cette heure à Votre Majesté, afin qu'elle oublie les misères que j'ai été forcé d'étaler à ses yeux. Sa Majesté est tellement au-dessus des pauvres et des petits, que j'espère...

— Ma Majesté, monsieur, fera comme le soleil, qui voit tout, grands et petits, riches et misérables, donnant le lustre aux uns, la chaleur aux autres, à tous la vie. Adieu, monsieur d'Artagnan, adieu, vous êtes libre.

Et le roi, avec un rauque sanglot qui se perdit dans sa gorge, passa rapidement dans la chambre voisine.

D'Artagnan reprit son chapeau sur la table où il l'avait jeté, et sortit.

XV

LE PROSCRIT

D'Artagnan n'était pas au bas de l'escalier que le roi appela son gentilhomme.

— J'ai une commission à vous donner, monsieur, dit-il.

— Je suis aux ordres de Votre Majesté.

— Attendez alors.

Et le jeune roi se mit à écrire la lettre suivante, qui lui coûta plus d'un soupir, quoique en même temps quelque chose comme le sentiment du triomphe brillât dans ses yeux.

Monsieur le cardinal,

Grâce à vos bons conseils, et surtout grâce à votre fermeté, j'ai su vaincre et dompter une faiblesse indigne d'un roi. Vous avez trop habilement arrangé ma destinée pour que la reconnaissance ne m'arrête pas au moment de détruire votre ouvrage. J'ai compris que j'avais tort de vouloir faire dévier ma vie de la route que vous lui aviez tracée. Certes, il eût été malheureux pour la France, et malheureux pour ma famille, que la mésintelligence éclatât entre moi et mon ministre.

C'est pourtant ce qui fût certainement arrivé si j'avais fait ma femme de votre nièce. Je le comprends parfaitement, et désormais n'opposerai rien à l'accomplissement de ma destinée. Je suis donc prêt à épouser l'infante Marie-Thérèse. Vous pouvez fixer dès cet instant l'ouverture des conférences.

Votre affectionné, LOUIS

Le roi relut la lettre, puis il la scella lui-même.

— Cette lettre à M. le cardinal, dit-il.

Le gentilhomme partit. A la porte de Mazarin, il rencontra Bernouin qui attendait avec anxiété.

— Eh bien ? demanda le valet de chambre du ministre.

— Monsieur, dit le gentilhomme, voici une lettre pour Son Éminence.

— Une lettre ! Ah ! nous nous y attendions, après le petit voyage de ce matin.

— Ah ! vous saviez que Sa Majesté...

— En qualité de Premier ministre, il est des devoirs de notre charge de tout savoir. Et Sa Majesté prie, supplie, je présume ?

— Je ne sais, mais il a soupiré bien des fois en l'écrivant.

— Oui, oui, oui, nous savons ce que cela veut dire. On soupire de bonheur comme de chagrin, monsieur.

— Cependant, le roi n'avait pas l'air fort heureux en revenant, monsieur.

— Vous n'aurez pas bien vu. D'ailleurs, vous n'avez vu Sa Majesté qu'au retour, puisqu'elle n'était accompagnée que de son seul lieutenant des gardes. Mais moi, j'avais le télescope de Son Éminence, et je regardais quand elle était fatiguée. Tous deux pleuraient, j'en suis sûr.

— Eh bien ! était-ce aussi de bonheur qu'ils pleuraient ?

— Non, mais d'amour, et ils se juraient mille tendresses que le roi ne demande pas mieux que de tenir. Or, cette lettre est un commencement d'exécution.

— Et que pense Son Éminence de cet amour, qui, d'ailleurs, n'est un secret pour personne ?

Bernouin prit le bras du messager de Louis, et tout en montant l'escalier :

— Confidentiellement, répliqua-t-il à demi-voix, Son Éminence s'attend au succès de l'affaire[1]. Je sais bien que nous aurons la guerre avec l'Espagne ; mais bah ! la guerre satisfera la noblesse. M. le cardinal d'ailleurs dotera royalement, et même plus que royalement, sa nièce. Il y aura de l'argent, des fêtes et des coups ; tout le monde sera content.

— Eh bien ! à moi, répondit le gentilhomme en hochant la tête, il me semble que voici une lettre bien légère pour contenir tout cela.

— Ami, répondit Bernouin, je suis sûr de ce que je dis ; M. d'Artagnan m'a tout conté.

— Bon ! et qu'a-t-il dit ? voyons !

— Je l'ai abordé pour lui demander des nouvelles de la part du cardinal, sans découvrir nos desseins, bien entendu, car M. d'Artagnan est un fin limier.

---

1. « La reine commença de soupçonner une chose, c'est que Mazarin avait cette sourde espérance de faire épouser sa nièce au roi. [...] Brienne [...] fut chargé de faire dresser cet acte important [protestations contre l'éventuel mariage], et promit de le faire enregistrer à huis clos par le parlement au cas où le roi épouserait secrètement la nièce du cardinal », *Louis XIV et sa cour*, chap. XXXII. Voir Brienne, *Mémoires, op. cit.*

« — Mon cher monsieur Bernouin, a-t-il répondu, le roi est amoureux fou de Mlle de Mancini. Voilà tout ce que je puis vous dire.

« — Eh ! lui ai-je demandé, est-ce donc à ce point que vous le croyez capable de passer outre aux desseins de Son Éminence ?

« — Ah ! ne m'interrogez pas ; je crois le roi capable de tout. Il a une tête de fer, et ce qu'il veut, il le veut bien. S'il s'est chaussé dans la cervelle d'épouser Mlle de Mancini, il l'épousera.

« Et là-dessus il m'a quitté et est allé aux écuries, a pris un cheval, l'a sellé lui-même, a sauté dessus, et est parti comme si le diable l'emportait.

— De sorte que vous croyez... ?

— Je crois que M. le lieutenant des gardes en savait plus qu'il n'en voulait dire.

— Si bien qu'à votre avis, M. d'Artagnan...

— Court, selon toutes les probabilités, après les exilées pour faire toutes démarches utiles au succès de l'amour du roi.

En causant ainsi, les deux confidents étaient arrivés à la porte du cabinet de Son Éminence. Son Éminence n'avait plus la goutte, elle se promenait avec anxiété dans sa chambre, écoutant aux portes et regardant aux fenêtres.

Bernouin entra, suivi du gentilhomme qui avait ordre du roi de remettre la lettre aux mains mêmes de Son Éminence. Mazarin prit la lettre ; mais avant de l'ouvrir il se composa un sourire de circonstance, maintien commode pour voiler les émotions de quelque genre qu'elles fussent. De cette façon, quelle que fût l'impression qu'il reçût de la lettre, aucun reflet de cette impression ne transpira sur son visage.

— Eh bien ! dit-il lorsqu'il eut lu et relu la lettre, à merveille, monsieur. Annoncez au roi que je le remercie de son obéissance aux désirs de la reine mère, et que je vais tout faire pour accomplir sa volonté.

Le gentilhomme sortit. A peine la porte avait-elle été refermée, que le cardinal, qui n'avait pas de masque pour Bernouin, ôta celui dont il venait momentanément de couvrir sa physionomie, et avec sa plus sombre expression :

— Appelez M. de Brienne, dit-il.

Le secrétaire entra cinq minutes après.

— Monsieur, lui dit Mazarin, je viens de rendre un grand service à la monarchie, le plus grand que je lui aie jamais rendu. Vous porterez cette lettre, qui en fait foi, chez Sa Majesté la reine mère, et lorsqu'elle vous l'aura rendue, vous la logerez dans le carton B, qui est plein de documents et de pièces relatives à mon service.

Brienne partit, et comme cette lettre si intéressante était décachetée, il ne manqua pas de la lire en chemin. Il va sans dire que Bernouin, qui était bien avec tout le monde, s'approcha assez près du secrétaire pour pouvoir lire par-dessus son épaule. La nouvelle se répandit dans le château avec tant de rapidité, que Mazarin craignit un instant qu'elle ne parvînt aux oreilles de la reine avant que M. de Brienne lui remît la lettre de Louis XIV. Un moment après, tous les ordres étaient donnés pour le départ, et M. de Condé, ayant été saluer le roi à son lever prétendu, inscrivait sur ses tablettes la ville de Poitiers comme lieu de séjour et de repos pour Leurs Majestés.

Ainsi se dénouait en quelques instants une intrigue qui avait occupé sourdement toutes les diplomaties de l'Europe. Elle n'avait eu cependant pour résultat bien clair et bien net que de faire perdre à un pauvre lieutenant de mousquetaires sa charge et sa fortune. Il est vrai qu'en échange il gagnait sa liberté.

Nous saurons bientôt comment M. d'Artagnan profita de la sienne. Pour le moment, si le lecteur le permet, nous devons revenir à l'Hôtellerie des Médicis, dont une fenêtre venait de s'ouvrir au moment même où les ordres se donnaient au château pour le départ du roi.

Cette fenêtre qui s'ouvrait était celle d'une des chambres de Charles. Le malheureux prince avait passé la nuit à rêver, la tête dans ses deux mains et les coudes sur une table, tandis que Parry, informe et vieux, s'était endormi dans un coin, fatigué de corps et d'esprit. Singulière destinée que celle de ce serviteur fidèle, qui voyait recommencer pour la deuxième génération l'effrayante série de malheurs qui avaient pesé sur la première. Quand Charles II eut bien pensé à la nouvelle défaite qu'il venait d'éprouver, quand il eut bien compris l'isolement complet dans lequel il venait de tomber en voyant fuir derrière lui sa nouvelle espérance, il fut saisi comme d'un vertige et tomba renversé dans le large fauteuil au bord duquel il était assis.

Alors Dieu prit en pitié le malheureux prince et lui envoya le sommeil, frère innocent de la mort. Il ne s'éveilla donc qu'à six heures et demie, c'est-à-dire quand le soleil resplendissait déjà dans sa chambre et que Parry, immobile dans la crainte de le réveiller, considérait avec une profonde douleur les yeux de ce jeune homme déjà rougis par la veille, ses joues déjà pâlies par la souffrance et les privations.

Enfin le bruit de quelques chariots pesants qui descendaient vers la Loire réveilla Charles. Il se leva, regarda autour de lui comme un homme qui a tout oublié, aperçut Parry, lui serra la main, et lui commanda de régler la dépense avec maître Cropole. Maître Cropole, forcé de régler ses comptes avec Parry, s'en acquitta, il faut le dire, en homme honnête ; il fit seulement sa remarque habituelle, c'est-à-dire que les deux voyageurs n'avaient pas mangé, ce qui avait le double désavantage d'être humiliant pour sa cuisine et de le forcer de demander le prix d'un repas non employé, mais néanmoins perdu. Parry ne trouva rien à redire et paya.

— J'espère, dit le roi, qu'il n'en aura pas été de même des chevaux. Je ne vois pas qu'ils aient mangé à votre compte, et ce serait malheureux pour des voyageurs qui, comme nous, ont une longue route à faire de trouver des chevaux affaiblis.

Mais Cropole, à ce doute, prit son air de majesté, et répondit que la crèche des Médicis n'était pas moins hospitalière que son réfectoire.

Le roi monta donc à cheval, son vieux serviteur en fit autant, et tous deux prirent la route de Paris sans avoir presque rencontré personne sur leur chemin, dans les rues et dans les faubourgs de la ville.

Pour le prince, le coup était d'autant plus cruel que c'était un nouvel exil. Les malheureux s'attachent aux moindres espérances, comme les heureux aux plus grands bonheurs, et lorsqu'il faut quitter le lieu où cette espérance leur a caressé le cœur, ils éprouvent le mortel regret que ressent le banni lorsqu'il met le pied sur le vaisseau qui doit l'emporter pour l'emmener en exil. C'est apparemment que le cœur déjà blessé tant de fois souffre de la moindre piqûre ; c'est qu'il regarde comme un bien l'absence momentanée du mal, qui n'est seulement que l'absence de la douleur ; c'est qu'enfin, dans les plus terribles infortunes, Dieu a jeté l'espérance comme cette goutte d'eau que le mauvais riche en enfer demandait à Lazare[1].

Un instant même l'espérance de Charles II avait été plus qu'une fugitive joie. C'était lorsqu'il s'était vu bien accueilli par son frère Louis. Alors elle avait pris un corps et s'était faite réalité ; puis tout à coup le refus de Mazarin avait fait descendre la réalité factice à l'état de rêve. Cette promesse de Louis XIV sitôt reprise n'avait été qu'une dérision. Dérision comme sa couronne, comme son sceptre, comme ses amis, comme tout ce qui avait entouré son enfance royale et qui avait abandonné sa jeunesse proscrite. Dérision ! tout était dérision pour Charles II, hormis ce repos froid et noir que lui promettait la mort.

Telles étaient les idées du malheureux prince alors que, couché sur son cheval dont il abandonnait les rênes, il marchait sous le soleil chaud et doux du mois de mai, dans lequel la sombre misanthropie de l'exilé voyait une dernière insulte à sa douleur.

XVI

REMEMBER !

Un cavalier qui passait rapidement sur la route remontant vers Blois, qu'il venait de quitter depuis une demi-heure à peu près, croisa les deux voyageurs, et, tout pressé qu'il était, leva son chapeau en passant près

1. Luc, XVI, 24 : « Alors il s'écria : "Père Abraham, aie pitié et envoie Lazare tremper le bout de son doigt pour me rafraîchir la langue, car je suis à la torture dans ces flammes." »

d'eux. Le roi fit à peine attention à ce jeune homme, car ce cavalier qui les croisait était un jeune homme de vingt-quatre à vingt-cinq ans, lequel, se retournant parfois, faisait des signes d'amitié à un homme debout devant la grille d'une belle maison blanche et rouge, c'est-à-dire de briques et de pierres, à toit d'ardoises, située à gauche de la route que suivait le prince.

Cet homme, vieillard grand et maigre, à cheveux blancs, nous parlons de celui qui se tenait près de la grille, cet homme répondait aux signaux que lui faisait le jeune homme par des signes d'adieu aussi tendres que les eût faits un père. Le jeune homme finit par disparaître au premier tournant de la route bordée de beaux arbres, et le vieillard s'apprêtait à rentrer dans la maison, lorsque les deux voyageurs, arrivés en face de cette grille, attirèrent son attention.

Le roi, nous l'avons dit, cheminait la tête baissée, les bras inertes, se laissant aller au pas et presque au caprice de son cheval ; tandis que Parry, derrière lui, pour se mieux laisser pénétrer de la tiède influence du soleil, avait ôté son chapeau et promenait ses regards à droite et à gauche du chemin. Ses yeux se rencontrèrent avec ceux du vieillard adossé à la grille, et qui, comme s'il eût été frappé de quelque spectacle étrange, poussa une exclamation et fit un pas vers les deux voyageurs.

De Parry, ses yeux se portèrent immédiatement au roi, sur lequel ils s'arrêtèrent un instant. Cet examen, si rapide qu'il fût, se refléta à l'instant même d'une façon visible sur les traits du grand vieillard ; car à peine eut-il reconnu le plus jeune des voyageurs, et nous disons reconnu, car il n'y avait qu'une reconnaissance positive qui pouvait expliquer un pareil acte ; à peine, disons-nous, eut-il reconnu le plus jeune des deux voyageurs, qu'il joignit d'abord les mains avec une respectueuse surprise, et, levant son chapeau de sa tête, salua si profondément qu'on eût dit qu'il s'agenouillait.

Cette démonstration, si distrait ou plutôt si plongé que fût le roi dans ses réflexions, attira son attention à l'instant même. Charles, arrêtant donc son cheval et se retournant vers Parry :

— Mon Dieu ! Parry, dit-il, quel est donc cet homme qui me salue ainsi ? Me connaîtrait-il, par hasard ?

Parry, tout agité, tout pâle, avait déjà poussé son cheval du côté de la grille.

— Ah ! sire, dit-il en s'arrêtant tout à coup à cinq ou six pas du vieillard toujours agenouillé, sire, vous me voyez saisi d'étonnement, car il me semble que je reconnais ce brave homme. Eh ! oui, c'est bien lui-même. Votre Majesté permet que je lui parle ?

— Sans doute.

— Est-ce donc vous, monsieur Grimaud ? demanda Parry.

— Oui, moi, dit le grand vieillard en se redressant, mais sans rien perdre de son attitude respectueuse.

— Sire, dit alors Parry, je ne m'étais pas trompé, cet homme est le serviteur du comte de La Fère, et le comte de La Fère, si vous vous en souvenez, est ce digne gentilhomme dont j'ai si souvent parlé à Votre Majesté, que le souvenir doit en être resté, non seulement dans son esprit, mais encore dans son cœur.

— Celui qui assista le roi mon père à ses derniers moments ? demanda Charles.

Et Charles tressaillit visiblement à ce souvenir.

— Justement, sire.

— Hélas ! dit Charles.

Puis, s'adressant à Grimaud, dont les yeux vifs et intelligents semblaient chercher à deviner sa pensée :

— Mon ami, demanda-t-il, votre maître, M. le comte de La Fère, habiterait-il dans les environs ?

— Là, répondit Grimaud en désignant de son bras étendu en arrière la grille de la maison blanche et rouge.

— Et M. le comte de La Fère est chez lui en ce moment ?

— Au fond, sous les marronniers.

— Parry, dit le roi, je ne veux pas manquer cette occasion si précieuse pour moi de remercier le gentilhomme auquel notre maison doit un si bel exemple de dévouement et de générosité. Tenez mon cheval, mon ami, je vous prie.

Et jetant la bride aux mains de Grimaud, le roi entra tout seul chez Athos, comme un égal chez son égal. Charles avait été renseigné par l'explication si concise de Grimaud, au fond, sous les marronniers ; il laissa donc la maison à gauche et marcha droit vers l'allée désignée. La chose était facile ; la cime de ces grands arbres, déjà couverts de feuilles et de fleurs, dépassait celle de tous les autres.

En arrivant sous les losanges lumineux et sombres tour à tour qui diapraient le sol de cette allée, selon le caprice de leurs voûtes plus ou moins feuillées, le jeune prince aperçut un gentilhomme qui se promenait les bras derrière le dos et paraissant plongé dans une sereine rêverie. Sans doute, il s'était fait souvent redire comment était ce gentilhomme, car sans hésitation Charles II marcha droit à lui. Au bruit de ses pas, le comte de La Fère releva la tête, et voyant un inconnu à la tournure élégante et noble qui se dirigeait de son côté, il leva son chapeau de dessus sa tête et attendit. A quelques pas de lui, Charles II, de son côté, mit le chapeau à la main ; puis, comme pour répondre à l'interrogation muette du comte :

— Monsieur le comte, dit-il, je viens accomplir près de vous un devoir. J'ai depuis longtemps l'expression d'une reconnaissance profonde à vous apporter. Je suis Charles II, fils de Charles Stuart, qui régna sur l'Angleterre et mourut sur l'échafaud.

A ce nom illustre, Athos sentit comme un frisson dans ses veines ; mais à la vue de ce jeune prince debout, découvert devant lui et lui tendant la main, deux larmes vinrent un instant troubler le limpide azur de ses beaux yeux.

Il se courba respectueusement ; mais le prince lui prit la main :

— Voyez comme je suis malheureux, monsieur le comte, dit Charles ; il a fallu que ce fût le hasard qui me rapprochât de vous. Hélas ! ne devrais-je pas avoir près de moi les gens que j'aime et que j'honore, tandis que j'en suis réduit à conserver leurs services dans mon cœur et leurs noms dans ma mémoire, si bien que sans votre serviteur, qui a reconnu le mien, je passais devant votre porte comme devant celle d'un étranger.

— C'est vrai, dit Athos, répondant avec la voix à la première partie de la phrase du prince, et avec un salut à la seconde ; c'est vrai, Votre Majesté a vu de biens mauvais jours.

— Et les plus mauvais, hélas ! répondit Charles, sont peut-être encore à venir.

— Sire, espérons !

— Comte, comte ! continua Charles en secouant la tête, j'ai espéré jusqu'à hier soir, et c'était d'un bon chrétien, je vous le jure.

Athos regarda le roi comme pour l'interroger.

— Oh ! l'histoire est facile à raconter, dit Charles II : proscrit, dépouillé, dédaigné, je me suis résolu, malgré toutes mes répugnances, à tenter une dernière fois la fortune. N'est-il pas écrit là-haut que, pour notre famille, tout bonheur et tout malheur viennent éternellement de la France ! Vous en savez quelque chose, vous, monsieur, qui êtes un des Français que mon malheureux père trouva au pied de son échafaud le jour de sa mort, après les avoir trouvés à sa droite les jours de bataille.

— Sire, dit modestement Athos, je n'étais pas seul, et mes compagnons et moi avons fait, dans cette circonstance, notre devoir de gentilshommes, et voilà tout. Mais Votre Majesté allait me faire l'honneur de me raconter...

— C'est vrai. J'avais la protection, pardon de mon hésitation, comte, mais pour un Stuart, vous comprendrez cela, vous qui comprenez toutes choses, le mot est dur à prononcer, j'avais, dis-je, la protection de mon cousin le stathouder de Hollande[1] ; mais, sans l'intervention, ou tout au moins sans l'autorisation de la France, le stathouder ne veut pas prendre d'initiative. Je suis donc venu demander cette autorisation au roi de France, qui m'a refusé.

— Le roi vous a refusé, sire !

1. En 1660, le stathouder Guillaume II d'Orange était mort depuis dix ans, et son fils posthume, le futur Guillaume III, n'était qu'un enfant. D'autre part, le stathoudérat était alors interdit aux Orange-Nassau.

— Oh ! pas lui : toute justice doit être rendue à mon jeune frère Louis ; mais M. de Mazarin.

Athos se mordit les lèvres.

— Vous trouvez peut-être que j'eusse dû m'attendre à ce refus, dit le roi, qui avait remarqué le mouvement.

— C'était en effet ma pensée, sire, répliqua respectueusement le comte, je connais cet Italien de longue main.

— Alors j'ai résolu de pousser la chose à bout et de savoir tout de suite le dernier mot de ma destinée ; j'ai dit à mon frère Louis que, pour ne compromettre ni la France, ni la Hollande, je tenterais la fortune moi-même en personne, comme j'ai déjà fait, avec deux cents gentilshommes, s'il voulait me les donner, et un million, s'il voulait me le prêter.

— Eh bien ! sire ?

— Eh bien ! monsieur, j'éprouve en ce moment quelque chose d'étrange, c'est la satisfaction du désespoir. Il y a dans certaines âmes, et je viens de m'apercevoir que la mienne est de ce nombre, une satisfaction réelle dans cette assurance que tout est perdu et que l'heure est enfin venue de succomber.

— Oh ! j'espère, dit Athos, que Votre Majesté n'en est point encore arrivée à cette extrémité.

— Pour me dire cela, monsieur le comte, pour essayer de raviver l'espoir dans mon cœur, il faut que vous n'ayez pas bien compris ce que je viens de vous dire. Je suis venu à Blois, comte, pour demander à mon frère Louis l'aumône d'un million avec lequel j'avais l'espérance de rétablir mes affaires, et mon frère Louis m'a refusé. Vous voyez donc bien que tout est perdu.

— Votre Majesté me permettra-t-elle de lui répondre par un avis contraire ?

— Comment, comte, vous me prenez pour un esprit vulgaire, à ce point que je ne sache pas envisager ma position ?

— Sire, j'ai toujours vu que c'était dans les positions désespérées qu'éclatent tout à coup les grands revirements de fortune.

— Merci, comte, il est beau de retrouver des cœurs comme le vôtre, c'est-à-dire assez confiants en Dieu et dans la monarchie pour ne jamais désespérer d'une fortune royale, si bas qu'elle soit tombée. Malheureusement, vos paroles, cher comte, sont comme ces remèdes que l'on dit souverains et qui cependant, ne pouvant guérir que les plaies guérissables, échouent contre la mort. Merci de votre persévérance à me consoler, comte ; merci de votre souvenir dévoué, mais je sais à quoi m'en tenir. Rien ne me sauvera maintenant. Et tenez, mon ami, j'étais si bien convaincu, que je prenais la route de l'exil avec mon vieux Parry ; je retournais savourer mes poignantes douleurs dans ce petit ermitage que m'offre la Hollande. Là, croyez-moi, comte, tout sera bientôt fini, et la mort viendra vite ; elle est appelée si souvent par ce corps que ronge l'âme et par cette âme qui aspire aux cieux !

— Votre Majesté a une mère, une sœur, des frères ; Votre Majesté est le chef de la famille, elle doit donc demander à Dieu une longue vie au lieu de lui demander une prompte mort. Votre Majesté est proscrite, fugitive, mais elle a son droit pour elle ; elle doit donc aspirer aux combats, aux dangers, aux affaires, et non pas au repos des cieux.

— Comte, dit Charles II avec un sourire d'indéfinissable tristesse, avez-vous entendu dire jamais qu'un roi ait reconquis son royaume avec un serviteur de l'âge de Parry et avec trois cents écus que ce serviteur porte dans sa bourse ?

— Non, sire ; mais j'ai entendu dire, et même plus d'une fois, qu'un roi détrôné reprit son royaume avec une volonté ferme, de la persévérance, des amis et un million de francs habilement employés.

— Mais vous ne m'avez donc pas compris ? Ce million, je l'ai demandé à mon frère Louis, qui me l'a refusé.

— Sire, dit Athos, Votre Majesté veut-elle m'accorder quelques minutes encore à écouter attentivement ce qui me reste à lui dire ?

Charles II regarda fixement Athos.

— Volontiers, monsieur, dit-il.

— Alors je vais montrer le chemin à Votre Majesté, reprit le comte en se dirigeant vers la maison.

Et il conduisit le roi vers son cabinet et le fit asseoir.

— Sire, dit-il, Votre Majesté m'a dit tout à l'heure qu'avec l'état des choses en Angleterre un million lui suffirait pour reconquérir son royaume ?

— Pour le tenter du moins, et pour mourir en roi si je ne réussissais pas.

— Eh bien ! sire, que Votre Majesté, selon la promesse qu'elle m'a faite, veuille bien écouter ce qui me reste à lui dire.

Charles fit de la tête un signe d'assentiment. Athos marcha droit à la porte, dont il ferma le verrou après avoir regardé si personne n'écoutait aux environs, et revint.

— Sire, dit-il, Votre Majesté a bien voulu se souvenir que j'avais prêté assistance au très noble et très malheureux Charles Ier, lorsque ses bourreaux le conduisirent de Saint-James à White Hall.

— Oui, certes, je me suis souvenu et me souviendrai toujours.

— Sire, c'est une lugubre histoire à entendre pour un fils, qui sans doute se l'est déjà fait raconter bien des fois ; mais cependant je dois la redire à Votre Majesté sans en omettre un détail.

— Parlez, monsieur.

— Lorsque le roi votre père monta sur l'échafaud, ou plutôt passa de sa chambre à l'échafaud dressé hors de sa fenêtre, tout avait été pratiqué pour sa fuite. Le bourreau avait été écarté, un trou préparé sous le plancher de son appartement, enfin moi-même j'étais sous la voûte funèbre que j'entendis tout à coup craquer sous ses pas.

— Parry m'a raconté ces terribles détails, monsieur.

Athos s'inclina et reprit :

— Voici ce qu'il n'a pu vous raconter, sire, car ce qui suit s'est passé entre Dieu, votre père et moi, et jamais la révélation n'en a été faite, même à mes plus chers amis :

« — Éloigne-toi, dit l'auguste patient au bourreau masqué, ce n'est que pour un instant, et je sais que je t'appartiens ; mais souviens-toi de ne frapper qu'à mon signal. Je veux faire librement ma prière.

— Pardon, dit Charles II en pâlissant ; mais vous, comte, qui savez tant de détails sur ce funeste événement, de détails qui, comme vous le disiez tout à l'heure, n'ont été révélés à personne, savez-vous le nom de ce bourreau infernal, de ce lâche, qui cacha son visage pour assassiner impunément un roi ?

Athos pâlit légèrement.

— Son nom ? dit-il ; oui, je le sais, mais je ne puis le dire.

— Et ce qu'il est devenu ?... car personne en Angleterre n'a connu sa destinée.

— Il est mort.

— Mais pas mort dans son lit, pas mort d'une mort calme et douce, pas de la mort des honnêtes gens ?

— Il est mort de mort violente, dans une nuit terrible, entre la colère des hommes et la tempête de Dieu. Son corps percé d'un coup de poignard a roulé dans les profondeurs de l'océan. Dieu pardonne à son meurtrier !

— Alors, passons, dit le roi Charles II, qui vit que le comte n'en voulait pas dire davantage.

— Le roi d'Angleterre, après avoir, ainsi que j'ai dit, parlé au bourreau voilé, ajouta : « Tu ne me frapperas, entends-tu bien ? que lorsque je tendrai les bras en disant : *Remember !* »

— En effet, dit Charles d'une voix sourde, je sais que c'est le dernier mot prononcé par mon malheureux père. Mais dans quel but, pour qui ?

— Pour le gentilhomme français placé sous son échafaud.

— Pour lors à vous, monsieur ?

— Oui, sire, et chacune des paroles qu'il a dites, à travers les planches de l'échafaud recouvertes d'un drap noir, retentissent encore à mon oreille. Le roi mit donc un genou en terre.

« — Comte de La Fère, dit-il, êtes-vous là ?

« — Oui, sire, répondis-je.

« Alors le roi se pencha.

Charles II, lui aussi, tout palpitant d'intérêt, tout brûlant de douleur, se penchait vers Athos pour recueillir une à une les premières paroles que laisserait échapper le comte. Sa tête effleurait celle d'Athos.

— Alors, continua le comte, le roi se pencha.

« — Comte de La Fère, dit-il, je n'ai pu être sauvé par toi. Je ne devais pas l'être. Maintenant, dussé-je commettre un sacrilège, je te dirai : "Oui, j'ai parlé aux hommes ; oui, j'ai parlé à Dieu, et je te parle à toi le dernier. Pour soutenir une cause que j'ai crue sacrée, j'ai perdu le trône de mes pères et diverti l'héritage de mes enfants."

Charles II cacha son visage entre ses mains, et une larme dévorante glissa entre ses doigts blancs et amaigris.

« — Un million en or me reste, continua le roi. Je l'ai enterré dans les caves du château de Newcastle au moment où j'ai quitté cette ville.

Charles releva sa tête avec une expression de joie douloureuse qui eût arraché des sanglots à quiconque connaissait cette immense infortune.

— Un million ! murmura-t-il, oh ! comte !

« — Cet argent, toi seul sais qu'il existe, fais-en usage quand tu croiras qu'il en est temps pour le plus grand bien de mon fils aîné. Et maintenant, comte de La Fère, dites-moi adieu !

«— Adieu, adieu sire ! m'écriai-je[1].

Charles II se leva et alla appuyer son front brûlant à la fenêtre.

— Ce fut alors, continua Athos, que le roi prononça le mot « *Remember !* » adressé à moi. Vous voyez, sire, que je me suis souvenu.

Le roi ne put résister à son émotion. Athos vit le mouvement de ses deux épaules qui ondulaient convulsivement. Il entendit les sanglots qui brisaient sa poitrine au passage. Il se tut, suffoqué lui-même par le flot de souvenirs amers qu'il venait de soulever sur cette tête royale.

Charles II, avec un violent effort, quitta la fenêtre, dévora ses larmes et revint s'asseoir auprès d'Athos.

— Sire, dit celui-ci, jusqu'aujourd'hui j'avais cru que l'heure n'était pas encore venue d'employer cette dernière ressource, mais les yeux fixés sur l'Angleterre, je sentais qu'elle approchait. Demain j'allais m'informer en quel lieu du monde était Votre Majesté, et j'allais aller à elle. Elle vient à moi, c'est une indication que Dieu est pour nous.

— Monsieur, dit Charles d'une voix encore étranglée par l'émotion, vous êtes pour moi ce que serait un ange envoyé par Dieu ; vous êtes mon sauveur suscité de la tombe par mon père lui-même ; mais croyez-moi, depuis dix années les guerres civiles ont passé sur mon pays, bouleversant les hommes, creusant le sol ; il n'est probablement pas plus resté d'or dans les entrailles de ma terre que d'amour dans les cœurs de mes sujets.

— Sire, l'endroit où Sa Majesté a enfoui le million est bien connu de moi, et nul, j'en suis bien certain, n'a pu le découvrir. D'ailleurs le

1. Voir *Vingt Ans après*, chap. LXXI : Dumas reprend, avec quelques variantes, les paroles qu'il y a prêtées au roi.

château de Newcastle est-il donc entièrement écroulé ; l'a-t-on démoli pierre à pierre et déraciné du sol jusqu'à sa dernière fibre ?

— Non, il est encore debout, mais en ce moment le général Monck l'occupe et y campe. Le seul endroit où m'attend un secours, où je possède une ressource, vous le voyez, est envahi par mes ennemis.

— Le général Monck, sire, ne peut avoir découvert le trésor dont je vous parle.

— Oui, mais dois-je aller me livrer à Monck pour le recouvrer, ce trésor ? Ah ! vous le voyez donc bien, comte, il faut en finir avec la destinée, puisqu'elle me terrasse à chaque fois que je me relève. Que faire avec Parry pour tout serviteur, avec Parry, que Monck a déjà chassé une fois ? Non, non, comte, acceptons ce dernier coup.

— Ce que Votre Majesté ne peut faire, ce que Parry ne peut plus tenter, croyez-vous que moi je puisse y réussir ?

— Vous, vous comte, vous iriez !

— Si cela plaît à Votre Majesté, dit Athos en saluant le roi, oui, j'irai, sire.

— Vous si heureux ici, comte !

— Je ne suis jamais heureux, sire, tant qu'il me reste un devoir à accomplir, et c'est un devoir suprême que m'a légué le roi votre père de veiller sur votre fortune et de faire un emploi royal de son argent. Ainsi, que Votre Majesté me fasse un signe, et je pars avec elle.

— Ah ! monsieur, dit le roi, oubliant toute étiquette royale et se jetant au cou d'Athos, vous me prouvez qu'il y a un Dieu au ciel, et que ce Dieu envoie parfois des messagers aux malheureux qui gémissent sur cette terre.

Athos, tout ému de cet élan du jeune homme, le remercia avec un profond respect, et s'approchant de la fenêtre :

— Grimaud, dit-il, mes chevaux.

— Comment ! ainsi, tout de suite ? dit le roi. Ah ! monsieur, vous êtes, en vérité, un homme merveilleux.

— Sire ! dit Athos, je ne connais rien de plus pressé que le service de Votre Majesté. D'ailleurs, ajouta-t-il en souriant, c'est une habitude contractée depuis longtemps au service de la reine votre tante et au service du roi votre père. Comment la perdrais-je précisément à l'heure où il s'agit du service de Votre Majesté ?

— Quel homme ! murmura le roi.

Puis, après un instant de réflexion :

— Mais non, comte, je ne puis vous exposer à de pareilles privations. Je n'ai rien pour récompenser de pareils services.

— Bah ! dit en riant Athos, Votre Majesté me raille, elle a un million. Ah ! que ne suis-je riche seulement de la moitié de cette somme, j'aurais déjà levé un régiment. Mais, Dieu merci ! il me reste encore quelques rouleaux d'or et quelques diamants de famille. Votre Majesté, je l'espère, daignera partager avec un serviteur dévoué.

— Avec un ami. Oui, comte, mais à condition qu'à son tour cet ami partagera avec moi plus tard.

— Sire, dit Athos en ouvrant une cassette, de laquelle il tira de l'or et des bijoux, voilà maintenant que nous sommes trop riches. Heureusement que nous nous trouverons quatre contre les voleurs.

La joie fit affluer le sang aux joues pâles de Charles II. Il vit s'avancer jusqu'au péristyle deux chevaux d'Athos, conduits par Grimaud, qui s'était déjà botté pour la route.

— Blaisois, cette lettre au vicomte de Bragelonne. Pour tout le monde, je suis allé à Paris. Je vous confie la maison, Blaisois.

Blaisois s'inclina, embrassa Grimaud et ferma la grille.

XVII

OÙ L'ON CHERCHE ARAMIS, ET OÙ L'ON NE RETROUVE QUE BAZIN[1]

Deux heures ne s'étaient pas écoulées depuis le départ du maître de la maison, lequel, à la vue de Blaisois, avait pris le chemin de Paris, lorsqu'un cavalier monté sur un bon cheval pie s'arrêta devant la grille, et, d'un *holà !* sonore, appela les palefreniers, qui faisaient encore cercle avec les jardiniers autour de Blaisois, historien ordinaire de la valetaille du château. Ce *holà !* connu sans doute de maître Blaisois lui fit tourner la tête et il s'écria :

— Monsieur d'Artagnan !... Courez vite, vous autres, lui ouvrir la porte !

Un essaim de huit ardélions[2] courut à la grille, qui fut ouverte comme si elle eût été de plumes. Et chacun de se confondre en politesses, car on savait l'accueil que le maître avait l'habitude de faire à cet ami, et toujours, pour ces sortes de remarques, il faut consulter le coup d'œil du valet.

— Ah ! dit avec un sourire tout agréable M. d'Artagnan qui se balançait sur l'étrier pour sauter à terre, où est ce cher comte ?

— Eh ! voyez, monsieur, quel est votre malheur, dit Blaisois, quel sera aussi celui de M. le comte notre maître, lorsqu'il apprendra votre

1. Ce chapitre ainsi que le suivant sont parfois omis dans les éditions illustrées.

2. *Ardélion* : homme qui fait l'empressé, qui se mêle de tout. Voir Phèdre, *Fables*, II, 5, 1.

arrivée ! M. le comte, par un coup du sort, vient de partir il n'y a pas deux heures.

D'Artagnan ne se tourmenta pas pour si peu.

— Bon, dit-il, je vois que tu parles toujours le plus pur français du monde ; tu vas me donner une leçon de grammaire et de beau langage, tandis que j'attendrai le retour de ton maître.

— Voilà que c'est impossible, monsieur, dit Blaisois ; vous attendriez trop longtemps.

— Il ne reviendra pas aujourd'hui ?

— Ni demain, monsieur, ni après-demain. M. le comte est parti pour un voyage.

— Un voyage ! dit d'Artagnan, c'est une fable que tu me contes.

— Monsieur, c'est la plus exacte vérité. Monsieur m'a fait l'honneur de me recommander la maison, et il a ajouté de sa voix si pleine d'autorité et de douceur... c'est tout un pour moi : « Tu diras que je pars pour Paris. »

— Eh bien ! alors, s'écria d'Artagnan, puisqu'il marche sur Paris, c'est tout ce que je voulais savoir, il fallait commencer par là, nigaud... Il a donc deux heures d'avance ?

— Oui, monsieur.

— Je l'aurai bientôt rattrapé. Est-il seul ?

— Non, monsieur.

— Qui donc est avec lui ?

— Un gentilhomme que je ne connais pas, un vieillard, et M. Grimaud.

— Tout cela ne courra pas si vite que moi... Je pars...

— Monsieur veut-il m'écouter un instant, dit Blaisois, en appuyant doucement sur les rênes du cheval.

— Oui, si tu ne me fais pas de phrases ou que tu les fasses vite.

— Eh bien ! monsieur, ce mot de Paris me paraît être un leurre.

— Oh ! oh ! dit d'Artagnan sérieux, un leurre ?

— Oui, monsieur, et M. le comte ne va pas à Paris, j'en jurerais.

— Qui te fait croire ?

— Ceci : M. Grimaud sait toujours où va notre maître, et il m'avait promis, la première fois qu'on irait à Paris, de prendre un peu d'argent que je fais passer à ma femme.

— Ah ! tu as une femme ?

— J'en avais une, elle était de ce pays, mais Monsieur la trouvait bavarde, je l'ai envoyée à Paris : c'est incommode parfois, mais bien agréable en d'autres moments.

— Je comprends, mais achève : tu ne crois pas que le comte aille à Paris ?

— Non, monsieur, car alors Grimaud eût manqué à sa parole, il se fût parjuré, ce qui est impossible.

— Ce qui est impossible, répéta d'Artagnan tout à fait rêveur, parce qu'il était tout à fait convaincu. Allons, mon brave Blaisois, merci.

Blaisois s'inclina.

— Voyons, tu sais que je ne suis pas curieux... J'ai absolument affaire à ton maître... ne peux-tu... par un petit bout de mot... toi qui parles si bien, me faire comprendre... Une syllabe, seulement... je devinerai le reste.

— Sur ma parole, monsieur, je ne le pourrais... J'ignore absolument le but du voyage de Monsieur... Quant à écouter aux portes, cela m'est antipathique, et d'ailleurs, c'est défendu ici.

— Mon cher, dit d'Artagnan, voilà un mauvais commencement pour moi. N'importe, tu sais l'époque du retour du comte au moins ?

— Aussi peu, monsieur, que sa destination.

— Allons, Blaisois, allons, cherche.

— Monsieur doute de ma sincérité ! Ah ! Monsieur me chagrine bien sensiblement !

— Que le diable emporte sa langue dorée ! grommela d'Artagnan. Qu'un rustaud vaut mieux avec une parole !... Adieu !

— Monsieur, j'ai l'honneur de vous présenter mes respects.

« Cuistre ! se dit d'Artagnan. Le drôle est insupportable. »

Il donna un dernier coup d'œil à la maison, fit tourner son cheval, et partit comme un homme qui n'a rien dans l'esprit de fâcheux ou d'embarrassé.

Quand il fut au bout du mur et hors de toute vue :

— Voyons, dit-il en respirant brusquement, Athos était-il chez lui ?... Non. Tous ces fainéants qui se croisaient les bras dans la cour eussent été en nage si le maître avait pu les voir. Athos en voyage ?... c'est incompréhensible. Ah bah ! celui-là est mystérieux en diable... Et puis, non, ce n'est pas l'homme qu'il me fallait. J'ai besoin d'un esprit rusé, patient. Mon affaire est à Melun, dans certain presbytère de ma connaissance. Quarante-cinq lieues ! quatre jours et demi ! Allons, il fait beau et je suis libre. Avalons la distance.

Et il mit son cheval au trot, s'orientant vers Paris. Le quatrième jour, il descendait à Melun, selon son désir.

D'Artagnan avait pour habitude de ne jamais demander à personne le chemin ou un renseignement banal. Pour ces sortes de détails, à moins d'erreur très grave, il s'en fiait à sa perspicacité jamais en défaut, à une expérience de trente ans, et à une grande habitude de lire sur les physionomies des maisons comme sur celles des hommes.

A Melun, d'Artagnan trouva tout de suite le presbytère, charmante maison aux enduits de plâtre sur de la brique rouge, avec des vignes vierges qui grimpaient le long des gouttières, et une croix de pierre sculptée qui surmontait le pignon du toit. De la salle basse de cette maison un bruit, ou plutôt un fouillis de voix, s'échappait comme un gazouillement d'oisillons quand la nichée vient d'éclore sous le duvet. Une de ces voix épelait distinctement les lettres de l'alphabet. Une voix grasse et flûtée tout à la fois sermonnait les bavards et corrigeait les fautes du lecteur.

D'Artagnan reconnut cette voix, et comme la fenêtre de la salle basse était ouverte, il se pencha tout à cheval sous les pampres et les filets rouges de la vigne, et cria :

— Bazin, mon cher Bazin, bonjour !

Un homme court, gros, à la figure plate, au crâne orné d'une couronne de cheveux gris coupés court simulant la tonsure, et recouvert d'une vieille calotte de velours noir, se leva lorsqu'il entendit d'Artagnan. Ce n'est pas *se leva* qu'il aurait fallu dire, c'est *bondit*. Bazin bondit en effet et entraîna sa petite chaise basse, que des enfants voulurent relever avec des batailles plus mouvementées que celles des Grecs voulant retirer aux Troyens le corps de Patrocle[1]. Bazin fit plus que bondir, il laissa tomber l'alphabet qu'il tenait et sa férule.

— Vous ! dit-il, vous, monsieur d'Artagnan !

— Oui, moi. Où est Aramis... non pas, M. le chevalier d'Herblay... non, je me trompe encore, M. le vicaire général ?

— Ah ! monsieur, dit Bazin avec dignité, Monseigneur est en son diocèse.

— Plaît-il ? fit d'Artagnan.

Bazin répéta sa phrase.

— Ah çà ! mais, Aramis a un diocèse ?

— Oui, monsieur. Pourquoi pas ?

— Il est donc évêque ?

— Mais d'où sortez-vous donc, dit Bazin assez irrévérencieusement, que vous ignoriez cela ?

— Mon cher Bazin, nous autres païens, nous autres gens d'épée, nous savons bien qu'un homme est colonel, ou mestre de camp[2], ou maréchal de France ; mais qu'il soit évêque, archevêque ou pape... diable m'emporte ! si la nouvelle nous en arrive avant que les trois quarts de la terre en aient fait leur profit.

— Chut ! chut ! dit Bazin avec de gros yeux, n'allez pas me gâter ces enfants, à qui je tâche d'inculquer de si bons principes.

Les enfants avaient en effet tourné autour de d'Artagnan, dont ils admiraient le cheval, la grande épée, les éperons et l'air martial. Ils admiraient surtout sa grosse voix ; en sorte que, lorsqu'il accentua son juron, toute l'école s'écria : « Diable m'emporte ! » avec un bruit effroyable de rires, de joies et de trépignements qui combla d'aise le mousquetaire et fit perdre la tête au vieux pédagogue.

1. *L'Iliade*, chant XVII.
2. *Mestre de camp* : commandant d'un régiment d'infanterie ou de cavalerie.

— Là ! dit-il, taisez-vous donc, marmailles !... Là... vous voilà arrivé, monsieur d'Artagnan, et tous mes bons principes s'envolent... Enfin, avec vous, comme d'habitude, le désordre ici... Babel est retrouvée !... Ah ! bon Dieu ! ah ! les enragés !

Et le digne Bazin appliquait à droite et à gauche des horions qui redoublaient les cris de ses écoliers en les faisant changer de nature.

— Au moins, dit-il, vous ne débaucherez plus personne ici.

— Tu crois ? dit d'Artagnan avec un sourire qui fit passer un frisson sur les épaules de Bazin.

— Il en est capable, murmura-t-il.

— Où est le diocèse de ton maître ?

— Mgr René est évêque de Vannes.

— Qui donc l'a fait nommer ?

— Mais M. le surintendant, notre voisin.

— Quoi ! M. Fouquet ?

— Sans doute.

— Aramis est donc bien avec lui ?

— Monseigneur prêchait tous les dimanches chez M. le surintendant, à Vaux ; puis ils chassaient ensemble.

— Ah !

— Et Monseigneur travaillait souvent ses homélies... non, je veux dire ses sermons, avec M. le surintendant.

— Bah ! il prêche donc en vers, ce digne évêque ?

— Monsieur, ne plaisantez pas des choses religieuses, pour l'amour de Dieu !

— Là, Bazin, là ! en sorte qu'Aramis est à Vannes ?

— A Vannes, en Bretagne.

— Tu es un sournois, Bazin, ce n'est pas vrai.

— Monsieur, voyez, les appartements du presbytère sont vides.

« Il a raison », se dit d'Artagnan en considérant la maison dont l'aspect annonçait la solitude.

— Mais Monseigneur a dû vous écrire sa promotion.

— De quand date-t-elle ?

— D'un mois.

— Oh ! alors, il n'y a pas de temps perdu. Aramis ne peut avoir eu encore besoin de moi. Mais voyons, Bazin, pourquoi ne suis-tu pas ton pasteur ?

— Monsieur, je ne puis, j'ai des occupations.

— Ton alphabet ?

— Et mes pénitents.

— Quoi ! tu confesses ? tu es donc prêtre ?

— C'est tout comme. J'ai tant de vocation !

— Mais les ordres ?

— Oh ! dit Bazin avec aplomb, maintenant que Monseigneur est évêque, j'aurai promptement mes ordres ou tout au moins mes dispenses.

Et il se frotta les mains.

« Décidément, se dit d'Artagnan, il n'y a pas à déraciner ces gens-là. »

— Fais-moi servir, Bazin.

— Avec empressement, monsieur.

— Un poulet, un bouillon et une bouteille de vin.

— C'est aujourd'hui samedi, jour maigre, dit Bazin.

— J'ai une dispense, dit d'Artagnan.

Bazin le regarda d'un air soupçonneux.

— Ah çà ! maître cafard, pour qui me prends-tu ? dit le mousquetaire ; si toi, qui es le valet, tu espères des dispenses pour commettre des crimes, je n'aurai pas, moi, l'ami de ton évêque, une dispense pour faire gras selon le vœu de mon estomac ? Bazin, sois aimable avec moi, ou, de par Dieu ! je me plains au roi, et tu ne confesseras jamais. Or, tu sais que la nomination des évêques est au roi, je suis le plus fort.

Bazin sourit hypocritement.

— Oh ! nous avons M. le surintendant, nous autres, dit-il.

— Et tu te moques du roi, alors ?

Bazin ne répliqua rien, son sourire était assez éloquent.

— Mon souper, dit d'Artagnan, voilà qu'il s'en va vers sept heures.

Bazin se retourna et commanda au plus âgé de ses écoliers d'avertir la cuisinière. Cependant d'Artagnan regardait le presbytère.

— Peuh ! dit-il dédaigneusement, Monseigneur logeait assez mal Sa Grandeur ici.

— Nous avons le château de Vaux, dit Bazin.

— Qui vaut peut-être le Louvre ? répliqua d'Artagnan en goguenardant.

— Qui vaut mieux, répliqua Bazin du plus grand sang-froid du monde.

— Ah ! fit d'Artagnan.

Peut-être allait-il prolonger la discussion et soutenir la suprématie du Louvre ; mais le lieutenant s'était aperçu que son cheval était demeuré attaché aux barreaux d'une porte.

— Diable ! dit-il, fais donc soigner mon cheval. Ton maître l'évêque n'en a pas comme celui-là dans ses écuries.

Bazin donna un coup d'œil oblique au cheval et répondit :

— M. le surintendant en a donné quatre de ses écuries, et un seul de ces quatre en vaut quatre comme le vôtre.

Le sang monta au visage de d'Artagnan. La main lui démangeait, et il contemplait sur la tête de Bazin la place où son poing allait tomber. Mais cet éclair passa. La réflexion vint, et d'Artagnan se contenta de dire :

— Diable ! diable ! j'ai bien fait de quitter le service du roi. Dites-moi, digne Bazin, ajouta-t-il, combien M. le surintendant a-t-il de mousquetaires ?

— Il aura tous ceux du royaume avec son argent, répliqua Bazin en fermant son livre et en congédiant les enfants à grands coups de férule.

— Diable ! diable ! dit une dernière fois d'Artagnan.

Et comme on lui annonçait qu'il était servi, il suivit la cuisinière qui l'introduisit dans la salle à manger, où le souper l'attendait.

D'Artagnan se mit à table et attaqua bravement le poulet.

— Il me paraît, dit d'Artagnan en mordant à belles dents dans la volaille qu'on lui avait servie et qu'on avait visiblement oublié d'engraisser, il me paraît que j'ai eu tort de ne pas aller chercher tout de suite du service chez ce maître-là. C'est un puissant seigneur, à ce qu'il paraît, que ce surintendant. En vérité, nous ne savons rien, nous autres à la cour, et les rayons du soleil nous empêchent de voir les grosses étoiles, qui sont aussi des soleils, un peu plus éloignés de notre terre, voilà tout.

Comme d'Artagnan aimait beaucoup, par plaisir et par système, à faire causer les gens sur les choses qui l'intéressaient, il s'escrima de son mieux sur maître Bazin ; mais ce fut en pure perte : hormis l'éloge fatigant et hyperbolique de M. le surintendant des finances, Bazin, qui, de son côté, se tenait sur ses gardes, ne livra absolument rien que des platitudes à la curiosité de d'Artagnan, ce qui fit que d'Artagnan, d'assez mauvaise humeur, demanda à aller se coucher aussitôt que son repas fut fini.

D'Artagnan fut introduit par Bazin dans une chambre assez médiocre, où il trouva un assez mauvais lit ; mais d'Artagnan n'était pas difficile. On lui avait dit qu'Aramis avait emporté les clefs de son appartement particulier, et comme il savait qu'Aramis était un homme d'ordre et avait généralement beaucoup de choses à cacher dans son appartement, cela ne l'avait nullement étonné. Il avait donc, quoiqu'il eût paru comparativement plus dur, attaqué le lit aussi bravement qu'il avait attaqué le poulet, et comme il avait aussi bon sommeil que bon appétit, il n'avait guère mis plus de temps à s'endormir qu'il n'en avait mis à sucer le dernier os de son rôti.

Depuis qu'il n'était plus au service de personne, d'Artagnan s'était promis d'avoir le sommeil aussi dur qu'il l'avait léger autrefois ; mais de si bonne foi que d'Artagnan se fût fait cette promesse, et quelque désir qu'il eût de se la tenir religieusement, il fut réveillé au milieu de la nuit par un grand bruit de carrosses et de laquais à cheval. Une illumination soudaine embrasa les murs de sa chambre ; il sauta hors de son lit tout en chemise et courut à la fenêtre.

« Est-ce que le roi revient, par hasard ? pensa-t-il en se frottant les yeux, car en vérité voilà une suite qui ne peut appartenir qu'à une personne royale. »

— Vive M. le surintendant ! cria ou plutôt vociféra à une fenêtre du rez-de-chaussée une voix qu'il reconnut pour celle de Bazin, lequel, tout en criant, agitait un mouchoir d'une main et tenait une grosse chandelle de l'autre.

D'Artagnan vit alors quelque chose comme une brillante forme humaine qui se penchait à la portière du principal carrosse ; en même temps de longs éclats de rire, suscités sans doute par l'étrange figure de Bazin, et qui sortaient du même carrosse, laissaient comme une traînée de joie sur le passage du rapide cortège.

— J'aurais bien dû voir, dit d'Artagnan, que ce n'était pas le roi ; on ne rit pas de si bon cœur quand le roi passe. Hé ! Bazin ! cria-t-il à son voisin qui se penchait aux trois quarts hors de la fenêtre pour suivre plus longtemps le carrosse des yeux, hé ! qu'est-ce que cela ?

— C'est M. Fouquet, dit Bazin d'un air de protection.

— Et tous ces gens ?

— C'est la cour de M. Fouquet.

— Oh ! oh ! dit d'Artagnan, que dirait M. de Mazarin s'il entendait cela ?

Et il se recoucha tout rêveur en se demandant comment il se faisait qu'Aramis fût toujours protégé par le plus puissant du royaume.

« Serait-ce qu'il a plus de chance que moi ou que je serais plus sot que lui ? Bah ! »

C'était le mot concluant à l'aide duquel d'Artagnan devenu sage terminait maintenant chaque pensée et chaque période de son style. Autrefois, il disait « Mordioux ! » ce qui était un coup d'éperon. Mais maintenant il avait vieilli, et il murmurait ce *bah !* philosophique qui sert de bride à toutes les passions.

XVIII

OÙ D'ARTAGNAN CHERCHE PORTHOS ET NE TROUVE QUE MOUSQUETON[1]

Lorsque d'Artagnan se fut bien convaincu que l'absence de M. le vicaire général d'Herblay était réelle, et que son ami n'était point trouvable à Melun ni dans les environs, il quitta Bazin sans regret, donna un coup d'œil sournois au magnifique château de Vaux, qui commençait à briller de cette splendeur qui fit sa ruine, et pinçant ses lèvres comme un homme plein de défiance et de soupçons, il piqua son cheval pie en disant :

— Allons, allons, c'est encore à Pierrefonds que je trouverai le

1. Voir ci-dessus, chap. XVII, p. 103, note 1.

meilleur homme et le meilleur coffre. Or, je n'ai besoin que de cela, puisque moi j'ai l'idée.

Nous ferons grâce à nos lecteurs des incidents prosaïques du voyage de d'Artagnan, qui toucha barre à Pierrefonds dans la matinée du troisième jour. D'Artagnan arrivait par Nanteuil-le-Haudouin et Crépy. De loin, il aperçut le château de Louis d'Orléans, lequel, devenu domaine de la Couronne[1], était gardé par un vieux concierge. C'était un de ces manoirs merveilleux du Moyen Age, aux murailles épaisses de vingt pieds, aux tours hautes de cent.

D'Artagnan longea ses murailles, mesura ses tours des yeux et descendit dans la vallée. De loin il dominait le château de Porthos, situé sur les rives d'un vaste étang et attenant à une magnifique forêt. C'est le même que nous avons déjà eu l'honneur de décrire à nos lecteurs ; nous nous contenterons donc de l'indiquer. La première chose qu'aperçut d'Artagnan après les beaux arbres, après le soleil de mai dorant les coteaux verts, après les longues futaies de bois empanachées qui s'étendent vers Compiègne, ce fut une grande boîte roulante, poussée par deux laquais et traînée par deux autres. Dans cette boîte il y avait une énorme chose vert et or qui arpentait, traînée et poussée, les allées riantes du parc. Cette chose, de loin, était indétaillable et ne signifiait absolument rien ; de plus près, c'était un tonneau affublé de drap vert galonné ; de plus près encore, c'était un homme ou plutôt un poussah dont l'extrémité inférieure, se répandant dans la boîte, en remplissait le contenu ; de plus près encore, cet homme, c'était Mousqueton, Mousqueton blanc de cheveux et rouge de visage comme Polichinelle.

— Eh pardieu ! s'écria d'Artagnan, c'est ce cher M. Mousqueton !

— Ah !... cria le gros homme, ah ! quel bonheur ! quelle joie ! c'est M. d'Artagnan !... Arrêtez, coquins !

Ces derniers mots s'adressaient aux laquais qui le poussaient et qui le tiraient. La boîte s'arrêta, et les quatre laquais, avec une précision toute militaire, ôtèrent à la fois leurs chapeaux galonnés et se rangèrent derrière la boîte.

— Oh ! monsieur d'Artagnan, dit Mousqueton, que ne puis-je vous embrasser les genoux ! Mais je suis devenu impotent, comme vous le voyez.

— Dame ! mon cher Mousqueton, c'est l'âge.

— Non, monsieur, ce n'est pas l'âge : ce sont les infirmités, les chagrins.

1. Bâti au XIIe siècle par les sieurs de Pierrefonds, le château fut donné en 1390 à Louis d'Orléans qui le fit reconstruire à neuf par l'architecte du roi Jean le Noir ; nid de ligueurs, il échut à la fin du XVIe siècle à Antoine d'Estrées, père de la belle Gabrielle, qui, à la mort de Henri IV, prit le parti du prince de Condé. Assiégé par les forces royales, le château fut pris et démantelé. Ses ruines furent achetées en 1813 par Napoléon Ier avant qu'en 1857 Napoléon III en confie la restauration à Viollet-le-Duc.

— Des chagrins, vous, Mousqueton ? dit d'Artagnan en faisant le tour de la boîte ; êtes-vous fou, mon cher ami ? Dieu merci ! vous vous portez comme un chêne de trois cents ans.

— Ah ! les jambes, monsieur, les jambes ! dit le fidèle serviteur.

— Comment, les jambes ?

— Oui, elles ne veulent plus me porter.

— Les ingrates ! Cependant, vous les nourrissez bien, Mousqueton, à ce qu'il me paraît.

— Hélas ! oui, elles n'ont rien à me reprocher sous ce rapport-là, dit Mousqueton avec un soupir ; j'ai toujours fait tout ce que j'ai pu pour mon corps ; je ne suis pas égoïste.

Et Mousqueton soupira de nouveau.

« Est-ce que Mousqueton veut aussi être baron, qu'il soupire de la sorte ? » pensa d'Artagnan.

— Mon Dieu ! monsieur, dit Mousqueton, s'arrachant à une rêverie pénible, mon Dieu ! que Monseigneur sera heureux que vous ayez pensé à lui.

— Bon Porthos, s'écria d'Artagnan ; je brûle de l'embrasser !

— Oh ! dit Mousqueton attendri, je le lui écrirai bien certainement, monsieur.

— Comment, s'écria d'Artagnan, tu le lui écriras ?

— Aujourd'hui même, sans retard.

— Il n'est donc pas ici ?

— Mais, non, monsieur.

— Mais est-il près ? est-il loin ?

— Eh ! le sais-je, monsieur, le sais-je ? fit Mousqueton.

— Mordioux ! s'écria le mousquetaire en frappant du pied, je joue de malheur ! Porthos si casanier !

— Monsieur, il n'y a pas d'homme plus sédentaire que Monseigneur... mais...

— Mais quoi ?

— Quand un ami vous presse...

— Un ami ?

— Eh ! sans doute ; ce digne M. d'Herblay.

— C'est Aramis qui a pressé Porthos ?

— Voici comment la chose s'est passée, monsieur d'Artagnan. M. d'Herblay a écrit à Monseigneur...

— Vraiment ?

— Une lettre, monsieur, une lettre si pressante qu'elle a mis ici tout à feu et à sang !

— Conte-moi cela, cher ami, dit d'Artagnan, mais renvoie un peu ces messieurs, d'abord.

Mousqueton poussa un « Au large, faquins ! » avec des poumons si puissants, qu'il eût suffi du souffle sans les paroles pour faire évaporer les quatre laquais. D'Artagnan s'assit sur le brancard de la boîte et ouvrit ses oreilles.

— Monsieur, dit Mousqueton, Monseigneur a donc reçu une lettre de M. le vicaire général d'Herblay, voici huit ou neuf jours ; c'était le jour des plaisirs... champêtres ; oui, mercredi par conséquent.

— Comment cela ! dit d'Artagnan ; le jour des plaisirs champêtres ?

— Oui, monsieur ; nous avons tant de plaisirs à prendre dans ce délicieux pays que nous en étions encombrés ; si bien que force a été pour nous d'en régler la distribution.

— Comme je reconnais bien l'ordre de Porthos ! Ce n'est pas à moi que cette idée serait venue. Il est vrai que je ne suis pas encombré de plaisirs, moi.

— Nous l'étions, nous, dit Mousqueton.

— Et comment avez-vous réglé cela, voyons ? demanda d'Artagnan.

— C'est un peu long, monsieur.

— N'importe, nous avons le temps, et puis vous parlez si bien, mon cher Mousqueton, que c'est vraiment plaisir de vous entendre.

— Il est vrai, dit Mousqueton avec un signe de satisfaction qui provenait évidemment de la justice qui lui était rendue, il est vrai que j'ai fait de grands progrès dans la compagnie de Monseigneur.

— J'attends la distribution des plaisirs, Mousqueton, et avec impatience ; je veux savoir si je suis arrivé dans un bon jour.

— Oh ! monsieur d'Artagnan, dit mélancoliquement Mousqueton, depuis que Monseigneur est parti, tous les plaisirs sont envolés !

— Eh bien ! mon cher Mousqueton, rappelez vos souvenirs.

— Par quel jour voulez-vous que nous commencions ?

— Eh pardieu ! commencez par le dimanche, c'est le jour du Seigneur.

— Le dimanche, monsieur ?

— Oui.

— Dimanche, plaisirs religieux : Monseigneur va à la messe, rend le pain bénit, se fait faire des discours et des instructions par son aumônier ordinaire. Ce n'est pas fort amusant, mais nous attendons un carme de Paris qui desservira notre aumônerie et qui parle fort bien, à ce que l'on assure ; cela nous éveillera, car l'aumônier actuel nous endort toujours. Donc le dimanche, plaisirs religieux. Le lundi, plaisirs mondains.

— Ah ! ah ! dit d'Artagnan, comment comprends-tu cela, Mousqueton ? Voyons un peu les plaisirs mondains, voyons.

— Monsieur, le lundi, nous allons dans le monde ; nous recevons, nous rendons des visites ; on joue du luth, on danse, on fait des bouts-rimés, enfin on brûle un peu d'encens en l'honneur des dames.

— Peste ! c'est du suprême galant, dit le mousquetaire, qui eut besoin d'appeler à son aide toute la vigueur de ses muscles mastoïdes pour comprimer une énorme envie de rire.

— Mardi, plaisirs savants.

— Ah ! bon ! dit d'Artagnan, lesquels ? Détaille-nous un peu cela, mon cher Mousqueton.

— Monseigneur a acheté une sphère que je vous montrerai, elle remplit tout le périmètre de la grosse tour, moins une galerie qu'il a fait faire au-dessus de la sphère ; il y a des petites ficelles et des fils de laiton après lesquels sont accrochés le soleil et la lune. Cela tourne ; c'est fort beau. Monseigneur me montre les mers et terres lointaines ; nous nous promettons de ne jamais y aller. C'est plein d'intérêt.

— Plein d'intérêt, c'est le mot, répéta d'Artagnan. Et le mercredi ?

— Plaisirs champêtres, j'ai déjà eu l'honneur de vous le dire, monsieur le chevalier : nous regardons les moutons et les chèvres de Monseigneur ; nous faisons danser les bergères avec des chalumeaux et des musettes, ainsi qu'il est écrit dans un livre que Monseigneur possède en sa bibliothèque et qu'on appelle *Bergeries*. L'auteur est mort, voilà un mois à peine.

— M. Racan, peut-être ? fit d'Artagnan.

— C'est cela, M. Racan[1]. Mais ce n'est pas le tout. Nous pêchons à la ligne dans le petit canal, après quoi nous dînons couronnés de fleurs. Voilà pour le mercredi.

— Peste ! dit d'Artagnan, il n'est pas mal partagé, le mercredi. Et le jeudi ? que peut-il rester à ce pauvre jeudi ?

— Il n'est pas malheureux, monsieur, dit Mousqueton souriant. Jeudi, plaisirs olympiques. Ah ! monsieur, c'est superbe ! Nous faisons venir tous les jeunes vassaux de Monseigneur et nous les faisons jeter le disque, lutter, courir. Monseigneur jette le disque comme personne. Et lorsqu'il applique un coup de poing, oh ! quel malheur !

— Comment, quel malheur !

— Oui, monsieur, on a été obligé de renoncer au ceste[2]. Il cassait les têtes, brisait les mâchoires, enfonçait les poitrines. C'est un jeu charmant, mais personne ne voulait plus le jouer avec lui.

— Ainsi, le poignet…

— Oh ! monsieur, plus solide que jamais. Monseigneur baisse un peu quant aux jambes, il l'avoue lui-même ; mais cela s'est réfugié dans les bras, de sorte que…

— De sorte qu'il assomme les bœufs comme autrefois.

— Monsieur, mieux que cela, il enfonce les murs. Dernièrement, après avoir soupé chez un de ses fermiers, vous savez combien Monseigneur est populaire et bon, après souper il fait cette plaisanterie de donner un coup de poing dans le mur, le mur s'écroule, le toit glisse, et il y a trois hommes d'étouffés et une vieille femme.

1. Racan ne mourut que dix ans plus tard, en 1670.

2. *Ceste* : pugilat qui se pratiquait, dans l'Antiquité, avec un gantelet fait d'une courroie garnie de plomb qui était enroulée autour de la main.

— Bon Dieu ! Mousqueton, et ton maître ?

— Oh ! Monseigneur ! il a eu la tête un peu écorchée. Nous lui avons bassiné les chairs avec une eau que les religieuses nous donnent. Mais rien au poing.

— Rien ?

— Rien, monsieur.

— Foin des plaisirs olympiques ! ils doivent coûter trop cher, car enfin les veuves et les orphelins...

— On leur fait des pensions, monsieur, un dixième du revenu de Monseigneur est affecté à cela.

— Passons au vendredi, dit d'Artagnan.

— Le vendredi, plaisirs nobles et guerriers. Nous chassons, nous faisons des armes, nous dressons des faucons, nous domptons des chevaux. Enfin, le samedi est le jour des plaisirs spirituels : nous meublons notre esprit, nous regardons les tableaux et les statues de Monseigneur, nous écrivons même et nous traçons des plans ; enfin, nous tirons les canons de Monseigneur.

— Vous tracez des plans, vous tirez les canons...

— Oui, monsieur.

— Mon ami, dit d'Artagnan, M. du Vallon possède en vérité l'esprit le plus subtil et le plus aimable que je connaisse ; mais il y a une sorte de plaisirs que vous avez oubliés, ce me semble.

— Lesquels, monsieur ? demanda Mousqueton avec anxiété.

— Les plaisirs matériels.

Mousqueton rougit.

— Qu'entendez-vous par là, monsieur ? dit-il en baissant les yeux.

— J'entends la table, le bon vin, la soirée occupée aux évolutions de la bouteille.

— Ah ! monsieur, ces plaisirs-là ne comptent point, nous les pratiquons tous les jours.

— Mon brave Mousqueton, reprit d'Artagnan, pardonne-moi, mais j'ai été tellement absorbé par ton récit plein de charmes, que j'ai oublié le principal point de notre conversation, c'est à savoir ce que M. le vicaire général d'Herblay a pu écrire à ton maître.

— C'est vrai, monsieur, dit Mousqueton, les plaisirs nous ont distraits. Eh bien ! monsieur, voici la chose tout entière.

— J'écoute, mon cher Mousqueton.

— Mercredi...

— Jour des plaisirs champêtres ?

— Oui. Une lettre arrive ; il la reçoit de mes mains. J'avais reconnu l'écriture.

— Eh bien ?

— Monseigneur la lit et s'écrie : « Vite, mes chevaux ! mes armes ! »

— Ah ! mon Dieu ! dit d'Artagnan, c'était encore quelque duel !

— Non pas, monsieur, il y avait ces mots seulement :

Cher Porthos, en route si vous voulez arriver avant l'équinoxe[1]. Je vous attends.

— Mordioux ! fit d'Artagnan rêveur, c'était pressé à ce qu'il paraît.

— Je le crois bien. En sorte, continua Mousqueton, que Monseigneur est parti le jour même avec son secrétaire pour tâcher d'arriver à temps.

— Et sera-t-il arrivé à temps ?

— Je l'espère. Monseigneur qui est haut à la main, comme vous le savez, monsieur, répétait sans cesse : « Tonne Dieu ! qu'est-ce encore que cela, l'équinoxe ? N'importe, il faudra que le drôle soit bien monté, s'il arrivait avant moi. »

— Et tu crois que Porthos sera arrivé le premier ? demanda d'Artagnan.

— J'en suis sûr. Cet équinoxe, si riche qu'il soit, n'a certes pas des chevaux comme Monseigneur !

D'Artagnan contint son envie de rire, parce que la brièveté de la lettre d'Aramis lui donnait fort à penser. Il suivit Mousqueton, ou plutôt le chariot de Mousqueton, jusqu'au château ; il s'assit à une table somptueuse, dont on lui fit les honneurs comme à un roi, mais il ne put rien tirer de Mousqueton : le fidèle serviteur pleurait à volonté, c'était tout.

D'Artagnan, après une nuit passée sur un excellent lit, rêva beaucoup au sens de la lettre d'Aramis, s'inquiéta des rapports de l'équinoxe avec les affaires de Porthos, puis n'y comprenant rien, sinon qu'il s'agissait de quelque amourette de l'évêque pour laquelle il était nécessaire que les jours fussent égaux aux nuits, d'Artagnan quitta Pierrefonds comme il avait quitté Melun, comme il avait quitté le château du comte de La Fère. Ce ne fut cependant pas sans une mélancolie qui pouvait à bon droit passer pour une des plus sombres humeurs de d'Artagnan. La tête baissée, l'œil fixe, il laissait pendre ses jambes sur chaque flanc de son cheval et se disait, dans cette vague rêverie qui monte parfois à la plus sublime éloquence :

« Plus d'amis, plus d'avenir, plus rien ! mes forces sont brisées, comme le faisceau de notre amitié passée. Oh ! la vieillesse arrive, froide, inexorable ; elle enveloppe dans son crêpe funèbre tout ce qui reluisait, tout ce qui embaumait dans ma jeunesse, puis elle jette ce doux fardeau sur son épaule et le porte avec le reste dans ce gouffre sans fond de la mort. »

Un frisson serra le cœur du Gascon, si brave et si fort contre tous les malheurs de la vie, et pendant quelques moments les nuages lui parurent noirs, la terre glissante et glaiseuse comme celle des cimetières.

1. Dumas semble oublier que nous sommes « vers le milieu de mai » et que l'équinoxe hivernal (21 mars) est passé.

— Où vais-je... se dit-il ; que veux-je faire ?... seul... tout seul, sans famille, sans amis... Bah ! s'écria-t-il tout à coup.

Et il piqua des deux sa monture, qui, n'ayant rien trouvé de mélancolique dans la lourde avoine de Pierrefonds, profita de la permission pour montrer sa gaieté par un temps de galop qui absorba deux lieues.

« A Paris ! » se dit d'Artagnan.

Et le lendemain il descendit à Paris.

Il avait mis dix jours à faire ce voyage.

XIX

CE QUE D'ARTAGNAN VENAIT FAIRE A PARIS

Le lieutenant mit pied à terre devant une boutique de la rue des Lombards, à l'enseigne du Pilon-d'Or. Un homme de bonne mine, portant un tablier blanc et caressant sa moustache grise avec une bonne grosse main, poussa un cri de joie en apercevant le cheval pie.

— Monsieur le chevalier, dit-il ; ah ! c'est vous !

— Bonjour, Planchet ! répondit d'Artagnan en faisant le gros dos pour entrer dans la boutique.

— Vite, quelqu'un, cria Planchet, pour le cheval de M. d'Artagnan, quelqu'un pour sa chambre, quelqu'un pour son souper !

— Merci, Planchet ! bonjour, mes enfants, dit d'Artagnan aux garçons empressés.

— Vous permettez que j'expédie ce café, cette mélasse et ces raisins cuits ? dit Planchet, ils sont destinés à l'office de M. le surintendant.

— Expédie, expédie.

— C'est l'affaire d'un moment, puis nous souperons.

— Fais que nous soupions seuls, dit d'Artagnan, j'ai à te parler.

Planchet regarda son ancien maître d'une façon significative.

— Oh ! tranquillise-toi, ce n'est rien que d'agréable, dit d'Artagnan.

— Tant mieux ! tant mieux !...

Et Planchet respira, tandis que d'Artagnan s'asseyait fort simplement dans la boutique sur une balle de bouchons, et prenait connaissance des localités. La boutique était bien garnie ; on respirait là un parfum de gingembre, de cannelle et de poivre pilé qui fit éternuer d'Artagnan.

Les garçons, heureux d'être aux côtés d'un homme de guerre aussi renommé qu'un lieutenant de mousquetaires qui approchait la personne du roi, se mirent à travailler avec un enthousiasme qui tenait du délire, et à servir les pratiques avec une précipitation dédaigneuse que plus d'un remarqua.

Planchet encaissait l'argent et faisait ses comptes entrecoupés de politesses à l'adresse de son ancien maître. Planchet avait avec ses clients la parole brève et la familiarité hautaine du marchand riche, qui sert tout le monde et n'attend personne. D'Artagnan observa cette nuance avec un plaisir que nous analyserons plus tard. Il vit peu à peu la nuit venir ; et enfin, Planchet le conduisit dans une chambre du premier étage, où, parmi les ballots et les caisses, une table fort proprement servie attendait deux convives.

D'Artagnan profita d'un moment de répit pour considérer la figure de Planchet, qu'il n'avait pas vu depuis un an. L'intelligent Planchet avait pris du ventre, mais son visage n'était pas boursouflé. Son regard brillant jouait encore avec facilité dans ses orbites profondes, et la graisse, qui nivelle toutes les saillies caractéristiques du visage humain, n'avait encore touché ni à ses pommettes saillantes, indice de ruse et de cupidité, ni à son menton aigu, indice de finesse et de persévérance[1]. Planchet trônait avec autant de majesté dans sa salle à manger que dans sa boutique. Il offrit à son maître un repas frugal, mais tout parisien : le rôti cuit au four du boulanger, avec les légumes, la salade, et le dessert emprunté à la boutique même. D'Artagnan trouva bon que l'épicier eût tiré de derrière les fagots une bouteille de ce vin d'Anjou qui, durant toute la vie de d'Artagnan, avait été son vin de prédilection.

— Autrefois, monsieur, dit Planchet avec un sourire plein de bonhomie, c'était moi qui vous buvais votre vin ; maintenant, j'ai le bonheur que vous buviez le mien.

— Et Dieu merci ! ami Planchet, je le boirai encore longtemps, j'espère, car à présent me voilà libre.

— Libre ! Vous avez congé, monsieur ?

— Illimité !

— Vous quittez le service ? dit Planchet stupéfait.

— Oui, je me repose.

— Et le roi ? s'écria Planchet, qui ne pouvait supposer que le roi pût se passer des services d'un homme tel que d'Artagnan.

— Et le roi cherchera fortune ailleurs... Mais nous avons bien soupé, tu es en veine de saillies, tu m'excites à te faire des confidences, ouvre donc tes oreilles.

— J'ouvre.

Et Planchet, avec un rire plus franc que malin, décoiffa une bouteille de vin blanc.

— Laisse-moi ma raison seulement.

— Oh ! quand vous perdrez la tête, vous, monsieur...

1. Inspiré de la *Physiognomonie* de Lavater, largement répandue au XIXe siècle.

— Maintenant, ma tête est à moi, et je prétends la ménager plus que jamais. D'abord causons finances... Comment se porte notre argent ?

— A merveille, monsieur. Les vingt mille livres que j'ai reçues de vous sont placées toujours dans mon commerce, où elles rapportent neuf pour cent ; je vous en donne sept, je gagne donc sur vous.

— Et tu es toujours content ?

— Enchanté. Vous m'en apportez d'autres ?

— Mieux que cela... Mais en as-tu besoin ?

— Oh ! que non pas. Chacun m'en veut confier à présent. J'étends mes affaires.

— C'était ton projet.

— Je fais un jeu de banque... J'achète les marchandises de mes confrères nécessiteux, je prête de l'argent à ceux qui sont gênés pour les remboursements.

— Sans usure ?...

— Oh ! monsieur, la semaine passée j'ai eu deux rendez-vous au boulevard pour ce mot que vous venez de prononcer.

— Comment !

— Vous allez comprendre : il s'agissait d'un prêt... L'emprunteur me donne en caution des cassonades avec condition que je vendrais si le remboursement n'avait pas lieu à une époque fixe. Je prête mille livres. Il ne me paie pas, je vends les cassonades treize cents livres. Il l'apprend et réclame cent écus. Ma foi, j'ai refusé... prétendant que je pouvais ne les vendre que neuf cents livres. Il m'a dit que je faisais de l'usure. Je l'ai prié de me répéter cela derrière le boulevard. C'est un ancien garde, il est venu ; je lui ai passé votre épée au travers de la cuisse gauche.

— Tudieu ! quelle banque tu fais ! dit d'Artagnan.

— Au-dessus de treize pour cent je me bats, répliqua Planchet ; voilà mon caractère.

— Ne prends que douze, dit d'Artagnan, et appelle le reste prime et courtage.

— Vous avez raison, monsieur. Mais votre affaire ?

— Ah ! Planchet, c'est bien long et bien difficile à dire.

— Dites toujours.

D'Artagnan se gratta la moustache comme un homme embarrassé de sa confidence et défiant du confident.

— C'est un placement ? demanda Planchet.

— Mais, oui.

— D'un beau produit ?

— D'un joli produit : quatre cents pour cent, Planchet.

Planchet donna un coup de poing sur la table avec tant de raideur que les bouteilles en bondirent comme si elles avaient peur.

— Est-ce Dieu possible !

— Je crois qu'il y aura plus, dit froidement d'Artagnan, mais enfin j'aime mieux dire moins.

— Ah diable ! fit Planchet se rapprochant... Mais, monsieur, c'est magnifique !... Peut-on mettre beaucoup d'argent ?

— Vingt mille livres chacun, Planchet.

— C'est tout votre avoir, monsieur. Pour combien de temps ?

— Pour un mois.

— Et cela nous donnera ?

— Cinquante mille livres chacun ; compte.

— C'est monstrueux !... Il faudra se bien battre pour un jeu comme celui-là ?

— Je crois en effet qu'il se faudra battre pas mal, dit d'Artagnan avec la même tranquillité ; mais cette fois, Planchet, nous sommes deux, et je prends les coups pour moi seul.

— Monsieur, je ne souffrirai pas...

— Planchet, tu ne peux en être, il te faudrait quitter ton commerce.

— L'affaire ne se fait pas à Paris ?

— Non.

— Ah ! à l'étranger ?

— En Angleterre.

— Pays de spéculation, c'est vrai, dit Planchet... pays que je connais beaucoup... Quelle sorte d'affaire, monsieur, sans trop de curiosité ?

— Planchet, c'est une restauration.

— De monuments ?

— Oui, de monuments, nous restaurerons White Hall.

— C'est important... Et en un mois vous croyez ?...

— Je m'en charge.

— Cela vous regarde, monsieur, et une fois que vous vous en mêlez...

— Oui, cela me regarde... je suis fort au courant... cependant je te consulterai volontiers.

— C'est beaucoup d'honneur... mais je m'entends mal à l'architecture.

— Planchet... tu as tort, tu es un excellent architecte, aussi bon que moi pour ce dont il s'agit.

— Merci...

— J'avais, je te l'avoue, été tenté d'offrir la chose à ces Messieurs, mais ils sont absents de leurs maisons... C'est fâcheux, je n'en connais pas de plus hardis ni de plus adroits.

— Ah çà ! il paraît qu'il y aura concurrence et que l'entreprise sera disputée ?

— Oh ! oui, Planchet, oui...

— Je brûle d'avoir des détails, monsieur.

— En voici, Planchet, ferme bien toutes les portes.

— Oui, monsieur.

Et Planchet s'enferma d'un triple tour.

— Bien ; maintenant, approche-toi de moi.

Planchet obéit.

— Et ouvre la fenêtre, parce que le bruit des passants et des chariots rendra sourds tous ceux qui pourraient nous entendre.

Planchet ouvrit la fenêtre comme on le lui avait prescrit, et la bouffée de tumulte qui s'engouffra dans la chambre, cris, roues, aboiements et pas, assourdit d'Artagnan lui-même, selon qu'il l'avait désiré. Ce fut alors qu'il but un verre de vin blanc et qu'il commença en ces termes :

— Planchet, j'ai une idée.

— Ah ! monsieur, je vous reconnais bien là, répondit l'épicier, pantelant d'émotion.

XX

DE LA SOCIÉTÉ QUI SE FORME RUE DES LOMBARDS A L'ENSEIGNE DU PILON-D'OR, POUR EXPLOITER L'IDÉE DE M. D'ARTAGNAN

Après un instant de silence, pendant lequel d'Artagnan parut recueillir non pas une idée, mais toutes ses idées :

— Il n'est point, mon cher Planchet, dit-il, que tu n'aies entendu parler de Sa Majesté Charles Ier, roi d'Angleterre ?

— Hélas ! oui, monsieur, puisque vous avez quitté la France pour lui porter secours ; que malgré ce secours il est tombé et a failli vous entraîner dans sa chute.

— Précisément ; je vois que tu as bonne mémoire, Planchet.

— Peste ! monsieur, l'étonnant serait que je l'eusse perdue, cette mémoire, si mauvaise qu'elle fût. Quand on a entendu Grimaud qui, vous le savez, ne raconte guère, raconter comment est tombée la tête du roi Charles, comment vous avez voyagé la moitié d'une nuit dans un bâtiment miné, et vu revenir sur l'eau ce bon M. Mordaunt avec certain poignard à manche doré dans la poitrine, on n'oublie pas ces choses-là[1].

— Il y a pourtant des gens qui les oublient, Planchet.

— Oui, ceux qui ne les ont pas vues ou qui n'ont pas entendu Grimaud les raconter.

— Eh bien ! tant mieux, puisque tu te rappelles tout cela, je n'aurai

1. Voir *Vingt Ans après*, chap. LXXVIII.

besoin de te rappeler qu'une chose, c'est que le roi Charles Ier avait un fils.

— Il en avait même deux, monsieur, sans vous démentir, dit Planchet ; car j'ai vu le second à Paris, M. le duc d'York, un jour qu'il se rendait au Palais-Royal, et l'on m'a assuré que ce n'était que le second fils du roi Charles Ier. Quant à l'aîné, j'ai l'honneur de le connaître de nom, mais pas de vue.

— Voilà justement, Planchet, où nous en devons venir : c'est à ce fils aîné qui s'appelait autrefois le prince de Galles, et qui s'appelle aujourd'hui Charles II, roi d'Angleterre.

— Roi sans royaume, monsieur, répondit sentencieusement Planchet.

— Oui, Planchet, et tu peux ajouter malheureux prince, plus malheureux qu'un homme du peuple perdu dans le plus misérable quartier de Paris.

Planchet fit un geste plein de cette compassion banale que l'on accorde aux étrangers avec lesquels on ne pense pas qu'on puisse jamais se trouver en contact. D'ailleurs, il ne voyait, dans cette opération politico-sentimentale, poindre aucunement l'idée commerciale de M. d'Artagnan, et c'était à cette idée qu'il en avait principalement. D'Artagnan, qui avait l'habitude de bien comprendre les choses et les hommes, comprit Planchet.

— J'arrive, dit-il. Ce jeune prince de Galles, roi sans royaume, comme tu dis fort bien, Planchet, m'a intéressé, moi, d'Artagnan. Je l'ai vu mendier l'assistance de Mazarin, qui est un cuistre, et le secours du roi Louis, qui est un enfant, et il m'a semblé, à moi qui m'y connais, que dans cet œil intelligent du roi déchu, dans cette noblesse de toute sa personne, noblesse qui a surnagé au-dessus de toutes les misères, il y avait l'étoffe d'un homme de cœur et d'un roi.

Planchet approuva tacitement : tout cela, à ses yeux du moins, n'éclairait pas encore l'idée de d'Artagnan. Celui-ci continua :

— Voici donc le raisonnement que je me suis fait. Écoute bien, Planchet, car nous approchons de la conclusion.

— J'écoute.

— Les rois ne sont pas semés tellement dru sur la terre que les peuples en trouvent là où ils en ont besoin. Or ce roi sans royaume est à mon avis une graine réservée qui doit fleurir en une saison quelconque, pourvu qu'une main adroite, discrète et vigoureuse, la sème bel et bien, en choisissant sol, ciel et temps.

Planchet approuvait toujours de la tête, ce qui prouvait qu'il ne comprenait toujours pas.

— Pauvre petite graine de roi ! me suis-je dit, et réellement j'étais attendri, Planchet, ce qui me fait penser que j'entame une bêtise. Voilà pourquoi j'ai voulu te consulter, mon ami.

Planchet rougit de plaisir et d'orgueil.

— Pauvre petite graine de roi ! je te ramasse, moi, et je vais te jeter dans une bonne terre.

— Ah ! mon Dieu ! dit Planchet en regardant fixement son ancien maître, comme s'il eût douté de tout l'éclat de sa raison.

— Eh bien ! quoi ? demanda d'Artagnan, qui te blesse ?

— Moi, rien, monsieur.

— Tu as dit : « Ah ! mon Dieu ! »

— Vous croyez ?

— J'en suis sûr. Est-ce que tu comprendrais déjà ?

— J'avoue, monsieur d'Artagnan, que j'ai peur...

— De comprendre ?

— Oui.

— De comprendre que je veux faire remonter sur le trône le roi Charles II, qui n'a plus de trône ? Est-ce cela ?

Planchet fit un bond prodigieux sur sa chaise.

— Ah ! Ah ! dit-il tout effaré ; voilà donc ce que vous appelez une restauration, vous !

— Oui, Planchet, n'est-ce pas ainsi que la chose se nomme ?

— Sans doute, sans doute. Mais avez-vous bien réfléchi ?

— A quoi ?

— A ce qu'il y a là-bas ?

— Où ?

— En Angleterre.

— Et qu'y a-t-il, voyons, Planchet ?

— D'abord, monsieur, je vous demande pardon si je me mêle de ces choses-là, qui ne sont point de mon commerce ; mais puisque c'est une affaire que vous me proposez... car vous me proposez une affaire, n'est-ce pas ?

— Superbe, Planchet.

— Mais puisque vous me proposez une affaire, j'ai le droit de la discuter.

— Discute, Planchet ; de la discussion naît la lumière.

— Eh bien ! puisque j'ai la permission de Monsieur, je lui dirai qu'il y a là-bas les parlements d'abord.

— Eh bien ! après ?

— Et puis l'armée.

— Bon. Vois-tu encore quelque chose ?

— Et puis la nation.

— Est-ce tout ?

— La nation, qui a consenti la chute et la mort du feu roi, père de celui-là, et qui ne se voudra point démentir.

— Planchet, mon ami, dit d'Artagnan, tu raisonnes comme un fromage. La nation... la nation est lasse de ces messieurs qui s'appellent de noms barbares et qui lui chantent des psaumes. Chanter pour chanter, mon cher Planchet, j'ai remarqué que les nations aimaient mieux chanter la gaudriole que le plain-chant. Rappelle-toi la Fronde ; a-t-on chanté dans ces temps-là ! Eh bien ! c'était le bon temps.

— Pas trop, pas trop ; j'ai manqué y être pendu.

— Oui, mais tu ne l'as pas été ?

— Non.

— Et tu as commencé ta fortune au milieu de toutes ces chansons-là ?

— C'est vrai.

— Tu n'as donc rien à dire ?

— Si fait ! j'en reviens à l'armée et aux parlements.

— J'ai dit que j'empruntais vingt mille livres à M. Planchet, et que je mettais vingt mille livres de mon côté ; avec ces quarante mille livres je lève une armée.

Planchet joignit les mains ; il voyait d'Artagnan sérieux, il crut de bonne foi que son maître avait perdu le sens.

— Une armée !... Ah ! monsieur, fit-il avec son plus charmant sourire, de peur d'irriter ce fou et d'en faire un furieux. Une armée... nombreuse ?

— De quarante hommes, dit d'Artagnan.

— Quarante contre quarante mille, ce n'est point assez. Vous valez bien mille hommes à vous tout seul, monsieur d'Artagnan, je le sais bien ; mais où trouverez-vous trente-neuf hommes qui vaillent autant que vous ? ou, les trouvant, qui vous fournira l'argent pour les payer ?

— Pas mal, Planchet... Ah ! diable ! tu te fais courtisan.

— Non, monsieur, je dis ce que je pense, et voilà justement pourquoi je dis qu'à la première bataille rangée que vous livrerez avec vos quarante hommes, j'ai bien peur...

— Aussi ne livrerai-je pas de bataille rangée, mon cher Planchet, dit en riant le Gascon. Nous avons, dans l'Antiquité, des exemples très beaux de retraites et de marches savantes qui consistaient à éviter l'ennemi au lieu de l'aborder. Tu dois savoir cela, Planchet, toi qui as commandé les Parisiens le jour où ils eussent dû se battre contre les mousquetaires, et qui as si bien calculé les marches et les contremarches, que tu n'as point quitté la place Royale[1].

Planchet se mit à rire.

— Il est de fait, répondit-il, que si vos quarante hommes se cachent toujours et qu'ils ne soient pas maladroits, ils peuvent espérer de n'être pas battus ; mais enfin, vous vous proposez un résultat quelconque ?

— Sans aucun doute. Voici donc, à mon avis, le procédé à employer pour replacer promptement Sa Majesté Charles II sur le trône.

---

1. Voir *Vingt Ans après*, chap. LXXXIII.

— Bon ! s'écria Planchet en redoublant d'attention, voyons ce procédé. Mais auparavant il me semble que nous oublions quelque chose.

— Quoi ?

— Nous avons mis de côté la nation, qui aime mieux chanter des gaudrioles que des psaumes, et l'armée, que nous ne combattons pas ; mais restent les parlements, qui ne chantent guère.

— Et qui ne se battent pas davantage. Comment, toi, Planchet, un homme intelligent, tu t'inquiètes d'un tas de braillards qui s'appellent les *croupions* et les *décharnés* ! Les parlements[1] ne m'inquiètent pas, Planchet.

— Du moment où ils n'inquiètent pas Monsieur, passons outre.

— Oui, et arrivons au résultat. Te rappelles-tu Cromwell, Planchet ?

— J'en ai beaucoup ouï parler, monsieur.

— C'était un rude guerrier.

— Et un terrible mangeur, surtout.

— Comment cela ?

— Oui, d'un seul coup il a avalé l'Angleterre.

— Eh bien ! Planchet, le lendemain du jour où il avala l'Angleterre, si quelqu'un eût avalé M. Cromwell ?...

— Oh ! monsieur, c'est un des premiers axiomes de mathématiques que le contenant doit être plus grand que le contenu.

— Très bien !... Voilà notre affaire, Planchet.

— Mais M. Cromwell est mort, et son contenant maintenant, c'est la tombe.

— Mon cher Planchet, je vois avec plaisir que non seulement tu es devenu mathématicien, mais encore philosophe.

— Monsieur, dans mon commerce d'épicerie, j'utilise beaucoup de papier imprimé ; cela m'instruit.

— Bravo ! Tu sais donc, en ce cas-là... car tu n'as pas appris les mathématiques et la philosophie sans un peu d'histoire... qu'après ce Cromwell si grand, il en est venu un tout petit.

— Oui ; celui-là s'appelait Richard, et il a fait comme vous, monsieur d'Artagnan, il a donné sa démission.

— Bien, très bien ! Après le grand, qui est mort ; après le petit, qui a donné sa démission, est venu un troisième. Celui-là s'appelle M. Monck ; c'est un général fort habile, en ce qu'il ne s'est jamais battu ; c'est un diplomate très fort, en ce qu'il ne parle jamais, et qu'avant de dire bonjour à un homme, il médite douze heures, et finit par dire bonsoir ; ce qui fait crier au miracle, attendu que cela tombe juste.

---

1. Le *Long Parliament* ou *Rump Parliament* (Parlement Croupion), dernier parlement convoqué par Charles Ier en 1640, fut dispersé par Cromwell en 1653, alors qu'il ne comptait plus qu'une centaine de membres ; le *Barebone's Parliament*, qui lui succéda (juillet 1653), fut une convention chargée de rédiger une nouvelle constitution avant d'être dissous

— C'est très fort, en effet, dit Planchet ; mais je connais, moi, un autre homme politique qui ressemble beaucoup à celui-là.

— M. de Mazarin, n'est-ce pas ?

— Lui-même.

— Tu as raison, Planchet ; seulement, M. de Mazarin n'aspire pas au trône de France ; cela change tout, vois-tu. Eh bien ! ce M. Monck, qui a déjà l'Angleterre toute rôtie sur son assiette et qui ouvre déjà la bouche pour l'avaler, ce M. Monck, qui dit aux gens de Charles II et à Charles II lui-même : « *Nescio vos*[1]... »

— Je ne sais pas l'anglais, dit Planchet.

— Oui, mais moi, je le sais, dit d'Artagnan. *Nescio vos* signifie : « Je ne vous connais pas. » Ce M. Monck, l'homme important de l'Angleterre elle-même, quand il l'aura engloutie...

— Eh bien ? demanda Planchet.

— Eh bien ! mon ami, je vais là-bas, et avec mes quarante hommes je l'enlève, je l'emballe, et je l'apporte en France, où deux partis se présentent à mes yeux éblouis.

— Et aux miens ! s'écria Planchet, transporté d'enthousiasme. Nous le mettons dans une cage et nous le montrons pour de l'argent.

— Eh bien ! Planchet, c'est un troisième parti auquel je n'avais pas songé et que tu viens de trouver, toi.

— Le croyez-vous bon ?

— Oui, certainement ; mais je crois les miens meilleurs.

— Voyons les vôtres, alors.

— 1° je le mets à rançon.

— De combien ?

— Peste ! un gaillard comme cela vaut bien cent mille écus.

— Oh ! oui.

— Tu vois : 1° je le mets à rançon de cent mille écus.

« Ou bien, ce qui est mieux encore, je le livre au roi Charles, qui, n'ayant plus ni général d'armée à craindre, ni diplomate à jouer, se restaurera lui-même, et, une fois restauré, me comptera les cent mille écus en question. Voilà l'idée que j'ai eue ; qu'en dis-tu, Planchet ?

— Magnifique, monsieur ! s'écria Planchet tremblant d'émotion. Et comment cette idée-là vous est-elle venue ?

— Elle m'est venue un matin au bord de la Loire, tandis que le roi Louis XIV, notre bien-aimé roi, pleurnichait sur la main de Mlle de Mancini.

— Monsieur, je vous garantis que l'idée est sublime. Mais...

— Ah ! il y a un mais.

— Permettez ! Mais elle est un peu comme la peau de ce bel ours,

1. Matthieu, XXV, 12 : paroles adressées aux vierges folles dans la parabole évangélique.

vous savez, qu'on devait vendre, mais qu'il fallait prendre sur l'ours vivant[1]. Or, pour prendre M. Monck, il y aura bagarre.

— Sans doute, mais puisque je lève une armée.

— Oui, oui, je comprends, parbleu ! un coup de main. Oh ! alors, monsieur, vous triompherez, car nul ne vous égale en ces sortes de rencontres.

— J'y ai du bonheur, c'est vrai, dit d'Artagnan, avec une orgueilleuse simplicité ; tu comprends que si pour cela j'avais mon cher Athos, mon brave Porthos et mon rusé Aramis, l'affaire était faite ; mais ils sont perdus, à ce qu'il paraît, et nul ne sait où lės retrouver. Je ferai donc le coup tout seul. Maintenant, trouves-tu l'affaire bonne et le placement avantageux ?

— Trop ! trop !

— Comment cela ?

— Parce que les belles choses n'arrivent jamais à point.

— Celle-là est infaillible, Planchet, et la preuve, c'est que je m'y emploie. Ce sera pour toi un assez joli lucre et pour moi un coup assez intéressant. On dira : « Voilà quelle fut la vieillesse de M. d'Artagnan » ; et j'aurai une place dans les histoires et même dans l'histoire, Planchet.

— Monsieur ! s'écria Planchet, quand je pense que c'est ici, chez moi, au milieu de ma cassonade, de mes pruneaux et de ma cannelle que ce gigantesque projet se mûrit, il me semble que ma boutique est un palais.

— Prends garde, prends garde, Planchet ; si le moindre bruit transpire, il y a Bastille pour nous deux ; prends garde, mon ami, car c'est un complot que nous faisons là : M. Monck est l'allié de M. de Mazarin ; prends garde.

— Monsieur, quand on a eu l'honneur de vous appartenir, on n'a pas peur, et quand on a l'avantage d'être lié d'intérêt avec vous, on se tait.

— Fort bien, c'est ton affaire encore plus que la mienne, attendu que dans huit jours, moi, je serai en Angleterre.

— Partez, monsieur, partez ; le plus tôt sera le mieux.

— Alors, l'argent est prêt ?

— Demain il le sera, demain vous le recevrez de ma main. Voulez-vous de l'or ou de l'argent ?

— De l'or, c'est plus commode. Mais comment allons-nous arranger cela ? Voyons.

— Oh ! mon Dieu, de la façon la plus simple : vous me donnez un reçu, voilà tout.

— Non pas, non pas, dit vivement d'Artagnan, il faut de l'ordre en toutes choses.

1. Voir La Fontaine, « L'Ours et les Deux Compagnons », *Fables*, livre V, XX : « Deux compagnons, pressés d'argent, / A leur voisin fourreur vendirent / La peau de l'ours encore vivant. »

— C'est aussi mon opinion... mais avec vous, monsieur d'Artagnan...

— Et si je meurs là-bas, si je suis tué d'une balle de mousquet, si je crève pour avoir bu de la bière?

— Monsieur, je vous prie de croire qu'en ce cas je serais tellement affligé de votre mort, que je ne penserais point à l'argent.

— Merci, Planchet, mais cela n'empêche. Nous allons, comme deux clercs de procureur, rédiger ensemble une convention, une espèce d'acte qu'on pourrait appeler un acte de société.

— Volontiers, monsieur.

— Je sais bien que c'est difficile à rédiger, mais nous essaierons.

Planchet alla chercher une plume, de l'encre et du papier.

D'Artagnan prit la plume, la trempa dans l'encre et écrivit:

Entre messire d'Artagnan, ex-lieutenant des mousquetaires du roi, actuellement demeurant rue Tiquetonne, *Hôtel de la Chevrette*,

Et le sieur Planchet, épicier, demeurant rue des Lombards, à l'enseigne du *Pilon-d'Or*,

A été convenu ce qui suit:

Une société au capital de quarante mille livres est formée à l'effet d'exploiter une idée apportée par M. d'Artagnan.

Le sieur Planchet, qui connaît cette idée et qui l'approuve en tous points, versera vingt mille livres entre les mains de M. d'Artagnan.

Il n'en exigera ni remboursement ni intérêt avant le retour d'un voyage que M. d'Artagnan va faire en Angleterre.

De son côté, M. d'Artagnan s'engage à verser vingt mille livres qu'il joindra aux vingt mille déjà versées par le sieur Planchet.

Il usera de ladite somme de quarante mille livres comme bon lui semblera, s'engageant toutefois à une chose qui va être énoncée ci-dessous.

Le jour où M. d'Artagnan aura rétabli par un moyen quelconque Sa Majesté le roi Charles II sur le trône d'Angleterre, il versera entre les mains de M. Planchet la somme de...

— La somme de cent cinquante mille livres, dit naïvement Planchet voyant que d'Artagnan s'arrêtait.

— Ah! diable! non, dit d'Artagnan, le partage ne peut pas se faire par moitié, ce ne serait pas juste.

— Cependant, monsieur, nous mettons moitié chacun, objecta timidement Planchet.

— Oui, mais écoute la clause, mon cher Planchet, et si tu ne la trouves pas équitable en tout point quand elle sera écrite, eh bien! nous la rayerons.

Et d'Artagnan écrivit:

Toutefois, comme M. d'Artagnan apporte à l'association, outre le capital de vingt mille livres, son temps, son idée, son industrie et sa peau, choses qu'il apprécie fort, surtout cette dernière, M. d'Artagnan gardera, sur les trois cent mille livres, deux cent mille livres pour lui, ce qui portera sa part aux deux tiers.

— Très bien, dit Planchet.

— Est-ce juste ? demanda d'Artagnan.

— Parfaitement juste, monsieur.

— Et tu seras content moyennant cent mille livres ?

— Peste ! je crois bien. Cent mille livres pour vingt mille livres !

— Et à un mois, comprends bien.

— Comment, à un mois ?

— Oui, je ne te demande qu'un mois.

— Monsieur, dit généreusement Planchet, je vous donne six semaines.

— Merci, répondit fort civilement le mousquetaire.

Après quoi, les deux associés relurent l'acte.

— C'est parfait, monsieur, dit Planchet, et feu M. Coquenard, le premier époux de Mme la baronne du Vallon, n'aurait pas fait mieux.

— Tu trouves ? Eh bien ! alors, signons.

Et tous deux apposèrent leur parafe.

— De cette façon, dit d'Artagnan, je n'aurai obligation à personne.

— Mais moi, j'aurai obligation à vous, dit Planchet.

— Non, car si tendrement que j'y tienne, Planchet, je puis laisser ma peau là-bas, et tu perdras tout. A propos, peste ! cela me fait penser au principal, une clause indispensable, je l'écris :

Dans le cas où M. d'Artagnan succomberait à l'œuvre, la liquidation se trouvera faite et le sieur Planchet donne dès à présent quittance à l'ombre de messire d'Artagnan des vingt mille livres par lui versées dans la caisse de ladite association.

Cette dernière clause fit froncer le sourcil à Planchet ; mais lorsqu'il vit l'œil si brillant, la main si musculeuse, l'échine si souple et si robuste de son associé, il reprit courage, et sans regret, haut la main, il ajouta un trait à son parafe. D'Artagnan en fit autant. Ainsi fut rédigé le premier acte de société connu ; peut-être a-t-on un peu abusé depuis de la forme et du fond.

— Maintenant, dit Planchet en versant un dernier verre de vin d'Anjou à d'Artagnan, maintenant, allez dormir, mon cher maître.

— Non pas, répliqua d'Artagnan, car le plus difficile maintenant reste à faire, et je vais rêver à ce plus difficile.

— Bah ! dit Planchet, j'ai si grande confiance en vous, monsieur d'Artagnan, que je ne donnerais pas mes cent mille livres pour quatre-vingt-dix mille.

— Et le diable m'emporte ! dit d'Artagnan, je crois que tu aurais raison.

Sur quoi d'Artagnan prit une chandelle, monta à sa chambre et se coucha.

XXI

OÙ D'ARTAGNAN SE PRÉPARE A VOYAGER POUR LA MAISON PLANCHET ET COMPAGNIE

D'Artagnan rêva si bien toute la nuit, que son plan fut arrêté dès le lendemain matin.

— Voilà ! dit-il en se mettant sur son séant dans son lit et en appuyant son coude sur son genou et son menton dans sa main, voilà ! Je chercherai quarante hommes bien sûrs et bien solides, recrutés parmi des gens un peu compromis, mais ayant des habitudes de discipline. Je leur promettrai cinq cents livres pour un mois, s'ils reviennent ; rien, s'ils ne reviennent pas, ou moitié pour leurs collatéraux. Quant à la nourriture et au logement, cela regarde les Anglais, qui ont des bœufs au pâturage, du lard au saloir, des poules au poulailler et du grain en grange. Je me présenterai au général Monck avec ce corps de troupe. Il m'agréera. J'aurai sa confiance, et j'en abuserai le plus vite possible.

Mais, sans aller plus loin, d'Artagnan secoua la tête et s'interrompit.

— Non, dit-il, je n'oserais raconter cela à Athos ; le moyen est donc peu honorable. Il faut user de violence, continua-t-il, il le faut bien certainement, sans avoir en rien engagé ma loyauté. Avec quarante hommes je courrai la campagne comme partisan. Oui, mais si je rencontre, non pas quarante mille Anglais, comme disait Planchet, mais purement et simplement quatre cents ? Je serai battu, attendu que, sur mes quarante guerriers, il s'en trouvera dix au moins de véreux, dix qui se feront tuer tout de suite par bêtise. Non, en effet, impossible d'avoir quarante hommes sûrs ; cela n'existe pas. Il faut savoir se contenter de trente. Avec dix hommes de moins j'aurai le droit d'éviter la rencontre à main armée, à cause du petit nombre de mes gens, et si la rencontre a lieu, mon choix est bien plus certain sur trente hommes que sur quarante. En outre, j'économise cinq mille francs, c'est-à-dire le huitième de mon capital, cela en vaut la peine. C'est dit, j'aurai donc trente hommes. Je les diviserai en trois bandes, nous nous éparpillerons dans le pays avec injonction de nous réunir à un moment donné ; de cette façon, dix par dix, nous ne donnons pas le moindre soupçon, nous passons inaperçus. Oui, oui, trente, c'est un merveilleux nombre. Il y a trois dizaines ; trois, ce nombre divin. Et puis, vraiment, une compagnie de trente hommes, lorsqu'elle sera réunie, cela aura encore quelque chose d'imposant. Ah ! malheureux que je suis, continua d'Artagnan, il faut trente chevaux ; c'est ruineux. Où diable avais-je la tête en oubliant les chevaux ? On ne peut songer cependant à faire un coup pareil sans chevaux. Eh bien ! soit ! ce sacrifice, nous le ferons, quitte à prendre les chevaux dans le pays ; ils n'y sont pas mauvais, d'ailleurs. Mais j'oubliais, peste ! trois bandes, cela nécessite trois commandants, voilà la difficulté : sur les trois commandants, j'en ai déjà un, c'est moi ; oui, mais les deux autres coûteront à eux seuls presque autant d'argent que tout le reste de la troupe. Non, décidément, il ne faudrait qu'un seul lieutenant. En ce cas, alors, je réduirai ma troupe à vingt hommes. Je sais bien que c'est peu, vingt hommes ; mais puisque avec trente j'étais décidé à ne pas chercher les coups, je le serai bien plus encore avec vingt. Vingt, c'est un compte rond ; cela d'ailleurs réduit de dix le nombre des chevaux, ce qui est une considération ; et alors, avec un bon lieutenant... Mordieu ! ce que c'est pourtant que patience et calcul ! N'allais-je pas m'embarquer avec quarante hommes, et voilà maintenant que je me réduis à vingt pour un égal succès. Dix mille livres d'épargnées d'un seul coup et plus de sûreté, c'est bien cela. Voyons à cette heure : il ne s'agit plus que de trouver ce lieutenant ; trouvons-le donc, et après... Ce n'est pas facile, il me le faut brave et bon, un second moi-même. Oui, mais un lieutenant aura mon secret, et comme ce secret vaut un million et que je ne paierai à mon homme que mille livres, quinze cents livres au plus, mon homme vendra le secret à Monck. Pas de lieutenant, mordioux ! D'ailleurs, cet homme fût-il muet comme un disciple de Pythagore[1], cet homme aura bien dans la troupe un soldat favori dont il fera son sergent ; le sergent pénétrera le secret du lieutenant, au cas où celui-ci sera honnête et ne voudra pas le vendre. Alors le sergent, moins probe et moins ambitieux, donnera le tout pour cinquante mille livres. Allons, allons ! c'est impossible ! Décidément le lieutenant est impossible. Mais alors plus de fractions, je ne puis diviser ma troupe en deux et agir sur deux points à la fois sans un autre moi-même qui... Mais à quoi bon agir sur deux points, puisque nous n'avons qu'un homme à prendre ? A quoi bon affaiblir un corps en mettant la droite ici, la gauche là ? Un seul corps, mordioux ! un seul, et commandé par d'Artagnan ; très bien ! Mais vingt hommes marchant d'une bande sont suspects à tout le monde ; il ne faut pas qu'on voie vingt cavaliers marcher ensemble, autrement on leur détache une compagnie qui demande le mot d'ordre, et qui, sur l'embarras qu'on éprouve à le donner, fusille M. d'Artagnan et ses hommes comme des lapins. Je me réduis donc à dix hommes ; de cette façon, j'agis simplement et avec unité ; je serai forcé à la prudence, ce qui est la moitié de la réussite dans une affaire du genre de celle que j'entreprends : le grand nombre m'eût entraîné à quelque folie peut-être. Dix chevaux ne sont plus rien à acheter ou à prendre. Oh ! excellente idée et quelle tranquillité parfaite elle fait passer dans mes veines ! Plus de soupçons, plus de mots d'ordre, plus de danger. Dix hommes, ce sont des valets ou des commis. Dix hommes conduisant dix chevaux chargés de marchandises quelconques sont

1. Voir *Vingt Ans après*, chap. V, p. 598, note 1.

tolérés, bien reçus partout. Dix hommes voyagent pour le compte de la maison Planchet et Cie, de France. Il n'y a rien à dire. Ces dix hommes, vêtus comme des manouvriers, ont un bon couteau de chasse, un bon mousqueton à la croupe du cheval, un bon pistolet dans la fonte. Ils ne se laissent jamais inquiéter, parce qu'ils n'ont pas de mauvais desseins. Ils sont peut-être au fond un peu contrebandiers, mais qu'est-ce que cela fait ? la contrebande n'est pas comme la polygamie, un cas pendable. Le pis qui puisse nous arriver, c'est qu'on confisque nos marchandises. Les marchandises confisquées, la belle affaire ! Allons, allons, c'est un plan superbe. Dix hommes seulement, dix hommes que j'engagerai pour mon service, dix hommes qui seront résolus comme quarante, qui me coûteront comme quatre, et à qui, pour plus grande sûreté, je n'ouvrirai pas la bouche de mon dessein, et à qui je dirai seulement : « Mes amis, il y a un coup à faire. » De cette façon, Satan sera bien malin s'il me joue un de ses tours. Quinze mille livres d'économisées ! c'est superbe sur vingt.

Ainsi réconforté par son industrieux calcul, d'Artagnan s'arrêta à ce plan et résolut de n'y plus rien changer. Il avait déjà, sur une liste fournie par son intarissable mémoire, dix hommes illustres parmi les chercheurs d'aventures, maltraités par la fortune ou inquiétés par la justice. Sur ce, d'Artagnan se leva et se mit en quête à l'instant même, en invitant Planchet à ne pas l'attendre à déjeuner, et même peut-être à dîner. Un jour et demi passé à courir certains bouges de Paris lui suffit pour sa récolte, et sans faire communiquer les uns avec les autres ses aventuriers, il avait colligé, collectionné, réuni en moins de trente heures une charmante collection de mauvais visages parlant un français moins pur que l'anglais dont ils allaient se servir. C'étaient pour la plupart des gardes dont d'Artagnan avait pu apprécier le mérite en différentes rencontres, et que l'ivrognerie, des coups d'épée malheureux, des gains inespérés au jeu ou les réformes économiques de M. de Mazarin avaient forcés de chercher l'ombre et la solitude, ces deux grands consolateurs des âmes incomprises et froissées.

Ils portaient sur leur physionomie et dans leurs vêtements les traces des peines de cœur qu'ils avaient éprouvées. Quelques-uns avaient le visage déchiré ; tous avaient des habits en lambeaux. D'Artagnan soulagea le plus pressé de ces misères fraternelles avec une sage distribution des écus de la société ; puis ayant veillé à ce que ces écus fussent employés à l'embellissement physique de la troupe, il assigna rendez-vous à ses recrues dans le nord de la France, entre Bergues[1] et Saint-Omer. Six jours avaient été donnés pour tout terme, et d'Artagnan connaissait assez la bonne volonté, la belle humeur et la probité relative de ces illustres engagés, pour être certain que pas un d'eux ne manquerait à l'appel.

1. Texte : « Berghes », mais cette graphie ne se trouve ni dans l'*Atlas* de Cassini, ni dans le *Dictionnaire géographique, historique et politique de la Gaule et de la France*, de l'abbé Expilly.

Ces ordres donnés, ce rendez-vous pris, il alla faire ses adieux à Planchet, qui lui demanda des nouvelles de son armée. D'Artagnan ne jugea point à propos de lui faire part de la réduction qu'il avait faite dans son personnel ; il craignait d'entamer par cet aveu la confiance de son associé. Planchet se réjouit fort d'apprendre que l'armée était toute levée, et que lui, Planchet, se trouvait une espèce de roi de compte à demi, qui, de son trône-comptoir, soudoyait un corps de troupes destiné à guerroyer contre la perfide Albion, cette ennemie de tous les cœurs vraiment français.

Planchet compta donc en beaux louis doubles vingt mille livres à d'Artagnan, pour sa part à lui, Planchet, et vingt autres mille livres, toujours en beaux louis doubles, pour la part de d'Artagnan. D'Artagnan mit chacun des vingt mille francs dans un sac et pesant chaque sac de chaque main :

— C'est bien embarrassant, cet argent, mon cher Planchet, dit-il ; sais-tu que cela pèse plus de trente livres ?

— Bah ! votre cheval portera cela comme une plume.

D'Artagnan secoua la tête.

— Ne me dis pas de ces choses-là, Planchet ; un cheval surchargé de trente livres, après le portemanteau et le cavalier, ne passe plus si facilement une rivière, ne franchit plus si légèrement un mur ou un fossé, et plus de cheval, plus de cavalier. Il est vrai que tu ne sais pas cela, toi, Planchet, qui as servi toute ta vie dans l'infanterie.

— Alors, monsieur, comment faire ? dit Planchet vraiment embarrassé.

— Écoute, dit d'Artagnan, je paierai mon armée à son retour dans ses foyers. Garde-moi ma moitié de vingt mille livres, que tu feras valoir pendant ce temps-là.

— Et ma moitié à moi ? dit Planchet.

— Je l'emporte.

— Votre confiance m'honore, dit Planchet ; mais si vous ne revenez pas ?

— C'est possible, quoique la chose soit peu vraisemblable. Alors, Planchet, pour le cas où je ne reviendrais pas, donne-moi une plume pour que je fasse mon testament.

D'Artagnan prit une plume, du papier et écrivit sur une simple feuille :

Moi, d'Artagnan, je possède vingt mille livres économisées sou à sou depuis trente-trois ans que je suis au service de Sa Majesté le roi de France. J'en donne cinq mille à Athos, cinq mille à Porthos, cinq mille à Aramis, pour qu'ils les donnent, en mon nom et aux leurs, à mon petit ami Raoul, vicomte de Bragelonne. Je donne les cinq mille dernières à Planchet, pour qu'il distribue avec moins de regret les quinze mille autres à mes amis.

En fin de quoi j'ai signé les présentes.

D'ARTAGNAN

Planchet paraissait fort curieux de savoir ce qu'avait écrit d'Artagnan.

— Tiens, dit le mousquetaire à Planchet, lis.

Aux dernières lignes, les larmes vinrent aux yeux de Planchet.

— Vous croyez que je n'eusse pas donné l'argent sans cela ? Alors, je ne veux pas de vos cinq mille livres.

D'Artagnan sourit.

— Accepte, Planchet, accepte, et de cette façon tu ne perdras que quinze mille francs au lieu de vingt, et tu ne seras pas tenté de faire affront à la signature de ton maître et ami, en cherchant à ne rien perdre du tout.

Comme il connaissait le cœur des hommes et des épiciers, ce cher M. d'Artagnan !

Ceux qui ont appelé fou Don Quichotte, parce qu'il marchait à la conquête d'un empire avec le seul Sancho, son écuyer, et ceux qui ont appelé fou Sancho, parce qu'il marchait avec son maître à la conquête du susdit empire, ceux-là certainement n'eussent point porté un autre jugement sur d'Artagnan et Planchet.

Cependant le premier passait pour un esprit subtil parmi les plus fins esprits de la cour de France. Quant au second, il s'était acquis à bon droit la réputation d'une des plus fortes cervelles parmi les marchands épiciers de la rue des Lombards, par conséquent de Paris, par conséquent de France.

Or, à n'envisager ces deux hommes qu'au point de vue de tous les hommes, et les moyens à l'aide desquels ils comptaient remettre un roi sur son trône que comparativement aux autres moyens, le plus mince cerveau du pays où les cerveaux sont les plus minces se fût révolté contre l'outrecuidance du lieutenant et la stupidité de son associé.

Heureusement d'Artagnan n'était pas homme à écouter les sornettes qui se débitaient autour de lui, ni les commentaires que l'on faisait sur lui. Il avait adopté la devise : « Faisons bien et laissons dire. » Planchet, de son côté, avait adopté celle-ci : « Laissons faire et ne disons rien. » Il en résultait que, selon l'habitude de tous les génies supérieurs, ces deux hommes se flattaient *intra pectus*[1] d'avoir raison contre tous ceux qui leur donnaient tort.

Pour commencer, d'Artagnan se mit en route par le plus beau temps du monde, sans nuages au ciel, sans nuages à l'esprit, joyeux et fort, calme et décidé, gros de sa résolution, et par conséquent portant avec lui une dose décuple de ce fluide puissant que les secousses de l'âme font jaillir des nerfs et qui procurent à la machine humaine une force et une influence dont les siècles futurs se rendront, selon toute probabilité, plus arithmétiquement compte que nous ne pouvons le faire aujourd'hui. Il remonta, comme aux temps passés, cette route féconde en aventures qui l'avait conduit à Boulogne et qu'il faisait pour la quatrième fois.

1. « Au fond d'eux-mêmes ».

Il put presque, chemin faisant, reconnaître la trace de son pas sur le pavé et celle de son poing sur les portes des hôtelleries ; sa mémoire, toujours active et présente, ressuscitait alors cette jeunesse que n'eût, trente ans après, démentie ni son grand cœur ni son poignet d'acier.

Quelle riche nature que celle de cet homme ! Il avait toutes les passions, tous les défauts, toutes les faiblesses, et l'esprit de contrariété familier à son intelligence changeait toutes ces imperfections en des qualités correspondantes. D'Artagnan, grâce à son imagination sans cesse errante, avait peur d'une ombre, et honteux d'avoir eu peur, il marchait à cette ombre, et devenait alors extravagant de bravoure si le danger était réel ; aussi, tout en lui était émotions et partant jouissance. Il aimait fort la société d'autrui, mais jamais ne s'ennuyait dans la sienne, et plus d'une fois, si on eût pu l'étudier quand il était seul, on l'eût vu rire des quolibets qu'il se racontait à lui-même ou des bouffonnes imaginations qu'il se créait justement cinq minutes avant le moment où devait venir l'ennui.

D'Artagnan ne fut pas peut-être aussi gai cette fois qu'il l'eût été avec la perspective de trouver quelques bons amis à Calais au lieu de celle qu'il avait d'y rencontrer les dix sacripants ; mais cependant la mélancolie ne le visita point plus d'une fois par jour, et ce fut cinq visites à peu près qu'il reçut de cette sombre déité avant d'apercevoir la mer à Boulogne, encore les visites furent-elles courtes.

Mais, une fois là, d'Artagnan se sentit près de l'action, et tout autre sentiment que celui de la confiance disparut, pour ne plus jamais revenir. De Boulogne, il suivit la côte jusqu'à Calais.

Calais était le rendez-vous général, et dans Calais il avait désigné à chacun de ses enrôlés l'hôtellerie du Grand-Monarque, où la vie n'était point chère, où les matelots faisaient la chaudière, où les hommes d'épée, à fourreau de cuir, bien entendu, trouvaient gîte, table, nourriture, et toutes les douceurs de la vie enfin, à trente sous par jour.

D'Artagnan se proposait de les surprendre en flagrant délit de vie errante, et de juger par la première apparence s'il fallait compter sur eux comme sur de bons compagnons.

Il arriva le soir, à quatre heures et demie, à Calais.

XXII

D'ARTAGNAN VOYAGE POUR LA MAISON PLANCHET ET COMPAGNIE

L'hôtellerie du Grand-Monarque était située dans une petite rue parallèle au port, sans donner sur le port même ; quelques ruelles coupaient, comme des échelons coupent les deux parallèles de l'échelle, les deux grandes lignes droites du port et de la rue. Par les ruelles on débouchait inopinément du port dans la rue et de la rue dans le port.

D'Artagnan arriva sur le port, prit une de ces rues, et tomba inopinément devant l'hôtellerie du Grand-Monarque.

Le moment était bien choisi et put rappeler à d'Artagnan son début à l'hôtellerie du Franc-Meunier, à Meung. Des matelots qui venaient de jouer aux dés s'étaient pris de querelle et se menaçaient avec fureur. L'hôte, l'hôtesse et deux garçons surveillaient avec anxiété le cercle de ces mauvais joueurs, du milieu desquels la guerre semblait prête à s'élancer toute hérissée de couteaux et de haches.

Le jeu, cependant, continuait.

Un banc de pierre était occupé par deux hommes qui semblaient ainsi veiller à la porte ; quatre tables placées au fond de la chambre commune étaient occupées par huit autres individus. Ni les hommes du banc ni les hommes des tables ne prenaient part ni à la querelle ni au jeu. D'Artagnan reconnut ses dix hommes dans ces spectateurs si froids et si indifférents.

La querelle allait croissant. Toute passion a, comme la mer, sa marée qui monte et qui descend. Arrivé au paroxysme de sa passion, un matelot renversa la table et l'argent qui était dessus. La table tomba, l'argent roula. A l'instant même tout le personnel de l'hôtellerie se jeta sur les enjeux, et bon nombre de pièces blanches furent ramassées par des gens qui s'esquivèrent, tandis que les matelots se déchiraient entre eux.

Seuls, les deux hommes du banc et les huit hommes de l'intérieur, quoiqu'ils eussent l'air parfaitement étrangers les uns aux autres, seuls, disons-nous, ces dix hommes semblaient s'être donné le mot pour demeurer impassibles au milieu de ces cris de fureur et de ce bruit d'argent. Deux seulement se contentèrent de repousser avec le pied les combattants qui venaient jusque sous leur table.

Deux autres, enfin, plutôt que de prendre part à tout ce vacarme, sortirent leurs mains de leurs poches ; deux autres, enfin, montèrent sur la table qu'ils occupaient, comme font, pour éviter d'être submergés, des gens surpris par une crue d'eau.

« Allons, allons, se dit d'Artagnan, qui n'avait perdu aucun de ces détails que nous venons de raconter, voilà une jolie collection : circonspects, calmes, habitués au bruit, faits aux coups ; peste ! j'ai eu la main heureuse. »

Tout à coup son attention fut appelée sur un point de la chambre.

Les deux hommes qui avaient repoussé du pied les lutteurs furent assaillis d'injures par les matelots qui venaient de se réconcilier.

L'un deux, à moitié ivre de colère et tout à fait de bière, vint d'un ton menaçant demander au plus petit de ces deux sages de quel droit il avait touché de son pied des créatures du bon Dieu qui n'étaient pas des chiens. Et en faisant cette interpellation, il mit, pour la rendre plus directe, son gros poing sous le nez de la recrue de M. d'Artagnan.

Cet homme pâlit sans qu'on pût apprécier s'il pâlissait de crainte ou bien de colère ; ce que voyant, le matelot conclut que c'était de peur, et leva son poing avec l'intention bien manifeste de le laisser retomber sur la tête de l'étranger. Mais sans qu'on eût vu remuer l'homme menacé, il détacha au matelot une si rude bourrade dans l'estomac, que celui-ci roula jusqu'au bout de la chambre avec des cris épouvantables. Au même instant, ralliés par l'esprit de corps, tous les camarades du vaincu tombèrent sur le vainqueur.

Ce dernier, avec le même sang-froid dont il avait déjà fait preuve, sans commettre l'imprudence de toucher à ses armes, empoigna un pot de bière à couvercle d'étain, et assomma deux ou trois assaillants ; puis, comme il allait succomber sous le nombre, les sept autres silencieux de l'intérieur, qui n'avaient pas bougé, comprirent que c'était leur cause qui était en jeu et se ruèrent à son secours.

En même temps les deux indifférents de la porte se retournèrent avec un froncement de sourcils qui indiquait leur intention bien prononcée de prendre l'ennemi à revers si l'ennemi ne cessait pas son agression.

L'hôte, ses garçons et deux gardes de nuit qui passaient et qui, par curiosité, pénétrèrent trop avant dans la chambre furent enveloppés dans la bagarre et roués de coups.

Les Parisiens frappaient comme des Cyclopes, avec un ensemble et une tactique qui faisaient plaisir à voir ; enfin, obligés de battre en retraite devant le nombre, ils prirent leur retranchement de l'autre côté de la grande table, qu'ils soulevèrent d'un commun accord à quatre, tandis que les deux autres s'armaient chacun d'un tréteau, de telle sorte qu'en s'en servant comme d'un gigantesque abattoir, ils renversèrent d'un coup huit matelots sur la tête desquels ils avaient fait jouer leur monstrueuse catapulte.

Le sol était donc jonché de blessés et la salle pleine de cris et de poussière, lorsque d'Artagnan, satisfait de l'épreuve, s'avança l'épée à la main, et, frappant du pommeau tout ce qu'il rencontra de têtes dressées, il poussa un vigoureux *holà !* qui mit à l'instant même fin à la lutte. Il se fit un grand refoulement du centre à la circonférence, de sorte que d'Artagnan se trouva isolé et dominateur.

— Qu'est-ce que c'est ? demanda-t-il ensuite à l'assemblée, avec le ton majestueux de Neptune prononçant le *Quos ego*...[1].

A l'instant même et au premier accent de cette voix, pour continuer la métaphore virgilienne, les recrues de M. d'Artagnan, reconnaissant

1. *L'Énéide*, livre I, vers 135 : « Vous que je... », menace suspensive que Neptune adresse aux vents déchaînés par le roi sans son ordre.

chacun isolément son souverain seigneur, rengainèrent à la fois et leurs colères, et leurs battements de planche, et leurs coups de tréteau.

De leur côté, les matelots, voyant cette longue épée nue, cet air martial et ce bras agile qui venaient au secours de leurs ennemis dans la personne d'un homme qui paraissait habitué au commandement, de leur côté, les matelots ramassèrent leurs blessés et leurs cruchons.

Les Parisiens s'essuyèrent le front et tirèrent leur révérence au chef.

D'Artagnan fut comblé de félicitations par l'hôte du Grand-Monarque.

Il les reçut en homme qui sait qu'on ne lui offre rien de trop, puis il déclara qu'en attendant de souper il allait se promener sur le port.

Aussitôt chacun des enrôlés, qui comprit l'appel, prit son chapeau, épousseta son habit et suivit d'Artagnan.

Mais d'Artagnan, tout en flânant, tout en examinant chaque chose, se garda bien de s'arrêter ; il se dirigea vers la dune, et les dix hommes, effarés de se trouver ainsi à la piste les uns des autres, inquiets de voir à leur droite, à leur gauche et derrière eux des compagnons sur lesquels ils ne comptaient pas, le suivirent en se jetant les uns les autres des regards furibonds.

Ce ne fut qu'au plus creux de la plus profonde dune que d'Artagnan, souriant de les voir distancés, se retourna vers eux, et leur faisant de la main un signe pacifique :

— Eh ! là, là ! messieurs, dit-il, ne nous dévorons pas ; vous êtes faits pour vivre ensemble, pour vous entendre en tous points, et non pour vous dévorer les uns les autres.

Alors toute hésitation cessa ; les hommes respirèrent comme s'ils eussent été tirés d'un cercueil, et s'examinèrent complaisamment les uns les autres. Après cet examen, ils portèrent les yeux sur leur chef, qui, connaissant dès longtemps le grand art de parler à des hommes de cette trempe, leur improvisa le petit discours suivant, accentué avec une énergie toute gasconne.

— Messieurs, vous savez tous qui je suis. Je vous ai engagés, vous connaissant des braves et voulant vous associer à une expédition glorieuse. Figurez-vous qu'en travaillant avec moi vous travaillez pour le roi. Je vous préviens seulement que si vous laissez paraître quelque chose de cette supposition, je me verrai forcé de vous casser immédiatement la tête de la façon qui me sera la plus commode. Vous n'ignorez pas, messieurs, que les secrets d'État sont comme un poison mortel ; tant que ce poison est dans sa boîte et que la boîte est fermée, il ne nuit pas ; hors de la boîte, il tue. Maintenant, approchez-vous de moi, et vous allez savoir de ce secret ce que je puis vous en dire.

Tous s'approchèrent avec un mouvement de curiosité.

— Approchez-vous, continua d'Artagnan, et que l'oiseau qui passe au-dessus de nos têtes, que le lapin qui joue dans les dunes, que le poisson qui bondit hors de l'eau ne puissent nous entendre. Il s'agit de savoir et de rapporter à M. le surintendant des finances combien la contrebande anglaise fait de tort aux marchands français. J'entrerai partout et je verrai tout. Nous sommes de pauvres pêcheurs picards jetés sur la côte par une bourrasque. Il va sans dire que nous vendrons du poisson ni plus ni moins que de vrais pêcheurs. Seulement, on pourrait deviner qui nous sommes et nous inquiéter ; il est donc urgent que nous soyons en état de nous défendre. Voilà pourquoi je vous ai choisis comme des gens d'esprit et de courage. Nous mènerons bonne vie et nous ne courrons pas grand danger, attendu que nous avons derrière nous un protecteur puissant, grâce auquel il n'y a pas d'embarras possible. Une seule chose me contrarie, mais j'espère qu'après une courte explication vous allez me tirer d'embarras. Cette chose qui me contrarie, c'est d'emmener avec moi un équipage de pêcheurs stupides, lequel équipage nous gênera énormément, tandis que si, par hasard, il y avait parmi vous des gens qui eussent vu la mer...

— Oh ! qu'à cela ne tienne ! dit une des recrues de d'Artagnan ; moi, j'ai été prisonnier des pirates de Tunis pendant trois ans, et je connais la manœuvre comme un amiral.

— Voyez-vous, dit d'Artagnan, l'admirable chose que le hasard !

D'Artagnan prononça ces paroles avec un indéfinissable accent de feinte bonhomie ; car d'Artagnan savait à merveille que cette victime des pirates était un ancien corsaire, et il l'avait engagé en connaissance de cause. Mais d'Artagnan n'en disait jamais plus qu'il n'avait besoin d'en dire, pour laisser les gens dans le doute. Il se paya donc de l'explication, et accueillit l'effet sans paraître se préoccuper de la cause.

— Et moi, dit un second, j'ai, par chance, un oncle qui dirige les travaux du port de La Rochelle. Tout enfant, j'ai joué sur les embarcations ; je sais donc manier l'aviron et la voile à défier le premier matelot ponantais[1] venu.

Celui-là ne mentait guère plus que l'autre, il avait ramé six ans sur les galères de Sa Majesté, à La Ciotat.

Deux autres furent plus francs ; ils avouèrent tout simplement qu'ils avaient servi sur un vaisseau comme soldats de pénitence ; ils n'en rougissaient pas. D'Artagnan se trouva donc le chef de dix hommes de guerre et de quatre matelots, ayant à la fois armée de terre et de mer, ce qui eût porté l'orgueil de Planchet au comble, si Planchet eût connu ce détail.

Il ne s'agissait plus que de l'ordre général, et d'Artagnan le donna précis. Il enjoignit à ses hommes de se tenir prêts à partir pour La Haye, en suivant, les uns le littoral qui mène jusqu'à Breskens[2], les autres la route qui mène à Anvers.

1. Le Ponant se dit en Méditerranée pour désigner l'océan Atlantique.
2. Port de Zélande, sur la bouche de l'Escaut occidental.

Le rendez-vous fut donné, en calculant chaque jour de marche, à quinze jours de là, sur la place principale de La Haye.

D'Artagnan recommanda à ses hommes de s'accoupler comme ils l'entendraient, par sympathie, deux par deux. Lui-même choisit parmi les figures les moins patibulaires deux gardes qu'il avait connus autrefois, et dont les seuls défauts étaient d'être joueurs et ivrognes. Ces hommes n'avaient point perdu toute idée de civilisation, et, sous des habits propres, leurs cœurs eussent recommencé à battre. D'Artagnan, pour ne pas donner de jalousie aux autres, fit passer les autres devant. Il garda ses deux préférés, les habilla de ses propres nippes et partit avec eux.

C'est à ceux-là, qu'il semblait honorer d'une confiance absolue, que d'Artagnan fit une fausse confidence destinée à garantir le succès de l'expédition. Il leur avoua qu'il s'agissait, non pas de voir combien la contrebande anglaise pouvait faire de tort au commerce français, mais au contraire combien la contrebande française pouvait faire tort au commerce anglais. Ces hommes parurent convaincus; ils l'étaient effectivement. D'Artagnan était bien sûr qu'à la première débauche, alors qu'ils seraient morts-ivres, l'un des deux divulguerait ce secret capital à toute la bande. Son jeu lui parut infaillible.

Quinze jours après ce que nous venons de voir se passer à Calais, toute la troupe se trouvait réunie à La Haye.

Alors, d'Artagnan s'aperçut que tous ses hommes, avec une intelligence remarquable, s'étaient déjà travestis en matelots plus ou moins maltraités par la mer.

D'Artagnan les laissa dormir en un bouge de Newkerkestreet, et se logea, lui, proprement, sur le grand canal.

Il apprit que le roi d'Angleterre était revenu près de son allié Guillaume II de Nassau, stathouder de Hollande[1]. Il apprit encore que le refus du roi Louis XIV avait un peu refroidi la protection qui lui avait été accordée jusque-là, et qu'en conséquence il avait été se confiner dans une petite maison du village de Scheveningen, situé dans les dunes, au bord de la mer, à une petite lieue de La Haye.

Là, disait-on, le malheureux banni se consolait de son exil en regardant, avec cette mélancolie particulière aux princes de sa race, cette mer immense du Nord, qui le séparait de son Angleterre, comme elle avait séparé autrefois Marie Stuart de la France. Là, derrière quelques arbres du beau bois de Scheveningen, sur le sable fin où croissent les bruyères dorées de la dune, Charles II végétait comme elles, plus malheureux qu'elles, car il vivait de la vie de la pensée, et il espérait et désespérait tour à tour.

D'Artagnan poussa une fois jusqu'à Scheveningen, afin d'être bien sûr de ce que l'on rapportait sur le prince. Il vit en effet Charles II pensif

1. Voir ci-dessus, chap. XVI, p. 97, note 1.

et seul sortir par une petite porte donnant sur le bois, et se promenant sur le rivage, au soleil couchant, sans même attirer l'attention des pêcheurs qui, en revenant le soir, tiraient, comme les anciens marins de l'Archipel[1], leurs barques sur le sable de la grève.

D'Artagnan reconnut le roi. Il le vit fixer son regard sombre sur l'immense étendue des eaux, et absorber sur son pâle visage les rouges rayons du soleil déjà échancré par la ligne noire de l'horizon. Puis Charles II rentra dans la maison isolée, toujours seul, toujours lent et triste, s'amusant à faire crier sous ses pas le sable friable et mouvant.

Dès le soir même, d'Artagnan loua pour mille livres une barque de pêcheur qui en valait quatre mille. Il donna ces mille livres comptant, et déposa les trois mille autres chez le bourgmestre. Après quoi il embarqua, sans qu'on les vît et durant la nuit obscure, les six hommes qui formaient son armée de terre ; et, à la marée montante, à trois heures du matin, il gagna le large manœuvrant ostensiblement avec les quatre autres et se reposant sur la science de son galérien, comme il l'eût fait sur celle du premier pilote du port.

XXIII

OÙ L'AUTEUR EST FORCÉ, BIEN MALGRÉ LUI, DE FAIRE UN PEU D'HISTOIRE

Tandis que les rois et les hommes s'occupaient ainsi de l'Angleterre, qui se gouvernait toute seule, et qui, il faut le dire à sa louange, n'avait jamais été si mal gouvernée, un homme sur qui Dieu avait arrêté son regard et posé son doigt, un homme prédestiné à écrire son nom en lettres éclatantes dans le livre de l'histoire, poursuivait à la face du monde une œuvre pleine de mystère et d'audace. Il allait, et nul ne savait où il voulait aller, quoique non seulement l'Angleterre, mais la France, mais l'Europe, le regardassent marcher d'un pas ferme et la tête haute. Tout ce qu'on savait sur cet homme, nous allons le dire.

Monck venait de se déclarer pour la liberté du *Rump Parliament*, ou, si on l'aime mieux, le Parlement Croupion, comme on l'appelait ; Parlement que le général Lambert, imitant Cromwell, dont il avait été le lieutenant, venait de bloquer si étroitement, pour lui faire faire sa volonté, qu'aucun membre, pendant tout le blocus, n'avait pu en sortir, et qu'un seul, Pierre Wentwort, avait pu y entrer[2].

1. L'Archipel était le nom que les Anciens donnaient à la mer Égée et à ses rivages.
2. Lambert, à la tête de l'armée, avait expulsé le parlement le 17 octobre 1659 ; trois jours plus tard, Monck s'était déclaré en faveur du parlement dont il voulait assurer la liberté et l'autorité.

Lambert et Monck, tout se résumait dans ces deux hommes, le premier représentant le despotisme militaire, le second représentant le républicanisme pur. Ces deux hommes, c'étaient les deux seuls représentants politiques de cette révolution dans laquelle Charles Ier avait d'abord perdu sa couronne et ensuite sa tête.

Lambert, au reste, ne dissimulait pas ses vues ; il cherchait à établir un gouvernement tout militaire et à se faire le chef de ce gouvernement.

Monck, républicain rigide, disaient les uns, voulait maintenir le *Rump Parliament*, cette représentation visible, quoique dégénérée, de la république. Monck, adroit ambitieux, disaient les autres, voulait tout simplement se faire de ce Parlement, qu'il semblait protéger, un degré solide pour monter jusqu'au trône que Cromwell avait fait vide, mais sur lequel il n'avait pas osé s'asseoir.

Ainsi, Lambert en persécutant le Parlement, Monck en se déclarant pour lui, s'étaient mutuellement déclarés ennemis l'un de l'autre.

Aussi Monck et Lambert avaient-ils songé tout d'abord à se faire chacun une armée : Monck en Écosse, où étaient les presbytériens et les royalistes, c'est-à-dire les mécontents ; Lambert à Londres, où se trouvait comme toujours la plus forte opposition contre le pouvoir qu'elle avait sous les yeux.

Monck avait pacifié l'Écosse, il s'y était formé une armée et s'en était fait un asile : l'une gardait l'autre ; Monck savait que le jour n'était pas encore venu, jour marqué par le Seigneur, pour un grand changement ; aussi son épée paraissait-elle collée au fourreau. Inexpugnable dans sa farouche et montagneuse Écosse, général absolu, roi d'une armée de onze mille vieux soldats, qu'il avait plus d'une fois conduits à la victoire ; aussi bien et mieux instruit des affaires de Londres que Lambert, qui tenait garnison dans la Cité, voilà quelle était la position de Monck lorsque à cent lieues de Londres il se déclara pour le Parlement. Lambert, au contraire, comme nous l'avons dit, habitait la capitale. Il y avait le centre de toutes ses opérations, et il y réunissait autour de lui et tous ses amis et tout le bas peuple, éternellement enclin à chérir les ennemis du pouvoir constitué.

Ce fut donc à Londres que Lambert apprit l'appui que des frontières d'Écosse Monck prêtait au Parlement. Il jugea qu'il n'y avait pas de temps à perdre, et que la Tweed n'était pas si éloignée de la Tamise qu'une armée n'enjambât d'une rivière à l'autre surtout lorsqu'elle était bien commandée. Il savait, en outre, qu'au fur et à mesure qu'ils pénétreraient en Angleterre, les soldats de Monck formeraient sur la route cette boule de neige, emblème du globe de la fortune, qui n'est pour l'ambitieux qu'un degré sans cesse grandissant pour le conduire à son but. Il ramassa donc son armée, formidable à la fois par sa composition ainsi que par le nombre, et courut au-devant de Monck, qui, lui, pareil à un navigateur prudent voguant au milieu des écueils, s'avançait à toutes petites journées et le nez au vent, écoutant le bruit et flairant l'air qui venait de Londres.

Les deux armées s'aperçurent à la hauteur de Newcastle ; Lambert, arrivé le premier, campa dans la ville même.

Monck, toujours circonspect, s'arrêta où il était et plaça son quartier général à Coldstream, sur la Tweed[1].

La vue de Lambert répandit la joie dans l'armée de Monck, tandis qu'au contraire la vue de Monck jeta le désarroi dans l'armée de Lambert. On eût cru que ces intrépides batailleurs, qui avaient fait tant de bruit dans les rues de Londres, s'étaient mis en route dans l'espoir de ne rencontrer personne, et que maintenant, voyant qu'ils avaient rencontré une armée et que cette armée arborait devant eux, non seulement un étendard, mais encore une cause et un principe, on eût cru, disons-nous, que ces intrépides batailleurs s'étaient mis à réfléchir qu'ils étaient moins bons républicains que les soldats de Monck, puisque ceux-ci soutenaient le Parlement, tandis que Lambert ne soutenait rien, pas même lui.

Quant à Monck, s'il eut à réfléchir ou s'il réfléchit, ce dut être fort tristement, car l'histoire raconte, et cette pudique dame, on le sait, ne ment jamais, car l'histoire raconte que le jour de son arrivée à Coldstream on chercha inutilement un mouton par toute la ville.

Si Monck eût commandé une armée anglaise, il y eût eu de quoi faire déserter toute l'armée. Mais il n'en est point des Écossais comme des Anglais, à qui cette chair coulante qu'on appelle le sang est de toute nécessité ; les Écossais, race pauvre et sobre, vivent d'un peu d'orge écrasée entre deux pierres, délayée avec de l'eau de la fontaine et cuite sur un grès rougi.

Les Écossais, leur distribution d'orge faite, ne s'inquiétèrent donc point s'il y avait ou s'il n'y avait pas de viande à Coldstream.

Monck, peu familiarisé avec les gâteaux d'orge, avait faim, et son état-major, aussi affamé pour le moins que lui, regardait avec anxiété à droite et à gauche pour savoir ce qu'on préparait à souper.

Monck se fit renseigner ; ses éclaireurs avaient en arrivant trouvé la ville déserte et les buffets vides ; de bouchers et de boulangers, il n'y fallait pas compter à Coldstream. On ne trouva donc pas le moindre morceau de pain pour la table du général.

Au fur et à mesure que les récits se succédaient, aussi peu rassurants les uns que les autres, Monck, voyant l'effroi et le découragement sur tous les visages, affirma qu'il n'avait pas faim ; d'ailleurs on mangerait le lendemain, puisque Lambert était là probablement dans l'intention de livrer bataille, et par conséquent pour livrer ses provisions s'il était

1. Coldstream, sur la Tweed, à neuf miles de Berwick, n'est pas en vue de Newcastle, sur la Tyne : les deux villes sont séparées par soixante kilomètres.

forcé dans Newcastle, ou pour délivrer à jamais les soldats de Monck de la faim s'il était vainqueur.

Cette consolation ne fut efficace que sur le petit nombre ; mais peu importait à Monck, car Monck était fort absolu sous les apparences de la plus parfaite douceur.

Force fut donc à chacun d'être satisfait, ou tout au moins de le paraître. Monck, tout aussi affamé que ses gens, mais affectant la plus parfaite indifférence pour ce mouton absent, coupa un fragment de tabac, long d'un demi-pouce, à la carotte d'un sergent qui faisait partie de sa suite, et commença à mastiquer le susdit fragment en assurant à ses lieutenants que la faim était une chimère, et que d'ailleurs on n'avait jamais faim tant qu'on avait quelque chose à mettre sous sa dent.

Cette plaisanterie satisfit quelques-uns de ceux qui avaient résisté à la première déduction que Monck avait tirée du voisinage de Lambert ; le nombre des récalcitrants diminua donc d'autant ; la garde s'installa, les patrouilles commencèrent, et le général continua son frugal repas sous sa tente ouverte.

Entre son camp et celui de l'ennemi s'élevait une vieille abbaye dont il reste à peine quelques ruines aujourd'hui, mais qui alors était debout et qu'on appelait l'abbaye de Newcastle. Elle était bâtie sur un vaste terrain indépendant à la fois de la plaine et de la rivière, parce qu'il était presque un marais alimenté par des sources et entretenu par les pluies. Cependant, au milieu des ces flaques d'eau couvertes de grandes herbes, de joncs et de roseaux, on voyait s'avancer des terrains solides consacrés autrefois au potager, au parc, au jardin d'agrément et autres dépendances de l'abbaye, pareille à une de ces grandes araignées de mer dont le corps est rond, tandis que les pattes vont en divergeant à partir de cette circonférence.

Le potager, l'une des pattes les plus allongées de l'abbaye, s'étendait jusqu'au camp de Monck. Malheureusement on en était, comme nous l'avons dit, aux premiers jours de juin, et le potager, abandonné d'ailleurs, offrait peu de ressources.

Monck avait fait garder ce lieu comme le plus propre aux surprises. On voyait bien au-delà de l'abbaye les feux du général ennemi ; mais entre ces feux et l'abbaye s'étendait la Tweed, déroulant ses écailles lumineuses sous l'ombre épaisse de quelques grands chênes verts.

Monck connaissait parfaitement cette position, Newcastle et ses environs lui ayant déjà plus d'une fois servi de quartier général. Il savait que le jour son ennemi pourrait sans doute jeter des éclaireurs dans ces ruines et y venir chercher une escarmouche, mais que la nuit il se garderait bien de s'y hasarder. Il se trouverait donc en sûreté.

Aussi ses soldats purent-ils le voir, après ce qu'il appelait fastueusement son souper, c'est-à-dire après l'exercice de mastication rapporté par nous au commencement de ce chapitre, comme depuis Napoléon à la veille d'Austerlitz[1], dormir tout assis sur sa chaise de jonc, moitié sous la lueur de sa lampe, moitié sous le reflet de la lune qui commençait à monter aux cieux.

Ce qui signifie qu'il était à peu près neuf heures et demie du soir.

Tout à coup Monck fut tiré de ce demi-sommeil, factice peut-être, par une troupe de soldats qui, accourant avec des cris joyeux, venaient frapper du pied les bâtons de la tente de Monck, tout en bourdonnant pour le réveiller.

Il n'était pas besoin d'un si grand bruit. Le général ouvrit les yeux.

— Eh bien ! mes enfants, que se passe-t-il donc ? demanda le général.

— Général, répondirent plusieurs voix, général, vous souperez.

— J'ai soupé, messieurs, répondit tranquillement celui-ci, et je digérais tranquillement, comme vous voyez ; mais entrez, et dites-moi ce qui vous amène.

— Général, une bonne nouvelle.

— Bah ! Lambert nous fait-il dire qu'il se battra demain ?

— Non, mais nous venons de capturer une barque de pêcheurs qui portait du poisson au camp de Newcastle.

— Et vous avez eu tort, mes amis. Ces messieurs de Londres sont délicats, ils tiennent à leur premier service ; vous allez les mettre de très mauvaise humeur ; ce soir et demain ils seront impitoyables. Il serait de bon goût, croyez-moi, de renvoyer à M. Lambert ses poissons et ses pêcheurs, à moins que...

Le général réfléchit un instant.

— Dites-moi, continua-t-il, quels sont ces pêcheurs, s'il vous plaît ?

— Des marins picards qui pêchaient sur les côtes de France ou de Hollande, et qui ont été jetés sur les nôtres par un grand vent.

— Quelques-uns d'entre eux parlent-ils notre langue ?

— Le chef nous a dit quelques mots d'anglais.

La défiance du général s'était éveillée au fur et à mesure que les renseignements lui venaient.

— C'est bien, dit-il. Je désire voir ces hommes, amenez-les-moi.

Un officier se détacha aussitôt pour aller les chercher.

— Combien sont-ils ? continua Monck, et quel bateau montent-ils ?

— Ils sont dix ou douze, mon général, et ils montent une espèce de chasse-marée, comme ils appellent cela, de construction hollandaise, à ce qu'il nous a semblé.

— Et vous dites qu'ils portaient du poisson au camp de M. Lambert ?

— Oui, général. Il paraît même qu'ils ont fait une assez bonne pêche.

— Bien, nous allons voir cela, dit Monck.

---

1. Référence probable à *La Veillée de Wagram* (et non d'Austerlitz), toile de Benjamin Zix (musée de Strasbourg), largement diffusée par la lithographie. Renseignement aimablement communiqué par Jean Tulard.

En effet, au moment même l'officier revenait, amenant le chef de ces pêcheurs, homme de cinquante à cinquante-cinq ans à peu près, mais de bonne mine. Il était de moyenne taille et portait un justaucorps de grosse laine, un bonnet enfoncé jusqu'aux yeux ; un coutelas était passé à sa ceinture, et il marchait avec cette hésitation toute particulière aux marins, qui, ne sachant jamais, grâce au mouvement du bateau, si leur pied posera sur la planche ou dans le vide, donnent à chacun de leurs pas une assiette aussi sûre que s'il s'agissait de poser un pilotis.

Monck, avec un regard fin et pénétrant, considéra longtemps le pêcheur, qui lui souriait de ce sourire moitié narquois, moitié niais, particulier à nos paysans.

— Tu parles anglais ? lui demanda Monck en excellent français.

— Ah ! bien mal, milord, répondit le pêcheur.

Cette réponse fut faite bien plutôt avec l'accentuation vive et saccadée des gens d'outre-Loire qu'avec l'accent un peu traînard des contrées de l'ouest et du nord de la France.

— Mais enfin tu le parles, insista Monck, pour étudier encore une fois cet accent.

— Eh ! nous autres gens de mer, répondit le pêcheur, nous parlons un peu toutes les langues.

— Alors, tu es matelot pêcheur ?

— Pour aujourd'hui, milord, pêcheur, et fameux pêcheur même. J'ai pris un bar qui pèse au moins trente livres, et plus de cinquante mulets ; j'ai aussi de petits merlans qui seront parfaits dans la friture.

— Tu me fais l'effet d'avoir plus pêché dans le golfe de Gascogne que dans la Manche, dit Monck en souriant.

— En effet, je suis du Midi ; cela empêche-t-il d'être bon pêcheur, milord ?

— Non pas, et je t'achète ta pêche ; maintenant parle avec franchise : à qui la destinais-tu ?

— Milord, je ne vous cacherai point que j'allais à Newcastle, tout en suivant la côte, lorsqu'un gros de cavaliers qui remontaient le rivage en sens inverse ont fait signe à ma barque de rebrousser chemin jusqu'au camp de Votre Honneur, sous peine d'une décharge de mousqueterie. Comme je n'étais pas armé en guerre, ajouta le pêcheur en souriant, j'ai dû obéir.

— Et pourquoi allais-tu chez Lambert et non chez moi ?

— Milord, je serai franc ; Votre Seigneurie le permet-elle ?

— Oui, et même au besoin je te l'ordonne.

— Eh bien ! milord, j'allais chez M. Lambert, parce que ces messieurs de la ville paient bien, tandis que vous autres Écossais, puritains, presbytériens, covenantaires, comme vous voudrez vous appeler, vous mangez peu, mais ne payez pas du tout.

Monck haussa les épaules sans cependant pouvoir s'empêcher de sourire en même temps.

— Et pourquoi, étant du Midi, viens-tu pêcher sur nos côtes ?

— Parce que j'ai eu la bêtise de me marier en Picardie.

— Oui ; mais enfin la Picardie n'est pas l'Angleterre.

— Milord, l'homme pousse le bateau à la mer, mais Dieu et le vent font le reste et poussent le bateau où il leur plaît.

— Tu n'avais donc pas l'intention d'aborder chez nous ?

— Jamais.

— Et quelle route faisais-tu ?

— Nous revenions d'Ostende, où l'on avait déjà vu des maquereaux, lorsqu'un grand vent du midi nous a fait dériver ; alors, voyant qu'il était inutile de lutter avec lui, nous avons filé devant lui. Il a donc fallu, pour ne pas perdre la pêche, qui était bonne, l'aller vendre au plus prochain port d'Angleterre ; or, ce plus prochain port, c'était Newcastle ; l'occasion était bonne, nous a-t-on dit, il y avait surcroît de population dans le camp ; surcroît de population dans la ville ; l'un et l'autre étaient pleins de gentilshommes très riches et très affamés, nous disait-on encore ; alors je me suis dirigé vers Newcastle.

— Et tes compagnons, où sont-ils ?

— Oh ! mes compagnons, ils sont restés à bord ; ce sont des matelots sans instruction aucune.

— Tandis que toi... ? fit Monck.

— Oh ! moi, dit le patron en riant, j'ai beaucoup couru avec mon père, et je sais comment on dit un sou, un écu, une pistole, un louis et un double louis dans toutes les langues de l'Europe ; aussi mon équipage m'écoute-t-il comme un oracle et m'obéit-il comme à un amiral.

— Alors c'est toi qui avais choisi M. Lambert comme la meilleure pratique ?

— Oui, certes. Et soyez franc, milord, m'étais-je trompé ?

— C'est ce que tu verras plus tard.

— En tout cas, milord, s'il y a faute, la faute est à moi, et il ne faut pas en vouloir pour cela à mes camarades.

« Voilà décidément un drôle spirituel », pensa Monck.

Puis, après quelques minutes de silence employées à détailler le pêcheur :

— Tu viens d'Ostende, m'as-tu dit ? demanda le général.

— Oui, milord, en droite ligne.

— Tu as entendu parler des affaires du jour alors, car je ne doute point qu'on ne s'en occupe en France et en Hollande. Que fait celui qui se dit le roi d'Angleterre ?

— Oh ! milord, s'écria le pêcheur avec une franchise bruyante et expansive, voilà une heureuse question, et vous ne pouviez mieux vous adresser qu'à moi, car en vérité j'y peux faire une fameuse réponse.

Figurez-vous, milord, qu'en relâchant à Ostende pour y vendre le peu de maquereaux que nous y avions pêchés, j'ai vu l'ex-roi qui se promenait sur les dunes, en attendant ses chevaux, qui devaient le conduire à La Haye : c'est un grand pâle avec des cheveux noirs, et la mine un peu dure. Il a l'air de se mal porter, au reste, et je crois que l'air de la Hollande ne lui est pas bon.

Monck suivait avec une grande attention la conversation rapide, colorée et diffuse du pêcheur, dans une langue qui n'était pas la sienne ; heureusement, avons-nous dit, qu'il la parlait avec une grande facilité. Le pêcheur, de son côté, employait tantôt un mot français, tantôt un mot anglais, tantôt un mot qui paraissait n'appartenir à aucune langue et qui était un mot gascon. Heureusement ses yeux parlaient pour lui, et si éloquemment, qu'on pouvait bien perdre un mot de sa bouche, mais pas une seule intention de ses yeux.

Le général paraissait de plus en plus satisfait de son examen.

— Tu as dû entendre dire que cet ex-roi, comme tu l'appelles, se dirigeait vers La Haye dans un but quelconque.

— Oh ! oui, bien certainement, dit le pêcheur, j'ai entendu dire cela.

— Et dans quel but ?

— Mais toujours le même, fit le pêcheur ; n'a-t-il pas cette idée fixe de revenir en Angleterre ?

— C'est vrai, dit Monck pensif.

— Sans compter, ajouta le pêcheur, que le stathouder... vous savez, milord, Guillaume II...

— Eh bien ?

— Il l'y aidera de tout son pouvoir.

— Ah ! tu as entendu dire cela ?

— Non, mais je le crois.

— Tu es fort en politique, à ce qu'il paraît ? demanda Monck.

— Oh ! nous autres marins, milord, qui avons l'habitude d'étudier l'eau et l'air, c'est-à-dire les deux choses les plus mobiles du monde, il est rare que nous nous trompions sur le reste.

— Voyons, dit Monck, changeant de conversation, on prétend que tu vas nous bien nourrir.

— Je ferai de mon mieux, milord.

— Combien nous vends-tu ta pêche, d'abord ?

— Pas si sot que de faire un prix, milord.

— Pourquoi cela ?

— Parce que mon poisson est bien à vous.

— De quel droit ?

— Du droit du plus fort.

— Mais mon intention est de te le payer.

— C'est bien généreux à vous, milord.

— Et ce qu'il vaut, même.

— Je ne demande pas tant.

— Et que demandes-tu donc, alors ?

— Mais je demande à m'en aller.

— Où cela ? Chez le général Lambert ?

— Moi ! s'écria le pêcheur ; et pour quoi faire irais-je à Newcastle, puisque je n'ai plus de poisson ?

— Dans tous les cas, écoute-moi.

— J'écoute.

— Un conseil.

— Comment ! Milord veut me payer et encore me donner un bon conseil ! mais milord me comble.

Monck regarda plus fixement que jamais le pêcheur, sur lequel il paraissait toujours conserver quelque soupçon.

— Oui, je veux te payer et te donner un conseil, car les deux choses se tiennent. Donc, si tu t'en retournes chez le général Lambert...

Le pêcheur fit un mouvement de la tête et des épaules qui signifiait : « S'il y tient, ne le contrarions pas. »

— Ne traverse pas le marais, continua Monck ; tu seras porteur d'argent, et il y a dans le marais quelques embuscades d'Écossais que j'ai placées là. Ce sont gens peu traitables, qui comprennent mal la langue que tu parles, quoiqu'elle me paraisse se composer de trois langues, et qui pourraient te reprendre ce que je t'aurais donné, et de retour dans ton pays, tu ne manquerais pas de dire que le général Monck a deux mains, l'une écossaise, l'autre anglaise, et qu'il reprend avec la main écossaise ce qu'il a donné avec la main anglaise.

— Oh ! général, j'irai où vous voudrez, soyez tranquille, dit le pêcheur avec une crainte trop expressive pour n'être pas exagérée. Je ne demande qu'à rester ici, moi, si vous voulez que je reste.

— Je te crois bien, dit Monck, avec un imperceptible sourire ; mais je ne puis cependant te garder sous ma tente.

— Je n'ai pas cette prétention, milord, et désire seulement que Votre Seigneurie m'indique où elle veut que je me poste. Qu'elle ne se gêne pas, pour nous une nuit est bientôt passée.

— Alors je vais te faire conduire à ta barque.

— Comme il plaira à Votre Seigneurie. Seulement, si Votre Seigneurie voulait me faire reconduire par un charpentier, je lui en serais on ne peut plus reconnaissant.

— Pourquoi cela ?

— Parce que ces messieurs de votre armée, en faisant remonter la rivière à ma barque, avec le câble que tiraient leurs chevaux, l'ont quelque peu déchirée aux roches de la rive, en sorte que j'ai au moins deux pieds d'eau dans ma cale, milord.

— Raison de plus pour que tu veilles sur ton bateau, ce me semble.

— Milord, je suis bien à vos ordres, dit le pêcheur. Je vais décharger mes paniers où vous voudrez, puis vous me paierez si cela vous plaît ; vous me renverrez si la chose vous convient. Vous voyez que je suis facile à vivre, moi.

— Allons, allons, tu es un bon diable, dit Monck, dont le regard scrutateur n'avait pu trouver une seule ombre dans la limpidité de l'œil du pêcheur. Holà ! Digby !

Un aide de camp parut.

— Vous conduirez ce digne garçon et ses compagnons aux petites tentes des cantines, en avant des marais ; de cette façon ils seront à portée de joindre leur barque, et cependant ils ne coucheront pas dans l'eau cette nuit. Qu'y a-t-il, Spithead ?

Spithead était le sergent auquel Monck, pour souper, avait emprunté un morceau de tabac.

Spithead, en entrant dans la tente du général sans être appelé, motivait cette question de Monck.

— Milord, dit-il, un gentilhomme français vient de se présenter aux avant-postes et demande à parler à Votre Honneur.

Tout cela était dit, bien entendu, en anglais.

Quoique la conversation eût lieu en cette langue, le pêcheur fit un léger mouvement que Monck, occupé de son sergent, ne remarqua point.

— Et quel est ce gentilhomme ? demanda Monck.

— Milord, répondit Spithead, il me l'a dit ; mais ces diables de noms français sont si difficiles à prononcer pour un gosier écossais, que je n'ai pu le retenir. Au surplus, ce gentilhomme, à ce que m'ont dit les gardes, est le même qui s'est présenté hier à l'étape, et que Votre Honneur n'a pas voulu recevoir.

— C'est vrai, j'avais conseil d'officiers.

— Milord décide-t-il quelque chose à l'égard de ce gentilhomme ?

— Oui, qu'il soit amené ici.

— Faut-il prendre des précautions ?

— Lesquelles ?

— Lui bander les yeux, par exemple.

— A quoi bon ? Il ne verra que ce que je désire qu'on voie, c'est-à-dire que j'ai autour de moi onze mille braves qui ne demandent pas mieux que de se couper la gorge en l'honneur du Parlement, de l'Écosse et de l'Angleterre.

— Et cet homme, milord ? dit Spithead en montrant le pêcheur, qui pendant cette conversation était resté debout et immobile, en homme qui voit mais ne comprend pas.

— Ah ! c'est vrai, dit Monck.

Puis, se retournant vers le marchand de poisson :

— Au revoir, mon brave homme, dit-il ; je t'ai choisi un gîte. Digby, emmenez-le. Ne crains rien, on t'enverra ton argent tout à l'heure.

— Merci, milord, dit le pêcheur.

Et, après avoir salué, il partit accompagné de Digby.

A cent pas de la tente, il retrouva ses compagnons, lesquels chuchotaient avec une volubilité qui ne paraissait pas exempte d'inquiétude, mais il leur fit un signe qui parut les rassurer.

— Holà ! vous autres, dit le patron, venez par ici ; Sa Seigneurie le général Monck a la générosité de nous payer notre poisson et la bonté de nous donner l'hospitalité pour cette nuit.

Les pêcheurs se réunirent à leur chef, et, conduite par Digby, la petite troupe s'achemina vers les cantines, poste qui, on se le rappelle, lui avait été assigné.

Tout en cheminant, les pêcheurs passèrent dans l'ombre près de la garde qui conduisait le gentilhomme français au général Monck.

Ce gentilhomme était à cheval et enveloppé d'un grand manteau, ce qui fit que le patron ne put le voir, quelle que parût être sa curiosité. Quant au gentilhomme, ignorant qu'il coudoyait des compatriotes, il ne fit pas même attention à cette petite troupe.

L'aide de camp installa ses hôtes dans une tente assez propre d'où fut délogée une cantinière irlandaise qui s'en alla coucher où elle put avec ses six enfants. Un grand feu brûlait en avant de cette tente et projetait sa lumière pourprée sur les flaques herbeuses du marais que ridait une brise assez fraîche. Puis l'installation faite, l'aide de camp souhaita le bonsoir aux matelots en leur faisant observer que l'on voyait du seuil de la tente les mâts de la barque qui se balançait sur la Tweed, preuve qu'elle n'avait pas encore coulé à fond. Cette vue parut réjouir infiniment le chef des pêcheurs.

XXIV

LE TRÉSOR

Le gentilhomme français que Spithead avait annoncé à Monck, et qui avait passé si bien enveloppé de son manteau près du pêcheur qui sortait de la tente du général cinq minutes avant qu'il y entrât, le gentilhomme français traversa les différents postes sans même jeter les yeux autour de lui, de peur de paraître indiscret. Comme l'ordre en avait été donné, on le conduisit à la tente du général. Le gentilhomme fut laissé seul dans l'antichambre qui précédait la tente, et il attendit Monck, qui ne tarda à paraître que le temps qu'il mit à entendre le rapport de ses gens et à étudier par la cloison de toile le visage de celui qui sollicitait un entretien.

Sans doute le rapport de ceux qui avaient accompagné le gentilhomme français établissait la discrétion avec laquelle il s'était conduit, car la première impression que l'étranger reçut de l'accueil fait à lui par le général fut plus favorable qu'il n'avait à s'y attendre en un pareil moment, et de la part d'un homme si soupçonneux. Néanmoins, selon son habitude, lorsque Monck se trouva en face de l'étranger, il attacha sur lui ses regards perçants, que, de son côté, l'étranger soutint sans être embarrassé ni soucieux. Au bout de quelques secondes, le général fit un geste de la main et de la tête en signe qu'il attendait.

— Milord, dit le gentilhomme en excellent anglais, j'ai fait demander une entrevue à Votre Honneur pour affaire de conséquence.

— Monsieur, répondit Monck en français, vous parlez purement notre langue pour un fils du continent. Je vous demande bien pardon, car sans doute la question est indiscrète, parlez-vous le français avec la même pureté ?

— Il n'y a rien d'étonnant, milord, à ce que je parle anglais assez familièrement ; j'ai, dans ma jeunesse, habité l'Angleterre, et depuis j'y ai fait deux voyages.

Ces mots furent dits en français et avec une pureté de langue qui décelait non seulement un Français, mais encore un Français des environs de Tours.

— Et quelle partie de l'Angleterre avez-vous habitée, monsieur ?

— Dans ma jeunesse, Londres, milord ; ensuite, vers 1635, j'ai fait un voyage de plaisir en Écosse ; enfin, en 1648, j'ai habité quelque temps Newcastle, et particulièrement le couvent dont les jardins sont occupés par votre armée.

— Excusez-moi, monsieur, mais de ma part, vous comprenez ces questions, n'est-ce pas ?

— Je m'étonnerais, milord, qu'elles ne fussent point faites.

— Maintenant, monsieur, que puis-je pour votre service, et que désirez-vous de moi ?

— Voici, milord ; mais, auparavant, sommes-nous seuls ?

— Parfaitement seuls, monsieur, sauf toutefois le poste qui nous garde.

En disant ces mots, Monck écarta la tente de la main, et montra au gentilhomme que le factionnaire était placé à dix pas au plus, et qu'au premier appel on pouvait avoir main-forte en une seconde.

— En ce cas, milord, dit le gentilhomme d'un ton aussi calme que si depuis longtemps il eût été lié d'amitié avec son interlocuteur, je suis très décidé à parler à Votre Honneur, parce que je vous sais honnête homme. Au reste, la communication que je vais vous faire vous prouvera l'estime dans laquelle je vous tiens.

Monck, étonné de ce langage qui établissait entre lui et le gentilhomme français l'égalité au moins, releva son œil perçant sur l'étranger, et avec une ironie sensible par la seule inflexion de sa voix, car pas un muscle de sa physionomie ne bougea :

— Je vous remercie, monsieur, dit-il ; mais, d'abord, qui êtes-vous, je vous prie ?

— J'ai déjà dit mon nom à votre sergent, milord.

— Excusez-le, monsieur ; il est écossais, il a éprouvé de la difficulté à le retenir.

— Je m'appelle le comte de La Fère, monsieur, dit Athos en s'inclinant.

— Le comte de La Fère ? dit Monck, cherchant à se souvenir. Pardon, monsieur, mais il me semble que c'est la première fois que j'entends ce nom. Remplissez-vous quelque poste à la cour de France ?

— Aucun. Je suis simple gentilhomme.

— Quelle dignité ?

— Le roi Charles Ier m'a fait chevalier de la Jarretière, et la reine Anne d'Autriche m'a donné le cordon du Saint-Esprit[1]. Voilà mes seules dignités, monsieur.

— La Jarretière ! le Saint-Esprit ! vous êtes chevalier de ces deux ordres, monsieur !

— Oui.

— Et à quelle occasion une pareille faveur vous a-t-elle été accordée ?

— Pour services rendus à Leurs Majestés.

Monck regarda avec étonnement cet homme, qui lui paraissait si simple et si grand en même temps ; puis, comme s'il eût renoncé à pénétrer ce mystère de simplicité et de grandeur, sur lequel l'étranger ne paraissait pas disposé à lui donner d'autres renseignements que ceux qu'il avait déjà reçus :

— C'est bien vous, dit-il, qui hier vous êtes présenté aux avant-postes ?

— Et qu'on a renvoyé ; oui, milord.

— Beaucoup d'officiers, monsieur, ne laissent entrer personne dans le camp, surtout à la veille d'une bataille probable ; mais moi, je diffère de mes collègues et aime à ne rien laisser derrière moi. Tout avis m'est bon ; tout danger m'est envoyé par Dieu, et je le pèse dans ma main avec l'énergie qu'il m'a donnée. Aussi n'avez-vous été congédié hier qu'à cause du conseil que je tenais. Aujourd'hui, je suis libre, parlez.

— Milord, vous avez d'autant mieux fait de me recevoir, qu'il ne s'agit en rien ni de la bataille que vous allez livrer au général Lambert, ni de votre camp, et la preuve, c'est que j'ai détourné la tête pour ne pas voir vos hommes, et fermé les yeux pour ne pas compter vos tentes. Non, je viens vous parler, milord, pour moi.

— Parlez donc, monsieur, dit Monck.

— Tout à l'heure, continua Athos, j'avais l'honneur de dire à Votre Seigneurie que j'ai longtemps habité Newcastle : c'était au temps du roi Charles Ier et lorsque le feu roi fut livré à M. Cromwell par les Écossais.

1. Voir *Vingt Ans après*, chap. LIX et XCVI.

— Je sais, dit froidement Monck.

— J'avais en ce moment une forte somme en or, et à la veille de la bataille, par pressentiment peut-être de la façon dont les choses se devaient passer le lendemain, je la cachai dans la principale cave du couvent de Newcastle[1], dans la tour dont vous voyez d'ici le sommet argenté par la lune. Mon trésor a donc été enterré là, et je venais prier Votre Honneur de permettre que je le retire avant que, peut-être, la bataille portant de ce côté, une mine ou quelque autre jeu de guerre détruise le bâtiment et éparpille mon or, ou le rende apparent de telle façon que les soldats s'en emparent.

Monck se connaissait en hommes ; il voyait sur la physionomie de celui-ci toute l'énergie, toute la raison, toute la circonspection possibles ; il ne pouvait donc attribuer qu'à une magnanime confiance la révélation du gentilhomme français, et il s'en montra profondément touché.

— Monsieur, dit-il, vous avez en effet bien auguré de moi. Mais la somme vaut-elle la peine que vous vous exposiez ? Croyez-vous même qu'elle soit encore à l'endroit où vous l'avez laissée ?

— Elle y est, monsieur, n'en doutez pas.

— Voilà pour une question ; mais pour l'autre ?... Je vous ai demandé si la somme était tellement forte que vous dussiez vous exposer ainsi.

— Elle est forte réellement, oui, milord, car c'est un million que j'ai renfermé dans deux barils.

— Un million ! s'écria Monck, que cette fois à son tour Athos regardait fixement et longuement.

Monck s'en aperçut ; alors sa défiance revint.

« Voilà, se dit-il, un homme qui me tend un piège... »

— Ainsi, monsieur, reprit-il, vous voudriez retirer cette somme, à ce que je comprends ?

— S'il vous plaît, milord.

— Aujourd'hui ?

— Ce soir même, et à cause des circonstances que je vous ai expliquées.

— Mais, monsieur, objecta Monck, le général Lambert est aussi près de l'abbaye où vous avez affaire que moi-même, pourquoi donc ne vous êtes-vous pas adressé à lui ?

— Parce que, milord, quand on agit dans les circonstances importantes, il faut consulter son instinct avant toutes choses. Eh bien ! le général Lambert ne m'inspire pas la confiance que vous m'inspirez.

— Soit, monsieur. Je vous ferai retrouver votre argent, si toutefois il y est encore, car, enfin, il peut n'y être plus. Depuis 1648, douze ans sont révolus, et bien des événements se sont passés.

Monck insistait sur ce point pour voir si le gentilhomme français

1. Charles Ier avait placé le trésor dans les « caves du *château* de Newcastle ».

saisirait l'échappatoire qui lui était ouverte ; mais Athos ne sourcilla point.

— Je vous assure, milord, dit-il fermement, que ma conviction à l'endroit des deux barils est qu'ils n'ont changé ni de place ni de maître.

Cette réponse avait enlevé à Monck un soupçon, mais elle lui en avait suggéré un autre.

Sans doute ce Français était quelque émissaire envoyé pour induire en faute le protecteur du Parlement ; l'or n'était qu'un leurre ; sans doute encore, à l'aide de ce leurre, on voulait exciter la cupidité du général. Cet or ne devait pas exister. Il s'agissait, pour Monck, de prendre en flagrant délit de mensonge et de ruse le gentilhomme français, et de tirer du mauvais pas même où ses ennemis voulaient l'engager un triomphe pour sa renommée. Monck, une fois fixé sur ce qu'il avait à faire :

— Monsieur, dit-il à Athos, sans doute vous me ferez l'honneur de partager mon souper ce soir !

— Oui, milord, répondit Athos en s'inclinant, car vous me faites un honneur dont je me sens digne par le penchant qui m'entraîne vers vous.

— C'est d'autant plus gracieux à vous d'accepter avec cette franchise, que mes cuisiniers sont peu nombreux et peu exercés, et que mes approvisionneurs sont rentrés ce soir les mains vides ; si bien que, sans un pêcheur de votre nation qui s'est fourvoyé dans mon camp, le général Monck se couchait sans souper aujourd'hui. J'ai donc du poisson frais, à ce que m'a dit le vendeur.

— Milord, c'est principalement pour avoir l'honneur de passer quelques instants de plus avec vous.

Après cet échange de civilités, pendant lequel Monck n'avait rien perdu de sa circonspection, le souper, ou ce qui devait en tenir lieu, avait été servi sur une table de bois de sapin. Monck fit signe au comte de La Fère de s'asseoir à cette table et prit place en face de lui. Un seul plat, couvert de poisson bouilli, offert aux deux illustres convives, promettait plus aux estomacs affamés qu'aux palais difficiles.

Tout en soupant, c'est-à-dire en mangeant ce poisson arrosé de mauvaise ale, Monck se fit raconter les derniers événements de la Fronde, la réconciliation de M. de Condé avec le roi, le mariage probable de Sa Majesté avec l'infante Marie-Thérèse ; mais il évita, comme Athos l'évitait lui-même, toute allusion aux intérêts politiques qui unissaient ou plutôt qui désunissaient en ce moment l'Angleterre, la France et la Hollande.

Monck, dans cette conversation, se convainquit d'une chose, qu'il avait déjà remarquée aux premiers mots échangés, c'est qu'il avait affaire à un homme de haute distinction.

Celui-là ne pouvait être un assassin, et il répugnait à Monck de le croire un espion ; mais il y avait assez de finesse et de fermeté à la fois dans Athos pour que Monck crût reconnaître en lui un conspirateur.

Lorsqu'ils eurent quitté la table :

— Vous croyez donc à votre trésor, monsieur ? demanda Monck.

— Oui, milord.

— Sérieusement ?

— Très sérieusement.

— Et vous croyez retrouver la place à laquelle il a été enterré ?

— A la première inspection.

— Eh bien ! monsieur, dit Monck, par curiosité, je vous accompagnerai. Et il faut d'autant plus que je vous accompagne, que vous éprouveriez les plus grandes difficultés à circuler dans le camp sans moi ou l'un de mes lieutenants.

— Général, je ne souffrirais pas que vous vous dérangeassiez si je n'avais, en effet, besoin de votre compagnie ; mais comme je reconnais que cette compagnie m'est non seulement honorable, mais nécessaire, j'accepte.

— Désirez-vous que nous emmenions du monde ? demanda Monck à Athos.

— Général, c'est inutile, je crois, si vous-même n'en voyez pas la nécessité. Deux hommes et un cheval suffiront pour transporter les deux barils sur la felouque qui m'a amené.

— Mais il faudra piocher, creuser, remuer la terre, fendre des pierres, et vous ne comptez pas faire cette besogne vous-même, n'est-ce pas ?

— Général, il ne faut ni creuser, ni piocher. Le trésor est enfoui dans le caveau des sépultures du couvent ; sous une pierre, dans laquelle est scellé un gros anneau de fer, s'ouvre un petit degré de quatre marches. Les deux barils sont là, bout à bout, recouverts d'un enduit de plâtre ayant la forme d'une bière. Il y a en outre une inscription qui doit me servir à reconnaître la pierre ; et comme je ne veux pas, dans une affaire de délicatesse et de confiance, garder de secrets pour Votre Honneur, voici cette inscription :

Hic jacet venerabilis Petrus Guillelmus Scott, Canon. Honorab. Conventus Novi Castelli. Obiit quarta et decima die. Feb. ann. Dom., MCCVIII.

Requiescat in pace[1].

Monck ne perdait pas une parole. Il s'étonnait, soit de la duplicité merveilleuse de cet homme et de la façon supérieure dont il jouait son rôle, soit de la bonne foi loyale avec laquelle il présentait sa requête, dans une situation où il s'agissait d'un million aventuré contre un coup de poignard, au milieu d'une armée qui eût regardé le vol comme une restitution.

— C'est bien, dit-il, je vous accompagne, et l'aventure me paraît si merveilleuse, que je veux porter moi-même le flambeau.

1. « Ci-gît le vénérable Pierre Guillaume Scott, honorable chanoine de l'abbaye de Newcastle. Mort le quatorze février de l'année du Seigneur 1208. Qu'il repose en paix. »

Et en disant ces mots, il ceignit une courte épée, plaça un pistolet à sa ceinture, découvrant, dans ce mouvement, qui fit entrouvrir son pourpoint, les fins anneaux d'une cotte de mailles destinée à le mettre à l'abri du premier coup de poignard d'un assassin.

Après quoi, il passa un dirk[1] écossais dans sa main gauche ; puis, se tournant vers Athos :

— Êtes-vous prêt, monsieur ? dit-il. Je le suis.

Athos, au contraire de ce que venait de faire Monck, détacha son poignard, qu'il posa sur la table, dégrafa le ceinturon de son épée, qu'il coucha près de son poignard, et sans affectation, ouvrant les agrafes de son pourpoint comme pour y chercher son mouchoir, montra sous sa fine chemise de batiste sa poitrine nue et sans armes offensives ni défensives.

« Voilà, en vérité, un singulier homme, se dit Monck, il est sans arme aucune ; il a donc une embuscade placée là-bas ? »

— Général, dit Athos, comme s'il eût deviné la pensée de Monck, vous voulez que nous soyons seuls, c'est fort bien ; mais un grand capitaine ne doit jamais s'exposer avec témérité : il fait nuit, le passage du marais peut offrir des dangers, faites-vous accompagner.

— Vous avez raison, dit Monck.

Et appelant :

— Digby !

L'aide de camp parut.

— Cinquante hommes avec l'épée et le mousquet, dit-il.

Et il regardait Athos.

— C'est bien peu, dit Athos, s'il y a du danger ; c'est trop, s'il n'y en a pas.

— J'irai seul, dit Monck. Digby, je n'ai besoin de personne. Venez, monsieur.

XXV

LE MARAIS

Athos et Monck traversèrent, allant du camp vers la Tweed, cette partie de terrain que Digby avait fait traverser aux pêcheurs venant de la Tweed au camp. L'aspect de ce lieu, l'aspect des changements qu'y avaient apportés les hommes, était de nature à produire le plus grand effet sur une imagination délicate et vive comme celle d'Athos. Athos ne regardait que ces lieux désolés ; Monck ne regardait qu'Athos, Athos qui, les yeux tantôt vers le ciel, tantôt vers la terre, cherchait, pensait, soupirait.

1. *Dirk* : poignard utilisé par les highlanders écossais.

Digby, que le dernier ordre du général, et surtout l'accent avec lequel il avait été donné, avait un peu ému d'abord, Digby suivit les nocturnes promeneurs pendant une vingtaine de pas; mais le général s'étant retourné, comme s'il s'étonnait que l'on n'exécutât point ses ordres, l'aide de camp comprit qu'il était indiscret et rentra dans sa tente.

Il supposait que le général voulait faire incognito dans son camp une de ces revues de vigilance que tout capitaine expérimenté ne manque jamais de faire à la veille d'un engagement décisif, il s'expliquait en ce cas la présence d'Athos, comme un inférieur s'explique tout ce qui est mystérieux de la part du chef. Athos pouvait être, et même aux yeux de Digby devait être un espion dont les renseignements allaient éclairer le général.

Au bout de dix minutes de marche à peu près parmi les tentes et les postes, plus serrés aux environs du quartier général, Monck s'engagea sur une petite chaussée qui divergeait en trois branches. Celle de gauche conduisait à la rivière, celle du milieu à l'abbaye de Newcastle sur le marais, celle de droite traversait les premières lignes du camp de Monck, c'est-à-dire les lignes les plus rapprochées de l'armée de Lambert. Au-delà de la rivière était un poste avancé appartenant à l'armée de Monck et qui surveillait l'ennemi ; il était composé de cent cinquante Écossais. Ils avaient passé la Tweed à la nage en donnant l'alarme ; mais comme il n'y avait pas de pont en cet endroit, et que les soldats de Lambert n'étaient pas aussi prompts à se mettre à l'eau que les soldats de Monck, celui-ci ne paraissait pas avoir de grandes inquiétudes de ce côté.

En deçà de la rivière, à cinq cents pas à peu près de la vieille abbaye, les pêcheurs avaient leur domicile au milieu d'une fourmilière de petites tentes élevées par les soldats des clans voisins, qui avaient avec eux leurs femmes et leurs enfants.

Tout ce pêle-mêle aux rayons de la lune offrait un coup d'œil saisissant ; la pénombre ennoblissait chaque détail, et la lumière, cette flatteuse qui ne s'attache qu'au côté poli des choses, sollicitait sur chaque mousquet rouillé le point encore intact, sur tout haillon de toile, la partie la plus blanche et la moins souillée.

Monck arriva donc avec Athos, traversant ce paysage sombre éclairé d'une double lueur, la lueur argentée de la lune, la lueur rougeâtre des feux mourants au carrefour des trois chaussées. Là il s'arrêta, et s'adressant à son compagnon :

— Monsieur, lui dit-il, reconnaîtrez-vous votre chemin ?

— Général, si je ne me trompe, la chaussée du milieu conduit droit à l'abbaye.

— C'est cela même ; mais nous aurions besoin de lumière pour nous guider dans le souterrain.

Monck se retourna.

— Ah ! Digby nous a suivis, à ce qu'il paraît, dit-il ; tant mieux, il va nous procurer ce qu'il nous faut.

— Oui, général, il y a effectivement là-bas un homme qui depuis quelque temps marche derrière nous.

— Digby ! cria Monck, Digby ! venez, je vous prie.

Mais, au lieu d'obéir, l'ombre fit un mouvement de surprise, et, reculant au lieu d'avancer, elle se courba et disparut le long de la jetée de gauche, se dirigeant vers le logement qui avait été donné aux pêcheurs.

— Il paraît que ce n'était pas Digby, dit Monck.

Tous deux avaient suivi l'ombre qui s'était évanouie ; mais ce n'est pas chose assez rare qu'un homme rôdant à onze heures du soir dans un camp où sont couchés dix à douze mille hommes pour qu'Athos et Monck s'inquiétassent de cette disparition.

— En attendant, comme il nous faut un falot, une lanterne, une torche quelconque pour voir où mettre nos pieds, cherchons ce falot, dit Monck.

— Général, le premier soldat venu nous éclairera.

— Non, dit Monck, pour voir s'il n'y aurait pas quelque connivence entre le comte de La Fère et les pêcheurs ; non, j'aimerais mieux quelqu'un de ces matelots français qui sont venus ce soir me vendre du poisson. Ils partent demain, et le secret sera mieux gardé par eux. Tandis que si le bruit se répand dans l'armée écossaise que l'on trouve des trésors dans l'abbaye de Newcastle, mes highlanders croiront qu'il y a un million sous chaque dalle, et ils ne laisseront pas pierre sur pierre dans le bâtiment.

— Faites comme vous voudrez, général, répondit Athos d'un ton de voix si naturel, qu'il était évident que, soldat ou pêcheur, tout lui était égal et qu'il n'éprouvait aucune préférence.

Monck s'approcha de la chaussée, derrière laquelle avait disparu celui que le général avait pris pour Digby, et rencontra une patrouille qui, faisant le tour des tentes, se dirigeait vers le quartier général ; il fut arrêté avec son compagnon, donna le mot de passe et poursuivit son chemin.

Un soldat, réveillé par le bruit, se souleva dans son plaid pour voir ce qui se passait.

— Demandez-lui, dit Monck à Athos, où sont les pêcheurs ; si je lui faisais cette question, il me reconnaîtrait.

Athos s'approcha du soldat, lequel lui indiqua la tente ; aussitôt Monck et Athos se dirigèrent de ce côté.

Il sembla au général qu'au moment où il s'approchait une ombre, pareille à celle qu'il avait déjà vue, se glissait dans cette tente ; mais en s'approchant, il reconnut qu'il devait s'être trompé, car tout le monde dormait pêle-mêle, et l'on ne voyait que jambes et que bras entrelacés.

Athos, craignant qu'on ne le soupçonnât de connivence avec quelqu'un de ses compatriotes, resta en dehors de la tente.

— Holà ! dit Monck en français, qu'on s'éveille ici.

Deux ou trois dormeurs se soulevèrent.

— J'ai besoin d'un homme pour m'éclairer, continua Monck.

Tout le monde fit un mouvement, les uns se soulevant, les autres se levant tout à fait. Le chef s'était levé le premier.

— Votre Honneur peut compter sur nous, dit-il d'une voix qui fit tressaillir Athos. Où s'agit-il d'aller ?

— Vous le verrez. Un falot ! Allons, vite !

— Oui, Votre Honneur. Plaît-il à Votre Honneur que ce soit moi qui l'accompagne ?

— Toi ou un autre, peu m'importe, pourvu que quelqu'un m'éclaire.

« C'est étrange, pensa Athos, quelle voix singulière a ce pêcheur ! »

— Du feu, vous autres ! cria le pêcheur ; allons dépêchons !

Puis tout bas, s'adressant à celui de ses compagnons qui était le plus près de lui :

— Éclaire, toi, Menneville, dit-il, et tiens-toi prêt à tout.

Un des pêcheurs fit jaillir du feu d'une pierre, embrasa un morceau d'amadou, et à l'aide d'une allumette éclaira une lanterne.

La lumière envahit aussitôt la tente.

— Êtes-vous prêt, monsieur ? dit Monck à Athos, qui se détournait pour ne pas exposer son visage à la clarté.

— Oui, général, répliqua-t-il.

— Ah ! le gentilhomme français ! fit tout bas le chef des pêcheurs. Peste ! j'ai eu bonne idée de te charger de la commission, Menneville, il n'aurait qu'à me reconnaître, moi. Éclaire, éclaire !

Ce dialogue fut prononcé au fond de la tente, et si bas que Monck n'en put entendre une syllabe ; il causait d'ailleurs avec Athos.

Menneville s'apprêtait pendant ce temps-là, ou plutôt recevait les ordres de son chef.

— Eh bien ? dit Monck.

— Me voici, mon général, dit le pêcheur.

Monck, Athos et le pêcheur quittèrent la tente.

« C'était impossible, pensa Athos. Quelle rêverie avais-je donc été me mettre dans la cervelle ! »

— Va devant, suis la chaussée du milieu et allonge les jambes, dit Monck au pêcheur.

Ils n'étaient pas à vingt pas, que la même ombre qui avait paru rentrer dans la tente sortait, rampait jusqu'aux pilotis, et, protégée par cette espèce de parapet posé aux alentours de la chaussée, observait curieusement la marche du général.

Tous trois disparurent dans la brume. Ils marchaient vers Newcastle, dont on apercevait déjà les pierres blanches comme des sépulcres.

Après une station de quelques secondes sous le porche, ils pénétrèrent dans l'intérieur. La porte était brisée à coups de hache. Un poste de quatre hommes dormait en sûreté dans un enfoncement, tant on avait la certitude que l'attaque ne pouvait avoir lieu de ce côté.

— Ces hommes ne vous gêneront point ? dit Monck à Athos.

— Au contraire, monsieur, ils aideront à rouler les barils, si Votre Honneur le permet.

— Vous avez raison.

Le poste, tout endormi qu'il était, se réveilla cependant aux premiers pas des deux visiteurs au milieu des ronces et des herbes qui envahissaient le porche. Monck donna le mot de passe et pénétra dans l'intérieur du couvent, précédé toujours de son falot. Il marchait le dernier, surveillant jusqu'au moindre mouvement d'Athos, son dirk tout nu dans sa manche, et prêt à le plonger dans les reins du gentilhomme au premier geste suspect qu'il verrait faire à celui-ci. Mais Athos d'un pas ferme et sûr traversa les salles et les cours.

Plus une porte, plus une fenêtre dans ce bâtiment. Les portes avaient été brûlées, quelques-unes sur place, et les charbons en étaient dentelés encore par l'action du feu, qui s'était éteint tout seul, impuissant sans doute à mordre jusqu'au bout ces massives jointures de chêne assemblées par des clous de fer. Quant aux fenêtres, toutes les vitres ayant été brisées, on voyait s'enfuir par les trous des oiseaux de ténèbres que la lueur du falot effarouchait. En même temps des chauves-souris gigantesques se mirent à tracer autour des deux importuns leurs vastes cercles silencieux, tandis qu'à la lumière projetée sur les hautes parois de pierre on voyait trembloter leur ombre. Ce spectacle était rassurant pour des raisonneurs. Monck conclut qu'il n'y avait aucun homme dans le couvent, puisque les farouches bêtes y étaient encore et s'envolaient à son approche.

Après avoir franchi les décombres et arraché plus d'un lierre qui s'était posé comme gardien de la solitude, Athos arriva aux caveaux situés sous la grande salle, mais dont l'entrée donnait dans la chapelle. Là il s'arrêta.

— Nous y voilà, général, dit-il.

— Voici donc la dalle ?

— Oui.

— En effet, je reconnais l'anneau ; mais l'anneau est scellé à plat.

— Il nous faudrait un levier.

— C'est chose facile à se procurer.

En regardant autour d'eux, Athos et Monck aperçurent un petit frêne de trois pouces de diamètre qui avait poussé dans un angle du mur, montant jusqu'à une fenêtre que ses branches avaient aveuglée.

— As-tu un couteau ? dit Monck au pêcheur.

— Oui, monsieur.

— Coupe cet arbre, alors.

Le pêcheur obéit, mais non sans que son coutelas en fût ébréché. Lorsque le frêne fut arraché, façonné en forme de levier, les trois hommes pénétrèrent dans le souterrain.

— Arrête-toi là, dit Monck au pêcheur en lui désignant un coin du caveau ; nous avons de la poudre à déterrer, et ton falot serait dangereux.

L'homme se recula avec une sorte de terreur et garda fidèlement le poste qu'on lui avait assigné, tandis que Monck et Athos tournaient derrière une colonne au pied de laquelle, par un soupirail, pénétrait un rayon de lune reflété précisément par la pierre que le comte de La Fère venait chercher de si loin.

— Nous y voici, dit Athos en montrant au général l'inscription latine.

— Oui, dit Monck.

Puis, comme il voulait encore laisser au Français un moyen évasif :

— Ne remarquez-vous pas, continua-t-il, que l'on a déjà pénétré dans ce caveau, et que plusieurs statues ont été brisées ?

— Milord, vous avez sans doute entendu dire que le respect religieux de vos Écossais aime à donner en garde aux statues des morts les objets précieux qu'ils ont pu posséder pendant leur vie. Ainsi les soldats ont dû penser que sous le piédestal des statues qui ornaient la plupart de ces tombes un trésor était enfoui ; ils ont donc brisé piédestal et statue. Mais la tombe du vénérable chanoine à qui nous avons affaire ne se distingue par aucun monument ; elle est simple, puis elle a été protégée par la crainte superstitieuse que vos puritains ont toujours eue du sacrilège ; pas un morceau de cette tombe n'a été écaillé.

— C'est vrai, dit Monck.

Athos saisit le levier.

— Voulez-vous que je vous aide ? dit Monck.

— Merci, milord, je ne veux pas que Votre Honneur mette la main à une œuvre dont peut-être elle ne voudrait pas prendre la responsabilité si elle en connaissait les conséquences probables.

Monck leva la tête.

— Que voulez-vous dire, monsieur ? demanda-t-il.

— Je veux dire... Mais cet homme...

— Attendez, dit Monck, je comprends ce que vous craignez et vais faire une épreuve.

Monck se retourna vers le pêcheur, dont on apercevait la silhouette éclairée par le falot.

— *Come here, friend*[1], dit-il avec le ton du commandement.

Le pêcheur ne bougea pas.

— C'est bien, continua-t-il, il ne sait pas l'anglais. Parlez-moi donc anglais, s'il vous plaît, monsieur.

— Milord, répondit Athos, j'ai souvent vu des hommes, dans certaines circonstances, avoir sur eux-mêmes cette puissance de ne point répondre à une question faite dans une langue qu'ils comprennent. Le pêcheur

1. « Viens ici, mon ami. »

est peut-être plus savant que nous le croyons. Veuillez le congédier, milord, je vous prie.

« Décidément, pensa Monck, il désire me tenir seul dans ce caveau. N'importe, allons jusqu'au bout, un homme vaut un homme, et nous sommes seuls... »

— Mon ami, dit Monck au pêcheur, remonte cet escalier que nous venons de descendre, et veille à ce que personne ne nous vienne troubler.

Le pêcheur fit un mouvement pour obéir.

— Laisse ton falot, dit Monck, il trahirait ta présence et pourrait te valoir quelque coup de mousquet effarouché.

Le pêcheur parut apprécier le conseil, déposa le falot à terre et disparut sous la voûte de l'escalier.

Monck alla prendre le falot, qu'il apporta au pied de la colonne.

— Ah çà ! dit-il, c'est bien de l'argent qui est caché dans cette tombe ?

— Oui, milord, et dans cinq minutes vous n'en douterez plus.

En même temps, Athos frappait un coup violent sur le plâtre, qui se fendait en présentant une gerçure au bec du levier. Athos introduisit la pince dans cette gerçure, et bientôt des morceaux tout entiers de plâtre cédèrent, se soulevant comme des dalles arrondies. Alors le comte de La Fère saisit les pierres et les écarta avec des ébranlements dont on n'aurait pas cru capables des mains aussi délicates que les siennes.

— Milord, dit Athos, voici bien la maçonnerie dont j'ai parlé à Votre Honneur.

— Oui, mais je ne vois pas encore les barils, dit Monck.

— Si j'avais un poignard, dit Athos en regardant autour de lui, vous les verriez bientôt, monsieur. Malheureusement, j'ai oublié le mien dans la tente de Votre Honneur.

— Je vous offrirais bien le mien, dit Monck, mais la lame me semble trop frêle pour la besogne à laquelle vous la destinez.

Athos parut chercher autour de lui un objet quelconque qui pût remplacer l'arme qu'il désirait.

Monck ne perdait pas un des mouvements de ses mains, une des expressions de ses yeux.

— Que ne demandez-vous le coutelas du pêcheur ? dit Monck. Il avait un coutelas.

— Ah ! c'est juste, dit Athos, puisqu'il s'en est servi pour couper cet arbre.

Et il s'avança vers l'escalier.

— Mon ami, dit-il au pêcheur, jetez-moi votre coutelas, je vous prie, j'en ai besoin.

Le bruit de l'arme retentit sur les marches.

— Prenez, dit Monck, c'est un instrument solide, à ce que j'ai vu, et dont une main ferme peut tirer bon parti.

Athos ne parut accorder aux paroles de Monck que le sens naturel et simple sous lequel elles devaient être entendues et comprises. Il ne remarqua pas non plus, ou du moins il ne parut pas remarquer, que, lorsqu'il revint à Monck, Monck s'écarta en portant la main gauche à la crosse de son pistolet ; de la droite il tenait déjà son dirk. Il se mit donc à l'œuvre, tournant le dos à Monck et lui livrant sa vie sans défense possible. Alors il frappa pendant quelques secondes si adroitement et si nettement sur le plâtre intermédiaire, qu'il le sépara en deux parties, et que Monck alors put voir deux barils placés bout à bout et que leur poids maintenait immobiles dans leur enveloppe crayeuse.

— Milord, dit Athos, vous voyez que mes pressentiments ne m'avaient point trompé.

— Oui, monsieur, dit Monck, et j'ai tout lieu de croire que vous êtes satisfait, n'est-ce pas ?

— Sans doute ; la perte de cet argent m'eût été on ne peut plus sensible ; mais j'étais certain que Dieu, qui protège la bonne cause, n'aurait pas permis que l'on détournât cet or qui doit la faire triompher.

— Vous êtes, sur mon honneur, aussi mystérieux en paroles qu'en actions, monsieur, dit Monck. Tout à l'heure, je vous ai peu compris, quand vous m'avez dit que vous ne vouliez pas déverser sur moi la responsabilité de l'œuvre que nous accomplissons.

— J'avais raison de dire cela, milord.

— Et voilà maintenant que vous me parlez de la bonne cause. Qu'entendez-vous pas ces mots, la bonne cause ? Nous défendons en ce moment en Angleterre cinq ou six causes, ce qui n'empêche pas chacun de regarder la sienne non seulement comme la bonne, mais encore comme la meilleure. Quelle est la vôtre, monsieur ? Parlez hardiment, que nous voyions si sur ce point, auquel vous paraissez attacher une grande importance, nous sommes du même avis.

Athos fixa sur Monck un de ces regards profonds qui semblent porter à celui qu'on regarde ainsi le défi de cacher une seule de ses pensées ; puis, levant son chapeau, il commença d'une voix solennelle, tandis que son interlocuteur, une main sur le visage, laissait cette main longue et nerveuse enserrer sa moustache et sa barbe, en même temps que son œil vague et mélancolique errait dans les profondeurs du souterrain.

XXVI

LE CŒUR ET L'ESPRIT

— Milord, dit le comte de La Fère, vous êtes un noble Anglais, vous êtes un homme loyal, vous parlez à un noble Français, à un homme de cœur. Cet or, contenu dans les deux barils que voici, je vous ai dit qu'il était à moi, j'ai eu tort ; c'est le premier mensonge que j'aie fait de ma vie, mensonge momentané, il est vrai : cet or, c'est le bien du roi Charles II, exilé de sa patrie, chassé de son palais, orphelin à la fois de son père et de son trône, et privé de tout, même du triste bonheur de baiser à genoux la pierre sur laquelle la main de ses meurtriers a écrit cette simple épitaphe qui criera éternellement vengeance contre eux : « Ci-gît le roi Charles Ier[1]. »

Monck pâlit légèrement, et un imperceptible frisson rida sa peau et hérissa sa moustache grise.

— Moi, continua Athos, moi, le comte de La Fère, le seul, le dernier fidèle qui reste au pauvre prince abandonné, je lui ai offert de venir trouver l'homme duquel dépend aujourd'hui le sort de la royauté en Angleterre, et je suis venu, et je me suis placé sous le regard de cet homme, et je me suis mis nu et désarmé dans ses mains en lui disant : « Milord, ici est la dernière ressource d'un prince que Dieu fit votre maître, que sa naissance fit votre roi ; de vous, de vous seul dépendent sa vie et son avenir. Voulez-vous employer cet argent à consoler l'Angleterre des maux qu'elle a dû souffrir pendant l'anarchie, c'est-à-dire voulez-vous aider, ou, sinon aider, du moins laisser faire le roi Charles II ? Vous êtes le maître, vous êtes le roi, maître et roi tout-puissant, car le hasard défait parfois l'œuvre du temps et de Dieu. Je suis avec vous seul, milord ; si le succès vous effraie étant partagé, si ma complicité vous pèse, vous êtes armé, milord, et voici une tombe toute creusée ; si, au contraire, l'enthousiasme de votre cause vous enivre, si vous êtes ce que vous paraissez être, si votre main, dans ce qu'elle entreprend, obéit à votre esprit, et votre esprit à votre cœur, voici le moyen de perdre à jamais la cause de votre ennemi Charles Stuart ; tuez encore l'homme que vous avez devant les yeux, car cet homme ne retournera pas vers celui qui l'a envoyé sans lui rapporter le dépôt que lui confia Charles Ier, son père, et gardez l'or qui pourrait servir à entretenir la guerre civile. Hélas ! milord, c'est la condition fatale de ce malheureux prince. Il faut qu'il corrompe ou qu'il tue ; car tout lui résiste, tout le repousse, tout lui est

1. Voir *Vingt Ans après*, chap. LXXII, p. 1106, note 1.

hostile, et cependant il est marqué du sceau divin, et il faut, pour ne pas mentir à son sang, qu'il remonte sur le trône ou qu'il meure sur le sol sacré de la patrie.

« Milord, vous m'avez entendu. A tout autre qu'à l'homme illustre qui m'écoute, j'eusse dit : "Milord, vous êtes pauvre ; milord, le roi vous offre ce million comme arrhes d'un immense marché ; prenez-le et servez Charles II comme j'ai servi Charles Ier, et je suis sûr que Dieu, qui nous écoute, qui nous voit, qui lit seul dans votre cœur fermé à tous les regards humains ; je suis sûr que Dieu vous donnera une heureuse vie éternelle après une heureuse mort." Mais au général Monck, à l'homme illustre dont je crois avoir mesuré la hauteur, je dis : "Milord, il y a pour vous dans l'histoire des peuples et des rois une place brillante, une gloire immortelle, impérissable, si seul, sans autre intérêt que le bien de votre pays et l'intérêt de la justice, vous devenez le soutien de votre roi. Beaucoup d'autres ont été des conquérants et des usurpateurs glorieux. Vous, milord, vous vous serez contenté d'être le plus vertueux, le plus probe et le plus intègre des hommes ; vous aurez tenu une couronne dans votre main, et, au lieu de l'ajuster à votre front, vous l'aurez déposée sur la tête de celui pour lequel elle avait été faite. Oh ! milord, agissez ainsi, et vous léguerez à la postérité le plus envié des noms qu'aucune créature humaine puisse s'enorgueillir de porter."

Athos s'arrêta. Pendant tout le temps que le noble gentilhomme avait parlé, Monck n'avait pas donné un signe d'approbation ni d'improbation ; à peine même si, durant cette véhémente allocution, ses yeux s'étaient animés de ce feu qui indique l'intelligence. Le comte de La Fère le regarda tristement et, voyant ce visage morne, sentit le découragement pénétrer jusqu'à son cœur. Enfin Monck parut s'animer, et, rompant le silence :

— Monsieur, dit-il d'une voix douce et grave, je vais, pour vous répondre, me servir de vos propres paroles. A tout autre qu'à vous, je répondrais par l'expulsion, la prison ou pis encore. Car enfin, vous me tentez et vous me violentez à la fois. Mais vous êtes un de ces hommes, monsieur, à qui l'on ne peut refuser l'attention et les égards qu'ils méritent : vous êtes un brave gentilhomme, monsieur, je le dis et je m'y connais. Tout à l'heure, vous m'avez parlé d'un dépôt que le feu roi transmit pour son fils : n'êtes-vous donc pas un de ces Français qui, je l'ai ouï dire, ont voulu enlever Charles à White Hall ?

— Oui, milord, c'est moi qui me trouvais sous l'échafaud pendant l'exécution ; moi qui, n'ayant pu le racheter, reçus sur mon front le sang du roi martyr ; je reçus en même temps la dernière parole de Charles Ier, c'est à moi qu'il a dit « *Remember !* » et en me disant « Souviens-toi ! » il faisait allusion à cet argent qui est à vos pieds, milord.

— J'ai beaucoup entendu parler de vous, monsieur, dit Monck, mais je suis heureux de vous avoir apprécié tout d'abord par ma propre inspiration et non par mes souvenirs. Je vous donnerai donc des explications que je n'ai données à personne, et vous apprécierez quelle distinction je fais entre vous et les personnes qui m'ont été envoyées jusqu'ici.

Athos s'inclina, s'apprêtant à absorber avidement les paroles qui tombaient une à une de la bouche de Monck, ces paroles rares et précieuses comme la rosée dans le désert.

— Vous me parliez, dit Monck, du roi Charles II ; mais je vous prie, monsieur, dites-moi, que m'importe à moi, ce fantôme de roi ? J'ai vieilli dans la guerre et dans la politique, qui sont aujourd'hui liées si étroitement ensemble, que tout homme d'épée doit combattre en vertu de son droit ou de son ambition, avec un intérêt personnel, et non aveuglément derrière un officier, comme dans les guerres ordinaires. Moi, je ne désire rien peut-être, mais je crains beaucoup. Dans la guerre aujourd'hui réside la liberté de l'Angleterre, et peut-être celle de chaque Anglais. Pourquoi voulez-vous que, libre dans la position que je me suis faite, j'aille tendre la main aux fers d'un étranger ? Charles n'est que cela pour moi. Il a livré ici des combats[1] qu'il a perdus, c'est donc un mauvais capitaine ; il n'a réussi dans aucune négociation, c'est donc un mauvais diplomate ; il a colporté sa misère dans toutes les cours de l'Europe, c'est donc un cœur faible et pusillanime. Rien de noble, rien de grand, rien de fort n'est sorti encore de ce génie qui aspire à gouverner un des plus grands royaumes de la terre. Donc, je ne connais ce Charles que sous de mauvais aspects, et vous voudriez que moi, homme de bon sens, j'allasse me faire gratuitement l'esclave d'une créature qui m'est inférieure en capacité militaire, en politique et en dignité ? Non, monsieur ; quand quelque grande et noble action m'aura appris à apprécier Charles, je reconnaîtrai peut-être ses droits à un trône dont nous avons renversé le père, parce qu'il manquait des vertus qui jusqu'ici manquent au fils ; mais jusqu'ici, en fait de droits, je ne reconnais que les miens : la révolution m'a fait général, mon épée me fera protecteur si je veux. Que Charles se montre, qu'il se présente, qu'il subisse le concours ouvert au génie, et surtout qu'il se souvienne qu'il est d'une race à laquelle on demandera plus qu'à toute autre. Ainsi, monsieur, n'en parlons plus, je ne refuse ni n'accepte : je me réserve, j'attends.

Athos savait Monck trop bien informé de tout ce qui avait rapport à Charles II pour pousser plus loin la discussion. Ce n'était ni l'heure ni le lieu.

— Milord, dit-il, je n'ai donc plus qu'à vous remercier.

— Et de quoi, monsieur ? de ce que vous m'avez bien jugé et de ce que j'ai agi d'après votre jugement ? Oh ! vraiment, est-ce la peine ? Cet

1. Batailles de Dunbar et de Worcester. Voir ci-dessus, chap. IX, p. 55, note 3.

or que vous allez porter au roi Charles va me servir d'épreuve pour lui : en voyant ce qu'il en saura faire, je prendrai sans doute une opinion que je n'ai pas.

— Cependant Votre Honneur ne craint-elle pas de se compromettre en laissant partir une somme destinée à servir les armes de son ennemi ?

— Mon ennemi, dites-vous ? Eh ! monsieur, je n'ai pas d'ennemis, moi. Je suis au service du Parlement, qui m'ordonne de combattre le général Lambert et le roi Charles, ses ennemis à lui et non les miens ; je combats donc. Si le Parlement, au contraire, m'ordonnait de faire pavoiser le port de Londres, de faire assembler les soldats sur le rivage, de recevoir le roi Charles II...

— Vous obéiriez ? s'écria Athos avec joie.

— Pardonnez-moi, dit Monck en souriant, j'allais, moi, une tête grise... en vérité, où avais-je l'esprit ? j'allais, moi, dire une folie de jeune homme.

— Alors, vous n'obéiriez pas ? dit Athos.

— Je ne dis pas cela non plus, monsieur. Avant tout, le salut de ma patrie. Dieu, qui a bien voulu me donner la force, a voulu sans doute que j'eusse cette force pour le bien de tous, et il m'a donné en même temps le discernement. Si le Parlement m'ordonnait une chose pareille, je réfléchirais.

Athos s'assombrit.

— Allons, dit-il, je le vois, décidément Votre Honneur n'est point disposée à favoriser le roi Charles II.

— Vous me questionnez toujours, monsieur le comte ; à mon tour, s'il vous plaît.

— Faites, monsieur, et puisse Dieu vous inspirer l'idée de me répondre aussi franchement que je vous répondrai !

— Quand vous aurez rapporté ce million à votre prince, quel conseil lui donnerez-vous ?

Athos fixa sur Monck un regard fier et résolu.

— Milord, dit-il, avec ce million que d'autres emploieraient à négocier peut-être, je veux conseiller au roi de lever deux régiments, d'entrer par l'Écosse que vous venez de pacifier ; de donner au peuple des franchises que la révolution lui avait promises et n'a pas tout à fait tenues. Je lui conseillerai de commander en personne cette petite armée, qui se grossirait, croyez-le bien, de se faire tuer le drapeau à la main et l'épée au fourreau, en disant : « Anglais ! voilà le troisième roi de ma race que vous tuez : prenez garde à la justice de Dieu[1] ! »

Monck baissa la tête et rêva un instant.

— S'il réussissait, dit-il, ce qui est invraisemblable, mais non pas

1. Athos fait allusion aux deux Stuart qui ont déjà péri sur l'échafaud : Marie Stuart et son petit-fils Charles Ier.

impossible, car tout est possible en ce monde, que lui conseilleriez-vous ?

— De penser que par la volonté de Dieu il a perdu sa couronne, mais que par la bonne volonté des hommes il l'a recouvrée.

Un sourire ironique passa sur les lèvres de Monck.

— Malheureusement, monsieur, dit-il, les rois ne savent pas suivre un bon conseil.

— Ah ! milord, Charles II n'est pas un roi, répliqua Athos en souriant à son tour, mais avec une tout autre expression que n'avait fait Monck.

— Voyons, abrégeons, monsieur le comte... C'est votre désir, n'est-il pas vrai ?

Athos s'inclina.

— Je vais donner l'ordre qu'on transporte où il vous plaira ces deux barils. Où demeurez-vous, monsieur ?

— Dans un petit bourg, à l'embouchure de la rivière, Votre Honneur.

— Oh ! je connais ce bourg, il se compose de cinq ou six maisons, n'est-ce pas ?

— C'est cela. Eh bien ! j'habite la première ; deux faiseurs de filets l'occupent avec moi ; c'est leur barque qui m'a mis à terre.

— Mais votre bâtiment à vous, monsieur ?

— Mon bâtiment est à l'ancre à un quart de mille en mer et m'attend.

— Vous ne comptez cependant point partir tout de suite ?

— Milord, j'essaierai encore une fois de convaincre Votre Honneur.

— Vous n'y parviendrez pas, répliqua Monck ; mais il importe que vous quittiez Newcastle sans y laisser de votre passage le moindre soupçon qui puisse nuire à vous ou à moi. Demain, mes officiers pensent que Lambert m'attaquera. Moi, je garantis, au contraire, qu'il ne bougera point ; c'est à mes yeux impossible. Lambert conduit une armée sans principes homogènes, et il n'y a pas d'armée possible avec de pareils éléments. Moi, j'ai instruit mes soldats à subordonner mon autorité à une autorité supérieure, ce qui fait qu'après moi, autour de moi, au-dessus de moi, ils tentent encore quelque chose. Il en résulte que, moi mort, ce qui peut arriver, mon armée ne se démoralisera pas tout de suite ; il en résulte que, s'il me plaisait de m'absenter, par exemple, comme cela me plaît quelquefois, il n'y aurait pas dans mon camp l'ombre d'une inquiétude ou d'un désordre. Je suis l'aimant, la force sympathique et naturelle des Anglais. Tous ces fers éparpillés qu'on enverra contre moi, je les attirerai à moi. Lambert commande en ce moment dix-huit mille déserteurs ; mais je n'ai point parlé de cela à mes officiers, vous le sentez bien. Rien n'est plus utile à une armée que le sentiment d'une bataille prochaine : tout le monde demeure éveillé, tout le monde se garde. Je vous dis cela à vous pour que vous viviez en toute sécurité. Ne vous hâtez donc pas de repasser la mer : d'ici à huit jours, il y aura quelque chose de nouveau, soit la bataille, soit l'accommodement. Alors, comme vous m'avez jugé honnête homme et confié votre secret, et que j'ai à vous remercier de cette confiance, j'irai vous faire visite ou vous manderai. Ne partez donc pas avant mon avis, je vous en réitère l'invitation.

— Je vous le promets, général, s'écria Athos, transporté d'une joie si grande que, malgré toute sa circonspection, il ne put s'empêcher de laisser jaillir une étincelle de ses yeux.

Monck surprit cette flamme et l'éteignit aussitôt par un de ces muets sourires qui rompaient toujours chez ses interlocuteurs le chemin qu'ils croyaient avoir fait dans son esprit.

— Ainsi, milord, dit Athos, c'est huit jours que vous me fixez pour délai ?

— Huit jours, oui, monsieur.

— Et pendant ces huit jours, que ferai-je ?

— S'il y a bataille, tenez-vous loin, je vous prie. Je sais les Français curieux de ces sortes de divertissements ; vous voudriez voir comment nous nous battons, et vous pourriez recueillir quelque balle égarée ; nos Écossais tirent fort mal, et je ne veux pas qu'un digne gentilhomme tel que vous regagne, blessé, la terre de France. Je ne veux pas enfin être obligé de renvoyer moi-même à votre prince son million laissé par vous ; car alors on dirait, et cela avec quelque raison, que je paie le prétendant pour qu'il guerroie contre le Parlement. Allez donc, monsieur, et qu'il soit fait entre nous comme il est convenu.

— Ah ! milord, dit Athos, quelle joie ce serait pour moi d'avoir pénétré le premier dans le noble cœur qui bat sous ce manteau.

— Vous croyez donc décidément que j'ai des secrets, dit Monck sans changer l'expression demi-enjouée de son visage. Eh ! monsieur, quel secret voulez-vous donc qu'il y ait dans la tête creuse d'un soldat ? Mais il se fait tard, et voici notre falot qui s'éteint, rappelons notre homme. Holà ! cria Monck en français ; et s'approchant de l'escalier : Holà ! pêcheur !

Le pêcheur, engourdi par la fraîcheur de la nuit, répondit d'une voix enrouée en demandant quelle chose on lui voulait.

— Va jusqu'au poste, dit Monck, et ordonne au sergent, de la part du général Monck, de venir ici sur-le-champ.

C'était une commission facile à remplir, car le sergent, intrigué de la présence du général en cette abbaye déserte, s'était approché peu à peu, et n'était qu'à quelques pas du pêcheur.

L'ordre du général parvint donc directement jusqu'à lui, et il accourut.

— Prends un cheval et deux hommes, dit Monck.

— Un cheval et deux hommes ? répéta le sergent.

— Oui, reprit Monck. As-tu un moyen de te procurer un cheval avec un bât ou des paniers ?

— Sans doute, à cent pas d'ici, au camp des Écossais.

— Bien.

— Que ferai-je du cheval, général ?

— Regarde.

Le sergent descendit les trois ou quatre marches qui le séparaient de Monck et apparut sous la voûte.

— Tu vois, lui dit Monck, là-bas où est ce gentilhomme ?

— Oui, mon général.

— Tu vois ces deux barils ?

— Parfaitement.

— Ce sont deux barils contenant, l'un de la poudre, l'autre des balles ; je voudrais faire transporter ces barils dans le petit bourg qui est au bord de la rivière, et que je compte faire occuper demain par deux cents mousquets. Tu comprends que la commission est secrète, car c'est un mouvement qui peut décider du gain de la bataille.

— Oh ! mon général, murmura le sergent.

— Bien ! Fais donc attacher ces deux barils sur le cheval, et qu'on les escorte, deux hommes et toi, jusqu'à la maison de ce gentilhomme, qui est mon ami ; mais tu comprends, que nul ne le sache.

— Je passerais par le marais si je connaissais un chemin, dit le sergent.

— J'en connais un, moi, dit Athos ; il n'est pas large, mais il est solide, ayant été fait sur pilotis, et, avec de la précaution, nous arriverons.

— Faites ce que ce cavalier vous ordonnera, dit Monck.

— Oh ! oh ! les barils sont lourds, dit le sergent, qui essaya d'en soulever un.

— Ils pèsent quatre cents livres chacun, s'ils contiennent ce qu'ils doivent contenir, n'est-ce pas, monsieur ?

— A peu près, dit Athos.

Le sergent alla chercher le cheval et les hommes. Monck, resté seul avec Athos, affecta de ne plus lui parler que de choses indifférentes, tout en examinant distraitement le caveau. Puis, entendant le pas du cheval :

— Je vous laisse avec vos hommes, monsieur, dit-il, et retourne au camp. Vous êtes en sûreté.

— Je vous reverrai donc, milord ? demanda Athos.

— C'est chose dite, monsieur, et avec grand plaisir.

Monck tendit la main à Athos.

— Ah ! milord, si vous vouliez ! murmura Athos.

— Chut ! monsieur, dit Monck, il est convenu que nous ne parlerons plus de cela.

Et, saluant Athos, il remonta, croisant au milieu de l'escalier ses hommes qui descendaient. Il n'avait pas fait vingt pas hors de l'abbaye, qu'un petit coup de sifflet lointain et prolongé se fit entendre. Monck dressa l'oreille ; mais ne voyant plus rien, il continua sa route. Alors, il se souvint du pêcheur et le chercha des yeux, mais le pêcheur avait disparu. S'il eût cependant regardé avec plus d'attention qu'il ne le fit, il eût vu cet homme courbé en deux, se glissant comme un serpent le long des pierres et se perdant au milieu de la brume, rasant la surface du marais ; il eût vu également, essayant de percer cette brume, un spectacle qui eût attiré son attention : c'était la mâture de la barque du pêcheur qui avait changé de place, et qui se trouvait alors au plus près du bord de la rivière.

Mais Monck ne vit rien et, pensant n'avoir rien à craindre, il s'engagea sur la chaussée déserte qui conduisait à son camp. Ce fut alors que cette disparition du pêcheur lui parut étrange, et qu'un soupçon réel commença d'assiéger son esprit. Il venait de mettre aux ordres d'Athos le seul poste qui pût le protéger. Il avait un mille de chaussée à traverser pour regagner son camp.

Le brouillard montait avec une telle intensité, qu'à peine pouvait-on distinguer les objets à une distance de dix pas.

Monck crut alors entendre comme le bruit d'un aviron qui battait sourdement le marais à sa droite.

— Qui va là ? cria-t-il.

Mais personne ne répondit. Alors il arma son pistolet, mit l'épée à la main, et pressa le pas sans cependant vouloir appeler personne. Cet appel, dont l'urgence n'était pas absolue, lui paraissait indigne de lui.

XXVII

LE LENDEMAIN

Il était sept heures du matin : les premiers rayons du jour éclairaient les étangs, dans lesquels le soleil se reflétait comme un boulet rougi, lorsque Athos, se réveillant et ouvrant la fenêtre de sa chambre à coucher qui donnait sur les bords de la rivière, aperçut à quinze pas de distance à peu près le sergent et les hommes qui l'avaient accompagné la veille, et qui, après avoir déposé les barils chez lui, étaient retournés au camp par la chaussée de droite.

Pourquoi, après être retournés au camp, ces hommes étaient-ils revenus ? Voilà la question qui se présenta soudainement à l'esprit d'Athos.

Le sergent, la tête haute, paraissait guetter le moment où le gentilhomme paraîtrait pour l'interpeller. Athos, surpris de retrouver là ceux qu'il avait vus s'éloigner la veille, ne put s'empêcher de leur témoigner son étonnement.

— Cela n'a rien de surprenant, monsieur, dit le sergent, car hier le général m'a recommandé de veiller à votre sûreté, et j'ai dû obéir à cet ordre.

— Le général est au camp ? demanda Athos.

— Sans doute, monsieur, puisque vous l'avez quitté hier s'y rendant.

— Eh bien ! attendez-moi ; j'y vais aller pour rendre compte de la fidélité avec laquelle vous avez rempli votre mission et pour reprendre mon épée, que j'oubliai hier sur la table.

— Cela tombe à merveille, dit le sergent, car nous allions vous en prier.

Athos crut remarquer un certain air de bonhomie équivoque sur le visage de ce sergent ; mais l'aventure du souterrain pouvait avoir excité la curiosité de cet homme, et il n'était pas surprenant alors qu'il laissât voir sur son visage un peu des sentiments qui agitaient son esprit.

Athos ferma donc soigneusement les portes, et il en confia les clefs à Grimaud, lequel avait élu son domicile sous l'appentis même qui conduisait au cellier où les barils avaient été enfermés. Le sergent escorta le comte de La Fère jusqu'au camp. Là, une garde nouvelle attendait et relaya les quatre hommes qui avaient conduit Athos.

Cette garde nouvelle était commandée par l'aide de camp Digby, lequel, durant le trajet, attacha sur Athos des regards si peu encourageants, que le Français se demanda d'où venaient à son endroit cette vigilance et cette sévérité, quand la veille il avait été si parfaitement libre.

Il n'en continua pas moins son chemin vers le quartier général, renfermant en lui-même les observations que le forçaient de faire les hommes et les choses. Il trouva sous la tente du général où il avait été introduit la veille trois officiers supérieurs ; c'étaient le lieutenant de Monck et deux colonels. Athos reconnut son épée ; elle était encore sur la table du général, à la place où il l'avait laissée la veille.

Aucun des officiers n'avait vu Athos, aucun par conséquent ne le connaissait. Le lieutenant de Monck demanda alors, à l'aspect d'Athos, si c'était bien là le même gentilhomme avec lequel le général était sorti de la tente.

— Oui, Votre Honneur, dit le sergent, c'est lui-même.

— Mais, dit Athos avec hauteur, je ne le nie pas, ce me semble ; et maintenant, messieurs, à mon tour, permettez-moi de vous demander à quoi bon toutes ces questions, et surtout quelques explications sur le ton avec lequel vous les demandez.

— Monsieur, dit le lieutenant, si nous vous adressons ces questions, c'est que nous avons le droit de les faire, et si nous vous les faisons avec ce ton, c'est que ce ton convient, croyez-moi, à la situation.

— Messieurs, dit Athos, vous ne savez pas qui je suis, mais ce que je dois vous dire, c'est que je ne reconnais ici pour mon égal que le général Monck. Où est-il ? Qu'on me conduise devant lui, et s'il a, lui, quelque question à m'adresser, je lui répondrai, et à sa satisfaction, je l'espère. Je le répète, messieurs, où est le général ?

— Eh mordieu ! vous le savez mieux que nous, où il est, fit le lieutenant.

— Moi ?

— Certainement, vous.

— Monsieur, dit Athos, je ne vous comprends pas.

— Vous m'allez comprendre, et vous-même d'abord, parlez plus bas, monsieur. Que vous a dit le général, hier ?

Athos sourit dédaigneusement.

— Il ne s'agit pas de sourire, s'écria un des colonels avec emportement, il s'agit de répondre.

— Et moi, messieurs, je vous déclare que je ne vous répondrai point que je ne sois en présence du général.

— Mais, répéta le même colonel qui avait déjà parlé, vous savez bien que vous demandez une chose impossible.

— Voilà déjà deux fois que l'on fait cette étrange réponse au désir que j'exprime, reprit Athos. Le général est-il absent ?

La question d'Athos fut faite de si bonne foi, et le gentilhomme avait l'air si naïvement surpris, que les trois officiers échangèrent un regard. Le lieutenant prit la parole par une espèce de convention tacite des deux autres officiers.

— Monsieur, dit-il, le général vous a quitté hier sur les limites du monastère ?

— Oui, monsieur.

— Et vous êtes allé... ?

— Ce n'est point à moi de vous répondre, c'est à ceux qui m'ont accompagné. Ce sont vos soldats, interrogez-les.

— Mais s'il nous plaît de vous interroger, vous ?

— Alors il me plaira de vous répondre, monsieur, que je ne relève de personne ici, que je ne connais ici que le général, et que ce n'est qu'à lui que je répondrai.

— Soit, monsieur, mais comme nous sommes les maîtres, nous nous érigeons en conseil de guerre, et quand vous serez devant des juges, il faudra bien que vous leur répondiez.

La figure d'Athos n'exprima que l'étonnement et le dédain, au lieu de la terreur qu'à cette menace les officiers comptaient y lire.

— Des juges écossais ou anglais, à moi, sujet du roi de France ; à moi, placé sous la sauvegarde de l'honneur britannique ! Vous êtes fous, messieurs ! dit Athos en haussant les épaules.

Les officiers se regardèrent.

— Alors, monsieur, dirent-ils, vous prétendez ne pas savoir où est le général ?

— A ceci, je vous ai déjà répondu, monsieur.

— Oui ; mais vous avez déjà répondu une chose incroyable.

— Elle est vraie cependant, messieurs. Les gens de ma condition ne mentent point d'ordinaire. Je suis gentilhomme, vous ai-je dit, et quand je porte à mon côté l'épée que, par un excès de délicatesse, j'ai laissée hier sur cette table où elle est encore aujourd'hui, nul, croyez-le bien, ne me dit des choses que je ne veux pas entendre. Aujourd'hui, je suis désarmé ; si vous vous prétendez mes juges, jugez-moi ; si vous n'êtes que mes bourreaux, tuez-moi.

— Mais, monsieur ?... demanda d'une voix plus courtoise le lieutenant, frappé de la grandeur et du sang-froid d'Athos.

— Monsieur, j'étais venu parler confidentiellement à votre général d'affaires d'importance. Ce n'est point un accueil ordinaire que celui qu'il m'a fait. Les rapports de vos soldats peuvent vous en convaincre. Donc, s'il m'accueillait ainsi, le général savait quels étaient mes titres à l'estime. Maintenant vous ne supposez pas, je présume, que je vous révélerai mes secrets, et encore moins les siens.

— Mais enfin, ces barils, que contenaient-ils ?

— N'avez-vous point adressé cette question à vos soldats ? Que vous ont-ils répondu ?

— Qu'ils contenaient de la poudre et du plomb.

— De qui tenaient-ils ces renseignements ? Ils ont dû vous le dire.

— Du général ; mais nous ne sommes point dupes.

— Prenez garde, monsieur, ce n'est plus à moi que vous donnez un démenti, c'est à votre chef.

Les officiers se regardèrent encore. Athos continua :

— Devant vos soldats, le général m'a dit d'attendre huit jours ; que dans huit jours, il me donnerait la réponse qu'il avait à me faire. Me suis-je enfui ? Non, j'attends.

— Il vous a dit d'attendre huit jours ! s'écria le lieutenant.

— Il me l'a si bien dit, monsieur, que j'ai un sloop à l'ancre à l'embouchure de la rivière, et que je pouvais parfaitement le joindre hier et m'embarquer. Or, si je suis resté, c'est uniquement pour me conformer aux désirs du général, Son Honneur m'ayant recommandé de ne point partir sans une dernière audience que lui-même a fixée à huit jours. Je vous le répète donc, j'attends.

Le lieutenant se retourna vers les deux autres officiers, et à voix basse :

— Si ce gentilhomme dit vrai, il y aurait encore de l'espoir, dit-il. Le général aurait dû accomplir quelques négociations si secrètes qu'il aurait cru imprudent de prévenir, même nous. Alors, le temps limité pour son absence serait huit jours.

Puis, se retournant vers Athos :

— Monsieur, dit-il, votre déclaration est de la plus grave importance ; voulez-vous la répéter sous le sceau du serment ?

— Monsieur, répondit Athos, j'ai toujours vécu dans un monde où ma simple parole a été regardée comme le plus saint des serments.

— Cette fois cependant, monsieur, la circonstance est plus grave qu'aucune de celles dans lesquelles vous vous êtes trouvé. Il s'agit du salut de toute une armée. Songez-y bien, le général a disparu, nous sommes à sa recherche. La disparition est-elle naturelle ? Un crime a-t-il été commis ? Devons-nous pousser nos investigations jusqu'à l'extrémité ? Devons-nous attendre avec patience ? En ce moment, monsieur, tout dépend du mot que vous allez prononcer.

— Interrogé ainsi, monsieur, je n'hésite plus, dit Athos. Oui, j'étais venu causer confidentiellement avec le général Monck et lui demander une réponse sur certains intérêts ; oui, le général, ne pouvant sans doute se prononcer avant la bataille qu'on attend, m'a prié de demeurer huit jours encore dans cette maison que j'habite, me promettant que dans huit jours je le reverrais. Oui, tout cela est vrai, et je le jure sur Dieu, qui est le maître absolu de ma vie et de la vôtre.

Athos prononça ces paroles avec tant de grandeur et de solennité que les trois officiers furent presque convaincus. Cependant un des colonels essaya une dernière tentative :

— Monsieur, dit-il, quoique nous soyons persuadés maintenant de la vérité de ce que vous dites, il y a pourtant dans tout ceci un étrange mystère. Le général est un homme trop prudent pour avoir ainsi abandonné son armée à la veille d'une bataille, sans avoir au moins donné à l'un de nous un avertissement. Quant à moi, je ne puis croire, je l'avoue, qu'un événement étrange ne soit pas la cause de cette disparition. Hier, des pêcheurs étrangers sont venus vendre ici leur poisson ; on les a logés là-bas aux Écossais, c'est-à-dire sur la route qu'a suivie le général pour aller à l'abbaye avec Monsieur et pour en revenir. C'est un de ces pêcheurs qui a accompagné le général avec un falot. Et ce matin, barque et pêcheurs avaient disparu, emportés cette nuit par la marée.

— Moi, fit le lieutenant, je ne vois rien là que de bien naturel ; car, enfin, ces gens n'étaient pas prisonniers.

— Non ; mais, je le répète, c'est un d'eux qui a éclairé le général et Monsieur dans le caveau de l'abbaye, et Digby nous a assuré que le général avait eu sur ces gens-là de mauvais soupçons. Or, qui nous dit que ces pêcheurs n'étaient pas d'intelligence avec Monsieur, et que, le coup fait, Monsieur, qui est brave assurément, n'est pas resté pour nous rassurer par sa présence et empêcher nos recherches dans la bonne voie ?

Ce discours fit impression sur les deux autres officiers.

— Monsieur, dit Athos, permettez-moi de vous dire que votre raisonnement, très spécieux en apparence, manque cependant de solidité quant à ce qui me concerne. Je suis resté, dites-vous, pour détourner les soupçons. Eh bien ! au contraire, les soupçons me viennent à moi comme à vous et je vous dis : Il est impossible, messieurs, que le général, la veille d'une bataille, soit parti sans rien dire à personne. Oui, il y a un événement étrange dans tout cela ; oui, au lieu de demeurer oisifs et d'attendre, il vous faut déployer toute la vigilance, toute l'activité possibles. Je suis votre prisonnier, messieurs, sur parole ou autrement. Mon honneur est intéressé à ce que l'on sache ce qu'est devenu le général Monck, à ce point que si vous me disiez : « Partez ! » je dirais : « Non, je reste. » Et si vous me demandiez mon avis, j'ajouterais : « Oui, le général est victime de quelque conspiration, car s'il eût dû quitter le camp, il me l'aurait dit. Cherchez donc, fouillez donc, fouillez la terre, fouillez la mer ; le général n'est point parti, ou tout au moins n'est pas parti de sa propre volonté. »

Le lieutenant fit un signe aux autres officiers.

— Non, monsieur, dit-il, non ; à votre tour vous allez trop loin. Le général n'a rien à souffrir des événements, et sans doute, au contraire, il les a dirigés. Ce que fait Monck à cette heure, il l'a fait souvent. Nous avons donc tort de nous alarmer ; son absence sera de courte durée, sans doute ; aussi gardons-nous bien, par une pusillanimité dont le général nous ferait un crime, d'ébruiter son absence, qui pourrait démoraliser l'armée. Le général donne une preuve immense de sa confiance en nous, montrons-nous-en dignes. Messieurs, que le plus profond silence couvre tout ceci d'un voile impénétrable ; nous allons garder Monsieur, non pas par défiance de lui relativement au crime, mais pour assurer plus efficacement le secret de l'absence du général en le concentrant parmi nous ; aussi, jusqu'à nouvel ordre, Monsieur habitera le quartier général.

— Messieurs, dit Athos, vous oubliez que cette nuit le général m'a confié un dépôt sur lequel je dois veiller. Donnez-moi telle garde qu'il vous plaira, enchaînez-moi, s'il vous plaît, mais laissez-moi la maison que j'habite pour prison. Le général, à son retour, vous reprocherait, je vous le jure, sur ma foi de gentilhomme, de lui avoir déplu en ceci.

Les officiers se consultèrent un moment ; puis après cette consultation :

— Soit, monsieur, dit le lieutenant ; retournez chez vous.

Puis ils donnèrent à Athos une garde de cinquante hommes qui l'enferma dans sa maison, sans le perdre de vue un seul instant.

Le secret demeura gardé, mais les heures, mais les jours s'écoulèrent sans que le général revînt et sans que nul reçût de ses nouvelles.

XXVIII

LA MARCHANDISE DE CONTREBANDE

Deux jours après les événements que nous venons de raconter, et tandis qu'on attendait à chaque instant dans son camp le général Monck, qui n'y rentrait pas, une petite felouque hollandaise, montée par dix hommes, vint jeter l'ancre sur la côte de Scheveningen, à une portée de canon à peu près de la terre. Il était nuit serrée, l'obscurité était grande, la mer montait dans l'obscurité : c'était une heure excellente pour débarquer passagers et marchandises.

La rade de Scheveningen forme un vaste croissant ; elle est peu profonde, et surtout peu sûre, aussi n'y voit-on stationner que de grandes felouques[1] flamandes, ou de ces barques hollandaises que les pêcheurs tirent au sable sur des rouleaux, comme faisaient les Anciens, au dire de Virgile[2]. Lorsque le flot grandit, monte et pousse à la terre, il n'est pas très prudent de faire arriver l'embarcation trop près de la côte, car si le vent est frais, les proues s'ensablent, et le sable de cette côte est spongieux ; il prend facilement mais ne rend pas de même. C'est sans doute pour cette raison que la chaloupe se détacha du bâtiment aussitôt que le bâtiment eut jeté l'ancre, et vint avec huit de ses marins, au milieu desquels on distinguait un objet de forme oblongue, une sorte de grand panier ou de ballot.

La rive était déserte : les quelques pêcheurs habitant la dune étaient couchés. La seule sentinelle qui gardât la côte (côte fort mal gardée, attendu qu'un débarquement de grand navire était impossible), sans avoir pu suivre tout à fait l'exemple des pêcheurs qui étaient allés se coucher, les avait imités en ce point qu'elle dormait au fond de sa guérite aussi profondément qu'eux dormaient dans leurs lits. Le seul bruit que l'on entendît était donc le sifflement de la brise nocturne courant dans les bruyères de la dune. Mais c'étaient des gens défiants sans doute que ceux qui s'approchaient, car ce silence réel et cette solitude apparente ne les rassurèrent point ; aussi leur chaloupe, à peine visible comme un point sombre sur l'océan, glissa-t-elle sans bruit, évitant de ramer de peur d'être entendue, et vint-elle toucher terre au plus près.

A peine avait-on senti le fond qu'un seul homme sauta hors de l'esquif après avoir donné un ordre bref avec cette voix qui indique l'habitude

1. Texte : « houques », sans doute pour « felouques ».
2. Il s'agit, en fait, de César, *Commentaires*, « Phalangae », 2, 10-17.

du commandement. En conséquence de cet ordre, plusieurs mousquets reluisirent immédiatement aux faibles clartés de la mer, ce miroir du ciel, et le ballot oblong dont nous avons déjà parlé, lequel renfermait sans doute quelque objet de contrebande, fut transporté à terre avec des précautions infinies. Aussitôt, l'homme qui avait débarqué le premier courut diagonalement vers le village de Scheveningen, se dirigeant vers la pointe la plus avancée du bois. Là il chercha cette maison qu'une fois déjà nous avons entrevue à travers les arbres, et que nous avons désignée comme la demeure provisoire, demeure bien modeste, de celui qu'on appelait par courtoisie le roi d'Angleterre.

Tout dormait là comme partout ; seulement, un gros chien, de la race de ceux que les pêcheurs de Scheveningen attellent à de petites charrettes pour porter leur poisson à La Haye, se mit à pousser des aboiements formidables aussitôt que l'étranger fit entendre son pas devant les fenêtres. Mais cette surveillance, au lieu d'effrayer le nouveau débarqué, sembla au contraire lui causer une grande joie, car sa voix peut-être eût été insuffisante pour réveiller les gens de la maison, tandis qu'avec un auxiliaire de cette importance, sa voix était devenue presque inutile. L'étranger attendit donc que les aboiements sonores et réitérés eussent, selon toute probabilité, produit leur effet, et alors il hasarda un appel. A sa voix le dogue se mit à rugir avec une telle violence, que bientôt à l'intérieur une autre voix se fit entendre, apaisant celle du chien. Puis, lorsque le chien se fut apaisé :

— Que voulez-vous ? demanda cette voix à la fois faible, cassée et polie.

— Je demande Sa Majesté le roi Charles II, fit l'étranger.

— Que lui voulez-vous ?

— Je veux lui parler.

— Qui êtes-vous ?

— Ah ! mordioux ! vous m'en demandez trop, je n'aime pas à dialoguer à travers les portes.

— Dites seulement votre nom.

— Je n'aime pas davantage à décliner mon nom en plein air ; d'ailleurs, soyez tranquille, je ne mangerai pas votre chien, et je prie Dieu qu'il soit aussi réservé à mon égard.

— Vous apportez des nouvelles peut-être, n'est-ce pas, monsieur ? reprit la voix, patiente et questionneuse comme celle d'un vieillard.

— Je vous en réponds, que j'en apporte des nouvelles, et auxquelles on ne s'attend pas, encore ! Ouvrez donc, s'il vous plaît, hein ?

— Monsieur, poursuivit le vieillard, sur votre âme et conscience, croyez-vous que vos nouvelles vaillent la peine de réveiller le roi ?

— Pour l'amour de Dieu ! mon cher monsieur, tirez vos verrous, vous ne serez pas fâché, je vous jure, de la peine que vous aurez prise. Je vaux mon pesant d'or, ma parole d'honneur !

— Monsieur, je ne puis pourtant pas ouvrir que vous ne me disiez votre nom.

— Il le faut donc ?

— C'est l'ordre de mon maître, monsieur.

— Eh bien ! mon nom, le voici... mais je vous en préviens, mon nom ne vous apprendra absolument rien.

— N'importe, dites toujours.

— Eh bien ! je suis le chevalier d'Artagnan.

La voix poussa un cri.

— Ah ! mon Dieu ! dit le vieillard de l'autre côté de la porte, monsieur d'Artagnan ! quel bonheur ! Je me disais bien à moi-même que je connaissais cette voix-là.

— Tiens ! dit d'Artagnan, on connaît ma voix ici ! C'est flatteur.

— Oh ! oui, on la connaît, dit le vieillard en tirant les verrous, et en voici la preuve.

Et à ces mots il introduisit d'Artagnan, qui, à la lueur de la lanterne qu'il portait à la main, reconnut son interlocuteur obstiné.

— Ah ! mordioux ! s'écria-t-il, c'est Parry ! j'aurais dû m'en douter.

— Parry, oui, mon cher monsieur d'Artagnan, c'est moi. Quelle joie de vous revoir !

— Vous avez bien dit : quelle joie ! fit d'Artagnan serrant les mains du vieillard. Çà ! vous allez prévenir le roi, n'est-ce pas ?

— Mais le roi dort, mon cher monsieur.

— Mordioux ! réveillez-le, et il ne vous grondera pas de l'avoir dérangé, c'est moi qui vous le dis.

— Vous venez de la part du comte, n'est-ce pas ?

— De quel comte ?

— Du comte de La Fère.

— De la part d'Athos ? Ma foi, non ; je viens de ma part à moi. Allons, vite, Parry, le roi ! il me faut le roi !

Parry ne crut pas devoir résister plus longtemps ; il connaissait d'Artagnan de longue main ; il savait que, quoique gascon, ses paroles ne promettaient jamais plus qu'elles ne pouvaient tenir. Il traversa une cour et un petit jardin, apaisa le chien, qui voulait sérieusement goûter du mousquetaire, et alla heurter au volet d'une chambre faisant le rez-de-chaussée d'un petit pavillon.

Aussitôt un petit chien habitant cette chambre répondit au grand chien habitant la cour.

« Pauvre roi ! se dit d'Artagnan, voilà ses gardes du corps ; il est vrai qu'il n'en est pas plus mal gardé pour cela. »

— Que veut-on ? demanda le roi du fond de la chambre.

— Sire, c'est M. le chevalier d'Artagnan qui apporte des nouvelles.

On entendit aussitôt du bruit dans cette chambre ; une porte s'ouvrit et une grande clarté inonda le corridor et le jardin.

Le roi travaillait à la lueur d'une lampe. Des papiers étaient épars sur son bureau, et il avait commencé le brouillon d'une lettre qui accusait par ses nombreuses ratures la peine qu'il avait eue à l'écrire.

— Entrez, monsieur le chevalier, dit-il en se retournant.

Puis, apercevant le pêcheur :

— Que me disiez-vous donc, Parry, et où est M. le chevalier d'Artagnan ? demanda Charles.

— Il est devant vous, sire, dit d'Artagnan.

— Sous ce costume ?

— Oui. Regardez-moi, sire ; ne me reconnaissez-vous pas pour m'avoir vu à Blois dans les antichambres du roi Louis XIV ?

— Si fait, monsieur, et je me souviens même que j'eus fort à me louer de vous.

D'Artagnan s'inclina.

— C'était un devoir pour moi de me conduire comme je l'ai fait, dès que j'ai su que j'avais affaire à Votre Majesté.

— Vous m'apportez des nouvelles, dites-vous ?

— Oui, sire.

— De la part du roi de France, sans doute ?

— Ma foi, non, sire, répliqua d'Artagnan. Votre Majesté a dû voir là-bas que le roi de France ne s'occupait que de Sa Majesté à lui.

Charles leva les yeux au ciel.

— Non, continua d'Artagnan, non, sire. J'apporte, moi, des nouvelles toutes composées de faits personnels. Cependant, j'ose espérer que Votre Majesté les écoutera, faits et nouvelles, avec quelque faveur.

— Parlez, monsieur.

— Si je ne me trompe, sire, Votre Majesté aurait fort parlé à Blois de l'embarras où sont ses affaires en Angleterre.

Charles rougit.

— Monsieur, dit-il, c'est au roi de France seul que je racontais.

— Oh ! Votre Majesté se méprend, dit froidement le mousquetaire ; je sais parler aux rois dans le malheur ; ce n'est même que lorsqu'ils sont dans le malheur qu'ils me parlent ; une fois heureux, ils ne me regardent plus. J'ai donc pour Votre Majesté, non seulement le plus grand respect, mais encore le plus absolu dévouement, et cela, croyez-le bien, chez moi, sire, cela signifie quelque chose. Or, entendant Votre Majesté se plaindre de la destinée, je trouvai que vous étiez noble, généreux et portant bien le malheur.

— En vérité, dit Charles étonné, je ne sais ce que je dois préférer, de vos libertés ou de vos respects.

— Vous choisirez tout à l'heure, sire, dit d'Artagnan. Donc Votre Majesté se plaignait à son frère Louis XIV de la difficulté qu'elle éprouvait à rentrer en Angleterre et à remonter sur son trône sans hommes et sans argent.

Charles laissa échapper un mouvement d'impatience.

— Et le principal obstacle qu'elle rencontrait sur son chemin, continua d'Artagnan, était un certain général commandant les armées du Parlement, et qui jouait là-bas le rôle d'un autre Cromwell. Votre Majesté n'a-t-elle pas dit cela ?

— Oui ; mais je vous le répète, monsieur, ces paroles étaient pour les seules oreilles du roi.

— Et vous allez voir, sire, qu'il est bien heureux qu'elles soient tombées dans celles de son lieutenant de mousquetaires. Cet homme si gênant pour Votre Majesté, c'était le général Monck, je crois ; ai-je bien entendu son nom, sire ?

— Oui, monsieur ; mais, encore une fois, à quoi bon ces questions ?

— Oh ! je le sais bien, sire, l'étiquette ne veut point que l'on interroge les rois. J'espère que tout à l'heure Votre Majesté me pardonnera ce manque d'étiquette. Votre Majesté ajoutait que si cependant elle pouvait le voir, conférer avec lui, le tenir face à face, elle triompherait, soit par la force, soit par la persuasion, de cet obstacle, le seul sérieux, le seul insurmontable, le seul réel qu'elle rencontrât sur son chemin.

— Tout cela est vrai, monsieur ; ma destinée, mon avenir, mon obscurité ou ma gloire dépendent de cet homme ; mais que voulez-vous induire de là ?

— Une seule chose : que si ce général Monck est gênant au point que vous dites, il serait expédient d'en débarrasser Votre Majesté ou de lui en faire un allié.

— Monsieur, un roi qui n'a ni armée ni argent, puisque vous avez écouté ma conversation avec mon frère, n'a rien à faire contre un homme comme Monck.

— Oui, sire, c'était votre opinion, je le sais bien, mais, heureusement pour vous, ce n'était pas la mienne.

— Que voulez-vous dire ?

— Que sans armée et sans million j'ai fait, moi, ce que Votre Majesté ne croyait pouvoir faire qu'avec une armée et un million.

— Comment ! Que dites-vous ? Qu'avez-vous fait ?

— Ce que j'ai fait ? Eh bien ! sire, je suis allé prendre là-bas cet homme si gênant pour Votre Majesté.

— En Angleterre ?

— Précisément, sire.

— Vous êtes allé prendre Monck en Angleterre ?

— Aurais-je mal fait par hasard ?

— En vérité, vous êtes fou, monsieur !

— Pas le moins du monde, sire.

— Vous avez pris Monck ?

— Oui, sire.

— Où cela ?

— Au milieu de son camp.

Le roi tressaillit d'impatience et haussa les épaules.

— Et l'ayant pris sur la chaussée de Newcastle, dit simplement d'Artagnan, je l'apporte à Votre Majesté.

— Vous me l'apportez ! s'écria le roi presque indigné de ce qu'il regardait comme une mystification.

— Oui, sire, répondit d'Artagnan du même ton, je vous l'apporte ; il est là-bas, dans une grande caisse percée de trous pour qu'il puisse respirer.

— Mon Dieu !

— Oh ! soyez tranquille, sire, on a eu les plus grands soins pour lui. Il arrive donc en bon état et parfaitement conditionné. Plaît-il à Votre Majesté de le voir, de causer avec lui ou de le faire jeter à l'eau ?

— Oh ! mon Dieu ! répéta Charles, oh ! mon Dieu ! monsieur, dites-vous vrai ? Ne m'insultez-vous point par quelque indigne plaisanterie ? Vous auriez accompli ce trait inouï d'audace et de génie ! Impossible !

— Votre Majesté me permet-elle d'ouvrir la fenêtre ? dit d'Artagnan en l'ouvrant.

Le roi n'eut même pas le temps de dire oui. D'Artagnan donna un coup de sifflet aigu et prolongé qu'il répéta trois fois dans le silence de la nuit.

— Là ! dit-il, on va l'apporter à Votre Majesté.

XXIX

OÙ D'ARTAGNAN COMMENCE A CRAINDRE D'AVOIR PLACÉ SON ARGENT ET CELUI DE PLANCHET A FONDS PERDU

Le roi ne pouvait revenir de sa surprise, et regardait tantôt le visage souriant du mousquetaire, tantôt cette sombre fenêtre qui s'ouvrait sur la nuit. Mais avant qu'il eût fixé ses idées, huit des hommes de d'Artagnan, car deux restèrent pour garder la barque, apportèrent à la maison, où Parry le reçut, cet objet de forme oblongue qui renfermait pour le moment les destinées de l'Angleterre.

Avant de partir de Calais, d'Artagnan avait fait confectionner dans cette ville une sorte de cercueil assez large et assez profond pour qu'un homme pût s'y retourner à l'aise. Le fond et les côtés, matelassés proprement, formaient un lit assez doux pour que le roulis ne pût transformer cette espèce de cage en assommoir. La petite grille dont d'Artagnan avait parlé au roi, pareille à la visière d'un casque, existait à la hauteur du visage de l'homme. Elle était taillée de façon qu'au moindre cri une pression subite pût étouffer ce cri, et au besoin celui qui eût crié.

D'Artagnan connaissait si bien son équipage et si bien son prisonnier, que, pendant toute la route, il avait redouté deux choses : ou que le général ne préférât la mort à cet étrange esclavage et ne se fît étouffer à force de vouloir parler ; ou que ses gardiens ne se laissassent tenter par les offres du prisonnier et ne le missent, lui, d'Artagnan, dans la boîte, à la place de Monck.

Aussi d'Artagnan avait-il passé les deux jours et les deux nuits près du coffre, seul avec le général, lui offrant du vin et des aliments qu'il avait refusés, et essayant éternellement de le rassurer sur la destinée qui l'attendait à la suite de cette singulière captivité. Deux pistolets sur la table et son épée nue rassuraient d'Artagnan sur les indiscrétions du dehors.

Une fois à Scheveningen, il avait été complètement rassuré. Ses hommes redoutaient fort tout conflit avec les seigneurs de la terre. Il avait d'ailleurs intéressé à sa cause celui qui lui servait moralement de lieutenant, et que nous avons vu répondre au nom de Menneville. Celui-là, n'étant point un esprit vulgaire, avait plus à risquer que les autres, parce qu'il avait plus de conscience. Il croyait donc à un avenir au service de d'Artagnan, et, en conséquence, il se fût fait hacher plutôt que de violer la consigne donnée par le chef. Aussi était-ce à lui qu'une fois débarqué d'Artagnan avait confié la caisse et la respiration du général. C'était aussi à lui qu'il avait recommandé de faire apporter la caisse par les sept hommes aussitôt qu'il entendrait le triple coup de sifflet. On voit que ce lieutenant obéit.

Le coffre une fois dans la maison du roi, d'Artagnan congédia ses hommes avec un gracieux sourire et leur dit :

— Messieurs, vous avez rendu un grand service à Sa Majesté le roi Charles II qui, avant six semaines, sera roi d'Angleterre. Votre gratification sera doublée ; retournez m'attendre au bateau.

Sur quoi tous partirent avec des transports de joie qui épouvantèrent le chien lui-même.

D'Artagnan avait fait apporter le coffre jusque dans l'antichambre du roi. Il ferma avec le plus grand soin les portes de cette antichambre ; après quoi, il ouvrit le coffre, et dit au général :

— Mon général, j'ai mille excuses à vous faire ; mes façons n'ont pas été dignes d'un homme tel que vous, je le sais bien ; mais j'avais besoin que vous me prissiez pour un patron de barque. Et puis l'Angleterre est un pays fort incommode pour les transports. J'espère donc que vous prendrez tout cela en considération. Mais ici, mon général, continua d'Artagnan, vous êtes libre de vous lever et de marcher.

Cela dit, il trancha les liens qui attachaient les bras et les mains du général. Celui-ci se leva et s'assit avec la contenance d'un homme qui attend la mort.

D'Artagnan ouvrit alors la porte du cabinet de Charles et lui dit :

— Sire, voici votre ennemi, M. Monck ; je m'étais promis de faire cela pour votre service. C'est fait, ordonnez présentement. Monsieur Monck, ajouta-t-il en se tournant vers le prisonnier, vous êtes devant Sa Majesté le roi Charles II, souverain seigneur de la Grande-Bretagne.

Monck leva sur le jeune prince son regard froidement stoïque, et répondit :

— Je ne connais aucun roi de la Grande-Bretagne ; je ne connais même ici personne qui soit digne de porter le nom de gentilhomme ; car c'est au nom du roi Charles II qu'un émissaire, que j'ai pris pour un honnête homme, m'est venu tendre un piège infâme. Je suis tombé dans ce piège, tant pis pour moi. Maintenant, vous, le tentateur, dit-il au roi ; vous l'exécuteur, dit-il à d'Artagnan, rappelez-vous de ce que je vais vous dire : vous avez mon corps, vous pouvez le tuer, je vous y engage, car vous n'aurez jamais mon âme ni ma volonté. Et maintenant ne me demandez pas une seule parole, car à partir de ce moment, je n'ouvrirai plus même la bouche pour crier. J'ai dit.

Et il prononça ces paroles avec la farouche et invincible résolution du puritain le plus gangrené. D'Artagnan regarda son prisonnier en homme qui sait la valeur de chaque mot et qui fixe cette valeur d'après l'accent avec lequel il a été prononcé.

— Le fait est, dit-il tout bas au roi, que le général est un homme décidé ; il n'a pas voulu prendre une bouchée de pain, ni avaler une goutte de vin depuis deux jours. Mais comme à partir de ce moment c'est Votre Majesté qui décide de son sort, je m'en lave les mains, comme dit Pilate[1].

Monck, debout, pâle et résigné, attendait l'œil fixe et les bras croisés.

D'Artagnan se retourna vers lui.

— Vous comprenez parfaitement, lui dit-il, que votre phrase, très belle du reste, ne peut accommoder personne, pas même vous. Sa Majesté voulait vous parler, vous vous refusiez à une entrevue ; pourquoi maintenant que vous voilà face à face, que vous y voilà par une force indépendante de votre volonté, pourquoi nous contraindriez-vous à des rigueurs que je regarde comme inutiles et absurdes ? Parlez, que diable ! ne fût-ce que pour dire non.

Monck ne desserra pas les lèvres, Monck ne détourna point les yeux,

1. Matthieu, XXVII, 24.

Monck se caressa la moustache avec un air soucieux qui annonçait que les choses allaient se gâter.

Pendant ce temps, Charles II était tombé dans une réflexion profonde. Pour la première fois, il se trouvait en face de Monck, c'est-à-dire de cet homme qu'il avait tant désiré voir, et, avec ce coup d'œil particulier que Dieu a donné à l'aigle et aux rois, il avait sondé l'abîme de son cœur. Il voyait donc Monck résolu bien positivement à mourir plutôt qu'à parler, ce qui n'était pas extraordinaire de la part d'un homme aussi considérable, et dont la blessure devait en ce moment être si cruelle. Charles II prit à l'instant même une de ces déterminations sur lesquelles un homme ordinaire joue sa vie, un général sa fortune, un roi son royaume.

— Monsieur, dit-il à Monck, vous avez parfaitement raison sur certains points. Je ne vous demande donc pas de me répondre, mais de m'écouter.

Il y eut un moment de silence, pendant lequel le roi regarda Monck, qui resta impassible.

— Vous m'avez fait tout à l'heure un douloureux reproche, monsieur, continua le roi. Vous avez dit qu'un de mes émissaires était allé à Newcastle vous dresser une embûche, et, cela, par parenthèse, n'aura pas été compris par M. d'Artagnan que voici, et auquel, avant toute chose, je dois des remerciements bien sincères pour son généreux, pour son héroïque dévouement.

D'Artagnan salua avec respect. Monck ne sourcilla point.

— Car M. d'Artagnan, et remarquez bien, monsieur Monck, que je ne vous dis pas ceci pour m'excuser, car M. d'Artagnan, continua le roi, est allé en Angleterre de son propre mouvement, sans intérêt, sans ordre, sans espoir, comme un vrai gentilhomme qu'il est, pour rendre service à un roi malheureux et pour ajouter un beau fait de plus aux illustres actions d'une existence si bien remplie.

D'Artagnan rougit un peu et toussa pour se donner une contenance. Monck ne bougea point.

— Vous ne croyez pas à ce que je vous dis, monsieur Monck ? reprit le roi. Je comprends cela : de pareilles preuves de dévouement sont si rares, que l'on pourrait mettre en doute leur réalité.

— Monsieur aurait bien tort de ne pas vous croire, sire, s'écria d'Artagnan, car ce que Votre Majesté vient de dire est l'exacte vérité, et la vérité si exacte, qu'il paraît que j'ai fait, en allant trouver le général, quelque chose qui contrarie tout. En vérité, si cela est ainsi, j'en suis au désespoir.

— Monsieur d'Artagnan, s'écria le roi en prenant la main du mousquetaire, vous m'avez plus obligé, croyez-moi, que si vous eussiez fait réussir ma cause, car vous m'avez révélé un ami inconnu auquel je serai à jamais reconnaissant, et que j'aimerai toujours.

Et le roi lui serra cordialement la main.

— Et, continua-t-il en saluant Monck, un ennemi que j'estimerai désormais à sa valeur.

Les yeux du puritain lancèrent un éclair, mais un seul, et son visage, un instant illuminé par cet éclair, reprit sa sombre impassibilité.

— Donc, monsieur d'Artagnan, poursuivit Charles, voici ce qui allait arriver : M. le comte de La Fère, que vous connaissez, je crois, était parti pour Newcastle...

— Athos ? s'écria d'Artagnan.

— Oui, c'est son nom de guerre, je crois. Le comte de La Fère était donc parti pour Newcastle, et il allait peut-être amener le général à quelque conférence avec moi ou avec ceux de mon parti, quand vous êtes violemment, à ce qu'il paraît, intervenu dans la négociation.

— Mordioux ! répliqua d'Artagnan, c'était lui sans doute qui entrait dans le camp le soir même où j'y pénétrais avec mes pêcheurs...

Un imperceptible froncement de sourcils de Monck apprit à d'Artagnan qu'il avait deviné juste.

— Oui, oui, murmura-t-il, j'avais cru reconnaître sa taille, j'avais cru entendre sa voix. Maudit que je suis ! Oh ! sire, pardonnez-moi ; je croyais cependant avoir bien mené ma barque.

— Il n'y a rien de mal, monsieur, dit le roi, sinon que le général m'accuse de lui avoir fait tendre un piège, ce qui n'est pas. Non, général, ce ne sont pas là les armes dont je comptais me servir avec vous ; vous l'allez voir bientôt. En attendant, quand je vous donne ma foi de gentilhomme, croyez-moi, monsieur, croyez-moi. Maintenant, monsieur d'Artagnan, un mot.

— J'écoute à genoux, sire.

— Vous êtes bien à moi, n'est-ce pas ?

— Votre Majesté l'a vu. Trop !

— Bien. D'un homme comme vous, un mot suffit. D'ailleurs, à côté du mot, il y a les actions. Général, veuillez me suivre. Venez avec nous, monsieur d'Artagnan.

D'Artagnan, assez surpris, s'apprêta à obéir. Charles II sortit, Monck le suivit, d'Artagnan suivit Monck. Charles prit la route que d'Artagnan avait suivie pour venir à lui ; bientôt l'air frais de la mer vint frapper le visage des trois promeneurs nocturnes, et, à cinquante pas au-delà d'une petite porte que Charles ouvrit, ils se retrouvèrent sur la dune, en face de l'océan qui, ayant cessé de grandir, se reposait sur la rive comme un monstre fatigué. Charles II, pensif, marchait la tête baissée et la main sous son manteau. Monck le suivait, les bras libres et le regard inquiet. D'Artagnan venait ensuite, le poing sur le pommeau de son épée.

— Où est le bateau qui vous a amenés, messieurs ? dit Charles au mousquetaire.

— Là-bas, sire ; j'ai sept hommes et un officier qui m'attendent dans cette petite barque qui est éclairée par un feu.

— Ah ! oui, la barque est tirée sur le sable, et je la vois ; mais vous n'êtes certainement pas venu de Newcastle sur cette barque ?

— Non pas, sire, j'avais frété à mon compte une felouque qui a jeté l'ancre à portée de canon des dunes. C'est dans cette felouque que nous avons fait le voyage.

— Monsieur, dit le roi à Monck, vous êtes libre.

Monck, si ferme de volonté qu'il fût, ne put retenir une exclamation. Le roi fit de la tête un mouvement affirmatif et continua :

— Nous allons réveiller un pêcheur de ce village, qui mettra son bateau en mer cette nuit même et vous reconduira où vous lui commanderez d'aller. M. d'Artagnan, que voici, escortera Votre Honneur. Je mets M. d'Artagnan sous la sauvegarde de votre loyauté, monsieur Monck.

Monck laissa échapper un murmure de surprise, et d'Artagnan un profond soupir. Le roi, sans paraître rien remarquer, heurta au treillis de bois de sapin qui fermait la cabane du premier pêcheur habitant la dune.

— Holà ! Keyser ! cria-t-il, éveille-toi !

— Qui m'appelle ? demanda le pêcheur.

— Moi, Charles, roi.

— Ah ! milord, s'écria Keyser en se levant tout habillé de la voile dans laquelle il couchait comme on couche dans un hamac, qu'y a-t-il pour votre service ?

— Patron Keyser, dit Charles, tu vas appareiller sur-le-champ. Voici un voyageur qui frète ta barque et te paiera bien ; sers-le bien.

Et le roi fit quelques pas en arrière pour laisser Monck parler librement avec le pêcheur.

— Je veux passer en Angleterre, dit Monck, qui parlait hollandais tout autant qu'il fallait pour se faire comprendre.

— A l'instant, dit le patron ; à l'instant même, si vous voulez.

— Mais ce sera bien long ? dit Monck.

— Pas une demi-heure, Votre Honneur. Mon fils aîné fait en ce moment l'appareillage, attendu que nous devons partir pour la pêche à trois heures du matin.

— Eh bien ! est-ce fait ? demanda Charles en se rapprochant.

— Moins le prix, dit le pêcheur ; oui, sire.

— Cela me regarde, dit Charles ; Monsieur est mon ami.

Monck tressaillit et regarda Charles à ce mot.

— Bien, milord, répliqua Keyser.

Et en ce moment on entendit le fils aîné de Keyser qui sonnait, de la grève, dans une corne de bœuf.

— Et maintenant, messieurs, partez, dit le roi.

— Sire, dit d'Artagnan, plaise à Votre Majesté de m'accorder quelques minutes. J'avais engagé des hommes, je pars sans eux, il faut que je les prévienne.

— Sifflez-les, dit Charles en souriant.

D'Artagnan siffla effectivement, tandis que le patron Keyser répondait à son fils, et quatre hommes, conduits par Menneville, accoururent.

— Voici toujours un bon acompte, dit d'Artagnan, leur remettant une bourse qui contenait deux mille cinq cents livres en or. Allez m'attendre à Calais, où vous savez.

Et d'Artagnan, poussant un profond soupir, lâcha la bourse dans les mains de Menneville.

— Comment ! vous nous quittez ? s'écrièrent les hommes.

— Pour peu de temps, dit d'Artagnan, ou pour beaucoup, qui sait ? Mais avec ces deux mille cinq cents livres et les deux mille cinq cents que vous avez déjà reçues, vous êtes payés selon nos conventions. Quittons-nous donc, mes enfants.

— Mais le bateau ?

— Ne vous en inquiétez pas.

— Nos effets sont à bord de la felouque.

— Vous irez les chercher, et aussitôt vous vous mettrez en route.

— Oui, commandant.

D'Artagnan revint à Monck en lui disant :

— Monsieur, j'attends vos ordres, car nous allons partir ensemble, à moins que ma compagnie ne vous soit pas agréable.

— Au contraire, monsieur, dit Monck.

— Allons, messieurs, embarquons ! cria le fils de Keyser.

Charles salua noblement et dignement le général en lui disant :

— Vous me pardonnerez le contretemps et la violence que vous avez soufferts, quand vous serez convaincu que je ne les ai point causés.

Monck s'inclina profondément sans répondre. De son côté, Charles affecta de ne pas dire un mot en particulier à d'Artagnan ; mais tout haut :

— Merci encore, monsieur le chevalier, lui dit-il, merci de vos services. Ils vous seront payés par le Seigneur Dieu, qui réserve à moi tout seul, je l'espère, les épreuves et la douleur.

Monck suivit Keyser et son fils, et s'embarqua avec eux.

D'Artagnan les suivit en murmurant :

— Ah ! mon pauvre Planchet, j'ai bien peur que nous n'ayons fait une mauvaise spéculation !

XXX

LES ACTIONS DE LA SOCIÉTÉ PLANCHET ET COMPAGNIE REMONTENT AU PAIR

Pendant la traversée, Monck ne parla à d'Artagnan que dans les cas d'urgente nécessité. Ainsi, lorsque le Français tardait à venir prendre son repas, pauvre repas composé de poisson salé, de biscuit et de genièvre, Monck l'appelait et lui disait :

— A table, monsieur !

C'était tout. D'Artagnan, justement parce qu'il était dans les grandes occasions extrêmement concis, ne tira pas de cette concision un augure favorable pour le résultat de sa mission. Or, comme il avait beaucoup de temps de reste, il se creusait la tête pendant ce temps à chercher comment Athos avait vu Charles II, comment il avait conspiré avec lui ce départ, comment enfin il était entré dans le camp de Monck ; et le pauvre lieutenant de mousquetaires s'arrachait un poil de sa moustache chaque fois qu'il songeait qu'Athos était sans doute le cavalier qui accompagnait Monck dans la fameuse nuit de l'enlèvement.

Enfin, après deux nuits et deux jours de traversée, le patron Keyser toucha terre à l'endroit où Monck, qui avait donné tous les ordres pendant la traversée, avait commandé qu'on débarquât. C'était justement à l'embouchure de cette petite rivière près de laquelle Athos avait choisi son habitation.

Le jour baissait ; un beau soleil, pareil à un bouclier d'acier rougi, plongeait l'extrémité inférieure de son disque sous la ligne bleue de la mer. La felouque cinglait toujours, en remontant le fleuve, assez large en cet endroit ; mais Monck, en son impatience, ordonna de prendre terre, et le canot de Keyser le débarqua, en compagnie de d'Artagnan, sur le bord vaseux de la rivière, au milieu des roseaux.

D'Artagnan, résigné à l'obéissance, suivait Monck absolument comme l'ours enchaîné suit son maître ; mais sa position l'humiliait fort, à son tour, et il grommelait tout bas que le service des rois est amer, et que le meilleur de tous ne vaut rien.

Monck marchait à grands pas. On eût dit qu'il n'était pas encore bien sûr d'avoir reconquis la terre d'Angleterre, et déjà l'on apercevait distinctement les quelques maisons de marins et de pêcheurs éparses sur le petit quai de cet humble port. Tout à coup d'Artagnan s'écria :

— Eh ! mais, Dieu me pardonne, voilà une maison qui brûle !

Monck leva les yeux. C'était bien en effet le feu qui commençait à dévorer une maison. Il avait été mis à un petit hangar attenant à cette maison, dont il commençait à ronger la toiture. Le vent frais du soir venait en aide à l'incendie.

Les deux voyageurs hâtèrent le pas, entendirent de grands cris et virent, en s'approchant, les soldats qui agitaient leurs armes et tendaient le poing vers la maison incendiée. C'était sans doute cette menaçante occupation qui leur avait fait négliger de signaler la felouque.

Monck s'arrêta court un instant, et pour la première fois formula sa pensée avec des paroles.

— Eh ! dit-il, ce ne sont peut-être plus mes soldats, mais ceux de Lambert.

Ces mots renfermaient tout à la fois une douleur, une appréhension et un reproche que d'Artagnan comprit à merveille. En effet, pendant l'absence du général, Lambert pouvait avoir livré bataille, vaincu, dispersé les parlementaires et pris avec son armée la place de l'armée de Monck, privée de son plus ferme appui. A ce doute qui passa de l'esprit de Monck au sien, d'Artagnan fit ce raisonnement : « Il va arriver de deux choses l'une : ou Monck a dit juste, et il n'y a plus que des lambertistes dans le pays, c'est-à-dire des ennemis qui me recevront à merveille, puisque c'est à moi qu'ils devront leur victoire ; ou rien n'est changé, et Monck, transporté d'aise en retrouvant son camp à la même place, ne se montrera pas trop dur dans ses représailles. »

Tout en pensant de la sorte, les deux voyageurs avançaient, et ils commençaient à se trouver au milieu d'une petite troupe de marins qui regardaient avec douleur brûler la maison, mais qui n'osaient rien dire, effrayés par les menaces des soldats. Monck s'adressa à un de ces marins.

— Que se passe-t-il donc ? demanda-t-il.

— Monsieur, répondit cet homme, ne reconnaissant pas Monck pour un officier sous l'épais manteau qui l'enveloppait, il y a que cette maison était habitée par un étranger, et que cet étranger est devenu suspect aux soldats. Alors ils ont voulu pénétrer chez lui sous prétexte de le conduire au camp ; mais lui, sans s'épouvanter de leur nombre, a menacé de mort le premier qui essaierait de franchir le seuil de la porte ; et comme il s'en est trouvé un qui a risqué la chose, le Français l'a étendu à terre d'un coup de pistolet.

— Ah ! c'est un Français ? dit d'Artagnan en se frottant les mains. Bon !

— Comment, bon ? fit le pêcheur.

— Non, je voulais dire... après... la langue m'a fourché.

— Après, monsieur ? les autres sont devenus enragés comme des lions ; ils ont tiré plus de cent coups de mousquet sur la maison ; mais le Français était à l'abri derrière le mur, et chaque fois qu'on voulait entrer par la porte, on essuyait un coup de feu de son laquais, qui tire juste, allez !

Chaque fois qu'on menaçait la fenêtre, on rencontrait le pistolet du maître. Comptez, il y a sept hommes à terre.

— Ah ! mon brave compatriote ! s'écria d'Artagnan, attends, attends, je vais à toi, et nous aurons raison de toute cette canaille !

— Un instant, monsieur, dit Monck, attendez.

— Longtemps ?

— Non, le temps de faire une question.

Puis se retournant vers le marin :

— Mon ami, demanda-t-il avec une émotion, que malgré toute sa force sur lui-même il ne put cacher, à qui ces soldats, je vous prie ?

— Et à qui voulez-vous que ce soit si ce n'est à cet enragé de Monck ?

— Il n'y a donc pas eu de bataille livrée ?

— Ah ! bien oui ! A quoi bon ? L'armée de Lambert fond comme la neige en avril. Tout vient à Monck, officiers et soldats. Dans huit jours, Lambert n'aura plus cinquante hommes.

Le pêcheur fut interrompu par une nouvelle salve de coups de feu tirés sur la maison, et par un nouveau coup de pistolet qui répondit à cette salve et jeta bas le plus entreprenant des agresseurs. La colère des soldats fut au comble.

Le feu montait toujours et un panache de flammes et de fumée tourbillonnait au faîte de la maison. D'Artagnan ne put se contenir plus longtemps.

— Mordioux ! dit-il à Monck en le regardant de travers, vous êtes général, et vous laissez vos soldats brûler les maisons et assassiner les gens ! et vous regardez cela tranquillement, en vous chauffant les mains au feu de l'incendie ! Mordioux ! vous n'êtes pas un homme !

— Patience, monsieur, patience, dit Monck en souriant.

— Patience ! patience ! jusqu'à ce que ce gentilhomme si brave soit rôti, n'est-ce pas ?

Et d'Artagnan s'élançait.

— Restez, monsieur, dit impérieusement Monck.

Et il s'avança vers la maison. Justement un officier venait de s'en approcher et disait à l'assiégé :

— La maison brûle, tu vas être grillé dans une heure ! Il est encore temps ; voyons, veux-tu nous dire ce que tu sais du général Monck, et nous te laisserons la vie sauve. Réponds, ou par saint Patrick... !

L'assiégé ne répondit pas ; sans doute il rechargeait son pistolet.

— On est allé chercher du renfort, continua l'officier ; dans un quart d'heure il y aura cent hommes autour de cette maison.

— Je veux pour répondre, dit le Français, que tout le monde soit éloigné ; je veux sortir libre, me rendre au camp seul, ou sinon je me ferai tuer ici !

— Mille tonnerres ! s'écria d'Artagnan, mais c'est la voix d'Athos ! Ah ! canailles !

Et l'épée de d'Artagnan flamboya hors du fourreau.

Monck l'arrêta et s'arrêta lui-même ; puis d'une voix sonore :

— Holà ! que fait-on ici ? Digby, pourquoi ce feu ? pourquoi ces cris ?

— Le général ! cria Digby en laissant tomber son épée.

— Le général ! répétèrent les soldats.

— Eh bien ! qu'y a-t-il d'étonnant ? dit Monck d'une voix calme.

Puis le silence étant rétabli :

— Voyons, dit-il, qui a allumé ce feu ?

Les soldats baissèrent la tête.

— Quoi ! je demande et l'on ne me répond pas ! dit Monck. Quoi ! je reproche, et l'on ne répare pas ! Ce feu brûle encore, je crois ?

Aussitôt les vingt hommes s'élancèrent cherchant des seaux, des jarres, des tonnes, éteignant l'incendie enfin avec l'ardeur qu'ils mettaient un instant auparavant à le propager. Mais déjà, avant toute chose et le premier, d'Artagnan avait appliqué une échelle à la maison en criant :

— Athos ! c'est moi, moi, d'Artagnan ! Ne me tuez pas, cher ami.

Et quelques minutes après il serrait le comte dans ses bras.

Pendant ce temps, Grimaud, conservant son air calme, démantelait la fortification du rez-de-chaussée, et, après avoir ouvert la porte, se croisait tranquillement les bras sur le seuil. Seulement, à la voix de d'Artagnan, il avait poussé une exclamation de surprise.

Le feu éteint, les soldats se présentèrent confus, Digby en tête.

— Général, dit celui-ci, excusez-nous. Ce que nous avons fait, c'est par amour pour Votre Honneur, que l'on croyait perdu.

— Vous êtes fous, messieurs. Perdu ! Est-ce qu'un homme comme moi se perd ? Est-ce que par hasard il ne m'est pas permis de m'absenter à ma guise sans prévenir ? Est-ce que par hasard vous me prenez pour un bourgeois de la Cité ? Est-ce qu'un gentilhomme, mon ami, mon hôte, doit être assiégé, traqué, menacé de mort, parce qu'on le soupçonne ? Qu'est-ce que signifie ce mot-là, soupçonner ? Dieu me damne ! si je ne fais pas fusiller tout ce que ce brave gentilhomme a laissé de vivant ici !

— Général, dit piteusement Digby, nous étions vingt-huit, et en voilà huit à terre.

— J'autorise M. le comte de La Fère à envoyer les vingt autres rejoindre ces huit-là, dit Monck.

Et il tendit la main à Athos.

— Qu'on rejoigne le camp, dit Monck. Monsieur Digby, vous garderez les arrêts pendant un mois.

— Général...

— Cela vous apprendra, monsieur, à n'agir une autre fois que d'après mes ordres.

— J'avais ceux du lieutenant, général.

— Le lieutenant n'a pas d'ordres pareils à vous donner, et c'est lui qui prendra les arrêts à votre place, s'il vous a effectivement commandé de brûler ce gentilhomme.

— Il n'a pas commandé cela, général ; il a commandé de l'amener au camp ; mais M. le comte n'a pas voulu nous suivre.

— Je n'ai pas voulu qu'on entrât piller ma maison, dit Athos avec un regard significatif à Monck.

— Et vous avez bien fait. Au camp, vous dis-je !

Les soldats s'éloignèrent tête baissée.

— Maintenant que nous sommes seuls, dit Monck à Athos, veuillez me dire, monsieur, pourquoi vous vous obstiniez à rester ici, et puisque vous aviez votre felouque...

— Je vous attendais, général, dit Athos ; Votre Honneur ne m'avait-il pas donné rendez-vous dans huit jours ?

Un regard éloquent de d'Artagnan fit voir à Monck que ces deux hommes si braves et si loyaux n'étaient point d'intelligence pour son enlèvement. Il le savait déjà.

— Monsieur, dit-il à d'Artagnan, vous aviez parfaitement raison. Veuillez me laisser causer un moment avec M. le comte de La Fère.

D'Artagnan profita du congé pour aller dire bonjour à Grimaud.

Monck pria Athos de le conduire à la chambre qu'il habitait. Cette chambre était pleine encore de fumée et de débris. Plus de cinquante balles avaient passé par la fenêtre et avaient mutilé les murailles. On y trouva une table, un encrier et tout ce qu'il faut pour écrire. Monck prit une plume et écrivit une seule ligne, signa, plia le papier, cacheta la lettre avec le cachet de son anneau, et remit la missive à Athos, en lui disant :

— Monsieur, portez, s'il vous plaît, cette lettre au roi Charles II, et partez à l'instant même si rien ne vous arrête plus ici.

— Et les barils ? dit Athos.

— Les pêcheurs qui m'ont amené vont vous aider à les transporter à bord. Soyez parti s'il se peut dans une heure.

— Oui, général, dit Athos.

— Monsieur d'Artagnan ! cria Monck par la fenêtre.

D'Artagnan monta précipitamment.

— Embrassez votre ami et lui dites adieu, monsieur, car il retourne en Hollande.

— En Hollande ! s'écria d'Artagnan, et moi ?

— Vous êtes libre de le suivre, monsieur ; mais je vous supplie de rester, dit Monck. Me refusez-vous ?

— Oh ! non, général, je suis à vos ordres.

D'Artagnan embrassa Athos et n'eut que le temps de lui dire adieu. Monck les observait tous deux. Puis il surveilla lui-même les apprêts du départ, le transport des barils à bord, l'embarquement d'Athos, et prenant par le bras d'Artagnan tout ébahi, tout ému, il l'emmena vers

Newcastle. Tout en allant au bras de Monck, d'Artagnan murmurait tout bas :

— Allons, allons, voilà, ce me semble, les actions de la maison Planchet & Cie qui remontent.

XXXI

MONCK SE DESSINE

D'Artagnan, bien qu'il se flattât d'un meilleur succès, n'avait pourtant pas très bien compris la situation. C'était pour lui un grave sujet de méditation que ce voyage d'Athos en Angleterre ; cette ligue du roi avec Athos et cet étrange enlacement de son dessein avec celui du comte de La Fère. Le meilleur était de se laisser aller. Une imprudence avait été commise, et, tout en ayant réussi comme il l'avait promis, d'Artagnan se trouvait n'avoir aucun des avantages de la réussite. Puisque tout était perdu, on ne risquait plus rien.

D'Artagnan suivit Monck au milieu de son camp. Le retour du général avait produit un merveilleux effet, car on le croyait perdu. Mais Monck, avec son visage austère et son glacial maintien, semblait demander à ses lieutenants empressés et à ses soldats ravis la cause de cette allégresse. Aussi, au lieutenant qui était venu au-devant de lui et qui lui témoignait l'inquiétude qu'ils avaient ressentie de son départ :

— Pourquoi cela ? dit-il. Suis-je obligé de vous rendre des comptes ?

— Mais, Votre Honneur, les brebis sans le pasteur peuvent trembler.

— Trembler ! répondit Monck avec sa voix calme et puissante ; ah ! monsieur, quel mot !... Dieu me damne ! si mes brebis n'ont pas dents et ongles, je renonce à être leur pasteur. Ah ! vous trembliez, monsieur !

— Général, pour vous.

— Mêlez-vous de ce qui vous concerne, et si je n'ai pas l'esprit que Dieu envoyait à Olivier Cromwell, j'ai celui qu'il m'a envoyé ; je m'en contente, pour si petit qu'il soit.

L'officier ne répliqua pas, et Monck ayant ainsi imposé silence à ses gens, tous demeurèrent persuadés qu'il avait accompli une œuvre importante ou fait sur eux une épreuve. C'était bien peu connaître ce génie scrupuleux et patient. Monck, s'il avait la bonne foi des puritains, ses alliés, dut remercier avec bien de la ferveur le saint patron qui l'avait pris de la boîte de M. d'Artagnan.

Pendant que ces choses se passaient, notre mousquetaire ne cessait de répéter :

— Mon Dieu ! fais que M. Monck n'ait pas autant d'amour-propre que j'en ai moi-même ; car, je le déclare, si quelqu'un m'eût mis dans un coffre avec ce grillage sur la bouche et mené ainsi, voituré comme un veau par-delà la mer, je garderais un si mauvais souvenir de ma mine piteuse dans ce coffre et une si laide rancune à celui qui m'aurait enfermé ; je craindrais si fort de voir éclore sur le visage de ce malicieux un sourire sarcastique, ou dans son attitude une imitation grotesque de ma position dans la boîte, que, mordioux !... je lui enfoncerais un bon poignard dans la gorge en compensation du grillage, et le clouerais dans une véritable bière en souvenir du faux cercueil où j'aurais moisi deux jours.

Et d'Artagnan était de bonne foi en parlant ainsi, car c'était un épiderme sensible que celui de notre Gascon. Monck avait d'autres idées, heureusement. Il n'ouvrit pas la bouche du passé à son timide vainqueur, mais il l'admit de fort près à ses travaux, l'emmena dans quelques reconnaissances, de façon à obtenir ce qu'il désirait sans doute vivement, une réhabilitation dans l'esprit de d'Artagnan. Celui-ci se conduisit en maître juré flatteur : il admira toute la tactique de Monck et l'ordonnance de son camp ; il plaisanta fort agréablement les circonvallations de Lambert, qui, disait-il, s'était bien inutilement donné la peine de clore un camp pour vingt mille hommes, tandis qu'un arpent de terrain lui eût suffi pour le caporal et les cinquante gardes qui peut-être lui demeureraient fidèles.

Monck, aussitôt à son arrivée, avait accepté la proposition d'entrevue faite la veille par Lambert et que les lieutenants de Monck avaient refusée, sous prétexte que le général était malade. Cette entrevue ne fut ni longue ni intéressante[1]. Lambert demanda une profession de foi à son rival. Celui-ci déclara qu'il n'avait d'autre opinion que celle de la majorité. Lambert demanda s'il ne serait pas plus expédient de terminer la querelle par une alliance que par une bataille. Monck, là-dessus, demanda huit jours pour réfléchir. Or, Lambert ne pouvait les lui refuser, et Lambert cependant était venu en disant qu'il dévorerait l'armée de Monck. Aussi quand, à la suite de l'entrevue, que ceux de Lambert attendaient avec impatience, rien ne se décida, ni traité ni bataille, l'armée rebelle commença, ainsi que l'avait prévu M. d'Artagnan, à préférer la bonne cause à la mauvaise, et le Parlement, tout Croupion qu'il était, au néant pompeux des desseins du général Lambert.

On se rappelait, en outre, les bons repas de Londres, la profusion d'ale et de sherry que le bourgeois de la Cité payait à ses amis, les soldats ; on regardait avec terreur le pain noir de la guerre, l'eau trouble de la Tweed, trop salée pour le verre, trop peu pour la marmite, et l'on se disait : « Ne serions-nous pas mieux de l'autre côté ? Les rôtis ne chauffent-ils pas à Londres pour Monck ? »

1. Les négociations entre Monck et Lambert sont rompues le 24 décembre 1659.

Dès lors, l'on n'entendit plus parler que de désertion dans l'armée de Lambert. Les soldats se laissaient entraîner par la force des principes, qui sont, comme la discipline, le lien obligé de tout corps constitué dans un but quelconque. Monck défendait le Parlement, Lambert l'attaquait. Monck n'avait pas plus envie que Lambert de soutenir le Parlement, mais il l'avait écrit sur ses drapeaux, en sorte que tous ceux du parti contraire étaient réduits à écrire sur le leur : « Rébellion », ce qui sonnait mal aux oreilles puritaines. On vint donc de Lambert à Monck comme des pécheurs viennent de Baal à Dieu.

Monck fit son calcul : à mille désertions par jour, Lambert en avait pour vingt jours ; mais il y a dans les choses qui croulent un tel accroissement du poids et de la vitesse qui se combinent, que cent partirent le premier jour, cinq cents le second, mille le troisième. Monck pensa qu'il avait atteint sa moyenne. Mais de mille la désertion passa vite à deux mille, puis à quatre mille, et huit jours après, Lambert, sentant bien qu'il n'avait plus la possibilité d'accepter la bataille si on la lui offrait, prit le sage parti de décamper pendant la nuit pour retourner à Londres[1], et prévenir Monck en se reconstruisant une puissance avec les débris du parti militaire.

Mais Monck, libre et sans inquiétudes, marcha sur Londres en vainqueur, grossissant son armée de tous les partis flottants sur son passage. Il vint camper à Barnet, c'est-à-dire à quatre lieues, chéri du Parlement, qui croyait voir en lui un protecteur, et attendu par le peuple, qui voulait le voir se dessiner pour le juger. D'Artagnan lui-même n'avait rien pu juger de sa tactique. Il observait, il admirait. Monck ne pouvait entrer à Londres avec un parti pris sans y rencontrer la guerre civile. Il temporisa quelque temps.

Soudain, sans que personne s'y attendît, Monck fit chasser de Londres le parti militaire, s'installa dans la Cité au milieu des bourgeois par ordre du Parlement, puis, au moment où les bourgeois criaient contre Monck, au moment où les soldats eux-mêmes accusaient leur chef, Monck, se voyant bien sûr de la majorité, déclara au Parlement Croupion qu'il fallait abdiquer, lever le siège, et céder sa place à un gouvernement qui ne fût pas une plaisanterie. Monck prononça cette déclaration, appuyé sur cinquante mille épées, auxquelles, le soir même, se joignirent, avec des hourras de joie délirante, cinq cent mille habitants de la bonne ville de Londres[2].

---

1. Après la défection de la brigade irlandaise qui se joignit à la rébellion des gentilshommes du Yorkshire (1er janvier 1660), toute l'armée de Lambert se dissolut.

2. Monck traverse la Tweed le 2 janvier 1660, et, le 3 février, à la tête de quatre cents hommes à pied et de dix-huit cavaliers, entre à Londres où il est solennellement remercié par le parlement le 6 ; il dissout le *Rump Parliament* le 20 avril et présente le 1er mai, devant le nouveau parlement, les lettres du roi (déclaration de Bréda du 4 avril) qui décident de la Restauration.

Enfin, au moment où le peuple, après son triomphe et ses repas orgiaques en pleine rue, cherchait des yeux le maître qu'il pourrait bien se donner, on apprit qu'un bâtiment venait de partir de La Haye, portant Charles II et sa fortune[1].

— Messieurs, dit Monck à ses officiers, je pars au-devant du roi légitime. Qui m'aime me suive !

Une immense acclamation accueillit ces paroles, que d'Artagnan n'entendit pas sans un frisson de plaisir.

— Mordioux ! dit-il à Monck, c'est hardi, monsieur.

— Vous m'accompagnez, n'est-ce pas ? dit Monck.

— Pardieu, général ! Mais, dites-moi, je vous prie, ce que vous aviez écrit avec Athos, c'est-à-dire avec M. le comte de La Fère... vous savez... le jour de notre arrivée ?

— Je n'ai pas de secrets pour vous, répliqua Monck : j'avais écrit ces mots : « Sire, j'attends Votre Majesté dans six semaines à Douvres. »

— Ah ! fit d'Artagnan, je ne dis plus que c'est hardi ; je dis que c'est bien joué. Voilà un beau coup.

— Vous vous y connaissez, répliqua Monck.

C'était la seule allusion que le général eût jamais faite à son voyage en Hollande.

XXXII

COMMENT ATHOS ET D'ARTAGNAN SE RETROUVÈRENT ENCORE UNE FOIS A L'HÔTELLERIE DE LA CORNE-DU-CERF

Le roi d'Angleterre fit son entrée en grande pompe à Douvres, puis à Londres[2]. Il avait mandé ses frères ; il avait amené sa mère et sa sœur. L'Angleterre était depuis si longtemps livrée à elle-même, c'est-à-dire à la tyrannie, à la médiocrité et à la déraison, que ce retour du roi Charles II, que les Anglais ne connaissaient cependant que comme le fils d'un homme auquel ils avaient coupé la tête, fut une fête pour les trois royaumes. Aussi, tous ces vœux, toutes ces acclamations qui accompagnaient son retour, frappèrent tellement le jeune roi, qu'il se pencha à l'oreille de Jack d'York, son jeune frère, pour lui dire :

— En vérité, Jack, il me semble que c'est bien notre faute si nous avons été si longtemps absents d'un pays où l'on nous aime tant.

1. Charles Ier débarque à Douvres le 26 mai 1660.
2. Charles Ier entre à Londres le 29 mai 1660.

Le cortège fut magnifique. Un admirable temps favorisait la solennité. Charles avait repris toute sa jeunesse, toute sa belle humeur ; il semblait transfiguré ; les cœurs lui riaient comme le soleil.

Dans cette foule bruyante de courtisans et d'adorateurs, qui ne semblaient pas se rappeler qu'ils avaient conduit à l'échafaud de White Hall le père du nouveau roi, un homme, en costume de lieutenant de mousquetaires, regardait, le sourire sur ses lèvres minces et spirituelles, tantôt le peuple qui vociférait ses bénédictions, tantôt le prince qui jouait l'émotion et qui saluait surtout les femmes dont les bouquets venaient tomber sous les pieds de son cheval.

— Quel beau métier que celui de roi ! disait cet homme, entraîné dans sa contemplation, et si bien absorbé qu'il s'arrêta au milieu du chemin, laissant défiler le cortège. Voici en vérité un prince cousu d'or et de diamants comme un Salomon, émaillé de fleurs comme une prairie printanière ; il va puiser à pleines mains dans l'immense coffre où ses sujets très fidèles aujourd'hui, naguère très infidèles, lui ont amassé une ou deux charretées de lingots d'or. On lui jette des bouquets à l'enfouir dessous, et il y a deux mois, s'il se fût présenté, on lui eût envoyé autant de boulets et de balles qu'aujourd'hui on lui envoie de fleurs. Décidément, c'est quelque chose que de naître d'une certaine façon, n'en déplaise aux vilains qui prétendent que peu leur importe de naître vilains.

Le cortège défilait toujours, et, avec le roi, les acclamations commençaient à s'éloigner dans la direction du palais, ce qui n'empêchait pas notre officier d'être fort bousculé.

— Mordioux ! continuait le raisonneur, voilà bien des gens qui me marchent sur les pieds et qui me regardent comme fort peu, ou plutôt comme rien du tout, attendu qu'ils sont anglais et que je suis français. Si l'on demandait à tous ces gens-là : « Qu'est-ce que M. d'Artagnan ? » ils répondraient : « *Nescio vos.* » Mais qu'on leur dise : « Voilà le roi qui passe, voilà M. Monck qui passe », ils vont hurler : « Vive le roi ! Vive M. Monck ! » jusqu'à ce que leurs poumons leur refusent le service.

« Cependant, continua-t-il en regardant, de ce regard si fin et parfois si fier, s'écouler la foule, cependant, réfléchissez un peu, bonnes gens, à ce que votre roi Charles a fait, à ce que M. Monck a fait, puis songez à ce qu'a fait ce pauvre inconnu qu'on appelle M. d'Artagnan. Il est vrai que vous ne le savez pas puisqu'il est inconnu, ce qui vous empêche peut-être de réfléchir. Mais, bah ! qu'importe ! ce n'empêche pas Charles II d'être un grand roi, quoiqu'il ait été exilé douze ans, et M. Monck d'être un grand capitaine, quoiqu'il ait fait le voyage de France dans une boîte. Or donc, puisqu'il est reconnu que l'un est un grand roi et l'autre un grand capitaine : *Hurrah for the king Charles II ! Hurrah for the captain Monck !*

Et sa voix se mêla aux voix des milliers de spectateurs, qu'elle domina un moment ; et, pour mieux faire l'homme dévoué, il leva son feutre en l'air. Quelqu'un lui arrêta le bras au beau milieu de son expansif loyalisme. (On appelait ainsi en 1660 ce qu'on appelle aujourd'hui royalisme.)

— Athos ! s'écria d'Artagnan. Vous ici ?

Et les deux amis s'embrassèrent.

— Vous ici ! et étant ici, continua le mousquetaire, vous n'êtes pas au milieu de tous les courtisans, mon cher comte ? Quoi ! vous le héros de la fête, vous ne chevauchez pas au côté gauche de Sa Majesté restaurée, comme M. Monck chevauche à son côté droit ! En vérité, je ne comprends rien à votre caractère ni à celui du prince qui vous doit tant.

— Toujours railleur, mon cher d'Artagnan, dit Athos. Ne vous corrigerez-vous donc jamais de ce vilain défaut ?

— Mais enfin, vous ne faites point partie du cortège ?

— Je ne fais point partie du cortège, parce que je ne l'ai point voulu.

— Et pourquoi ne l'avez-vous point voulu ?

— Parce que je ne suis ni envoyé, ni ambassadeur, ni représentant du roi de France, et qu'il ne me convient pas de me montrer ainsi près d'un autre roi que Dieu ne m'a pas donné pour maître.

— Mordioux ! vous vous montriez bien près du roi son père.

— C'est autre chose, ami : celui-là allait mourir.

— Et cependant ce que vous avez fait pour celui-ci...

— Je l'ai fait parce que je devais le faire. Mais, vous le savez, je déplore toute ostentation. Que le roi Charles II, qui n'a plus besoin de moi, me laisse donc maintenant dans mon repos et dans mon ombre, c'est tout ce que je réclame de lui.

D'Artagnan soupira.

— Qu'avez-vous ? lui dit Athos, on dirait que cet heureux retour du roi à Londres vous attriste, mon ami, vous qui cependant avez fait au moins autant que moi pour Sa Majesté.

— N'est-ce pas, répondit d'Artagnan en riant de son rire gascon, que j'ai fait aussi beaucoup pour Sa Majesté, sans que l'on s'en doute ?

— Oh ! oui, s'écria Athos ; et le roi le sait bien, mon ami.

— Il le sait ? fit amèrement le mousquetaire ; par ma foi ! je ne m'en doutais pas, et je tâchais même en ce moment de l'oublier.

— Mais lui, mon ami, n'oubliera point, je vous en réponds.

— Vous me dites cela pour me consoler un peu, Athos.

— Et de quoi ?

— Mordioux ! de toutes les dépenses que j'ai faites. Je me suis ruiné, mon ami, ruiné pour la restauration de ce jeune prince qui vient de passer en cabriolant sur son cheval isabelle.

— Le roi ne sait pas que vous vous êtes ruiné, mon ami, mais il sait qu'il vous doit beaucoup.

— Cela m'avance-t-il en quelque chose, Athos ? dites ! car enfin, je vous rends justice, vous avez noblement travaillé. Mais, moi qui, en apparence, ai fait manquer votre combinaison, c'est moi qui en réalité l'ai fait réussir. Suivez bien mon calcul : vous n'eussiez peut-être pas, par la persuasion et la douceur, convaincu le général Monck, tandis que moi je l'ai si rudement mené, ce cher général, que j'ai fourni à votre prince l'occasion de se montrer généreux ; cette générosité lui a été inspirée par le fait de ma bienheureuse bévue, Charles se la voit payer par la restauration que Monck lui a faite.

— Tout cela, cher ami, est d'une vérité frappante, répondit Athos.

— Et bien ! toute frappante qu'est cette vérité, il n'en est pas moins vrai, cher ami, que je m'en retournerai, fort chéri de M. Monck, qui m'appelle *my dear captain* toute la journée, bien que je ne sois ni son cher, ni capitaine, et fort apprécié du roi, qui a déjà oublié mon nom ; il n'en est pas moins vrai, dis-je, que je m'en retournerai dans ma belle patrie, maudit par les soldats que j'avais levés dans l'espoir d'une grosse solde, maudit du brave Planchet, à qui j'ai emprunté une partie de sa fortune.

— Comment cela ? et que diable vient faire Planchet dans tout ceci ?

— Eh ! oui, mon cher : ce roi si pimpant, si souriant, si adoré, M. Monck se figure l'avoir rappelé, vous vous figurez l'avoir soutenu, je me figure l'avoir ramené, le peuple se figure l'avoir reconquis, lui-même se figure avoir négocié de façon à être restauré, et rien de tout cela n'est vrai, cependant : Charles II, roi d'Angleterre, d'Écosse et d'Irlande, a été remis sur son trône par un épicier de France qui demeure rue des Lombards et qu'on appelle Planchet. Ce que c'est que la grandeur ! « Vanité ! dit l'Écriture ; vanité ! tout est vanité[1] ! »

Athos ne put s'empêcher de rire de la boutade de son ami.

— Cher d'Artagnan, dit-il en lui serrant affectueusement la main, ne seriez-vous plus philosophe ? N'est-ce plus pour vous une satisfaction que de m'avoir sauvé la vie comme vous le fîtes en arrivant si heureusement avec Monck, quand ces damnés parlementaires voulaient me brûler vif ?

— Voyons, voyons, dit d'Artagnan, vous l'aviez un peu méritée, cette brûlure, mon cher comte.

— Comment ! pour avoir sauvé le million du roi Charles ?

— Quel million ?

— Ah ! c'est vrai, vous n'avez jamais su cela, vous, mon ami ; mais il ne faut pas m'en vouloir, ce n'était pas mon secret. Ce mot *Remember !* que le roi Charles a prononcé sur l'échafaud...

— Et qui veut dire *Souviens-toi* ?

— Parfaitement. Ce mot signifiait : Souviens-toi qu'il y a un million

1. *« Vanitas vanitatum et omnia vanitas »*, Ecclésiaste, I, 2.

enterré dans les caves de Newcastle, et que ce million appartient à mon fils.

— Ah ! très bien, je comprends. Mais ce que je comprends aussi, et ce qu'il y a d'affreux, c'est que, chaque fois que Sa Majesté Charles II pensera à moi, il se dira : « Voilà un homme qui a cependant manqué me faire perdre ma couronne. Heureusement j'ai été généreux, grand, plein de présence d'esprit. » Voilà ce que dira de moi et de lui ce jeune gentilhomme au pourpoint noir très râpé, qui vint au château de Blois, son chapeau à la main, me demander si je voulais bien lui accorder entrée chez le roi de France.

— D'Artagnan ! d'Artagnan ! dit Athos en posant sa main sur l'épaule du mousquetaire, vous n'êtes pas juste.

— J'en ai le droit.

— Non, car vous ignorez l'avenir.

D'Artagnan regarda son ami entre les yeux et se mit à rire.

— En vérité, mon cher Athos, dit-il, vous avez des mots superbes que je n'ai connus qu'à vous et à M. le cardinal Mazarin.

Athos fit un mouvement.

— Pardon, continua d'Artagnan en riant, pardon si je vous offense. L'avenir ! hou ! les jolis mots que les mots qui promettent, et comme ils remplissent bien la bouche à défaut d'autre chose ! Mordioux ! après en avoir tant trouvé qui promettent, quand donc en trouverai-je un qui donne ? Mais laissons cela, continua d'Artagnan. Que faites-vous ici, mon cher Athos ? êtes-vous trésorier du roi ?

— Comment ! trésorier du roi ?

— Oui, puisque le roi possède un million, il lui faut un trésorier. Le roi de France, qui est sans un sou, a bien un surintendant des finances, M. Fouquet. Il est vrai qu'en échange M. Fouquet a bon nombre de millions, lui.

— Oh ! notre million est dépensé depuis longtemps, dit à son tour en riant Athos.

— Je comprends, il a passé en satin, en pierreries, en velours et en plumes de toute espèce et de toute couleur. Tous ces princes et toutes ces princesses avaient grand besoin de tailleurs et de lingères... Eh ! Athos, vous souvenez-vous de ce que nous dépensâmes pour nous équiper, nous autres, lors de la campagne de La Rochelle, et pour faire aussi notre entrée à cheval ? Deux ou trois mille livres, par ma foi ! mais un corsage de roi est plus ample, et il faut un million pour en acheter l'étoffe. Au moins, dites, Athos, si vous n'êtes pas trésorier, vous êtes bien en cour ?

— Foi de gentilhomme, je n'en sais rien, répondit simplement Athos.

— Allons donc ! vous n'en savez rien ?

— Non, je n'ai pas revu le roi depuis Douvres.

— Alors, c'est qu'il vous a oublié aussi, mordioux ! c'est régalant !

— Sa Majesté a eu tant d'affaires !

— Oh ! s'écria d'Artagnan avec une de ces spirituelles grimaces comme lui seul savait en faire, voilà, sur mon honneur, que je me reprends d'amour pour monsignor Giulio Mazarini. Comment ! mon cher Athos, le roi ne vous a pas revu ?

— Non.

— Et vous n'êtes pas furieux ?

— Moi ! pourquoi ? Est-ce que vous vous figurez, mon cher d'Artagnan, que c'est pour le roi que j'ai agi de la sorte ? Je ne le connais pas, ce jeune homme. J'ai défendu le père, qui représentait un principe sacré pour moi, et je me suis laissé aller vers le fils toujours par sympathie pour ce même principe. Au reste, c'était un digne chevalier, une noble créature mortelle, que ce père, vous vous le rappelez.

— C'est vrai, un brave et excellent homme, qui fit une triste vie, mais une bien belle mort.

— Eh bien ! mon cher d'Artagnan, comprenez ceci : à ce roi, à cet homme de cœur, à cet ami de ma pensée, si j'ose le dire, je jurai à l'heure suprême de conserver fidèlement le secret d'un dépôt qui devait être remis à son fils pour l'aider dans l'occasion ; ce jeune homme m'est venu trouver ; il m'a raconté sa misère, il ignorait que je fusse autre chose pour lui qu'un souvenir vivant de son père, j'ai accompli envers Charles II ce que j'avais promis à Charles Ier, voilà tout. Que m'importe donc qu'il soit ou non reconnaissant ! C'est à moi que j'ai rendu service en me délivrant de cette responsabilité, et non à lui.

— J'ai toujours dit, répondit d'Artagnan avec un soupir, que le désintéressement était la plus belle chose du monde.

— Eh bien ! quoi ! cher ami, reprit Athos, vous-même n'êtes-vous pas dans la même situation que moi ? Si j'ai bien compris vos paroles, vous vous êtes laissé toucher par le malheur de ce jeune homme ; c'est de votre part bien plus beau que de la mienne, car moi, j'avais un devoir à accomplir, tandis que vous, vous ne deviez absolument rien au fils du martyr. Vous n'aviez pas, vous, à lui payer le prix de cette précieuse goutte de sang qu'il laissa tomber sur mon front du plancher de son échafaud. Ce qui vous a fait agir, vous, c'est le cœur uniquement, le cœur noble et bon que vous avez sous votre apparent scepticisme, sous votre sarcastique ironie ; vous avez engagé la fortune d'un serviteur, la vôtre peut-être, je vous en soupçonne, bienfaisant avare ! et l'on méconnaît votre sacrifice. Qu'importe ! voulez-vous rendre à Planchet son argent ? Je comprends cela, mon ami, car il ne convient pas qu'un gentilhomme emprunte à son inférieur sans lui rendre capital et intérêts. Eh bien ! je vendrai La Fère[1] s'il le faut, ou, s'il n'est besoin, quelque petite ferme. Vous paierez Planchet, et il restera, croyez-moi, encore

1. La Fère n'était pas mentionnée parmi les terres d'Athos : ce nom prend désormais le relais de Bragelonne.

assez de grain pour nous deux et pour Raoul dans mes greniers. De cette façon, mon ami, vous n'aurez d'obligation qu'à vous-même, et, si je vous connais bien, ce ne sera pas pour votre esprit une mince satisfaction que de vous dire : « J'ai fait un roi. » Ai-je raison ?

— Athos ! Athos ! murmura d'Artagnan rêveur, je vous l'ai dit une fois, le jour où vous prêcherez, j'irai au sermon ; le jour où vous me direz qu'il y a un enfer, mordioux ! j'aurai peur du gril et des fourches. Vous êtes meilleur que moi, ou plutôt meilleur que tout le monde, et je ne me reconnais qu'un mérite, celui de n'être pas jaloux. Hors ce défaut, Dieu me damne ! comme disent les Anglais, j'ai tous les autres.

— Je ne connais personne qui vaille d'Artagnan, répliqua Athos ; mais nous voici arrivés tout doucement à la maison que j'habite. Voulez-vous entrer chez moi, mon ami ?

— Eh ! mais c'est la taverne de la Corne-du-Cerf, ce me semble ? dit d'Artagnan.

— Je vous avoue, mon ami, que je l'ai un peu choisie pour cela. J'aime les anciennes connaissances, j'aime à m'asseoir à cette place où je me suis laissé tomber tout abattu de fatigue, tout abîmé de désespoir, lorsque vous revîntes le 30 janvier au soir[1].

— Après avoir découvert la demeure du bourreau masqué ? Oui, ce fut un terrible jour !

— Venez donc alors, dit Athos en l'interrompant.

Ils entrèrent dans la salle autrefois commune. La taverne en général, et cette salle commune en particulier, avaient subi de grandes transformations ; l'ancien hôte des mousquetaires, devenu assez riche pour un hôtelier, avait fermé boutique et fait de cette salle dont nous parlions un entrepôt de denrées coloniales. Quant au reste de la maison, il le louait tout meublé aux étrangers.

Ce fut avec une indicible émotion que d'Artagnan reconnut tous les meubles de cette chambre du premier étage : les boiseries, les tapisseries et jusqu'à cette carte géographique que Porthos étudiait si amoureusement dans ses loisirs.

— Il y a onze ans ! s'écria d'Artagnan. Mordioux ! il me semble qu'il y a un siècle.

— Et à moi qu'il y a un jour, dit Athos. Voyez-vous la joie que j'éprouve, mon ami, à penser que je vous tiens là, que je serre votre main, que je puis jeter bien loin l'épée et le poignard, toucher sans défiance à ce flacon de xérès. Oh ! cette joie, en vérité, je ne pourrais vous l'exprimer que si nos deux amis étaient là, aux deux angles de cette

1. Voir *Vingt Ans après*, chap. LXXII. La taverne était nommée alors la *Bedford's Tavern* et était située dans Green-Hall Street ; son propriétaire, espagnol, se nommait Pérez.

table, et Raoul, mon bien-aimé Raoul, sur le seuil, à nous regarder avec ses grands yeux si brillants et si doux !

— Oui, oui, dit d'Artagnan fort ému, c'est vrai. J'approuve surtout cette première partie de votre pensée : il est doux de sourire là où nous avons si légitimement frissonné, en pensant que d'un moment à l'autre M. Mordaunt pouvait apparaître sur le palier.

En ce moment la porte s'ouvrit, et d'Artagnan, tout brave qu'il était, ne put retenir un léger mouvement d'effroi.

Athos le comprit et souriant :

— C'est notre hôte, dit-il, qui m'apporte quelque lettre.

— Oui, milord, dit le bonhomme, j'apporte en effet une lettre à Votre Honneur.

— Merci, dit Athos prenant la lettre sans regarder. Dites-moi, mon cher hôte, vous ne reconnaissez pas Monsieur ?

Le vieillard leva la tête et regarda attentivement d'Artagnan.

— Non, dit-il.

— C'est, dit Athos, un de ces amis dont je vous ai parlé, et qui logeait ici avec moi il y a onze ans.

— Oh ! dit le vieillard, il a logé ici tant d'étrangers !

— Mais nous y logions, nous, le 30 janvier 1649, ajouta Athos, croyant stimuler par cet éclaircissement la mémoire paresseuse de l'hôte.

— C'est possible, répondit-il en souriant, mais il y a si longtemps !

Il salua et sortit.

— Merci, dit d'Artagnan, faites des exploits, accomplissez des révolutions, essayez de graver votre nom dans la pierre ou sur l'airain avec de fortes épées, il y a quelque chose de plus rebelle, de plus dur, de plus oublieux que le fer, l'airain et la pierre, c'est le crâne vieilli du premier logeur enrichi dans son commerce ; il ne me reconnaît pas ! Eh bien ! moi, je l'eusse vraiment reconnu.

Athos, tout en souriant, décachetait la lettre.

— Ah ! dit-il, une lettre de Parry.

— Oh ! oh ! fit d'Artagnan, lisez mon ami, lisez, elle contient sans doute du nouveau.

Athos secoua la tête et lut :

Monsieur le comte,

Le roi a éprouvé bien du regret de ne pas vous voir aujourd'hui près de lui à son entrée ; Sa Majesté me charge de vous le mander et de la rappeler à votre souvenir. Sa Majesté attendra Votre Honneur ce soir même, au palais de Saint-James, entre neuf et onze heures.

Je suis avec respect, monsieur le comte, de Votre Honneur,

Le très humble et très obéissant serviteur,

PARRY

— Vous le voyez, mon cher d'Artagnan, dit Athos, il ne faut pas désespérer du cœur des rois.

— N'en désespérez pas, vous avez raison, repartit d'Artagnan.

— Oh ! cher, bien cher ami, reprit Athos, à qui l'imperceptible amertume de d'Artagnan n'avait pas échappé, pardon. Aurais-je blessé, sans le vouloir, mon meilleur camarade ?

— Vous êtes fou, Athos, et la preuve, c'est que je vais vous conduire jusqu'au château, jusqu'à la porte, s'entend ; cela me promènera.

— Vous entrerez avec moi, mon ami, je veux dire à Sa Majesté...

— Allons donc ! répliqua d'Artagnan avec une fierté vraie et pure de tout mélange, s'il est quelque chose de pire que de mendier soi-même, c'est de faire mendier par les autres. Çà ! partons, mon ami, la promenade sera charmante ; je veux, en passant, vous montrer la maison de M. Monck, qui m'a retiré chez lui : une belle maison, ma foi ! Être général en Angleterre rapporte plus que d'être maréchal en France, savez-vous ?

Athos se laissa emmener, tout triste de cette gaieté qu'affectait d'Artagnan.

Toute la ville était dans l'allégresse ; les deux amis se heurtaient à chaque moment contre des enthousiastes, qui leur demandaient dans leur ivresse de crier : « Vive le bon roi Charles ! » D'Artagnan répondait par un grognement, et Athos par un sourire. Ils arrivèrent ainsi jusqu'à la maison de Monck, devant laquelle, comme nous l'avons dit, il fallait passer, en effet, pour se rendre au palais de Saint-James.

Athos et d'Artagnan parlèrent peu durant la route, par cela même qu'ils eussent eu sans doute trop de choses à se dire s'ils eussent parlé. Athos pensait que, parlant, il semblerait témoigner de la joie, et que cette joie pourrait blesser d'Artagnan. Celui-ci, de son côté, craignait, en parlant, de laisser percer une aigreur qui le rendrait gênant pour Athos. C'était une singulière émulation de silence entre le contentement et la mauvaise humeur. D'Artagnan céda le premier à cette démangeaison qu'il éprouvait d'habitude à l'extrémité de la langue.

— Vous rappelez-vous, Athos, dit-il, le passage des Mémoires de d'Aubigné, dans lequel ce dévoué serviteur, gascon comme moi, pauvre comme moi, et j'allais presque dire brave comme moi, raconte les ladreries de Henri IV[1] ? Mon père m'a toujours dit, je m'en souviens, que M. d'Aubigné était menteur. Mais pourtant, examinez comme tous les princes issus du grand Henri chassent de race !

— Allons, allons, d'Artagnan, dit Athos, les rois de France avares ? Vous êtes fou, mon ami.

— Oh ! vous ne convenez jamais des défauts d'autrui, vous qui êtes parfait. Mais, en réalité, Henri IV était avare, Louis XIII, son fils, l'était aussi ; nous en savons quelque chose, n'est-ce pas ? Gaston poussait ce

1. Agrippa d'Aubigné, *Histoire universelle.*

vice à l'exagération, et s'est fait sous ce rapport détester de tout ce qui l'entourait. Henriette, pauvre femme ! a bien fait d'être avare, elle qui ne mangeait pas tous les jours et ne se chauffait pas tous les ans ; et c'est un exemple qu'elle a donné à son fils Charles deuxième, petit-fils du grand Henri IV, avare comme sa mère et comme son grand-père. Voyons, ai-je bien déduit la généalogie des avares ?

— D'Artagnan, mon ami, s'écria Athos, vous êtes bien rude pour cette race d'aigles qu'on appelle les Bourbons.

— Et j'oubliais le plus beau !... l'autre petit-fils du Béarnais, Louis quatorzième, mon ex-maître. Mais j'espère qu'il est avare, celui-là, qui n'a pas voulu prêter un million à son frère Charles ! Bon ! je vois que vous vous fâchez. Nous voilà, par bonheur, près de ma maison, ou plutôt près de celle de mon ami M. Monck.

— Cher d'Artagnan, vous ne me fâchez point, vous m'attristez ; il est cruel, en effet, de voir un homme de votre mérite à côté de la position que ses services lui eussent dû acquérir ; il me semble que votre nom, cher ami, est aussi radieux que les plus beaux noms de guerre et de diplomatie. Dites-moi si les Luynes, si les Bellegarde et les Bassompierre ont mérité comme nous la fortune et les honneurs ; vous avez raison, cent fois raison, mon ami.

D'Artagnan soupira, et précédant son ami sous le porche de la maison que Monck habitait au fond de la Cité :

— Permettez, dit-il, que je laisse chez moi ma bourse ; car si, dans la foule, ces adroits filous de Londres, qui nous sont fort vantés, même à Paris, me volaient le reste de mes pauvres écus, je ne pourrais plus retourner en France. Or, content je suis parti de France et fou de joie j'y retourne, attendu que toutes mes préventions d'autrefois contre l'Angleterre me sont revenues, accompagnées de beaucoup d'autres.

Athos ne répondit rien.

— Ainsi donc, cher ami, lui dit d'Artagnan, une seconde et je vous suis. Je sais bien que vous êtes pressé d'aller là-bas recevoir vos récompenses ; mais, croyez-le bien, je ne suis pas moins pressé de jouir de votre joie, quoique de loin... Attendez-moi.

Et d'Artagnan franchissait déjà le vestibule, lorsqu'un homme, moitié valet, moitié soldat, qui remplissait chez Monck les fonctions de portier et de garde, arrêta notre mousquetaire en lui disant en anglais :

— Pardon, milord d'Artagnan !

— Eh bien ! répliqua celui-ci, quoi ? Est-ce que le général aussi me congédie ?... Il ne me manque plus que d'être expulsé par lui !

Ces mots, dits en français, ne touchèrent nullement celui à qui on les adressait, et qui ne parlait qu'un anglais mêlé de l'écossais le plus rude. Mais Athos en fut navré, car d'Artagnan commençait à avoir l'air d'avoir raison.

L'Anglais montra une lettre à d'Artagnan.

— *From the general*, dit-il.

— Bien, c'est cela ; mon congé, répliqua le Gascon. Faut-il lire, Athos ?

— Vous devez vous tromper, dit Athos, ou je ne connais plus d'honnêtes gens que vous et moi.

D'Artagnan haussa les épaules et décacheta la lettre, tandis que l'Anglais, impassible, approchait de lui une grosse lanterne dont la lumière devait l'aider à lire.

— Eh bien ! qu'avez-vous ? dit Athos voyant changer la physionomie du lecteur.

— Tenez, lisez vous-même, dit le mousquetaire.

Athos prit le papier et lut :

Monsieur d'Artagnan, le roi a regretté bien vivement que vous ne fussiez pas venu à Saint-Paul avec son cortège. Sa Majesté dit que vous lui avez manqué comme vous me manquiez aussi à moi, cher capitaine. Il n'y a qu'un moyen de réparer tout cela. Sa Majesté m'attend à neuf heures au palais de Saint-James ; voulez-vous vous y trouver en même temps que moi ? Sa Très Gracieuse Majesté vous fixe cette heure pour l'audience qu'elle vous accorde.

La lettre était de Monck.

XXXIII

L'AUDIENCE

— Eh bien ? s'écria Athos avec un doux reproche, lorsque d'Artagnan eut lu la lettre qui lui était adressée par Monck.

— Eh bien ! dit d'Artagnan, rouge de plaisir et un peu de honte de s'être tant pressé d'accuser le roi et Monck, c'est une politesse... qui n'engage à rien, c'est vrai... mais enfin c'est une politesse.

— J'avais bien de la peine à croire le jeune prince ingrat, dit Athos.

— Le fait est que son présent est bien près encore de son passé, répliqua d'Artagnan ; mais enfin, jusqu'ici tout me donnait raison.

— J'en conviens, cher ami, j'en conviens. Ah ! voilà votre bon regard revenu. Vous ne sauriez croire combien je suis heureux.

— Ainsi, voyez, dit d'Artagnan, Charles II reçoit M. Monck à neuf heures, moi il me recevra à dix heures ; c'est une grande audience, de celles que nous appelons au Louvre distribution d'eau bénite de cour. Allons nous mettre sous la gouttière, mon cher ami, allons.

Athos ne lui répondit rien, et tous deux se dirigèrent, en pressant le pas, vers le palais de Saint-James que la foule envahissait encore, pour apercevoir aux vitres les ombres des courtisans et les reflets de la personne royale. Huit heures sonnaient quand les deux amis prirent place dans la galerie pleine de courtisans et de solliciteurs. Chacun donna un coup d'œil à ces habits simples et de forme étrangère, à ces deux têtes si nobles, si pleines de caractère et de signification. De leur côté, Athos et d'Artagnan, après avoir en deux regards mesuré toute cette assemblée, se remirent à causer ensemble. Un grand bruit se fit tout à coup aux extrémités de la galerie : c'était le général Monck qui entrait, suivi de plus de vingt officiers qui quêtaient un de ses sourires, car il était la veille encore maître de l'Angleterre, et on supposait un beau lendemain au restaurateur de la famille des Stuarts.

— Messieurs, dit Monck en se détournant, désormais, je vous prie, souvenez-vous que je ne suis plus rien. Naguère encore je commandais la principale armée de la république ; maintenant cette armée est au roi, entre les mains de qui je vais remettre, d'après son ordre, mon pouvoir d'hier.

Une grande surprise se peignit sur tous les visages, et le cercle d'adulateurs et de suppliants qui serrait Monck l'instant d'auparavant s'élargit peu à peu et finit par se perdre dans les grandes ondulations de la foule. Monck allait faire antichambre comme tout le monde. D'Artagnan ne put s'empêcher d'en faire la remarque au comte de La Fère, qui fronça le sourcil. Soudain la porte du cabinet de Charles s'ouvrit, et le jeune roi parut, précédé de deux officiers de sa maison.

— Bonsoir, messieurs, dit-il. Le général Monck est-il ici ?

— Me voici, sire, répliqua le vieux général.

Charles courut à lui et lui prit les mains avec une fervente amitié.

— Général, dit tout haut le roi, je viens de signer votre brevet ; vous êtes duc d'Albermale[1], et mon intention est que nul ne vous égale en puissance et en fortune dans ce royaume, où, le noble Montrose excepté, nul ne vous a égalé en loyauté, en courage et en talent. Messieurs, le duc est commandant général de nos armées de terre et de mer, rendez-lui vos devoirs, s'il vous plaît, en cette qualité.

Tandis que chacun s'empressait auprès du général, qui recevait tous ces hommages sans perdre un instant son impassibilité ordinaire, d'Artagnan dit à Athos :

— Quand on pense que ce duché, ce commandement des armées de terre et de mer, toutes ces grandeurs, en un mot, ont tenu dans une boîte de six pieds de long sur trois pieds de large !

— Ami, répliqua Athos, de bien plus imposantes grandeurs tiennent dans des boîtes moins grandes encore ; elles renferment pour toujours !...

1. Monck fut élevé à la pairie, avec les titres de baron Monck of Potherbridge, Beauchamp et Teyes, comte de Torrington et duc d'Albermale, le 7 juillet 1660. Nommé lord-lieutenant d'Irlande, il ne remplit pas cette fonction et démissionna (1661).

Tout à coup Monck aperçut les deux gentilshommes qui se tenaient à l'écart, attendant que le flot se fût retiré. Il se fit passage et alla vers eux, en sorte qu'il les surprit au milieu de leurs philosophiques réflexions.

— Vous parliez de moi, dit-il avec un sourire.

— Milord, répondit Athos, nous parlions aussi de Dieu.

Monck réfléchit un moment et reprit gaiement :

— Messieurs, parlons aussi un peu du roi, s'il vous plaît ; car vous avez, je crois, audience de Sa Majesté.

— A neuf heures, dit Athos.

— A dix heures, dit d'Artagnan[1].

— Entrons tout de suite dans ce cabinet, répondit Monck faisant signe à ses deux compagnons de le précéder, ce à quoi ni l'un ni l'autre ne voulut consentir.

Le roi, pendant ce débat tout français, était revenu au centre de la galerie.

— Oh ! mes Français, dit-il de ce ton d'insouciante gaieté que, malgré tant de chagrins et de traverses, il n'avait pu perdre. Les Français, ma consolation !

Athos et d'Artagnan s'inclinèrent.

— Duc, conduisez ces messieurs dans ma salle d'étude. Je suis à vous, messieurs, ajouta-t-il en français.

Et il expédia promptement sa cour pour revenir à ses Français, comme il les appelait.

— Monsieur d'Artagnan, dit-il en entrant dans son cabinet, je suis aise de vous revoir.

— Sire, ma joie est au comble de saluer Votre Majesté dans son palais de Saint-James.

— Monsieur, vous m'avez voulu rendre un bien grand service, et je vous dois de la reconnaissance. Si je ne craignais pas d'empiéter sur les droits de notre commandant général, je vous offrirais quelque poste digne de vous près de notre personne.

— Sire, répliqua d'Artagnan, j'ai quitté le service du roi de France en faisant à mon prince la promesse de ne servir aucun roi.

— Allons, dit Charles, voilà qui me rend très malheureux, j'eusse aimé à faire beaucoup pour vous, vous me plaisez.

— Sire...

— Voyons, dit Charles avec un sourire, ne puis-je vous faire manquer à votre parole ? Duc, aidez-moi. Si l'on vous offrait, c'est-à-dire si je vous offrais, moi, le commandement général de mes mousquetaires ?

D'Artagnan s'inclinant plus bas que la première fois :

— J'aurais le regret de refuser ce que Votre Gracieuse Majesté

---

1. L'audience avait été fixée pour Athos « entre neuf et onze heures » (voir p. 205) et pour d'Artagnan « à neuf heures » (voir p. 208).

m'offrirait, dit-il ; un gentilhomme n'a que sa parole, et cette parole, j'ai eu l'honneur de le dire à Votre Majesté, est engagée au roi de France.

— N'en parlons donc plus, dit le roi en se tournant vers Athos.

Et il laissa d'Artagnan plongé dans les plus vives douleurs du désappointement.

— Ah ! je l'avais bien dit, murmura le mousquetaire : paroles ! eau bénite de cour ! Les rois ont toujours un merveilleux talent pour vous offrir ce qu'ils savent que nous n'accepterons pas, et se montrer généreux sans risque. Sot !... triple sot que j'étais d'avoir un moment espéré !

Pendant ce temps, Charles prenait la main d'Athos.

— Comte, lui dit-il, vous avez été pour moi un second père ; le service que vous m'avez rendu ne se peut payer. J'ai songé à vous récompenser cependant. Vous fûtes créé par mon père chevalier de la Jarretière ; c'est un ordre que tous les rois d'Europe ne peuvent porter ; par la reine régente, chevalier du Saint-Esprit, qui est un ordre non moins illustre ; j'y joins cette Toison d'or que m'a envoyée le roi de France, à qui le roi d'Espagne, son beau-père, en avait donné deux à l'occasion de son mariage[1] ; mais, en revanche, j'ai un service à vous demander.

— Sire, dit Athos avec confusion, la Toison d'or à moi ! quand le roi de France est le seul de mon pays qui jouisse de cette distinction !

— Je veux que vous soyez en votre pays et partout l'égal de tous ceux que les souverains auront honorés de leur faveur, dit Charles en tirant la chaîne de son cou ; et j'en suis sûr, comte, mon père me sourit du fond de son tombeau.

« Il est cependant étrange, se dit d'Artagnan tandis que son ami recevait à genoux l'ordre éminent que lui conférait le roi, il est cependant incroyable que j'aie toujours vu tomber la pluie des prospérités sur tous ceux qui m'entourent, et que pas une goutte ne m'ait jamais atteint ! Ce serait à s'arracher les cheveux si l'on était jaloux, ma parole d'honneur ! »

Athos se releva, Charles l'embrassa tendrement.

— Général, dit-il à Monck.

Puis, s'arrêtant, avec un sourire :

— Pardon, c'est duc que je voulais dire. Voyez-vous, si je me trompe, c'est que le mot duc est encore trop court pour moi... Je cherche toujours un titre qui l'allonge... J'aimerais à vous voir si près de mon trône que je pusse vous dire, comme à Louis XIV : Mon frère. Oh ! j'y suis, et vous serez presque mon frère, car je vous fais vice-roi d'Irlande et d'Écosse, mon cher duc... De cette façon, désormais, je ne me tromperai plus.

---

1. Le mariage de Louis XIV et de Marie-Thérèse fut célébré par procuration, dans la cathédrale de Fontarabie, le 3 juin 1660 et fut confirmé solennellement en l'église de Saint-Jean-de-Luz six jours plus tard.

Le duc saisit la main du roi, mais sans enthousiasme, sans joie, comme il faisait toute chose. Cependant son cœur avait été remué par cette dernière faveur. Charles, en ménageant habilement sa générosité, avait laissé au duc le temps de désirer... quoiqu'il n'eût pu désirer autant qu'on lui donnait.

— Mordioux ! grommela d'Artagnan, voilà l'averse qui recommence. Oh ! c'est à en perdre la cervelle.

Et il se tourna d'un air si contrit et si comiquement piteux, que le roi ne put retenir un sourire. Monck se préparait à quitter le cabinet pour prendre congé de Charles.

— Eh bien ! quoi ! mon féal, dit le roi au duc, vous partez ?

— S'il plaît à Votre Majesté ; car, en vérité, je suis bien las... L'émotion de la journée m'a exténué : j'ai besoin de repos.

— Mais, dit le roi, vous ne partez pas sans M. d'Artagnan, j'espère !

— Pourquoi, sire ? dit le vieux guerrier.

— Mais, dit le roi, vous le savez bien, pourquoi.

Monck regarda Charles avec étonnement.

— J'en demande bien pardon à Votre Majesté, dit-il, je ne sais pas... ce qu'elle veut dire.

— Oh ! c'est possible ; mais si vous oubliez, vous, M. d'Artagnan n'oublie pas.

L'étonnement se peignit sur le visage du mousquetaire.

— Voyons, duc, dit le roi, n'êtes-vous pas logé avec M. d'Artagnan ?

— J'ai l'honneur d'offrir un logement à M. d'Artagnan, oui, sire.

— Cette idée vous est venue de vous-même et à vous seul ?

— De moi-même et à moi seul, oui, sire.

— Eh bien ! mais il n'en pouvait être différemment... le prisonnier est toujours au logis de son vainqueur.

Monck rougit à son tour.

— Ah ! c'est vrai, je suis prisonnier de M. d'Artagnan.

— Sans doute, Monck, puisque vous ne vous êtes pas encore racheté ; mais ne vous inquiétez pas, c'est moi qui vous ai arraché à M. d'Artagnan, c'est moi qui paierai votre rançon.

Les yeux de d'Artagnan reprirent leur gaieté et leur brillant ; le Gascon commençait à comprendre. Charles s'avança vers lui.

— Le général, dit-il, n'est pas riche et ne pourrait vous payer ce qu'il vaut. Moi, je suis plus riche certainement ; mais à présent que le voilà duc, et si ce n'est roi, du moins presque roi, il vaut une somme que je ne pourrais peut-être pas payer. Voyons, monsieur d'Artagnan, ménagez-moi : combien vous dois-je ?

D'Artagnan, ravi de la tournure que prenait la chose, mais se possédant parfaitement, répondit :

— Sire, Votre Majesté a tort de s'alarmer. Lorsque j'eus le bonheur de prendre Sa Grâce, M. Monck n'était que général ; ce n'est donc qu'une rançon de général qui m'est due. Mais que le général veuille bien me rendre son épée, et je me tiens pour payé, car il n'y a au monde que l'épée du général qui vaille autant que lui.

— *Odds fish*[1] ! comme disait mon père, s'écria Charles II ; voilà un galant propos et un galant homme, n'est-ce pas, duc ?

— Sur mon honneur ! répondit le duc, oui, sire.

Et il tira son épée.

— Monsieur, dit-il à d'Artagnan, voilà ce que vous demandez. Beaucoup ont tenu de meilleures lames ; mais, si modeste que soit la mienne, je ne l'ai jamais rendue à personne.

D'Artagnan prit avec orgueil cette épée qui venait de faire un roi.

— Oh ! oh ! s'écria Charles II : quoi ! une épée qui m'a rendu mon trône sortirait de mon royaume et ne figurerait pas un jour parmi les joyaux de ma couronne ? Non, sur mon âme ! cela ne sera pas ! Capitaine d'Artagnan, je donne deux cent mille livres de cette épée : si c'est trop peu, dites-le-moi.

— C'est trop peu, sire, répliqua d'Artagnan avec un sérieux inimitable. Et d'abord je ne veux point la vendre ; mais Votre Majesté désire, et c'est là un ordre. J'obéis donc ; mais le respect que je dois à l'illustre guerrier qui m'entend me commande d'estimer à un tiers de plus le gage de ma victoire. Je demande donc trois cent mille livres de l'épée, ou je la donne pour rien à Votre Majesté.

Et, la prenant par la pointe, il la présenta au roi.

Charles II se mit à rire aux éclats.

— Galant homme et joyeux compagnon ! *Odds fish* ! n'est-ce pas, duc ? n'est-ce pas, comte ? Il me plaît et je l'aime. Tenez, chevalier d'Artagnan, dit-il, prenez ceci.

Et, allant à une table, il prit une plume et écrivit un bon de trois cent mille livres sur son trésorier.

D'Artagnan le prit, et se tournant gravement vers Monck :

— J'ai encore demandé trop peu, je le sais, dit-il ; mais croyez-moi, monsieur le duc, j'eusse aimé mieux mourir que de me laisser guider par l'avarice.

Le roi se remit à rire comme le plus heureux cokney[2] de son royaume.

— Vous reviendrez me voir avant de partir, chevalier, dit-il ; j'aurai besoin d'une provision de gaieté, maintenant que mes Français vont être partis.

— Ah ! sire, il n'en sera pas de la gaieté comme de l'épée du duc, et je la donnerai gratis à Votre Majesté, répliqua d'Artagnan, dont les pieds ne touchaient plus la terre.

1. Drôle de poisson.
2. *Cokney* : Londonien caractérisé par son langage populaire, celui de l'East End.

— Et vous, comte, ajouta Charles en se tournant vers Athos, revenez aussi, j'ai un important message à vous confier. Votre main, duc.

Monck serra la main du roi.

— Adieu, messieurs, dit Charles en tendant chacune de ses mains aux deux Français, qui y posèrent leurs lèvres.

— Eh bien ! dit Athos quand ils furent dehors, êtes-vous content ?

— Chut ! dit d'Artagnan tout ému de joie ; je ne suis pas encore revenu de chez le trésorier... la gouttière peut me tomber sur la tête.

XXXIV

DE L'EMBARRAS DES RICHESSES

D'Artagnan ne perdit pas de temps, et sitôt que la chose fut convenable et opportune, il rendit visite au seigneur trésorier de Sa Majesté.

Il eut alors la satisfaction d'échanger un morceau de papier, couvert d'une fort laide écriture, contre une quantité prodigieuse d'écus frappés tout récemment à l'effigie de Sa Très Gracieuse Majesté Charles II.

D'Artagnan se rendait facilement maître de lui-même ; toutefois, en cette occasion, il ne put s'empêcher de témoigner une joie que le lecteur comprendra peut-être, s'il daigne avoir quelque indulgence pour un homme qui, depuis sa naissance, n'avait jamais vu tant de pièces et de rouleaux de pièces juxtaposés dans un ordre vraiment agréable à l'œil.

Le trésorier renferma tous ces rouleaux dans des sacs, ferma chaque sac d'une estampille aux armes d'Angleterre, faveur que les trésoriers n'accordent pas à tout le monde.

Puis, impassible et tout juste aussi poli qu'il devait l'être envers un homme honoré de l'amitié du roi, il dit à d'Artagnan :

— Emportez votre argent, monsieur.

Votre argent ! Ce mot fit vibrer mille cordes que d'Artagnan n'avait jamais senties en son cœur.

Il fit charger les sacs sur un petit chariot et revint chez lui méditant profondément. Un homme qui possède trois cent mille livres ne peut plus avoir le front uni : une ride par chaque centaine de mille livres, ce n'est pas trop.

D'Artagnan s'enferma, ne dîna point, refusa sa porte à tout le monde, et, la lampe allumée, le pistolet armé sur la table, il veilla toute la nuit, rêvant au moyen d'empêcher que ces beaux écus, qui du coffre royal avaient passé dans ses coffres à lui, ne passassent de ses coffres dans les poches d'un larron quelconque. Le meilleur moyen que trouva le Gascon, ce fut d'enfermer son trésor momentanément sous des serrures assez solides pour que nul poignet ne les brisât, assez compliquées pour que nulle clef banale ne les ouvrît.

D'Artagnan se souvint que les Anglais sont passés maîtres en mécanique et en industrie conservatrice ; il résolut d'aller dès le lendemain à la recherche d'un mécanicien qui lui vendît un coffre-fort.

Il n'alla pas bien loin. Le sieur Will Jobson, domicilié dans Piccadilly, écouta ses propositions, comprit ses désastres, et lui promit de confectionner une serrure de sûreté qui le délivrât de toute crainte pour l'avenir.

— Je vous donnerai, dit-il, un mécanisme tout nouveau. A la première tentative un peu sérieuse faite sur votre serrure, une plaque invisible s'ouvrira, un petit canon également invisible vomira un joli boulet de cuivre du poids d'un marc[1], qui jettera bas le maladroit, non sans un bruit notable. Qu'en pensez-vous ?

— Je dis que c'est vraiment ingénieux, s'écria d'Artagnan ; le petit boulet de cuivre me plaît véritablement. Çà, monsieur le mécanicien, les conditions ?

— Quinze jours pour l'exécution, et quinze mille livres payables à la livraison, répondit l'artiste.

D'Artagnan fronça le sourcil. Quinze jours étaient un délai suffisant pour que tous les filous de Londres eussent fait disparaître chez lui la nécessité d'un coffre-fort. Quant aux quinze mille livres, c'était payer bien cher ce qu'un peu de vigilance lui procurerait pour rien.

— Je réfléchirai, fit-il ; merci, monsieur.

Et il retourna chez lui au pas de course ; personne n'avait encore approché du trésor.

Le jour même, Athos vint rendre visite à son ami et le trouva soucieux au point qu'il lui en manifesta sa surprise.

— Comment ! vous voilà riche, dit-il, et pas gai ! vous qui désiriez tant la richesse...

— Mon ami, les plaisirs auxquels on n'est pas habitué gênent plus que les chagrins dont on avait l'habitude. Un avis, s'il vous plaît. Je puis vous demander cela, à vous qui avez toujours eu de l'argent : quand on a de l'argent, qu'en fait-on ?

— Cela dépend.

— Qu'avez-vous fait du vôtre, pour qu'il ne fît de vous ni un avare ni un prodigue ? Car l'avarice dessèche le cœur, et la prodigalité le noie... n'est-ce pas ?

— Fabricius ne dirait pas plus juste. Mais, en vérité, mon argent ne m'a jamais gêné.

— Voyons, le placez-vous sur les rentes ?

1. Ancien poids de huit onces de Paris = 244,5 g.

— Non ; vous savez que j'ai une assez belle maison et que cette maison compose le meilleur de mon bien.

— Je le sais.

— En sorte que vous serez aussi riche que moi, plus riche même quand vous le voudrez, par le même moyen.

— Mais les revenus, les encaissez-vous ?

— Non.

— Que pensez-vous d'une cachette dans un mur plein ?

— Je n'en ai jamais fait usage.

— C'est qu'alors vous avez quelque confident, quelque homme d'affaires sûr, et qui vous paie l'intérêt à un taux honnête.

— Pas du tout.

— Mon Dieu ! que faites-vous alors ?

— Je dépense tout ce que j'ai, et je n'ai que ce que je dépense, mon cher d'Artagnan.

— Ah ! voilà. Mais vous êtes un peu prince, vous, et quinze à seize mille livres de revenu vous fondent dans les doigts ; et puis vous avez des charges, de la représentation.

— Mais je ne vois pas que vous soyez beaucoup moins grand seigneur que moi, mon ami, et votre argent vous suffira bien juste.

— Trois cent mille livres ! Il y a là deux tiers de superflu.

— Pardon, mais il me semblait que vous m'aviez dit... j'ai cru entendre, enfin... je me figurais que vous aviez un associé...

— Ah ! mordioux ! c'est vrai ! s'écria d'Artagnan en rougissant, il y a Planchet. J'oubliais Planchet, sur ma vie !... Eh bien ! voilà mes cent mille écus entamés... C'est dommage, le chiffre était rond, bien sonnant... C'est vrai, Athos, je ne suis plus riche du tout. Quelle mémoire vous avez !

— Assez bonne, oui, Dieu merci !

— Ce brave Planchet, grommela d'Artagnan, il n'a pas fait là un mauvais rêve. Quelle spéculation, peste ! Enfin, ce qui est dit, est dit.

— Combien lui donnez-vous ?

— Oh ! fit d'Artagnan, ce n'est pas un mauvais garçon, je m'arrangerai toujours bien avec lui ; j'ai eu du mal, voyez-vous, des frais, tout cela doit entrer en ligne de compte.

— Mon cher, je suis bien sûr de vous, dit tranquillement Athos, et je n'ai pas peur pour ce bon Planchet ; ses intérêts sont mieux dans vos mains que dans les siennes ; mais à présent que vous n'avez plus rien à faire ici, nous partirons si vous m'en croyez. Vous irez remercier Sa Majesté, lui demander ses ordres, et, dans six jours, nous pourrons apercevoir les tours de Notre-Dame.

— Mon ami, je brûle en effet de partir, et de ce pas je vais présenter mes respects au roi.

— Moi, dit Athos, je vais saluer quelques personnes par la ville, et ensuite je suis à vous.

— Voulez-vous me prêter Grimaud ?

— De tout mon cœur... Qu'en comptez-vous faire ?

— Quelque chose de fort simple et qui ne le fatiguera pas, je le prierai de me garder mes pistolets qui sont sur la table, à côté des coffres que voici.

— Très bien, répliqua imperturbablement Athos.

— Et il ne s'éloignera point, n'est-ce pas ?

— Pas plus que les pistolets eux-mêmes.

— Alors, je m'en vais chez Sa Majesté. Au revoir.

D'Artagnan arriva en effet au palais de Saint-James, où Charles II, qui écrivait sa correspondance, lui fit faire antichambre une bonne heure.

D'Artagnan, tout en se promenant dans la galerie, des portes aux fenêtres, et des fenêtres aux portes, crut bien voir un manteau pareil à celui d'Athos traverser les vestibules ; mais au moment où il allait vérifier le fait, l'huissier l'appela chez Sa Majesté.

Charles II se frottait les mains tout en recevant les remerciements de notre ami.

— Chevalier, dit-il, vous avez tort de m'être reconnaissant ; je n'ai pas payé le quart de ce qu'elle vaut l'histoire de la boîte où vous avez mis ce brave général... je veux dire cet excellent duc d'Albermale.

Et le roi rit aux éclats.

D'Artagnan crut ne pas devoir interrompre Sa Majesté et fit le gros dos avec modestie.

— A propos, continua Charles, vous a-t-il vraiment pardonné, mon cher Monck ?

— Pardonné ! mais j'espère que oui, sire.

— Eh !... c'est que le tour était cruel... *odds fish* ! encaquer comme un hareng le premier personnage de la révolution anglaise ! A votre place, je ne m'y fierais pas, chevalier.

— Mais, sire...

— Je sais bien que Monck vous appelle son ami... Mais il a l'œil bien profond pour n'avoir pas de mémoire, et le sourcil bien haut pour n'être pas fort orgueilleux ; vous savez, *grande supercilium*[1].

« J'apprendrai le latin, bien sûr », se dit d'Artagnan.

— Tenez, s'écria le roi enchanté, il faut que j'arrange votre réconciliation ; je saurai m'y prendre de telle sorte...

D'Artagnan se mordit la moustache.

— Votre Majesté me permet de lui dire la vérité ?

— Dites, chevalier, dites.

— Eh bien ! sire, vous me faites une peur affreuse... Si Votre Majesté

1. *Grande supercilium* : « grand sourcil ». Virgile, *Géorgiques*, I, 108.

arrange mon affaire, comme elle paraît en avoir envie, je suis un homme perdu, le duc me fera assassiner.

Le roi partit d'un nouvel éclat de rire, qui changea en épouvante la frayeur de d'Artagnan.

— Sire, de grâce, promettez-moi de me laisser traiter cette négociation ; et puis, si vous n'avez plus besoin de mes services...

— Non, chevalier. Vous voulez partir ? répondit Charles avec une hilarité de plus en plus inquiétante.

— Si Votre Majesté n'a plus rien à me demander.

Charles redevint à peu près sérieux.

— Une seule chose. Voyez ma sœur, lady Henriette. Vous connaît-elle ?

— Non, sire ; mais... un vieux soldat comme moi n'est pas un spectacle agréable pour une jeune et joyeuse princesse.

— Je veux, vous dis-je, que ma sœur vous connaisse ; je veux qu'elle puisse au besoin compter sur vous.

— Sire, tout ce qui est cher à Votre Majesté sera sacré pour moi.

— Bien... Parry ! viens, mon bon Parry.

La porte latérale s'ouvrit, et Parry entra, le visage rayonnant dès qu'il eut aperçu le chevalier.

— Que fait Rochester ? dit le roi.

— Il est sur le canal avec les dames, répliqua Parry.

— Et Buckingham ?

— Aussi.

— Voilà qui est au mieux. Tu conduiras le chevalier près de Villiers... c'est le duc de Buckingham, chevalier... et tu prieras le duc de présenter M. d'Artagnan à lady Henriette.

Parry s'inclina et sourit à d'Artagnan.

— Chevalier, continua le roi, c'est votre audience de congé ; vous pourrez ensuite partir quand il vous plaira.

— Sire, merci !

— Mais faites bien votre paix avec Monck.

— Oh ! sire...

— Vous savez qu'il y a un de mes vaisseaux à votre disposition ?

— Mais, sire, vous me comblez, et je ne souffrirai jamais que des officiers de Votre Majesté se dérangent pour moi.

Le roi frappa sur l'épaule de d'Artagnan.

— Personne ne se dérange pour vous, chevalier, mais bien pour un ambassadeur que j'envoie en France et à qui vous servirez volontiers, je crois, de compagnon, car vous le connaissez.

D'Artagnan regarda étonné.

— C'est un certain comte de La Fère... celui que vous appelez Athos, ajouta le roi en terminant la conversation, comme il l'avait commencée, par un joyeux éclat de rire. Adieu, chevalier, adieu ! Aimez-moi comme je vous aime.

Et là-dessus, faisant un signe à Parry pour lui demander si quelqu'un n'attendait pas dans un cabinet voisin, le roi disparut dans ce cabinet, laissant la place au chevalier, tout étourdi de cette singulière audience.

Le vieillard lui prit le bras amicalement et l'emmena vers les jardins.

XXXV

SUR LE CANAL[1]

Sur le canal aux eaux d'un vert opaque, bordé de margelles de marbre où le temps avait déjà semé ses taches noires et des touffes d'herbes moussues, glissait majestueusement une longue barque plate, pavoisée aux armes d'Angleterre, surmontée d'un dais et tapissée de longues étoffes damassées qui traînaient leurs franges dans l'eau. Huit rameurs, pesant mollement sur les avirons, la faisaient mouvoir sur le canal avec la lenteur gracieuse des cygnes, qui, troublés dans leur antique possession par le sillage de la barque, regardaient de loin passer cette splendeur et ce bruit. Nous disons ce bruit, car la barque renfermait quatre joueurs de guitare et de luth, deux chanteurs et plusieurs courtisans, tout chamarrés d'or et de pierreries, lesquels montraient leurs dents blanches à l'envi pour plaire à lady Stuart, petite-fille de Henri IV, fille de Charles Ier, sœur de Charles II, qui occupait sous le dais de cette barque la place d'honneur.

Nous connaissons cette jeune princesse, nous l'avons vue au Louvre avec sa mère, manquant de bois, manquant de pain, nourrie par le coadjuteur et les parlements[2]. Elle avait donc, comme ses frères, passé une dure jeunesse ; puis tout à coup elle venait de se réveiller de ce long et horrible rêve, assise sur les degrés d'un trône, entourée de courtisans et de flatteurs. Comme Marie Stuart au sortir de la prison, elle aspirait donc la vie et la liberté, et, de plus, la puissance et la richesse.

Lady Henriette en grandissant était devenue une beauté remarquable que la restauration qui venait d'avoir lieu avait rendue célèbre. Le malheur lui avait ôté l'éclat de l'orgueil, mais la prospérité venait de le lui rendre. Elle resplendissait dans sa joie et son bien-être, pareille

1. Le beau parc de Saint-James, au sud du palais, commencé par Henri VIII, ne fut achevé que pendant la Restauration : Charles II fit alors appel à Le Nôtre.

2. Voir *Vingt Ans après*, chap. XXXIX : la scène n'est pas au Louvre mais dans le couvent des carmélites de la rue Saint-Jacques.

à ces fleurs de serre qui, oubliées pendant une nuit aux premières gelées d'automne, ont penché la tête[1], mais qui le lendemain, réchauffées à l'atmosphère dans laquelle elles sont nées, se relèvent plus splendides que jamais.

Lord Villiers de Buckingham, fils de celui qui joue un rôle si célèbre dans les premiers chapitres de cette histoire, lord Villiers de Buckingham, beau cavalier, mélancolique avec les femmes, rieur avec les hommes, et Vilmot de Rochester, rieur avec les deux sexes, se tenaient en ce moment debout devant lady Henriette, et se disputaient le privilège de la faire sourire.

Quant à cette jeune et belle princesse, adossée à un coussin de velours brodé d'or, les mains inertes et pendantes qui trempaient dans l'eau, elle écoutait nonchalamment les musiciens sans les entendre, et elle entendait les deux courtisans sans avoir l'air de les écouter.

C'est que lady Henriette, cette créature pleine de charmes, cette femme qui joignait les grâces de la France à celles de l'Angleterre, n'ayant pas encore aimé, était cruelle dans sa coquetterie. Aussi le sourire, cette naïve faveur des jeunes filles, n'éclairait pas même son visage, et si parfois elle levait les yeux, c'était pour les attacher avec tant de fixité sur l'un ou l'autre cavalier, que leur galanterie, si effrontée qu'elle fût d'habitude, s'en alarmait et en devenait timide.

Cependant le bateau marchait toujours, les musiciens faisaient rage, et les courtisans commençaient à s'essouffler comme eux. D'ailleurs, la promenade paraissait sans doute monotone à la princesse, car, secouant tout à coup la tête d'impatience :

— Allons, dit-elle, assez comme cela, messieurs, rentrons.

— Ah ! madame, dit Buckingham, nous sommes bien malheureux, nous n'avons pu réussir à faire trouver la promenade agréable à Votre Altesse.

— Ma mère m'attend, répondit lady Henriette ; puis, je vous l'avouerai franchement, messieurs, je m'ennuie.

Et tout en disant ce mot cruel, la princesse essayait de consoler par un regard chacun des deux jeunes gens, qui paraissaient consternés d'une pareille franchise. Le regard produisit son effet, les deux visages s'épanouirent ; mais aussitôt, comme si la royale coquette eût pensé qu'elle venait de faire trop pour de simples mortels, elle fit un mouvement, tourna le dos à ses deux orateurs et parut se plonger dans une rêverie à laquelle il était évident qu'ils n'avaient aucune part.

Buckingham se mordit les lèvres avec colère, car il était véritablement amoureux de lady Henriette, et, en cette qualité, il prenait tout au sérieux. Rochester se les mordit aussi ; mais, comme son esprit dominait toujours

1. Souvenir de Dante, *L'Enfer*, chant II, vers 127-128 : « *Quali i fioretti dal notturno gelo / Chinati e chiusi.* »

son cœur, ce fut purement et simplement pour réprimer un malicieux éclat de rire. La princesse laissait donc errer sur la berge aux gazons fins et fleuris ses yeux, qu'elle détournait des deux jeunes gens. Elle aperçut au loin Parry et d'Artagnan.

— Qui vient là-bas ? demanda-t-elle.

Les deux jeunes gens firent volte-face avec la rapidité de l'éclair.

— Parry, répondit Buckingham, rien que Parry.

— Pardon, dit Rochester, mais je lui vois un compagnon, ce me semble.

— Oui d'abord, reprit la princesse avec langueur ; puis, que signifient ces mots : « Rien que Parry », dites, milord ?

— Parce que, madame, répliqua Buckingham piqué, parce que le fidèle Parry, l'errant Parry, l'éternel Parry, n'est pas, je crois, de grande importance.

— Vous vous trompez, monsieur le duc : Parry, l'errant Parry, comme vous dites, a erré toujours pour le service de ma famille, et voir ce vieillard est toujours pour moi un doux spectacle.

Lady Henriette suivait la progression ordinaire aux jolies femmes, et surtout aux femmes coquettes ; elle passait du caprice à la contrariété ; le galant avait subi le caprice, le courtisan devait plier sous l'humeur contrariante. Buckingham s'inclina, mais ne répondit point.

— Il est vrai, madame, dit Rochester en s'inclinant à son tour, que Parry est le modèle des serviteurs ; mais, madame, il n'est plus jeune, et nous ne rions, nous, qu'en voyant les choses gaies. Est-ce bien gai, un vieillard ?

— Assez, milord, dit sèchement lady Henriette, ce sujet de conversation me blesse.

Puis, comme se parlant à elle-même :

— Il est vraiment inouï, continua-t-elle, combien les amis de mon frère ont peu d'égards pour ses serviteurs !

— Ah ! madame, s'écria Buckingham, Votre Grâce me perce le cœur avec un poignard forgé par ses propres mains.

— Que veut dire cette phrase tournée en manière de madrigal français, monsieur le duc ? Je ne la comprends pas.

— Elle signifie, madame, que vous-même, si bonne, si charmante, si sensible, vous avez ri quelquefois, pardon, je voulais dire souri, des radotages futiles de ce bon Parry, pour lequel Votre Altesse se fait aujourd'hui d'une si merveilleuse susceptibilité.

— Eh bien ! milord, dit lady Henriette, si je me suis oubliée à ce point, vous avez tort de me le rappeler.

Et elle fit un mouvement d'impatience.

— Ce bon Parry veut me parler, je crois. Monsieur de Rochester, faites donc aborder, je vous prie.

Rochester s'empressa de répéter le commandement de la princesse. Une minute après, la barque touchait le rivage.

— Débarquons, messieurs, dit lady Henriette en allant chercher le bras que lui offrait Rochester, bien que Buckingham fût plus près d'elle et eût présenté le sien.

Alors Rochester, avec un orgueil mal dissimulé qui perça d'outre en outre le cœur du malheureux Buckingham, fit traverser à la princesse le petit pont que les gens de l'équipage avaient jeté du bateau royal sur la berge.

— Où va Votre Grâce ? demanda Rochester.

— Vous le voyez, milord, vers ce bon Parry qui erre, comme disait milord Buckingham, et me cherche avec ses yeux affaiblis par les larmes qu'il a versées sur nos malheurs.

— Oh ! mon Dieu ! dit Rochester, que Votre Altesse est triste aujourd'hui, madame ! nous avons, en vérité, l'air de lui paraître des fous ridicules.

— Parlez pour vous, milord, interrompit Buckingham avec dépit ; moi, je déplais tellement à Son Altesse que je ne lui parais absolument rien.

Ni Rochester ni la princesse ne répondirent ; on vit seulement lady Henriette entraîner son cavalier d'une course plus rapide. Buckingham resta en arrière et profita de cet isolement pour se livrer, sur son mouchoir, à des morsures tellement furieuses que la batiste fut mise en lambeaux au troisième coup de dents.

— Parry, bon Parry, dit la princesse avec sa petite voix, viens par ici ; je vois que tu me cherches, et j'attends.

— Ah ! madame, dit Rochester venant charitablement au secours de son compagnon, demeuré, comme nous l'avons dit, en arrière, si Parry ne voit pas Votre Altesse, l'homme qui le suit est un guide suffisant, même pour un aveugle ; car, en vérité, il a des yeux de flamme ; c'est un fanal à double lampe que cet homme.

— Éclairant une fort belle et fort martiale figure, dit la princesse décidée à rompre en visière à tout propos.

Rochester s'inclina.

— Une de ces vigoureuses têtes de soldat comme on n'en voit qu'en France, ajouta la princesse avec la persévérance de la femme sûre de l'impunité.

Rochester et Buckingham se regardèrent comme pour se dire : « Mais qu'a-t-elle donc ? »

— Voyez, monsieur de Buckingham, ce que veut Parry, dit lady Henriette : allez.

Le jeune homme, qui regardait cet ordre comme une faveur, reprit courage et courut au-devant de Parry, qui, toujours suivi par d'Artagnan, s'avançait avec lenteur du côté de la noble compagnie. Parry marchait avec lenteur à cause de son âge. D'Artagnan marchait lentement et noblement, comme devait marcher d'Artagnan doublé d'un tiers de million, c'est-à-dire sans forfanterie, mais aussi sans timidité. Lorsque Buckingham, qui avait mis un grand empressement à suivre les intentions de la princesse, laquelle s'était arrêtée sur un banc de marbre, comme fatiguée des quelques pas qu'elle venait de faire, lorsque Buckingham, disons-nous, ne fut plus qu'à quelques pas de Parry, celui-ci le reconnut.

— Ah ! milord, dit-il tout essoufflé, Votre Grâce veut-elle obéir au roi ?

— En quoi, monsieur Parry ? demanda le jeune homme avec une sorte de froideur tempérée par le désir d'être agréable à la princesse.

— Eh bien ! Sa Majesté prie Votre Grâce de présenter Monsieur à lady Henriette Stuart.

— Monsieur qui, d'abord ? demanda le duc avec hauteur.

D'Artagnan, on le sait, était facile à effaroucher ; le ton de milord Buckingham lui déplut. Il regarda le courtisan à la hauteur des yeux, et deux éclairs brillèrent sous ses sourcils froncés. Puis, faisant un effort sur lui-même :

— Monsieur le chevalier d'Artagnan, milord, répondit-il tranquillement.

— Pardon, monsieur, mais ce nom m'apprend votre nom, voilà tout.

— C'est-à-dire ?

— C'est-à-dire que je ne vous connais pas.

— Je suis plus heureux que vous, monsieur, répondit d'Artagnan, car, moi, j'ai eu l'honneur de connaître beaucoup votre famille et particulièrement milord duc de Buckingham, votre illustre père.

— Mon père ? fit Buckingham. En effet, monsieur, il me semble maintenant me rappeler... M. le chevalier d'Artagnan, dites-vous ?

D'Artagnan s'inclina.

— En personne, dit-il.

— Pardon ; n'êtes-vous point l'un de ces Français qui eurent avec mon père certains rapports secrets ?

— Précisément, monsieur le duc, je suis un de ces Français-là.

— Alors, monsieur, permettez-moi de vous dire qu'il est étrange que mon père, de son vivant, n'ait jamais entendu parler de vous.

— Non, monsieur, mais il en a entendu parler au moment de sa mort ; c'est moi qui lui ai fait passer, par le valet de chambre de la reine Anne d'Autriche, l'avis du danger qu'il courait ; malheureusement l'avis est arrivé trop tard[1].

— N'importe ! monsieur, dit Buckingham, je comprends maintenant qu'ayant eu l'intention de rendre un service au père, vous veniez réclamer la protection du fils.

1. Voir *Les Trois Mousquetaires*, chap. LIX.

— D'abord, milord, répondit flegmatiquement d'Artagnan, je ne réclame la protection de personne. Sa Majesté le roi Charles II, à qui j'ai eu l'honneur de rendre quelques services (il faut vous dire, monsieur, que ma vie s'est passée à cette occupation), le roi Charles II, donc, qui veut bien m'honorer de quelque bienveillance, a désiré que je fusse présenté à lady Henriette, sa sœur, à laquelle j'aurai peut-être aussi le bonheur d'être utile dans l'avenir. Or, le roi vous savait en ce moment auprès de Son Altesse, et m'a adressé à vous, par l'entremise de Parry. Il n'y a pas d'autre mystère. Je ne vous demande absolument rien, et si vous ne voulez pas me présenter à Son Altesse, j'aurai la douleur de me passer de vous et la hardiesse de me présenter moi-même.

— Au moins, monsieur, répliqua Buckingham, qui tenait à avoir le dernier mot, vous ne reculerez pas devant une explication provoquée par vous.

— Je ne recule jamais, monsieur, dit d'Artagnan.

— Vous devez savoir alors, puisque vous avez eu des rapports secrets avec mon père, quelque détail particulier ?

— Ces rapports sont déjà loin de nous, monsieur, car vous n'étiez pas encore né[1], et pour quelques malheureux ferrets de diamant que j'ai reçus de ses mains et rapportés en France, ce n'est vraiment pas la peine de réveiller tant de souvenirs[2].

— Ah ! monsieur, dit vivement Buckingham en s'approchant de d'Artagnan et en lui tendant la main, c'est donc vous ! vous que mon père a tant cherché et qui pouviez tant attendre de nous !

— Attendre, monsieur ! en vérité, c'est là mon fort, et toute ma vie j'ai attendu.

Pendant ce temps, la princesse, lasse de ne pas voir venir à elle l'étranger, s'était levée et s'était approchée.

— Au moins, monsieur, dit Buckingham, n'attendrez-vous point cette présentation que vous réclamez de moi.

Alors, se retournant et s'inclinant devant lady Henriette :

— Madame, dit le jeune homme, le roi votre frère désire que j'aie l'honneur de présenter à Votre Altesse M. le chevalier d'Artagnan.

— Pour que Votre Altesse ait au besoin un appui solide et un ami sûr, ajouta Parry.

D'Artagnan s'inclina.

— Vous avez encore quelque chose à dire, Parry ? répondit lady Henriette souriant à d'Artagnan, tout en adressant la parole au vieux serviteur.

1. En effet, l'affaire des ferrets est située en 1625, et le second duc de Buckingham naquit en 1628.

2. Voir p. 223, note 1.

— Oui, madame, le roi désire que Votre Altesse garde religieusement dans sa mémoire le nom et se souvienne du mérite de M. d'Artagnan, à qui Sa Majesté doit, dit-elle, d'avoir recouvré son royaume.

Buckingham, la princesse et Rochester se regardèrent étonnés.

— Cela, dit d'Artagnan, est un autre petit secret dont, selon toute probabilité, je ne me vanterai pas au fils de Sa Majesté le roi Charles II, comme j'ai fait à vous à l'endroit des ferrets de diamant.

— Madame, dit Buckingham, Monsieur vient, pour la seconde fois, de rappeler à ma mémoire un événement qui excite tellement ma curiosité, que j'oserai vous demander la permission de l'écarter un instant de vous, pour l'entretenir en particulier.

— Faites, milord, dit la princesse, mais rendez bien vite à la sœur cet ami si dévoué au frère.

Et elle reprit le bras de Rochester, pendant que Buckingham prenait celui de d'Artagnan.

— Oh ! racontez-moi donc, chevalier, dit Buckingham, toute cette affaire des diamants, que nul ne sait en Angleterre, pas même le fils de celui qui en fut le héros.

— Milord, une seule personne avait le droit de raconter toute cette affaire, comme vous dites, c'était votre père ; il a jugé à propos de se taire, je vous demanderai la permission de l'imiter.

Et d'Artagnan s'inclina en homme sur lequel il est évident qu'aucune instance n'aura de prise.

— Puisqu'il en est ainsi, monsieur, dit Buckingham, pardonnez-moi mon indiscrétion, je vous prie ; et si quelque jour, moi aussi, j'allais en France...

Et il se retourna pour donner un dernier regard à la princesse, qui ne s'inquiétait guère de lui, tout occupée qu'elle était ou paraissait être de la conversation de Rochester.

Buckingham soupira.

— Eh bien ? demanda d'Artagnan.

— Je disais donc que si quelque jour, moi aussi, j'allais en France...

— Vous irez, milord, dit en souriant d'Artagnan, c'est moi qui vous en réponds.

— Et pourquoi cela ?

— Oh ! j'ai d'étranges manières de prédiction, moi ; et une fois que je prédis, je me trompe rarement. Si donc vous venez en France ?

— Eh bien ! monsieur, vous à qui les rois demandent cette précieuse amitié qui leur rend des couronnes, j'oserai vous demander un peu de ce grand intérêt que vous avez voué à mon père.

— Milord, répondit d'Artagnan, croyez que je me tiendrai pour fort honoré, si, là-bas, vous voulez bien encore vous souvenir que vous m'avez vu ici. Et maintenant, permettez...

Se retournant alors vers lady Henriette :

— Madame, dit-il, Votre Altesse est fille de France, et, en cette qualité, j'espère la revoir à Paris. Un de mes jours heureux sera celui où Votre Altesse me donnera un ordre quelconque qui me rappelle, à moi, qu'elle n'a point oublié les recommandations de son auguste frère.

Et il s'inclina devant la jeune princesse, qui lui donna sa main à baiser avec une grâce toute royale.

— Ah ! madame, dit tout bas Buckingham, que faudrait-il faire pour obtenir de Votre Altesse une pareille faveur ?

— Dame ! milord, répondit lady Henriette, demandez à M. d'Artagnan, il vous le dira.

XXXVI

COMMENT D'ARTAGNAN TIRA, COMME EÛT FAIT UNE FÉE, UNE MAISON DE PLAISANCE D'UNE BOITE DE SAPIN

Les paroles du roi, touchant l'amour-propre de Monck, n'avaient pas inspiré à d'Artagnan une médiocre appréhension. Le lieutenant avait eu toute sa vie le grand art de choisir ses ennemis, et lorsqu'il les avait pris implacables et invincibles, c'est qu'il n'avait pu, sous aucun prétexte, faire autrement. Mais les points de vue changent beaucoup dans la vie. C'est une lanterne magique dont l'œil de l'homme modifie chaque année les aspects. Il en résulte que, du dernier jour d'une année où l'on voyait blanc, au premier jour de l'autre où l'on verra noir, il n'y a que l'espace d'une nuit.

Or, d'Artagnan, lorsqu'il partit de Calais avec ses dix sacripants, se souciait aussi peu de prendre à partie Goliath, Nabuchodonosor ou Holopherne[1], que de croiser l'épée avec une recrue, ou que de discuter avec son hôtesse. Alors il ressemblait à l'épervier qui à jeun attaque un bélier. La faim aveugle. Mais d'Artagnan rassasié, d'Artagnan riche, d'Artagnan vainqueur, d'Artagnan fier d'un triomphe si difficile, d'Artagnan avait trop à perdre pour ne pas compter chiffre à chiffre avec la mauvaise fortune probable.

Il songeait donc, tout en revenant de sa présentation, à une seule chose, c'est-à-dire à ménager un homme aussi puissant que Monck, un homme que Charles ménageait aussi, tout roi qu'il était ; car, à peine établi, le protégé pouvait encore avoir besoin du protecteur, et ne lui refuserait point par conséquent, le cas échéant, la mince satisfaction de déporter

1. Exemples d'ennemis formidables pour David, les Juifs et Judith.

M. d'Artagnan, ou de le renfermer dans quelque tour du Middlesex[1], ou de le faire un peu noyer dans le trajet maritime de Douvres à Boulogne. Ces sortes de satisfactions se rendent de rois à vice-rois, sans tirer autrement à conséquence.

Il n'était même pas besoin que le roi fût actif dans cette contrepartie de la pièce où Monck prendrait sa revanche. Le rôle du roi se bornerait tout simplement à pardonner au vice-roi d'Irlande tout ce qu'il aurait entrepris contre d'Artagnan. Il ne fallait rien autre chose pour mettre la conscience du duc d'Albermale en repos qu'un *te absolvo*[2] dit en riant, ou le griffonnage du *Charles, the king*, tracé au bas d'un parchemin ; et avec ces deux mots prononcés, ou ces trois mots écrits, le pauvre d'Artagnan était à tout jamais enterré sous les ruines de son imagination.

Et puis, chose assez inquiétante pour un homme aussi prévoyant que l'était notre mousquetaire, il se voyait seul, et l'amitié d'Athos ne suffisait point pour le rassurer. Certes, s'il se fût agi d'une bonne distribution de coups d'épée, le mousquetaire eût compté sur son compagnon ; mais dans des délicatesses avec un roi, lorsque le *peut-être* d'un hasard malencontreux viendrait aider à la justification de Monck ou de Charles II, d'Artagnan connaissait assez Athos pour être sûr qu'il ferait la plus belle part à la loyauté du survivant, et se contenterait de verser force larmes sur la tombe du mort, quitte, si le mort était son ami, à composer ensuite son épitaphe avec les superlatifs les plus pompeux.

« Décidément, pensait le Gascon, et cette pensée était le résultat des réflexions qu'il venait de faire tout bas, et que nous venons de faire tout haut, décidément il faut que je me réconcilie avec M. Monck, et que j'acquière la preuve de sa parfaite indifférence pour le passé. Si, ce qu'à Dieu ne plaise, il est encore maussade et réservé dans l'expression de ce sentiment, je donne mon argent à emporter à Athos, je demeure en Angleterre juste assez de temps pour le dévoiler ; puis, comme j'ai l'œil vif et le pied léger, je saisis le premier signe hostile, je décampe, je me cache chez milord de Buckingham, qui me paraît bon diable au fond, et auquel, en récompense de son hospitalité, je raconte alors toute cette histoire de diamants, qui ne peut plus compromettre qu'une vieille reine, laquelle peut bien passer, étant la femme d'un ladre vert comme M. de Mazarin, pour avoir été autrefois la maîtresse d'un beau seigneur comme Buckingham. Mordioux ! c'est dit, et ce Monck ne me surmontera pas. Eh ! d'ailleurs, une idée ! »

On sait que ce n'étaient pas, en général, les idées qui manquaient à d'Artagnan. C'est que, pendant son monologue, d'Artagnan venait de

1. Le comté de Middlesex, enclavant en partie le comté de Londres, a pour chef-lieu Westminster.
2. « Je t'absous. »

se boutonner jusqu'au menton, et rien n'excitait en lui l'imagination comme cette préparation à un combat quelconque, nommée accinction[1] par les Romains. Il arriva tout échauffé au logis du duc d'Albermale. On l'introduisit chez le vice-roi avec une célérité qui prouvait qu'on le regardait comme étant de la maison. Monck était dans son cabinet de travail.

— Milord, lui dit d'Artagnan avec cette expression de franchise que le Gascon savait si bien étendre sur son visage rusé, milord, je viens demander un conseil à Votre Grâce.

Monck, aussi boutonné moralement que son antagoniste l'était physiquement, Monck répondit :

— Demandez, mon cher.

Et sa figure présentait une expression non moins ouverte que celle de d'Artagnan.

— Milord, avant toute chose, promettez-moi secret et indulgence.

— Je vous promets tout ce que vous voudrez. Qu'y a-t-il ? dites !

— Il y a, milord, que je ne suis pas tout à fait content du roi.

— Ah ! vraiment ! Et en quoi, s'il vous plaît, mon cher lieutenant ?

— En ce que Sa Majesté se livre parfois à des plaisanteries fort compromettantes pour ses serviteurs, et la plaisanterie, milord, est une arme qui blesse fort les gens d'épée comme nous.

Monck fit tous ses efforts pour ne pas trahir sa pensée ; mais d'Artagnan le guettait avec une attention trop soutenue pour ne pas apercevoir une imperceptible rougeur sur ses joues.

— Mais quant à moi, dit Monck de l'air le plus naturel du monde, je ne suis pas ennemi de la plaisanterie, mon cher monsieur d'Artagnan ; mes soldats vous diront même que bien des fois, au camp, j'entendais fort indifféremment, et avec un certain goût même, les chansons satiriques qui, de l'armée de Lambert, passaient dans la mienne, et qui, bien certainement, eussent écorché les oreilles d'un général plus susceptible que je ne le suis.

— Oh ! milord, fit d'Artagnan, je sais que vous êtes un homme complet, je sais que vous êtes placé depuis longtemps au-dessus des misères humaines, mais il y a plaisanteries et plaisanteries, et certaines, quant à moi, ont le privilège de m'irriter au-delà de toute expression.

— Peut-on savoir lesquelles, *my dear* ?

— Celles qui sont dirigées contre mes amis ou contre les gens que je respecte, milord.

Monck fit un imperceptible mouvement que d'Artagnan aperçut.

— Et en quoi, demanda Monck, en quoi le coup d'épingle qui égratigne autrui peut-il vous chatouiller la peau ? Contez-moi cela, voyons !

1. *Accinctio* : action de ceindre, de s'armer.

— Milord, je vais vous l'expliquer par une seule phrase ; il s'agissait de vous.

Monck fit un pas vers d'Artagnan.

— De moi ? dit-il.

— Oui, et voilà ce que je ne puis m'expliquer ; mais aussi peut-être est-ce faute de connaître son caractère. Comment le roi a-t-il le cœur de railler un homme qui lui a rendu tant et de si grands services ? Comment comprendre qu'il s'amuse à mettre aux prises un lion comme vous avec un moucheron comme moi[1] ?

— Aussi je ne vois cela en aucune façon, dit Monck.

— Si fait ! Enfin, le roi, qui me devait une récompense, pouvait me récompenser comme un soldat, sans imaginer cette histoire de rançon qui vous touche, milord.

— Non, fit Monck en riant, elle ne me touche en aucune façon, je vous jure.

— Pas à mon endroit, je le comprends ; vous me connaissez, milord, je suis si discret que la tombe paraîtrait bavarde auprès de moi ; mais... comprenez-vous, milord ?

— Non, s'obstina à dire Monck.

— Si un autre savait le secret que je sais...

— Quel secret ?

— Eh ! milord, ce malheureux secret de Newcastle.

— Ah ! le million de M. le comte de La Fère ?

— Non, milord, non ; l'entreprise faite sur Votre Grâce.

— C'était bien joué, chevalier, voilà tout ; et il n'y avait rien à dire ; vous êtes un homme de guerre, brave et rusé à la fois, ce qui prouve que vous réunissez les qualités de Fabius et d'Annibal. Donc, vous avez usé de vos moyens, de la force et de la ruse ; il n'y a rien à dire à cela, et c'était à moi de me garantir.

— Eh ! je le sais, milord, et je n'attendais pas moins de votre impartialité, aussi, s'il n'y avait que l'enlèvement en lui-même, mordioux ! ce ne serait rien ; mais il y a...

— Quoi ?

— Les circonstances de cet enlèvement.

— Quelles circonstances ?

— Vous savez bien, milord, ce que je veux dire.

— Non, Dieu me damne !

— Il y a... c'est qu'en vérité c'est fort difficile à dire.

— Il y a ?

— Eh bien ! il y a cette diable de boîte.

Monck rougit visiblement.

1. La Fontaine, *Fables*, livre II, IX.

— Cette indignité de boîte, continua d'Artagnan, de boîte en sapin, vous savez ?

— Bon ! je l'oubliais.

— En sapin, continua d'Artagnan, avec des trous pour le nez et la bouche. En vérité, milord, tout le reste était bien ; mais la boîte, la boîte ! décidément, c'était une mauvaise plaisanterie.

Monck se démenait dans tous les sens.

— Et cependant, que j'aie fait cela, reprit d'Artagnan, moi, un capitaine d'aventures, c'est tout simple, parce que, à côté de l'action un peu légère que j'ai commise, mais que la gravité de la situation peut faire excuser, j'ai la circonspection et la réserve.

— Oh ! dit Monck, croyez que je vous connais bien, monsieur d'Artagnan, et que je vous apprécie.

D'Artagnan ne perdait pas Monck de vue, étudiant tout ce qui se passait dans l'esprit du général au fur et à mesure qu'il parlait.

— Mais il ne s'agit pas de moi, reprit-il.

— Enfin, de qui s'agit-il donc ? demanda Monck, qui commençait à s'impatienter.

— Il s'agit du roi, qui jamais ne retiendra sa langue.

— Eh bien ! quand il parlerait, au bout du compte ? dit Monck en balbutiant.

— Milord, reprit d'Artagnan, ne dissimulez pas, je vous en supplie, avec un homme qui parle aussi franchement que je le fais. Vous avez le droit de hérisser votre susceptibilité, si bénigne qu'elle soit. Que diable ! ce n'est pas la place d'un homme sérieux comme vous, d'un homme qui joue avec des couronnes et des sceptres comme un bohémien avec des boules ; ce n'est pas la place d'un homme sérieux, disais-je, que d'être enfermé dans une boîte, ainsi qu'un objet curieux d'histoire naturelle ; car enfin, vous comprenez, ce serait pour faire crever de rire tous vos ennemis, et vous êtes si grand, si noble, si généreux, que vous devez en avoir beaucoup. Ce secret pourrait faire crever de rire la moitié du genre humain si l'on vous représentait dans cette boîte. Or, il n'est pas décent que l'on rie ainsi du second personnage de ce royaume.

Monck perdit tout à fait contenance à l'idée de se voir représenté dans sa boîte.

Le ridicule, comme l'avait judicieusement prévu d'Artagnan, faisait sur lui ce que ni les hasards de la guerre, ni les désirs de l'ambition, ni la crainte de la mort n'avaient pu faire.

« Bon ! pensa le Gascon, il a peur ; je suis sauvé. »

— Oh ! quant au roi, dit Monck, ne craignez rien, cher monsieur d'Artagnan, le roi ne plaisantera pas avec Monck, je vous jure !

L'éclair de ses yeux fut intercepté au passage par d'Artagnan. Monck se radoucit aussitôt.

— Le roi, continua-t-il, est d'un trop noble naturel, le roi a un cœur trop haut placé pour vouloir du mal à qui lui fait du bien.

— Oh ! certainement s'écria d'Artagnan. Je suis entièrement de votre opinion sur le cœur du roi, mais non sur sa tête ; il est bon, mais il est léger.

— Le roi ne sera pas léger avec Monck, soyez tranquille.

— Ainsi, vous êtes tranquille, vous, milord ?

— De ce côté du moins, oui, parfaitement.

— Oh ! je vous comprends, vous êtes tranquille du côté du roi.

— Je vous l'ai dit.

— Mais vous n'êtes pas aussi tranquille du mien ?

— Je croyais vous avoir affirmé que je croyais à votre loyauté et à votre discrétion.

— Sans doute, sans doute ; mais vous réfléchirez à une chose...

— A laquelle ?...

— C'est que je ne suis pas seul, c'est que j'ai des compagnons ; et quels compagnons !

— Oh ! oui, je les connais.

— Malheureusement, milord, et ils vous connaissent aussi.

— Eh bien ?

— Eh bien ! ils sont là-bas, à Boulogne, ils m'attendent.

— Et vous craignez... ?

— Oui, je crains qu'en mon absence... Parbleu ! Si j'étais près d'eux, je répondrais bien de leur silence.

— Avais-je raison de vous dire que le danger, s'il y avait danger, ne viendrait pas de Sa Majesté, quelque peu disposée qu'elle soit à la plaisanterie, mais de vos compagnons, comme vous dites... Être raillé par un roi, c'est tolérable encore, mais par des goujats d'armée... *Goddam*[1] !

— Oui, je comprends, c'est insupportable ; et voilà pourquoi, milord, je venais vous dire : « Ne croyez-vous pas qu'il serait bon que je partisse pour la France le plus tôt possible ? »

— Certes, si vous croyez que votre présence...

— Impose à tous ces coquins ? De cela, oh ! j'en suis sûr, milord.

— Votre présence n'empêchera point le bruit de se répandre s'il a transpiré déjà.

— Oh ! il n'a point transpiré, milord, je vous le garantis. En tout cas, croyez que je suis bien déterminé à une grande chose.

— Laquelle ?

— A casser la tête au premier qui aura propagé ce bruit et au premier qui l'aura entendu. Après quoi, je reviens en Angleterre chercher un asile et peut-être de l'emploi auprès de Votre Grâce.

---

1. « Dieu me damne. » « Les Anglais, à la vérité, ajoutent, par-ci, par-là, quelques autres mots en conversant ; mais il est bien aisé de voir que Goddam est le fond de la langue », Beaumarchais, *Le Mariage de Figaro*, acte III, scène V.

— Oh ! revenez, revenez !

— Malheureusement, milord, je ne connais que vous, ici, et je ne vous trouverai plus, ou vous m'aurez oublié dans vos grandeurs.

— Écoutez, monsieur d'Artagnan, répondit Monck, vous êtes un charmant gentilhomme, plein d'esprit et de courage ; vous méritez toutes les fortunes de ce monde ; venez avec moi en Écosse, et, je vous jure, je vous y ferai dans ma vice-royauté un sort que chacun enviera.

— Oh ! milord, c'est impossible à cette heure. A cette heure, j'ai un devoir sacré à remplir ; j'ai à veiller autour de votre gloire ; j'ai à empêcher qu'un mauvais plaisant ne ternisse aux yeux des contemporains, qui sait ? aux yeux de la postérité même, l'éclat de votre nom.

— De la postérité, monsieur d'Artagnan ?

— Eh ! sans doute ; il faut que, pour la postérité, tous les détails de cette histoire restent un mystère ; car enfin, admettez que cette malheureuse histoire du coffre de sapin se répande, et l'on dira, non pas que vous avez rétabli le roi loyalement, en vertu de votre libre arbitre, mais bien par suite d'un compromis fait entre vous deux à Scheveningen. J'aurai beau dire comment la chose s'est passée, moi qui le sais, on ne me croira pas, et l'on dira que j'ai reçu ma part du gâteau et que je la mange.

Monck fronça le sourcil.

— Gloire, honneur, probité, dit-il, vous n'êtes que de vains mots !

— Brouillard, répliqua d'Artagnan, brouillard à travers lequel personne ne voit jamais bien clair.

— Eh bien ! alors, allez en France, mon cher monsieur, dit Monck ; allez et, pour vous rendre l'Angleterre plus accessible et plus agréable, acceptez un souvenir de moi.

« Mais allons donc ! » pensa d'Artagnan.

— J'ai sur les bords de la Clyde[1], continua Monck, une petite maison sous des arbres, un cottage, comme on appelle cela ici. A cette maison sont attachés une centaine d'arpents de terre ; acceptez-la.

— Oh ! milord...

— Dame ! vous serez là chez vous, et ce sera le refuge dont vous me parliez tout à l'heure.

— Moi, je serais votre obligé à ce point, milord ! En vérité, j'en ai honte !

— Non pas, monsieur, reprit Monck avec un fin sourire, non pas, c'est moi qui serai le vôtre.

Et serrant la main du mousquetaire :

— Je vais faire dresser l'acte de donation, dit-il.

Et il sortit.

1. La rivière écossaise, qui prend sa source dans les Southern Uplands et arrose Glasgow, se jette dans la mer d'Irlande.

D'Artagnan le regarda s'éloigner et demeura pensif et même ému.

— Enfin, dit-il, voilà pourtant un brave homme. Il est triste de sentir seulement que c'est par peur de moi et non par affection qu'il agit ainsi. Eh ! bien ! je veux que l'affection lui vienne.

Puis, après un instant de réflexion plus profonde :

— Bah ! dit-il, à quoi bon ? C'est un Anglais !

Et il sortit, à son tour, un peu étourdi de ce combat.

— Ainsi, dit-il, me voilà propriétaire. Mais comment diable partager le cottage avec Planchet ? A moins que je ne lui donne les terres et que je ne prenne le château, ou bien que ce ne soit lui qui ne prenne le château, et moi... Fi donc ! M. Monck ne souffrirait point que je partageasse avec un épicier une maison qu'il a habitée ! Il est trop fier pour cela ! D'ailleurs, pourquoi en parler ? Ce n'est point avec l'argent de la société que j'ai acquis cet immeuble ; c'est avec ma seule intelligence ; il est donc bien à moi. Allons retrouver Athos.

Et il se dirigea vers la demeure du comte de La Fère.

XXXVII

COMMENT D'ARTAGNAN RÉGLA LE PASSIF DE LA SOCIÉTÉ AVANT D'ÉTABLIR SON ACTIF

« Décidément, se dit d'Artagnan, je suis en veine. Cette étoile qui luit une fois dans la vie de tout homme, qui a lui pour Job et pour Irus, le plus malheureux des Juifs et le plus pauvre des Grecs[1], vient enfin de luire pour moi. Je ne ferai pas de folie, je profiterai ; c'est assez tard pour que je sois raisonnable. »

Il soupa ce soir-là de fort bonne humeur avec son amis Athos, ne lui parla pas de la donation attendue, mais ne put s'empêcher, tout en mangeant, de questionner son ami sur les provenances, les semailles, les plantations. Athos répondit complaisamment, comme il faisait toujours. Son idée était que d'Artagnan voulait devenir propriétaire ; seulement, il se prit plus d'une fois à regretter l'humeur si vive, les saillies si divertissantes du gai compagnon d'autrefois. D'Artagnan, en effet, profitait du reste de graisse figée sur l'assiette pour y tracer des chiffres et faire des additions d'une rotondité surprenante.

L'ordre ou plutôt la licence d'embarquement arriva chez eux le soir. Tandis qu'on remettait le papier au comte, un autre messager tendait à d'Artagnan une petite liasse de parchemins revêtus de tous les sceaux

1. Voir Dictionnaire. Antiquité.

dont se pare la propriété foncière en Angleterre. Athos le surprit à feuilleter ces différents actes, qui établissaient la transmission de propriété. Le prudent Monck, d'autres eussent dit le généreux Monck, avait commué la donation en une vente, et reconnaissait avoir reçu la somme de quinze mille livres pour prix de la cession.

Déjà le messager s'était éclipsé. D'Artagnan lisait toujours, Athos le regardait en souriant. D'Artagnan, surprenant un de ces sourires par-dessus son épaule, renferma toute la liasse dans son étui.

— Pardon, dit Athos.

— Oh ! vous n'êtes pas indiscret, mon cher, répliqua le lieutenant ; je voudrais...

— Non, ne me dites rien, je vous prie : des ordres sont choses si sacrées, qu'à son frère, à son père, le chargé de ces ordres ne doit pas avouer un mot. Ainsi, moi qui vous parle et qui vous aime plus tendrement que frère, père et tout au monde...

— Hors votre Raoul ?

— J'aimerai plus encore Raoul lorsqu'il sera un homme et que je l'aurai vu se dessiner dans toutes les phases de son caractère et de ses actes... comme je vous ai vu, vous, mon ami.

— Vous disiez donc que vous aviez un ordre aussi, et que vous ne me le communiqueriez pas ?

— Oui, cher d'Artagnan.

Le Gascon soupira.

— Il fut un temps, dit-il, où cet ordre, vous l'eussiez mis là, tout ouvert sur la table, en disant : « D'Artagnan, lisez-nous ce grimoire, à Porthos, à Aramis et à moi. »

— C'est vrai... Oh ! c'était la jeunesse, la confiance, la généreuse saison où le sang commande lorsqu'il est échauffé par la passion !

— Eh bien ! Athos, voulez-vous que je vous dise ?

— Dites, ami.

— Cet adorable temps, cette généreuse saison, cette domination du sang échauffé, toutes choses fort belles sans doute, je ne les regrette pas du tout. C'est absolument comme le temps des études... J'ai toujours rencontré quelque part un sot pour me vanter ce temps des pensums, des férules, des croûtes de pain sec... C'est singulier, je n'ai jamais aimé cela, moi ; et si actif, si sobre que je fusse (vous savez si je l'étais, Athos), si simple que je parusse dans mes habits, je n'ai pas moins préféré les broderies de Porthos à ma petite casaque poreuse, qui laissait passer la bise en hiver, le soleil en été. Voyez-vous, mon ami, je me défierai toujours de celui qui prétendra préférer le mal au bien. Or, du temps passé, tout fut mal pour moi, du temps où chaque mois voyait un trou de plus à ma peau et à ma casaque, un écu d'or de moins dans ma pauvre bourse ; de cet exécrable temps de bascules et de balançoires, je ne regrette absolument rien, rien, rien, que notre amitié ; car chez moi il y a un cœur ; et, c'est miracle, ce cœur n'a pas été desséché par le vent de la misère qui passait aux trous de mon manteau, ou traversé par les épées de toute fabrique qui passaient aux trous de ma pauvre chair.

— Ne regrettez pas notre amitié, dit Athos ; elle ne mourra qu'avec nous. L'amitié se compose surtout de souvenirs et d'habitudes, et si vous avez fait tout à l'heure une petite satire de la mienne parce que j'hésite à vous révéler ma mission en France...

— Moi ?... Ô ciel ! si vous saviez, cher et bon ami, comme désormais toutes les missions du monde vont me devenir indifférentes !

Et il serra ses parchemins dans sa vaste poche.

Athos se leva de table et appela l'hôte pour payer la dépense.

— Depuis que je suis votre ami, dit d'Artagnan, je n'ai jamais payé un écot. Porthos souvent, Aramis quelquefois, et vous, presque toujours, vous tirâtes votre bourse au dessert. Maintenant, je suis riche, et je vais essayer si cela est héroïque de payer.

— Faites, dit Athos en remettant sa bourse dans sa poche.

Les deux amis se dirigèrent ensuite vers le port, non sans que d'Artagnan eût regardé en arrière pour surveiller le transport de ses chers écus. La nuit venait d'étendre son voile épais sur l'eau jaune de la Tamise ; on entendait ces bruits de tonnes et de poulies, précurseurs de l'appareillage, qui tant de fois avaient fait battre le cœur des mousquetaires, alors que le danger de la mer était le moindre de ceux qu'ils allaient affronter. Cette fois, ils devaient s'embarquer sur un grand vaisseau qui les attendait à Gravesend, et Charles II, toujours délicat dans les petites choses, avait envoyé un de ses yachts, avec douze hommes de sa garde écossaise, pour faire honneur à l'ambassadeur qu'il députait en France. A minuit le yacht avait déposé ses passagers à bord du vaisseau, et à huit heures du matin le vaisseau débarquait l'ambassadeur et son ami devant la jetée de Boulogne.

Tandis que le comte avec Grimaud s'occupait des chevaux pour aller droit à Paris, d'Artagnan courait à l'hôtellerie où, selon ses ordres, sa petite armée devait l'attendre[1]. Ces messieurs déjeunaient d'huîtres, de poisson et d'eau-de-vie aromatisée, lorsque parut d'Artagnan. Ils étaient bien gais, mais aucun n'avait encore franchi les limites de la raison. Un hourra de joie accueillit le général.

— Me voici, dit d'Artagnan ; la campagne est terminée. Je viens apporter à chacun le supplément de solde qui était promis.

Les yeux brillèrent.

— Je gage qu'il n'y a déjà plus cent livres dans l'escarcelle du plus riche de vous ?

— C'est vrai ! s'écria-t-on en chœur.

— Messieurs, dit alors d'Artagnan, voici la dernière consigne. Le traité

1. « Allez m'attendre à Calais où vous savez », avait dit d'Artagnan, chap. XXIX.

de commerce a été conclu, grâce à ce coup de main qui nous a rendus maîtres du plus habile financier de l'Angleterre ; car à présent, je dois vous l'avouer, l'homme qu'il s'agissait d'enlever, c'était le trésorier du général Monck.

Ce mot de trésorier produisit un certain effet dans son armée. D'Artagnan remarqua que les yeux du seul Menneville ne témoignaient pas d'une foi parfaite.

— Ce trésorier, continua d'Artagnan, je l'ai emmené sur un terrain neutre, la Hollande ; je lui ai fait signer le traité, je l'ai reconduit moi-même à Newcastle, et, comme il devait être satisfait de nos procédés à son égard, comme le coffre de sapin avait été porté toujours sans secousses et rembourré moelleusement, j'ai demandé pour vous une gratification. La voici.

Il jeta un sac assez respectable sur la nappe. Tous étendirent involontairement la main.

— Un moment, mes agneaux, dit d'Artagnan ; s'il y a les bénéfices, il y a aussi les charges.

— Oh ! oh ! murmura l'assemblée.

— Nous allons nous trouver, mes amis, dans une position qui ne serait pas tenable pour des gens sans cervelle ; je parle net : nous sommes entre la potence et la Bastille.

— Oh ! oh ! dit le chœur.

— C'est aisé à comprendre. Il a fallu expliquer au général Monck la disparition de son trésorier ; j'ai attendu pour cela le moment fort inespéré de la restauration du roi Charles II, qui est de mes amis...

L'armée échangea un regard de satisfaction contre le regard assez orgueilleux de d'Artagnan.

— Le roi restauré, j'ai rendu à M. Monck son homme d'affaires, un peu déplumé, c'est vrai, mais enfin je le lui ai rendu. Or, le général Monck, en me pardonnant, car il m'a pardonné, n'a pu s'empêcher de me dire ces mots que j'engage chacun de vous à se graver profondément là, entre les yeux, sous la voûte du crâne : « Monsieur, la plaisanterie est bonne, mais je n'aime pas naturellement les plaisanteries ; si jamais un mot de ce que vous avez fait (vous comprenez, monsieur Menneville) s'échappait de vos lèvres ou des lèvres de vos compagnons, j'ai dans mon gouvernement d'Écosse et d'Irlande sept cent quarante et une potences en bois de chêne, chevillées de fer et graissées à neuf toutes les semaines. Je ferais présent d'une de ces potences à chacun de vous, et, remarquez-le bien, cher monsieur d'Artagnan, ajouta-t-il (remarquez-le aussi, cher monsieur Menneville), il m'en resterait encore sept cent trente pour mes menus plaisirs. De plus... »

— Ah ! ah ! firent les auxiliaires, il y a du plus ?

— Une misère de plus : « Monsieur d'Artagnan, j'expédie au roi de France le traité en question, avec prière de faire fourrer à la Bastille provisoirement, puis de m'envoyer là-bas tous ceux qui ont pris part à l'expédition ; et c'est une prière à laquelle le roi se rendra certainement. »

Un cri d'effroi partit de tous les coins de la table.

— Là ! là ! dit d'Artagnan ; ce brave M. Monck a oublié une chose, c'est qu'il ne sait le nom d'aucun d'entre vous ; moi seul je vous connais, et ce n'est pas moi, vous le croyez bien, qui vous trahirai. Pour quoi faire ? Quant à vous, je ne suppose pas que vous soyez jamais assez niais pour vous dénoncer vous-mêmes, car alors le roi, pour s'épargner des frais de nourriture et de logement, vous expédierait en Écosse, où sont les sept cent quarante et une potences. Voilà, messieurs. Et maintenant je n'ai plus un mot à ajouter à ce que je viens d'avoir l'honneur de vous dire. Je suis sûr que l'on m'a compris parfaitement, n'est-ce pas, monsieur de Menneville ?

— Parfaitement, répliqua celui-ci.

— Maintenant, les écus ! dit d'Artagnan. Fermez les portes.

Il dit et ouvrit un sac sur la table d'où tombèrent plusieurs beaux écus d'or. Chacun fit un mouvement vers le plancher.

— Tout beau ! s'écria d'Artagnan ; que personne ne se baisse et je retrouverai mon compte.

Il le retrouva en effet, donna cinquante de ces beaux écus à chacun, et reçut autant de bénédictions qu'il avait donné de pièces.

— Maintenant, dit-il, s'il vous était possible de vous ranger un peu, si vous deveniez de bons et honnêtes bourgeois...

— C'est bien difficile, dit un des assistants.

— Mais pourquoi cela, capitaine ? dit un autre.

— C'est parce que je vous aurais retrouvés, et, qui sait ? rafraîchis de temps en temps par quelque aubaine...

Il fit signe à Menneville, qui écoutait tout cela d'un air composé.

— Menneville, dit-il, venez avec moi. Adieu mes braves ; je ne vous recommande pas d'être discrets.

Menneville le suivit, tandis que les salutations des auxilaires se mêlaient au doux bruit de l'or tintant dans leurs poches.

— Menneville, dit d'Artagnan une fois dans la rue, vous n'êtes pas dupe, prenez garde de le devenir ; vous ne me faites pas l'effet d'avoir peur des potences de Monck ni de la Bastille de Sa Majesté le roi Louis XIV, mais vous me ferez bien la grâce d'avoir peur de moi. Eh bien ! écoutez : Au moindre mot qui vous échapperait, je vous tuerais comme un poulet. J'ai déjà dans ma poche l'absolution de notre Saint-Père le pape.

— Je vous assure que je ne sais absolument rien, mon cher monsieur d'Artagnan, et que toutes vos paroles sont pour moi articles de foi.

— J'étais bien sûr que vous étiez un garçon d'esprit, dit le mousquetaire ; il y a vingt-cinq ans que je vous ai jugé. Ces cinquante écus d'or que je vous donne en plus vous prouveront le cas que je fais de vous. Prenez.

— Merci, monsieur d'Artagnan, dit Menneville.

— Avec cela vous pouvez réellement devenir honnête homme, répliqua d'Artagnan du ton le plus sérieux. Il serait honteux qu'un esprit comme le vôtre et un nom que vous n'osez plus porter se trouvassent effacés à jamais sous la rouille d'une mauvaise vie. Devenez galant homme, Menneville, et vivez un an avec ces cent écus d'or, c'est un beau denier : deux fois la solde d'un haut officier. Dans un an, venez me voir, et, mordioux ! je ferai de vous quelque chose.

Menneville jura, comme avaient fait ses camarades, qu'il serait muet comme la tombe. Et cependant, il faut bien que quelqu'un ait parlé, et comme à coup sûr ce n'est pas nos neuf compagnons, comme certainement ce n'est pas Menneville, il faut bien que ce soit d'Artagnan, qui, en sa qualité de Gascon, avait la langue bien près des lèvres. Car enfin, si ce n'est pas lui, qui serait-ce? Et comment s'expliquerait le secret du coffre de sapin percé de trous parvenu à notre connaissance, et d'une façon si complète, que nous en avons, comme on a pu le voir, raconté l'histoire dans ses détails les plus intimes ? détails qui, au reste, éclairent d'un jour aussi nouveau qu'inattendu toute cette portion de l'histoire d'Angleterre, laissée jusqu'aujourd'hui dans l'ombre par les historiens nos confrères.

XXXVIII

OÙ L'ON VOIT QUE L'ÉPICIER FRANÇAIS S'ÉTAIT DÉJA RÉHABILITÉ AU XVIIe SIÈCLE

Une fois ses comptes réglés et ses recommandations faites, d'Artagnan ne songea plus qu'à regagner Paris le plus promptement possible. Athos, de son côté, avait hâte de regagner sa maison et de s'y reposer un peu. Si entiers que soient restés le caractère et l'homme, après les fatigues du voyage, le voyageur s'aperçoit avec plaisir, à la fin du jour, même quand le jour a été beau, que la nuit va venir apporter un peu de sommeil. Aussi, de Boulogne à Paris, chevauchant côte à côte, les deux amis, quelque peu absorbés dans leurs pensées individuelles, ne causèrent-ils pas de choses assez intéressantes pour que nous en instruisions le lecteur : chacun d'eux, livré à ses réflexions personnelles, et se construisant l'avenir à sa façon, s'occupa surtout d'abréger la distance par la vitesse. Athos et d'Artagnan arrivèrent le soir du quatrième jour, après leur départ de Boulogne, aux barrières de Paris.

— Où allez-vous, mon cher ami ? demanda Athos. Moi, je me dirige droit vers mon hôtel.

— Et moi tout droit chez mon associé.

— Chez Planchet ?

— Mon Dieu, oui : au Pilon-d'Or.

— N'est-il pas bien entendu que nous nous reverrons ?

— Si vous restez à Paris, oui ; car j'y reste, moi.

— Non. Après avoir embrassé Raoul, à qui j'ai fait donner rendez-vous chez moi, dans l'hôtel, je pars immédiatement pour La Fère.

— Eh bien ! adieu, alors, cher et parfait ami.

— Au revoir plutôt, car enfin je ne sais pas pourquoi vous ne viendriez pas habiter avec moi à Blois. Vous voilà libre, vous voilà riche ; je vous achèterai, si vous voulez, un beau bien dans les environs de Cheverny ou dans ceux de Bracieux[1]. D'un côté, vous aurez les plus beaux bois du monde, qui vont rejoindre ceux de Chambord ; de l'autre, des marais admirables. Vous qui aimez la chasse, et qui, bon gré mal gré, êtes poète, cher ami, vous trouverez des faisans, des râles et des sarcelles, sans compter des couchers de soleil et des promenades en bateau à faire rêver Nemrod et Apollon eux-mêmes. En attendant l'acquisition, vous habiterez La Fère, et nous irons voler la pie dans les vignes, comme faisait le roi Louis XIII. C'est un sage plaisir pour des vieux comme nous.

D'Artagnan prit les mains d'Athos.

— Cher comte, lui dit-il, je ne vous dis ni oui ni non. Laissez-moi passer à Paris le temps indispensable pour régler toutes mes affaires et m'accoutumer peu à peu à la très lourde et très reluisante idée qui bat dans mon cerveau et m'éblouit. Je suis riche, voyez-vous, et d'ici à ce que j'aie pris l'habitude de la richesse, je me connais, je serai un animal insupportable. Or, je ne suis pas encore assez bête pour manquer d'esprit devant un ami tel que vous, Athos. L'habit est beau, l'habit est richement doré, mais il est neuf, et me gêne aux entournures.

Athos sourit.

— Soit, dit-il. Mais à propos de cet habit, cher d'Artagnan, voulez-vous que je vous donne un conseil ?

— Oh ! très volontiers.

— Vous ne vous fâcherez point ?

— Allons donc !

— Quand la richesse arrive à quelqu'un tard et tout à coup, ce quelqu'un, pour ne pas changer, doit se faire avare, c'est-à-dire ne pas dépenser beaucoup plus d'argent qu'il n'en avait auparavant, ou se faire prodigue, et avoir tant de dettes qu'il redevienne pauvre.

— Oh ! mais, ce que vous me dites là ressemble fort à un sophisme, mon cher philosophe.

1. Voir ci-dessus, chap. I, p. 3, note 1.

— Je ne crois pas. Voulez-vous devenir avare ?

— Non, parbleu ! Je l'étais déjà, n'ayant rien. Changeons.

— Alors, soyez prodigue.

— Encore moins, mordioux ! les dettes m'épouvantent. Les créanciers me représentent par anticipation ces diables qui retournent les damnés sur le gril, et comme la patience n'est pas ma vertu dominante, je suis toujours tenté de rosser les diables.

— Vous êtes l'homme le plus sage que je connaisse, et vous n'avez de conseils à recevoir de personne. Bien fous ceux qui croiraient avoir quelque chose à vous apprendre ! Mais ne sommes-nous pas à la rue Saint-Honoré ?

— Oui, cher Athos.

— Tenez, là-bas, à gauche, cette petite maison longue et blanche, c'est l'hôtel où j'ai mon logement. Vous remarquerez qu'il n'a que deux étages. J'occupe le premier ; l'autre est loué à un officier que son service tient éloigné huit ou neuf mois de l'année, en sorte que je suis dans cette maison comme je serais chez moi, sans la dépense.

— Oh ! que vous vous arrangez bien, Athos ! Quel ordre et quelle largeur ! Voilà ce que je voudrais réunir. Mais que voulez-vous, c'est de naissance, et cela ne s'acquiert point.

— Flatteur ! Allons, adieu, cher ami. A propos, rappelez-moi au souvenir de monsieur Planchet ; c'est toujours un garçon d'esprit, n'est-ce pas ?

— Et de cœur, Athos. Adieu !

Ils se séparèrent. Pendant toute cette conversation, d'Artagnan n'avait pas une seconde perdu de vue certain cheval de charge dans les paniers duquel, sous du foin, s'épanouissaient les sacoches avec le portemanteau. Neuf heures du soir sonnaient à Saint-Merri ; les garçons de Planchet fermaient la boutique. D'Artagnan arrêta le postillon qui conduisait le cheval de charge au coin de la rue des Lombards, sous un auvent, et, appelant un garçon de Planchet, il lui donna à garder non seulement les deux chevaux, mais encore le postillon ; après quoi, il entra chez l'épicier dont le souper venait de finir, et qui, dans son entresol, consultait avec une certaine anxiété le calendrier sur lequel il rayait chaque soir le jour qui venait de finir. Au moment où, selon son habitude quotidienne, Planchet, du dos de sa plume, biffait en soupirant le jour écoulé, d'Artagnan heurta du pied le seuil de la porte, et le choc fit sonner son éperon de fer.

— Ah mon Dieu ! cria Planchet.

Le digne épicier n'en put dire davantage ; il venait d'apercevoir son associé. D'Artagnan entra le dos voûté, l'œil morne. Le Gascon avait son idée à l'endroit de Planchet.

« Bon Dieu ! pensa l'épicier en regardant le voyageur, il est triste ! »

Le mousquetaire s'assit.

— Cher monsieur d'Artagnan, dit Planchet avec un horrible battement de cœur, vous voilà ! et la santé ?

— Assez bonne, Planchet, assez bonne, dit d'Artagnan en poussant un soupir.

— Vous n'avez point été blessé, j'espère ?

— Peuh !

— Ah ! je vois, continua Planchet de plus en plus alarmé, l'expédition a été rude ?

— Oui, fit d'Artagnan.

Un frisson courut par tout le corps de Planchet.

— Je boirais bien, dit le mousquetaire en levant piteusement la tête.

Planchet courut lui-même à l'armoire et servit du vin à d'Artagnan dans un grand verre. D'Artagnan regarda la bouteille.

— Quel est ce vin ? demanda-t-il.

— Hélas ! celui que vous préférez, monsieur, dit Planchet ; c'est ce bon vieux vin d'Anjou qui a failli nous coûter un jour si cher à tous.

— Ah ! répliqua d'Artagnan avec un sourire mélancolique ; ah ! mon pauvre Planchet, dois-je boire encore du bon vin ?

— Voyons, mon cher maître, dit Planchet en faisant un effort surhumain, tandis que tous ses muscles contractés, sa pâleur et son tremblement décelaient la plus vive angoisse. Voyons, j'ai été soldat, par conséquent j'ai du courage ; ne me faites donc pas languir, cher monsieur d'Artagnan : notre argent est perdu, n'est-ce pas ?

D'Artagnan prit, avant de répondre, un temps qui parut un siècle au pauvre épicier. Cependant il n'avait fait que de se retourner sur sa chaise.

— Et si cela était, dit-il avec lenteur et en balançant la tête du haut en bas, que dirais-tu, mon pauvre ami ?

Planchet, de pâle qu'il était, devint jaune. On eût dit qu'il allait avaler sa langue, tant son gosier s'enflait, tant ses yeux rougissaient.

— Vingt mille livres ! murmura-t-il, vingt mille livres, cependant !...

D'Artagnan, le cou détendu, les jambes allongées, les mains paresseuses, ressemblait à une statue du découragement ; Planchet arracha un douloureux soupir des cavités les plus profondes de sa poitrine.

— Allons, dit-il, je vois ce qu'il en est. Soyons hommes. C'est fini, n'est-ce pas ? Le principal, monsieur, est que vous ayez sauvé votre vie.

— Sans doute, sans doute, c'est quelque chose que la vie ; mais, en attendant, je suis ruiné, moi.

— Cordieu ! monsieur, dit Planchet, s'il en est ainsi, il ne faut point se désespérer pour cela ; vous vous mettrez épicier avec moi ; je vous associe à mon commerce ; nous partagerons les bénéfices, et quand il n'y aura plus de bénéfices, eh bien ! nous partagerons les amandes, les raisins secs et les pruneaux, et nous grignoterons ensemble le dernier quartier de fromage de Hollande.

D'Artagnan ne put y résister plus longtemps.

— Mordioux ! s'écria-t-il tout ému, tu es un brave garçon, sur l'honneur, Planchet ! Voyons, tu n'as pas joué la comédie ? Voyons, tu n'avais pas vu là-bas dans la rue, sous l'auvent, le cheval aux sacoches ?

— Quel cheval ? quelles sacoches ? dit Planchet, dont le cœur se serra à l'idée que d'Artagnan devenait fou.

— Eh ! les sacoches anglaises, mordioux ! dit d'Artagnan tout radieux, tout transfiguré.

— Ah ! mon Dieu ! articula Planchet en se reculant devant le feu éblouissant de ses regards.

— Imbécile ! s'écria d'Artagnan, tu me crois fou. Mordioux ! jamais, au contraire, je n'ai eu la tête plus saine et le cœur plus joyeux. Aux sacoches, Planchet, aux sacoches !

— Mais à quelles sacoches, mon Dieu ?

D'Artagnan poussa Planchet vers la fenêtre.

— Sous l'auvent, là-bas, lui dit-il, vois-tu un cheval ?

— Oui.

— Lui vois-tu le dos embarrassé ?

— Oui, oui.

— Vois-tu un de tes garçons qui cause avec le postillon ?

— Oui, oui, oui.

— Eh bien ! tu sais le nom de ce garçon, puisqu'il est à toi. Appelle-le.

— Abdon ! Abdon ! vociféra Planchet par la fenêtre.

— Amène le cheval, souffla d'Artagnan.

— Amène le cheval ! hurla Planchet.

— Maintenant, dix livres au postillon, dit d'Artagnan du ton qu'il eût mis à commander une manœuvre ; deux garçons pour monter les deux premières sacoches, deux autres pour les deux dernières, et du feu, mordioux ! de l'action !

Planchet se précipita par les degrés comme si le diable eût mordu ses chausses. Un moment après, les garçons montaient l'escalier, pliant sous leur fardeau. D'Artagnan les renvoyait à leur galetas, fermait soigneusement la porte et s'adressant à Planchet, qui à son tour devenait fou :

— Maintenant, à nous deux ! dit-il.

Et il étendit à terre une vaste couverture et vida dessus la première sacoche. Autant fit Planchet de la seconde ; puis d'Artagnan, tout frémissant, éventra la troisième à coups de couteau. Lorsque Planchet entendit le bruit agaçant de l'argent et de l'or, lorsqu'il vit bouillonner hors du sac les écus reluisants qui frétillaient comme des poissons hors de l'épervier, lorsqu'il se sentit trempant jusqu'au mollet dans cette marée toujours montante de pièces fauves ou argentées, le saisissement le prit, il tourna sur lui-même comme un homme foudroyé, et vint s'abattre lourdement sur l'énorme monceau que sa pesanteur fit crouler avec un fracas indescriptible.

Planchet, suffoqué par la joie, avait perdu connaissance. D'Artagnan lui jeta un verre de vin blanc au visage, ce qui le rappela incontinent à la vie.

— Ah ! mon Dieu ! Ah ! mon Dieu ! Ah ! mon Dieu ! disait Planchet essuyant sa moustache et sa barbe.

En ce temps-là comme aujourd'hui, les épiciers portaient la moustache cavalière et la barbe de lansquenet ; seulement les bains d'argent, déjà très rares en ce temps-là, sont devenus à peu près inconnus aujourd'hui.

— Mordioux ! dit d'Artagnan, il y a là cent mille livres à vous, monsieur mon associé. Tirez votre épingle[1], s'il vous plaît ; moi, je vais tirer la mienne.

— Oh ! la belle somme, monsieur d'Artagnan, la belle somme !

— Je regrettais un peu la somme qui te revient, il y a une demi-heure, dit d'Artagnan ; mais à présent, je ne la regrette plus, et tu es un brave épicier, Planchet. Çà ! faisons de bons comptes, puisque les bons comptes, dit-on, font de bons amis.

— Oh ! racontez-moi d'abord toute l'histoire, dit Planchet : ce doit être encore plus beau que l'argent.

— Ma foi, répliqua d'Artagnan se caressant la moustache, je ne dis pas non, et si jamais l'historien pense à moi pour le renseigner, il pourra dire qu'il n'aura pas puisé à une mauvaise source. Écoute donc, Planchet, je vais conter.

— Et moi faire des piles, dit Planchet. Commencez, mon cher patron.

— Voici, dit d'Artagnan en prenant haleine.

— Voilà, dit Planchet en ramassant sa première poignée d'écus.

XXXIX

LE JEU DE M. DE MAZARIN[2]

Dans une grande chambre du Palais-Royal, tendue de velours sombre que rehaussaient les bordures dorées d'un grand nombre de magnifiques tableaux, on voyait, le soir même de l'arrivée de nos deux Français, toute la cour réunie devant l'alcôve de M. le cardinal Mazarin, qui donnait à jouer au roi et à la reine.

1. *Tirer son épingle* : avoir une commission dans une affaire ; mot plaisant ici compte tenu des bénéfices réalisés.

2. Le chapitre s'inspire des *Mémoires* de Brienne.

Un petit paravent séparait trois tables dressées dans la chambre. A l'une de ces tables, le roi et les deux reines étaient assis. Louis XIV, placé en face de la jeune reine, sa femme, lui souriait avec une expression de bonheur très réel. Anne d'Autriche tenait les cartes contre le cardinal, et sa bru l'aidait au jeu, lorsqu'elle ne souriait pas à son époux. Quant au cardinal, qui était couché avec une figure fort amaigrie, fort fatiguée, son jeu était tenu par la comtesse de Soissons[1], et il y plongeait un regard incessant plein d'intérêt et de cupidité.

Le cardinal s'était fait farder par Bernouin ; mais le rouge qui brillait aux pommettes seules faisait ressortir d'autant plus la pâleur maladive du reste de la figure et le jaune luisant du front. Seulement les yeux en prenaient un éclat plus vif, et sur ces yeux de malade s'attachaient de temps en temps les regards inquiets du roi, des reines et des courtisans.

Le fait est que les deux yeux du signor Mazarin étaient les étoiles plus ou moins brillantes sur lesquelles la France du XVIIe siècle lisait sa destinée chaque soir et chaque matin.

Monseigneur ne gagnait ni ne perdait ; il n'était donc ni gai ni triste. C'était une stagnation dans laquelle n'eût pas voulu le laisser Anne d'Autriche, pleine de compassion pour lui ; mais, pour attirer l'attention du malade par quelque coup d'éclat, il eût fallu gagner ou perdre. Gagner, c'était dangereux, parce que Mazarin eût changé son indifférence en une laide grimace ; perdre, c'était dangereux aussi, parce qu'il eût fallu tricher, et que l'infante, veillant au jeu de sa belle-mère, se fût sans doute récriée sur sa bonne disposition pour M. de Mazarin.

Profitant de ce calme, les courtisans causaient. M. de Mazarin, lorsqu'il n'était pas de mauvaise humeur, était un prince débonnaire, et lui, qui n'empêchait personne de chanter, pourvu que l'on payât[2], n'était pas assez tyran pour empêcher que l'on parlât, pourvu qu'on se décidât à perdre.

Donc l'on causait. A la première table, le jeune frère du roi, Philippe, duc d'Anjou, mirait sa belle figure dans la glace d'une boîte. Son favori, le chevalier de Lorraine, appuyé sur le fauteuil du prince, écoutait avec une secrète envie le comte de Guiche, autre favori de Philippe, qui racontait, en des termes choisis, les différentes vicissitudes de fortune du roi aventurier Charles II. Il disait, comme des événements fabuleux, toute l'histoire de ses pérégrinations dans l'Écosse, et ses terreurs quand les partis ennemis le suivaient à la piste ; les nuits passées dans des arbres ; les jours passés dans la faim et le combat. Peu à peu, le sort de ce roi malheureux avait intéressé les auditeurs à tel point que le jeu languissait, même à la table royale, et que le jeune roi, pensif, l'œil perdu, suivait,

---

1. Olympe Mancini avait épousé Eugène de Carignan-Savoie, comte de Soissons, en 1659.
2. Voir *Vingt Ans après*, chap. II, p. 568, note 2.

sans paraître y donner d'attention, les moindres détails de cette odyssée, fort pittoresquement racontée par le comte de Guiche[1].

La comtesse de Soissons interrompit le narrateur :

— Avouez, comte, dit-elle, que vous brodez.

— Madame, je récite, comme un perroquet, toutes les histoires que différents Anglais m'ont racontées. Je dirai même, à ma honte, que je suis textuel comme une copie.

— Charles II serait mort s'il avait enduré tout cela.

Louis XIV souleva sa tête intelligente et fière.

— Madame, dit-il d'une voix posée qui sentait encore l'enfant timide, M. le cardinal vous dira que, dans ma minorité, les affaires de France ont été à l'aventure... et que si j'eusse été plus grand et obligé de mettre l'épée à la main, ç'aurait été quelquefois pour la soupe du soir.

— Dieu merci ! repartit le cardinal, qui parlait pour la première fois, Votre Majesté exagère, et son souper a toujours été cuit à point avec celui de ses serviteurs.

Le roi rougit.

— Oh ! s'écria Philippe étourdiment, de sa place et sans cesser de se mirer, je me rappelle qu'une fois, à Melun, ce souper n'était mis pour personne, et que le roi mangea les deux tiers d'un morceau de pain dont il m'abandonna l'autre tiers[2].

Toute l'assemblée, voyant sourire Mazarin, se mit à rire. On flatte les rois avec le souvenir d'une détresse passée, comme avec l'espoir d'une fortune future.

— Toujours est-il que la couronne de France a toujours bien tenu sur la tête des rois, se hâta d'ajouter Anne d'Autriche, et qu'elle est tombée de celle du roi d'Angleterre ; et lorsque par hasard cette couronne oscillait un peu, car il y a parfois des tremblements de trône, comme il y a des tremblements de terre, chaque fois, dis-je, que la rébellion menaçait, une bonne victoire ramenait la tranquillité.

— Avec quelques fleurons de plus à la couronne, dit Mazarin.

Le comte de Guiche se tut ; le roi composa son visage, et Mazarin échangea un regard avec Anne d'Autriche comme pour la remercier de son intervention.

— Il n'importe, dit Philippe en lissant ses cheveux, mon cousin Charles n'est pas beau, mais il est très brave et s'est battu comme un reître, et s'il continue à se battre ainsi, nul doute qu'il ne finisse par gagner une bataille !... comme Rocroy...

— Il n'a pas de soldats, interrompit le chevalier de Lorraine.

— Le roi de Hollande, son allié, lui en donnera. Moi, je lui en eusse bien donné, si j'eusse été roi de France.

---

1. Il s'agit de l'odyssée de 1650-1651.
2. Voir La Porte, *Mémoires* (Petitot, tome LIX).

Louis XIV rougit excessivement.

Mazarin affecta de regarder son jeu avec plus d'attention que jamais.

— A l'heure qu'il est, reprit le comte de Guiche, la fortune de ce malheureux prince est accomplie. S'il a été trompé par Monck, il est perdu. La prison, la mort peut-être, finiront ce que l'exil, les batailles et les privations avaient commencé.

Mazarin fronça le sourcil.

— Est-il bien sûr, dit Louis XIV, que Sa Majesté Charles II ait quitté La Haye ?

— Très sûr, Votre Majesté, répliqua le jeune homme. Mon père a reçu une lettre qui lui donne des détails ; on sait même que le roi a débarqué à Douvres ; des pêcheurs l'ont vu entrer dans le port ; le reste est encore un mystère.

— Je voudrais bien savoir le reste, dit impétueusement Philippe. Vous savez, vous, mon frère ?

Louis XIV rougit encore. C'était la troisième fois depuis une heure.

— Demandez à M. le cardinal, répliqua-t-il d'un ton qui fit lever les yeux à Mazarin, à Anne d'Autriche, à tout le monde.

— Ce qui veut dire, mon fils, interrompit en riant Anne d'Autriche, que le roi n'aime pas qu'on cause des choses de l'État hors du conseil.

Philippe accepta de bonne volonté la mercuriale et fit un grand salut, tout en souriant à son frère d'abord, puis à sa mère.

Mais Mazarin vit du coin de l'œil qu'un groupe allait se reformer dans un angle de la chambre, et que le duc d'Orléans[1] avec le comte de Guiche et le chevalier de Lorraine, privés de s'expliquer tout haut, pourraient bien tout bas en dire plus qu'il n'était nécessaire. Il commençait donc à leur lancer des œillades pleines de défiance et d'inquiétude, invitant Anne d'Autriche à jeter quelque perturbation dans le conciliabule, quand tout à coup Bernouin, entrant sous la portière à la ruelle du lit, vint dire à l'oreille de son maître :

— Monseigneur, un envoyé de Sa Majesté le roi d'Angleterre.

Mazarin ne put cacher une légère émotion que le roi saisit au passage. Pour éviter d'être indiscret, moins encore que pour ne pas paraître inutile, Louis XIV se leva donc aussitôt, et, s'approchant de Son Éminence, il lui souhaita le bonsoir.

Toute l'assemblée s'était levée avec un grand bruit de chaises roulantes et de tables poussées.

— Laissez partir peu à peu tout le monde, dit Mazarin tout bas à Louis XIV, et veuillez m'accorder quelques minutes. J'expédie une affaire dont, ce soir même, je veux entretenir Votre Majesté.

— Et les reines ? demanda Louis XIV.

---

1. Confusion : le duc d'Anjou ne devint duc d'Orléans qu'après la mort de son oncle qui n'est pas encore annoncée dans le roman.

— Et M. le duc d'Anjou, dit Son Éminence.

En même temps, il se retourna dans sa ruelle, dont les rideaux, en retombant, cachèrent le lit. Le cardinal, cependant, n'avait pas perdu de vue ses conspirateurs.

— Monsieur le comte de Guiche ! dit-il d'une voix chevrotante, tout en revêtant, derrière le rideau, la robe de chambre que lui tendait Bernouin.

— Me voici, monseigneur, dit le jeune homme en s'approchant.

— Prenez mes cartes ; vous avez du bonheur, vous... Gagnez-moi un peu l'argent de ces messieurs.

— Oui, monseigneur.

Le jeune homme s'assit à table, d'où le roi s'éloigna pour causer avec les reines.

Une partie sérieuse commença entre le comte et plusieurs riches courtisans.

Cependant, Philippe causait parures avec le chevalier de Lorraine, et l'on avait cessé d'entendre derrière les rideaux de l'alcôve le frôlement de la robe de soie du cardinal.

Son Éminence avait suivi Bernouin dans le cabinet adjacent à la chambre à coucher.

XL

AFFAIRE D'ÉTAT

Le cardinal, en passant dans son cabinet, trouva le comte de La Fère qui attendait, fort occupé d'admirer un Raphaël très beau, placé au-dessus d'un dressoir garni d'orfèvrerie[1].

Son Éminence arriva doucement, léger et silencieux comme une ombre, et surprit la physionomie du comte, ainsi qu'il avait l'habitude de le faire, prétendant deviner à la simple inspection du visage d'un interlocuteur quel devait être le résultat de la conversation.

Mais, cette fois, l'attente de Mazarin fut trompée ; il ne lut absolument rien sur le visage d'Athos, pas même le respect qu'il avait l'habitude de lire sur toutes les physionomies.

Athos était vêtu de noir avec une simple broderie d'argent. Il portait le Saint-Esprit, la Jarretière et la Toison d'or, trois ordres d'une telle importance, qu'un roi seul ou un comédien pouvait les réunir.

---

1. Écho de *Vingt Ans après*, chap. XLI, dans lequel Mordaunt, attendant Mazarin, semble regarder avec étonnement « le tableau de Raphaël, qui est vis-à-vis cette porte » (voir p. 876, note 1).

Mazarin fouilla longtemps dans sa mémoire un peu troublée pour se rappeler le nom qu'il devait mettre sur cette figure glaciale et n'y réussit pas.

— J'ai su, dit-il enfin, qu'il m'arrivait un message d'Angleterre.

Et il s'assit, congédiant Bernouin et Brienne, qui se préparait, en sa qualité de secrétaire, à tenir la plume.

— De la part de Sa Majesté le roi d'Angleterre, oui, Votre Éminence.

— Vous parlez bien purement le français, monsieur, pour un Anglais, dit gracieusement Mazarin en regardant toujours à travers ses doigts le Saint-Esprit, la Jarretière, la Toison et surtout le visage du messager.

— Je ne suis pas anglais, je suis français, monsieur le cardinal, répondit Athos.

— Voilà qui est particulier, le roi d'Angleterre choisissant des Français pour ses ambassades ; c'est d'un excellent augure... Votre nom, monsieur, je vous prie ?

— Comte de La Fère, répliqua Athos en saluant plus légèrement que ne l'exigeaient le cérémonial et l'orgueil du ministre tout-puissant.

Mazarin plia les épaules comme pour dire : « Je ne connais pas ce nom-là. »

Athos ne sourcilla point.

— Et vous venez, monsieur, continua Mazarin, pour me dire...

— Je venais de la part de Sa Majesté le roi de la Grande-Bretagne annoncer au roi de France...

Mazarin fronça le sourcil.

— Annoncer au roi de France, poursuivit imperturbablement Athos, l'heureuse restauration de Sa Majesté Charles II sur le trône de ses pères.

Cette nuance n'échappa point à la rusée Éminence. Mazarin avait trop l'habitude des hommes pour ne pas voir, dans la politesse froide et presque hautaine d'Athos, un indice d'hostilité qui n'était pas la température ordinaire de cette serre chaude qu'on appelle la cour.

— Vous avez ses pouvoirs, sans doute ? demanda Mazarin d'un ton bref et querelleur.

— Oui... monseigneur.

Ce mot : « monseigneur » sortit péniblement des lèvres d'Athos ; on eût dit qu'il les écorchait.

— En ce cas, montrez-les.

Athos tira d'un sachet de velours brodé qu'il portait sous son pourpoint une dépêche. Le cardinal étendit la main.

— Pardon, monseigneur, dit Athos ; mais ma dépêche est pour le roi.

— Puisque vous êtes français, monsieur, vous devez savoir ce qu'un Premier ministre vaut à la cour de France.

— Il fut un temps, répondit Athos, où je m'occupais, en effet, de ce que valent les Premiers ministres ; mais j'ai formé, il y a déjà plusieurs années de cela, la résolution de ne plus traiter qu'avec le roi.

— Alors, monsieur, dit Mazarin, qui commençait à s'irriter, vous ne verrez ni le ministre ni le roi.

Et Mazarin se leva. Athos remit sa dépêche dans le sachet, salua gravement et fit quelques pas vers la porte. Ce sang-froid exaspéra Mazarin.

— Quels étranges procédés diplomatiques ! s'écria-t-il. Sommes-nous encore au temps où M. Cromwell nous envoyait des pourfendeurs en guise de chargés d'affaires ? Il ne vous manque, monsieur, que le pot en tête et la bible à la ceinture.

— Monsieur, répliqua sèchement Athos, je n'ai jamais eu comme vous l'avantage de traiter avec M. Cromwell, et je n'ai vu ses chargés d'affaires que l'épée à la main ; j'ignore donc comment il traitait avec les Premiers ministres. Quant au roi d'Angleterre, Charles II, je sais que, quand il écrit à Sa Majesté le roi Louis XIV, ce n'est pas à son Éminence le cardinal Mazarin ; dans cette distinction, je ne vois aucune diplomatie.

— Ah ! s'écria Mazarin en relevant sa tête amaigrie et en frappant de la main sur sa tête, je me souviens maintenant !

« Oui, c'est cela ! dit le cardinal en continuant de regarder son interlocuteur ; oui, c'est bien cela... Je vous reconnais, monsieur. Ah ! *diavolo* ! je ne m'étonne plus.

— En effet, je m'étonnais qu'avec l'excellente mémoire de Votre Éminence, répondit en souriant Athos, Votre Éminence ne m'eût pas encore reconnu.

— Toujours récalcitrant et grondeur... monsieur... monsieur... comment vous appelait-on ? Attendez donc... un nom de fleuve... Potamos... non... un nom d'île... Naxos[1].. non, *per Jove* ! un nom de montagne... Athos ! m'y voilà ! Enchanté de vous revoir, et de n'être plus à Rueil, où vous me fîtes payer rançon avec vos damnés complices... Fronde ! toujours Fronde ! Fronde maudite ! oh ! quel levain ! Ah çà ! monsieur, pourquoi vos antipathies ont-elles survécu aux miennes ? Si quelqu'un avait à se plaindre, pourtant, je crois que ce n'était pas vous, qui vous êtes tiré de là, non seulement les braies nettes, mais encore avec le cordon du Saint-Esprit au cou.

— Monsieur le cardinal, répondit Athos, permettez-moi de ne pas entrer dans des considérations de cet ordre. J'ai une mission à remplir... me faciliterez-vous les moyens de remplir cette mission ?

— Je m'étonne, dit Mazarin, tout joyeux d'avoir retrouvé la mémoire, et tout hérissé de pointes malicieuses ; je m'étonne, monsieur... Athos... qu'un frondeur tel que vous ait accepté une mission près du Mazarin, comme on disait dans le bon temps.

1. *Potamos* : « fleuve » en grec ; l'île de Naxos, « la ronde », est la plus importante des Cyclades.

Et Mazarin se mit à rire, malgré une toux douloureuse qui coupait chacune de ses phrases et qui en faisait des sanglots.

— Je n'ai accepté de mission qu'auprès du roi de France, monsieur le cardinal, riposta le comte avec moins d'aigreur cependant, car il croyait avoir assez d'avantages pour se montrer modéré.

— Il faudra toujours, monsieur le frondeur, dit Mazarin gaiement, que, du roi, l'affaire dont vous vous êtes chargé...

— Dont on m'a chargé, monseigneur, je ne cours pas après les affaires.

— Soit ! il faudra, dis-je, que cette négociation passe un peu par mes mains... Ne perdons pas un temps précieux... dites-moi les conditions.

— J'ai eu l'honneur d'assurer à Votre Éminence que la lettre seule de Sa Majesté le roi Charles II contenait la révélation de son désir.

— Tenez ! vous êtes ridicule avec votre roideur, monsieur Athos. On voit que vous vous êtes frotté aux puritains de là-bas... Votre secret, je le sais mieux que vous, et vous avez eu tort, peut-être, de ne pas avoir quelques égards pour un homme très vieux et très souffrant, qui a beaucoup travaillé dans sa vie et tenu bravement la campagne pour ses idées, comme vous pour les vôtres... Vous ne voulez rien dire ? bien ; vous ne voulez pas me communiquer votre lettre ?... à merveille ; venez avec moi dans ma chambre, vous allez parler au roi... et devant le roi... Maintenant, un dernier mot : Qui donc vous a donné la Toison ? Je me rappelle que vous passiez pour avoir la Jarretière ; mais quant à la Toison, je ne savais pas...

— Récemment, monseigneur, l'Espagne, à l'occasion du mariage de Sa Majesté Louis XIV, a envoyé au roi Charles II un brevet de la Toison en blanc ; Charles II me l'a transmis aussitôt, en remplissant le blanc avec mon nom.

Mazarin se leva, et, s'appuyant sur le bras de Bernouin, il rentra dans sa ruelle, au moment où l'on annonçait dans la chambre : « Monsieur le prince ! » Le prince de Condé, le premier prince du sang, le vainqueur de Rocroy, de Lens et de Nordlingen, entrait en effet chez Mgr de Mazarin, suivi de ses gentilshommes, et déjà il saluait le roi, quand le Premier ministre souleva son rideau.

Athos eut le temps d'apercevoir Raoul serrant la main du comte de Guiche, et d'échanger un sourire contre son respectueux salut.

Il eut le temps de voir aussi la figure rayonnante du cardinal, lorsqu'il aperçut devant lui, sur la table, une masse énorme d'or que le comte de Guiche avait gagnée, par une heureuse veine, depuis que Son Éminence lui avait confié les cartes. Aussi, oubliant ambassadeur, ambassade et prince, sa première pensée fut-elle pour l'or.

— Quoi ! s'écria le vieillard, tout cela... de gain ?

— Quelque chose comme cinquante mille écus ; oui, monseigneur, répliqua le comte de Guiche en se levant. Faut-il que je rende la place à Votre Éminence ou que je continue ?

— Rendez, rendez ! Vous êtes un fou. Vous reperdriez tout ce que vous avez gagné, peste !

— Monseigneur, dit le prince de Condé en saluant.

— Bonsoir, monsieur le prince, dit le ministre d'un ton léger ; c'est bien aimable à vous de rendre visite à un ami malade.

— Un ami !... murmura le comte de La Fère en voyant avec stupeur cette alliance monstrueuse de mots ; ami ! lorsqu'il s'agit de Mazarin et de Condé.

Mazarin devina la pensée de ce frondeur, car il lui sourit avec triomphe, et tout aussitôt :

— Sire, dit-il au roi, j'ai l'honneur de présenter à Votre Majesté M. le comte de La Fère, ambassadeur de Sa Majesté britannique... Affaire d'État, messieurs ! ajouta-t-il en congédiant de la main tous ceux qui garnissaient la chambre, et qui, le prince de Condé en tête, s'éclipsèrent sur le geste seul de Mazarin.

Raoul, après un dernier regard jeté au comte de La Fère, suivit M. de Condé.

Philippe d'Anjou et la reine parurent alors se consulter comme pour partir.

— Affaire de famille, dit subitement Mazarin en les arrêtant sur leurs sièges. Monsieur, que voici, apporte au roi une lettre par laquelle Charles II, complètement restauré sur le trône, demande une alliance entre Monsieur, frère du roi, et Mademoiselle Henriette, petite-fille de Henri IV... voulez-vous remettre au roi votre lettre de créance, monsieur le comte.

Athos resta un instant stupéfait. Comment le ministre pouvait-il savoir le contenu d'une lettre qui ne l'avait pas quitté un seul instant ? Cependant, toujours maître de lui, il tendit sa dépêche au jeune roi Louis XIV, qui la prit en rougissant. Un silence solennel régnait dans la chambre du cardinal. Il ne fut troublé que par le bruit de l'or que Mazarin, de sa main jaune et sèche, empilait dans un coffret pendant la lecture du roi.

XLI

LE RÉCIT

La malice du cardinal ne laissait pas beaucoup de choses à dire à l'ambassadeur ; cependant le mot de restauration avait frappé le roi, qui, s'adressant au comte, sur lequel il avait les yeux fixés depuis son entrée :

— Monsieur, dit-il, veuillez nous donner quelques détails sur la situation des affaires en Angleterre. Vous venez du pays, vous êtes français, et les ordres que je vois briller sur votre personne annoncent un homme de mérite en même temps qu'un homme de qualité.

— Monsieur, dit le cardinal en se tournant vers la reine mère, est un ancien serviteur de Votre Majesté, M. le comte de La Fère.

Anne d'Autriche était oublieuse comme une reine dont la vie a été mêlée d'orages et de beaux jours. Elle regarda Mazarin, dont le mauvais sourire lui promettait quelque noirceur ; puis elle sollicita d'Athos, par un autre regard, une explication.

— Monsieur, continua le cardinal, était un mousquetaire Tréville, au service du feu roi... Monsieur connaît parfaitement l'Angleterre, où il a fait plusieurs voyages à diverses époques ; c'est un sujet du plus haut mérite.

Ces mots faisaient allusion à tous les souvenirs qu'Anne d'Autriche tremblait toujours d'évoquer. L'Angleterre, c'était sa haine pour Richelieu et son amour pour Buckingham ; un mousquetaire Tréville, c'était toute l'odyssée des triomphes qui avaient fait battre le cœur de la jeune femme, et des dangers qui avaient à moitié déraciné le trône de la jeune reine.

Ces mots avaient bien de la puissance, car ils rendirent muettes et attentives toutes les personnes royales, qui, avec des sentiments bien divers, se mirent à recomposer en même temps les mystérieuses années que les jeunes n'avaient pas vues, que les vieux avaient crues à jamais effacées.

— Parlez, monsieur, dit Louis XIV, sorti le premier du trouble, des soupçons et des souvenirs.

— Oui, parlez, ajouta Mazarin, à qui la petite méchanceté faite à Anne d'Autriche venait de rendre son énergie et sa gaieté.

— Sire, dit le comte, une sorte de miracle a changé toute la destinée du roi Charles II. Ce que les hommes n'avaient pu faire jusque-là, Dieu s'est résolu à l'accomplir.

Mazarin toussa en se démenant dans son lit.

— Le roi Charles II, continua Athos, est sorti de La Haye, non plus en fugitif ou en conquérant, mais en roi absolu qui, après un voyage loin de son royaume, revient au milieu des bénédictions universelles.

— Grand miracle en effet, dit Mazarin, car si les nouvelles ont été vraies, le roi Charles II, qui vient de rentrer au milieu des bénédictions, était sorti au milieu des coups de mousquet.

Le roi demeura impassible.

Philippe, plus jeune et plus frivole, ne put réprimer un sourire qui flatta Mazarin comme un applaudissement de sa plaisanterie.

— En effet, dit le roi, il y a eu miracle ; mais Dieu, qui fait tant pour les rois, monsieur le comte, emploie cependant la main des hommes pour faire triompher ses desseins. A quels hommes principalement Charles II doit-il son rétablissement ?

— Mais, interrompit le cardinal sans aucun souci de l'amour-propre du roi, Votre Majesté ne sait-elle pas que c'est à M. Monck ?...

— Je dois le savoir, répliqua résolument Louis XIV ; cependant, je demande à M. l'ambassadeur les causes du changement de ce M. Monck.

— Et Votre Majesté touche précisément la question, répondit Athos ; car, sans le miracle dont j'ai eu l'honneur de parler, M. Monck demeurait probablement un ennemi invincible pour le roi Charles II. Dieu a voulu qu'une idée étrange, hardie et ingénieuse tombât dans l'esprit d'un certain homme, tandis qu'une idée dévouée, courageuse, tombait en l'esprit d'un certain autre. La combinaison de ces deux idées amena un tel changement dans la position de M. Monck, que, d'ennemi acharné, il devint un ami pour le roi déchu.

— Voilà précisément aussi le détail que je demandais, fit le roi... Quels sont ces deux hommes dont vous parlez ?

— Deux Français, sire.

— En vérité, j'en suis heureux.

— Et les deux idées ? s'écria Mazarin. Je suis plus curieux des idées que des hommes, moi.

— Oui, murmura le roi.

— La deuxième, l'idée dévouée, raisonnable... La moins importante, sire, c'était d'aller déterrer un million en or enfoui par le roi Charles Ier dans Newcastle, et d'acheter, avec cet or, le concours de Monck.

— Oh ! oh ! dit Mazarin ranimé à ce mot million... mais Newcastle était précisément occupé par ce même Monck ?

— Oui, monsieur le cardinal, voilà pourquoi j'ai osé appeler l'idée courageuse en même temps que dévouée. Il s'agissait donc, si M. Monck refusait les offres du négociateur, de réintégrer le roi Charles II dans la propriété de ce million que l'on devait arracher à la loyauté et non plus au loyalisme du général Monck... Cela se fit malgré quelques difficultés ; le général fut loyal et laissa emporter l'or.

— Il me semble, dit le roi timide et rêveur, que Charles II n'avait pas connaissance de ce million pendant son séjour à Paris.

— Il me semble, ajouta le cardinal malicieusement, que Sa Majesté le roi de la Grande-Bretagne savait parfaitement l'existence du million, mais qu'elle préférait deux millions à un seul.

— Sire, répondit Athos avec fermeté, Sa Majesté le roi Charles II s'est trouvé en France tellement pauvre, qu'il n'avait pas d'argent pour prendre la poste ; tellement dénué d'espérances, qu'il pensa plusieurs fois à mourir. Il ignorait si bien l'existence du million de Newcastle, que sans un gentilhomme, sujet de Votre Majesté, dépositaire moral du million et qui révéla le secret à Charles II, ce prince végéterait encore dans le plus cruel oubli.

— Passons à l'idée ingénieuse, étrange et hardie, interrompit Mazarin, dont la sagacité pressentait un échec. Quelle était cette idée ?

— La voici. M. Monck faisant seul obstacle au rétablissement de Sa Majesté le roi déchu, un Français imagina de supprimer cet obstacle.

— Oh ! oh ! mais c'est un scélérat que ce Français-là, dit Mazarin, et l'idée n'est pas tellement ingénieuse qu'elle ne fasse brancher ou rouer son auteur en place de Grève par arrêt du Parlement.

— Votre Éminence se trompe, dit sèchement Athos ; je n'ai pas dit que le Français en question eût résolu d'assassiner Monck, mais bien de le supprimer. Les mots de la langue française ont une valeur que des gentilshommes de France connaissent absolument. D'ailleurs, c'est affaire de guerre, et quand on sert les rois contre leurs ennemis, on n'a pas pour juge le Parlement, on a Dieu. Donc ce gentilhomme français imagina de s'emparer de la personne de M. Monck, et il exécuta son plan.

Le roi s'animait au récit des belles actions.

Le jeune frère de Sa Majesté frappa du poing sur la table en s'écriant :

— Ah ! c'est beau !

— Il enleva Monck ? dit le roi, mais Monck était dans son camp...

— Et le gentilhomme était seul, sire.

— C'est merveilleux ! dit Philippe.

— En effet, merveilleux ! s'écria le roi.

— Bon ! voilà les deux petits lions déchaînés, murmura le cardinal.

Et d'un air de dépit qu'il ne dissimulait pas :

— J'ignore ces détails, dit-il ; en garantissez-vous l'authenticité, monsieur ?

— D'autant plus aisément, monsieur le cardinal, que j'ai vu les événements.

— Vous ?

— Oui, monseigneur.

Le roi s'était involontairement rapproché du comte ; le duc d'Anjou avait fait volte-face, et pressait Athos de l'autre côté.

— Après, monsieur, après ? s'écrièrent-ils tous deux en même temps.

— Sire, M. Monck, étant pris par le Français, fut amené au roi Charles II à La Haye[1]. Le roi rendit la liberté à M. Monck, et le général, reconnaissant, donna en retour à Charles II le trône de la Grande-Bretagne, pour lequel tant de vaillantes gens ont combattu sans résultat.

Philippe frappa dans ses mains avec enthousiasme. Louis XIV, plus réfléchi, se tourna vers le comte de La Fère :

— Cela est vrai, dit-il, dans tous ses détails ?

1. Plus précisément à Scheveningen.

— Absolument vrai, sire.
— Un de mes gentilshommes connaissait le secret du million et l'avait gardé ?
— Oui, sire.
— Le nom de ce gentilhomme ?
— C'est votre serviteur, dit simplement Athos.

Un murmure d'admiration vint gonfler le cœur d'Athos. Il pouvait être fier à moins. Mazarin lui-même avait levé les bras au ciel.

— Monsieur, dit le roi, je chercherai, je tâcherai de trouver un moyen de vous récompenser.

Athos fit un mouvement.

— Oh ! non pas de votre probité ; être payé pour cela vous humilierait ; mais je vous dois une récompense pour avoir participé à la restauration de mon frère Charles II.

— Certainement, dit Mazarin.

— Triomphe d'une bonne cause qui comble de joie toute la maison de France, dit Anne d'Autriche.

— Je continue, dit Louis XIV. Est-il vrai aussi qu'un homme ait pénétré jusqu'à Monck, dans son camp, et l'ait enlevé ?

— Cet homme avait dix auxiliaires pris dans un rang inférieur.

— Rien que cela ?

— Rien que cela.

— Et vous le nommez ?

— M. d'Artagnan, autrefois lieutenant des mousquetaires de Votre Majesté.

Anne d'Autriche rougit, Mazarin devint honteux et jaune ; Louis XIV s'assombrit, et une goutte de sueur tomba de son front pâle.

— Quels hommes ! murmura-t-il.

Et, involontairement, il lança au ministre un coup d'œil qui l'eût épouvanté, si Mazarin n'eût pas en ce moment caché sa tête sous l'oreiller.

— Monsieur, s'écria le jeune duc d'Anjou en posant sa main blanche et fine comme celle d'une femme sur le bras d'Athos, dites à ce brave homme, je vous prie, que Monsieur, frère du roi, boira demain à sa santé devant cent des meilleurs gentilshommes de France.

Et en achevant ces mots, le jeune homme, s'apercevant que l'enthousiasme avait dérangé une de ses manchettes, s'occupa de la rétablir avec le plus grand soin.

— Causons d'affaires, sire, interrompit Mazarin, qui ne s'enthousiasmait pas et qui n'avait pas de manchettes.

— Oui, monsieur, répliqua Louis XIV. Entamez votre communication, monsieur le comte, ajouta-t-il en se tournant vers Athos.

Athos commença en effet, et proposa solennellement la main de lady Henriette Stuart au jeune prince frère du roi.

La conférence dura une heure ; après quoi, les portes de la chambre furent ouvertes aux courtisans, qui reprirent leurs places comme si rien n'avait été supprimé pour eux dans les occupations de cette soirée.

Athos se retrouva alors près de Raoul, et le père et le fils purent se serrer la main.

XLII

OÙ M. DE MAZARIN SE FAIT PRODIGUE

Pendant que Mazarin cherchait à se remettre de la chaude alarme qu'il venait d'avoir, Athos et Raoul échangaient quelques mots dans un coin de la chambre.

— Vous voilà donc à Paris, Raoul ? dit le comte.

— Oui, monsieur, depuis que M. le prince est revenu.

— Je ne puis m'entretenir avec vous en ce lieu, où l'on nous observe, mais je vais tout à l'heure retourner chez moi, et je vous y attends aussitôt que votre service le permettra.

Raoul s'inclina. M. le prince venait droit à eux.

Le prince avait ce regard clair et profond qui distingue les oiseaux de proie de l'espèce noble ; sa physionomie elle-même offrait plusieurs traits distinctifs de cette ressemblance. On sait que, chez le prince de Condé, le nez aquilin sortait aigu, incisif, d'un front légèrement fuyant et plus bas que haut ; ce qui, au dire des railleurs de la cour, gens impitoyables même pour le génie, constituait plutôt un bec d'aigle qu'un nez humain à l'héritier des illustres princes de la maison de Condé.

Ce regard pénétrant, cette expression impérieuse de toute la physionomie, troublaient ordinairement ceux à qui le prince adressait la parole plus que ne l'eût fait la majesté ou la beauté régulière du vainqueur de Rocroy. D'ailleurs, la flamme montait si vite à ces yeux saillants, que chez M. le prince toute animation ressemblait à de la colère. Or, à cause de sa qualité, tout le monde à la cour respectait M. le prince, et beaucoup même, ne voyant que l'homme, poussaient le respect jusqu'à la terreur.

Donc, Louis de Condé s'avança vers le comte de La Fère et Raoul avec l'intention marquée d'être salué par l'un et d'adresser la parole à l'autre.

Nul ne saluait avec plus de grâce réservée que le comte de La Fère. Il dédaignait de mettre dans une révérence toutes les nuances qu'un courtisan n'emprunte d'ordinaire qu'à la même couleur : le désir de plaire. Athos connaissait sa valeur personnelle et saluait un prince comme un homme, corrigeant par quelque chose de sympathique et d'indéfinissable ce que pouvait avoir de blessant pour l'orgueil du rang suprême l'inflexibilité de son attitude.

Le prince allait parler à Raoul. Athos le prévint.

— Si M. le vicomte de Bragelonne, dit-il, n'était pas un des très humbles serviteurs de Votre Altesse, je le prierais de prononcer mon nom devant vous... mon prince.

— J'ai l'honneur de parler à M. le comte de La Fère, dit aussitôt M. de Condé.

— Mon protecteur, ajouta Raoul en rougissant.

— L'un des plus honnêtes hommes du royaume, continua le prince ; l'un des premiers gentilshommes de France, et dont j'ai ouï dire tant de bien, que souvent je désirais de le compter au nombre de mes amis.

— Honneur dont je ne serais digne, monseigneur, répliqua Athos, que par mon respect et mon admiration pour Votre Altesse.

— M. de Bragelonne, dit le prince, est un bon officier qui, on le voit, a été à bonne école. Ah ! monsieur le comte, de votre temps, les généraux avaient des soldats...

— C'est vrai, monseigneur ; mais aujourd'hui, les soldats ont des généraux.

Ce compliment, qui sentait si peu son flatteur, fit tressaillir de joie un homme que toute l'Europe regardait comme un héros et qui pouvait être blasé sur la louange.

— Il est fâcheux pour moi, repartit le prince, que vous vous soyez retiré du service, monsieur le comte ; car, incessamment, il faudra que le roi s'occupe d'une guerre avec la Hollande ou d'une guerre avec l'Angleterre, et les occasions ne manqueront point pour un homme comme vous qui connaît la Grande-Bretagne comme la France.

— Je crois pouvoir vous dire, monseigneur, que j'ai sagement fait de me retirer du service, dit Athos en souriant. La France et la Grande-Bretagne vont désormais vivre comme deux sœurs, si j'en crois mes pressentiments.

— Vos pressentiments ?

— Tenez, monseigneur, écoutez ce qui se dit là-bas à la table de M. le cardinal.

— Au jeu ?

— Au jeu... oui, monseigneur.

Le cardinal venait en effet de se soulever sur un coude et de faire un signe au jeune frère du roi, qui s'approcha de lui.

— Monseigneur, dit le cardinal, faites ramasser, je vous prie, tous ces écus d'or.

Et il désignait l'énorme amas de pièces fauves et brillantes que le comte de Guiche avait élevé peu à peu devant lui, grâce à une veine des plus heureuses.

— A moi ? s'écria le duc d'Anjou.

— Ces cinquante mille écus, oui, monseigneur ; ils sont à vous.

— Vous me les donnez ?

— J'ai joué à votre intention, monseigneur, répliqua le cardinal en s'affaiblissant peu à peu, comme si cet effort de donner de l'argent eût épuisé chez lui toutes les facultés physiques ou morales.

— Oh ! mon Dieu, murmura Philippe presque étourdi de joie, la belle journée !

Et lui-même, faisant le râteau avec ses doigts, attira une partie de la somme dans ses poches, qu'il remplit...

Cependant plus d'un tiers restait encore sur la table.

— Chevalier, dit Philippe à son favori le chevalier de Lorraine, viens.

Le favori accourut.

— Empoche le reste, dit le jeune prince.

Cette scène singulière ne fut prise par aucun des assistants que comme une touchante fête de famille. Le cardinal se donnait des airs de père avec les fils de France, et les deux jeunes princes avaient grandi sous son aile. Nul n'imputa donc à orgueil ou même à impertinence, comme on le ferait de nos jours, cette libéralité du Premier ministre.

Les courtisans se contentèrent d'envier... Le roi détourna la tête.

— Jamais je n'ai eu tant d'argent, dit joyeusement le jeune prince en traversant la chambre avec son favori pour aller gagner son carrosse. Non, jamais... Comme c'est lourd, cent cinquante mille livres[1] !

— Mais pourquoi M. le cardinal donne-t-il tout cet argent d'un coup ? demanda tout bas M. le prince au comte de La Fère. Il est donc bien malade, ce cher cardinal ?

— Oui, monseigneur, bien malade sans doute ; il a d'ailleurs mauvaise mine, comme Votre Altesse peut le voir.

— Certes... Mais il en mourra !... Cent cinquante mille livres !... Oh ! c'est à ne pas croire. Voyons, comte, pourquoi ? Trouvez-nous une raison.

— Monseigneur, patientez, je vous prie ; voilà M. le duc d'Anjou qui vient de ce côté causant avec le chevalier de Lorraine ; je ne serais pas surpris qu'ils m'épargnassent la peine d'être indiscret. Écoutez-les.

En effet, le chevalier disait au prince à demi-voix :

— Monseigneur, ce n'est pas naturel que M. Mazarin vous donne tant d'argent... Prenez garde, vous allez laisser tomber des pièces, monseigneur... Que vous veut le cardinal pour être si généreux ?

— Quand je vous disais, murmura Athos à l'oreille de M. le prince ; voici peut-être la réponse à votre question.

— Dites donc, monseigneur ? réitéra impatiemment le chevalier, qui

1. Voir *Louis XIV et son siècle*, chap. XXXIV, repris de Brienne, *op. cit.*, tome II, p. 118-119.

supputait, en pesant sa poche, la quotité de la somme qui lui était échue par ricochet.

— Mon cher chevalier, cadeau de noces.

— Comment, cadeau de noces !

— Eh ! oui, je me marie ! répliqua le duc d'Anjou, sans s'apercevoir qu'il passait à ce moment même devant M. le prince et devant Athos, qui tous deux le saluèrent profondément.

Le chevalier lança au jeune duc un regard si étrange, si haineux, que le comte de La Fère en tressaillit.

— Vous ! vous marier ? répéta-t-il. Oh ! c'est impossible. Vous feriez cette folie !

— Bah ! ce n'est pas moi qui la fais ; on me la fait faire, répliqua le duc d'Anjou. Mais viens vite ; allons dépenser notre argent.

Là-dessus, il disparut avec son compagnon riant et causant, tandis que les fronts se courbaient sur son passage.

Alors M. le prince dit tout bas à Athos :

— Voilà donc le secret ?

— Ce n'est pas moi qui vous l'ai dit, monseigneur.

— Il épouse la sœur de Charles II ?

— Je crois que oui.

Le prince réfléchit un moment et son œil lança un vif éclair.

— Allons, dit-il avec lenteur, comme s'il se parlait à lui-même, voilà encore une fois les épées au croc... pour longtemps !

Et il soupira.

Tout ce que renfermait ce soupir d'ambitions sourdement étouffées, d'illusions éteintes, d'espérances déçues, Athos seul le devina, car seul il avait entendu le soupir.

Aussitôt M. le prince prit congé, le roi partait.

Athos, avec un signe qu'il fit à Bragelonne, lui renouvela l'invitation faite au commencement de cette scène.

Peu à peu la chambre devint déserte, et Mazarin resta seul en proie à des souffrances qu'il ne songeait plus à dissimuler.

— Bernouin ! Bernouin ! cria-t-il d'une voix brisée.

— Que veut Monseigneur ?

— Guénaud... qu'on appelle Guénaud, dit l'Éminence ; il me semble que je vais mourir.

Bernouin, effaré, courut au cabinet donner un ordre, et le piqueur qui courut chercher le médecin croisa le carrosse du roi dans la rue Saint-Honoré.

XLIII

GUÉNAUD[1]

L'ordre du cardinal était pressant : Guénaud ne se fit pas attendre. Il trouva son malade renversé sur le lit, les jambes enflées, livide, l'estomac comprimé. Mazarin venait de subir une rude attaque de goutte. Il souffrait cruellement et avec l'impatience d'un homme qui n'a pas l'habitude des résistances. A l'arrivée de Guénaud :

— Ah ! dit-il, me voilà sauvé !

Guénaud était un homme fort savant et fort circonspect, qui n'avait pas besoin des critiques de Boileau pour avoir de la réputation[2]. Lorsqu'il était en face de la maladie, fût-elle personnifiée dans un roi, il traitait le malade de Turc à More. Il ne répliqua donc pas à Mazarin comme le ministre s'y attendait : « Voilà le médecin ; adieu la maladie ! » Tout au contraire, examinant le malade d'un air fort grave :

— Oh ! oh ! dit-il.

— Eh quoi ! Guénaud ?... Quel air vous avez !

— J'ai l'air qu'il faut pour voir votre mal, monseigneur, et un mal fort dangereux.

— La goutte... Oh ! oui, la goutte.

— Avec des complications, monseigneur.

Mazarin se souleva sur un coude, et interrogeant du regard, du geste :

— Que me dites-vous là ! Suis-je plus malade que je ne crois moi-même ?

— Monseigneur, dit Guénaud en s'asseyant près du lit, Votre Éminence a beaucoup travaillé dans sa vie, Votre Éminence a souffert beaucoup.

— Mais je ne suis pas si vieux, ce me semble... Feu M. de Richelieu n'avait que dix-sept mois moins que moi lorsqu'il est mort, et mort de maladie mortelle. Je suis jeune, Guénaud, songez-y donc : j'ai cinquante-deux ans à peine.

— Oh ! monseigneur, vous avez bien plus que cela... Combien la Fronde a-t-elle duré ?

— A quel propos, Guénaud, me faites-vous cette question ?

— Pour un calcul médical, monseigneur.

— Mais quelque chose comme dix ans... forte ou faible.

---

1. Voir *Louis XIV et son siècle*, chap. XXXIV, repris de Brienne, *op. cit.*, tome II, chap. XIV, p. 113-114.

2. Boileau, *Satires*, VI : « Guénaud sur son cheval en passant m'éclabousse. »

— Très bien ; veuillez compter chaque année de Fronde pour trois ans... cela fait trente ; or, vingt[1] et cinquante-deux font soixante-douze ans. Vous avez soixante-douze ans, monseigneur... et c'est un grand âge.

En disant cela, il tâtait le pouls du malade. Ce pouls était rempli de si fâcheux pronostics, que le médecin poursuivit aussitôt, malgré les interruptions du malade :

— Mettons les années de Fronde à quatre ans l'une, c'est quatre-vingt-deux ans que vous avez vécu.

Mazarin devint fort pâle, et d'une voix éteinte il dit :

— Vous parlez sérieusement, Guénaud ?

— Hélas ! oui, monseigneur.

— Vous prenez alors un détour pour m'annoncer que je suis bien malade ?

— Ma foi, oui, monseigneur, et avec un homme de l'esprit et du courage de Votre Éminence, on ne devrait pas prendre de détour.

Le cardinal respirait si difficilement, qu'il fit pitié même à l'impitoyable médecin.

— Il y a maladie et maladie, reprit Mazarin. De certaines on échappe.

— C'est vrai, monseigneur.

— N'est-ce pas ? s'écria Mazarin presque joyeux ; car enfin, à quoi serviraient la puissance, la force de volonté ? A quoi servirait le génie, votre génie à vous, Guénaud ? A quoi enfin servent la science et l'art, si le malade qui dispose de tout cela ne peut se sauver du péril ?

Guénaud allait ouvrir la bouche. Mazarin continua :

— Songez, dit-il, que je suis le plus confiant de vos clients, songez que je vous obéis en aveugle, et que par conséquent...

— Je sais tout cela, dit Guénaud.

— Je guérirai alors ?

— Monseigneur, il n'y a ni force de volonté, ni puissance, ni génie, ni science qui résistent au mal que Dieu envoie sans doute, ou qu'il jette sur la terre à la création, avec plein pouvoir de détruire et de tuer les hommes. Quand le mal est mortel, il tue, et rien n'y fait...

— Mon mal... est... mortel ? demanda Mazarin.

— Oui, monseigneur.

L'Éminence s'affaissa un moment, comme le malheureux qu'une chute de colonne vient d'écraser... Mais c'était une âme bien trempée ou plutôt un esprit bien solide, que l'esprit de M. de Mazarin.

— Guénaud, dit-il en se relevant, vous me permettrez bien d'en appeler de votre jugement. Je veux rassembler les plus savants hommes de l'Europe, je veux les consulter... je veux vivre enfin par la vertu de n'importe quel remède.

— Monseigneur ne suppose pas, dit Guénaud, que j'aie la prétention

1. En ôtant les dix ans effectivement vécus.

d'avoir prononcé tout seul sur une existence précieuse comme la sienne ; j'ai assemblé déjà tous les bons médecins et praticiens de France et d'Europe... ils étaient douze.

— Et ils ont dit... ?

— Ils ont dit que Votre Éminence était atteinte d'une maladie mortelle ; j'ai la consultation signée dans mon portefeuille. Si Votre Éminence veut en prendre connaissance, elle verra le nom de toutes les maladies incurables que nous avons découvertes. Il y a d'abord...

— Non ! non ! s'écria Mazarin en repoussant le papier. Non, Guénaud, je me rends, je me rends !

Et un profond silence, pendant lequel le cardinal reprenait ses esprits et réparait ses forces, succéda aux agitations de cette scène.

— Il y a autre chose, murmura Mazarin ; il y a les empiriques, les charlatans. Dans mon pays, ceux que les médecins abandonnent courent la chance d'un vendeur d'orviétan, qui dix fois les tue, mais qui cent fois les sauve.

— Depuis un mois, Votre Éminence ne s'aperçoit-elle pas que j'ai changé dix fois ses remèdes ?

— Oui... Eh bien ?

— Eh bien ! j'ai dépensé cinquante mille livres à acheter les secrets de tous ces drôles : la liste est épuisée ; ma bourse aussi. Vous n'êtes pas guéri, et sans mon art vous seriez mort.

— C'est fini, murmura le cardinal ; c'est fini.

Il jeta un regard sombre autour de lui sur ses richesses.

— Il faudra quitter tout cela ! soupira-t-il. Je suis mort, Guénaud ! je suis mort !

— Oh ! pas encore, monseigneur, dit le médecin.

Mazarin lui saisit la main.

— Dans combien de temps ? demanda-t-il en arrêtant deux grands yeux fixes sur le visage du médecin.

— Monseigneur, on ne dit jamais cela.

— Aux hommes ordinaires, soit ; mais à moi... à moi dont chaque minute vaut un trésor, dis-le-moi, Guénaud, dis-le-moi !

— Non, non, monseigneur.

— Je le veux, te dis-je. Oh ! donne-moi un mois, et pour chacun de ces trente jours, je te paierai cent mille livres.

— Monseigneur, répliqua Guénaud d'une voix ferme, c'est Dieu qui vous donne les jours de grâce et non pas moi. Dieu ne vous donne donc que quinze jours !

Le cardinal poussa un douloureux soupir et retomba sur son oreiller en murmurant :

— Merci, Guénaud, merci !

Le médecin allait s'éloigner ; le moribond se redressa :

— Silence, dit-il avec des yeux de flamme, silence !

— Monseigneur, il y a deux mois que je sais ce secret ; vous voyez que je l'ai bien gardé.

— Allez, Guénaud, j'aurai soin de votre fortune ; allez, et dites à Brienne de m'envoyer un commis ; qu'on appelle M. Colbert. Allez.

XLIV

COLBERT

Colbert n'était pas loin.

Durant toute la soirée, il s'était tenu dans un corridor, causant avec Bernouin, avec Brienne, et commentant, avec l'habileté ordinaire des gens de cour, les nouvelles qui se dessinaient comme les bulles d'air sur l'eau à la surface de chaque événement. Il est temps, sans doute, de tracer, en quelques mots, un des portraits les plus intéressants de ce siècle, et de le tracer avec autant de vérité peut-être que les peintres contemporains l'ont pu faire. Colbert fut un homme sur lequel l'historien et le moraliste ont un droit égal.

Il avait treize ans de plus que Louis XIV, son maître futur.

D'une taille médiocre, plutôt maigre que gras, il avait l'œil enfoncé, la mine basse, les cheveux gros, noirs et rares, ce qui, disent les biographes de son temps, lui fit prendre de bonne heure la calotte. Un regard plein de sévérité, de dureté même ; une sorte de roideur qui, pour les inférieurs, était de la fierté, pour les supérieurs, une affectation de vertu digne ; la morgue sur toutes choses, même lorsqu'il était seul à se regarder dans une glace : voilà pour l'extérieur du personnage.

Au moral, on vantait la profondeur de son talent pour les comptes, son ingéniosité à faire produire la stérilité même.

Colbert avait imaginé de forcer les gouverneurs des places frontières à nourrir les garnisons sans solde de ce qu'ils tiraient des contributions. Une si précieuse qualité donna l'idée à M. le cardinal Mazarin de remplacer Joubert, son intendant qui venait de mourir, par M. Colbert, qui rognait si bien les portions.

Colbert peu à peu se lançait à la cour, malgré la médiocrité de sa naissance, car il était fils d'un homme qui vendait du vin comme son père, qui ensuite avait vendu du drap, puis des étoffes de soie.

Colbert, destiné d'abord au commerce, avait été commis chez un marchand de Lyon, qu'il avait quitté pour venir à Paris dans l'étude d'un procureur au Châtelet nommé Biterne. C'est ainsi qu'il avait appris l'art de dresser un compte et l'art plus précieux de l'embrouiller.

Cette roideur de Colbert lui avait fait le plus grand bien, tant il est vrai que la fortune, lorsqu'elle a un caprice, ressemble à ces femmes de l'Antiquité dont rien au physique et au moral des choses et des hommes ne rebute la fantaisie. Colbert, placé chez Michel Letellier, secrétaire d'État en 1648, par son cousin Colbert, seigneur de Saint-Pouange[1], qui le favorisait, reçut un jour du ministre une commission pour le cardinal Mazarin.

Son Éminence le cardinal jouissait alors d'une santé florissante, et les mauvaises années de la Fronde n'avaient pas encore compté triple et quadruple pour lui. Il était à Sedan, fort empêché d'une intrigue de cour dans laquelle Anne d'Autriche paraissait vouloir déserter sa cause.

Cette intrigue, Letellier en tenait les fils.

Il venait de recevoir une lettre d'Anne d'Autriche, lettre fort précieuse pour lui et fort compromettante pour Mazarin ; mais comme il jouait déjà le rôle double qui lui servit si bien, et qu'il ménageait toujours deux ennemis pour tirer parti de l'un et de l'autre, soit en les brouillant plus qu'ils ne l'étaient, soit en les réconciliant, Michel Letellier voulut envoyer à Mazarin la lettre d'Anne d'Autriche, afin qu'il en prît connaissance, et par conséquent afin qu'il sût gré d'un service aussi galamment rendu.

Envoyer la lettre, c'était facile ; la recouvrer après communication, c'était la difficulté.

Letellier jeta les yeux autour de lui, et voyant le commis noir et maigre qui griffonnait, le sourcil froncé, dans ses bureaux, il le préféra au meilleur gendarme pour l'exécution de ce dessein.

Colbert dut partir pour Sedan avec l'ordre de communiquer la lettre à Mazarin et de la rapporter à Letellier.

Il écouta sa consigne avec une attention scrupuleuse, s'en fit répéter la teneur deux fois, insista sur la question de savoir si rapporter était aussi nécessaire que communiquer, et Letellier lui dit :

— Plus nécessaire.

Alors il partit, voyagea comme un courrier sans souci de son corps, et remit à Mazarin, d'abord une lettre de Letellier qui annonçait au cardinal l'envoi de la lettre précieuse, puis cette lettre elle-même.

Mazarin rougit fort en voyant la lettre d'Anne d'Autriche, fit un gracieux sourire à Colbert et le congédia.

— A quand la réponse, monseigneur ? dit le courrier humblement.

— A demain.

— Demain matin ?

1. Voir Dictionnaire, Contemporains à l'action.

— Oui, monsieur.

Le commis tourna les talons et essaya sa plus noble révérence.

Le lendemain il était au poste dès sept heures. Mazarin le fit attendre jusqu'à dix. Colbert ne sourcilla point dans l'antichambre ; son tour venu, il entra.

Mazarin lui remit alors un paquet cacheté. Sur l'enveloppe de ce paquet étaient écrits ces mots : « A M. Michel Letellier, etc. »

Colbert regarda le paquet avec beaucoup d'attention ; le cardinal fit une charmante mine et le poussa vers la porte.

— Et la lettre de la reine mère, monseigneur ? demanda Colbert.

— Elle est avec le reste, dans le paquet, dit Mazarin.

— Ah ! fort bien, répliqua Colbert.

Et, plaçant son chapeau entre ses genoux, il se mit à décacheter le paquet.

Mazarin poussa un cri.

— Que faites-vous donc ! dit-il brutalement.

— Je décachette le paquet, monseigneur.

— Vous défiez-vous de moi, monsieur le cuistre ? A-t-on vu pareille impertinence !

— Oh ! monseigneur, ne vous fâchez pas contre moi ! Ce n'est certainement pas la parole de Votre Éminence que je mets en doute, à Dieu ne plaise.

— Quoi donc, alors ?

— C'est l'exactitude de votre chancellerie, monseigneur. Qu'est-ce qu'une lettre ? Un chiffon. Un chiffon ne peut-il être oublié ?... Et tenez, monseigneur, tenez, voyez si j'avais tort ! Vos commis ont oublié le chiffon : la lettre ne se trouve pas dans le paquet.

— Vous êtes un insolent et vous n'avez rien vu ! s'écria Mazarin irrité ; retirez-vous et attendez mon plaisir !

En disant ces mots, avec une subtilité tout italienne, il arracha le paquet des mains de Colbert et rentra dans ses appartements. Mais cette colère ne pouvait tant durer qu'elle ne fût remplacée un jour par le raisonnement.

Mazarin, chaque matin, en ouvrant la porte de son cabinet, trouvait la figure de Colbert en sentinelle derrière la banquette, et cette figure désagréable lui demandait humblement, mais avec ténacité, la lettre de la reine mère.

Mazarin n'y put tenir et dut la rendre. Il accompagna cette restitution d'une mercuriale des plus rudes, pendant laquelle Colbert se contenta d'examiner, de ressaisir, de flairer même le papier, les caractères et la signature, ni plus ni moins que s'il eût eu affaire au dernier faussaire du royaume. Mazarin le traita plus rudement encore, et Colbert, impassible, ayant acquis la certitude que la lettre était la vraie, partit comme s'il eût été sourd.

Cette conduite lui valut plus tard le poste de Joubert, car Mazarin, au lieu d'en garder rancune, l'admira et souhaita de s'attacher une pareille fidélité.

On voit par cette seule histoire ce qu'était l'esprit de Colbert. Les événements, se déroulant peu à peu, laisseront fonctionner librement tous les ressorts de cet esprit.

Colbert ne fut pas long à s'insinuer dans les bonnes grâces du cardinal : il lui devint même indispensable. Tous ses comptes, le commis les connaissait, sans que le cardinal lui en eût jamais parlé. Ce secret entre eux, à deux, était un lien puissant, et voilà pourquoi, près de paraître devant le maître d'un autre monde, Mazarin voulait prendre un parti et un bon conseil pour disposer du bien qu'il était forcé de laisser en ce monde-ci.

Après la visite de Guénaud, il appela donc Colbert, le fit asseoir et lui dit :

— Causons, monsieur Colbert, et sérieusement, car je suis malade et il se pourrait que je vinsse à mourir.

— L'homme est mortel, répliqua Colbert.

— Je m'en suis toujours souvenu, monsieur Colbert, et j'ai travaillé dans cette prévision... Vous savez que j'ai amassé un peu de bien...

— Je le sais, monseigneur.

— A combien estimez-vous à peu près ce bien, monsieur Colbert ?

— A quarante millions cinq cent soixante mille deux cents livres neuf sous et huit deniers, répondit Colbert.

Le cardinal poussa un gros soupir et regarda Colbert avec admiration ; mais il se permit un sourire.

— Argent connu, ajouta Colbert en réponse à ce sourire.

Le cardinal fit un soubresaut dans son lit.

— Qu'entendez-vous par là ? dit-il.

— J'entends, dit Colbert, qu'outre ces quarante millions cinq cent soixante mille deux cents livres neuf sous huit deniers il y a treize autres millions que l'on ne connaît pas.

— Ouf ! soupira Mazarin, quel homme !

A ce moment la tête de Bernouin apparut dans l'embrasure de la porte.

— Qu'y a-t-il, demanda Mazarin, et pourquoi me trouble-t-on ?

— Le père théatin[1], directeur de Son Éminence, avait été mandé pour ce soir ; il ne pourrait revenir qu'après-demain chez Monseigneur.

Mazarin regarda Colbert, qui aussitôt prit son chapeau en disant :

1. L'ordre des Théatins, fondé en 1524 par J.-P. Carafa, archevêque de Théate (futur Paul IV), professait une grande pauvreté ; Mazarin les appela à Paris, les logea, le 26 mai 1647, quai de la Reine-Marguerite (quai Malaquais), et prit chez eux son confesseur. Avec les 100 000 écus que leur légua Mazarin, les Théatins firent agrandir leur église, Sainte-Anne-la-Royale (17-21 de l'actuel quai Voltaire).

— Je reviendrai, monseigneur.

Mazarin hésita.

— Non, non, dit-il, j'ai autant affaire de vous que de lui. D'ailleurs, vous êtes mon autre confesseur, vous... et ce que je dis à l'un, l'autre peut l'entendre. Restez là, Colbert.

— Mais, monseigneur, s'il n'y a pas secret de pénitence, le directeur consentira-t-il ?

— Ne vous inquiétez pas de cela, entrez dans la ruelle.

— Je puis attendre dehors, monseigneur.

— Non, non, mieux vaut que vous entendiez la confession d'un homme de bien.

Colbert s'inclina et passa dans la ruelle.

— Introduisez le père théatin, dit Mazarin en fermant les rideaux.

XLV

CONFESSION D'UN HOMME DE BIEN

Le théatin entra délibérément, sans trop s'étonner du bruit et du mouvement que les inquiétudes sur la santé du cardinal avaient soulevés dans sa maison[1].

— Venez, mon révérend, dit Mazarin après un dernier regard à la ruelle ; venez et soulagez-moi.

— C'est mon devoir, monseigneur, répliqua le théatin.

— Commencez par vous asseoir commodément, car je vais débuter par une confession générale ; vous me donnerez tout de suite une bonne absolution, et je me croirai plus tranquille.

— Monseigneur, dit le révérend, vous n'êtes pas tellement malade qu'une confession générale soit urgente... Et ce sera bien fatigant, prenez garde !

— Vous supposez qu'il y en a long, mon révérend ?

— Comment croire qu'il en soit autrement, quand on a vécu aussi complètement que Votre Éminence ?

— Ah ! c'est vrai... Oui, le récit peut être long.

— La miséricorde de Dieu est grande, nasilla le théatin.

— Tenez, dit Mazarin, voilà que je commence à m'effrayer moi-même d'avoir tant laissé passer de choses que le Seigneur pouvait réprouver.

1. Scène résumée dans *Louis XIV et son siècle*, chap. XXXIV, d'après Brienne, *op. cit.*, tome II, chap. XV, p. 118-119 (le don du cardinal n'est pas un gain de jeu).

— N'est-ce pas ? dit naïvement le théatin en éloignant de la lampe sa figure fine et pointue comme celle d'une taupe. Les pécheurs sont comme cela : oublieux avant, puis scrupuleux quand il est trop tard.

— Les pécheurs ? répliqua Mazarin. Me dites-vous ce mot avec ironie et pour me reprocher toutes les généalogies que j'ai laissé faire sur mon compte... moi, fils de pêcheur, en effet ?

— Hum ! fit le théatin.

— C'est là un premier péché, mon révérend ; car enfin, j'ai souffert qu'on me fît descendre des vieux consuls de Rome, T. Geganius Macerinus Ier, Macerinus II et Proculus Macerinus III, dont parle la chronique de Haolander... De Macerinus à Mazarin, la proximité était tentante. Macerinus, diminutif, veut dire maigrelet. Oh ! mon révérend, Mazarini peut signifier aujourd'hui, à l'augmentatif, maigre comme un Lazare. Voyez !

Et il montra ses bras décharnés et ses jambes dévorées par la fièvre[1].

— Que vous soyez né d'une famille de pêcheurs, reprit le théatin, je n'y vois rien de fâcheux pour vous... car enfin, saint Pierre était un pêcheur, et si vous êtes prince de l'Église, monseigneur, il en a été le chef suprême. Passons, s'il vous plaît.

— D'autant plus que j'ai menacé de la Bastille un certain Bonnet[2], prêtre d'Avignon, qui voulait publier une généalogie de *Casa Mazarini* beaucoup trop merveilleuse.

— Pour être vraisemblable ? répliqua le théatin.

— Oh ! alors, si j'eusse agi dans cette idée, mon révérend, c'était vice d'orgueil... autre péché.

— C'était excès d'esprit, et jamais on ne peut reprocher à personne ces sortes d'abus. Passons, passons.

— J'en étais à l'orgueil... Voyez-vous, mon révérend, je vais tâcher de diviser cela par péchés capitaux.

— J'aime les divisions bien faites.

— J'en suis aise. Il faut que vous sachiez qu'en 1630... hélas ! voilà trente et un ans !

— Vous aviez vingt-neuf ans, monseigneur.

---

1. Brienne montre Mazarin découvrant ses cuisses à la reine, *op. cit.*, tome II, chap. XIV, p. 408-409.

2. Texte : « Bounet ». Il s'agit de Dom Thomas Bonnet, auteur de *Recherches curieuses sur quelques qualités, actions héroïques, de la personne et sur le nom de monseigneur l'éminentissime cardinal Jules Mazarin...*, Paris, G. Sassier, 1645, in-8°, 128 pages, réédité (et augmenté) sous le titre : *Le Plus Grand Éclat de Son Éminence arrivé en l'année 1660 par l'accomplissement de la paix, prédit à la reine régente seize années devant, contenant les recherches des qualités, actions et merveilles du nom de ce grand cardinal Jules Mazarin. Cet éclat, comme précurseur de l'heureux mariage qui le suit, nous oblige de découvrir les trésors cachés dans les noms de Leurs Majestés...*, par Th. Bonnet, Paris, imprimerie de E. Maucroix, 1660, in-4°, 77 pages. On y lit : « Quelques-uns veulent dire que cette branche des Mazarins porte cette hache d'argent dans ses armes, pour mémoire du Consulat romain, duquel quelqu'un des plus anciens progéniteurs a été honoré » (p. 36-37).

— Âge bouillant. Je tranchais du soldat en me jetant à Casal dans les arquebusades, pour montrer que je montais à cheval aussi bien qu'un officier. Il est vrai que j'apportai la paix aux Espagnols et aux Français. Cela rachète un peu mon péché.

— Je ne vois pas le moindre péché à montrer qu'on monte à cheval, dit le théatin, c'est du goût parfait, et cela honore notre robe. En ma qualité de chrétien, j'approuve que vous ayez empêché l'effusion du sang ; en ma qualité de religieux, je suis fier de la bravoure qu'un collègue a témoignée.

Mazarin fit un humble salut de la tête.

— Oui, dit-il, mais les suites !

— Quelles suites ?

— Eh ! ce damné péché d'orgueil a des racines sans fin... Depuis que je m'étais jeté comme cela entre deux armées, que j'avais flairé la poudre et parcouru des lignes de soldats, je regardais un peu en pitié les généraux.

— Ah !

— Voilà le mal... En sorte que je n'en ai plus trouvé un seul supportable depuis ce temps-là.

— Le fait est, dit le théatin, que les généraux que nous avons eus n'étaient pas forts.

— Oh ! s'écria Mazarin, il y avait M. le prince... je l'ai bien tourmenté, celui-là !

— Il n'est pas à plaindre, il a acquis assez de gloire et assez de bien.

— Soit pour M. le prince ; mais M. de Beaufort, par exemple... que j'ai tant fait souffrir au donjon de Vincennes ?

— Ah ! mais c'était un rebelle, et la sûreté de l'État exigeait que vous fissiez le sacrifice... Passons.

— Je crois que j'ai épuisé l'orgueil. Il y a un autre péché que j'ai peur de qualifier...

— Je le qualifierai, moi... Dites toujours.

— Un bien grand péché, mon révérend.

— Nous verrons, monseigneur.

— Vous ne pouvez manquer d'avoir ouï parler de certaines relations que j'aurais eues... avec Sa Majesté la reine mère... Les malveillants...

— Les malveillants, monseigneur, sont des sots... Ne fallait-il pas, pour le bien de l'État et pour l'intérêt du jeune roi, que vous vécussiez en bonne intelligence avec la reine ? Passons, passons.

— Je vous assure, dit Mazarin, que vous m'enlevez de la poitrine un terrible poids.

— Vétilles que tout cela !... Cherchez les choses sérieuses.

— Il y a bien de l'ambition, mon révérend...

— C'est la marche des grandes choses, monseigneur.

— Même cette velléité de la tiare ?...

— Être pape, c'est être le premier des chrétiens... Pourquoi ne l'eussiez-vous pas désiré ?

— On a imprimé que j'avais, pour arriver là, vendu Cambrai aux Espagnols.

— Vous avez fait peut-être vous-même des pamphlets sans trop persécuter les pamphlétaires ?

— Alors, mon révérend, j'ai vraiment le cœur bien net. Je ne sens plus que de légères peccadilles.

— Dites.

— Le jeu.

— C'est un peu mondain ; mais enfin, vous étiez obligé, par le devoir de la grandeur, à tenir maison.

— J'aimais à gagner...

— Il n'est pas de joueur qui joue pour perdre.

— Je trichais bien un peu...

— Vous preniez votre avantage. Passons.

— Eh bien ! mon révérend, je ne sens plus rien du tout sur ma conscience. Donnez-moi l'absolution, et mon âme pourra, lorsque Dieu l'appellera, monter sans obstacle jusqu'à son trône.

Le théatin ne remua ni les bras ni les lèvres.

— Qu'attendez-vous, mon révérend, dit Mazarin.

— J'attends la fin.

— La fin de quoi ?

— De la confession, monseigneur.

— Mais j'ai fini.

— Oh ! non ! Votre Éminence fait erreur.

— Pas que je sache.

— Cherchez bien.

— J'ai cherché aussi bien que possible.

— Alors je vais aider votre mémoire.

— Voyons.

Le théatin toussa plusieurs fois.

— Vous ne me parlez pas de l'avarice, autre péché capital, ni de ces millions, dit-il.

— Quels millions, mon révérend ?

— Mais ceux que vous possédez, monseigneur.

— Mon père, cet argent est à moi, pourquoi vous en parlerais-je ?

— C'est que, voyez-vous, nos deux opinions diffèrent. Vous dites que cet argent est à vous, et, moi, je crois qu'il est un peu à d'autres.

Mazarin porta une main froide à son front perlé de sueur.

— Comment cela ? balbutia-t-il.

— Voici. Votre Éminence a gagné beaucoup de biens au service du roi...

— Hum ! beaucoup... ce n'est pas trop.

— Quoi qu'il en soit, d'où venait ce bien ?

— De l'État.

— L'État, c'est le roi.

— Mais que concluez-vous, mon révérend ? dit Mazarin, qui commençait à trembler.

— Je ne puis conclure sans une liste des biens[1] que vous avez. Comptons un peu, s'il vous plaît : vous avez l'évêché de Metz.

— Oui.

— Les abbayes de Saint-Clément, de Saint-Arnoud et de Saint-Vincent, toujours à Metz.

— Oui.

— Vous avez l'abbaye de Saint-Denis, en France, un beau bien.

— Oui, mon révérend.

— Vous avez l'abbaye de Cluny, qui est si riche.

— Je l'ai.

— Celle de Saint-Médard, à Soissons, cent mille livres de revenus.

— Je ne le nie pas.

— Celle de Saint-Victor, à Marseille, une des meilleures du Midi.

— Oui, mon père.

— Un bon million par an. Avec les émoluments du cardinalat et du ministère, c'est peut-être deux millions par an.

— Eh !

— Pendant dix ans, c'est vingt millions... et vingt millions placés à cinquante pour cent donnent, par progression, vingt autres millions en dix ans.

— Comme vous comptez, pour un théatin !

— Depuis que Votre Éminence a placé notre ordre dans le couvent que nous occupons près de Saint-Germain-des-Prés, en 1644, c'est moi qui fais les comptes de la société.

— Et les miens, à ce que je vois, mon révérend.

— Il faut savoir un peu de tout, monseigneur.

— Eh bien ! concluez à présent.

— Je conclus que le bagage est trop gros pour que vous passiez à la porte du paradis.

— Je serai damné ?

— Si vous ne restituez pas, oui.

Mazarin poussa un cri pitoyable.

— Restituer ! mais à qui, bon Dieu !

— Au maître de cet argent, au roi !

— Mais c'est le roi qui m'a tout donné !...

— Un moment ! le roi ne signe pas les ordonnances !

---

1. La liste des biens de Mazarin figure dans Brienne, *op. cit.*, tome II, chap. XVI, p. 134-137.

Mazarin passa des soupirs aux gémissements.

— L'absolution, dit-il.

— Impossible, monseigneur... Restituez, restituez, répliqua le théatin.

— Mais, enfin, vous m'absolvez de tous les péchés ; pourquoi pas de celui-là ?

— Parce que, répondit le révérend, vous absoudre pour ce motif est un péché dont le roi ne m'absoudrait jamais, monseigneur.

Là-dessus, le confesseur quitta son pénitent avec une mine pleine de componction, puis il sortit du même pas qu'il était entré.

— Holà ! mon Dieu, gémit le cardinal... Venez çà, Colbert ; je suis bien malade, mon ami !

XLVI

LA DONATION[1]

Colbert reparut sous les rideaux.

— Avez-vous entendu ? dit Mazarin.

— Hélas ! oui, monseigneur.

— Est-ce qu'il a raison ? Est-ce que tout cet argent est du bien mal acquis ?

— Un théatin, monseigneur, est un mauvais juge en matière de finances, répondit froidement Colbert. Cependant il se pourrait que, d'après ses idées théologiques, Votre Éminence eût de certains torts. On en a toujours eu... quand on meurt.

— On a d'abord celui de mourir, Colbert.

— C'est vrai, monseigneur. Envers qui cependant le théatin vous aurait-il trouvé des torts ? Envers le roi.

Mazarin haussa les épaules.

— Comme si je n'avais pas sauvé son État et ses finances !

— Cela ne souffre pas de controverse, monseigneur.

— N'est-ce pas ? Donc, j'aurais gagné très légitimement un salaire, malgré mon confesseur ?

— C'est hors de doute.

— Et je pourrais garder pour ma famille, si besogneuse, une bonne partie... le tout même de ce que j'ai gagné !

1. « Colbert vint. Mazarin lui confia son embarras, et Colbert ouvrit un avis qui avait pour but de concilier les derniers scrupules du cardinal avec le désir de voir son immense fortune ne point sortir de sa famille. C'était de faire au roi une donation de tous ses biens, laquelle, dans sa générosité royale, Louis XIV ne manquerait pas d'annuler sur-le-champ. L'expédient plut au cardinal, et, le 3 mars [1661], il avait fait cette donation » (*Louis XIV et son siècle*, chap. XXIV).

— Je n'y vois aucun empêchement, monseigneur.

— J'étais bien sûr, en vous consultant, Colbert, d'avoir un avis sage, répliqua Mazarin tout joyeux.

Colbert fit sa grimace de pédant.

— Monseigneur, interrompit-il, il faudrait bien voir cependant si ce qu'a dit le théatin n'est pas un piège.

— Non, un piège... pourquoi ? Le théatin est honnête homme.

— Il a cru Votre Éminence aux portes du tombeau, puisque Votre Éminence le consultait... Ne l'ai-je pas entendu vous dire : « Distinguez ce que le roi vous a donné de ce que vous vous êtes donné à vous-même... » Cherchez bien, monseigneur, s'il ne vous a pas un peu dit cela ; c'est assez une parole de théatin.

— Il serait possible.

— Auquel cas, monseigneur, je vous regarderais comme mis en demeure par le religieux...

— De restituer ? s'écria Mazarin tout échauffé.

— Eh ! je ne dis pas non.

— De restituer tout ! Vous n'y songez pas... Vous dites comme le confesseur.

— Restituer une partie, c'est-à-dire faire la part de Sa Majesté, et cela, monseigneur, peut avoir des dangers. Votre Éminence est un politique trop habile pour ignorer qu'à cette heure le roi ne possède pas cent cinquante mille livres nettes dans ses coffres.

— Ce n'est pas mon affaire, dit Mazarin triomphant, c'est celle de M. le surintendant Fouquet, dont je vous ai donné, ces derniers mois, tous les comptes à vérifier.

Colbert pinça les lèvres à ce seul nom de Fouquet.

— Sa Majesté, dit-il entre ses dents, n'a d'argent que celui qu'amasse M. Fouquet ; votre argent à vous, monseigneur, lui sera une friande pâture.

— Enfin, je ne suis pas le surintendant des finances du roi, moi ; j'ai ma bourse... Certes, je ferais bien, pour le bonheur de Sa Majesté... quelques legs... mais je ne puis frustrer ma famille...

— Un legs partiel vous déshonore et offense le roi. Une partie léguée à Sa Majesté, c'est l'aveu que cette partie vous a inspiré des doutes comme n'étant pas acquise légitimement.

— Monsieur Colbert !...

— J'ai cru que Votre Éminence me faisait l'honneur de me demander un conseil.

— Oui, mais vous ignorez les principaux détails de la question.

— Je n'ignore rien, monseigneur ; voilà dix ans que je passe en revue toutes les colonnes de chiffres qui se font en France, et si je les ai péniblement clouées en ma tête, elles y sont si bien rivées à présent, que depuis l'office de M. Letellier, qui est sobre, jusqu'aux petites largesses secrètes de M. Fouquet, qui est prodigue, je réciterais, chiffre par chiffre, tout l'argent qui se dépense de Marseille à Cherbourg.

— Alors, vous voudriez que je jetasse tout mon argent dans les coffres du roi ! s'écria ironiquement Mazarin, à qui la goutte arrachait en même temps plusieurs soupirs douloureux. Certes, le roi ne me reprocherait rien, mais il se moquerait de moi en mangeant mes millions, et il aurait bien raison.

— Votre Éminence ne m'a pas compris. Je n'ai pas prétendu le moins du monde que le roi dût dépenser votre argent.

— Vous le dites clairement, ce me semble, en me conseillant de le lui donner.

— Ah ! répliqua Colbert, c'est que Votre Éminence, absorbée qu'elle est par son mal, perd de vue complètement le caractère de Sa Majesté Louis XIV.

— Comment cela ?...

— Ce caractère, je crois, si j'ose m'exprimer ainsi, ressemble à celui que Monseigneur confessait tout à l'heure au théatin.

— Osez ; c'est... ?

— C'est l'orgueil. Pardon, monseigneur ; la fierté, voulais-je dire. Les rois n'ont pas d'orgueil : c'est une passion humaine.

— L'orgueil, oui, vous avez raison. Après ?...

— Eh bien ! monseigneur, si j'ai rencontré juste, Votre Éminence n'a qu'à donner tout son argent au roi, et tout de suite.

— Mais pourquoi ? dit Mazarin fort intrigué.

— Parce que le roi n'acceptera pas le tout.

— Oh ! un jeune homme qui n'a pas d'argent et qui est rongé d'ambition.

— Soit.

— Un jeune homme qui désire ma mort.

— Monseigneur...

— Pour hériter, oui, Colbert ; oui, il désire ma mort pour hériter. Triple sot que je suis ! je le préviendrais !

— Précisément. Si la donation est faite dans une certaine forme, il refusera.

— Allons donc !

— C'est positif. Un jeune homme qui n'a rien fait, qui brûle de devenir illustre, qui brûle de régner seul, ne prendra rien de bâti ; il voudra construire lui-même. Ce prince-là, monseigneur, ne se contentera pas du Palais-Royal que M. de Richelieu lui a légué, ni du palais Mazarin que vous avez si superbement fait construire, ni du Louvre que ses ancêtres ont habité, ni de Saint-Germain où il est né. Tout ce qui ne procédera pas de lui, il le dédaignera, je le prédis.

— Et vous garantissez que si je donne mes quarante millions au roi...

— En lui disant de certaines choses, je garantis qu'il refusera.

— Ces choses... sont ?

— Je les écrirai, si Monseigneur veut me les dicter.

— Mais enfin, quel avantage pour moi ?

— Un énorme. Personne ne peut plus accuser Votre Éminence de cette injuste avarice que les pamphlétaires ont reprochée au plus brillant esprit de ce siècle.

— Tu as raison, Colbert, tu as raison ; va trouver le roi de ma part et porte-lui mon testament.

— Une donation, monseigneur.

— Mais s'il acceptait ! s'il allait accepter ?

— Alors, il resterait treize millions à votre famille, et c'est une jolie somme.

— Mais tu serais un traître ou un sot, alors.

— Et je ne suis ni l'un ni l'autre, monseigneur... Vous me paraissez craindre beaucoup que le roi n'accepte... Oh ! craignez plutôt qu'il n'accepte pas...

— S'il n'accepte pas, vois-tu, je lui veux garantir mes treize millions de réserve... oui, je le ferai... oui... Mais voici la douleur qui vient ; je vais tomber en faiblesse.... C'est que je suis malade, Colbert, que je suis près de ma fin.

Colbert tressaillit.

Le cardinal était bien mal en effet : il suait à grosses gouttes sur son lit de douleur, et cette pâleur effrayante d'un visage ruisselant d'eau était un spectacle que le plus endurci praticien n'eût pas supporté sans compassion. Colbert fut sans doute très ému, car il quitta la chambre en appelant Bernouin près du moribond et passa dans le corridor.

Là, se promenant de long en large avec une expression méditative qui donnait presque de la noblesse à sa tête vulgaire, les épaules arrondies, le cou tendu, les lèvres entrouvertes pour laisser échapper des lambeaux décousus de pensées incohérentes, il s'enhardit à la démarche qu'il voulait tenter, tandis qu'à dix pas de lui, séparé seulement par un mur, son maître étouffait dans des angoisses qui lui arrachaient des cris lamentables, ne pensant plus ni aux trésors de la terre ni aux joies du paradis, mais bien à toutes les horreurs de l'enfer.

Tandis que les serviettes brûlantes, les topiques, les révulsifs et Guénaud, rappelé près du cardinal, fonctionnaient avec une activité toujours croissante, Colbert, tenant à deux mains sa grosse tête, pour y comprimer la fièvre des projets enfantés par le cerveau, méditait la teneur de la donation qu'il allait faire écrire à Mazarin dès la première heure de répit que lui donnerait le mal. Il semblait que tous ces cris du cardinal et toutes ces entreprises de la mort sur ce représentant du passé fussent des stimulants pour le génie de ce penseur aux sourcils épais qui se tournait déjà vers le lever du nouveau soleil d'une société régénérée.

Colbert revint près de Mazarin lorsque la raison fut revenue au malade, et lui persuada de dicter une donation ainsi conçue :

Près de paraître devant Dieu, maître des hommes, je prie le roi, qui fut mon maître sur la terre, de reprendre les biens que sa bonté m'avait donnés, et que ma famille sera heureuse de voir passer en de si illustres mains. Le détail de mes biens se trouvera, il est dressé, à la première réquisition de Sa Majesté, ou au dernier soupir de son plus dévoué serviteur.

JULES, cardinal de Mazarin

Le cardinal signa en soupirant ; Colbert cacheta le paquet et le porta immédiatement au Louvre, où le roi venait de rentrer. Puis il revint à son logis, se frottant les mains avec la confiance d'un ouvrier qui a bien employé sa journée.

XLVII

COMMENT ANNE D'AUTRICHE DONNA UN CONSEIL A LOUIS XIV, ET COMMENT M. FOUQUET LUI EN DONNA UN AUTRE

La nouvelle de l'extrémité où se trouvait le cardinal s'était déjà répandue, et elle attirait au moins autant de gens au Louvre que la nouvelle du mariage de Monsieur, le frère du roi, laquelle avait déjà été annoncée à titre de fait officiel.

A peine Louis XIV rentrait-il chez lui, tout rêveur encore des choses qu'il avait vues ou entendu dire dans cette soirée, que l'huissier annonça que la même foule de courtisans qui, le matin, s'était empressée à son lever, se représentait de nouveau à son coucher, faveur insigne que depuis le règne du cardinal la cour, fort peu discrète dans ses préférences, avait accordée au ministre sans grand souci de déplaire au roi.

Mais le ministre avait eu, comme nous l'avons dit, une grave attaque de goutte, et la marée de la flatterie montait vers le trône.

Les courtisans ont ce merveilleux instinct de flairer d'avance tous les événements ; les courtisans ont la science suprême : ils sont diplomates pour éclairer les grands dénouements des circonstances difficiles, capitaines pour deviner l'issue des batailles, médecins pour guérir les maladies.

Louis XIV, à qui sa mère avait appris cet axiome, entre beaucoup d'autres, comprit que Son Éminence Monseigneur le cardinal Mazarin était bien malade.

A peine Anne d'Autriche eut-elle conduit la jeune reine dans ses appartements et soulagé son front du poids de la coiffure de cérémonie, qu'elle revint trouver son fils dans le cabinet où, seul, morne et le cœur ulcéré, il passait sur lui-même, comme pour exercer sa volonté, une de ces colères sourdes et terribles, colères de roi, qui font des événements quand elles éclatent, et qui, chez Louis XIV, grâce à sa puissance merveilleuse sur lui-même, devinrent des orages si bénins, que sa plus fougueuse, son unique colère, celle que signale Saint-Simon, tout en s'en étonnant, fut cette fameuse colère qui éclata cinquante ans plus tard à propos d'une cachette de M. le duc du Maine, et qui eut pour résultat une grêle de coups de canne donnés sur le dos d'un pauvre laquais qui avait volé un biscuit.

Le jeune roi était donc, comme nous l'avons vu, en proie à une douloureuse surexcitation, et il se disait en se regardant dans une glace :

— Ô roi !... roi de nom, et non de fait... fantôme, vain fantôme que tu es !.... statue inerte qui n'as d'autre puissance que celle de provoquer un salut de la part des courtisans, quand pourras-tu donc lever ton bras de velours, serrer ta main de soie ? quand pourras-tu ouvrir pour autre chose que pour soupirer ou sourire tes lèvres condamnées à la stupide immobilité des marbres de ta galerie ?

Alors, passant la main sur son front et cherchant l'air, il s'approcha de la fenêtre et vit au bas quelques cavaliers qui causaient entre eux, quelques groupes timidement curieux. Ces cavaliers, c'était une fraction du guet ; ce groupe, c'étaient les empressés du peuple, ceux-là pour qui un roi est toujours une chose curieuse, comme un rhinocéros, un crocodile ou un serpent.

Il frappa son front du plat de sa main en s'écriant :

— Roi de France ! quel titre ! Peuple de France ! quelle masse de créatures ! Et voilà que je rentre dans mon Louvre ; mes chevaux, à peine dételés, fument encore, et j'ai tout juste soulevé assez d'intérêt pour que vingt personnes à peine me regardent passer... Vingt... que dis-je ! non, il n'y a pas même vingt curieux pour le roi de France, il n'y a pas même dix archers pour veiller sur ma maison : archers, peuple, gardes, tout est au Palais-Royal. Pourquoi mon Dieu ? Moi, le roi, n'ai-je pas le droit de vous demander cela ?

— Parce que, dit une voix répondant à la sienne et qui retentit de l'autre côté de la portière du cabinet, parce qu'au Palais-Royal il y a tout l'or, c'est-à-dire toute la puissance de celui qui veut régner.

Louis se retourna précipitamment. La voix qui venait de prononcer ces paroles était celle d'Anne d'Autriche. Le roi tressaillit, et s'avançant vers sa mère :

— J'espère, dit-il, que Votre Majesté n'a pas fait attention aux vaines déclamations dont la solitude et le dégoût familiers aux rois donnent l'idée aux plus heureux caractères ?

— Je n'ai fait attention qu'à une chose, mon fils : c'est que vous vous plaigniez.

— Moi ? pas du tout, dit Louis XIV ; non, en vérité ; vous vous trompez, madame.

— Que faisiez-vous donc, sire ?

— Il me semblait être sous la férule de mon professeur et développer un sujet d'amplification.

— Mon fils, reprit Anne d'Autriche en secouant la tête, vous avez tort de ne vous point fier à ma parole ; vous avez tort de ne me point accorder votre confiance. Un jour va venir, jour prochain peut-être, où vous aurez besoin de vous rappeler cet axiome : « L'or est la toute-puissance, et ceux-là seuls sont véritablement rois qui sont tout-puissants. »

— Votre intention, poursuivit le roi, n'était point cependant de jeter un blâme sur les riches de ce siècle ?

— Non, dit vivement Anne d'Autriche, non, sire ; ceux qui sont riches en ce siècle, sous votre règne, sont riches parce que vous l'avez bien voulu, et je n'ai contre eux ni rancune ni envie ; ils ont sans doute assez bien servi Votre Majesté pour que Votre Majesté leur ait permis de se récompenser eux-mêmes. Voilà ce que j'entends dire par la parole que vous semblez me reprocher.

— A Dieu ne plaise, madame, que je reproche jamais quelque chose à ma mère !

— D'ailleurs, continua Anne d'Autriche, le Seigneur ne donne jamais que pour un temps les biens de la terre ; le Seigneur, comme correctif aux honneurs et à la richesse, le Seigneur a mis la souffrance, la maladie, la mort, et nul, ajouta Anne d'Autriche avec un douloureux sourire qui prouvait qu'elle faisait à elle-même l'application du funèbre précepte, nul n'emporte son bien ou sa grandeur dans le tombeau. Il en résulte que les jeunes récoltent les fruits de la féconde moisson préparée par les vieux.

Louis écoutait avec une attention croissante ces paroles accentuées par Anne d'Autriche dans un but évidemment consolateur.

— Madame, dit Louis XIV regardant fixement sa mère, on dirait, en vérité, que vous avez quelque chose de plus à m'annoncer ?

— Je n'ai rien absolument, mon fils ; seulement, vous aurez remarqué ce soir que M. le cardinal est bien malade ?

Louis regarda sa mère, cherchant une émotion dans sa voix, une douleur dans sa physionomie. Le visage d'Anne d'Autriche semblait légèrement altéré ; mais cette souffrance avait un caractère tout personnel.

Peut-être cette altération était-elle causée par le cancer qui commençait à la mordre au sein.

— Oui, madame, dit le roi, oui, M. de Mazarin est bien malade.

— Et ce serait une grande perte pour le royaume si Son Éminence venait à être appelée par Dieu. N'est-ce point votre avis comme le mien, mon fils ? demanda Anne d'Autriche.

— Oui, madame, oui certainement, ce serait une grande perte pour le royaume, dit Louis en rougissant ; mais le péril n'est pas si grand, ce me semble, et d'ailleurs M. le cardinal est jeune encore.

Le roi achevait à peine de parler, qu'un huissier souleva la tapisserie et se tint debout, un papier à la main, en attendant que le roi l'interrogeât.

— Qu'est-ce que cela ? demanda le roi.

— Un message de M. de Mazarin, répondit l'huissier.

— Donnez, dit le roi.

Et il prit le papier. Mais, au moment où il l'allait ouvrir, il se fit à la fois un grand bruit dans la galerie, dans les antichambres et dans la cour.

— Ah ! ah ! dit Louis XIV, qui sans doute reconnut ce triple bruit, que disais-je donc qu'il n'y avait qu'un roi en France ! je me trompais, il y en a deux.

En ce moment, la porte s'ouvrit, et le surintendant des finances Fouquet apparut à Louis XIV. C'était lui qui faisait ce bruit dans la galerie ; c'étaient ses laquais qui faisaient ce bruit dans les antichambres ; c'étaient ses chevaux qui faisaient ce bruit dans la cour. En outre, on entendait un long murmure sur son passage qui ne s'éteignait que longtemps après qu'il avait passé. C'était ce murmure que Louis XIV regrettait si fort de ne point entendre alors sous ses pas et mourir derrière lui.

— Celui-là n'est pas précisément un roi comme vous le croyez, dit Anne d'Autriche à son fils ; c'est un homme trop riche, voilà tout.

Et en disant ces mots, un sentiment amer donnait aux paroles de la reine leur expression la plus haineuse ; tandis que le front de Louis, au contraire, resté calme et maître de lui, était pur de la plus légère ride.

Il salua donc librement Fouquet de la tête, tandis qu'il continuait de déplier le rouleau que venait de lui remettre l'huissier. Fouquet vit ce mouvement, et, avec une politesse à la fois aisée et respectueuse, il s'approcha d'Anne d'Autriche pour laisser toute liberté au roi.

Louis avait ouvert le papier, et cependant il ne lisait pas.

Il écoutait Fouquet faire à sa mère des compliments adorablement tournés sur sa main et sur ses bras.

La figure d'Anne d'Autriche se dérida et passa presque au sourire.

Fouquet s'aperçut que le roi, au lieu de lire, le regardait et l'écoutait ; il fit un demi-tour, et, tout en continuant pour ainsi dire d'appartenir à Anne d'Autriche, il se retourna en face du roi.

— Vous savez, monsieur Fouquet, dit Louis XIV, que Son Éminence est fort mal ?

— Oui, sire, je sais cela, dit Fouquet ; et en effet elle est fort mal. J'étais à ma campagne de Vaux lorsque la nouvelle m'en est venue, si pressante que j'ai tout quitté.

— Vous avez quitté Vaux ce soir, monsieur ?

— Il y a une heure et demie, oui, Votre Majesté, dit Fouquet, consultant une montre toute garnie de diamants.

— Une heure et demie ! dit le roi, assez puissant pour maîtriser sa colère, mais non pour cacher son étonnement.

— Je comprends, sire, Votre Majesté doute de ma parole, et elle a raison ; mais, si je suis venu ainsi, c'est vraiment par merveille. On m'avait envoyé d'Angleterre trois couples de chevaux fort vifs, m'assurait-on ; ils étaient disposés de quatre lieues en quatre lieues, et je les ai essayés ce soir. Ils sont venus en effet de Vaux au Louvre en une heure et demie, et Votre Majesté voit qu'on ne m'avait pas trompé.

La reine mère sourit avec une secrète envie.

Fouquet alla au-devant de cette mauvaise pensée.

— Aussi, madame, se hâta-t-il d'ajouter, de pareils chevaux sont faits, non pour des sujets, mais pour des rois, car les rois ne doivent jamais le céder à qui que ce soit en quoi que ce soit.

Le roi leva la tête.

— Cependant, interrompit Anne d'Autriche, vous n'êtes point roi, que je sache, monsieur Fouquet ?

— Aussi, madame, les chevaux n'attendent-ils qu'un signe de Sa Majesté pour entrer dans les écuries du Louvre ; et si je me suis permis de les essayer, c'était dans la seule crainte d'offrir au roi quelque chose qui ne fût pas précisément une merveille.

Le roi était devenu fort rouge.

— Vous savez, monsieur Fouquet, dit la reine, que l'usage n'est point à la cour de France qu'un sujet offre quelque chose à son roi ?

Louis fit un mouvement.

— J'espérais, madame, dit Fouquet fort agité, que mon amour pour Sa Majesté, mon désir incessant de lui plaire, serviraient de contrepoids à cette raison d'étiquette. Ce n'était point d'ailleurs un présent que je me permettais d'offrir, c'était un tribut que je payais.

— Merci, monsieur Fouquet, dit poliment le roi, et je vous sais gré de l'intention, car j'aime en effet les bons chevaux ; mais vous savez que je suis bien peu riche ; vous le savez mieux que personne, vous, mon surintendant des finances. Je ne puis donc, lors même que je le voudrais, acheter un attelage si cher.

Fouquet lança un regard plein de fierté à la reine mère qui semblait triompher de la fausse position du ministre, et répondit :

— Le luxe est la vertu des rois, sire ; c'est le luxe qui les fait ressembler à Dieu ; c'est par le luxe qu'ils sont plus que les autres hommes. Avec le luxe un roi nourrit ses sujets et les honore. Sous la douce chaleur de ce luxe des rois naît le luxe des particuliers, source de richesses pour le peuple. Sa Majesté, en acceptant le don de six chevaux incomparables, eût piqué d'amour-propre les éleveurs de notre pays, du Limousin, du Perche, de la Normandie ; cette émulation eût été profitable à tous... Mais le roi se tait, et par conséquent je suis condamné.

Pendant ce temps, Louis XIV, par contenance, pliait et dépliait le papier de Mazarin, sur lequel il n'avait pas encore jeté les yeux. Sa vue s'y arrêta enfin, et il poussa un petit cri dès la première ligne.

— Qu'y a-t-il donc, mon fils ? demanda Anne d'Autriche en se rapprochant vivement du roi.

— De la part du cardinal ? reprit le roi en continuant sa lecture. Oui, oui, c'est bien de sa part.

— Est-il donc plus mal ?

— Lisez, acheva le roi en passant le parchemin à sa mère, comme s'il eût pensé qu'il ne fallait pas moins que la lecture pour convaincre Anne d'Autriche d'une chose aussi étonnante que celle qui était renfermée dans ce papier.

Anne d'Autriche lut à son tour. A mesure qu'elle lisait, ses yeux pétillaient d'une joie plus vive qu'elle essayait inutilement de dissimuler et qui attira les regards de Fouquet.

— Oh ! une donation en règle, dit-elle.

— Une donation ? répéta Fouquet.

— Oui, fit le roi répondant particulièrement au surintendant des finances ; oui, sur le point de mourir, M. le cardinal me fait une donation de tous ses biens.

— Quarante millions ! s'écria la reine. Ah ! mon fils, voilà un beau trait de la part de M. le cardinal, et qui va contredire bien des malveillantes rumeurs ; quarante millions amassés lentement et qui reviennent d'un seul coup en masse au trésor royal, c'est d'un sujet fidèle et d'un vrai chrétien.

Et ayant jeté une fois encore les yeux sur l'acte, elle le rendit à Louis XIV, que l'énoncé de cette somme faisait tout palpitant.

Fouquet avait fait quelques pas en arrière et se taisait.

Le roi le regarda et lui tendit le rouleau à son tour.

Le surintendant ne fit qu'y arrêter une seconde son regard hautain.

Puis, s'inclinant :

— Oui, sire, dit-il, une donation, je le vois.

— Il faut répondre, mon fils, s'écria Anne d'Autriche ; il faut répondre sur-le-champ.

— Et comment cela, madame ?

— Par une visite au cardinal.

— Mais il y a une heure à peine que je quitte Son Éminence, dit le roi.

— Écrivez alors, sire.

— Écrire ! fit le jeune roi avec répugnance.

— Enfin, reprit Anne d'Autriche, il me semble, mon fils, qu'un homme qui vient de faire un pareil présent est bien en droit d'attendre qu'on le remercie avec quelque hâte.

Puis, se retournant vers le surintendant :

— Est-ce que ce n'est point votre avis, monsieur Fouquet ?

— Le présent en vaut la peine, oui, madame, répliqua le surintendant avec une noblesse qui n'échappa point au roi.

— Acceptez donc et remerciez, insista Anne d'Autriche.

— Que dit M. Fouquet ? demanda Louis XIV.

— Sa Majesté veut savoir ma pensée ?

— Oui.

— Remerciez, sire...

— Ah ! fit Anne d'Autriche.

— Mais n'acceptez pas, continua Fouquet.

— Et pourquoi cela ? demanda Anne d'Autriche.

— Mais vous l'avez dit vous-même, madame, répliqua Fouquet, parce que les rois ne doivent et ne peuvent recevoir de présents de leurs sujets.

Le roi demeurait muet entre ces deux opinions si opposées.

— Mais quarante millions ! dit Anne d'Autriche du même ton dont la pauvre Marie-Antoinette dit plus tard : « Vous m'en direz tant ! »

— Je le sais, dit Fouquet en riant, quarante millions font une belle somme, et une pareille somme pourrait tenter même une conscience royale.

— Mais, monsieur, dit Anne d'Autriche, au lieu de détourner le roi de recevoir ce présent, faites donc observer à Sa Majesté, vous dont c'est la charge, que ces quarante millions lui font une fortune.

— C'est précisément, madame, parce que ces quarante millions font une fortune que je dirai au roi : « Sire, s'il n'est point décent qu'un roi accepte d'un sujet six chevaux de vingt mille livres, il est déshonorant qu'il doive sa fortune à un autre sujet plus ou moins scrupuleux dans le choix des matériaux qui contribuaient à l'édification de cette fortune. »

— Il ne vous sied guère, monsieur, dit Anne d'Autriche, de faire une leçon au roi ; procurez-lui plutôt quarante millions pour remplacer ceux que vous lui faites perdre.

— Le roi les aura quand il voudra, dit en s'inclinant le surintendant des finances.

— Oui, en pressurant les peuples, fit Anne d'Autriche.

— Eh ! ne l'ont-ils pas été, madame, répondit Fouquet, quand on leur a fait suer les quarante millions donnés par cet acte ? Au surplus,

Sa Majesté m'a demandé mon avis, le voilà ; que Sa Majesté me demande mon concours, il en sera de même.

— Allons, allons, acceptez, mon fils, dit Anne d'Autriche ; vous êtes au-dessus des bruits et des interprétations.

— Refusez, sire, dit Fouquet. Tant qu'un roi vit, il n'a d'autre niveau que sa conscience, d'autre juge que son désir ; mais, mort, il a la postérité qui applaudit ou qui accuse.

— Merci, ma mère, répliqua Louis en saluant respectueusement la reine. Merci, monsieur Fouquet, dit-il en congédiant civilement le surintendant.

— Acceptez-vous ? demanda encore Anne d'Autriche.

— Je réfléchirai, répliqua le roi en regardant Fouquet.

XLVIII

AGONIE

Le jour même où la donation avait été envoyée au roi, le cardinal s'était fait transporter à Vincennes[1]. Le roi et la cour l'y avaient suivi. Les dernières lueurs de ce flambeau jetaient encore assez d'éclat pour absorber, dans leur rayonnement, toutes les autres lumières. Au reste, comme on le voit, satellite fidèle de son ministre, le jeune Louis XIV marchait jusqu'au dernier moment dans le sens de sa gravitation. Le mal, selon les pronostics de Guénaud, avait empiré ; ce n'était plus une attaque de goutte, c'était une attaque de mort. Puis il y avait une chose qui faisait cet agonisant plus agonisant encore : c'était l'anxiété que jetait dans son esprit cette donation envoyée au roi, et qu'au dire de Colbert le roi devait renvoyer non acceptée au cardinal. Le cardinal avait grande foi, comme nous avons vu, dans les prédictions de son secrétaire ; mais la somme était forte, et quel que fût le génie de Colbert, de temps en temps le cardinal pensait, à part lui, que le théatin, lui aussi, avait bien pu se tromper, et qu'il y avait au moins autant de chances pour qu'il

1. « Trois jours s'étaient écoulés, et depuis trois jours le roi n'avait pas rendu la donation. Le cardinal était au désespoir, se tordant les bras et criant :

« — Ma pauvre famille, hélas ! ma pauvre famille n'aura pas de pain.

« Le 6 enfin, Colbert, tout joyeux, rapporta au cardinal la donation que le roi avait refusée, autorisant le mourant à disposer de tous ses biens comme il l'entendait », *Louis XIV et son siècle*, chap. XXXIV, repris de Brienne, *Mémoires*. Mazarin se fit transporter à Vincennes dans les premiers jours de février 1661 : il reçut l'extrême-onction le 7 mars, « après avoir pris congé du roi, de la reine mère et de Monsieur » (Mme de Motteville, *Mémoires*).

ne fût pas damné, qu'il y en avait pour que Louis XIV lui renvoyât ses millions.

D'ailleurs, plus la donation tardait à revenir, plus Mazarin trouvait que quarante millions valent bien la peine que l'on risque quelque chose et surtout une chose aussi hypothétique que l'âme.

Mazarin, en sa qualité de cardinal et de premier ministre, était à peu près athée et tout à fait matérialiste.

A chaque fois que la porte s'ouvrait, il se retournait donc vivement vers la porte, croyant voir entrer par là sa malheureuse donation ; puis, trompé dans son espérance, il se recouchait avec un soupir et retrouvait sa douleur d'autant plus vive qu'un instant il l'avait oubliée.

Anne d'Autriche, elle aussi, avait suivi le cardinal ; son cœur, quoique l'âge l'eût faite égoïste, ne pouvait se refuser de témoigner à ce mourant une tristesse qu'elle lui devait en qualité de femme, disent les uns, en qualité de souveraine, disent les autres.

Elle avait, en quelque sorte, pris le deuil de la physionomie par avance, et toute la cour le portait comme elle.

Louis, pour ne pas montrer sur son visage ce qui se passait au fond de son âme, s'obstinait à rester confiné dans son appartement où sa nourrice toute seule lui faisait compagnie ; plus il croyait approcher du terme où toute contrainte cesserait pour lui, plus il se faisait humble et patient, se repliant sur lui-même comme tous les hommes forts qui ont quelque dessein, afin de se donner plus de ressort au moment décisif.

L'extrême-onction avait été secrètement administrée au cardinal, qui, fidèle à ses habitudes de dissimulation, luttait contre les apparences, et même contre la réalité, recevant dans son lit comme s'il n'eût été atteint que d'un mal passager.

Guénaud, de son côté, gardait le secret le plus absolu : interrogé, fatigué de poursuites et de questions, il ne répondait rien, sinon : « Son Éminence est encore pleine de jeunesse et de force ; mais Dieu veut ce qu'il veut, et quand il a décidé qu'il doit abattre l'homme, il faut que l'homme soit abattu. »

Ces paroles, qu'il semait avec une sorte de discrétion, de réserve et de préférence, deux personnes les commentaient avec grand intérêt : le roi et le cardinal.

Mazarin, malgré la prophétie de Guénaud, se leurrait toujours, ou, pour mieux dire, il jouait si bien son rôle, que les plus fins, en disant qu'il se leurrait, prouvaient qu'ils étaient des dupes.

Louis, éloigné du cardinal depuis deux jours ; Louis, l'œil fixé sur cette donation qui préoccupait si fort le cardinal ; Louis ne savait point au juste où en était Mazarin. Le fils de Louis XIII, suivant les traditions paternelles, avait été si peu roi jusque-là, que, tout en désirant ardemment la royauté, il la désirait avec cette terreur qui accompagne toujours l'inconnu. Aussi, ayant pris sa résolution, qu'il ne communiquait d'ailleurs à personne, se résolut-il à demander à Mazarin une entrevue. Ce fut Anne d'Autriche qui, toujours assidue près du cardinal, entendit la première cette proposition du roi et qui la transmit au mourant, qu'elle fit tressaillir.

Dans quel but Louis XIV lui demandait-il une entrevue ? Était-ce pour rendre, comme l'avait dit Colbert ? Était-ce pour garder après remerciement, comme le pensait Mazarin ? Néanmoins, comme le mourant sentait cette incertitude augmenter encore son mal, il n'hésita pas un instant.

— Sa Majesté sera la bienvenue, oui, la très bienvenue, s'écria-t-il en faisant à Colbert, qui était assis au pied du lit, un signe que celui-ci comprit parfaitement. Madame, continua Mazarin, Votre Majesté serait-elle assez bonne pour assurer elle-même le roi de la vérité de ce que je viens de dire ?

Anne d'Autriche se leva ; elle avait hâte, elle aussi, d'être fixée à l'endroit des quarante millions qui étaient la sourde pensée de tout le monde.

Anne d'Autriche sortie, Mazarin fit un grand effort, et se soulevant vers Colbert :

— Eh bien ! Colbert, dit-il, voilà deux jours malheureux ! voilà deux mortels jours, et, tu le vois, rien n'est revenu de là-bas.

— Patience, monseigneur, dit Colbert.

— Es-tu fou, malheureux ! tu me conseilles la patience ! Oh ! en vérité, Colbert, tu te moques de moi : je meurs, et tu me cries d'attendre !

— Monseigneur, dit Colbert avec son sang-froid habituel, il est impossible que les choses n'arrivent pas comme je l'ai dit. Sa Majesté vient vous voir, c'est qu'elle vous rapporte elle-même la donation.

— Tu crois, toi ? Eh bien ! moi, au contraire, je suis sûr que Sa Majesté vient pour me remercier.

Anne d'Autriche rentra en ce moment ; en se rendant près de son fils, elle avait rencontré dans les antichambres un nouvel empirique.

Il était question d'une poudre qui devait sauver le cardinal. Anne d'Autriche apportait un échantillon de cette poudre[1].

[2]Mais ce n'était point cela que Mazarin attendait, aussi ne voulait-il pas même jeter les yeux dessus, assurant que la vie ne valait point toutes les peines qu'on prenait pour la conserver.

Mais, tout en proférant cet axiome philosophique, son secret, si longtemps contenu, lui échappa enfin.

— Là, madame, dit-il, là n'est point l'intéressant de la situation ; j'ai fait au roi, voici tantôt deux jours, une petite donation ; jusqu'ici, par

1. De l'émétique avait été donné au cardinal le 11 février sur le soir, ce « qui l'avait fort soulagé : c'est pourquoi on lui en avait redonné le 13 » (Mme de Motteville, *Mémoires*).

2. A partir d'ici, ms., Detroit Public Library, f°s 135-142.

délicatesse sans doute, Sa Majesté n'en a point voulu parler ; mais le moment arrive des explications et je supplie Votre Majesté de me dire si le roi a quelques idées sur cette matière.

Anne d'Autriche fit un mouvement pour répondre : Mazarin l'arrêta.

— La vérité, madame, dit-il ; au nom du Ciel, la vérité ! Ne flattez pas un mourant d'un espoir qui serait vain.

Là, il s'arrêta, un regard de Colbert lui disait qu'il allait faire fausse route[1].

— Je sais, dit Anne d'Autriche, en prenant la main du cardinal ; je sais que vous avez fait généreusement, non[2] pas une petite donation, comme vous dites avec tant de modestie, mais un don magnifique ; je sais combien il vous serait pénible que le roi...

Mazarin écoutait, tout mourant qu'il était, comme dix vivants n'eussent pu le faire.

— Que le roi ? reprit-il.

— Que le roi, continua Anne d'Autriche, n'acceptât point de bon cœur ce que vous offrez si noblement.

Mazarin se laissa retomber sur l'oreiller comme Pantalon, c'est-à-dire avec tout le désespoir de l'homme qui s'abandonne au naufrage, mais il conserva encore assez de force et de présence d'esprit pour jeter à Colbert un de ces regards qui valent bien dix sonnets, c'est-à-dire dix longs poèmes[3].

— N'est-ce pas, ajouta la reine, que vous eussiez considéré le refus du roi comme une sorte d'injure ?

Mazarin roula sa tête sur l'oreiller sans articuler une seule syllabe.

La reine se trompa, ou feignit de se tromper, à cette démonstration.

— Aussi, reprit-elle, je l'ai circonvenu par de bons conseils, et comme certains esprits, jaloux sans doute de la gloire que vous allez acquérir par cette générosité, s'efforçaient de prouver au roi qu'il devait refuser cette donation, j'ai lutté en votre faveur, et lutté si bien, que vous n'aurez pas, je l'espère, cette contrariété à subir.

— Oh ! murmura Mazarin avec des yeux languissants, ah ! que voilà un service que je n'oublierai pas une minute, pendant le peu d'heures qui me restent à vivre !

— Au reste, je dois le dire, continua Anne d'Autriche, ce n'est point sans peine que je l'ai rendu à Votre Éminence.

— Ah ! peste ! je le crois. *Ahimé*[4] !

— Qu'avez-vous, mon Dieu ?

— Il y a que je brûle.

— Vous souffrez donc beaucoup ?

1. Texte : « Là il *arrêta* un regard de Colbert lui *disant* qu'il allait... »
2. Ms. interrompu ici, jusqu'à « ... pénible que le roi. »
3. « Un sonnet sans défaut vaut seul un long poème », Boileau, *Art poétique*, chant II.
4. Texte : « Ohimé ! »

— Comme un damné !

Colbert eût voulu disparaître sous les parquets.

— En sorte, reprit Mazarin, que Votre Majesté pense que le roi...

Il s'arrêta.

— Que le roi, reprit-il après quelques secondes, vient ici pour me faire un petit bout de compliment[1] ?

— Je le crois, dit la reine.

Mazarin foudroya Colbert de son dernier regard.

En ce moment, les huissiers annoncèrent le roi dans les antichambres pleines de monde. Cette annonce produisit un remue-ménage dont Colbert profita pour s'esquiver par la porte de la ruelle.

Anne d'Autriche se leva, et debout attendit son fils.

Louis XIV parut au seuil de la chambre, les yeux fixés sur le moribond, qui ne prenait plus même la peine de se remuer pour cette Majesté de laquelle il pensait n'avoir plus rien à attendre.

Un huissier roula un fauteuil près du lit.

Louis salua sa mère, puis le cardinal, et s'assit.

La reine s'assit à son tour.

Puis, comme le roi avait regardé derrière lui, l'huissier comprit ce regard, fit un signe et ce qui restait de courtisans sous les portières s'éloigna aussitôt.

Le silence retomba dans la chambre avec les rideaux de velours.

Le roi, encore très jeune et très timide devant celui qui avait été son maître depuis sa naissance, le respectait encore bien plus dans cette suprême majesté de la mort ; il n'osait donc entamer la conversation, sentant que chaque parole devait avoir une portée, non pas seulement sur les choses de ce monde, mais encore sur celles de l'autre.

Quant au cardinal, il n'avait qu'une pensée en ce moment : sa donation. Ce n'était point la douleur qui lui donnait cet air abattu et ce regard morne ; c'était l'attente devant de ce remerciement qui allait sortir de la bouche du roi, et couper court à toute espérance de restitution.

Ce fut Mazarin qui rompit le premier le silence.

— Votre Majesté, dit-il, est venue s'établir à Vincennes ?

Louis fit un signe de la tête[2].

— C'est une gracieuse faveur, continua Mazarin, qu'elle accorde à un mourant, et qui lui rendra la mort plus douce.

— J'espère, répondit le roi, que je viens visiter, non pas un mourant, mais un malade susceptible de guérison.

Mazarin fit un mouvement de tête qui signifiait : « Votre Majesté est bien bonne, mais j'en sais plus qu'elle là-dessus. »

---

1. Texte : « ... *(il s'arrêta quelques secondes)* que le roi vient ici pour me faire un petit bout de compliment » ; ms. : « Il s'arrêta. — Que le roi, au bout de quelques secondes, vient ici pour me faire un petit bout de compliment. »

2. Texte : « ... fit un signe de tête. »

— La dernière visite, dit-il, sire, la dernière.

— S'il en était ainsi, monsieur le cardinal, dit Louis XIV, je viendrais une dernière fois prendre les conseils d'un guide à qui je dois tout.

Anne d'Autriche était femme ; elle ne put retenir ses larmes. Louis se montra lui-même fort ému, et Mazarin plus encore que ses deux hôtes, mais pour d'autres motifs.

Ici le silence recommença ; la reine essuya ses joues et Louis reprit de la fermeté.

— Je disais, poursuivit le roi, que je devais beaucoup à Votre Éminence.

Les yeux du cardinal dévorèrent Louis XIV, car il sentait venir le moment suprême.

— Et, continua le roi, le principal objet de ma visite était un remerciement bien sincère pour le dernier témoignage d'amitié que vous avez bien voulu m'envoyer.

Les joues du cardinal se creusèrent, ses lèvres s'entrouvrirent et le plus lamentable soupir qu'il eût jamais poussé se prépara à sortir de sa poitrine.

— Sire, dit-il, j'aurai dépouillé ma pauvre famille ; j'aurai ruiné tous les miens, ce qui peut m'être imputé à mal ; mais au moins on ne dira pas que j'ai refusé de tout sacrifier à mon roi.

Anne d'Autriche recommença ses pleurs.

— Cher monsieur Mazarin, dit le roi d'un ton plus grave qu'on n'eût dû l'attendre de sa jeunesse, vous m'avez mal compris, à ce que je vois.

Mazarin se souleva sur son coude.

— Il ne s'agit point ici de ruiner votre chère famille, ni de dépouiller vos serviteurs ; oh ! non, cela ne sera point.

« Allons, il va me rendre quelque bribe, pensa Mazarin ; tirons donc le morceau le plus large possible. »

« Le roi va s'attendrir et faire le généreux, pensa la reine ; ne le laissons pas s'appauvrir, pareille occasion de fortune ne se représentera jamais. »

— Sire, dit tout haut le cardinal, ma famille est bien nombreuse et mes nièces vont être bien privées, moi n'y étant plus.

— Oh ! s'empressa d'interrompre la reine, n'ayez aucune inquiétude à l'endroit de votre famille, cher monsieur Mazarin ; nous n'aurons pas d'amis plus précieux que vos amis ; vos nièces seront mes enfants, les sœurs de Sa Majesté, et, s'il se distribue une faveur en France, ce sera pour ceux que vous aimez.

« Fumée ! » pensa Mazarin, qui connaissait mieux que personne le fond que l'on peut faire sur les promesses des rois.

Louis lut la pensée du moribond sur son visage.

— Rassurez-vous, cher monsieur de Mazarin, lui dit-il avec un demi-sourire triste sous son ironie, Mlles de Mazarin perdront en vous perdant leur bien le plus précieux ; mais elles n'en resteront pas moins les plus riches héritières de France, et puisque vous avez bien voulu me donner leur dot...[1].

Le cardinal était haletant.

— Je la leur rends, continua Louis, en tirant de sa poitrine et en allongeant vers le lit du cardinal le parchemin qui contenait la donation qui, depuis deux jours, avait soulevé tant d'orages dans l'esprit de Mazarin.

— Que vous avais-je dit, monseigneur ? murmura dans la ruelle une voix qui passa comme un souffle.

— Votre Majesté me rend ma donation ! s'écria Mazarin si troublé par la joie qu'il oublia son rôle de bienfaiteur.

— Votre Majesté rend les quarante millions ! s'écria Anne d'Autriche, si stupéfaite qu'elle oublia son rôle d'affligée.

— Oui, monsieur le cardinal, oui, madame, répondit Louis XIV, en déchirant le parchemin que Mazarin n'avait pas encore osé reprendre ; oui, j'anéantis cet acte qui spoliait toute une famille ; le bien acquis par Son Éminence à mon service est son bien et non le mien.

— Mais, sire, s'écria Anne d'Autriche, Votre Majesté songe-t-elle qu'elle n'a pas dix mille écus dans ses coffres ?

— Madame, je viens de faire ma première action royale, et, je l'espère, elle inaugurera dignement mon règne.

— Ah ! sire, vous avez raison ! s'écria Mazarin ; c'est véritablement grand, c'est véritablement généreux, ce que vous venez de faire là !

Et il regardait, l'un après l'autre, les morceaux de l'acte épars sur son lit, pour se bien assurer qu'on avait déchiré la minute et non pas une copie.

Enfin, ses yeux rencontrèrent celui où se trouvait sa signature, et, la reconnaissant, il se renversa tout pâmé sur son chevet.

Anne d'Autriche, sans force pour cacher ses regrets, levait les mains et les yeux au ciel.

— Ah ! sire, s'écriait[2] Mazarin, ah ! sire, serez-vous béni ! Mon Dieu ! serez-vous aimé par toute ma famille !... *Per bacco !* si jamais un mécontentement vous venait de la part des miens, sire, froncez les sourcils et je sors de mon tombeau.

Cette pantalonnade ne produisit pas tout l'effet sur lequel avait compté Mazarin. Louis avait déjà passé à des considérations d'un ordre plus élevé ; et, quant à Anne d'Autriche, ne pouvant supporter, sans s'abandonner à la colère qu'elle sentait gronder en elle, et cette

---

1. « Avant sa mort, il résolut d'établir les deux nièces qui lui restaient ; l'une [...], Marie de Mancini, fut fiancée à don Lorenzo Colonna, connétable de Naples ; l'autre, Hortense Mancini, au fils du maréchal de la Meilleraie, qui quitta son nom pour prendre celui de duc de Mazarin », *Louis XIV et son siècle*, chap. XXXIV.

2. Texte : « ... *s'écria...* »

magnanimité de son fils et cette hypocrisie du cardinal, elle se leva et sortit de la chambre, peu soucieuse de trahir ainsi son dépit.

Mazarin devina tout, et, craignant que Louis XIV ne revînt sur sa première décision, il se mit, pour entraîner les esprits sur une autre voie, à crier comme plus tard devait le faire Scapin, dans cette sublime plaisanterie que le morose et grondeur Boileau osa reprocher à Molière d'avoir faite[1].

Cependant, peu à peu les cris se calmèrent, et quand Anne d'Autriche fut sortie de la chambre, ils s'éteignirent même tout à fait.

— Monsieur le cardinal, dit le roi, avez-vous maintenant quelque recommandation à me faire ?

— Sire, répondit Mazarin, vous êtes déjà la sagesse même, la prudence en personne ; quant à la générosité, je n'en parle pas : ce que vous venez de faire dépasse ce que les hommes les plus généreux de l'antiquité et des temps modernes ont jamais fait.

Le roi demeura froid à cet éloge.

— Ainsi, dit-il, vous vous bornez à un remerciement, monsieur, et votre expérience, bien plus connue encore que ma sagesse, que ma prudence et que ma générosité, ne vous fournit pas un avis amical qui me serve pour l'avenir ?

Mazarin réfléchit un moment.

— Vous venez, dit-il, de faire beaucoup pour moi, c'est-à-dire pour les miens, sire.

— Ne parlons plus[2] de cela, dit le roi.

— Eh bien ! continua Mazarin, je veux vous rendre quelque chose en échange de ces quarante millions que vous abandonnez si royalement.

Louis XIV fit un mouvement qui indiquait que toutes ces flatteries le faisaient souffrir.

— Je veux, reprit Mazarin, vous donner un avis ; oui, un avis, et un avis plus précieux que ces quarante millions.

— Monsieur le cardinal ! interrompit Louis XIV.

— Sire, écoutez cet avis.

— J'écoute.

— Approchez-vous, sire, car je m'affaiblis... Plus près, sire, plus près.

Le roi se courba sur le lit du mourant.

— Sire, dit Mazarin, si bas que le souffle de sa parole arriva seul comme une recommandation du tombeau aux oreilles attentives du jeune roi... Sire, ne prenez jamais de Premier ministre.

Louis se redressa, étonné.

L'avis était une confession.

---

1. Texte : « ... osa reprocher à Molière. » Voir *Art poétique*, chant III, vers 399-400 : « Dans le sac ridicule où Scapin s'enveloppe, / Je ne reconnais plus l'auteur du *Misanthrope*. »

2. Texte : « Ne parlons *pas* de cela... »

C'était un trésor, en effet, que cette confession sincère de Mazarin.

Le legs du cardinal au jeune roi se composait de sept paroles seulement ; mais ces sept paroles, Mazarin l'avait dit, elles valaient quarante millions.

Louis en resta un instant étourdi.

Quant à Mazarin, il semblait avoir dit une chose toute naturelle.

— Maintenant, à part votre famille, demanda le jeune roi, avez-vous quelqu'un à me recommander, monsieur de Mazarin ?

Un petit grattement se fit entendre le long des rideaux de la ruelle.

Mazarin comprit.

— Oui ! oui ! s'écria-t-il vivement ; oui, sire ; je vous recommande un homme sage, un honnête homme, un habile homme.

— Dites son nom, monsieur le cardinal.

— Son nom vous est presque inconnu encore, sire : c'est celui de M. Colbert, mon intendant. Oh ! essayez de lui, ajouta Mazarin d'une voix accentuée ; tout ce qu'il m'a prédit est arrivé ; il a du coup d'œil, et ne s'est jamais trompé, ni sur les choses, ni sur les hommes, ce qui est bien plus surprenant encore. Sire, je vous dois beaucoup ; mais je crois m'acquitter envers vous, en vous donnant M. Colbert.

— Soit, dit faiblement Louis XIV ; car, ainsi que le disait Mazarin, ce nom de Colbert lui était bien inconnu, et il prenait cet enthousiasme du cardinal pour le délire[1] d'un mourant.

Le cardinal était retombé sur son oreiller.

— Pour cette fois, adieu, sire... adieu, murmura Mazarin... je suis las et j'ai encore un rude chemin à faire avant de me présenter devant mon nouveau maître. Adieu, sire.

Le jeune roi sentit des larmes dans ses yeux ; il se pencha sur le mourant, déjà à moitié cadavre... puis il s'éloigna précipitamment[2].

XLIX

LA PREMIÈRE APPARITION DE COLBERT[3]

Tout la nuit se passa en angoisses communes, au mourant et au roi.

Le mourant attendait sa délivrance.

Le roi attendait sa liberté.

Louis ne se coucha point. Une heure après sa sortie de la chambre du cardinal, il sut que le mourant, reprenant un peu de forces, s'était

---

1. Texte : « ... le *dire* d'un mourant. »

2. Ms., à la fin du chapitre : « Fin du 3e volume. Incessamment le 4e. »

3. Ms., John Rylands University Library, Manchester, Angleterre, f° 1-9 (M[1]*) ; copie, Detroit Public Library, f° 1-8 (M[2bis]).

fait habiller, farder, peigner, et qu'il avait voulu recevoir les ambassadeurs.

Pareil à Auguste, il considérait sans doute le monde comme un grand théâtre, et voulait jouer proprement le dernier acte de sa comédie[1].

Anne d'Autriche ne reparut plus chez le cardinal ; elle n'avait plus rien à y faire. Les convenances furent un prétexte à son absence.

Au reste, le cardinal ne s'enquit point d'elle : le conseil que la reine avait donné à son fils lui était resté sur le cœur.

Vers minuit, encore tout fardé, Mazarin entra en agonie. Il avait revu son testament et comme ce testament était l'expression exacte de sa volonté, et qu'il craignait qu'une influence intéressée ne profitât de sa faiblesse pour faire changer quelque chose à ce testament, il avait donné le mot d'ordre à Colbert, lequel se promenait dans le corridor qui conduisait à la chambre à coucher du cardinal, comme la plus vigilante des sentinelles.

Le roi, renfermé chez lui, dépêchait toutes les heures sa nourrice vers l'appartement de Mazarin, avec ordre de lui rapporter le bulletin exact de la santé du cardinal.

Après avoir appris que Mazarin s'était fait habiller, farder, peigner et avait reçu les ambassadeurs, Louis apprit que l'on commençait pour le cardinal les prières des agonisants.

A une heure du matin, Guénaud avait essayé le dernier remède, dit remède héroïque. C'était un reste des vieilles habitudes de ce temps d'escrime, qui allait disparaître pour faire place à un autre temps, que de croire que l'on pouvait garder contre la mort quelque bonne botte secrète.

Mazarin, après avoir pris le remède, respira pendant près de dix minutes.

Aussitôt, il donna l'ordre que l'on répandît en tout lieu et tout de suite le bruit d'une crise heureuse.

Le roi, à cette nouvelle, sentit passer comme une sueur froide sur son front : il avait entrevu le jour de la liberté, l'esclavage lui paraissait plus sombre, et moins acceptable que jamais.

Mais le bulletin qui suivit changea entièrement la face des choses.

Mazarin ne respirait plus du tout, et suivait à peine les prières que le curé de Saint-Nicolas-des-Champs[2] récitait auprès de lui.

---

1. « Le dernier jour de sa vie, [...] il réclama un miroir, fit arranger ses cheveux et relever ses joues pendantes, puis, ayant fait introduire ses amis, il leur demanda "s'il leur paraissait avoir bien joué jusqu'au bout la farce de la vie" », Suétone, *Vie des douze Césars*, II. *Auguste*, XCIX. La scène où Mazarin, fardé, frais et vermeil, rencontre au Palais-Royal l'ambassadeur d'Espagne, le comte de Fuensaldagne, est située dans *Louis XIV et son siècle*, chap. XXXIV (d'après Brienne, *op. cit.*, tome II, chap. XV, pp. 124-126), « sept ou huit jours avant sa mort » (« quatre ou cinq jours », dit Brienne).

2. L'église Saint-Nicolas-des-Champs, du XIIe siècle, qui ne cessa d'être agrandie jusqu'au XIIe, se trouve rue Saint-Martin (actuellement n° 254). Son curé était Joly, qui devint par la suite évêque d'Agen. Voir Brienne, *op. cit.*, tome II, chap. XVI, p. 130.

Le roi se remit à marcher avec agitation dans sa chambre, et à consulter, tout en marchant, plusieurs papiers tirés d'une cassette, dont seul il avait la clef.

Une troisième fois la nourrice retourna.

M. de Mazarin venait de faire un jeu de mots et d'ordonner que l'on revernît sa *Flore* du Titien[1].

Enfin, vers deux heures et demie du matin, le roi ne put résister à l'accablement ; depuis vingt-quatre heures, il ne dormait pas.

Le sommeil, si puissant à son âge, s'empara donc de lui et le terrassa pendant une heure environ.

Mais il ne se coucha point pendant cette heure ; il dormit sur son fauteuil.

Vers quatre heures, la nourrice, en rentrant dans la chambre, le réveilla.

— Eh bien ? demanda le roi.

— Eh bien ! mon cher sire, dit la nourrice en joignant les mains avec un air de commisération, eh bien ! il est mort[2].

Le roi se leva d'un seul coup et comme si un ressort d'acier l'eût mis sur ses jambes.

— Mort ! s'écria-t-il.

— Hélas ! oui.

— Est-ce donc bien sûr ?

— Oui.

— Officiel ?

— Oui.

— La nouvelle en est-elle donnée ?

— Pas encore.

— Mais qui t'a dit, à toi, que le cardinal était mort ?

— M. Colbert[3].

— M. Colbert ?

— Oui.

— Et lui-même était sûr de ce qu'il disait ?

— Il sortait de la chambre et avait tenu, pendant quelques minutes, une glace devant les lèvres du cardinal.

— Ah ! fit le roi ; et qu'est-il devenu, M. Colbert ?

— Il vient de quitter la chambre de Son Éminence.

— Pour aller où ?

— Pour me suivre.

— De sorte qu'il est... ?

— Là, mon cher sire, attendant à votre porte que votre bon plaisir soit de le recevoir.

---

1. Conservée à la galerie des Offices à Florence.

2. « Il expira entre deux et trois heures du matin, le 9 mars de l'année 1661 », *Louis XIV et son siècle*, chap. XXXIV.

3. Ms. : « M. *de* Colbert. »

Louis courut à la porte, l'ouvrit lui-même et aperçut dans le couloir Colbert debout et attendant.

Le roi tressaillit à l'aspect de cette statue toute vêtue de noir.

Colbert, saluant avec un profond respect, fit deux pas vers Sa Majesté.

Louis rentra dans la chambre, en faisant à Colbert signe de le suivre.

Colbert entra. Louis congédia la nourrice qui ferma la porte en sortant.

Colbert se tint modestement debout près de cette porte.

— Que venez-vous m'annoncer, monsieur ? dit Louis, fort troublé d'être ainsi surpris dans sa pensée intime qu'il ne pouvait complètement cacher.

— Que M. le cardinal vient de trépasser, sire, et que je vous apporte son dernier adieu.

Le roi demeura un instant pensif.

Pendant cet instant, il regardait attentivement Colbert ; il était évident que la dernière pensée du cardinal lui revenait à l'esprit.

— C'est vous qui êtes M. Colbert ? demanda-t-il.

— Oui, sire.

— Fidèle serviteur de Son Éminence, à ce que Son Éminence m'a dit elle-même ?

— Oui, sire.

— Dépositaire d'une partie de ses secrets ?

— De tous.

— Les amis et les serviteurs de Son Éminence défunte me seront chers, monsieur, et j'aurai soin que vous soyez placé dans mes bureaux.

Colbert s'inclina.

— Vous êtes financier, monsieur, je crois.

— Oui, sire.

— Et M. le cardinal vous employait à son économat ?

— J'ai eu cet honneur, sire.

— Jamais vous ne fîtes personnellement rien pour ma maison, je crois.

— Pardon, sire ; c'est moi qui eus le bonheur de donner à M. le cardinal l'idée d'une économie qui met trois cent mille livres[1] par an dans les coffres de Sa Majesté.

— Quelle économie, monsieur ? demanda Louis XIV.

— Votre Majesté sait que les cent-suisses ont des dentelles d'argent de chaque côté de leurs rubans ?

— Sans doute.

— Eh bien ! sire, c'est moi qui ai proposé que l'on mît à ces rubans des dentelles d'argent faux. Cela ne paraît point et cent mille écus font la nourriture d'un régiment pendant le semestre ou le prix de dix[2] mille

1. Texte : « ... mille *francs*... »
2. M[2bis] : « ... *six* mille... »

bons mousquets, ou la valeur d'une flûte de dix canons prête à prendre la mer[1].

— C'est vrai, dit Louis XIV en considérant plus attentivement le personnage, et voilà, par ma foi, une économie bien placée ; d'ailleurs, il était ridicule que des soldats portassent la même dentelle que portent des seigneurs.

— Je suis heureux d'être approuvé par Sa Majesté, dit Colbert.

— Est-ce là le seul emploi que vous teniez près du cardinal ? demanda le roi.

— C'est moi que Son Éminence avait chargé d'examiner les comptes de la surintendance, sire.

— Ah ! fit Louis XIV qui s'apprêtait à renvoyer Colbert et que ce mot arrêta ; ah ! c'est vous que Son Éminence avait chargé de contrôler M. Fouquet. Et le résultat du contrôle ?

— Est qu'il y a déficit, sire ; mais si Votre Majesté daigne me permettre...

— Parlez, monsieur Colbert.

— Je dois donner à Votre Majesté quelques explications.

— Point du tout, monsieur ; c'est vous qui avez contrôlé ces comptes, donnez-m'en le relevé.

— Ce sera facile, sire... Vide partout, argent nulle part.

— Prenez-y garde, monsieur ; vous attaquez rudement la gestion de M. Fouquet, lequel, à ce que j'ai entendu dire cependant, est un habile homme.

Colbert rougit, puis pâlit, car il sentit que, de ce moment, il entrait en lutte avec un homme dont la puissance balançait presque la puissance de celui qui venait de mourir.

— Oui, sire, un très habile homme, répéta Colbert en s'inclinant.

— Mais si M. Fouquet est un habile homme et que, malgré cette habileté, l'argent manque, à qui la faute ?

— Je n'accuse pas, sire, je constate.

— C'est bien ; faites vos comptes et présentez-les-moi. Il y a déficit, dites-vous ? Un déficit peut être passager, le crédit revient, les fonds rentrent.

[2]Colbert secoua sa grosse tête.

— Qu'est-ce donc ? dit le roi ; les revenus de l'État sont-ils donc obérés à ce point qu'ils ne soient plus des revenus ?

— Oui, sire, à ce point.

---

1. Interruption de M[2bis], jusqu'à « ... daigne me permettre. »

2. Nous rétablissons d'après le ms. le passage allant de « Colbert secoua sa grosse tête... » à « ... en profite », dont les paragraphes semblent avoir été intervertis dans la version imprimée : a/ de « Non, sire... » à « ... en profite » ; b/ de « Le roi fit un mouvement... » à « ... trouverait point d'argent. » ; c/ de « Colbert secoua... » à « Oui, sire, à ce point. »

Le roi fit un mouvement.

— Expliquez-moi cela, monsieur Colbert.

— Que Votre Majesté formule clairement sa pensée, et me dise ce qu'elle désire que je lui explique.

— Vous avez raison. La clarté, n'est-ce pas ?

— Oui, sire, la clarté. Dieu est Dieu surtout parce qu'il a fait la lumière.

— Eh bien, par exemple, reprit Louis XIV, si aujourd'hui que M. le cardinal est mort et que me voilà roi, si je voulais avoir de l'argent ?

— Votre Majesté n'en aurait pas.

— Oh ! voilà qui est étrange, monsieur ; comment, mon surintendant, un habile homme, vous le dites vous-même, mon surintendant[1] ne me trouverait point d'argent ?

— Non, sire.

— Sur cette année peut-être, je comprends cela ; mais sur l'an prochain ?

— L'an prochain, sire, est mangé aussi ras que l'an qui court.

— Mais l'an d'après alors ?

— Comme l'an prochain.

— Que me dites-vous là, monsieur Colbert ?

— Je dis qu'il y a quatre années engagées d'avance.

— On fera un emprunt, alors.

— On en a fait[2] trois, sire.

— Je créerai des offices pour les faire résigner et l'on encaissera l'argent des charges.

— Impossible, sire, car il y a déjà eu créations sur créations d'offices dont les provisions sont livrées en blanc, en sorte que les acquéreurs en jouissent sans les remplir. Voilà pourquoi Votre Majesté ne puit résigner. De plus, sur chaque traité, M. le surintendant a donné un tiers de remise, en sorte que les peuples sont foulés sans que Votre Majesté en profite.

Le roi fronça le sourcil.

— Soit, dit-il ; j'assemblerai les ordonnances pour obtenir des porteurs un dégrèvement, une liquidation à bon marché.

— Impossible, car les ordonnances ont été converties en billets, lesquels billets, pour commodité de rapport et facilité de transaction, sont coupés en tant de parts que l'on ne peut plus reconnaître l'original.

Louis, fort agité, se promenait de long en large, le sourcil toujours froncé.

— Mais si cela était comme vous le dites, monsieur Colbert, fit-il en s'arrêtant tout d'un coup, je serais ruiné avant même de régner ?

---

1. Texte : de « ... un habile homme... » à « ... mon surintendant... », omis.
2. Texte : « On en *fera*... »

— Vous l'êtes en effet, sire, repartit l'impassible aligneur de chiffres.

— Mais cependant, monsieur, l'argent est quelque part ?

— Oui, sire, et même pour commencer, j'apporte à Votre Majesté une note de fonds que M. le cardinal Mazarin n'a pas voulu relater dans son testament, ni dans aucun acte quelconque ; mais qu'il m'avait confiés, à moi.

— A vous ?

— Oui, sire, avec injonction de les remettre à Votre Majesté.

— Comment ! outre les quarante millions du testament ?

— Oui, sire.

— M. de Mazarin avait encore d'autres fonds ?

Colbert s'inclina.

— Mais c'était donc un gouffre que cet homme ! murmura le roi. M. de Mazarin d'un côté, M. Fouquet de l'autre ; plus de cent millions peut-être pour eux deux ! Cela ne m'étonne point que mes coffres soient vides.

Colbert attendait sans bouger.

— Et la somme que vous m'apportez en vaut-elle la peine ? demanda le roi.

— Oui, sire ; la somme est assez ronde.

— Elle s'élève ?

— A treize millions de livres, sire.

— Treize millions ! s'écria Louis XIV en frissonnant de joie. Vous dites treize millions[1], monsieur Colbert.

— J'ai dit treize millions, oui, Votre Majesté.

— Que tout le monde ignore ?

— Que tout le monde ignore.

— Qui sont entre vos mains ?

— En mes mains, oui, sire.

— Et que je puis avoir ?

— Dans deux heures.

— Mais où sont-ils donc ?

— Dans la cave d'une maison que M. le cardinal possédait en ville et qu'il veut bien me laisser par une clause particulière de son testament.

— Vous connaissez donc le testament du cardinal ?

— J'en ai un double signé de sa main.

— Un double ?

— Oui, sire, et le voici.

Colbert tira simplement l'acte de sa poche et le montra au roi.

1. « [Colbert] venait lui dire qu'en différents lieux le cardinal Mazarin avait caché ou enfoui à peu près quinze millions d'argent comptant [...]. On trouva chez le maréchal de Fabert, à Sedan, cinq millions, deux à Brisach, six à La Fère, cinq ou six à Vincennes ; il y avait aussi des sommes considérables au Louvre ; mais [...] on trouva l'argent disparu », *Louis XIV et son siècle*, chap. XXXV, d'après Brienne, *op. cit.*, chap. XVI, p. 145.

Le roi lut l'article relatif à la donation de cette maison.

— Mais, dit-il, il n'est question ici que de la maison et nulle part l'argent n'est mentionné.

— Pardon, sire, il l'est dans ma conscience.

— Et M. de Mazarin s'en est rapporté à vous ?

— Pourquoi pas, sire ?

— Lui, l'homme défiant par excellence ?

— Il ne l'était pas pour moi, sire, comme Votre Majesté peut le voir.

Louis arrêta avec admiration son regard sur cette tête vulgaire, mais expressive.

— Vous êtes un honnête homme, monsieur Colbert, dit le roi.

— Ce n'est pas une vertu, sire, c'est un devoir, répondit froidement Colbert.

— Mais, ajouta Louis XIV, cet argent n'est-il pas à la famille ?

— Si cet argent était à la famille, il serait porté au testament du cardinal comme le reste de sa fortune. Si cet argent était à la famille, moi qui ai rédigé l'acte de donation fait en faveur de Votre Majesté, j'eusse ajouté la somme de treize millions à celle de quarante millions qu'on vous offrait déjà.

— Comment ! s'écria Louis XIV, c'est vous qui avez rédigé la donation, monsieur Colbert ?

— Oui, sire.

— Et le cardinal vous aimait ? ajouta naïvement le roi.

— J'avais répondu à Son Éminence que Votre Majesté n'accepterait point, dit Colbert de ce même ton tranquille que nous avons dit et qui, même dans les habitudes de la vie, avait quelque chose de solennel.

Louis passa une main sur son front :

« Oh ! que je suis jeune, murmura-t-il tout bas, pour commander aux hommes ! »

Colbert attendait la fin de ce monologue intérieur.

Il vit Louis relever la tête.

— A quelle heure enverrai-je l'argent à Votre Majesté ? demanda-t-il.

— Cette nuit, à onze heures. Je désire que personne ne sache que je possède cet argent.

Colbert ne répondit pas plus que si la chose n'avait point été dite pour lui.

— Cette somme est-elle en lingots ou en or monnayé ?

— En or monnayé, sire.

— Bien.

— Où l'enverrai-je ?

— Au Louvre. Merci, monsieur Colbert.

Colbert s'inclina et sortit.

— Treize millions ! s'écria Louis XIV lorsqu'il fut seul ; mais c'est un rêve !

Puis il laissa tomber son front dans ses mains, comme s'il dormait effectivement.

Mais, au bout d'un instant, il releva le front, secoua sa belle chevelure, se leva, et, ouvrant violemment la fenêtre, il baigna son front brûlant dans l'air vif du matin qui lui apportait l'âcre senteur des arbres et le doux parfum des fleurs[1].

Une resplendissante aurore se levait à l'horizon et les premiers rayons du soleil inondèrent de flamme le front du jeune roi.

— Cette aurore est celle de mon règne, murmura Louis XIV, et est-ce un présage que vous m'envoyez, Dieu tout-puissant ?...

L

LE PREMIER JOUR DE LA ROYAUTÉ DE LOUIS XIV

Le matin, la mort du cardinal se répandit dans le château, et du château dans la ville.

Les ministres Fouquet, Lyonne et Letellier entrèrent dans la salle des séances pour tenir conseil.

Le roi les fit mander aussitôt.

— Messieurs, dit-il, M. le cardinal a vécu. Je l'ai laissé gouverner mes affaires ; mais à présent, j'entends les gouverner moi-même. Vous me donnerez vos avis quand je vous les demanderai. Allez[2] !

Les ministres se regardèrent avec surprise. S'ils dissimulèrent un sourire, ce fut un grand effort, car ils savaient que le prince, élevé dans une ignorance absolue des affaires, se chargeait là, par amour-propre, d'un fardeau trop lourd pour ses forces.

Fouquet prit congé de ses collègues sur l'escalier en leur disant :

— Messieurs, voilà bien de la besogne de moins pour nous.

Et il monta tout joyeux dans son carrosse.

Les autres, un peu inquiets de la tournure que prendraient les événements, s'en retournèrent ensemble à Paris.

Le roi, vers les dix heures, passa chez sa mère, avec laquelle il eut un entretien fort particulier ; puis, après le dîner, il monta en voiture fermée et se rendit tout droit au Louvre. Là il reçut beaucoup de monde, et prit un certain plaisir à remarquer l'hésitation de tous et la curiosité de chacun.

Vers le soir, il commanda que les portes du Louvre fussent fermées,

1. Ici s'arrête M^{2bis}.
2. Reproduit dans *Louis XIV et son siècle*, chap. XXIV.

à l'exception d'une seule, de celle qui donnait sur le quai. Il mit en sentinelle à cet endroit deux cent-suisses qui ne parlaient pas un mot de français, avec consigne de laisser entrer tout ce qui serait ballot, mais rien autre chose, et de ne laisser rien sortir.

A onze heures précises, il entendit le roulement d'un pesant chariot sous la voûte, puis d'un autre, puis d'un troisième. Après quoi, la grille roula sourdement sur ses gonds pour se refermer.

Bientôt quelqu'un gratta de l'ongle à la porte du cabinet. Le roi alla ouvrir lui-même, et il vit Colbert, dont le premier mot fut celui-ci :

— L'argent est dans la cave de Votre Majesté.

Louis descendit alors et alla visiter lui-même les barriques d'espèces, or et argent, que, par les soins de Colbert, quatre hommes à lui venaient de rouler dans un caveau dont le roi avait fait passer la clef à Colbert le matin même. Cette revue achevée, Louis rentra chez lui, suivi de Colbert, qui n'avait pas réchauffé son immobile froideur du moindre rayon de satisfaction personnelle.

— Monsieur, lui dit le roi, que voulez-vous que je vous donne en récompense de ce dévouement et de cette probité ?

— Rien absolument, sire.

— Comment, rien ? pas même l'occasion de me servir ?

— Votre Majesté ne me fournirait pas cette occasion que je ne la servirais pas moins. Il m'est impossible de n'être pas le meilleur serviteur du roi.

— Vous serez intendant des finances, monsieur Colbert.

— Mais il y a un surintendant, sire ?

— Justement.

— Sire, le surintendant est l'homme le plus puissant du royaume.

— Ah ! s'écria Louis en rougissant, vous croyez ?

— Il me broiera en huit jours, sire ; car enfin, Votre Majesté me donne un contrôle pour lequel la force est indispensable. Intendant sous un surintendant, c'est l'infériorité.

— Vous voulez des appuis... vous ne faites pas fond sur moi ?

— J'ai eu l'honneur de dire à Votre Majesté que M. Fouquet, du vivant de M. Mazarin, était le second personnage du royaume ; mais voilà M. Mazarin mort, et M. Fouquet est devenu le premier.

— Monsieur, je consens à ce que vous me disiez toutes choses aujourd'hui encore ; mais demain, songez-y, je ne le souffrirai plus.

— Alors je serai inutile à Votre Majesté ?

— Vous l'êtes déjà, puisque vous craignez de vous compromettre en me servant.

— Je crains seulement d'être mis hors d'état de vous servir.

— Que voulez-vous alors ?

— Je veux que Votre Majesté me donne des aides dans le travail de l'intendance.

— La place perd de sa valeur ?

— Elle gagne de la sûreté.

— Choisissez vos collègues.

— MM. Breteuil, Marin, Hervard[1].

— Demain, l'ordonnance paraîtra.

— Sire, merci !

— C'est tout ce que vous demandez ?

— Non, sire ; encore une chose...

— Laquelle ?

— Laissez-moi composer une Chambre de justice.

— Pour quoi faire, cette Chambre de justice ?

— Pour juger les traitants et les partisans qui, depuis dix ans, ont mal versé.

— Mais... que leur fera-t-on ?

— On en pendra trois, ce qui fera rendre gorge aux autres.

— Je ne puis cependant commencer mon règne par des exécutions, monsieur Colbert.

— Au contraire, sire, afin de ne pas le finir par des supplices.

Le roi ne répondit pas.

— Votre Majesté consent-elle ? dit Colbert.

— Je réfléchirai, monsieur.

— Il sera trop tard quand la réflexion sera faite.

— Pourquoi ?

— Parce que nous avons affaire à des gens plus forts que nous, s'ils sont avertis.

— Composez cette Chambre de justice, monsieur.

— Je la composerai.

— Est-ce tout ?

— Non, sire ; il y a encore une chose importante... Quels droits attache Votre Majesté à cette intendance ?

— Mais... je ne sais... il y a des usages...

— Sire, j'ai besoin qu'à cette intendance soit dévolu le droit de lire la correspondance avec l'Angleterre.

— Impossible, monsieur, car cette correspondance se dépouille au conseil ; M. le cardinal lui-même le faisait.

— Je croyais que Votre Majesté avait déclaré ce matin qu'elle n'aurait plus de conseil.

— Oui, je l'ai déclaré.

— Que Votre Majesté alors veuille bien lire elle-même et toute seule ses lettres, surtout celles d'Angleterre ; je tiens particulièrement à ce point.

— Monsieur, vous aurez cette correspondance et m'en rendrez compte.

1. Voir Dictionnaire. Contemporains à l'action.

— Maintenant, sire, qu'aurai-je à faire des finances ?

— Tout ce que M. Fouquet ne fera pas.

— C'est là ce que je demandais à Votre Majesté. Merci, je pars tranquille.

Il partit en effet sur ces mots. Louis le regarda partir. Colbert n'était pas encore à cent pas du Louvre que le roi reçut un courrier d'Angleterre. Après avoir regardé, sondé l'enveloppe, le roi la décacheta précipitamment, et trouva tout d'abord une lettre du roi Charles II. Voici ce que le prince anglais écrivait à son royal frère :

Votre Majesté doit être fort inquiète de la maladie de M. le cardinal Mazarin ; mais l'excès du danger ne peut que vous servir. Le cardinal est condamné par son médecin. Je vous remercie de la gracieuse réponse que vous avez faite à ma communication touchant lady Henriette Stuart, ma sœur, et dans huit jours la princesse partira pour Paris avec sa cour.

Il est doux pour moi de reconnaître la paternelle amitié que vous m'avez témoignée, et de vous appeler plus justement encore mon frère. Il m'est doux, surtout, de prouver à Votre Majesté combien je m'occupe de ce qui peut lui plaire. Vous faites sourdement fortifier Belle-Ile-en-Mer. C'est un tort. Jamais nous n'aurons la guerre ensemble. Cette mesure ne m'inquiète pas ; elle m'attriste... Vous dépensez là des millions inutiles, dites-le bien à vos ministres, et croyez que ma police est bien informée ; rendez-moi, mon frère, les mêmes services, le cas échéant.

Le roi sonna violemment, et son valet de chambre parut.

— M. Colbert sort d'ici et ne peut être loin... Qu'on l'appelle ! s'écria-t-il.

Le valet de chambre allait exécuter l'ordre, le roi l'arrêta.

— Non, dit-il, non... Je vois toute la trame de cet homme. Belle-Ile est à M. Fouquet ; Belle-Ile fortifiée, c'est une conspiration de M. Fouquet... La découverte de cette conspiration, c'est la ruine du surintendant, et cette découverte résulte de la correspondance d'Angleterre ; voilà pourquoi Colbert voulait avoir cette correspondance. Oh ! je ne puis cependant mettre toute ma force sur cet homme ; il n'est que la tête, il me faut le bras.

Louis poussa tout à coup un cri joyeux.

— J'avais, dit-il au valet de chambre, un lieutenant de mousquetaires ?

— Oui, sire ; M. d'Artagnan.

— Il a quitté momentanément mon service ?

— Oui, sire.

— Qu'on me le trouve, et que demain il soit ici à mon lever.

Le valet de chambre s'inclina et sortit.

— Treize millions dans ma cave, dit alors le roi ; Colbert tenant ma bourse et d'Artagnan portant mon épée : je suis roi !

LI

UNE PASSION[1]

Le jour même de son arrivée, en revenant du Palais-Royal, Athos, comme nous l'avons vu, rentra en son hôtel de la rue Saint-Honoré.

Il y trouva le vicomte de Bragelonne qui l'attendait dans sa chambre en faisant la conversation avec Grimaud.

Ce n'était pas une chose aisée que de causer avec le vieux serviteur ; deux hommes seulement possédaient ce secret : Athos et d'Artagnan. Le premier y réussissait, parce que Grimaud cherchait à le faire parler lui-même ; d'Artagnan, au contraire, parce qu'il savait faire causer Grimaud.

Raoul était occupé à se faire raconter le voyage d'Angleterre, et Grimaud l'avait conté dans tous ses détails avec un certain nombre de gestes et huit mots, ni plus ni moins.

Il avait d'abord indiqué, par un mouvement onduleux de la main, que son maître et lui avaient traversé la mer.

— Pour quelque expédition ? avait demandé Raoul.

Grimaud, baissant la tête, avait répondu : Oui.

— Où M. le comte courut des dangers ? interrogea Raoul.

Grimaud haussa légèrement les épaules comme pour dire : « Ni trop ni trop peu. »

— Mais encore, quels dangers ! insista Raoul.

Grimaud montra l'épée, il montra le feu et un mousquet pendu au mur.

— M. le comte avait donc là-bas un ennemi ? s'écria Raoul.

— Monck, répliqua Grimaud.

— Il est étrange, continua Raoul, que M. le comte persiste à me regarder comme un novice et à ne pas me faire partager l'honneur ou le danger de ces rencontres.

Grimaud sourit.

C'est à ce moment que revint Athos.

L'hôte lui éclairait l'escalier, et Grimaud, reconnaissant le pas de son maître, courut à sa rencontre, ce qui coupa court à l'entretien.

Mais Raoul était lancé ; en voie d'interrogation, il ne s'arrêta pas, et, prenant les deux mains du comte avec une tendresse vive, mais respectueuse :

— Comment se fait-il, monsieur, dit-il, que vous partiez pour un voyage dangereux sans me dire adieu, sans me demander l'aide de mon

1. Ms., Boston Public Library, f°s 15-20.

épée, à moi qui dois être pour vous un soutien, depuis que j'ai de la force ; à moi, que vous avez élevé comme un homme ? Ah ! monsieur, voulez-vous donc m'exposer à cette cruelle épreuve de ne plus vous revoir jamais ?

— Qui vous a dit, Raoul, que mon voyage fut dangereux ? répliqua le comte en déposant son manteau et son chapeau dans les mains de Grimaud, qui venait de lui dégrafer l'épée.

— Moi, dit Grimaud.

— Et pourquoi cela ? fit sévèrement Athos.

Grimaud s'embarrassait ; Raoul le prévint en répondant pour lui.

— Il est naturel, monsieur, que ce bon Grimaud me dise la vérité sur ce qui vous concerne. Par qui serez-vous aimé, soutenu, si ce n'est par moi ?

Athos ne répliqua point. Il fit un geste amical qui éloigna Grimaud, puis s'assit dans un fauteuil, tandis que Raoul demeurait debout devant lui.

— Toujours est-il, continua Raoul, que votre voyage était une expédition... et que le fer, le feu vous ont menacé.

— Ne parlons plus de cela, vicomte, dit doucement Athos ; je suis parti vite, c'est vrai ; mais le service du roi Charles II exigeait ce prompt départ. Quant à votre inquiétude, je vous en remercie, et je sais que je puis compter sur vous... Vous n'avez manqué de rien, vicomte, en mon absence ?

— Non, monsieur, merci.

— J'avais ordonné à Blaisois de vous faire compter cent pistoles au premier besoin d'argent.

— Monsieur, je n'ai pas vu Blaisois.

— Vous vous êtes passé d'argent, alors !

— Monsieur, il me restait trente pistoles de la vente des chevaux que je pris lors de ma dernière campagne, et M. le prince avait eu la bonté de me faire gagner deux cents pistoles à son jeu, il y a trois mois.

— Vous jouez ?... Je n'aime pas cela, Raoul.

— Je ne joue jamais, monsieur ; c'est M. le prince qui m'a ordonné de tenir ses cartes à Chantilly... un soir qu'il était venu un courrier du roi. J'ai obéi ; le gain de la partie, M. le prince m'a commandé de le prendre.

— Est-ce que c'est une habitude de la maison, Raoul ? dit Athos en fronçant le sourcil.

— Oui, monsieur ; chaque semaine, M. le prince fait, sur une cause ou sur une autre, un avantage pareil à l'un de ses gentilshommes. Il y a cinquante gentilshommes chez Son Altesse ; mon tour s'est rencontré cette fois.

— Bien ! Vous allâtes donc en Espagne[1] ?

1. Allusion au voyage de la cour jusqu'aux Pyrénées.

— Oui, monsieur, je fis un fort beau voyage, et fort intéressant.

— Voilà un mois que vous êtes revenu ?

— Oui, monsieur.

— Et depuis ce mois ?

— Depuis ce mois...

— Qu'avez-vous fait ?

— Mon service, monsieur.

— Vous n'avez point été chez moi, à La Fère ?

Raoul rougit.

Athos le regarda de son œil fixe et tranquille.

— Vous auriez tort de ne pas me croire, dit Raoul, je rougis et je le sens bien ; c'est malgré moi. La question que vous me faites l'honneur de m'adresser est de nature à soulever en moi beaucoup d'émotions ; je rougis donc, parce que je suis ému, non parce que je mens.

— Je sais, Raoul, que vous ne mentez jamais.

— Non, monsieur.

— D'ailleurs, mon ami, vous auriez tort, ce que je voulais vous dire...

— Je le sais bien, monsieur ; vous voulez me demander si je n'ai pas été à Blois.

— Précisément.

— Je n'y suis pas allé ; je n'ai même pas aperçu la personne dont vous voulez me parler.

La voix de Raoul tremblait en prononçant ces paroles.

Athos, souverain juge en toute délicatesse, ajouta aussitôt :

— Raoul, vous répondez avec un sentiment pénible ; vous souffrez.

— Beaucoup, monsieur ; vous m'avez défendu d'aller à Blois et de revoir Mlle de La Vallière.

Ici le jeune homme s'arrêta. Ce doux nom, si charmant à prononcer, déchirait son cœur en caressant ses lèvres.

— Et j'ai bien fait, Raoul, se hâta de dire Athos. Je ne suis pas un père barbare ni injuste ; je respecte l'amour vrai ; mais je pense pour vous à un avenir... à un immense avenir. Un règne nouveau va luire comme une aurore ; la guerre appelle le jeune roi plein d'esprit chevaleresque. Ce qu'il faut à cette ardeur héroïque, c'est un bataillon de lieutenants jeunes et libres, qui courent aux coups avec enthousiasme et tombent en criant : « Vive le roi ! » au lieu de crier : « Adieu, ma femme !... » Vous comprenez cela, Raoul. Tout brutal que paraisse être mon raisonnement, je vous adjure donc de me croire et de détourner vos regards de ces premiers jours de jeunesse où vous prîtes l'habitude d'aimer, jours de molle insouciance qui attendrissent le cœur et le rendent incapable de contenir ces fortes liqueurs amères qu'on appelle la gloire et l'adversité. Ainsi, Raoul, je vous le répète, voyez dans mon conseil le seul désir de vous être utile, la seule ambition de vous voir prospérer.

Je vous crois capable de devenir un homme remarquable ; marchez seul, vous marcherez mieux et plus vite.

— Vous avez commandé, monsieur, répliqua Raoul, j'obéis.

— Commandé ! s'écria Athos. Est-ce ainsi que vous me répondez ! Je vous ai commandé ! Oh ! vous détournez mes paroles, comme vous méconnaissez mes intentions ! je n'ai pas commandé, j'ai prié.

— Non pas, monsieur, vous avez commandé, dit Raoul avec opiniâtreté... mais n'eussiez-vous fait qu'une prière, votre prière est encore plus efficace qu'un ordre. Je n'ai pas revu Mlle de La Vallière.

— Mais vous souffrez ! vous souffrez ! insista Athos.

Raoul ne répondit pas.

— Je vous trouve pâli, je vous trouve attristé... Ce sentiment est donc bien fort ?

— C'est une passion, répliqua Raoul.

— Non... une habitude.

— Monsieur, vous savez que j'ai voyagé beaucoup, que j'ai passé deux ans loin d'elle... Toute habitude se peut rompre en deux années, je crois... Eh bien ! au retour, j'aimais, non pas plus[1], c'est impossible, mais autant. Mlle de La Vallière est pour moi la compagne par excellence ; mais vous êtes pour moi Dieu sur la terre... A vous je sacrifierai tout.

— Vous auriez tort, dit Athos ; je n'ai plus aucun droit sur vous. L'âge vous a émancipé[2] ; vous n'avez plus même besoin de mon consentement. D'ailleurs, le consentement, je ne le refuserai pas, après tout ce que vous venez de me dire. Épousez Mlle de La Vallière, si vous le voulez.

Raoul fit un mouvement, puis soudain :

— Vous êtes bon, monsieur, dit-il, et votre concession me pénètre de reconnaissance ; mais je n'accepterai pas.

— Voilà que vous refusez, à présent ?

— Oui, monsieur.

— Je ne vous en témoignerai rien, Raoul.

— Mais vous avez au fond du cœur une idée contre ce mariage. Vous ne me l'avez pas choisi.

— C'est vrai.

— Il suffit pour que je ne persiste pas : j'attendrai.

— Prenez-y garde, Raoul ! ce que vous dites est sérieux.

— Je le sais bien, monsieur ; j'attendrai, vous dis-je.

— Quoi ! que je meure ? fit Athos très ému.

— Oh ! monsieur ! s'écria Raoul avec des larmes dans la voix, est-il possible que vous me déchiriez le cœur ainsi, à moi qui ne vous ai pas donné un sujet de plainte ?

1. Texte : « ... non pas *davantage*... »
2. Bragelonne, né en août 1633, a vingt-sept ans et demi à la mort de Mazarin.

— Cher enfant, c'est vrai, murmura Athos en serrant violemment ses lèvres pour comprimer l'émotion dont il n'allait plus être maître. Non, je ne veux point vous affliger ; seulement, je ne comprends pas ce que vous attendrez... Attendrez-vous que vous n'aimiez plus ?

— Ah ! pour cela, non, monsieur ; j'attendrai que vous changiez d'avis.

— Je veux faire une épreuve, Raoul ; je veux voir si Mlle de La Vallière attendra comme vous.

— Je l'espère, monsieur.

— Mais, prenez garde, Raoul ! si elle n'attendait pas ! Ah ! vous êtes si jeune, si confiant, si loyal... les femmes sont changeantes.

— Vous ne m'avez jamais dit de mal des femmes, monsieur ; jamais vous n'avez eu à vous en plaindre ; pourquoi vous en plaindre à moi, à propos de Mlle de La Vallière ?

— C'est vrai, dit Athos en baissant les yeux... jamais je ne vous ai dit de mal des femmes ; jamais je n'ai eu à me plaindre d'elles ; jamais Mlle de La Vallière n'a motivé un soupçon ; mais quand on prévoit, il faut aller jusqu'aux exceptions, jusqu'aux improbabilités ! Si, dis-je, Mlle de La Vallière ne vous attendait pas ?

— Comment cela, monsieur ?

— Si elle tournait ses vues d'un autre côté ?

— Ses regards sur un autre homme, voulez-vous dire ? fit Raoul pâle d'angoisse.

— C'est cela[1].

— Eh bien ! monsieur, je tuerais cet homme, dit simplement Raoul, et tous les hommes que Mlle de La Vallière choisirait, jusqu'à ce qu'un d'entre eux m'eût tué ou jusqu'à ce que Mlle de La Vallière m'eût rendu son cœur.

Athos tressaillit.

— Je croyais, reprit-il d'une voix sourde, que vous m'appeliez tout à l'heure votre dieu, votre loi en ce monde ?

— Oh ! dit Raoul tremblant, vous me défendriez le duel ?

— Si je le défendais, Raoul ?

— Vous me défendriez d'espérer, monsieur, et, par conséquent, vous ne me défendriez pas de mourir.

Athos leva les yeux sur le vicomte.

Il avait prononcé ces mots avec une sombre inflexion, qu'accompagnait le plus sombre regard.

— Assez, dit Athos après un long silence, assez sur ce triste sujet, où tous deux nous exagérons. Vivez au jour le jour, Raoul ; faites votre service, aimez Mlle de La Vallière, en un mot, agissez comme un homme,

1. Ici s'arrête le ms.

puisque vous avez l'âge d'homme ; seulement, n'oubliez pas que je vous aime tendrement et que vous prétendez m'aimer.

— Ah ! monsieur le comte ! s'écria Raoul en pressant la main d'Athos sur son cœur.

— Bien, cher enfant ; laissez-moi, j'ai besoin de repos. A propos, M. d'Artagnan est revenu d'Angleterre avec moi ; vous lui devez une visite.

— J'irai la lui rendre, monsieur, avec une bien grande joie ; j'aime tant M. d'Artagnan !

— Vous avez raison : c'est un honnête homme et un brave cavalier.

— Qui vous aime ! dit Raoul.

— J'en suis sûr... Savez-vous son adresse ?

— Mais au Louvre, au Palais-Royal, partout où est le roi. Ne commande-t-il pas les mousquetaires ?

— Non, pour le moment, M. d'Artagnan est en congé ; il se repose... Ne le cherchez donc pas aux postes de son service. Vous aurez de ses nouvelles chez un certain M. Planchet.

— Son ancien laquais ?

— Précisément, devenu épicier.

— Je sais ; rue des Lombards ?

— Quelque chose comme cela... ou rue des Arcis[1].

— Je trouverai, monsieur, je trouverai.

— Vous lui direz mille choses tendres de ma part et l'amènerez dîner avec moi avant mon départ pour La Fère.

— Oui, monsieur.

— Bonsoir, Raoul !

— Monsieur, je vous vois un ordre que je ne vous connaissais pas ; recevez mes compliments.

— La Toison ?... c'est vrai... Hochet, mon fils... qui n'amuse même plus un vieil enfant comme moi... Bonsoir, Raoul !

LII

LA LEÇON DE D'ARTAGNAN

Raoul ne trouva pas le lendemain M. d'Artagnan, comme il l'avait espéré. Il ne rencontra que Planchet, dont la joie fut vive en revoyant ce jeune homme, et qui sut lui faire deux ou trois compliments guerriers

1. Nom porté par une portion de l'actuelle rue Saint-Martin, entre les rues de la Verrerie et Saint-Jacques-la-Boucherie.

qui ne sentaient pas du tout l'épicerie. Mais comme Raoul revenait de Vincennes, le lendemain, ramenant cinquante dragons que lui avait confiés M. le prince, il aperçut, sur la place Baudoyer[1], un homme qui, le nez en l'air, regardait une maison comme on regarde un cheval qu'on a envie d'acheter.

Cet homme, vêtu d'un costume bourgeois boutonné comme un pourpoint de militaire, coiffé d'un tout petit chapeau, et portant au côté une longue épée garnie de chagrin, tourna la tête aussitôt qu'il entendit le pas des chevaux, et cessa de regarder la maison pour voir les dragons.

C'était tout simplement M. d'Artagnan ; M. d'Artagnan à pied ; d'Artagnan les mains derrière le dos, qui passait une petite revue des dragons après avoir passé une revue des édifices. Pas un homme, pas une aiguillette, pas un sabot de cheval n'échappa à son inspection.

Raoul marchait sur les flancs de sa troupe ; d'Artagnan l'aperçut le dernier.

— Eh ! fit-il, eh ! mordioux !

— Je ne me trompe pas ? dit Raoul en poussant son cheval.

— Non, tu ne te trompes pas ; bonjour ! répliqua l'ancien mousquetaire.

Et Raoul vint serrer avec effusion la main de son vieil ami.

— Prends garde, Raoul, dit d'Artagnan, le deuxième cheval du cinquième rang sera déferré avant le pont Marie ; il n'a plus que deux clous au pied de devant hors montoir[2].

— Attendez-moi, dit Raoul, je reviens.

— Tu quittes ton détachement ?

— Le cornette est là pour me remplacer.

— Tu viens dîner avec moi ?

— Très volontiers, monsieur d'Artagnan.

— Alors fais vite, quitte ton cheval ou fais-m'en donner un.

— J'aime mieux revenir à pied avec vous.

Raoul se hâta d'aller prévenir le cornette, qui prit rang à sa place ; puis il mit pied à terre, donna son cheval à l'un des dragons, et, tout joyeux, prit le bras de M. d'Artagnan, qui le considérait depuis toutes ces évolutions avec la satisfaction d'un connaisseur.

— Et tu viens de Vincennes ? dit-il d'abord.

— Oui, monsieur le chevalier.

— Le cardinal ?...

1. A l'emplacement de l'ancienne porte Baudoyer, elle se trouvait à l'intersection des rues du Pourtour-Saint-Gervais, de la Tixanderie, et des Barres. L'hôtel meublé de *L'Image-Notre-Dame*, où Malherbe avait habité, était situé rue des Petits-Champs (actuel n° 13 de la rue Croix-des-Petits-Champs).

2. *Hors montoir* : droit.

— Est bien malade ; on dit même qu'il est mort[1].

— Es-tu bien avec M. Fouquet ? demanda d'Artagnan, montrant, par un dédaigneux mouvement d'épaules, que cette mort de Mazarin ne l'affectait pas outre mesure.

— Avec M. Fouquet ? dit Raoul. Je ne le connais pas.

— Tant pis, tant pis, car un nouveau roi cherche toujours à se faire des créatures.

— Oh ! le roi ne me veut pas de mal, répondit le jeune homme.

— Je ne parle pas de la couronne, dit d'Artagnan, mais du roi... Le roi, c'est M. Fouquet, à présent que le cardinal est mort. Il s'agit d'être très bien avec M. Fouquet, si tu ne veux pas moisir toute ta vie comme j'ai moisi... Il est vrai que tu as d'autres protecteurs, fort heureusement.

— M. le prince, d'abord.

— Usé, usé, mon ami.

— M. le comte de La Fère.

— Athos ? oh ! c'est différent ; oui, Athos... et si tu veux faire un bon chemin en Angleterre, tu ne peux mieux t'adresser. Je te dirai même, sans trop de vanité, que moi-même j'ai quelque crédit à la cour de Charles II. Voilà un roi, à la bonne heure !

— Ah ! fit Raoul avec la curiosité naïve des jeunes gens bien nés qui entendent parler l'expérience et la valeur.

— Oui, un roi qui s'amuse, c'est vrai, mais qui a su mettre l'épée à la main et apprécier les hommes utiles. Athos est bien avec Charles II. Prends-moi du service par là, et laisse un peu les cuistres de traitants qui volent aussi bien avec des mains françaises qu'avec des doigts italiens ; laisse le petit pleurard de roi, qui va nous donner un règne de François II. Sais-tu l'histoire, Raoul ?

— Oui, monsieur le chevalier.

— Tu sais que François II avait toujours mal aux oreilles, alors ?

— Non, je ne le savais pas.

— Que Charles IX avait toujours mal à la tête ?

— Ah !

— Et Henri III toujours mal au ventre ?

Raoul se mit à rire.

— Eh bien ! mon cher ami, Louis XIV a toujours mal au cœur ; c'est déplorable à voir, qu'un roi soupire du soir au matin, et ne dise pas une fois dans la journée : « Ventre-saint-gris ! » ou « Corne de bœuf ! », quelque chose qui réveille, enfin.

— C'est pour cela, monsieur le chevalier, que vous avez quitté le service ? demanda Raoul.

— Oui.

1. L'indication rattache, artificiellement, ce chapitre à la mort de Mazarin.

— Mais vous-même, cher monsieur d'Artagnan, vous jetez le manche après la cognée ; vous ne ferez pas fortune.

— Oh ! moi, répliqua d'Artagnan d'un ton léger, je suis fixé. J'avais quelque bien de ma famille.

Raoul le regarda. La pauvreté de d'Artagnan était proverbiale. Gascon, il enchérissait, par le guignon, sur toutes les gasconnades de France et de Navarre ; Raoul, cent fois, avait entendu nommer Job et d'Artagnan, comme on nomme les jumeaux Romulus et Rémus.

D'Artagnan surprit ce regard d'étonnement.

— Et puis ton père t'aura dit que j'avais été en Angleterre ?

— Oui, monsieur le chevalier.

— Et que j'avais fait là une heureuse rencontre ?

— Non, monsieur, j'ignorais cela.

— Oui, un de mes bons amis, un très grand seigneur, le vice-roi d'Écosse et d'Irlande, m'a fait retrouver un héritage.

— Un héritage ?

— Assez rond.

— En sorte que vous êtes riche ?

— Peuh !...

— Recevez mes bien sincères compliments.

— Merci... Tiens, voici ma maison.

— Place de Grève ?

— Oui ; tu n'aimes pas ce quartier ?

— Au contraire : l'eau est belle à voir... Oh ! la jolie maison antique !

— L'Image-de-Notre-Dame, c'est un vieux cabaret que j'ai transformé en maison depuis deux jours.

— Mais le cabaret est toujours ouvert ?

— Pardieu !

— Et vous, où logez-vous ?

— Moi, je loge chez Planchet.

— Vous m'avez dit tout à l'heure : « Voici ma maison ! »

— Je l'ai dit parce que c'est ma maison en effet... j'ai acheté cette maison.

— Ah ! fit Raoul.

— Le denier dix[1], mon cher Raoul ; une affaire superbe !... J'ai acheté la maison trente mille livres : elle a un jardin sur la rue de la Mortellerie[2] ; le cabaret se loue mille livres avec le premier étage ; le grenier, ou second étage, cinq cents livres.

— Allons donc !

— Sans doute.

— Un grenier cinq cents livres ? Mais ce n'est pas habitable.

---

1. *Denier dix* : qui rapporte 10 % d'intérêt.

2. C'était l'actuelle rue de l'Hôtel-de-Ville, mais elle débouchait sur la place de Grève. Elle devait son nom aux morteliers, ouvriers et gâcheurs de mortier.

— Aussi ne l'habite-t-on pas ; seulement, tu vois que ce grenier a deux fenêtres sur la place.

— Oui, monsieur.

— Eh bien ! chaque fois qu'on roue, qu'on pend, qu'on écartèle ou qu'on brûle, les deux fenêtres se louent jusqu'à vingt pistoles.

— Oh ! fit Raoul avec horreur.

— C'est dégoûtant, n'est-ce pas ? dit d'Artagnan.

— Oh ! répéta Raoul.

— C'est dégoûtant, mais c'est comme cela... Ces badauds de Parisiens sont parfois de véritables anthropophages. Je ne conçois pas que des hommes, des chrétiens, puissent faire de pareilles spéculations.

— C'est vrai.

— Quant à moi, continua d'Artagnan, si j'habitais cette maison, je fermerais, les jours d'exécution, jusqu'aux trous de serrures ; mais je ne l'habite pas.

— Et vous louez cinq cents livres ce grenier ?

— Au féroce cabaretier qui le sous-loue lui-même... Je disais donc quinze cents livres.

— L'intérêt naturel de l'argent, dit Raoul, au denier cinq.

— Juste. Il me reste le corps de logis du fond : magasins, logements et caves inondées chaque hiver, deux cents livres, et le jardin, qui est très beau, très bien planté, très enfoui sous les murs et sous l'ombre du portail de Saint-Gervais et Saint-Protais[1], treize cents livres.

— Treize cents livres ! mais c'est roya...

— Voici l'histoire. Je soupçonne fort un chanoine quelconque de la paroisse (ces chanoines sont des Crésus), je le soupçonne donc d'avoir loué ce jardin pour y prendre ses ébats. Le locataire a donné pour nom M. Godard... C'est un faux nom ou un vrai nom ; s'il est vrai, c'est un chanoine ; s'il est faux, c'est quelque inconnu ; pourquoi le connaîtrais-je ? Il paie toujours d'avance. Aussi j'avais cette idée tout à l'heure, quand je t'ai rencontré, d'acheter, place Baudoyer, une maison dont les derrières se joindraient à mon jardin, et feraient une magnifique propriété. Tes dragons m'ont distrait de mon idée. Tiens, prenons la rue de la Vannerie[2] : nous allons droit chez maître Planchet.

D'Artagnan pressa le pas et amena en effet Raoul chez Planchet, dans une chambre que l'épicier avait cédée à son ancien maître. Planchet était sorti, mais le dîner était servi. Il y avait chez cet épicier un reste de la régularité, de la ponctualité militaire.

---

1. La façade, due à Salomon de Brosse et à Clément Métezeau, avait été terminée en 1657, alors que l'église avait été construite à la Renaissance. Le parvis était étriqué.

2. Elle reliait la place de Grève à la rue de la Planche-Mibray (actuellement rue Saint-Martin), et disparut lors de l'ouverture du boulevard de l'Hôtel-de-Ville (actuellement, avenue Victoria).

D'Artagnan remit Raoul sur le chapitre de son avenir.

— Ton père te tient sévèrement ? dit-il.

— Justement, monsieur le chevalier.

— Oh ! je sais qu'Athos est juste, mais serré, peut-être ?

— Une main royale, monsieur d'Artagnan.

— Ne te gêne pas, garçon, si jamais tu as besoin de quelques pistoles, le vieux mousquetaire est là.

— Cher monsieur d'Artagnan...

— Tu joues bien un peu ?

— Jamais.

— Heureux en femmes, alors ?... Tu rougis... Oh ! petit Aramis, va ! Mon cher, cela coûte encore plus cher que le jeu. Il est vrai qu'on se bat quand on a perdu, c'est une compensation. Bah ! le petit pleurard de roi fait payer l'amende aux gens qui dégainent. Quel règne, mon pauvre Raoul, quel règne ! Quand on pense que de mon temps on assiégeait les mousquetaires dans les maisons, comme Hector et Priam dans la ville de Troie ; et alors les femmes pleuraient, et alors les murailles riaient, et alors cinq cents gredins battaient des mains et criaient : « Tue ! Tue ! » quand il ne s'agissait pas d'un mousquetaire ! Mordioux ! vous ne verrez pas cela, vous autres.

— Vous tenez rigueur au roi, cher monsieur d'Artagnan, et vous le connaissez à peine.

— Moi ? Écoute, Raoul : jour par jour, heure par heure, prends bien note de mes paroles, je te prédis ce qu'il fera. Le cardinal mort, il pleurera ; bien : c'est ce qu'il fera de moins niais, surtout s'il n'en pense pas une larme.

— Ensuite ?

— Ensuite, il se fera faire une pension par M. Fouquet et s'en ira composer des vers à Fontainebleau pour des Mancini quelconques à qui la reine arrachera les yeux. Elle est espagnole, vois-tu, la reine, et elle a pour belle-mère Mme Anne d'Autriche. Je connais cela, moi, les Espagnoles de la maison d'Autriche.

— Ensuite ?

— Ensuite, après avoir fait arracher les galons d'argent de ses Suisses parce que la broderie coûte trop cher, il mettra les mousquetaires à pied, parce que l'avoine et le foin du cheval coûtent cinq sols par jour.

— Oh ! ne dites pas cela.

— Que m'importe ! je ne suis plus mousquetaire, n'est-ce pas ? Qu'on soit à cheval, à pied, qu'on porte une lardoire, une broche, une épée ou rien, que m'importe ?

— Cher monsieur d'Artagnan, je vous en supplie, ne me dites plus de mal du roi... Je suis presque à son service, et mon père m'en voudrait beaucoup d'avoir entendu, même de votre bouche, des paroles offensantes pour Sa Majesté.

— Ton père ?.. Eh ! c'est un chevalier de toute cause véreuse. Pardieu ! oui, ton père est un brave, un César, c'est vrai ; mais un homme sans coup d'œil.

— Allons, bon ! chevalier, dit Raoul en riant, voilà que vous allez dire du mal de mon père, de celui que vous appeliez le grand Athos ; vous êtes en veine méchante aujourd'hui, et la richesse vous rend aigre, comme les autres la pauvreté.

— Tu as, pardieu, raison ; je suis un bélître, et je radote ; je suis un malheureux vieilli, une corde à fourrage effilée, une cuirasse percée, une botte sans semelle, un éperon sans molette ; mais fais-moi un plaisir, dis-moi une seule chose.

— Quelle chose, cher monsieur d'Artagnan ?

— Dis-moi ceci : « Mazarin était un croquant. »

— Il est peut-être mort.

— Raison de plus ; je dis *était* ; si je n'espérais pas qu'il fût mort, je te prierais de dire : « Mazarin est un croquant. » Dis, voyons, dis, pour l'amour de moi.

— Allons, je le veux bien.

— Dis !

— Mazarin était un croquant, dit Raoul en souriant au mousquetaire, qui s'épanouissait comme en ses beaux jours.

— Un moment, fit celui-ci. Tu as dit la première proposition ; voici la conclusion. Répète, Raoul, répète : « Mais je regretterais Mazarin. »

— Chevalier !

— Tu ne veux pas le dire, je vais le dire deux fois pour toi... Mais tu regretterais Mazarin.

Ils riaient encore et discutaient cette rédaction d'une profession de principes, quand un des garçons épiciers entra.

— Une lettre, monsieur, dit-il, pour M. d'Artagnan.

— Merci... Tiens !... s'écria le mousquetaire.

— L'écriture de M. le comte, dit Raoul.

— Oui, oui.

Et d'Artagnan décacheta.

Cher ami, *disait Athos*, on vient de me prier de la part du roi de vous faire chercher...

— Moi ? dit d'Artagnan, laissant tomber le papier sous la table.

Raoul le ramassa et continua de lire tout haut :

Hâtez-vous... Sa Majesté a grand besoin de vous parler, et vous attend au Louvre.

— Moi ? répéta encore le mousquetaire.

— Hé ! hé ! dit Raoul.

— Oh ! oh ! répondit d'Artagnan. Qu'est-ce que cela veut dire ?

LIII

LE ROI

Le premier mouvement de surprise passé, d'Artagnan relut encore le billet d'Athos.

— C'est étrange, dit-il, que le roi me fasse appeler.

— Pourquoi, dit Raoul, ne croyez-vous pas, monsieur, que le roi doive regretter un serviteur tel que vous ?

— Oh ! oh ! s'écria l'officier en riant du bout des dents, vous me la donnez belle, maître Raoul. Si le roi m'eût regretté, il ne m'eût pas laissé partir. Non, non, je vois là quelque chose de mieux, ou de pis, si vous voulez.

— De pis ! Quoi donc, monsieur le chevalier ?

— Tu es jeune, tu es confiant, tu es admirable... Comme je voudrais être encore où tu en es ! Avoir vingt-quatre ans[1], le front uni ou le cerveau vide de tout, si ce n'est de femmes, d'amour ou de bonne intentions... Oh ! Raoul ! tant que tu n'auras pas reçu les sourires des rois et les confidences des reines ; tant que tu n'auras pas eu deux cardinaux tués sous toi, l'un tigre, l'autre renard ; tant que tu n'auras pas... Mais à quoi bon toutes ces niaiseries ? Il faut nous quitter, Raoul !

— Comme vous me dites cela ! Quel air grave !

— Eh ! mais la chose en vaut la peine... Écoute-moi : j'ai une belle recommandation à te faire.

— J'écoute, cher monsieur d'Artagnan.

— Tu vas prévenir ton père de mon départ.

— Vous partez ?

— Pardieu !... Tu lui diras que je suis passé en Angleterre et que j'habite ma petite maison de plaisance.

— En Angleterre, vous !... Et les ordres du roi ?

— Je te trouve de plus en plus naïf : tu te figures que je vais comme cela me rendre au Louvre et me remettre à la disposition de ce petit louveteau couronné ?

— Louveteau ! le roi ? Mais, monsieur le chevalier, vous êtes fou.

— Je ne fus jamais si sage, au contraire. Tu ne sais donc pas ce qu'il veut faire de moi, ce digne fils de Louis le Juste ?... Mais, mordioux ! c'est de la politique... Il veut me faire embastiller purement et simplement, vois-tu.

— A quel propos ? s'écria Raoul effaré de ce qu'il entendait.

1. Voir ci-dessus, chap. LI, p. 306, note 2.

— A propos de ce que je lui ai dit un certain jour à Blois... J'ai été vif ; il s'en souvient.

— Vous lui avez dit ?

— Qu'il était un ladre, un polisson, un niais.

— Ah ! mon Dieu !... dit Raoul ; est-il possible que de pareils mots soient sortis de votre bouche ?

— Peut-être que je ne te donne pas la lettre de mon discours, mais au moins je t'en donne le sens.

— Mais le roi vous eût fait arrêter tout de suite !

— Par qui ? C'était moi qui commandais les mousquetaires : il eût fallu me commander à moi-même de me conduire en prison ; je n'y eusse jamais consenti ; je me fusse résisté à moi-même... Et puis j'ai passé en Angleterre... plus de d'Artagnan... Aujourd'hui, le cardinal est mort ou à peu près : on me sait à Paris ; on met la main sur moi.

— Le cardinal était donc votre protecteur ?

— Le cardinal me connaissait ; il savait de moi certaines particularités ; j'en savais de lui certaines aussi : nous nous appréciions mutuellement... Et puis, en rendant son âme au diable, il aura conseillé à Anne d'Autriche de me faire habiter en lieu sûr. Va donc trouver ton père, conte-lui le fait, et adieu !

— Mon cher monsieur d'Artagnan, dit Raoul tout ému après avoir regardé par la fenêtre, vous ne pouvez pas même fuir.

— Pourquoi donc ?

— Parce qu'il y a en bas un officier des Suisses qui vous attend.

— Eh bien ?

— Eh bien ! il vous arrêtera.

D'Artagnan partit d'un éclat de rire homérique.

— Oh ! je sais bien que vous lui résisterez, que vous le combattrez même ; je sais bien que vous serez vainqueur ; mais c'est de la rébellion, cela, et vous êtes officier vous-même, sachant ce que c'est que la discipline.

— Diable d'enfant ! comme c'est élevé, comme c'est logique ! grommela d'Artagnan.

— Vous m'approuvez, n'est-ce pas ?

— Oui. Au lieu de passer par la rue où ce benêt m'attend, je vais m'esquiver simplement par les derrières. J'ai un cheval à l'écurie ; il est bon ; je le crèverai, mes moyens me le permettent, et, de cheval crevé en cheval crevé, j'arriverai à Boulogne en onze heures ; je sais le chemin... Ne dis plus qu'une chose à ton père.

— Laquelle ?

— C'est que... ce qu'il sait bien est placé chez Planchet, sauf un cinquième, et que...

— Mais, mon cher monsieur d'Artagnan, prenez bien garde ; si vous fuyez, on va dire deux choses.

— Lesquelles, cher ami ?

— D'abord, que vous avez eu peur.

— Oh ! qui donc dira cela ?

— Le roi tout le premier.

— Eh bien ! mais... il dira la vérité. J'ai peur.

— La seconde, c'est que vous vous sentiez coupable.

— Coupable de quoi ?

— Mais des crimes que l'on voudra bien vous imputer.

— C'est encore vrai... Et alors tu me conseilles d'aller me faire embastiller ?

— M. le comte de La Fère vous le conseillerait comme moi.

— Je le sais pardieu bien ! dit d'Artagnan rêveur ; tu as raison, je ne me sauverai pas. Mais si l'on me jette à la Bastille ?

— Nous vous en tirerons, dit Raoul d'un air tranquille et calme.

— Mordioux ! s'écria d'Artagnan en lui prenant la main, tu as dit cela d'une brave façon, Raoul ; c'est de l'Athos tout pur. Eh bien ! je pars. N'oublie pas mon dernier mot.

— Sauf un cinquième, dit Raoul.

— Oui, tu es un joli garçon, et je veux que tu ajoutes une chose à cette dernière.

— Parlez !

— C'est que, si vous ne me tirez pas de la Bastille et que j'y meure... oh ! cela s'est vu... et je serais un détestable prisonnier, moi qui fus un homme passable... en ce cas, je donne trois cinquièmes à toi et le quatrième à ton père.

— Chevalier !

— Mordioux ! si vous voulez m'en faire dire, des messes, vous êtes libres.

Cela dit, d'Artagnan décrocha son baudrier, ceignit son épée, prit un chapeau dont la plume était fraîche, et tendit la main à Raoul, qui se jeta dans ses bras.

Une fois dans la boutique, il lança un coup d'œil sur les garçons, qui considéraient la scène avec un orgueil mêlé de quelque inquiétude ; puis plongeant la main dans une caisse de petits raisins secs de Corinthe, il poussa vers l'officier, qui attendait philosophiquement devant la porte de la boutique.

— Ces traits !... C'être vous, monsieur de Friedisch ! s'écria gaiement le mousquetaire. Eh ! eh ! nous arrêtons donc nos amis ?

— Arrêter ! firent entre eux les garçons.

— C'est moi, dit le Suisse. Ponchour, monsir d'Artagnan.

— Faut-il vous donner mon épée ? Je vous préviens qu'elle est longue et lourde. Laissez-la-moi jusqu'au Louvre ; je suis tout bête quand je n'ai pas d'épée par les rues, et vous seriez encore plus bête que moi d'en avoir deux.

— Le roi n'afre bas dit, répliqua le Suisse, cartez tonc votre épée.

— Eh bien ! c'est fort gentil de la part du roi. Partons vite.

M. de Friedisch n'était pas causeur, et d'Artagnan avait beaucoup trop à penser pour l'être. De la boutique de Planchet au Louvre, il n'y avait pas loin ; on arriva en dix minutes. Il faisait nuit alors.

M. de Friedisch voulut entrer par le guichet.

— Non, dit d'Artagnan, vous perdrez du temps par là : prenez le petit escalier.

Le Suisse fit ce que lui recommandait d'Artagnan et le conduisit au vestibule du cabinet de Louis XIV. Arrivé là, il salua son prisonnier, et, sans rien dire, retourna à son poste.

D'Artagnan n'avait pas eu le temps de se demander pourquoi on ne lui ôtait pas son épée, que la porte du cabinet s'ouvrit et qu'un valet de chambre appela :

— Monsieur d'Artagnan !

Le mousquetaire prit sa tenue de parade et entra, l'œil grand ouvert, le front calme, la moustache roide.

Le roi était assis devant sa table et écrivait.

Il ne se dérangea point quand le pas du mousquetaire retentit sur le parquet ; il ne tourna même pas la tête. D'Artagnan s'avança jusqu'au milieu de la salle, et voyant que le roi ne faisait pas attention à lui, comprenant d'ailleurs fort bien que c'était de l'affectation, sorte de préambule fâcheux pour l'explication qui se préparait, il tourna le dos au prince et se mit à regarder de tous ses yeux les fresques de la corniche et les lézardes du plafond. Cette manœuvre fut accompagnée de ce petit monologue tacite : « Ah ! tu veux m'humilier, toi que j'ai vu tout petit, toi que j'ai sauvé comme mon enfant, toi que j'ai servi comme mon Dieu, c'est-à-dire pour rien... Attends, attends ; tu vas voir ce que peut faire un homme qui a siffloté l'air du branle des Huguenots à la barbe de M. le cardinal, le vrai cardinal ! »

Louis XIV se retourna en ce moment.

— Vous êtes là, monsieur d'Artagnan ? dit-il.

D'Artagnan vit le mouvement et l'imita.

— Oui, sire, dit-il.

— Bien, veuillez attendre que j'aie additionné.

D'Artagnan ne répondit rien ; seulement il s'inclina.

« C'est assez poli, pensa-t-il, et je n'ai rien à dire. »

Louis fit un trait de plume violent et jeta sa plume avec colère.

« Va, fâche-toi pour te mettre en train, pensa le mousquetaire, tu me mettras à mon aise : aussi bien, je n'ai pas l'autre jour, à Blois, vidé le fond du sac. »

Louis se leva, passa une main sur son front ; puis, s'arrêtant vis-à-vis de d'Artagnan, il le regarda d'un air impérieux et bienveillant tout à la fois.

« Que me veut-il ? Voyons, qu'il finisse », pensa le mousquetaire.

— Monsieur, dit le roi, vous savez sans doute que M. le cardinal est mort ?

— Je m'en doute, sire.

— Vous savez par conséquent que je suis maître chez moi ?

— Ce n'est pas une chose qui date de la mort du cardinal, sire ; on est toujours maître chez soi quand on veut.

— Oui ; mais vous vous rappelez tout ce que vous m'avez dit à Blois ?

« Nous y voici, pensa d'Artagnan ; je ne m'étais pas trompé. Allons, tant mieux ! c'est signe que j'ai le flair assez fin encore. »

— Vous ne me répondez pas ? dit Louis.

— Sire, je crois me souvenir...

— Vous croyez seulement ?

— Il y a longtemps.

— Si vous ne vous rappelez pas, je me souviens, moi. Voici ce que vous m'avez dit ; écoutez avec attention.

— Oh ! j'écoute de toutes mes oreilles, sire ; car vraisemblablement la conversation tournera d'une façon intéressante pour moi.

Louis regarda encore une fois le mousquetaire. Celui-ci caressa la plume de son chapeau, puis sa moustache, et attendit intrépidement.

Louis XIV continua :

— Vous avez quitté mon service, monsieur, après m'avoir dit toute la vérité ?

— Oui, sire.

— C'est-à-dire après m'avoir déclaré tout ce que vous croyiez être vrai sur ma façon de penser et d'agir. C'est toujours un mérite. Vous commençâtes par me dire que vous serviez ma famille depuis trente-quatre ans, et que vous étiez fatigué.

— Je l'ai dit, oui, sire.

— Et vous avez avoué ensuite que cette fatigue était un prétexte, que le mécontentement était la cause réelle.

— J'étais mécontent, en effet ; mais ce mécontentement ne s'est trahi nulle part, que je sache, et si, comme un homme de cœur, j'ai parlé haut devant Votre Majesté, je n'ai pas même pensé en face de quelqu'un autre.

— Ne vous excusez pas, d'Artagnan, et continuez de m'écouter. En me faisant le reproche que vous étiez mécontent, vous reçûtes pour réponse une promesse ; je vous dis : « Attendez. » Est-ce vrai ?

— Oui, sire, vrai comme ce que je vous disais.

— Vous me répondîtes : « Plus tard ? Non pas ; tout de suite, à la bonne heure !... » Ne vous excusez pas, vous dis-je... C'était naturel ; mais vous n'aviez pas de charité pour votre prince, monsieur d'Artagnan.

— Sire... de la charité !... pour un roi, de la part d'un pauvre soldat !

— Vous me comprenez bien ; vous savez bien que j'en avais besoin ;

vous savez bien que je n'étais pas le maître ; vous savez bien que j'avais l'avenir en espérance. Or, vous me répondîtes, quand je parlai de cet avenir : « Mon congé... tout de suite ! »

D'Artagnan mordit sa moustache.

— C'est vrai, murmura-t-il.

— Vous ne m'avez pas flatté quand j'étais dans la détresse, ajouta Louis XIV.

— Mais, dit d'Artagnan relevant la tête avec noblesse, je n'ai pas flatté Votre Majesté pauvre, je ne l'ai point trahie non plus. J'ai versé mon sang pour rien ; j'ai veillé comme un chien à la porte, sachant bien qu'on ne me jetterait ni pain, ni os. Pauvre aussi, moi, je n'ai rien demandé que le congé dont Votre Majesté parle.

— Je sais que vous êtes un brave homme ; mais j'étais un jeune homme, vous deviez me ménager... Qu'aviez-vous à reprocher au roi ? qu'il laissait Charles II sans secours ?... disons plus... qu'il n'épousait point Mlle de Mancini ?

En disant ce mot, le roi fixa sur le mousquetaire un regard profond.

« Ah ! ah ! pensa ce dernier, il fait plus que se souvenir, il devine... Diable ! »

— Votre jugement, continua Louis XIV, tombait sur le roi et tombait sur l'homme... Mais, monsieur d'Artagnan... cette faiblesse, car vous regardiez cela comme une faiblesse...

D'Artagnan ne répondit pas.

— Vous me la reprochiez aussi à l'égard de M. le cardinal défunt ; car M. le cardinal ne m'a-t-il pas élevé, soutenu ?... en s'élevant, en se soutenant lui-même, je le sais bien ; mais enfin, le bienfait demeure acquis. Ingrat, égoïste, vous m'eussiez donc plus aimé, mieux servi ?

— Sire...

— Ne parlons plus de cela, monsieur : ce serait causer à vous trop de regrets, à moi trop de peine.

D'Artagnan n'était pas convaincu. Le jeune roi, en reprenant avec lui un ton de hauteur, n'avançait pas dans les affaires.

— Vous avez réfléchi depuis ? reprit Louis XIV.

— A quoi, sire ? demanda poliment d'Artagnan.

— Mais à tout ce que je vous dis, monsieur.

— Oui, sire, sans doute...

— Et vous n'avez attendu qu'une occasion de revenir sur vos paroles ?

— Sire...

— Vous hésitez, ce me semble...

— Je ne comprends pas bien ce que Votre Majesté me fait l'honneur de me dire.

Louis fronça le sourcil.

— Veuillez m'excuser, sire ; j'ai l'esprit particulièrement épais... les choses n'y pénètrent qu'avec difficulté ; il est vrai qu'une fois entrées, elles y restent.

— Oui, vous me semblez avoir de la mémoire.

— Presque autant que Votre Majesté.

— Alors, donnez-moi vite une solution... Mon temps est cher. Que faites-vous depuis votre congé ?

— Ma fortune, sire.

— Le mot est dur, monsieur d'Artagnan.

— Votre Majesté le prend en mauvaise part, certainement. Je n'ai pour le roi qu'un profond respect, et, fussé-je impoli, ce qui peut s'excuser par ma longue habitude des camps et des casernes, Sa Majesté est trop au-dessus de moi pour s'offenser d'un mot échappé innocemment à un soldat.

— En effet, je sais que vous avez fait une action d'éclat en Angleterre, monsieur. Je regrette seulement que vous ayez manqué à votre promesse.

— Moi ? s'écria d'Artagnan.

— Sans doute... Vous m'aviez engagé votre foi de ne servir aucun prince en quittant mon service... Or, c'est pour le roi Charles II que vous avez travaillé à l'enlèvement merveilleux de M. Monck.

— Pardonnez-moi, sire, c'est pour moi.

— Cela vous a réussi ?

— Comme aux capitaines du XVe siècle les coups de main et les aventures.

— Qu'appelez-vous réussite ? une fortune ?

— Cent mille écus, sire, que je possède : c'est, en une semaine, le triple de tout ce que j'avais eu d'argent en cinquante années.

— La somme est belle... mais vous êtes ambitieux, je crois ?

— Moi, sire ? Le quart me semblait un trésor, et je vous jure que je ne pense pas à l'augmenter.

— Ah ! vous comptez demeurer oisif ?

— Oui, sire.

— Quitter l'épée ?

— C'est fait déjà.

— Impossible, monsieur d'Artagnan, dit Louis avec résolution.

— Mais, sire...

— Eh bien ?

— Pourquoi ?

— Parce que je ne le veux pas ! dit le jeune prince d'une voix tellement grave et impérieuse, que d'Artagnan fit un mouvement de surprise, d'inquiétude même.

— Votre Majesté me permettra-t-elle un mot de réponse ? demanda-t-il.

— Dites.

— Cette résolution, je l'avais prise étant pauvre et dénué.

— Soit. Après ?

— Or, aujourd'hui que, par mon industrie, j'ai acquis un bien-être assuré, Votre Majesté me dépouillerait de ma liberté, Votre Majesté me condamnerait au moins lorsque j'ai bien gagné le plus.

— Qui vous a permis, monsieur, de sonder mes desseins et de compter avec moi ? reprit Louis d'une voix presque courroucée ; qui vous a dit ce que je ferai, ce que vous ferez vous-même ?

— Sire, dit tranquillement le mousquetaire, la franchise, à ce que je vois, n'est plus à l'ordre de la conversation, comme le jour où nous nous expliquâmes à Blois.

— Non, monsieur, tout est changé.

— J'en fais à Votre Majesté mes sincères compliments ; mais...

— Mais vous n'y croyez pas ?

— Je ne suis pas un grand homme d'État, cependant j'ai mon coup d'œil pour les affaires ; il ne manque pas de sûreté ; or, je ne vois pas tout à fait comme Votre Majesté, sire. Le règne de Mazarin est fini, mais celui des financiers commence. Ils ont l'argent : Votre Majesté ne doit pas en voir souvent. Vivre sous la patte de ces loups affamés, c'est dur pour un homme qui comptait sur l'indépendance.

A ce moment quelqu'un gratta à la porte du cabinet ; le roi leva la tête orgueilleusement.

— Pardon, monsieur d'Artagnan, dit-il ; c'est M. Colbert qui vient me faire un rapport. Entrez, monsieur Colbert.

D'Artagnan s'effaça. Colbert entra, des papiers à la main, et vint au-devant du roi.

Il va sans dire que le Gascon ne perdit pas l'occasion d'appliquer son coup d'œil si fin et si vif sur la nouvelle figure qui se présentait.

— L'instruction est donc faite ? demanda le roi à Colbert.

— Oui, sire.

— Et l'avis des instructeurs ?

— Est que les accusés ont mérité la confiscation et la mort.

— Ah ! ah ! fit le roi sans sourciller, en jetant un regard oblique à d'Artagnan... Et votre avis à vous, monsieur Colbert ? dit le roi.

Colbert regarda d'Artagnan à son tour. Cette figure gênante arrêtait la parole sur ses lèvres. Louis XIV comprit.

— Ne vous inquiétez pas, dit-il, c'est M. d'Artagnan ; ne reconnaissez-vous pas M. d'Artagnan ?

Ces deux hommes se regardèrent alors ; d'Artagnan, l'œil ouvert et flamboyant ; Colbert, l'œil à demi couvert et nuageux. La franche intrépidité de l'un déplut à l'autre ; la cauteleuse circonspection du financier déplut au soldat.

— Ah ! ah ! c'est Monsieur qui a fait ce beau coup en Angleterre, dit Colbert.

Et il salua légèrement d'Artagnan.

— Ah ! ah ! dit le Gascon, c'est Monsieur qui a rogné l'argent des galons des Suisses... Louable économie !

Et il salua profondément.

Le financier avait cru embarrasser le mousquetaire; mais le mousquetaire perçait à jour le financier.

— Monsieur d'Artagnan, reprit le roi, qui n'avait pas remarqué toutes les nuances dont Mazarin n'eût pas laissé échapper une seule, il s'agit de traitants qui m'ont volé, que je fais prendre, et dont je vais signer l'arrêt de mort.

D'Artagnan tressaillit.

— Oh ! oh ! fit-il.

— Vous dites ?

— Rien, sire ; ce ne sont pas mes affaires.

Le roi tenait déjà la plume et l'approchait du papier.

— Sire, dit à demi-voix Colbert, je préviens Votre Majesté que si un exemple est nécessaire, cet exemple peut soulever quelques difficultés dans l'exécution.

— Plaît-il ? dit Louis XIV.

— Ne vous dissimulez pas, continua tranquillement Colbert, que toucher aux traitants, c'est toucher à la surintendance. Les deux malheureux, les deux coupables dont il s'agit sont des amis particuliers d'un puissant personnage, et le jour du supplice, que d'ailleurs on peut étouffer dans le Châtelet, des troubles s'élèveront, à n'en pas douter.

Louis rougit et se retourna vers d'Artagnan, qui rongeait doucement sa moustache, non sans un sourire de pitié pour le financier, comme aussi pour le roi, qui l'écoutait si longtemps.

Alors Louis XIV saisit la plume et, d'un mouvement si rapide que la main lui trembla, apposa ses deux signatures au bas des pièces présentées par Colbert ; puis, regardant ce dernier en face :

— Monsieur Colbert, dit-il, quand vous me parlerez affaires, effacez souvent le mot difficulté de vos raisonnements et de vos avis ; quant au mot impossibilité, ne le prononcez jamais.

Colbert s'inclina, très humilié d'avoir subi cette leçon devant le mousquetaire ; puis il allait sortir ; mais, jaloux de réparer son échec :

— J'oubliais d'annoncer à Votre Majesté, dit-il, que les confiscations s'élèvent à la somme de cinq millions de livres.

« C'est gentil », pensa d'Artagnan.

— Ce qui fait en mes coffres ? dit le roi.

— Dix-huit millions de livres, sire, répliqua Colbert en s'inclinant.

— Mordioux ! grommela d'Artagnan, c'est beau !

— Monsieur Colbert, ajouta le roi, vous traverserez, je vous prie, la galerie où M. de Lyonne attend, et vous lui direz d'apporter ce qu'il a rédigé... par mon ordre.

— A l'instant même, sire. Votre Majesté n'a plus besoin de moi ce soir ?

— Non, monsieur ; adieu !

« Revenons à notre affaire, monsieur d'Artagnan, reprit Louis XIV, comme si rien ne s'était passé. Vous voyez que, quant à l'argent, il y a déjà un changement notable.

— Comme de zéro à dix-huit, répliqua gaiement le mousquetaire. Ah ! voilà ce qu'il eût fallu à Votre Majesté, le jour où Sa Majesté Charles II vint à Blois. Les deux États ne seraient point en brouille aujourd'hui, car, il faut bien que je le dise, là aussi je vois une pierre d'achoppement.

— Et d'abord, riposta Louis, vous êtes injuste, monsieur ; car si la Providence m'eût permis de donner ce jour-là le million à mon frère, vous n'eussiez pas quitté mon service, et, par conséquent, vous n'eussiez pas fait votre fortune... comme vous disiez tout à l'heure... Mais, outre ce bonheur, j'en ai un autre, et ma brouille avec la Grande-Bretagne ne doit pas vous étonner.

Un valet de chambre interrompit le roi et annonça M. de Lyonne.

— Entrez, monsieur, dit le roi ; vous êtes exact, c'est d'un bon serviteur. Voyons votre lettre à mon frère Charles II.

— D'Artagnan dressa l'oreille.

— Un moment, monsieur, dit négligemment Louis au Gascon ; il faut que j'expédie à Londres le consentement au mariage de mon frère, M. le duc d'Orléans, avec lady Henriette Stuart.

— Il me bat, ce me semble, murmura d'Artagnan, tandis que le roi signait cette lettre et congédiait M. de Lyonne ; mais, ma foi, je l'avoue, plus je serai battu, plus je serai content.

Le roi suivit des yeux M. de Lyonne jusqu'à ce que la porte fût bien refermée derrière lui ; il fit même trois pas, comme s'il eût voulu suivre son ministre. Mais, après ces trois pas, s'arrêtant, faisant une pause et revenant sur le mousquetaire :

— Maintenant, monsieur, dit-il, hâtons-nous de terminer. Vous me disiez l'autre jour à Blois que vous n'étiez pas riche ?

— Je le suis à présent, sire.

— Oui, mais cela ne me regarde pas ; vous avez votre argent, non le mien ; ce n'est pas mon compte.

— Je n'entends pas très bien ce que dit Votre Majesté.

— Alors, au lieu de vous laisser tirer les paroles, parlez spontanément. Aurez-vous assez de vingt mille livres par an, argent fixe ?

— Mais, sire... dit d'Artagnan ouvrant de grands yeux.

— Aurez-vous assez de quatre chevaux entretenus et fournis, et d'un supplément de fonds tel que vous le demanderez, selon les occasions et les nécessités ; ou bien préférez-vous un fixe qui serait, par exemple, de quarante mille livres ? Répondez.

— Sire, Votre Majesté...

— Oui, vous êtes surpris, c'est tout naturel, et je m'y attendais ; répondez, voyons, ou je croirai que vous n'avez plus cette rapidité de jugement que j'ai toujours appréciée en vous.

— Il est certain, sire, que vingt mille livres par an sont une belle somme ; mais...

— Pas de mais. Oui ou non ; est-ce une indemnité honorable ?

— Oh ! certes...

— Vous vous en contenterez alors ! C'est très bien. Il vaut mieux, d'ailleurs, vous compter à part les faux frais ; vous vous arrangerez de cela avec Colbert ; maintenant, passons à quelque chose de plus important.

— Mais, sire, j'avais dit à Votre Majesté...

— Que vous vouliez vous reposer, je le sais bien ; seulement, je vous ai répondu que je ne le voulais pas... Je suis le maître, je pense ?

— Oui, sire.

— A la bonne heure ! Vous étiez en veine de devenir autrefois capitaine de mousquetaires[1] ?

— Oui, sire.

— Eh bien ! voici votre brevet signé. Je le mets dans le tiroir. Le jour où vous reviendrez de certaine expédition que j'ai à vous confier, ce jour-là vous prendrez vous-même ce brevet dans le tiroir.

D'Artagnan hésitait encore et tenait la tête baissée.

— Allons, monsieur, dit le roi, on croirait à vous voir que vous ne savez pas qu'à la cour du roi très chrétien le capitaine général des mousquetaires a le pas sur les maréchaux de France ?

— Sire, je le sais.

— Alors, on dirait que vous ne vous fiez pas à ma parole ?

— Oh ! sire, jamais... ne croyez pas de telles choses.

— J'ai voulu vous prouver que vous, si bon serviteur vous aviez perdu un bon maître : suis-je un peu le maître qu'il vous faut ?

— Je commence à penser que oui, sire.

— Alors, monsieur, vous allez entrer en fonctions. Votre compagnie est toute désorganisée depuis votre départ, et les hommes s'en vont flânant et heurtant les cabarets où l'on se bat, malgré mes édits et ceux de mon père. Vous réorganiserez le service au plus vite.

— Oui, sire.

— Vous ne quitterez plus ma personne.

— Bien.

1. On sait que d'Artagnan avait extorqué le brevet de capitaine des mousquetaires à Mazarin (voir *Vingt Ans après*, chap. XCIV), mais que le cardinal le lui reprit « quand la paix fut faite » (voir ci-dessus, chap. II).

— Et vous marcherez avec moi à l'armée, où vous camperez autour de ma tente.

— Alors, sire, dit d'Artagnan, si c'est pour m'imposer un service comme celui-là, Votre Majesté n'a pas besoin de me donner vingt mille livres que je ne gagnerai pas.

— Je veux que vous ayez un état de maison ; je veux que vous teniez table ; je veux que mon capitaine de mousquetaires soit un personnage.

— Et moi, dit brusquement d'Artagnan, je n'aime pas l'argent trouvé ; je veux l'argent gagné ! Votre Majesté me donne un métier de paresseux, que le premier venu fera pour quatre mille livres.

— Vous êtes un fin Gascon, monsieur d'Artagnan ; vous me tirez mon secret du cœur.

— Bah ! Votre Majesté a donc un secret ?

— Oui, monsieur.

— Eh bien ! alors, j'accepte les vingt mille livres, car je garderai ce secret, et la discrétion, cela n'a pas de prix par le temps qui court. Votre Majesté veut-elle parler à présent ?

— Vous allez vous botter, monsieur d'Artagnan, et monter à cheval.

— Tout de suite ?

— Sous deux jours.

— A la bonne heure, sire ; car j'ai mes affaires à régler avant le départ, surtout s'il y a des coups à recevoir.

— Cela peut se présenter.

— On le prendra. Mais, sire, vous avez parlé à l'avarice, à l'ambition ; vous avez parlé au cœur de M. d'Artagnan ; vous avez oublié une chose.

— Laquelle ?

— Vous n'avez pas parlé à la vanité : quand serai-je chevalier des ordres du roi[1] ?

— Cela vous occupe ?

— Mais, oui. J'ai mon ami Athos qui est tout chamarré, cela m'offusque.

— Vous serez chevalier de mes ordres un mois après avoir pris le brevet de capitaine.

— Ah ! ah ! dit l'officier rêveur, après l'expédition ?

— Précisément.

— Où m'envoie Votre Majesté, alors ?

— Connaissez-vous la Bretagne ?

— Non, sire.

— Y avez-vous des amis ?

— En Bretagne ? Non, ma foi !

— Tant mieux. Vous connaissez-vous en fortifications ?

D'Artagnan sourit.

1. Les ordres du roi comprenaient l'ordre du Saint-Esprit et l'ordre de Saint-Michel.

— Je crois que oui, sire.

— C'est-à-dire que vous pouvez bien distinguer une forteresse d'avec une simple fortification comme on en permet aux châtelains, nos vassaux ?

— Je distingue un fort d'avec un rempart, comme on distingue une cuirasse d'avec une croûte de pâté, sire. Est-ce suffisant ?

— Oui, monsieur. Vous allez donc partir.

— Pour la Bretagne ?

— Oui.

— Seul ?

— Absolument seul. C'est-à-dire que vous ne pourrez même emmener un laquais.

— Puis-je demander à Votre Majesté pour quelle raison ?

— Parce que, monsieur, vous ferez bien de vous travestir vous-même quelquefois en valet de bonne maison. Votre visage est fort connu en France, monsieur d'Artagnan.

— Et puis, sire ?

— Et puis vous vous promènerez par la Bretagne, et vous examinerez soigneusement les fortifications de ce pays.

— Les côtes ?

— Aussi les îles.

— Ah !

— Vous commencerez par Belle-Ile-en-Mer.

— Qui est à M. Fouquet ? dit d'Artagnan d'un ton sérieux, en levant sur Louis XIV son œil intelligent.

— Je crois que vous avez raison, monsieur, et que Belle-Ile est, en effet, à M. Fouquet.

— Alors Votre Majesté veut que je sache si Belle-Ile est une bonne place ?

— Oui.

— Si les fortifications en sont neuves ou vieilles ?

— Précisément.

— Si par hasard les vassaux de M. le surintendant sont assez nombreux pour former garnison ?

— Voilà ce que je vous demande, monsieur ; vous avez mis le doigt sur la question.

— Et si l'on ne fortifie pas, sire ?

— Vous vous promènerez dans la Bretagne, écoutant et jugeant.

D'Artagnan se chatouilla la moustache.

— Je suis espion du roi, dit-il tout net.

— Non, monsieur.

— Pardon, sire, puisque j'épie pour le compte de Votre Majesté.

— Vous allez à la découverte, monsieur. Est-ce que si vous marchiez à la tête de mes mousquetaires, l'épée au poing, pour éclairer un lieu quelconque ou une position de l'ennemi...

A ce mot, d'Artagnan tressaillit invisiblement.

— ... Est-ce que, continua le roi, vous vous croiriez un espion ?

— Non, non ! dit d'Artagnan pensif ; la chose change de face quand on éclaire l'ennemi ; on n'est qu'un soldat... Et si l'on fortifie Belle-Ile ? ajouta-t-il aussitôt.

— Vous prendrez un plan exact de la fortification.

— On me laissera entrer ?

— Cela ne me regarde pas, ce sont vos affaires. Vous n'avez donc pas entendu que je vous réservais un supplément de vingt mille livres par an, si vous vouliez ?

— Si fait, sire ; mais si l'on ne fortifie pas ?

— Vous reviendrez tranquillement, sans fatiguer votre cheval.

— Sire, je suis prêt.

— Vous débuterez demain par aller chez M. le surintendant toucher le premier quartier de la pension que je vous fais. Connaissez-vous M. Fouquet ?

— Fort peu, sire ; mais je ferai observer à Votre Majesté qu'il n'est pas très urgent que je le connaisse.

— Je vous demande pardon, monsieur ; car il vous refusera l'argent que je veux vous faire toucher, et c'est ce refus que j'attends.

— Ah ! fit d'Artagnan. Après, sire ?

— L'argent refusé, vous irez le chercher près de M. Colbert. A propos, avez-vous un bon cheval ?

— Un excellent, sire.

— Combien le payâtes-vous ?

— Cent cinquante pistoles.

— Je vous l'achète. Voici un bon de deux cents pistoles.

— Mais il me faut un cheval pour voyager, sire ?

— Eh bien ?

— Eh bien ! vous me prenez le mien.

— Pas du tout ; je vous le donne, au contraire. Seulement, comme il est à moi et non plus à vous, je suis sûr que vous ne le ménagerez pas.

— Votre Majesté est donc pressée ?

— Beaucoup.

— Alors qui me force d'attendre deux jours ?

— Deux raisons à moi connues.

— C'est différent. Le cheval peut rattraper ces deux jours sur les huit qu'il a à faire ; et puis il y a la poste.

— Non, non, la poste compromet assez, monsieur d'Artagnan. Allez et n'oubliez pas que vous êtes à moi.

— Sire, ce n'est pas moi qui l'ai jamais oublié ! A quelle heure prendrai-je congé de Votre Majesté après-demain ?

— Où logez-vous ?

— Je dois loger désormais au Louvre.

— Je ne le veux pas. Vous garderez votre logement en ville, je le paierai. Pour le départ, je le fixe à la nuit, attendu que vous devez partir sans être vu de personne, ou si vous êtes vu, sans qu'on sache que vous êtes à moi... Bouche close, monsieur.

— Votre Majesté gâte tout ce qu'elle a dit par ce seul mot.

— Je vous demandais où vous logez, car je ne puis vous envoyer chercher toujours chez M. le comte de La Fère.

— Je loge chez M. Planchet, épicier, rue des Lombards, à l'enseigne du Pilon-d'Or.

— Sortez peu, montrez-vous moins encore et attendez mes ordres.

— Il faut que j'aille toucher cependant, sire.

— C'est vrai ; mais pour aller à la surintendance, où vont tant de gens, vous vous mêlerez à la foule.

— Il me manque les bons pour toucher, sire.

— Les voici.

Le roi signa.

D'Artagnan regarda pour s'assurer de la régularité.

— C'est de l'argent, dit-il, et l'argent se lit ou se compte.

— Adieu, monsieur d'Artagnan, ajouta le roi ; je pense que vous m'avez bien compris ?

— Moi, j'ai compris que Votre Majesté m'envoie à Belle-Ile-en-Mer, voilà tout.

— Pour savoir ?...

— Pour savoir comment vont les travaux de M. Fouquet ; voilà tout.

— Bien ; j'admets que vous soyez pris ?

— Moi, je ne l'admets pas, répliqua hardiment le Gascon.

— J'admets que vous soyez tué ? poursuivit le roi.

— Ce n'est pas probable, sire.

— Dans le premier cas, vous ne parlez pas ; dans le second, aucun papier ne parle sur vous.

D'Artagnan haussa les épaules sans cérémonie, et prit congé du roi en se disant : « La pluie d'Angleterre continue ! restons sous la gouttière. »

LIV

LES MAISONS DE M. FOUQUET[1]

Tandis que d'Artagnan revenait chez Planchet, la tête bourrelée et alourdie par tout ce qui venait de lui arriver, il se passait une scène d'un tout autre genre et qui cependant n'était[2] pas étrangère à la conversation

1. Ms., Houghton Library, Harvard University. Ms. Fr. 1332, F^os 49bis-60.
2. Texte : « ... n'*est* pas... »

que notre mousquetaire venait d'avoir avec le roi. Seulement, cette scène avait lieu hors Paris, dans une maison que possédait le surintendant Fouquet dans le village de Saint-Mandé.

Le ministre venait d'arriver à cette maison de campagne, suivi de son premier commis, lequel portait un énorme portefeuille plein de papiers à examiner et d'actes[1] attendant la signature.

Comme il pouvait être cinq heures du soir, les maîtres avaient dîné, le souper se préparait pour vingt convives subalternes.

Le surintendant ne s'arrêta point, en descendant de voiture. Il franchit du même bond le seuil de la porte, traversa les appartements et gagna son cabinet, où il déclara qu'il s'enfermait pour travailler, défendant qu'on le dérangeât pour quelque chose que ce fût, excepté pour ordre du roi.

En effet, aussitôt cet ordre donné, Fouquet s'enferma, et deux valets de pied furent placés en sentinelle à sa porte. Alors Fouquet poussa un verrou, lequel[2] déplaçait un panneau qui murait l'entrée, et qui empêchait que rien de ce qui se passait dans ce cabinet fût vu ou entendu. Mais contre toute probabilité, c'était bien pour s'enfermer que Fouquet s'enfermait ainsi ; car il alla droit à son bureau, s'y assit, ouvrit le portefeuille et se mit à faire un choix dans la masse énorme de papiers qu'il renfermait.

Il n'y avait pas dix minutes qu'il était entré, et que toutes les précautions que nous avons dites avaient été prises, quand le bruit répété de plusieurs petits coups égaux frappa son oreille, et parut appeler toute son attention.

Fouquet redressa la tête, tendit l'oreille et écouta.

Les petits coups continuèrent. Alors le travailleur se leva avec un léger mouvement d'impatience, et marcha droit à une glace derrière laquelle les coups étaient frappés par une main ou par un mécanisme invisible.

C'était une grande glace prise dans un panneau. Trois autres glaces absolument pareilles complétaient la symétrie de l'appartement.

Rien ne distinguait celle-là des autres.

A n'en pas douter, ces petits coups réitérés étaient un signal ; car au moment où Fouquet approchait de la glace en écoutant, le même bruit se renouvela et dans la même mesure.

— Oh ! oh ! murmura le surintendant avec surprise ; qui donc est là-bas ? Je n'attendais personne aujourd'hui.

Et, sans doute pour répondre au signal qui avait été fait, le surintendant tira un clou doré dans cette même glace et l'agita trois fois.

Puis, revenant à sa place et se rasseyant :

— Ma foi, qu'on attende, dit-il.

Et se replongeant dans l'océan de papier déroulé devant lui, il ne

1. Textes : « ... et d'*autres*... »
2. Ms. : « ... *qui* déplaçait... »

parut songer plus[1] qu'au travail. En effet, avec une rapidité incroyable, une lucidité merveilleuse, Fouquet déchiffrait les papiers les plus longs, les écritures les plus compliquées, les corrigeant, les annotant d'une plume emportée comme par la fièvre, et l'ouvrage fondait[2] entre ses doigts, les signatures, les chiffres, les renvois se multipliaient comme si dix commis, c'est-à-dire cent doigts et dix cerveaux, eussent fonctionné, au lieu de cinq doigts et du seul esprit de cet homme.

De temps en temps seulement, Fouquet, abîmé dans ce travail, levait la tête pour jeter un coup d'œil furtif sur une horloge placée en face de lui.

C'est que Fouquet se donnait sa tâche ; c'est que, cette tâche une fois donnée, en une heure de travail il faisait, lui, ce qu'un autre n'eût point accompli dans sa journée : toujours certain, par conséquent, pourvu qu'il ne fût point dérangé, d'arriver au but dans le délai que son activité dévorante avait fixé. Mais, au milieu de ce travail ardent, les coups secs du petit timbre placé derrière la glace retentirent encore une fois, plus pressés, et par conséquent plus instants.

— Allons, il paraît que la dame s'impatiente, dit Fouquet ; voyons, voyons, du calme, ce doit être la comtesse ; mais non, la comtesse est à Rambouillet pour trois jours. La présidente, alors. Oh ! la présidente ne prendrait point de ces grands airs ; elle sonnerait bien humblement, puis elle attendrait mon bon plaisir. Le plus clair de tout cela, c'est que je ne puis savoir qui cela peut être, mais que je sais bien qui cela n'est pas. Et puisque ce n'est pas vous, marquise, puisque ce ne peut être vous, foin de tout autre !

Et il poursuivit sa besogne, malgré les appels réitérés du timbre. Cependant, au bout d'un quart d'heure, l'impatience gagna Fouquet à son tour ; il brûla plutôt qu'il n'acheva le reste de son ouvrage, repoussa les[3] papiers dans le portefeuille, et donnant un coup d'œil à son miroir, tandis que les petits coups continuaient plus pressés que jamais :

— Oh ! oh ! dit-il, d'où vient cette fougue ? Qu'est-il arrivé, et quelle est l'Ariane qui m'attend avec une pareille impatience ? Voyons.

Alors il appuya le bout de son doigt sur le clou parallèle à celui qu'il avait tiré. Aussitôt la glace joua comme le battant d'une porte et découvrit un placard assez profond, dans lequel le surintendant disparut comme dans une vaste boîte. Là, il poussa un nouveau ressort, qui ouvrit, non pas une planche, mais un bloc de muraille, et sortit par cette tranchée, laissant la porte se refermer d'elle-même.

Alors Fouquet descendit une vingtaine de marches qui s'enfonçaient en tournoyant sous la terre, et trouva un long souterrain dallé et éclairé par des meurtrières imperceptibles. Les parois de ce souterrain étaient

1. Texte : mot omis.
2. Texte : « ... l'ouvrage fond*ant*... »
3. Texte : « ... *ses* papiers... »

couvertes de nattes[1], et le sol de tapis. Ce souterrain passait sous la rue même qui séparait la maison de Fouquet du parc de Vincennes. Au bout du souterrain tournoyait un escalier parallèle à celui par lequel Fouquet était descendu. Il monta cet autre escalier, entra par le moyen d'un ressort pareil[2] dans un placard semblable à celui de son cabinet, et, de ce placard, il passa dans une chambre absolument vide, quoique meublée avec une suprême élégance.

Une fois entré, il examina soigneusement si la glace fermait sans laisser de trace, et, content sans doute de son observation, il alla ouvrir, à l'aide d'une petite clé de vermeil, les triples tours d'une porte située en face de lui

Cette fois, la porte ouvrait sur un beau cabinet meublé somptueusement et dans lequel se tenait assise sur des coussins une femme d'une beauté suprême, qui, au bruit des verrous, se précipita vers Fouquet.

— Ah ! mon Dieu ! s'écria celui-ci reculant d'étonnement : madame la marquise de Bellière, vous, vous ici !

— Oui, murmura la marquise ; oui, moi, monsieur.

— Marquise, chère marquise, ajouta Fouquet prêt à se prosterner. Ah ! mon Dieu ! mais comment donc êtes-vous venue ? Et moi qui vous ai fait attendre !

— Bien longtemps, monsieur, oh ! oui, bien longtemps.

— Je suis assez heureux pour que cette attente vous ait duré, marquise ?

— Une éternité, monsieur ; oh ! j'ai sonné plus de vingt fois ; n'entendiez-vous pas ?

— Marquise, vous êtes pâle, vous êtes tremblante.

— N'entendiez-vous donc pas qu'on vous appelait ?

— Oh ! si fait, j'entendais bien, madame ; mais je ne pouvais venir. Comment supposer que ce fût vous, après vos rigueurs, après vos refus ? Si j'avais pu soupçonner le bonheur qui m'attendait, croyez-le bien, marquise, j'eusse tout quitté pour venir tomber à vos genoux, comme je le fais en ce moment.

La marquise regarda autour d'elle.

— Sommes-nous bien seuls, monsieur ? demanda-t-elle.

— Oh ! oui, madame, je vous en réponds.

— En effet, dit la marquise tristement.

— Vous soupirez ?

— Que de mystères, que de précautions, dit la marquise avec une légère amertume et comme on voit que vous craignez de laisser soupçonner vos amours !

— Aimeriez-vous mieux que je les affichasse ?

1. Texte : « ... couvertes de *dalles*... »
2. Texte : « ... un ressort *posé*... »

— Oh ! non, et c'est d'un homme délicat, dit la marquise en souriant.

— Voyons, voyons, marquise, pas de reproches, je vous en supplie !

— Des reproches, ai-je le droit de vous en faire ?

— Non, malheureusement non ; mais, dites-moi, vous, que depuis un an j'aime sans retour et sans espoir...

— Vous vous trompez : sans espoir, c'est vrai ; mais sans retour, non.

— Oh ! pour moi, à l'amour, il n'y a qu'une preuve, et cette preuve, je l'attends encore.

— Je viens vous l'apporter, monsieur.

Fouquet voulut entourer la marquise de ses bras, mais elle se dégagea d'un geste.

— Vous tromperez-vous donc toujours, monsieur, et n'accepterez-vous pas de moi la seule chose que je veuille vous donner, le dévouement ?

— Ah ! vous ne m'aimez pas, alors ; le dévouement n'est qu'une vertu, l'amour est une passion.

— Écoutez-moi, monsieur, je vous en supplie ; je ne serais pas venue ici sans un motif grave, vous le comprenez bien.

— Peu m'importe le motif, puisque vous voilà, puisque je vous parle, puisque je vous vois.

— Oui, vous avez raison, le principal est que j'y sois, sans que personne m'ait vue, et que je puisse vous parler.

Fouquet se laissa tomber à deux genoux.

— Parlez, parlez, madame, dit-il, je vous écoute.

La marquise regardait Fouquet à ses genoux, et il y avait dans les regards de cette femme une étrange expression d'amour et de mélancolie.

— Oh ! murmura-t-elle enfin, que je voudrais être celle qui a le droit de vous voir à chaque minute, de vous parler à chaque instant ! Que je voudrais être celle qui veille sur vous, celle qui n'a pas besoin de mystérieux ressorts pour appeler, pour faire apparaître comme un sylphe l'homme qu'elle aime, pour le regarder une heure, et puis le voir disparaître dans les ténèbres, d'un mystère encore plus étrange à sa sortie qu'il n'était à son arrivée. Oh !... c'est une femme bien heureuse.

— Par hasard, marquise, dit Fouquet en souriant, parleriez-vous de ma femme ?

— Oui, certes, j'en parle.

— Eh bien ! n'enviez pas son sort, marquise ; de toutes les femmes avec lesquelles je suis en relations, Mme Fouquet est celle qui me voit le moins, qui me parle le moins et qui a le moins de confidences avec moi.

— Au moins, monsieur, n'en est-elle pas réduite à appuyer, comme je l'ai fait, la main sur un ornement de glace pour vous faire venir ; au moins ne lui répondez-vous pas par ce bruit mystérieux, effrayant, d'un timbre dont le ressort vient je ne sais d'où ; au moins ne lui avez-vous jamais défendu de chercher à percer le secret de ces communications, sous peine de voir se rompre à jamais votre liaison avec elle, comme vous le défendez à celles qui sont venues ici avant moi et qui y viendront après moi.

— Ah ! chère marquise, que vous êtes injuste et que vous savez peu ce que vous faites en récriminant contre le mystère ! c'est avec le mystère seulement que l'on peut aimer sans trouble, c'est avec l'amour sans trouble qu'on peut être heureux. Mais revenons à vous, à ce dévouement dont vous me parliez, ou plutôt trompez-moi, marquise, et me laissez croire que ce dévouement, c'est de l'amour.

— Tout à l'heure, reprit la marquise en passant sur ses yeux cette main modelée sur les plus suaves contours de l'antiquité[1], tout à l'heure j'étais prête à parler, mes idées étaient nettes, hardies ; maintenant, je suis tout interdite, toute troublée, toute tremblante ; je crains de venir vous apporter une mauvaise nouvelle.

— Si c'est à cette mauvaise nouvelle que je dois votre présence, marquise, que cette mauvaise nouvelle soit la bienvenue ; ou plutôt, marquise, puisque vous voilà, puisque vous m'avouez que je ne vous suis pas tout à fait indifférent, laissons de côté cette mauvaise nouvelle, et ne parlons que de vous.

— Non, non, au contraire, demandez-la-moi ; exigez que je vous la dise à l'instant, que je ne me laisse détourner par aucun sentiment ; Fouquet, mon ami, il y va d'un intérêt immense.

— Vous m'étonnez, marquise ; je dirai même plus, vous me faites presque peur, vous, si sérieuse, si réfléchie, vous qui connaissez si bien le monde où nous vivons. C'est donc grave.

— Oh ! très grave, écoutez !

— D'abord, comment êtes-vous venue ici ?

— Vous le saurez tout à l'heure ; mais, d'abord, au plus pressé.

— Dites, marquise, dites ! Seulement[2] je vous en supplie, prenez en pitié mon impatience.

— Vous savez que M. Colbert est nommé intendant des finances ?

— Bah ! Colbert, le petit Colbert ?

— Oui, Colbert, le petit Colbert.

— Le factotum de M. de Mazarin ?

— Justement.

— Eh bien ! que voyez-vous là d'effrayant, chère marquise ? Ce petit cuistre[3] intendant, c'est étonnant, j'en conviens, mais ce n'est pas terrible.

— Croyez-vous que le roi ait donné, sans motifs pressants, une pareille place à celui que vous appelez un petit cuistre ?

— D'abord, est-ce bien vrai que le roi la lui ait donnée.

1. Texte : « ... de l'anti*que*... »
2. Texte : mot omis.
3. Texte : « *Le* petit *Colbert*... »

— On le dit.

— Qui le dit ?

— Tout le monde.

— Tout le monde, ce n'est personne ; citez-moi quelqu'un qui puisse être bien informé et qui le dise.

— Mme Vanel.

— Ah ! vous commencez à m'effrayer, en effet, dit Fouquet en riant ; le fait est que si quelqu'un est bien renseigné, ou doit être bien renseigné, c'est la personne que vous nommez.

— Ne dites pas de mal de la pauvre Marguerite, monsieur Fouquet, car elle vous aime toujours.

— Bah ! vraiment ? C'est à ne pas croire. Je pensais que ce petit Colbert, comme vous disiez tout à l'heure, avait passé par-dessus cet amour-là et l'avait empreint d'une tache d'encre ou d'une couche de crasse.

— Fouquet, Fouquet, voilà donc comme vous êtes pour celles que vous abandonnez ?

— Allons, n'allez-vous pas prendre la défense de Mme Vanel, marquise ?

— Oui, je la prendrai ; car, je vous le répète, elle vous aime toujours, et la preuve, c'est qu'elle vous sauve.

— Par votre entremise, marquise ; c'est adroit à elle. Nul ange ne pourrait m'être plus agréable, et me mener plus sûrement au salut. Mais d'abord, comment connaissez-vous Marguerite ?

— C'est mon amie de couvent.

— Et vous dites donc qu'elle vous a annoncé que M. Colbert était nommé intendant ?

— Oui.

— Eh bien ! éclairez-moi, marquise ; voilà M. Colbert intendant, soit. En quoi un intendant, c'est-à-dire mon subordonné, mon commis, peut-il me porter ombrage ou préjudice, fût-ce M. Colbert ?

— Vous ne réfléchissez pas, monsieur, à ce qu'il paraît, répondit la marquise.

— A quoi ?

— A ceci : que M. Colbert vous hait.

— Moi ! s'écria Fouquet. Eh ! mon Dieu ! marquise, d'où sortez-vous donc ? Mais, tout le monde me hait, celui-là comme les autres.

— Celui-là plus que les autres.

— Plus que les autres, soit.

— Il est ambitieux.

— Qui ne l'est pas, marquise ?

— Oui ; mais à lui son ambition n'a pas de borne.

— Je le vois bien, puisqu'il a tendu à me succéder près de Mme Vanel.

— Et qu'il a réussi ; prenez-y garde.

— Voudriez-vous dire qu'il a la prétention de passer d'intendant surintendant ?

— N'en avez-vous pas eu déjà la crainte ?

— Oh ! oh ! fit Fouquet, me succéder près de Mme Vanel, soit ; mais près du roi, c'est autre chose. La France ne s'achète pas si facilement que la femme d'un maître des comptes.

— Eh ! monsieur, tout s'achète ; quand ce n'est point par l'or, c'est par l'intrigue.

— Vous savez bien le contraire, vous, madame, vous à qui j'ai offert des millions.

— Il fallait, au lieu de ces millions, Fouquet, m'offrir un amour vrai, unique, absolu ; j'eusse accepté. Vous voyez bien que tout s'achète, si ce n'est pas d'une façon, c'est de l'autre.

— Ainsi M. Colbert, à votre avis, est en train de marchander ma place de surintendant ? Allons, allons, marquise, tranquillisez-vous, il n'est pas encore assez riche pour l'acheter.

— Mais s'il vous la vole ?

— Ah ! ceci est autre chose. Malheureusement, avant que d'arriver à moi, c'est-à-dire au corps de la place, il faut détruire, il faut battre en brèche les ouvrages avancés, et je suis diablement bien fortifié, marquise.

— Et ce que vous appelez vos ouvrages avancés, ce sont vos créatures, n'est-ce pas, ce sont vos amis ?

— Justement.

— Et M. d'Emerys est-il de vos créatures ?

— Oui.

— M. Lyodot est-il de vos amis ?

— Certainement.

— M. de Varins[1] ?

— Oh ! M. de Varins, qu'on en fasse ce que l'on voudra, mais...

— Mais ?...

— Mais qu'on ne touche pas aux autres.

— Eh bien ! si vous voulez qu'on ne touche point à MM. d'Emerys et Lyodot, il est temps de vous y prendre.

— Qui les menace ?

— Voulez-vous m'entendre maintenant ?

— Toujours, marquise.

— Sans m'interrompre ?

— Parlez.

— Eh bien ! ce matin, Marguerite m'a envoyé chercher.

— Ah !

— Oui.

1. Texte : « Eymeris », « Vanin ».

— Et que vous voulait-elle ?

— « Je n'ose voir M. Fouquet moi-même », m'a-t-elle dit.

— Bah ! pourquoi ? pense-t-elle que je lui eusse fait des reproches ? Pauvre femme, elle se trompe bien, mon Dieu !

— « Voyez-le, vous, et dites-lui qu'il se garde de M. de Colbert. »

— Comment, elle me fait prévenir de me garder de son amant ?

— Je vous ai dit qu'elle vous aime toujours.

— Après, marquise ?

— « M. de Colbert, a-t-elle ajouté, est venu il y a deux heures m'annoncer qu'il était intendant. »

— Je vous ai déjà dit, marquise, que M. de Colbert n'en serait que mieux sous ma main.

— Oui, mais ce n'est pas le tout : Marguerite est liée, comme vous savez, avec Mme d'Eymeris et Mme Lyodot.

— Oui.

— Eh bien ! M. de Colbert lui a fait de grandes questions sur la fortune de ces deux messieurs, sur le degré de dévouement qu'ils vous portent.

— Oh ! quant à ces deux-là, je réponds d'eux ; il faudra les tuer pour qu'ils ne soient plus à moi.

— Puis, comme Mme Vanel a été obligée, pour recevoir une visite, de quitter un instant M. Colbert, et que M. Colbert est un travailleur, à peine le nouvel intendant est-il resté seul, qu'il a tiré un crayon de sa poche, et, comme il y avait du papier sur une table, s'est mis à crayonner des notes.

— Des notes sur Emerys et Lyodot ?

— Justement.

— Je serais curieux de savoir ce que disaient ces notes.

— C'est justement ce que je viens vous apporter.

— Mme Vanel a pris les notes de Colbert et me les envoie ?

— Non, mais, par un hasard qui ressemble à un miracle, elle a un double de ces notes.

— Comment cela ?

— Écoutez. Je vous ai dit que Colbert avait trouvé du papier sur une table ?

— Oui.

— Qu'il avait tiré un crayon de sa poche ?

— Oui.

— Et avait écrit sur ce papier ?

— Oui.

— Eh bien ! ce crayon était de mine de plomb, dur par conséquent : il a marqué en noir sur la première feuille et, sur la seconde, a tracé son empreinte en blanc.

— Après ?

— Colbert, en déchirant la première feuille, n'a pas songé à la seconde.

— Eh bien ?

— Eh bien ! sur la seconde on pouvait lire ce qui avait été écrit sur la première : Mme Vanel l'a lu et m'a envoyé chercher.

— Ah[1] !

— Puis, quand elle s'est[2] assurée que j'étais pour vous une amie dévouée, elle m'a donné le papier et m'a dit le secret de cette maison.

— Et ce papier ? dit Fouquet en se troublant quelque peu.

— Le voilà, monsieur ; lisez, dit la marquise.

Fouquet lut :

Noms des traitants à faire condamner par la Chambre de justice : d'Emerys, ami de M. F. ; Lyodot, ami de M. F. ; de Varins, indif.

— D'Emerys ! Lyodot ! s'écria Fouquet en relisant.

— Amis de M. F., indiqua du doigt la marquise.

— Mais que veulent dire ces mots : « A faire condamner par la Chambre de justice » ?

— Dame ! fit la marquise, c'est clair, ce me semble. D'ailleurs, vous n'êtes pas au bout. Lisez, lisez.

Fouquet continua :

Les deux premiers, à mort, le troisième à renvoyer, avec MM. d'Hautemont et de La Valette, dont les biens seront seulement confisqués.

— Grand Dieu ! s'écria Fouquet, à mort, à mort, Lyodot et d'Emerys ! Mais, quand même la Chambre de justice les condamnerait à mort, le roi ne ratifiera pas leur condamnation, et l'on n'exécute pas sans la signature du roi.

— Le roi a fait M. Colbert intendant.

— Oh ! s'écria Fouquet, comme s'il entrevoyait sous ses pieds un abîme inaperçu[3], impossible ! impossible ! Mais qui a passé un crayon sur les traces de celui de M. Colbert.

— Moi. J'avais peur que le premier trait ne s'effaçât.

— Oh ! je saurai tout.

— Vous ne saurez rien, monsieur ; vous méprisez trop votre ennemi pour cela.

— Pardonnez-moi, chère marquise, excusez-moi ; oui, M. Colbert est mon ennemi, je le crois ; oui, M. Colbert est un homme à craindre, je l'avoue. Mais... mais, j'ai le temps, et puisque vous voilà, puisque vous m'avez assuré de votre dévouement, puisque vous m'avez laissé entrevoir votre amour, puisque nous sommes seuls...

1. Texte : réplique omise.
2. Texte : « ... *après s'être* assurée... »
3. Texte : « ... abîme *aperçu*... »

— Je suis venue pour vous sauver, monsieur Fouquet, et non pour me perdre, dit la marquise en se relevant ; ainsi, gardez-vous...

— Marquise, en vérité, vous vous effrayez par trop, et à moins que cet effroi ne soit un prétexte...

— C'est un cœur profond que ce M. Colbert ! gardez-vous...

Fouquet se redressa à son tour.

— Et moi ? demanda-t-il.

— Oh ! vous, vous n'êtes qu'un noble cœur. Gardez-vous ! gardez-vous !

— Ainsi ?

— J'ai fait ce que je devais faire, mon ami, au risque de me perdre de réputation. Adieu !

— Non pas adieu, au revoir !

— Peut-être, dit la marquise.

Et, donnant sa main à baiser à Fouquet, elle s'avança si résolument vers la porte que Fouquet n'osa lui barrer le passage.

Quant à Fouquet, il reprit, la tête inclinée et avec un nuage au front, la route de ce souterrain le long duquel couraient les fils de métal qui communiquaient d'une maison à l'autre, transmettant, au revers des deux glaces, les désirs et les appels des deux correspondants.

LV

L'ABBÉ FOUQUET

Fouquet se hâta de repasser chez lui par le souterrain et de faire jouer le ressort du miroir. A peine fut-il dans son cabinet, qu'il entendit heurter à la porte ; en même temps une voix bien connue criait :

— Ouvrez, monseigneur, je vous prie, ouvrez.

Fouquet, par un mouvement rapide, rendit un peu d'ordre à tout ce qui pouvait déceler son agitation et son absence ; il éparpilla les papiers sur le bureau, prit une plume dans sa main, et à travers la porte, pour gagner du temps :

— Qui êtes-vous ? demanda-t-il.

— Quoi ! Monseigneur ne me reconnaît pas ? répondit la voix.

« Si fait, dit en lui-même Fouquet, si fait, mon ami, je te reconnais à merveille ! »

Et tout haut :

— N'êtes-vous pas Gourville ?

— Mais oui, monseigneur.

Fouquet se leva, jeta un dernier regard sur une de ses glaces, alla à la porte, poussa le verrou, et Gourville entra.

— Ah ! monseigneur, monseigneur, dit-il, quelle cruauté !

— Pourquoi ?

— Voilà un quart d'heure que je vous supplie d'ouvrir et que vous ne me répondez même pas.

— Une fois pour toutes, vous savez bien que je ne veux pas être dérangé lorsque je travaille. Or, bien que vous fassiez exception, Gourville, je veux, pour les autres, que ma consigne soit respectée.

— Monseigneur, en ce moment, consignes, portes, verrous et murailles, j'eusse tout brisé, renversé, enfoncé.

— Ah ! ah ! il s'agit donc d'un grand événement ? demanda Fouquet.

— Oh ! je vous en réponds, monseigneur ! dit Gourville.

— Et quel est cet événement ? reprit Fouquet un peu ému du trouble de son plus intime confident.

— Il y a une Chambre de justice secrète, monseigneur.

— Je le sais bien ; mais s'assemble-t-elle, Gourville ?

— Non seulement elle s'assemble, mais encore elle a rendu un arrêt... monseigneur.

— Un arrêt ! fit le surintendant avec un frissonnement et une pâleur qu'il ne put cacher. Un arrêt ! Et contre qui ?

— Contre deux de vos amis.

— Lyodot, d'Emerys, n'est-ce pas ?

— Oui, monseigneur.

— Mais arrêt de quoi ?

— Arrêt de mort.

— Rendu ! Oh ! vous vous trompez, Gourville, et c'est impossible.

— Voici la copie de cet arrêt que le roi doit signer aujourd'hui, si toutefois il ne l'a point signé déjà.

Fouquet saisit avidement le papier, le lut et le rendit à Gourville.

— Le roi ne signera pas, dit-il.

Gourville secoua la tête.

— Monseigneur, M. Colbert est un hardi conseiller ; ne vous y fiez pas.

— Encore M. Colbert ! s'écria Fouquet ; çà ! pourquoi ce nom vient-il à tout propos tourmenter depuis deux ou trois jours mes oreilles ? C'est par trop d'importance, Gourville, pour un sujet si mince. Que M. Colbert paraisse, je le regarderai ; qu'il lève la tête, je l'écraserai ; mais vous comprenez qu'il me faut au moins une aspérité pour que mon regard s'arrête, une surface pour que mon pied se pose.

— Patience, monseigneur ; car vous ne savez pas ce que vaut Colbert... Étudiez-le vite ; il en est de ce sombre financier comme des météores que l'œil ne voit jamais complètement avant leur invasion désastreuse ; quand on les sent, on est mort.

— Oh ! Gourville, c'est beaucoup, répliqua Fouquet en souriant ; permettez-moi, mon ami, de ne pas m'épouvanter avec cette facilité ;

météore, M. Colbert ! Corbleu ! nous entendrons le météore... Voyons, des actes, et non des mots. Qu'a-t-il fait ?

— Il a commandé deux potences chez l'exécuteur de Paris, répondit simplement Gourville.

Fouquet leva la tête, et un éclair passa dans ses yeux.

— Vous êtes sûr de ce que vous dites ? s'écria-t-il.

— Voici la preuve, monseigneur.

Et Gourville tendit au surintendant une note communiquée par l'un des secrétaires de l'Hôtel de Ville, qui était à Fouquet.

— Oui, c'est vrai, murmura le ministre, l'échafaud se dresse... mais le roi n'a pas signé, Gourville, le roi ne signera pas.

— Je le saurai tantôt, dit Gourville.

— Comment cela ?

— Si le roi a signé, les potences seront expédiées ce soir à l'Hôtel de Ville, afin d'être tout à fait dressées demain matin.

— Mais non, non ! s'écria encore une fois Fouquet ; vous vous trompez tous, et me trompez à mon tour ; avant-hier matin, Lyodot me vint voir ; il y a trois jours je reçus un envoi de vin de Syracuse de ce pauvre d'Emerys.

— Qu'est-ce que cela prouve ? répliqua Gourville, sinon que la Chambre de justice s'est assemblée secrètement, a délibéré en l'absence des accusés, et que toute la procédure était faite quand on les a arrêtés.

— Mais ils sont donc arrêtés ?

— Sans doute.

— Mais où, quand, comment ont-ils été arrêtés ?

— Lyodot, hier au point du jour ; d'Emerys, avant-hier au soir, comme il revenait de chez sa maîtresse ; leur disparition n'avait inquiété personne ; mais tout à coup Colbert a levé le masque et fait publier la chose ; on le crie à son de trompe en ce moment dans les rues de Paris, et, en vérité, monseigneur, il n'y a plus guère que vous qui ne connaissiez pas l'événement.

Fouquet se mit à marcher dans la chambre avec une inquiétude de plus en plus douloureuse.

— Que décidez-vous, monseigneur ? dit Gourville.

— S'il en était ainsi, j'irais chez le roi, s'écria Fouquet. Mais, pour aller au Louvre, je veux passer auparavant à l'Hôtel de Ville. Si l'arrêt a été signé, nous verrons !

Gourville haussa les épaules.

— Incrédulité ! dit-il, tu es la peste de tous les grands esprits !

— Gourville !

— Oui, continua-t-il, et tu les perds, comme la contagion tue les santés les plus robustes, c'est-à-dire en un instant.

— Partons, s'écria Fouquet ; faites ouvrir, Gourville.

— Prenez garde, dit celui-ci, M. l'abbé Fouquet est là.

— Ah ! mon frère, répliqua Fouquet d'un ton chagrin, il est là ? il sait donc quelque mauvaise nouvelle qu'il est tout joyeux de m'apporter, comme à son habitude ? Diable ! si mon frère est là, mes affaires vont mal, Gourville ; que ne me disiez-vous cela plus tôt, je me fusse plus facilement laissé convaincre.

— Monseigneur le calomnie, dit Gourville en riant ; s'il vient, ce n'est pas dans une mauvaise intention.

— Allons, voilà que vous l'excusez, s'écria Fouquet ; un garçon sans cœur, sans suite d'idées, un mangeur de tous biens.

— Il vous sait riche.

— Et il veut ma ruine.

— Non ; il veut votre bourse. Voilà tout.

— Assez ! Assez ! Cent mille écus par mois pendant deux ans ! Corbleu ! c'est moi qui paie, Gourville, et je sais mes chiffres.

Gourville se mit à rire d'un air silencieux et fin.

— Oui, vous voulez dire que c'est le roi, fit le surintendant ; ah ! Gourville, voilà une vilaine plaisanterie ; ce n'est pas le lieu.

— Monseigneur, ne vous fâchez pas.

— Allons donc ! Qu'on renvoie l'abbé Fouquet, je n'ai pas le sou.

Gourville fit un pas vers la porte.

— Il est resté un mois sans me voir, continua Fouquet ; pourquoi ne resterait-il pas deux mois ?

— C'est qu'il se repent de vivre en mauvaise compagnie, dit Gourville, et qu'il vous préfère à tous ses bandits.

— Merci de la préférence. Vous faites un étrange avocat, Gourville, aujourd'hui... avocat de l'abbé Fouquet !

— Eh ! mais toute chose et tout homme ont leur bon côté, leur côté utile, monseigneur.

— Les bandits que l'abbé solde et grise ont leur côté utile ? Prouvez-le-moi donc.

— Vienne la circonstance, monseigneur, et vous serez bien heureux de trouver ces bandits sous votre main.

— Alors tu me conseilles de me réconcilier avec M. l'abbé ? dit ironiquement Fouquet.

— Je vous conseille, monseigneur, de ne pas vous brouiller avec cent ou cent vingt garnements qui, en mettant leurs rapières bout à bout, feraient un cordon d'acier capable d'enfermer trois mille hommes.

Fouquet lança un coup d'œil profond à Gourville, et passant devant lui :

— C'est bien ; qu'on introduise M. l'abbé Fouquet, dit-il aux valets de pied. Vous avez raison, Gourville.

Deux minutes après, l'abbé parut avec de grandes révérences sur le seuil de la porte.

C'était un homme de quarante à quarante-cinq ans, moitié homme d'Église, moitié homme de guerre, un spadassin greffé sur un abbé ; on voyait qu'il n'avait pas d'épée au côté, mais on sentait qu'il avait des pistolets.

Fouquet le salua en frère aîné, moins qu'en ministre.

— Qu'y a-t-il pour votre service, dit-il, monsieur l'abbé ?

— Oh ! oh ! comme vous dites cela, mon frère !

— Je vous dis cela comme un homme pressé, monsieur.

L'abbé regarda malicieusement Gourville, anxieusement Fouquet, et dit :

— J'ai trois cents pistoles à payer à M. de Bregi ce soir... Dette de jeu, dette sacrée.

— Après ? dit Fouquet bravement, car il comprenait que l'abbé Fouquet ne l'eût point dérangé pour une pareille misère.

— Mille à mon boucher, qui ne veut plus fournir.

— Après ?

— Douze cents au tailleur d'habits... continua l'abbé : le drôle m'a fait reprendre sept habits de mes gens, ce qui fait que mes livrées sont compromises, et que ma maîtresse parle de me remplacer par un traitant[1], ce qui serait humiliant pour l'Église.

— Qu'y a-t-il encore ? dit Fouquet.

— Vous remarquerez, monsieur, dit humblement l'abbé, que je n'ai rien demandé pour moi.

— C'est délicat, monsieur, répliqua Fouquet ; aussi, comme vous voyez, j'attends.

— Et je ne demande rien ; oh ! non... Ce n'est pas faute pourtant de chômer... je vous en réponds.

Le ministre réfléchit un moment.

— Douze cents pistoles au tailleur d'habits, dit-il ; ce sont bien des habits, ce me semble ?

— J'entretiens cent hommes ! dit fièrement l'abbé ; c'est une charge, je crois.

— Pourquoi cent hommes ? dit Fouquet ; est-ce que vous êtes un Richelieu ou un Mazarin pour avoir cent hommes de garde ? A quoi vous servent ces cent hommes ? Parlez, dites !

— Vous me le demandez ? s'écria l'abbé Fouquet ; ah ! comment pouvez-vous faire une question pareille, pourquoi j'entretiens cent hommes ? Ah !

— Mais oui, je vous fais cette question. Qu'avez-vous à faire de cent hommes ? Répondez !

— Ingrat ! continua l'abbé s'affectant de plus en plus.

— Expliquez-vous.

— Mais, monsieur le surintendant, je n'ai besoin que d'un valet de chambre, moi, et encore, si j'étais seul, me servirais-je moi-même ; mais vous, vous qui avez tant d'ennemis... cent hommes ne me

1. Les *Mémoires de Monsieur d'Artagnan* de Courtilz de Sandras racontent une savoureuse aventure amoureuse de l'abbé Fouquet (chap. XXVIII).

suffisent pas pour vous défendre. Cent hommes !... il en faudrait dix mille. J'entretiens donc tout cela pour que dans les endroits publics, pour que dans les assemblées, nul n'élève la voix contre vous ; et sans cela, monsieur, vous seriez chargé d'imprécations, vous seriez déchiré à belles dents, vous ne dureriez pas huit jours, non, pas huit jours, entendez-vous ?

— Ah ! je ne savais pas que vous me fussiez un pareil champion, monsieur l'abbé.

— Vous en doutez ! s'écria l'abbé. Écoutez donc ce qui est arrivé. Pas plus tard qu'hier, rue de la Huchette, un homme marchandait un poulet.

— Eh bien ! en quoi cela me nuisait-il, l'abbé ?

— En ceci. Le poulet n'était pas gras. L'acheteur refusa d'en donner dix-huit sous, en disant qu'il ne pouvait payer dix-huit sous la peau d'un poulet dont M. Fouquet avait pris toute la graisse.

— Après ?

— Le propos fit rire, continua l'abbé, rire à vos dépens, mort de tous les diables ! et la canaille s'amassa. Le rieur ajouta ces mots : « Donnez-moi un poulet nourri par M. Colbert, à la bonne heure ! et je le paierai ce que vous voudrez. » Et aussitôt l'on battit des mains. Scandale affreux ! vous comprenez ; scandale qui force un frère à se voiler le visage.

Fouquet rougit.

— Et vous vous le voilâtes ? dit le surintendant.

— Non ; car justement, continua l'abbé, j'avais un de mes hommes dans la foule ; une nouvelle recrue qui vient de province, un M. de Menneville que j'affectionne. Il fendit la presse, en disant au rieur :

« — Mille barbes ! monsieur le mauvais plaisant, tope un coup d'épée au Colbert !

« — Tope et tingue[1] au Fouquet ! répliqua le rieur.

« Sur quoi ils dégainèrent devant la boutique du rôtisseur, avec une haie de curieux autour d'eux et cinq cents curieux aux fenêtres.

— Eh bien ? dit Fouquet.

— Eh bien ! monsieur, mon Menneville embrocha le rieur au grand ébahissement de l'assistance, et dit au rôtisseur :

« — Prenez ce dindon, mon ami, il est plus gras que votre poulet.

« Voilà, monsieur, acheva l'abbé triomphalement, à quoi je dépense mes revenus ; je soutiens l'honneur de la famille, monsieur.

Fouquet baissa la tête.

— Et j'en ai cent comme cela, poursuivit l'abbé.

— Bien, dit Fouquet ; donnez votre addition à Gourville et restez ici ce soir, chez moi.

— On soupe ?

---

1. De l'espagnol : *Topo y tengo* (« Je tope et je tiens »), qui est aussi le nom d'un jeu de dés.

— On soupe.
— Mais la caisse est fermée ?
— Gourville vous l'ouvrira. Allez, monsieur l'abbé, allez.
L'abbé fit une révérence.
— Alors nous voilà amis ? dit-il.
— Oui, amis. Venez, Gourville.
— Vous sortez ? Vous ne soupez donc pas ?
— Je serai ici dans une heure, soyez tranquille.
Puis tout bas à Gourville :
— Qu'on attelle mes chevaux anglais, dit-il, et qu'on touche à l'Hôtel de Ville de Paris.

LVI

LE VIN DE M. DE LA FONTAINE

Les carrosses amenaient déjà les convives de Fouquet à Saint-Mandé ; déjà toute la maison s'échauffait des apprêts du souper, quand le surintendant lança sur la route de Paris ses chevaux rapides, et, prenant par les quais pour trouver moins de monde sur sa route, gagna l'Hôtel de Ville. Il était huit heures moins un quart. Fouquet descendit au coin de la rue du Long-Pont[1], se dirigea vers la place de Grève, à pied, avec Gourville.

Au détour de la place, ils virent un homme vêtu de noir et de violet, d'une bonne mine, qui s'apprêtait à monter dans un carrosse de louage et disait au cocher de toucher à Vincennes. Il avait devant lui un grand panier plein de bouteilles qu'il venait d'acheter au cabaret de l'Image-de-Notre-Dame.

— Eh ! mais c'est Vatel, mon maître d'hôtel ! dit Fouquet à Gourville.
— Oui, monseigneur, répliqua celui-ci.
— Que vient-il faire à l'Image-de-Notre-Dame ?
— Acheter du vin sans doute.
— Comment, on achète pour moi du vin au cabaret ? dit Fouquet. Ma cave est donc bien misérable !

Et il s'avança vers le maître d'hôtel, qui faisait ranger son vin dans le carrosse avec un soin minutieux.

— Holà ! Vatel ! dit-il d'une voix de maître.
— Prenez garde, monseigneur, dit Gourville, vous allez être reconnu.
— Bon !... que m'importe ? Vatel !
L'homme vêtu de noir et de violet se retourna.

1. La rue de Longpont, qui s'appelait encore au XVIIe siècle rue des Moines-de-Longpont, est l'actuelle rue de Brosse : elle débouchait face au portail de Saint-Gervais.

C'était une bonne et douce figure sans expression, une figure de mathématicien, moins l'orgueil. Un certain feu brillait dans les yeux de ce personnage, un sourire assez fin voltigeait sur ses lèvres ; mais l'observateur eût remarqué bien vite que ce feu, que ce sourire ne s'appliquaient à rien et n'éclairaient rien.

Vatel riait comme un distrait, ou s'occupait comme un enfant.

Au son de la voix qui l'interpellait, il se retourna.

— Oh ! fit-il, monseigneur ?

— Oui, moi. Que diable faites-vous là, Vatel ?... Du vin ! vous achetez du vin dans un cabaret de la place de Grève ! Passe encore pour la Pomme-de-Pin[1] ou les Barreaux-Verts.

— Mais, monseigneur, dit Vatel tranquillement, après avoir lancé un regard hostile à Gourville, de quoi se mêle-t-on ici ?... Est-ce que ma cave est mal tenue ?

— Non, certes, Vatel, non ; mais...

— Quoi ! mais ?... répliqua Vatel.

Gourville toucha le coude du surintendant.

— Ne vous fâchez pas, Vatel ; je croyais ma cave, votre cave assez bien garnie pour que je pusse me dispenser de recourir à l'Image-de-Notre-Dame.

— Eh ! monsieur, dit Vatel, tombant du monseigneur au monsieur, avec un certain dédain, votre cave est si bien garnie que, lorsque certains de vos convives vont dîner chez vous, ils ne boivent pas.

Fouquet, surpris, regarda Gourville, puis Vatel.

— Que dites-vous là ?

— Je dis que votre sommelier n'avait pas de vins pour tous les goûts, monsieur, et que M. de La Fontaine, M. Pellisson et M. Conrart ne boivent pas quand ils viennent à la maison. Ces messieurs n'aiment pas le grand vin : que voulez-vous y faire ?

— Et alors ?

— Alors, j'ai ici un vin de Joigny qu'ils affectionnent. Je sais qu'ils le viennent boire à l'Image-de-Notre-Dame une fois par semaine. Voilà pourquoi je fais ma provision.

Fouquet n'avait plus rien à dire... Il était presque ému.

Vatel, lui, avait encore beaucoup à dire sans doute, et l'on vit bien qu'il s'échauffait.

— C'est comme si vous me reprochiez, monseigneur, d'aller rue Planche-Mibray[2] chercher moi-même le cidre que boit M. Loret quand il vient dîner à la maison.

— Loret boit du cidre chez moi ? s'écria Fouquet en riant.

1. Sur la Pomme-de-Pin, voir *Les Trois Mousquetaires*, chap. VII, p. 69, note 2.

2. Elle s'étendait entre le quai de Gesvres et la rue Saint-Jacques-la-Boucherie, et était continuée par la rue des Arcis.

— Eh ! oui, monsieur, eh ! oui, voilà pourquoi il dîne chez vous avec plaisir.

— Vatel, s'écria Fouquet en serrant la main de son maître d'hôtel, vous êtes un homme ! Je vous remercie, Vatel, d'avoir compris que chez moi M. de La Fontaine, M. Conrart et M. Loret sont autant que des ducs et des pairs, autant que des princes, plus que moi. Vatel, vous êtes un bon serviteur, et je double vos honoraires.

Vatel ne remercia même pas ; il haussa légèrement les épaules en murmurant ce mot superbe :

— Être remercié pour avoir fait son devoir, c'est humiliant.

— Il a raison, dit Gourville en attirant l'attention de Fouquet sur un autre point par un seul geste.

Il lui montrait en effet un chariot de forme basse, traîné par deux chevaux, sur lequel s'agitaient deux potences toutes ferrées, liées l'une à l'autre et dos à dos par des chaînes ; tandis qu'un archer, assis sur l'épaisseur de la poutre, soutenait, tant bien que mal, la mine un peu basse, les commentaires d'une centaine de vagabonds qui flairaient la destination de ces potences et les escortaient jusqu'à l'Hôtel de Ville.

Fouquet tressaillit.

— C'est décidé, voyez-vous, dit Gourville.

— Mais ce n'est pas fait, répliqua Fouquet.

— Oh ! ne vous abusez pas, monseigneur ; si l'on a ainsi endormi votre amitié, votre défiance, si les choses en sont là, vous ne déferez rien.

— Mais je n'ai pas ratifié, moi.

— M. de Lyonne aura ratifié pour vous.

— Je vais au Louvre.

— Vous n'irez pas.

— Vous me conseilleriez cette lâcheté ! s'écria Fouquet, vous me conseilleriez d'abandonner mes amis, vous me conseilleriez, pouvant combattre, de jeter à terre les armes que j'ai dans la main ?

— Je ne vous conseille rien de tout cela, monseigneur ; pouvez-vous quitter la surintendance en ce moment ?

— Non.

— Eh bien ! si le roi nous veut remplacer cependant ?

— Il me remplacera de loin comme de près.

— Oui, mais vous ne l'aurez jamais blessé.

— Oui, mais j'aurai été lâche ; or, je ne veux pas que mes amis meurent, et ils ne mourront pas.

— Pour cela, il est nécessaire que vous alliez au Louvre ?

— Gourville !

— Prenez garde... une fois au Louvre, ou vous serez forcé de défendre tout haut vos amis, c'est-à-dire de faire une profession de foi, ou vous serez forcé de les abandonner sans retour possible.

— Jamais !

— Pardonnez-moi... le roi vous proposera forcément l'alternative, ou bien vous la lui proposerez vous-même.

— C'est juste.

— Voilà pourquoi il ne faut pas de conflit... Retournons à Saint-Mandé, monseigneur.

— Gourville, je ne bougerai pas de cette place où doit s'accomplir le crime, où doit s'accomplir ma honte ; je ne bougerai pas, dis-je, que je n'aie trouvé un moyen de combattre mes ennemis.

— Monseigneur, répliqua Gourville, vous me feriez pitié si je ne savais que vous êtes un des bons esprits de ce monde. Vous possédez cent cinquante millions, vous êtes autant que le roi par la position, cent cinquante fois plus par l'argent. M. Colbert n'a pas eu même l'esprit de faire accepter le testament de Mazarin. Or, quand on est le plus riche d'un royaume et qu'on veut se donner la peine de dépenser de l'argent, si l'on ne fait pas ce qu'on veut, c'est qu'on est un pauvre homme. Retournons, vous dis-je, à Saint-Mandé.

— Pour consulter Pellisson ? Oui.

— Non, monseigneur, pour compter votre argent.

— Allons ! dit Fouquet les yeux enflammés ; oui ! oui ! à Saint-Mandé !

Il remonta dans son carrosse, et Gourville avec lui. Sur la route, au bout du faubourg Saint-Antoine, ils rencontrèrent le petit équipage de Vatel, qui voiturait tranquillement son vin de Joigny.

Les chevaux noirs, lancés à toute bride, épouvantèrent en passant le timide cheval du maître d'hôtel, qui, mettant la tête à la portière, cria, effaré :

— Gare à mes bouteilles !

LVII

LA GALERIE DE SAINT-MANDÉ

Cinquante personnes attendaient le surintendant. Il ne prit même pas le temps de se confier un moment à son valet de chambre, et du perron passa dans le premier salon. Là ses amis étaient rassemblés et causaient. L'intendant s'apprêtait à faire servir le souper ; mais, par-dessus tout, l'abbé Fouquet guettait le retour de son frère et s'étudiait à faire les honneurs de la maison en son absence.

Ce fut à l'arrivée du surintendant un murmure de joie et de tendresse : Fouquet, plein d'affabilité et de bonne humeur, de munificence, était aimé de ses poètes, de ses artistes et de ses gens d'affaires. Son front, sur lequel sa petite cour lisait, comme sur celui d'un dieu, tous les mouvements de son âme, pour en faire des règles de conduite, son front que les affaires ne ridaient jamais, était ce soir-là plus pâle que de coutume, et plus d'un œil ami remarqua cette pâleur. Fouquet se mit au centre de la table et présida gaiement le souper. Il raconta l'expédition de Vatel à La Fontaine.

Il raconta l'histoire de Menneville et du poulet maigre à Pellisson, de telle façon que toute la table l'entendit.

Ce fut alors une tempête de rires et de railleries qui ne s'arrêta que sur un geste grave et triste de Pellisson.

L'abbé Fouquet, ne sachant pas à quel propos son frère avait engagé la conversation sur ce sujet, écoutait de toutes ses oreilles et cherchait sur le visage de Gourville ou sur celui du surintendant une explication que rien ne lui donnait.

Pellisson prit la parole.

— On parle donc de M. Colbert ? dit-il.

— Pourquoi non, répliqua Fouquet, s'il est vrai, comme on le dit, que le roi l'ait fait son intendant ?

A peine Fouquet eut-il laissé échapper cette parole, prononcée avec une intention marquée, que l'explosion se fit entendre parmi les convives.

— Un avare ! dit l'un.

— Un croquant ! dit l'autre.

— Un hypocrite ! dit un troisième.

Pellisson échangea un regard profond avec Fouquet.

— Messieurs, dit-il, en vérité, nous maltraitons là un homme que nul ne connaît : ce n'est ni charitable, ni raisonnable, et voilà M. le surintendant qui, j'en suis sûr, est de cet avis.

— Entièrement, répliqua Fouquet. Laissons les poulets gras de M. Colbert, il ne s'agit aujourd'hui que des faisans truffés de M. Vatel.

Ces mots arrêtèrent le nuage sombre qui précipitait sa marche au-dessus des convives.

Gourville anima si bien les poètes avec le vin de Joigny ; l'abbé, intelligent comme un homme qui a besoin des écus d'autrui, anima si bien les financiers et les gens d'épée, que, dans les brouillards de cette joie et les rumeurs de la conversation, l'objet des inquiétudes disparut complètement.

Le testament du cardinal Mazarin fut le texte de la conversation au second service et au dessert ; puis Fouquet commanda qu'on portât les bassins de confiture et les fontaines de liqueurs dans le salon attenant à la galerie. Il s'y rendit, menant par la main une femme, reine, ce soir-là, par sa préférence.

Puis les violons soupèrent, et les promenades dans la galerie, dans le jardin commencèrent, par un ciel de printemps doux et parfumé.

Pellisson vint alors auprès du surintendant et lui dit :

— Monseigneur a un chagrin ?

— Un grand, répondit le ministre; faites-vous conter cela par Gourville.

Pellisson, en se retournant, trouva La Fontaine qui lui marchait sur les deux pieds. Il lui fallut écouter un vers latin que le poète avait composé sur Vatel.

La Fontaine, depuis une heure, scandait ce vers dans tous les coins et lui cherchait un placement avantageux.

Il crut tenir Pellisson, mais celui-ci lui échappa.

Il se retourna sur Loret, qui, lui, venait de composer un quatrain en l'honneur du souper et de l'amphitryon.

La Fontaine voulut en vain placer son vers ; Loret voulait placer son quatrain.

Il fut obligé de rétrograder devant M. le comte de Charost[1], à qui Fouquet venait de prendre le bras.

L'abbé Fouquet sentit que le poète, distrait comme toujours, allait suivre les deux causeurs : il intervint.

La Fontaine se cramponna aussitôt et récita son vers.

L'abbé, qui ne savait pas le latin, balançait la tête en cadence, à chaque mouvement de roulis que La Fontaine imprimait à son corps, selon les ondulations des dactyles ou des spondées.

Pendant ce temps, derrière les bassins de confiture, Fouquet racontait l'événement à M. de Charost, son gendre.

— Il faut envoyer les inutiles au feu d'artifice, dit Pellisson à Gourville, tandis que nous causerons ici.

— Soit, répliqua Gourville, qui dit quatre mots à Vatel.

Alors on vit ce dernier emmener vers les jardins la majeure partie des muguets, des dames et des babillards, tandis que les hommes se promenaient dans la galerie, éclairée de trois cents bougies de cire, au vu de tous les amateurs du feu d'artifice, occupés à courir le jardin.

Gourville s'approcha de Fouquet. Alors, il lui dit :

— Monsieur, nous sommes tous ici.

— Tous ? dit Fouquet.

— Oui, comptez.

Le surintendant se retourna et compta. Il y avait huit personnes.

Pellisson et Gourville marchaient en se tenant par le bras, comme s'ils causaient de sujets vagues et légers.

Loret et deux officiers les imitaient en sens inverse.

L'abbé Fouquet se promenait seul.

Fouquet, avec M. de Charost, marchait aussi comme s'il eût été absorbé par la conversation de son gendre.

— Messieurs, dit-il, que personne de vous ne lève la tête en marchant

1. Texte : « Chanost », erreur des premiers imprimeurs pour « Charost » : Louis-Armand de Béthune, duc de Charost ou Charrost.

et ne paraisse faire attention à moi ; continuez de marcher, nous sommes seuls, écoutez-moi.

Un grand silence se fit, troublé seulement par les cris lointains des joyeux convives qui prenaient place dans les bosquets pour mieux voir les fusées.

C'était un bizarre spectacle que celui de ces hommes marchant comme par groupes, comme occupés chacun à quelque chose, et pourtant attentifs à la parole d'un seul d'entre eux, qui, lui-même, ne semblait parler qu'à son voisin.

— Messieurs, dit Fouquet, vous avez remarqué, sans doute, que deux de nos amis manquaient ce soir à la réunion du mercredi... Pour Dieu ! l'abbé, ne vous arrêtez pas, ce n'est pas nécessaire pour écouter ; marchez, de grâce, avec vos airs de tête les plus naturels, et comme vous avez la vue perçante, mettez-vous à la fenêtre ouverte, et si quelqu'un revient vers la galerie, prévenez-nous en toussant.

L'abbé obéit.

— Je n'ai pas remarqué les absents, dit Pellisson, qui, à ce moment, tournait absolument le dos à Fouquet et marchait en sens inverse.

— Moi, dit Loret, je ne vois pas M. Lyodot, qui me fait ma pension.

— Et moi, dit l'abbé, à la fenêtre, je ne vois pas mon cher d'Emerys, qui me doit onze cents livres de notre dernier brelan.

— Loret, continua Fouquet en marchant sombre et incliné, vous ne toucherez plus la pension de Lyodot ; et vous, l'abbé, vous ne toucherez jamais vos onze cents livres d'Emerys, car l'un et l'autre vont mourir.

— Mourir ? s'écria l'assemblée, arrêtée malgré elle dans son jeu de scène par le mot terrible.

— Remettez-vous, messieurs, dit Fouquet, car on nous épie peut-être... J'ai dit : mourir.

— Mourir ! répéta Pellisson, ces hommes que j'ai vus, il n'y a pas six jours, pleins de santé, de gaieté, d'avenir. Qu'est-ce donc que l'homme, bon Dieu ! pour qu'une maladie le jette en bas tout d'un coup ?

— Ce n'est pas la maladie, dit Fouquet.

— Alors, il y a du remède, dit Loret.

— Aucun remède. MM. de Lyodot et d'Emerys sont à la veille de leur dernier jour.

— De quoi ces messieurs meurent-ils, alors ? s'écria un officier.

— Demandez à celui qui les tue, répliqua Fouquet.

— Qui les tue ! On les tue ? s'écria le chœur épouvanté.

— On fait mieux encore. On les pend ! murmura Fouquet d'une voix sinistre qui retentit comme un glas funèbre dans cette riche galerie, tout étincelante de tableaux, de fleurs, de velours et d'or.

Involontairement chacun s'arrêta; l'abbé quitta sa fenêtre; les premières fusées du feu d'artifice commençaient à monter par-dessus la cime des arbres.

Un long cri, parti des jardins, appela le surintendant à jouir du coup d'œil.

Il s'approcha d'une fenêtre, et, derrière lui, se placèrent ses amis, attentifs à ses moindres désirs.

— Messieurs, dit-il, M. Colbert a fait arrêter, juger et fera exécuter à mort mes deux amis: que convient-il que je fasse?

— Mordieu! dit l'abbé le premier, il faut faire éventrer M. Colbert.

— Monseigneur, dit Pellisson, il faut parler à Sa Majesté.

— Le roi, mon cher Pellisson, a signé l'ordre d'exécution.

— Eh bien! dit le comte de Charost, il faut que l'exécution n'ait pas lieu, voilà tout.

— Impossible, dit Gourville, à moins que l'on ne corrompe les geôliers.

— Ou le gouverneur, dit Fouquet.

— Cette nuit, l'on peut faire évader les prisonniers.

— Qui de vous se charge de la transaction?

— Moi, dit l'abbé, je porterai l'argent.

— Moi, dit Pellisson, je porterai la parole.

— La parole et l'argent, dit Fouquet, cinq cent mille livres au gouverneur de la Conciergerie, c'est assez; cependant on mettra un million s'il le faut.

— Un million! s'écria l'abbé; mais pour la moitié moins je ferais mettre à sac la moitié de Paris.

— Pas de désordre, dit Pellisson; le gouverneur étant gagné, les deux prisonniers s'évadent; une fois hors de cause, ils ameutent les ennemis de Colbert et prouvent au roi que sa jeune justice n'est pas infaillible, comme toutes les exagérations.

— Allez donc à Paris, Pellisson, dit Fouquet, et ramenez les deux victimes; demain, nous verrons. Gourville, donnez les cinq cent mille livres à Pellisson.

— Prenez garde que le vent ne vous emporte, dit l'abbé; quelle responsabilité, peste! Laissez-moi vous aider un peu.

— Silence! dit Fouquet; on s'approche. Ah! le feu d'artifice est d'un effet magique!

A ce moment, une pluie d'étincelles tomba, ruisselante, dans les branchages du bois voisin.

Pellisson et Gourville sortirent ensemble par la porte de la galerie; Fouquet descendit au jardin avec les cinq derniers conjurés.

LVIII

LES ÉPICURIENS

Comme Fouquet donnait ou paraissait donner toute son attention aux illuminations brillantes, à la musique langoureuse des violons et des hautbois, aux gerbes étincelantes des artifices qui, embrasant le ciel de fauves reflets, accentuaient, derrière les arbres, la sombre silhouette du donjon de Vincennes ; comme, disons-nous, le surintendant souriait aux dames et aux poètes, la fête ne fut pas moins gaie qu'à l'ordinaire, et Vatel, dont le regard inquiet, jaloux même, interrogeait avec insistance le regard de Fouquet, ne se montra pas mécontent de l'accueil fait à l'ordonnance de la soirée.

Le feu tiré, la société se dispersa dans les jardins et sous les portiques de marbre, avec cette molle liberté qui décèle, chez le maître de la maison, tant d'oubli de la grandeur, tant de courtoise hospitalité, tant de magnifique insouciance.

Les poètes s'égarèrent, bras dessus, bras dessous, dans les bosquets ; quelques-uns s'étendirent sur des lits de mousse, au grand désastre des habits de velours et des frisures, dans lesquelles s'introduisaient les petites feuilles sèches et les brins de verdure.

Les dames, en petit nombre, écoutèrent les chants des artistes et les vers des poètes ; d'autre écoutèrent la prose que disaient, avec beaucoup d'art, des hommes qui n'étaient ni comédiens ni poètes, mais à qui la jeunesse et la solitude donnaient une éloquence inaccoutumée qui leur paraissait être la préférable de toutes.

— Pourquoi, dit La Fontaine, notre maître Épicure n'est-il pas descendu au jardin ? Jamais Épicure n'abandonnait ses disciples, le maître a tort.

— Monsieur, lui dit Conrart, vous avez bien tort de persister à vous décorer du nom d'épicurien ; en vérité, rien ici ne rappelle la doctrine du philosophe de Gargette[1].

— Bah ! répliqua La Fontaine, n'est-il pas écrit qu'Épicure acheta un grand jardin et y vécut tranquillement avec ses amis ?

— C'est vrai.

— Eh bien ! M. Fouquet n'a-t-il pas acheté un grand jardin à Saint-Mandé, et n'y vivons-nous pas, fort tranquillement, avec lui et nos amis ?

1. Dème (bourg) de l'Attique, où Lucrèce fait naître Épicure à qui on donne généralement comme lieu de naissance Samos.

— Oui, sans doute ; malheureusement ce n'est ni le jardin ni les amis qui peuvent faire la ressemblance. Or, où est la ressemblance de la doctrine de M. Fouquet avec celle d'Épicure ?

— La voici : « Le plaisir donne le bonheur. »

— Après ?

— Eh bien ?

— Je ne crois pas que nous nous trouvions malheureux, moi, du moins. Un bon repas, du vin de Joigny qu'on a la délicatesse d'aller chercher pour moi à mon cabaret favori ; pas une ineptie dans tout un souper d'une heure, malgré dix millionnaires et vingt poètes.

— Je vous arrête là. Vous avez parlé de vin de Joigny et d'un bon repas ; persistez-vous ?

— Je persiste, *antecho*[1], comme on dit à Port-Royal.

— Alors, rappelez-vous que le grand Épicure vivait et faisait vivre ses disciples de pain, de légumes et d'eau claire.

— Cela n'est pas certain, dit La Fontaine, et vous pourriez bien confondre Épicure avec Pythagore, mon cher Conrart.

— Souvenez-vous aussi que le philosophe ancien était un assez mauvais ami des dieux et des magistrats.

— Oh ! voilà ce que je ne puis souffrir, répliqua La Fontaine, Épicure comme M. Fouquet.

— Ne le comparez pas à M. le surintendant, dit Conrart, d'une voix émue, sinon vous accréditeriez les bruits qui courent déjà sur lui et sur nous.

— Quels bruits ?

— Que nous sommes de mauvais Français, tièdes au monarque, sourds à la loi.

— J'en reviens donc à mon texte, alors, dit La Fontaine. Écoutez, Conrart, voici la morale d'Épicure... lequel, d'ailleurs, je considère, s'il faut que je vous le dise, comme un mythe. Tout ce qu'il y a d'un peu tranché dans l'Antiquité est mythe. Jupiter, si l'on veut bien y faire attention, c'est la vie, Alcide, c'est la force. Les mots sont là pour me donner raison : Zeus, c'est *zèn*, vivre ; Alcide, c'est *alcé*, vigueur. Eh bien ! Épicure, c'est la douce surveillance, c'est la protection ; or, qui surveille mieux l'État et qui protège mieux les individus que M. Fouquet ?

— Vous me parlez étymologie, mais non pas morale : je dis que, nous autres épicuriens modernes, nous sommes de fâcheux citoyens.

— Oh ! s'écria La Fontaine, si nous devenons de fâcheux citoyens, ce ne sera pas en suivant les maximes du maître. Écoutez un de ses principaux aphorismes.

1. Texte : « *antecho* », pour « *antiquo* » : « Je rejette (une loi, une proposition, un argument), donc je persiste dans ma première opinion. » Les Petites Écoles établies à Port-Royal des Champs en 1638 avaient pour maîtres MM. de Selles, de Bascle, Lancelot, Nicole qui promouvaient une méthode rationnelle, d'inspiration cartésienne. Elles venaient d'être dispersées.

— J'écoute.

— « Souhaitez de bons chefs. »

— Eh bien ?

— Eh bien ! que nous dit M. Fouquet tous les jours ? « Quand donc serons-nous gouvernés ? » Le dit-il ? Voyons, Conrart, soyez franc !

— Il le dit, c'est vrai.

— Eh bien ! doctrine d'Épicure.

— Oui, mais c'est un peu séditieux, cela.

— Comment ! c'est séditieux de vouloir être gouverné par de bons chefs ?

— Certainement, quand ceux qui gouvernent sont mauvais.

— Patience ! j'ai réponse à tout.

— Même à ce que je viens de vous dire ?

— Écoutez : « Soumettez-vous à ceux qui gouvernent mal... » Oh ! c'est écrit : *Cacos politeuousi*[1]... Vous m'accordez le texte ?

— Pardieu ! je le crois bien. Savez-vous que vous parlez grec comme Ésope, mon cher La Fontaine ?

— Est-ce une méchanceté, mon cher Conrart ?

— Dieu m'en garde !

— Alors, revenons à M. Fouquet. Que nous répétait-il toute la journée ? N'est-ce pas ceci : « Quel cuistre que ce Mazarin ! quel âne ! quelle sangsue ! Il faut pourtant obéir à ce drôle !... » Voyons, Conrart, le disait-il ou ne le disait-il pas ?

— J'avoue qu'il le disait, et même peut-être un peu trop.

— Comme Épicure, mon ami, toujours comme Épicure ; je le répète, nous sommes épicuriens, et c'est fort amusant.

— Oui, mais j'ai peur qu'il ne s'élève, à côté de nous, une secte comme celle d'Épictète ; vous savez bien, le philosophe d'Hiérapolis[2], celui qui appelait le pain du luxe, les légumes de la prodigalité et l'eau claire de l'ivrognerie ; celui qui, battu par son maître, lui disait en grognant un peu, c'est vrai, mais sans se fâcher autrement : « Gageons que vous m'avez cassé la jambe ? » et qui gagnait son pari.

— C'était un oison que cet Épictète.

— Soit ; mais il pourrait bien revenir à la mode en changeant seulement son nom en celui de Colbert.

— Bah ! répliqua La Fontaine, c'est impossible ; jamais vous ne trouverez Colbert dans Épictète.

— Vous avez raison, j'y trouverai... Coluber[3], tout au plus.

— Ah ! vous êtes battu, Conrart ; vous vous réfugiez dans le jeu de

1. « Ils gouvernent mal. »
2. Texte : « Hiér*o*polis ». Ville de Phrygie (Asie Mineure) sur le Ménandre au nord de Laodicée.
3. En latin : couleuvre.

mots. M. Arnault prétend que je n'ai pas de logique... j'en ai plus que M. Nicolle.

— Oui, riposta Conrart, vous avez de la logique, mais vous êtes janséniste.

Cette péroraison fut accueillie par un immense éclat de rire. Peu à peu, les promeneurs avaient été attirés par les exclamations des deux ergoteurs autour du bosquet sous lequel ils péroraient. Toute la discussion avait été religieusement écoutée, et Fouquet lui-même, se contenant à peine, avait donné l'exemple de la modération.

Mais le dénouement de la scène le jeta hors de toute mesure ; il éclata. Tout le monde éclata comme lui, et les deux philosophes furent salués par des félicitations unanimes.

Cependant La Fontaine fut déclaré vainqueur, à cause de son érudition profonde et de son irréfragable logique.

Conrart obtint les dédommagements dus à un combattant malheureux ; on le loua sur la loyauté de ses intentions et la pureté de sa conscience.

Au moment où cette joie se manifestait par les plus vives démonstrations ; au moment où les dames reprochaient aux deux adversaires de n'avoir pas fait entrer les femmes dans le système du bonheur épicurien, on vit Gourville venir de l'autre bout du jardin, s'approcher de Fouquet, qui le couvait des yeux, et, par sa seule présence, le détacher du groupe.

Le surintendant conserva sur son visage le rire et tous les caractères de l'insouciance ; mais à peine hors de vue, il quitta le masque.

— Eh bien ! dit-il vivement, où est Pellisson ? que fait Pellisson ?

— Pellisson revient de Paris.

— A-t-il ramené les prisonniers ?

— Il n'a pas seulement pu voir le concierge de la prison.

— Quoi ! n'a-t-il pas dit qu'il venait de ma part ?

— Il l'a dit ; mais le concierge a fait répondre ceci : « Si l'on vient de la part de M. Fouquet, on doit avoir une lettre de M. Fouquet. »

— Oh ! s'écria celui-ci, s'il ne s'agit que de lui donner une lettre...

— Jamais, répliqua Pellisson, qui se montra au coin du petit bois, jamais, monseigneur... Allez vous-même et parlez en votre nom.

— Oui, vous avez raison ; je rentre chez moi comme pour travailler ; laissez les chevaux attelés, Pellisson. Retenez mes amis, Gourville.

— Un dernier avis, monseigneur, répondit celui-ci.

— Parlez, Gourville.

— N'allez chez le concierge qu'au dernier moment ; c'est brave, mais ce n'est pas adroit. Excusez-moi, monsieur Pellisson, si je suis d'un autre avis que vous ; mais croyez-moi, monseigneur, envoyez encore porter des paroles à ce concierge, c'est un galant homme ; mais ne les portez pas vous-même.

— J'aviserai, dit Fouquet ; d'ailleurs, nous avons la nuit tout entière.

— Ne comptez pas trop sur le temps, ce temps fût-il double de celui que nous avons, répliqua Pellisson ; ce n'est jamais une faute d'arriver trop tôt.

— Adieu, dit le surintendant ; venez avec moi, Pellisson. Gourville, je vous recommande mes convives.

Et il partit.

Les épicuriens ne s'aperçurent pas que le chef de l'école avait disparu ; les violons allèrent toute la nuit.

LIX

UN QUART D'HEURE DE RETARD

Fouquet, hors de sa maison pour la deuxième fois dans cette journée, se sentit moins lourd et moins troublé qu'on n'eût pu le croire.

Il se tourna vers Pellisson, qui gravement méditait dans son coin de carrosse quelque bonne argumentation contre les emportements de Colbert.

— Mon cher Pellisson, dit alors Fouquet, c'est bien dommage que vous ne soyez pas une femme.

— Je crois que c'est bien heureux, au contraire, répliqua Pellisson ; car, enfin, monseigneur, je suis excessivement laid[1].

— Pellisson ! Pellisson ! dit le surintendant en riant, vous répétez trop que vous êtes laid pour ne pas laisser croire que cela vous fait beaucoup de peine.

— Beaucoup, en effet, monseigneur ; il n'y a pas d'homme plus malheureux que moi ; j'étais beau, la petite vérole m'a rendu hideux ; je suis privé d'un grand moyen de séduction ; or, je suis votre premier commis ou à peu près ; j'ai affaire de vos intérêts, et si, en ce moment, j'étais une jolie femme, je vous rendrais un important service.

— Lequel ?

— J'irais trouver le concierge du palais[2], je le séduirais, car c'est un galant homme et un galantin ; puis j'emmènerais nos deux prisonniers.

— J'espère bien encore le pouvoir moi-même, quoique je ne sois pas une jolie femme, répliqua Fouquet.

---

1. « C'était un homme affreusement laid. Il avait un visage carré, tout couturé de la petite vérole, c'étaient des plaques blanches sur fond jaune, les yeux rouges, éraillés... et coulant toujours, la bouche allant d'une oreille à l'autre, d'épaisses lèvres tout à fait blanches, les dents noires. [...] La taille non plus n'était pas belle, car il avait de larges épaules, pas de cou, pas de mollets... C'était un vrai monstre, mais fort intelligent et très savant », *Lettres de la princesse palatine*, à la Raugrave Amélie-Élisabeth, le 8 novembre 1705.

2. La Conciergerie.

— D'accord, monseigneur ; mais vous vous compromettez beaucoup.

— Oh ! s'écria soudain Fouquet, avec un de ces transports secrets comme en possède dans le cœur le sang généreux de la jeunesse ou le souvenir de quelque douce émotion ; oh ! je connais une femme qui fera près du lieutenant gouverneur de la Conciergerie le personnage dont nous avons besoin.

— Moi, j'en connais cinquante, monseigneur, cinquante trompettes qui instruiront l'univers de votre générosité, de votre dévouement à vos amis, et par conséquent vous perdront tôt ou tard en se perdant.

— Je ne parle pas de ces femmes, Pellisson ; je parle d'une noble et belle créature qui joint à l'esprit de son sexe la valeur et le sang-froid du nôtre ; je parle d'une femme assez belle pour que les murs de la prison s'inclinent pour la saluer, d'une femme assez discrète pour que nul ne soupçonne par qui elle aura été envoyée.

— Un trésor, dit Pellisson ; vous feriez là un fameux cadeau à M. le gouverneur de la Conciergerie. Peste ! monseigneur, on lui couperait la tête, cela peut arriver, mais il aurait eu avant de mourir une bonne fortune, telle que jamais homme ne l'aurait rencontrée avant lui.

— Et j'ajoute, dit Fouquet, que le concierge du palais n'aurait pas la tête coupée, car il recevrait de moi mes chevaux pour se sauver, et cinq cent mille livres pour vivre honorablement en Angleterre ; j'ajoute que la femme, mon ami, ne lui donnerait que les chevaux et l'argent. Allons trouver cette femme, Pellisson.

Le surintendant étendit la main vers le cordon de soie et d'or placé à l'intérieur de son carrosse. Pellisson l'arrêta.

— Monseigneur, dit-il, vous allez perdre à chercher cette femme autant de temps que Colomb en mit à trouver le Nouveau Monde[1]. Or, nous n'avons que deux heures à peine pour réussir ; le concierge une fois couché, comment pénétrer chez lui sans de grands éclats ? le jour une fois venu, comment cacher nos démarches ? Allez, allez, monseigneur, allez vous-même, et ne cherchez ni ange ni femme pour cette nuit.

— Mais, cher Pellisson, nous voilà devant sa porte.

— Devant la porte de l'ange.

— Eh oui !

— C'est l'hôtel de Mme de Bellière, cela.

— Chut !

— Ah ! mon Dieu ! s'écria Pellisson.

— Qu'avez-vous à dire contre elle ? demanda Fouquet.

— Rien, hélas ! c'est ce qui me désespère. Rien, absolument rien... Que ne puis-je vous dire, au contraire, assez de mal pour vous empêcher de monter chez elle !

---

1. Le voyage dura deux mois et dix jours.

Mais déjà Fouquet avait donné l'ordre d'arrêter ; le carrosse était immobile.

— M'empêcher ! dit Fouquet ; nulle puissance au monde ne m'empêcherait, vois-tu, de dire un compliment à Mme du Plessis-Bellière ; d'ailleurs, qui sait si nous n'aurons pas besoin d'elle ! Montez-vous avec moi ?

— Non, monseigneur, non.

— Mais je ne veux pas que vous m'attendiez, Pellisson, répliqua Fouquet avec une courtoisie sincère.

— Raison de plus, monseigneur ; sachant que vous me faites attendre, vous resterez moins longtemps là-haut... Prenez garde ! vous voyez un carrosse dans la cour ; elle a quelqu'un chez elle !

Fouquet se pencha vers le marchepied du carrosse.

— Encore un mot, s'écria Pellisson : n'allez chez cette dame qu'en revenant de la Conciergerie, par grâce !

— Eh ! cinq minutes, Pellisson, répliqua Fouquet en descendant au perron même de l'hôtel.

Pellisson demeura au fond du carrosse, le sourcil froncé.

Fouquet monta chez la marquise, dit son nom au valet, ce qui excita un empressement et des respects qui témoignaient de l'habitude que la maîtresse de la maison avait prise de faire respecter et aimer ce nom chez elle.

— Monsieur le surintendant ! s'écria la marquise en s'avançant fort pâle au-devant de Fouquet. Quel honneur ! quel imprévu ! dit-elle.

Puis tout bas :

— Prenez garde ! ajouta la marquise, Marguerite Vanel est chez moi.

— Madame, répondit Fouquet troublé, je venais pour affaires... Un seul mot pressant.

Et il entra dans le salon.

Mme Vanel s'était levée plus pâle, plus livide que l'Envie elle-même. Fouquet lui adressa vainement un salut des plus charmants, des plus pacifiques ; elle n'y répondit que par un coup d'œil terrible, lancé sur la marquise et sur Fouquet. Ce regard acéré d'une femme jalouse est un stylet qui trouve le défaut de toutes les cuirasses ; Marguerite Vanel plongea du coup dans le cœur des deux confidents. Elle fit une révérence *à son amie*, une plus profonde à Fouquet, et prit congé, en prétextant un grand nombre de visites à faire avant que la marquise, interdite, ni Fouquet, saisi d'inquiétude, eussent songé à la retenir.

A peine fut-elle partie, que Fouquet, resté seul avec la marquise, se mit à ses genoux sans dire un mot.

— Je vous attendais, répondit la marquise avec un doux sourire.

— Oh ! non, dit-il, car vous eussiez renvoyé cette femme.

— Elle arrive depuis un quart d'heure à peine, et je ne pouvais soupçonner qu'elle dût venir ce soir.

— Vous m'aimez donc un peu, marquise ?

— Ce n'est pas de cela qu'il s'agit, monsieur, c'est de vos dangers ; où en sont vos affaires ?

— Je vais ce soir arracher mes amis aux prisons du palais.

— Comment cela ?

— En achetant, en séduisant le gouverneur.

— Il est de mes amis ; puis-je vous aider sans vous nuire ?

— Oh ! marquise, ce serait un signalé service ; mais comment vous employer sans vous compromettre ? Or, jamais ni ma vie, ni ma puissance, ni ma liberté même, ne seront rachetées, s'il faut qu'une larme tombe de vos yeux, s'il faut qu'une douleur obscurcisse votre front.

— Monseigneur, ne me dites plus de ces mots qui m'enivrent ; je suis coupable d'avoir voulu vous servir, sans calculer la portée de ma démarche. Je vous aime, en effet, comme une tendre amie, et, comme amie, je vous suis reconnaissante de votre délicatesse ; mais, hélas !... hélas ! jamais vous ne trouverez en moi une maîtresse.

— Marquise !... s'écria Fouquet d'une voix désespérée, pourquoi ?

— Parce que vous êtes trop aimé, dit tout bas la jeune femme, parce que vous l'êtes de trop de gens... parce que l'éclat de la gloire et de la fortune blesse mes yeux, tandis que la sombre douleur les attire ; parce qu'enfin, moi qui vous ai repoussé dans vos fastueuses magnificences, moi qui vous ai à peine regardé lorsque vous resplendissiez, j'ai été, comme une femme égarée, me jeter, pour ainsi dire, dans vos bras lorsque je vis un malheur planer sur votre tête... Vous me comprenez maintenant, monseigneur... Redevenez heureux pour que je redevienne chaste de cœur et de pensée : votre infortune me perdrait.

— Oh ! madame, dit Fouquet avec une émotion qu'il n'avait jamais ressentie, dussé-je tomber au dernier degré de la misère humaine, j'entendrai de votre bouche ce mot que vous me refusez, et ce jour-là, madame, vous vous serez abusée dans votre noble égoïsme ; ce jour-là, vous croirez consoler le plus malheureux des hommes, et vous aurez dit : « Je t'aime ! » au plus illustre, au plus souriant, au plus triomphant des heureux de ce monde !

Il était encore à ses pieds, lui baisant la main, lorsque Pellisson entra précipitamment en s'écriant avec humeur :

— Monseigneur ! madame ! par grâce, madame ! veuillez m'excuser... Monseigneur, il y a une demi-heure que vous êtes ici... Oh ! ne me regardez pas ainsi tous deux d'un air de reproche... madame, je vous prie, qui est cette dame qui est sortie de chez vous à l'entrée de Monseigneur ?

— Mme Vanel, dit Fouquet.

— Là ! s'écria Pellisson, j'en étais sûr !

— Eh bien ! quoi ?

— Eh bien ! elle est montée, toute pâle, dans son carrosse.

— Que m'importe ! dit Fouquet.

— Oui, mais ce qui vous importe, c'est ce qu'elle a dit à son cocher.

— Quoi donc, mon Dieu ? s'écria la marquise.

— « Chez M. Colbert ! » dit Pellisson d'une voix rauque.

— Grand Dieu ! partez ! partez, monseigneur ! répondit la marquise en poussant Fouquet hors du salon, tandis que Pellisson l'entraînait par la main.

— En vérité, dit le surintendant, suis-je un enfant à qui l'on fasse peur d'une ombre ?

— Vous êtes un géant, dit la marquise, qu'une vipère cherche à mordre au talon.

Pellisson continua d'entraîner Fouquet jusqu'au carrosse.

— Au palais, ventre à terre ! cria Pellisson au cocher.

Les chevaux partirent comme l'éclair ; nul obstacle ne ralentit leur marche un seul instant. Seulement, à l'arcade Saint-Jean[1], lorsqu'ils allaient déboucher sur la place de Grève, une longue file de cavaliers, barrant le passage étroit, arrêta le carrosse du surintendant. Nul moyen de forcer cette barrière ; il fallut attendre que les archers du guet à cheval, car c'étaient eux, fussent passés, avec le chariot massif qu'ils escortaient et qui remontait rapidement vers la place Baudoyer.

Fouquet et Pellisson ne prirent garde à cet événement que pour déplorer la minute de retard qu'ils eurent à subir. Ils entrèrent chez le concierge du palais cinq minutes après.

Cet officier se promenait encore dans la première cour.

Au nom de Fouquet, prononcé à son oreille par Pellisson, le gouverneur s'approcha du carrosse avec empressement, et, le chapeau à la main, multiplia les révérences.

— Quel honneur pour moi, monseigneur ! dit-il.

— Un mot, monsieur le gouverneur. Voulez-vous prendre la peine d'entrer dans mon carrosse ?

L'officier vint s'aseoir en face de Fouquet dans la lourde voiture.

— Monsieur, dit Fouquet, j'ai un service à vous demander.

— Parlez, monseigneur.

— Service compromettant pour vous, monsieur, mais qui vous assure à jamais ma protection et mon amitié.

— Fallût-il me jeter au feu pour vous, monseigneur, je le ferais.

— Bien, dit Fouquet ; ce que je vous demande est plus simple.

— Ceci fait, monseigneur, alors ; de quoi s'agit-il ?

— De me conduire aux chambres de MM. Lyodot et d'Emerys.

— Monseigneur veut-il m'expliquer pourquoi ?

1. La rue du Martroi, commençant place de Grève, passait sous des arcades avant de rejoindre la rue du Tourniquet-Saint-Jean qui longeait le côté nord de l'église Saint-Jean-en-Grève.

— Je vous le dirai en leur présence, monsieur, en même temps que je vous donnerai tous les moyens de pallier cette évasion.

— Évasion ! Mais Monseigneur ne sait donc pas ?

— Quoi ?

— MM. Lyodot et d'Emerys ne sont plus ici.

— Depuis quand ? s'écria Fouquet tremblant.

— Depuis un quart d'heure.

— Où sont-ils donc ?

— A Vincennes, au donjon.

— Qui les a tirés d'ici ?

— Un ordre du roi.

— Malheur ! s'écria Fouquet en se frappant le front, malheur !

Et, sans dire un seul mot de plus au gouverneur, il regagna son carrosse, le désespoir dans l'âme, la mort sur le visage.

— Eh bien ? fit Pellisson avec anxiété.

— Eh bien ! nos amis sont perdus ! Colbert les emmène au donjon. Ce sont eux qui nous ont croisés sous l'arcade Saint-Jean.

Pellisson, frappé comme d'un coup de foudre, ne répliqua pas. D'un reproche, il eût tué son maître.

— Où va Monseigneur ? demanda le valet de pied.

— Chez moi, à Paris ; vous, Pellisson, retournez à Saint-Mandé, ramenez-moi l'abbé Fouquet sous une heure. Allez !

LX

PLAN DE BATAILLE

La nuit était déjà avancée quand l'abbé Fouquet arriva près de son frère.

Gourville l'avait accompagné. Ces trois hommes, pâles des événements futurs, ressemblaient moins à trois puissants du jour qu'à trois conspirateurs unis par une même pensée de violence.

Fouquet se promena longtemps, l'œil fixé sur le parquet, les mains froissées l'une contre l'autre.

Enfin, prenant son courage au milieu d'un grand soupir :

— L'abbé, dit-il, vous m'avez parlé aujourd'hui même de certaines gens que vous entretenez ?

— Oui, monsieur, répliqua l'abbé.

— Au juste, qui sont ces gens ?

L'abbé hésitait.

— Voyons ! pas de crainte, je ne menace pas ; pas de forfanterie, je ne plaisante pas.

— Puisque vous demandez la vérité, monsieur, la voici : j'ai cent vingt amis ou compagnons de plaisir qui sont voués à moi comme les larrons à la potence.

— Et vous pouvez compter sur eux ?

— En tout.

— Et vous ne serez pas compromis ?

— Je ne figurerai même pas.

— Et ce sont des gens de résolution ?

— Ils brûleront Paris si je leur promets qu'ils ne seront pas brûlés.

— La chose que je vous demande, l'abbé, dit Fouquet en essuyant la sueur qui tombait de son visage, c'est de lancer vos cent vingt hommes sur les gens que je vous désignerai, à un certain moment donné... Est-ce possible ?

— Ce n'est pas la première fois que pareille chose leur sera arrivée, monsieur.

— Bien ; mais ces bandits attaqueront-ils... la force armée ?

— C'est leur habitude.

— Alors, rassemblez vos cent vingt hommes, l'abbé.

— Bien ! Où cela ?

— Sur le chemin de Vincennes, demain, à deux heures précises.

— Pour enlever Lyodot et d'Emerys ?... Il y a des coups à gagner ?

— De nombreux. Avez-vous peur ?

— Pas pour moi, mais pour vous.

— Vos hommes sauront donc ce qu'ils font ?

— Ils sont trop intelligents pour ne pas le deviner. Or, un ministre qui fait émeute contre son roi... s'expose.

— Que vous importe, si je paie ?... D'ailleurs, si je tombe, vous tombez avec moi.

— Il serait alors plus prudent, monsieur, de ne pas remuer, de laisser le roi prendre cette petite satisfaction.

— Pensez bien à ceci, l'abbé, que Lyodot et d'Emerys à Vincennes sont un prélude de ruine pour ma maison. Je le répète, moi arrêté, vous serez emprisonné ; moi emprisonné, vous serez exilé.

— Monsieur, je suis à vos ordres. En avez-vous à me donner ?

— Ce que j'ai dit : je veux que demain les deux financiers que l'on cherche à rendre victimes, quand il y a tant de criminels impunis, soient arrachés à la fureur de mes ennemis. Prenez vos mesures en conséquence. Est-ce possible ?

— C'est possible.

— Indiquez-moi votre plan.

— Il est d'une riche simplicité. La garde ordinaire aux exécutions est de douze archers.

— Il y en aura cent demain.

— J'y compte ; je dis plus, il y en aura deux cents.

— Alors, vous n'avez pas assez de cent vingt hommes ?

— Pardonnez-moi. Dans toute foule composée de cent mille spectateurs, il y a dix mille bandits ou coupeurs de bourse ; seulement, ils n'osent pas prendre d'initiative.

— Eh bien ?

— Il y aura donc demain sur la place de Grève, que je choisis pour terrain, dix mille auxiliaires à mes cent vingt hommes. L'attaque commencée par ceux-ci, les autres l'achèveront.

— Bien ! mais que fera-t-on des prisonniers sur la place de Grève ?

— Voici : on les fera entrer dans une maison quelconque de la place ; là, il faudra un siège pour qu'on puisse les enlever... Et, tenez, autre idée, plus sublime encore : certaines maisons ont deux issues, l'une sur la place, l'autre sur la rue de la Mortellerie, ou de la Vannerie, ou de la Tixeranderie[1]. Les prisonniers, entrés par l'une, sortiront par l'autre.

— Mais dites quelque chose de positif.

— Je cherche.

— Et moi, s'écria Fouquet, je trouve. Écoutez bien ce qui me vient en ce moment.

— J'écoute.

Fouquet fit un signe à Gourville qui parut comprendre.

— Un de mes amis me prête parfois les clefs d'une maison qu'il loue rue Baudoyer[2], et dont les jardins spacieux s'étendent derrière certaine maison de la place de Grève.

— Voilà notre affaire, dit l'abbé. Quelle maison ?

— Un cabaret assez achalandé, dont l'enseigne représente l'image de Notre-Dame.

— Je le connais, dit l'abbé.

— Ce cabaret a des fenêtres sur la place, une sortie sur une cour, laquelle doit aboutir aux jardins de mon ami par une porte de communication.

— Bon !

— Entrez par le cabaret, faites entrer les prisonniers, défendez la porte pendant que vous les ferez fuir par le jardin de la place Baudoyer.

— C'est vrai, monsieur, vous feriez un général excellent, comme M. le prince.

— Avez-vous compris ?

— Parfaitement.

1. Incurvée en arc de cercle vers le nord, elle reliait la place Baudoyer à la partie disparue de la rue de la Coutellerie, proche de la place de Grève. Elle fut absorbée en 1854 par la rue de Rivoli.

2. Lapsus probable pour *place* Baudoyer : il n'existait pas de rue de ce nom (voir ci-dessus, chap. LII, p. 309, note 1).

— Combien vous faut-il pour griser vos bandits avec du vin et les satisfaire avec de l'or ?

— Oh ! monsieur, quelle expression ! Oh ! monsieur, s'ils vous entendaient ! Quelques-uns parmi eux sont très susceptibles.

— Je veux dire qu'on doit les amener à ne plus reconnaître le ciel d'avec la terre, car je lutterai demain contre le roi, et quand je lutte, je veux vaincre, entendez-vous ?

— Ce sera fait, monsieur... Donnez-moi, monsieur, vos autres idées.

— Cela vous regarde.

— Alors donnez-moi votre bourse.

— Gourville, comptez cent mille livres à l'abbé.

— Bon... et ne ménageons rien, n'est-ce pas ?

— Rien.

— A la bonne heure !

— Monseigneur, objecta Gourville, si cela est su, nous y perdons la tête.

— Eh ! Gourville, répliqua Fouquet, pourpre de colère, vous me faites pitié ; parlez donc pour vous, mon cher. Mais ma tête à moi ne branle pas comme cela sur mes épaules. Voyons, l'abbé, est-ce dit ?

— C'est dit.

— A deux heures, demain ?

— A midi, parce qu'il faut maintenant préparer d'une manière secrète nos auxiliaires.

— C'est vrai : ne ménagez pas le vin du cabaretier.

— Je ne ménagerai ni son vin ni sa maison, repartit l'abbé en ricanant. J'ai mon plan, vous dis-je ; laissez-moi me mettre à l'œuvre, et vous verrez.

— Où vous tiendrez-vous ?

— Partout, et nulle part.

— Et comment serai-je informé ?

— Par un courrier dont le cheval se tiendra dans le jardin même de votre ami. A propos, le nom de cet ami ?

Fouquet regarda encore Gourville. Celui-ci vint au secours du maître en disant :

— Accompagnez M. l'abbé pour plusieurs raisons ; seulement, la maison est reconnaissable : l'image de Notre-Dame par-devant, un jardin, le seul du quartier, par-derrière.

— Bon, bon. Je vais prévenir mes soldats.

— Accompagnez-le, Gourville, dit Fouquet, et lui comptez l'argent. Un moment, l'abbé... un moment, Gourville... Quelle tournure donne-t-on à cet enlèvement ?

— Une bien naturelle, monsieur... L'émeute.

— L'émeute à propos de quoi ? Car enfin, si jamais le peuple de Paris est disposé à faire sa cour au roi, c'est quand il fait pendre des financiers.

— J'arrangerai cela... dit l'abbé.

— Oui, mais vous l'arrangerez mal et l'on devinera.

— Non pas, non pas... j'ai encore une idée.

— Dites.

— Mes hommes crieront : « Colbert ! Vive Colbert ! » et se jetteront sur les prisonniers comme pour les mettre en pièces et les arracher à la potence, supplice trop doux.

— Ah ! voilà une idée, en effet, dit Gourville. Peste, monsieur l'abbé, quelle imagination !

— Monsieur, on est digne de la famille, riposta fièrement l'abbé.

— Drôle ! murmura Fouquet.

Puis il ajouta :

— C'est ingénieux ! Faites et ne versez pas de sang.

Gourville et l'abbé partirent ensemble fort affairés.

Le surintendant se coucha sur des coussins, moitié veillant aux sinistres projets du lendemain, moitié rêvant d'amour.

LXI

LE CABARET DE L'IMAGE-DE-NOTRE-DAME

A deux heures, le lendemain, cinquante mille spectateurs avaient pris position sur la place autour de deux potences que l'on avait élevées en Grève entre le quai de la Grève et le quai Pelletier[1], l'une auprès de l'autre, adossées au parapet de la rivière.

Le matin aussi, tous les crieurs jurés de la bonne ville de Paris avaient parcouru les quartiers de la cité, surtout les halles et les faubourgs, annonçant de leurs voix rauques et infatigables la grande justice faite par le roi sur deux prévaricateurs, deux larrons affameurs du peuple. Et ce peuple dont on prenait si chaudement les intérêts, pour ne pas manquer de respect à son roi, quittait boutique, étaux, ateliers, afin d'aller témoigner un peu de reconnaissance à Louis XIV, absolument comme feraient des invités qui craindraient de faire une impolitesse en ne se rendant pas chez celui qui les aurait conviés.

Selon la teneur de l'arrêt, que lisaient haut et mal les crieurs, deux traitants, accapareurs d'argent, dilapidateurs des deniers royaux,

1. Le quai de la Grève allait de la place du même nom à l'actuel pont d'Arcole (quai de l'Hôtel-de-Ville) ; le quai Pelletier, entre la place de Grève et la rue de la Planche-Mibray (actuellement partie du quai de Gesvres), ne fut construit qu'en 1675 et dut son nom au prévôt des marchands Pelletier qui exerça cette fonction entre 1668 et 1676 ; à son emplacement se trouvait un terrain en pente appelé la *Tuerie*.

concussionnaires et faussaires, allaient subir la peine capitale en place de Grève, « leurs noms affichés sur leurs têtes », disait l'arrêt.

Quant à ces noms, l'arrêt n'en faisait pas mention.

La curiosité des Parisiens était à son comble, et, ainsi que nous l'avons dit, une foule immense attendait avec une impatience fébrile l'heure fixée pour l'exécution. La nouvelle s'était déjà répandue que les prisonniers, transférés au château de Vincennes, seraient conduits de cette prison à la place de Grève. Aussi le faubourg et la rue Saint-Antoine étaient-ils encombrés, car la population de Paris, dans ces jours de grande exécution, se divise en deux catégories : ceux qui veulent voir passer les condamnés, ceux-là sont les cœurs timides et doux, mais curieux de philosophie, et ceux qui veulent voir les condamnés mourir, ceux-là sont les cœurs avides d'émotions.

Ce jour-là, M. d'Artagnan, ayant reçu ses dernières instructions du roi et fait ses adieux à ses amis, et pour le moment le nombre en était réduit à Planchet, se traça le plan de sa journée comme doit le faire tout homme occupé et dont les instants sont comptés, parce qu'il apprécie leur importance.

— Le départ est, dit-il, fixé au point du jour, trois heures du matin ; j'ai donc quinze heures devant moi. Otons-en les six heures de sommeil qui me sont indispensables, six ; une heure de repas, sept ; une heure de visite à Athos, huit ; deux heures pour l'imprévu. Total : dix.

« Restent donc cinq heures.

« Une heure pour toucher, c'est-à-dire pour me faire refuser l'argent chez M. Fouquet ; une autre pour aller chercher cet argent chez M. Colbert et recevoir ses questions et ses grimaces ; une heure pour surveiller mes armes, mes habits et faire graisser mes bottes. Il me reste encore deux heures. Mordioux ! que je suis riche !

Et ce disant, d'Artagnan sentit une joie étrange, une joie de jeunesse, un parfum de ces belles et heureuses années d'autrefois monter à sa tête et l'enivrer.

— Pendant ces deux heures, j'irai, dit le mousquetaire, toucher mon quartier de loyer de l'Image-de-Notre-Dame. Ce sera réjouissant. Trois cent soixante-quinze livres ! Mordioux ! que c'est étonnant ! Si le pauvre qui n'a qu'une livre dans sa poche avait une livre et douze deniers, ce serait justice, ce serait excellent ; mais jamais pareille aubaine n'arrive au pauvre. Le riche, au contraire, se fait des revenus avec son argent, auquel il ne touche pas... Voilà trois cent soixante-quinze livres qui me tombent du ciel.

« J'irai donc à l'Image-de-Notre-Dame, et je boirai avec mon locataire un verre de vin d'Espagne qu'il ne manquera pas de m'offrir.

« Mais il faut de l'ordre, monsieur d'Artagnan, il faut de l'ordre.

« Organisons donc notre temps et répartissons-en l'emploi.

« Article premier. Athos.
« Art. 2. L'Image-de-Notre-Dame.
« Art. 3. M. Fouquet.
« Art. 4. M. Colbert.
« Art. 5. Souper.
« Art. 6. Habits, bottes, chevaux, portemanteau.
« Art. 7 et dernier. Le sommeil.

En conséquence de cette disposition, d'Artagnan s'en alla tout droit chez le comte de La Fère auquel modestement et naïvement il raconta une partie de ses bonnes aventures.

Athos n'était pas sans inquiétude depuis la veille au sujet de cette visite de d'Artagnan au roi ; mais quatre mots lui suffirent comme explications. Athos devina que Louis avait chargé d'Artagnan de quelque mission importante et n'essaya pas même de lui faire avouer le secret. Il lui recommanda de se ménager, lui offrit discrètement de l'accompagner si la chose était possible.

— Mais, cher ami, dit d'Artagnan, je ne pars point.

— Comment ! vous venez me dire adieu et vous ne partez point ?

— Oh ! si fait, si fait, répliqua d'Artagnan en rougissant un peu, je pars pour faire une acquisition.

— C'est autre chose. Alors, je change ma formule. Au lieu de : « Ne vous faites pas tuer », je dirai : « Ne vous faites pas voler. »

— Mon ami, je vous ferai prévenir si j'arrête mon idée sur quelque propriété ; puis vous voudrez bien me rendre le service de me conseiller.

— Oui, oui, dit Athos, trop délicat pour se permettre la compensation d'un sourire.

Raoul imitait la réserve paternelle. D'Artagnan comprit qu'il était par trop mystérieux de quitter des amis sous un prétexte sans leur dire même la route qu'on prenait.

— J'ai choisi Le Mans, dit-il à Athos. Est-ce pas un bon pays ?

— Excellent, mon ami, répliqua le comte sans lui faire remarquer que Le Mans était dans la même direction que la Touraine, et qu'en attendant deux jours au plus il pourrait faire route avec un ami.

Mais d'Artagnan, plus embarrassé que le comte, creusait à chaque explication nouvelle le bourbier dans lequel il s'enfonçait peu à peu.

— Je partirai demain au point du jour, dit-il enfin. Jusque-là, Raoul, veux-tu venir avec moi ?

— Oui, monsieur le chevalier, dit le jeune homme, si M. le comte n'a pas affaire de moi.

— Non, Raoul ; j'ai audience aujourd'hui de Monsieur, frère du roi, voilà tout.

Raoul demanda son épée à Grimaud, qui la lui apporta sur-le-champ.

— Alors, ajouta d'Artagnan ouvrant ses deux bras à Athos, adieu, cher ami !

Athos l'embrassa longuement, et le mousquetaire, qui comprit bien sa discrétion, lui glissa à l'oreille :

— Affaire d'État !

Ce à quoi Athos ne répondit que par un serrement de main plus significatif encore.

Alors ils se séparèrent. Raoul prit le bras de son vieil ami, qui l'emmena par la rue Saint-Honoré.

— Je te conduis chez le dieu Plutus, dit d'Artagnan au jeune homme ; prépare-toi ; toute la journée tu verras empiler des écus. Suis-je changé, mon Dieu !

— Oh ! oh ! voilà bien du monde dans la rue, dit Raoul.

— Est-ce procession, aujourd'hui ? demanda d'Artagnan à un flâneur.

— Monsieur, c'est pendaison, répliqua le passant.

— Comment ! pendaison, fit d'Artagnan, en Grève ?

— Oui, monsieur.

— Diable soit du maraud qui se fait prendre le jour où j'ai besoin d'aller toucher mon terme de loyer ! s'écria d'Artagnan. Raoul, as-tu vu pendre ?

— Jamais, monsieur... Dieu merci !

— Voilà bien la jeunesse... Si tu étais de garde à la tranchée, comme je le fus, et qu'un espion... Mais, vois-tu, pardonne, Raoul, je radote... Tu as raison, c'est hideux de voir pendre... A quelle heure pendra-t-on, monsieur, s'il vous plaît ?

— Monsieur, reprit le flâneur avec déférence, charmé qu'il était de lier conversation avec deux hommes d'épée, ce doit être pour trois heures.

— Oh ! il n'est qu'une heure et demie, allongeons les jambes, nous arriverons à temps pour toucher mes trois cent soixante-quinze livres et repartir avant l'arrivée du patient.

— Des patients, monsieur, continua le bourgeois, car ils sont deux.

— Monsieur, je vous rends mille grâces, dit d'Artagnan, qui, en vieillissant, était devenu d'une politesse raffinée.

En entraînant Raoul, il se dirigea rapidement vers le quartier de la Grève.

Sans cette grande habitude que le mousquetaire avait de la foule et le poignet irrésistible auquel se joignait une souplesse peu commune des épaules, ni l'un ni l'autre des deux voyageurs ne fût arrivé à destination.

Ils suivaient le quai qu'ils avaient gagné en quittant la rue Saint-Honoré, dans laquelle ils s'étaient engagés après avoir pris congé d'Athos.

D'Artagnan marchait le premier : son coude, son poignet, son épaule, formaient trois coins qu'il savait enfoncer avec art dans les groupes pour les faire éclater et se disjoindre comme des morceaux de bois.

Souvent il usait comme renfort de la poignée en fer de son épée. Il l'introduisait entre des côtes trop rebelles, et la faisant jouer, en guise de levier ou de pince, séparait à propos l'époux de l'épouse, l'oncle du neveu, le frère du frère. Tout cela si naturellement et avec de si gracieux sourires, qu'il eût fallu avoir des côtes de bronze pour ne pas crier merci quand la poignée faisait son jeu, ou des cœurs de diamant pour ne pas être enchanté quand le sourire s'épanouissait sur les lèvres du mousquetaire.

Raoul, suivant son ami, ménageait les femmes, qui admiraient sa beauté, contenait les hommes, qui sentaient la rigidité de ses muscles, et tous deux fendaient, grâce à cette manœuvre, l'onde un peu compacte et un peu bourbeuse du populaire.

Ils arrivèrent en vue des deux potences, et Raoul détourna les yeux avec dégoût. Pour d'Artagnan, il ne les vit même pas ; sa maison au pignon dentelé, aux fenêtres pleines de curieux, attirait, absorbait même toute l'attention dont il était capable.

Il distingua dans la place et autour des maisons bon nombre de mousquetaires en congé, qui, les uns avec des femmes, les autres avec des amis, attendaient l'instant de la cérémonie.

Ce qui le réjouit par-dessus tout, ce fut de voir que le cabaretier, son locataire, ne savait auquel entendre.

Trois garçons ne pouvaient suffire à servir les buveurs. Il y en avait dans la boutique, dans les chambres, dans la cour même.

D'Artagnan fit observer cette affluence à Raoul et ajouta :

— Le drôle n'aura pas d'excuse pour ne pas payer son terme. Vois tous ces buveurs, Raoul, on dirait des gens de bonne compagnie. Mordioux ! mais on n'a pas de place ici.

Cependant d'Artagnan réussit à attraper le patron par le coin de son tablier et à se faire reconnaître de lui.

— Ah ! monsieur le chevalier, dit le cabaretier à moitié fou, une minute, de grâce ! J'ai ici cent enragés qui mettent ma cave sens dessus dessous.

— La cave, bon, mais non le coffre-fort.

— Oh ! monsieur, vos trente-sept pistoles et demie[1] sont là-haut toutes comptées dans ma chambre ; mais il y a dans cette chambre trente compagnons qui sucent les douves d'un petit baril de porto que j'ai défoncé ce matin pour eux... Donnez-moi une minute, rien qu'une minute.

— Soit, soit.

— Je m'en vais, dit Raoul bas à d'Artagnan ; cette joie est ignoble.

— Monsieur, répliqua sévèrement d'Artagnan, vous allez me faire

1. La pistole valant dix livres tournois (1652), la somme de trois cent soixante-quinze livres attendue par d'Artagnan est donc prête.

le plaisir de rester ici. Le soldat doit se familiariser avec tous les spectacles. Il y a dans l'œil, quand il est jeune, des fibres qu'il faut savoir endurcir, et l'on n'est vraiment généreux et bon que du moment où l'œil est devenu dur et le cœur resté tendre. D'ailleurs, mon petit Raoul, veux-tu me laisser seul ici ? Ce serait mal à toi. Tiens, il y a la cour là-bas, et un arbre dans cette cour ; viens à l'ombre, nous respirerons mieux que dans cette atmosphère chaude de vins répandus.

De l'endroit où s'étaient placés les deux nouveaux hôtes de l'Image-de-Notre-Dame, ils entendaient le murmure toujours grossissant des flots du peuple, et ne perdaient ni un cri ni un geste des buveurs attablés dans le cabaret ou disséminés dans les chambres.

D'Artagnan eût voulu se placer en vedette pour une expédition, qu'il n'eût pas mieux réussi.

L'arbre sous lequel Raoul et lui étaient assis les couvrait d'un feuillage déjà épais. C'était un marronnier trapu, aux branches inclinées, qui versait son ombre sur une table tellement brisée, que les buveurs avaient dû renoncer à s'en servir.

Nous disons que de ce poste d'Artagnan voyait tout. Il observait, en effet, les allées et venues des garçons, l'arrivée des nouveaux buveurs, l'accueil tantôt amical, tantôt hostile, qui était fait à certains arrivants par certains installés. Il observait pour passer le temps, car les trente-sept pistoles et demie tardaient beaucoup à arriver.

Raoul le lui fit remarquer.

— Monsieur, lui dit-il, vous ne pressez pas votre locataire, et tout à l'heure les patients vont arriver. Il y aura une telle presse en ce moment, que nous ne pourrons plus sortir.

— Tu as raison, dit le mousquetaire. Holà ! oh ! quelqu'un, mordioux !

Mais il eut beau crier, frapper sur les débris de la table, qui tombèrent en poussière sous son poing, nul ne vint.

D'Artagnan se préparait à aller trouver lui-même le cabaretier pour le forcer à une explication définitive, lorsque la porte de la cour dans laquelle il se trouvait avec Raoul, porte qui communiquait au jardin situé derrière, s'ouvrit en criant péniblement sur ses gonds rouillés, et un homme vêtu en cavalier sortit de ce jardin l'épée au fourreau, mais non à la ceinture, traversa la cour sans refermer la porte, et ayant jeté un regard oblique sur d'Artagnan et son compagnon, se dirigea vers le cabaret même en promenant partout ses yeux qui semblaient percer les murs et les consciences.

« Tiens, se dit d'Artagnan, mes locataires communiquent... Ah ! c'est sans doute encore quelque curieux de pendaison. »

Au même moment, les cris et le vacarme des buveurs cessèrent dans les chambres supérieures. Le silence, en pareille circonstance, surprend comme un redoublement de bruit. D'Artagnan voulut voir quelle était la cause de ce silence subit.

Il vit alors que cet homme, en habit de cavalier, venait d'entrer dans la chambre principale et qu'il haranguait les buveurs, qui tous l'écoutaient avec une attention minutieuse. Son allocution, d'Artagnan l'eût entendue peut-être sans le bruit dominant des clameurs populaires qui faisait un formidable accompagnement à la harangue de l'orateur. Mais elle finit bientôt, et tous les gens que contenait le cabaret sortirent les uns après les autres par petits groupes ; de telle sorte, cependant, qu'il n'en demeura que six dans la chambre : l'un de ces six, l'homme à l'épée, prit à part le cabaretier, l'occupant par des discours plus ou moins sérieux, tandis que les autres allumaient un grand feu dans l'âtre : chose assez étrange par le beau temps et la chaleur.

— C'est singulier, dit d'Artagnan à Raoul ; mais je connais ces figures-là.

— Ne trouvez-vous pas, dit Raoul, que cela sent la fumée ici ?

— Je trouve plutôt que cela sent la conspiration, répliqua d'Artagnan.

Il n'avait pas achevé que quatre de ces hommes étaient descendus dans la cour, et, sans apparence de mauvais desseins, montaient la garde aux environs de la porte de communication, en lançant par intervalles à d'Artagnan des regards qui signifiaient beaucoup de choses.

— Mordioux ! dit tout bas d'Artagnan à Raoul, il y a quelque chose. Es-tu curieux, toi, Raoul ?

— C'est selon, monsieur le chevalier.

— Moi, je suis curieux comme une vieille femme. Viens un peu sur le devant, nous verrons le coup d'œil de la place. Il y a gros à parier que ce coup d'œil va être curieux.

— Mais vous savez, monsieur le chevalier, que je ne veux pas me faire le spectateur passif et indifférent de la mort de deux pauvres diables.

— Et moi donc, crois-tu que je sois un sauvage ? Nous rentrerons quand il sera temps de rentrer. Viens !

Ils s'acheminèrent donc vers le corps de logis et se placèrent près de la fenêtre, qui, chose plus étrange encore que le reste, était demeurée inoccupée.

Les deux derniers buveurs, au lieu de regarder par cette fenêtre, entretenaient le feu.

En voyant entrer d'Artagnan et son ami :

— Ah ! ah ! du renfort, murmurèrent-ils.

D'Artagnan poussa le coude à Raoul.

— Oui, mes braves, du renfort, dit-il ; cordieu ! voilà un fameux feu... Qui voulez-vous donc faire cuire ?

Les deux hommes poussèrent un éclat de rire jovial, et, au lieu de répondre, ajoutèrent du bois au feu.

D'Artagnan ne pouvait se lasser de les regarder.

— Voyons, dit un des chauffeurs, on vous a envoyés pour nous dire le moment, n'est-ce pas ?

— Sans doute, dit d'Artagnan, qui voulait savoir à quoi s'en tenir. Pourquoi serais-je donc ici, si ce n'était pour cela ?

— Alors, mettez-vous à la fenêtre, s'il vous plaît.

D'Artagnan sourit dans sa moustache, fit signe à Raoul et se mit complaisamment à la fenêtre.

LXII

VIVE COLBERT !

C'était un effrayant spectacle que celui que présentait la Grève en ce moment. Les têtes, nivelées par la perspective, s'étendaient au loin, drues et mouvantes comme les épis dans une grande plaine. De temps en temps, un bruit inconnu, une rumeur lointaine, faisait osciller les têtes et flamboyer des milliers d'yeux.

Parfois il y avait de grands refoulements. Tous ces épis se courbaient et devenaient des vagues plus mouvantes que celles de l'océan, qui roulaient des extrémités au centre, et allaient battre, comme des marées, la haie d'archers qui entouraient les potences.

Alors les manches des hallebardes s'abaissaient sur la tête ou les épaules des téméraires envahisseurs ; parfois aussi c'était le fer au lieu du bois, et, dans ce cas, il se faisait un large cercle vide autour de la garde : espace conquis aux dépens des extrémités, qui subissaient à leur tour l'oppression de ce refoulement subit qui les repoussait contre les parapets de la Seine.

Du haut de sa fenêtre, qui dominait toute la place, d'Artagnan vit, avec une satisfaction intérieure, que ceux des mousquetaires et des gardes qui se trouvaient pris dans la foule savaient, à coups de poing et de pommeaux d'épée, se faire place. Il remarqua même qu'ils avaient réussi, par suite de cet esprit de corps qui double les forces du soldat, à se réunir en un groupe d'à peu près cinquante hommes ; et que, sauf une douzaine d'égarés qu'il voyait encore rouler çà et là, le noyau était complet et à la portée de la voix. Mais ce n'étaient pas seulement les mousquetaires et les gardes qui attiraient l'attention de d'Artagnan. Autour des potences, et surtout aux abords de l'arcade Saint-Jean, s'agitait un tourbillon bruyant, brouillon, affairé ; des figures hardies, des mines résolues se dessinaient çà et là au milieu des figures niaises et des mines indifférentes ; des signaux s'échangeaient, des mains se touchaient. D'Artagnan remarqua dans les groupes, et même dans les groupes les plus animés, la figure du cavalier qu'il avait vu entrer par la porte de communication de son jardin et qui était monté au premier pour haranguer les buveurs. Cet homme organisait des escouades et distribuait des ordres.

— Mordioux ! s'écria d'Artagnan, je ne me trompais pas, je connais cet homme, c'est Menneville. Que diable fait-il ici ?

Un murmure sourd et qui s'accentuait par degrés arrêta sa réflexion et attira ses regards d'un autre côté. Ce murmure était occasionné par l'arrivée des patients ; un fort piquet d'archers les précédait et parut à l'angle de l'arcade. La foule tout entière se mit à pousser des cris. Tous ces cris formèrent un hurlement immense.

D'Artagnan vit Raoul pâlir ; il lui frappa rudement sur l'épaule.

Les chauffeurs, à ce grand cri, se retournèrent et demandèrent où l'on en était.

— Les condamnés arrivent, dit d'Artagnan.

— Bien, répondirent-ils en avivant la flamme de la cheminée.

D'Artagnan les regarda avec inquiétude ; il était évident que ces hommes qui faisaient un pareil feu, sans utilité aucune, avaient d'étranges intentions.

Les condamnés parurent sur la place. Ils marchaient à pied, le bourreau devant eux ; cinquante archers se tenaient en haie à leur droite et à leur gauche. Tous deux étaient vêtus de noir, pâles mais résolus.

Ils regardaient impatiemment au-dessus des têtes en se haussant à chaque pas.

D'Artagnan remarqua ce mouvement.

— Mordioux ! dit-il, ils sont bien pressés de voir la potence.

Raoul se reculait sans avoir la force cependant de quitter tout à fait la fenêtre. La terreur, elle aussi, a son attraction.

— A mort ! à mort ! crièrent cinquante mille voix.

— Oui, à mort ! hurlèrent une centaine de furieux, comme si la grande masse leur eût donné la réplique.

— A la hart ! à la hart ! cria le grand ensemble ; vive le roi !

— Tiens ! murmura d'Artagnan, c'est drôle, j'aurais cru que c'était M. de Colbert qui les faisait pendre, moi.

Il y eut en ce moment un refoulement qui arrêta un instant la marche des condamnés.

Les gens à mine hardie et résolue qu'avait remarqués d'Artagnan, à force de se presser, de se pousser, de se hausser, étaient parvenus à toucher presque la haie d'archers.

Le cortège se remit en marche.

Tout à coup, aux cris de : « Vive Colbert ! » ces hommes que d'Artagnan ne perdait pas de vue se jetèrent sur l'escorte, qui essaya vainement de lutter. Derrière ces hommes, il y avait la foule.

Alors commença, au milieu d'un affreux vacarme, une affreuse confusion.

Cette fois, ce sont mieux que des cris d'attente ou des cris de joie, ce sont des cris de douleur.

En effet, les hallebardes frappent, les épées trouent, les mousquets commencent à tirer.

Il se fit alors un tourbillonnement étrange au milieu duquel d'Artagnan ne vit plus rien.

Puis de ce chaos surgit tout à coup comme une intention visible, comme une volonté arrêtée.

Les condamnés avaient été arrachés des mains des gardes et on les entraînait vers la maison de l'Image-de-Notre-Dame.

Ceux qui les entraînaient criaient :

— Vive Colbert !

Le peuple hésitait, ne sachant s'il devait tomber sur les archers ou sur les agresseurs.

Ce qui arrêtait le peuple, c'est que ceux qui criaient : « Vive Colbert ! » commençaient à crier en même temps : « Pas de hart ! à bas la potence ! au feu ! au feu ! brûlons les voleurs ! brûlons les affameurs ! »

Ce cri poussé d'ensemble obtint un succès d'enthousiasme.

La populace était venue pour voir un supplice, et voilà qu'on lui offrait l'occasion d'en faire un elle-même.

C'était ce qui pouvait être le plus agréable à la populace. Aussi se rangea-t-elle immédiatement du parti des agresseurs contre les archers, en criant avec la minorité, devenue, grâce à elle, majorité des plus compactes :

— Oui, oui, au feu, les voleurs ! vive Colbert !

— Mordioux ! s'écria d'Artagnan, il me semble que cela devient sérieux.

Un des hommes qui se tenaient près de la cheminée s'approcha de la fenêtre, son brandon à la main.

— Ah ! ah ! dit-il, cela chauffe.

Puis, se retournant vers son compagnon :

— Voilà le signal ! dit-il.

Et soudain il appuya le tison brûlant à la boiserie.

Ce n'était pas une maison tout à fait neuve que le cabaret de l'Image-de-Notre-Dame ; aussi ne se fit-elle pas prier pour prendre feu.

En une seconde, les ais craquent et la flamme monte en pétillant. Un hurlement du dehors répond aux cris que poussent les incendiaires.

D'Artagnan, qui n'a rien vu parce qu'il regarde sur la place, sent à la fois la fumée qui l'étouffe et la flamme qui le grille.

— Holà ! s'écrie-t-il en se retournant, le feu est-il ici ? êtes-vous fous ou enragés, mes maîtres ?

Les deux hommes le regardèrent d'un air étonné.

— Eh quoi ! demandèrent-ils à d'Artagnan, n'est-ce pas chose convenue ?

— Chose convenue que vous brûlerez ma maison ? vocifère d'Artagnan en arrachant le tison des mains de l'incendiaire et le lui portant au visage.

Le second veut porter secours à son camarade ; mais Raoul le saisit, l'enlève et le jette par la fenêtre, tandis que d'Artagnan pousse son compagnon par les degrés. Raoul, le premier libre, arrache les lambris qu'il jette tout fumants par la chambre.

D'un coup d'œil, d'Artagnan voit qu'il n'y a plus rien à craindre pour l'incendie et court à la fenêtre.

Le désordre est à son comble. On crie à la fois :

— Au feu ! au meurtre ! à la hart ! au bûcher ! vive Colbert et vive le roi !

Le groupe qui arrache les patients aux mains des archers s'est rapproché de la maison, qui semble le but vers lequel on les entraîne.

Menneville est à la tête du groupe criant plus haut que personne :

— Au feu ! au feu ! vive Colbert !

D'Artagnan commence à comprendre. On veut brûler les condamnés, et sa maison est le bûcher qu'on leur prépare.

— Halte-là ! cria-t-il l'épée à la main et un pied sur la fenêtre. Menneville, que voulez-vous ?

— Monsieur d'Artagnan, s'écrie celui-ci, passage, passage !

— Au feu ! au feu, les voleurs ! vive Colbert ! crie la foule.

Ces cris exaspérèrent d'Artagnan.

— Mordioux ! dit-il, brûler ces pauvres diables qui ne sont condamnés qu'à être pendus, c'est infâme !

Cependant, devant la porte, la masse des curieux, refoulée contre les murailles, est plus épaisse et ferme la voie.

Menneville et ses hommes, qui traînent les patients, ne sont plus qu'à dix pas de la porte.

Menneville fait un dernier effort.

— Passage ! passage ! crie-t-il le pistolet au poing.

— Brûlons ! brûlons ! répète la foule. Le feu est à l'Image-de-Notre-Dame. Brûlons les voleurs ! brûlons-les tous deux dans l'Image-de-Notre-Dame.

Cette fois, il n'y a pas de doute, c'est bien à la maison de d'Artagnan qu'on en veut.

D'Artagnan se rappelle l'ancien cri toujours si efficacement poussé par lui.

— A moi, mousquetaires !... dit-il d'une voix de géant, d'une de ces voix qui dominent le canon, la mer, la tempête ; à moi, mousquetaires !...

Et, se suspendant par le bras au balcon, il se laisse tomber au milieu de la foule, qui commence à s'écarter de cette maison d'où il pleut des hommes.

Raoul est à terre aussitôt que lui. Tous deux ont l'épée à la main. Tout ce qu'il y a de mousquetaires sur la place a entendu ce cri d'appel ; tous se sont retournés à ce cri et ont reconnu d'Artagnan.

— Au capitaine ! au capitaine ! crient-ils tous à leur tour.

Et la foule s'ouvre devant eux comme devant la proue d'un vaisseau. En ce moment d'Artagnan et Menneville se trouvèrent face à face.

— Passage ! passage ! s'écrie Menneville en voyant qu'il n'a plus que le bras à étendre pour toucher la porte.

— On ne passe pas ! dit d'Artagnan.

— Tiens, dit Menneville en lâchant son coup de pistolet presque à bout portant.

Mais avant que le rouet ait tourné, d'Artagnan a relevé le bras de Menneville avec la poignée de son épée et lui a passé la lame au travers du corps.

— Je t'avais bien dit de te tenir tranquille, dit d'Artagnan à Menneville qui roula à ses pieds.

— Passage ! passage ! crient les compagnons de Menneville épouvantés d'abord, mais qui se rassurent bientôt en s'apercevant qu'ils n'ont affaire qu'à deux hommes.

Mais ces deux hommes sont deux géants à cent bras, l'épée voltige entre leurs mains comme le glaive flamboyant de l'archange[1]. Elle troue avec la pointe, frappe de revers, frappe de taille. Chaque coup renverse son homme.

— Pour le roi ! crie d'Artagnan à chaque homme qu'il frappe, c'est-à-dire à chaque homme qui tombe.

Ce cri devient le mot d'ordre des mousquetaires, qui, guidés par lui, rejoignent d'Artagnan.

Pendant ce temps les archers se remettent de la panique qu'ils ont éprouvée, chargent les agresseurs en queue, et, réguliers comme des moulins, foulent et abattent tout ce qu'ils rencontrent.

La foule, qui voit reluire les épées, voler en l'air les gouttes de sang, la foule fuit et s'écrase elle-même.

Enfin des cris de miséricorde et de désespoir retentissent ; c'est l'adieu des vaincus. Les deux condamnés sont retombés aux mains des archers. D'Artagnan s'approche d'eux, et les voyant pâles et mourants :

— Consolez-vous, pauvres gens, dit-il, vous ne subirez pas le supplice affreux dont ces misérables vous menaçaient. Le roi vous a condamnés à être pendus. Vous ne serez que pendus. Çà ! qu'on les pende, et voilà tout.

1. L'archange saint Michel est représenté traditionnellement recouvert d'une cuirasse et armé d'un glaive, dans son combat contre le Dragon (Apocalypse, XII, 7).

Il n'y a plus rien à l'Image-de-Notre-Dame. Le feu a été éteint avec deux tonnes de vin à défaut d'eau. Les conjurés ont fui par le jardin. Les archers entraînent les patients aux potences.

L'affaire ne fut pas longue à partir de ce moment. L'exécuteur, peu soucieux d'opérer selon les formes de l'art, se hâte et expédie les deux malheureux en une minute.

Cependant on s'empresse autour de d'Artagnan ; on le félicite, on le caresse. Il essuie son front ruisselant de sueur, son épée ruisselante de sang, hausse les épaules en voyant Menneville qui se tord à ses pieds dans les dernières convulsions de l'agonie. Et tandis que Raoul détourne les yeux avec compassion, il montre aux mousquetaires les potences chargées de leurs tristes fruits.

— Pauvres diables ! dit-il, j'espère qu'ils sont morts en me bénissant, car je leur en ai sauvé de belles.

Ces mots vont atteindre Menneville au moment où lui-même va rendre le dernier soupir. Un soupir sombre et ironique voltige sur ses lèvres. Il veut répondre, mais l'effort qu'il fait achève de briser sa vie. Il expire.

— Oh ! tout cela est affreux, murmura Raoul ; partons, monsieur le chevalier.

— Tu n'es pas blessé ? demande d'Artagnan.

— Non, merci.

— Eh bien ! tu es un brave, mordioux ! C'est la tête du père et le bras de Porthos. Ah ! s'il avait été ici, Porthos, il en aurait vu de belles.

Puis, par manière de se souvenir :

— Mais où diable peut-il être, ce brave Porthos ? murmura d'Artagnan.

— Venez, chevalier, venez, insista Raoul.

— Une dernière minute, mon ami, que je prenne mes trente-sept pistoles et demie, je suis à toi. La maison est d'un bon produit, ajouta d'Artagnan en rentrant à l'Image-de-Notre-Dame ; mais décidément, dût-elle être moins productive, je l'aimerais mieux dans un autre quartier.

LXIII

COMMENT LE DIAMANT DE M. D'EMERYS PASSA ENTRE LES MAINS DE D'ARTAGNAN

Tandis que cette scène bruyante et ensanglantée se passait sur la Grève, plusieurs hommes, barricadés derrière la porte de communication du jardin, remettaient leurs épées au fourreau, aidaient l'un d'eux à monter sur son cheval tout sellé qui attendait dans le jardin, et, comme une volée d'oiseaux effarés, s'enfuyaient dans toutes les directions, les uns escaladant les murs, les autres se précipitant par les portes avec toute l'ardeur de la panique.

Celui qui monta sur le cheval et qui lui fit sentir l'éperon avec une telle brutalité que l'animal faillit franchir la muraille, ce cavalier, disons-nous, traversa la place Baudoyer, passa comme l'éclair devant la foule des rues, écrasant, culbutant, renversant tout, et dix minutes après arriva aux portes de la surintendance[1], plus essoufflé encore que son cheval.

L'abbé Fouquet, au bruit retentissant des fers sur le pavé, parut à une fenêtre de la cour, et avant même que le cavalier eût mis pied à terre :

— Eh bien ! Danicamp ? demanda-t-il, à moitié penché hors de la fenêtre.

— Eh bien ! c'est fini, répondit le cavalier.

— Fini ! cria l'abbé ; alors ils sont sauvés ?

— Non pas, monsieur, répliqua le cavalier. Ils sont pendus.

— Pendus ! répéta l'abbé pâlissant.

Une porte latérale s'ouvrit soudain, et Fouquet apparut dans la chambre, pâle, égaré, les lèvres entrouvertes par un cri de douleur et de colère.

Il s'arrêta sur le seuil, écoutant ce qui se disait de la cour à la fenêtre.

— Misérables ! dit l'abbé, vous ne vous êtes donc pas battus !

— Comme des lions.

— Dites comme des lâches.

— Monsieur !

— Cent hommes de guerre, l'épée à la main, valent dix mille archers dans une surprise. Où est Menneville, ce fanfaron, ce vantard qui ne devait revenir que mort ou vainqueur ?

— Eh bien ! monsieur, il a tenu parole. Il est mort.

— Mort ! qui l'a tué ?

— Un démon déguisé en homme, un géant armé de dix épées flamboyantes, un enragé qui a d'un seul coup éteint le feu, éteint l'émeute, et fait sortir cent mousquetaires du pavé de la place de Grève.

Fouquet souleva son front tout ruisselant de sueur.

— Oh ! Lyodot et d'Emerys ! murmura-t-il, morts ! morts ! morts ! et moi déshonoré.

L'abbé se retourna, et apercevant son frère écrasé, livide :

1. L'hôtel de Fouquet se trouvait à l'emplacement de l'actuel n° 374 de la rue Saint-Honoré. Il lui avait été cédé en 1659 par son frère François Fouquet, évêque d'Agde. Les communs, situés en face, étaient reliés à l'hôtel par un souterrain.

— Allons ! allons ! dit-il, c'est un coup du sort, monsieur, il ne faut pas nous lamenter ainsi. Puisque cela ne s'est point fait, c'est que Dieu...

— Taisez-vous, l'abbé ! taisez-vous ! cria Fouquet ; vos excuses sont des blasphèmes. Faites monter ici cet homme, et qu'il raconte les détails de l'horrible événement.

— Mais, mon frère...

— Obéissez, monsieur !

L'abbé fit un signe, et une demi-minute après on entendit les pas de l'homme dans l'escalier.

En même temps, Gourville apparut derrière Fouquet, pareil à l'ange gardien du surintendant, appuyant un doigt sur ses lèvres pour lui enjoindre de s'observer au milieu des élans mêmes de sa douleur.

Le ministre reprit toute la sérénité que les forces humaines peuvent laisser à la disposition d'un cœur à demi brisé par la douleur. Danicamp parut.

— Faites votre rapport, dit Gourville.

— Monsieur, répondit le messager, nous avions reçu l'ordre d'enlever les prisonniers et de crier : « Vive Colbert ! » en les enlevant.

— Pour les brûler vifs, n'est-ce pas, l'abbé ? interrompit Gourville.

— Oui ! oui ! l'ordre avait été donné à Menneville. Menneville savait ce qu'il en fallait faire, et Menneville est mort.

Cette nouvelle parut rassurer Gourville au lieu de l'attrister.

— Pour les brûler vifs ? répéta le messager, comme s'il eût douté que cet ordre, le seul qui lui eût été donné au reste, fût bien réel.

— Mais certainement pour les brûler vifs, reprit brutalement l'abbé.

— D'accord, monsieur, d'accord, reprit l'homme en cherchant des yeux sur la physionomie des deux interlocuteurs ce qu'il y avait de triste ou d'avantageux pour lui à raconter selon la vérité.

— Maintenant, racontez, dit Gourville.

— Les prisonniers, continua Danicamp, devaient donc être amenés à la Grève, et le peuple en fureur voulait qu'ils fussent brûlés au lieu d'être pendus.

— Le peuple a ses raisons, dit l'abbé ; continuez.

— Mais, reprit l'homme, au moment où les archers venaient d'être enfoncés, au moment où le feu prenait dans une des maisons de la place destinée à servir de bûcher aux coupables, un furieux, ce démon, ce géant dont je vous parlais, et qu'on nous avait dit être le propriétaire de la maison en question, aidé d'un jeune homme qui l'accompagnait, jeta par la fenêtre ceux qui activaient le feu, appela au secours les mousquetaires qui se trouvaient dans la foule, sauta lui-même du premier étage dans la place, et joua si désespérément de l'épée, que la victoire fut rendue aux archers, les prisonniers repris et Menneville tué. Une fois repris, les condamnés furent exécutés en trois minutes.

Fouquet, malgré sa puissance sur lui-même, ne put s'empêcher de laisser échapper un sourd gémissement.

— Et cet homme, le propriétaire de la maison, reprit l'abbé, comment le nomme-t-on ?

— Je ne vous le dirai pas, n'ayant pas pu le voir ; mon poste m'avait été désigné dans le jardin, et je suis resté à mon poste ; seulement, on est venu me raconter l'affaire. J'avais ordre, la chose une fois finie, de venir vous annoncer en toute hâte de quelle façon elle était finie. Selon l'ordre, je suis parti au galop, et me voilà.

— Très bien, monsieur, nous n'avons pas autre chose à demander de vous, dit l'abbé, de plus en plus atterré à mesure qu'approchait le moment d'aborder son frère seul à seul.

— On vous a payé ? demanda Gourville.

— Un acompte, monsieur, répondit Danicamp.

— Voilà vingt pistoles. Allez, monsieur, et n'oubliez pas de toujours défendre, comme cette fois, les véritables intérêts du roi.

— Oui, monsieur, dit l'homme en s'inclinant et en serrant l'argent dans sa poche.

Après quoi il sortit.

A peine fut-il dehors que Fouquet, qui était resté immobile, s'avança d'un pas rapide et se trouva entre l'abbé et Gourville.

Tous deux ouvrirent en même temps la bouche pour parler.

— Pas d'excuses ! dit-il, pas de récriminations contre qui que ce soit. Si je n'eusse pas été un faux ami, je n'eusse confié à personne le soin de délivrer Lyodot et d'Emerys. C'est moi seul qui suis coupable, à moi seul donc les reproches et les remords. Laissez-moi, l'abbé.

— Cependant, monsieur, vous n'empêcherez pas, répondit celui-ci, que je ne fasse rechercher le misérable qui s'est entremis pour le service de M. Colbert dans cette partie si bien préparée ; car, s'il est d'une bonne politique de bien aimer ses amis, je ne crois pas mauvaise celle qui consiste à poursuivre ses ennemis d'une façon acharnée.

— Trêve de politique, l'abbé ; sortez, je vous prie, et que je n'entende plus parler de vous jusqu'à nouvel ordre ; il me semble que nous avons besoin de beaucoup de silence et de circonspection. Vous avez un terrible exemple devant vous. Messieurs, pas de représailles, je vous le défends.

— Il n'y a pas d'ordres, grommela l'abbé, qui m'empêchent de venger sur un coupable l'affront fait à ma famille.

— Et moi, s'écria Fouquet de cette voix impérative à laquelle on sent qu'il n'y a rien à répondre, si vous avez une pensée, une seule, qui ne soit pas l'expression absolue de ma volonté, je vous ferai jeter à la Bastille deux heures après que cette pensée se sera manifestée. Réglez-vous là-dessus, l'abbé.

L'abbé s'inclina en rougissant.

Fouquet fit signe à Gourville de le suivre, et déjà se dirigeait vers son cabinet, lorsque l'huissier annonça d'une voix haute :

— M. le chevalier d'Artagnan.

— Qu'est-ce ? fit négligemment Fouquet à Gourville.

— Un ex-lieutenant des mousquetaires de Sa Majesté, répondit Gourville sur le même ton.

Fouquet ne prit pas même la peine de réfléchir et se remit à marcher.

— Pardon, monseigneur ! dit alors Gourville ; mais, je réfléchis, ce brave garçon a quitté le service du roi, et probablement vient-il toucher un quart de pension quelconque.

— Au diable ! dit Fouquet ; pourquoi prend-il si mal son temps ?

— Permettez, monseigneur, que je lui dise un mot de refus alors ; car il est de ma connaissance, et c'est un homme qu'il vaut mieux, dans les circonstances où nous nous trouvons, avoir pour ami que pour ennemi.

— Répondez tout ce que vous voudrez, dit Fouquet.

— Eh ! mon Dieu ! dit l'abbé plein de rancune, comme un homme d'Église, répondez qu'il n'y a pas d'argent, surtout pour les mousquetaires.

Mais l'abbé n'avait pas plutôt lâché ce mot imprudent, que la porte entrebâillée s'ouvrit tout à fait et que d'Artagnan parut.

— Eh ! monsieur Fouquet, dit-il, je le savais bien, qu'il n'y avait pas d'argent pour les mousquetaires. Aussi je ne venais point pour m'en faire donner, mais bien pour m'en faire refuser. C'est fait, merci. Je vous donne le bonjour et vais en chercher chez M. Colbert.

Et il sortit après un salut assez leste.

— Gourville, dit Fouquet, courez après cet homme et me le ramenez.

Gourville obéit et rejoignit d'Artagnan sur l'escalier.

D'Artagnan, entendant des pas derrière lui, se retourna et aperçut Gourville.

— Mordioux ! mon cher monsieur, dit-il, ce sont de tristes façons que celles de MM. vos gens de finances ; je viens chez M. Fouquet pour toucher une somme ordonnancée par Sa Majesté, et l'on m'y reçoit comme un mendiant qui vient pour demander une aumône, ou comme un filou qui vient pour voler une pièce d'argenterie.

— Mais vous avez prononcé le nom de M. Colbert, cher monsieur d'Artagnan ; vous avez dit que vous alliez chez M. Colbert ?

— Certainement que j'y vais, ne fût-ce que pour lui demander satisfaction des gens qui veulent brûler les maisons en criant : « Vive Colbert ! »

Gourville dressa les oreilles.

— Oh ! oh ! dit-il, vous faites allusion à ce qui vient de se passer en Grève ?

— Oui, certainement.

— Et en quoi ce qui vient de se passer vous importe-t-il ?

— Comment ! vous me demandez en quoi il m'importe ou il ne m'importe pas que M. Colbert fasse de ma maison un bûcher ?

— Ainsi, votre maison... C'est votre maison qu'on voulait brûler ?

— Pardieu !

— Le cabaret de l'Image-de-Notre-Dame est à vous ?

— Depuis huit jours.

— Et vous êtes ce brave capitaine, vous êtes cette vaillante épée qui a dispersé ceux qui voulaient brûler les condamnés ?

— Mon cher monsieur Gourville, mettez-vous à ma place : je suis agent de la force publique et propriétaire. Comme capitaine, mon devoir est de faire accomplir les ordres du roi. Comme propriétaire, mon intérêt est qu'on ne me brûle pas ma maison. J'ai donc suivi à la fois les lois de l'intérêt et du devoir en remettant MM. Lyodot et d'Emerys entre les mains des archers.

— Ainsi c'est vous qui avez jeté un homme par la fenêtre ?

— C'est moi-même, répliqua modestement d'Artagnan.

— C'est vous qui avez tué Menneville ?

— J'ai eu ce malheur, dit d'Artagnan saluant comme un homme que l'on félicite.

— C'est vous enfin qui avez été cause que les deux condamnés ont été pendus ?

— Au lieu d'être brûlés, oui, monsieur, et je m'en fais gloire. J'ai arraché ces pauvres diables à d'effroyables tortures. Comprenez-vous, mon cher monsieur Gourville, qu'on voulait les brûler vifs ? cela passe toute imagination.

— Allez, mon cher monsieur d'Artagnan, allez, dit Gourville voulant épargner à Fouquet la vue d'un homme qui venait de lui causer une si profonde douleur.

— Non pas, dit Fouquet, qui avait entendu de la porte de l'antichambre ; non pas, monsieur d'Artagnan, venez, au contraire.

D'Artagnan essuya au pommeau de son épée une dernière trace sanglante qui avait échappé à son investigation et rentra.

Alors il se retrouva en face de ces trois hommes, dont les visages portaient trois expressions bien différentes : chez l'abbé celle de la colère, chez Gourville celle de la stupeur, chez Fouquet celle de l'abattement.

— Pardon, monsieur le ministre, dit d'Artagnan, mais mon temps est compté, il faut que je passe à l'intendance pour m'expliquer avec M. Colbert et toucher mon quartier.

— Mais, monsieur, dit Fouquet, il y a de l'argent ici.

D'Artagnan, étonné, regarda le surintendant.

— Il vous a été répondu légèrement, monsieur, je le sais, je l'ai entendu, dit le ministre ; un homme de votre mérite devrait être connu de tout le monde.

D'Artagnan s'inclina.

— Vous avez une ordonnance ? ajouta Fouquet.

— Oui, monsieur.

— Donnez, je vais vous payer moi-même ; venez.

Il fit un signe à Gourville et à l'abbé, qui demeurèrent dans la chambre où ils étaient, et emmena d'Artagnan dans son cabinet. Une fois arrivé :

— Combien vous doit-on, monsieur ?

— Mais quelque chose comme cinq mille livres, monseigneur.

— Pour votre arriéré de solde ?

— Pour un quartier.

— Un quartier de cinq mille livres ! dit Fouquet attachant sur le mousquetaire un profond regard ; c'est donc vingt mille livres par an que le roi vous donne ?

— Oui, monseigneur, c'est vingt mille livres ; trouvez-vous que cela soit trop ?

— Moi ! s'écria Fouquet, et il sourit amèrement. Si je me connaissais en hommes, si j'étais, au lieu d'un esprit léger, inconséquent et vain, un esprit prudent et réfléchi ; si, en un mot, j'avais, comme certaines gens, su arranger ma vie, vous ne recevriez pas vingt mille livres par an, mais cent mille, et vous ne seriez pas au roi, mais à moi !

D'Artagnan rougit légèrement.

Il y a dans la façon dont se donne l'éloge, dans la voix du louangeur, dans son accent affectueux, un poison si doux, que le plus fort en est parfois enivré.

Le surintendant termina cette allocution en ouvrant un tiroir, où il prit quatre rouleaux qu'il posa devant d'Artagnan.

Le Gascon en écorna un.

— De l'or ! dit-il.

— Cela vous chargera moins, monsieur.

— Mais alors, monsieur, cela fait vingt mille livres.

— Sans doute.

— Mais on ne m'en doit que cinq.

— Je veux vous épargner la peine de passer quatre fois à la surintendance.

— Vous me comblez, monsieur.

— Je fais ce que je dois, monsieur le chevalier, et j'espère que vous ne me garderez pas rancune pour l'accueil de mon frère. C'est un esprit plein d'aigreur et de caprice.

— Monsieur, dit d'Artagnan, croyez que rien ne me fâcherait plus qu'une excuse de vous.

— Aussi ne le ferai-je plus, et me contenterai-je de vous demander une grâce.

— Oh ! monsieur.

Fouquet tira de son doigt un diamant d'environ mille pistoles.

— Monsieur, dit-il, la pierre que voici me fut donnée par un ami d'enfance, par un homme à qui vous avez rendu un grand service.

La voix de Fouquet s'altéra sensiblement.

— Un service, moi ! fit le mousquetaire ; j'ai rendu un service à l'un de vos amis ?

— Vous ne pouvez l'avoir oublié, monsieur, car c'est aujourd'hui même.

— Et cet ami s'appelait ?...

— M. d'Emerys.

— L'un des condamnés ?

— Oui, l'une des victimes... Eh bien ! monsieur d'Artagnan, en faveur du service que vous lui avez rendu, je vous prie d'accepter ce diamant. Faites cela pour l'amour de moi.

— Monsieur...

— Acceptez, vous dis-je. Je suis aujourd'hui dans un jour de deuil, plus tard vous saurez cela peut-être ; aujourd'hui j'ai perdu un ami ; eh bien ! j'essaie d'en retrouver un autre.

— Mais, monsieur Fouquet...

— Adieu, monsieur d'Artagnan, adieu ! s'écria Fouquet le cœur gonflé, ou plutôt, au revoir !

Et le ministre sortit de son cabinet, laissant aux mains du mousquetaire la bague et les vingt mille livres.

— Oh ! oh ! dit d'Artagnan après un moment de réflexion sombre ; est-ce que je comprendrais ? Mordioux ! si je comprends, voilà un bien galant homme !... Je m'en vais me faire expliquer cela par M. Colbert.

Et il sortit.

LXIV

LA DIFFÉRENCE NOTABLE QUE D'ARTAGNAN TROUVA ENTRE M. L'INTENDANT ET MGR LE SURINTENDANT

M. Colbert demeurait rue Neuve-des-Petits-Champs, dans une maison qui avait appartenu à Beautru[1]. Les jambes de d'Artagnan firent le trajet en un petit quart d'heure.

1. Sur la rue des Petits-Champs, voir *Vingt Ans après*, chap. LIII, p. 966, note 1. Colbert n'acheta l'hôtel de Guillaume Bautru, sieur de Serrant, bâti de 1634 à 1637 sur les plans de Le Vau (actuels 6, rue des Petits-Champs et 2, rue Vivienne), qu'en 1665.

Lorsqu'il arriva chez le nouveau favori, la cour était pleine d'archers et de gens de police qui venaient, soit le féliciter, soit s'excuser, selon qu'il choisirait éloge ou blâme. Le sentiment de la flatterie est instinctif chez les gens de condition abjecte ; ils en ont le sens, comme l'animal sauvage a celui de l'ouïe ou de l'odorat. Ces gens, ou leur chef, avaient donc compris qu'il y avait un plaisir à faire à M. Colbert, en lui rendant compte de la façon dont son nom avait été prononcé pendant l'échauffourée.

D'Artagnan se produisit juste au moment où le chef du guet faisait son rapport. D'Artagnan se tint près de la porte, derrière les archers.

Cet officier prit Colbert à part, malgré sa résistance et le froncement de ses gros sourcils.

— Au cas, dit-il, où vous auriez réellement désiré, monsieur, que le peuple fît justice de deux traîtres, il eût été sage de nous en avertir ; car enfin, monsieur, malgré notre douleur de vous déplaire ou de contrarier vos vues, nous avions notre consigne à exécuter.

— Triple sot ! répliqua Colbert furieux en secouant ses cheveux tassés et noirs comme une crinière, que me racontez-vous là ? Quoi ! j'aurais eu, moi, l'idée d'une émeute ? Êtes-vous fou ou ivre ?

— Mais, monsieur, on a crié : « Vive Colbert ! » répliqua le chef du guet fort ému.

— Une poignée de conspirateurs...

— Non pas, non pas, une masse de peuple !

— Oh ! vraiment, dit Colbert en s'épanouissant, une masse du peuple criait : « Vive Colbert ! » Êtes-vous bien sûr de ce que vous dites, monsieur ?...

— Il n'y avait qu'à ouvrir les oreilles, ou plutôt à les fermer, tant les cris étaient terribles.

— Et c'était du peuple, du vrai peuple ?

— Certainement, monsieur ; seulement, ce vrai peuple nous a battus.

— Oh ! fort bien, continua Colbert tout à sa pensée. Alors vous supposez que c'est le peuple seul qui voulait faire brûler les condamnés ?

— Oh ! oui, monsieur.

— C'est autre chose... Vous avez donc bien résisté ?

— Nous avons eu trois hommes étouffés, monsieur.

— Vous n'avez tué personne, au moins ?

— Monsieur, il est resté sur le carreau quelques mutins, un, entre autres, qui n'était pas un homme ordinaire.

— Qui ?

— Un certain Menneville, sur qui, depuis longtemps, la police avait l'œil ouvert.

— Menneville ! s'écria Colbert ; celui qui tua, rue de la Huchette, un brave homme qui demandait un poulet gras ?

— Oui, monsieur, c'est le même.

— Et ce Menneville, criait-il aussi : « Vive Colbert ! » lui ?

— Plus fort que tous les autres ; comme un enragé.

Le front de Colbert devint nuageux et se rida. L'espèce d'auréole ambitieuse qui éclairait son visage s'éteignit comme le feu des vers luisants qu'on écrase sous l'herbe.

— Que disiez-vous donc, reprit alors l'intendant déçu, que l'initiative venait du peuple ? Menneville était mon ennemi ; je l'eusse fait pendre, et il le savait bien ; Menneville était à l'abbé Fouquet... toute l'affaire vient de Fouquet ; ne sait-on pas que les condamnés étaient ses amis d'enfance ?

« C'est vrai, pensa d'Artagnan, et voilà mes doutes éclaircis. Je le répète, M. Fouquet peut être ce qu'on voudra, mais c'est un galant homme. »

— Et, poursuivit Colbert, pensez-vous être sûr que ce Menneville est mort ?

D'Artagnan jugea que le moment était venu de faire son entrée.

— Parfaitement, monsieur, répliqua-t-il en s'avançant tout à coup.

— Ah ! c'est vous, monsieur ? dit Colbert.

— En personne, répliqua le mousquetaire avec son ton délibéré ; il paraît que vous aviez dans Menneville un joli petit ennemi ?

— Ce n'est pas moi, monsieur, qui avais un ennemi, répondit Colbert, c'est le roi.

« Double brute ! pensa d'Artagnan, tu fais de la morgue et de l'hypocrisie avec moi... »

— Eh bien ! poursuivit-il, je suis très heureux d'avoir rendu un si bon service au roi, voudrez-vous vous charger de le dire à Sa Majesté, monsieur l'intendant ?

— Quelle commission me donnez-vous, et que me chargez-vous de dire, monsieur ? Précisez, je vous prie, répondit Colbert d'une voix aigre et toute chargée d'avance d'hostilités.

— Je ne vous donne aucune commission, repartit d'Artagnan avec le calme qui n'abandonne jamais les railleurs. Je pensais qu'il vous serait facile d'annoncer à Sa Majesté que c'est moi qui, me trouvant là par hasard, ai fait justice de M. Menneville et remis les choses dans l'ordre.

Colbert ouvrit de grands yeux et interrogea du regard le chef du guet.

— Ah ! c'est bien vrai, dit celui-ci, que monsieur a été notre sauveur.

— Que ne me disiez-vous, monsieur, que vous veniez me raconter cela ? fit Colbert avec envie ; tout s'expliquait, et mieux pour vous que pour tout autre.

— Vous faites erreur, monsieur l'intendant, je ne venais pas du tout vous raconter cela.

— C'est un exploit pourtant, monsieur.

— Oh ! dit le mousquetaire avec insouciance, la grande habitude blase l'esprit.

— A quoi dois-je l'honneur de votre visite, alors ?

— Tout simplement à ceci : le roi m'a commandé de venir vous trouver.

— Ah ! dit Colbert en reprenant son aplomb, parce qu'il voyait d'Artagnan tirer un papier de sa poche, c'est pour me demander de l'argent ?

— Précisément, monsieur.

— Veuillez attendre, je vous prie, monsieur ; j'expédie le rapport du guet.

D'Artagnan tourna sur ses talons assez insolemment, et, se retrouvant en face de Colbert après ce premier tour, il le salua comme Arlequin eût pu le faire ; puis, opérant une seconde évolution, il se dirigea vers la porte d'un bon pas.

Colbert fut frappé de cette vigoureuse résistance à laquelle il n'était pas accoutumé. D'ordinaire, les gens d'épée, lorsqu'ils venaient chez lui, avaient un tel besoin d'argent, que, leurs pieds eussent-ils dû prendre racine dans le marbre, leur patience ne s'épuisait pas.

D'Artagnan allait-il droit chez le roi ? allait-il se plaindre d'une réception mauvaise ou raconter son exploit ? C'était une grave matière à réflexion.

En tout cas, le moment était mal choisi pour renvoyer d'Artagnan, soit qu'il vînt de la part du roi, soit qu'il vînt de la sienne. Le mousquetaire venait de rendre un trop grand service, et depuis trop peu de temps, pour qu'il fût déjà oublié.

Aussi Colbert pensa-t-il que mieux valait secouer toute arrogance et rappeler d'Artagnan.

— Hé ! monsieur d'Artagnan, cria Colbert, quoi ! vous me quittez ainsi ?

D'Artagnan se retourna.

— Pourquoi non ? dit-il tranquillement ; nous n'avons plus rien à nous dire, n'est-ce pas ?

— Vous avez au moins de l'argent à toucher, puisque vous avez une ordonnance ?

— Moi ? pas le moins du monde, mon cher monsieur Colbert.

— Mais enfin, monsieur, vous avez un bon ! Et de même que, vous, vous donnez un coup d'épée pour le roi quand vous en êtes requis, je paie, moi, quand on me présente une ordonnance. Présentez.

— Inutile, mon cher monsieur Colbert, dit d'Artagnan, qui jouissait intérieurement du désarroi mis dans les idées de Colbert ; ce bon est payé.

— Payé ! par qui donc ?

— Mais par le surintendant.

Colbert pâlit.

— Expliquez-vous alors, dit-il d'une voix étranglée ; si vous êtes payé, pourquoi me montrer ce papier ?

— Suite de la consigne dont vous parliez si ingénieusement tout à l'heure, cher monsieur Colbert ; le roi m'avait dit de toucher un quartier de la pension qu'il veut bien me faire...

— Chez moi ?... dit Colbert.

— Pas précisément. Le roi m'a dit : « Allez chez M. Fouquet : le surintendant n'aura peut-être pas d'argent, alors vous irez chez M. Colbert. »

Le visage de Colbert s'éclaircit un moment ; mais il en était de sa malheureuse physionomie comme du ciel d'orage, tantôt radieux, tantôt sombre comme la nuit, selon que brille l'éclair ou que passe le nuage.

— Et... il y avait de l'argent chez le surintendant ? demanda-t-il.

— Mais, oui, pas mal d'argent, répliqua d'Artagnan... Il faut le croire, puisque M. Fouquet, au lieu de me payer un quartier de cinq mille livres...

— Un quartier de cinq mille livres ! s'écria Colbert, saisi comme l'avait été Fouquet de l'ampleur d'une somme destinée à payer le service d'un soldat ; cela ferait donc vingt mille livres de pension ?

— Juste, monsieur Colbert. Peste ! vous comptez comme feu Pythagore ; oui, vingt mille livres.

— Dix fois les appointements d'un intendant des finances. Je vous en fais mon compliment, dit Colbert avec un venimeux sourire.

— Oh ! dit d'Artagnan, le roi s'est excusé de me donner si peu ; aussi m'a-t-il fait promesse de réparer plus tard, quand il serait riche... Mais j'achève, étant fort pressé...

— Oui, et malgré l'attente du roi, le surintendant vous a payé ?

— Comme, malgré l'attente du roi, vous avez refusé de me payer, vous.

— Je n'ai pas refusé, monsieur, je vous ai prié d'attendre. Et vous dites que M. Fouquet vous a payé vos cinq mille livres ?

— Oui, c'est ce que vous eussiez fait, vous ; et encore, encore... il a fait mieux que cela, cher monsieur Colbert.

— Et qu'a-t-il fait ?

— Il m'a poliment compté la totalité de la somme, en disant que pour le roi les caisses étaient toujours pleines.

— La totalité de la somme ! M. Fouquet vous a compté vingt mille livres au lieu de cinq mille.

— Oui, monsieur.

— Et pourquoi cela ?

— Afin de m'épargner trois visites à la caisse de la surintendance ; donc, j'ai les vingt mille livres là, dans ma poche, en fort bel or tout neuf. Vous voyez donc que je puis m'en aller, n'ayant aucunement besoin de vous et n'étant passé ici que pour la forme.

Et d'Artagnan frappa sur ses poches en riant, ce qui découvrit à Colbert trente-deux magnifiques dents aussi blanches que des dents de vingt-cinq ans, et qui semblaient dire dans leur langage : « Servez-nous trente-deux petits Colbert, et nous les mangerons volontiers. »

Le serpent est aussi brave que le lion, l'épervier aussi courageux que l'aigle, cela ne se peut contester. Il n'est pas jusqu'aux animaux qu'on a nommés lâches qui ne soient braves quand il s'agit de la défense. Colbert n'eut pas peur des trente-deux dents de d'Artagnan ; il se roidit, et soudain :

— Monsieur, dit-il, ce que M. le surintendant a fait là, il n'avait pas le droit de le faire.

— Comment dites-vous ? répliqua d'Artagnan.

— Je dis que votre bordereau... Voulez-vous me le montrer, s'il vous plaît, votre bordereau ?

— Très volontiers ; le voici.

Colbert saisit le papier avec un empressement que le mousquetaire ne remarqua pas sans inquiétude et surtout sans un certain regret de l'avoir livré.

— Eh bien ! monsieur, dit Colbert, l'ordonnance royale porte ceci :

A vue, j'entends qu'il soit payé à M. d'Artagnan la somme de cinq mille livres, formant un quartier de la pension que je lui ai faite.

— C'est écrit, en effet, dit d'Artagnan affectant le calme.

— Eh bien ! le roi ne vous devait que cinq mille livres, pourquoi vous en a-t-on donné davantage ?

— Parce qu'on avait davantage, et qu'on voulait me donner davantage ; cela ne regarde personne.

— Il est naturel, dit Colbert avec une orgueilleuse aisance, que vous ignoriez les usages de la comptabilité ; mais, monsieur, quand vous avez mille livres à payer, que faites-vous ?

— Je n'ai jamais mille livres à payer, répliqua d'Artagnan.

— Encore... s'écria Colbert irrité, encore, si vous aviez un paiement à faire, ne paieriez-vous que ce que vous devez.

— Cela ne prouve qu'une chose, dit d'Artagnan : c'est que vous avez vos habitudes particulières en comptabilité, tandis que M. Fouquet a les siennes.

— Les miennes, monsieur, sont les bonnes.

— Je ne dis pas non.

— Et vous avez reçu ce qu'on ne vous devait pas.

L'œil de d'Artagnan jeta un éclair.

— Ce qu'on ne me devait pas encore, voulez-vous dire, monsieur Colbert ; car si j'avais reçu ce qu'on ne me devait pas du tout, j'aurais fait un vol.

Colbert ne répondit pas sur cette subtilité.

— C'est donc quinze mille livres que vous devez à la caisse, dit-il, emporté par sa jalouse ardeur.

— Alors vous me ferez crédit, répliqua d'Artagnan avec son imperceptible ironie.

— Pas du tout, monsieur.

— Bon ! comment cela ?... Vous me reprendrez mes trois rouleaux, vous ?

— Vous les restituerez à ma caisse.

— Moi ? Ah ! monsieur Colbert, n'y comptez pas...

— Le roi a besoin de son argent, monsieur.

— Et moi, monsieur, j'ai besoin de l'argent du roi.

— Soit ; mais vous restituerez.

— Pas le moins du monde. J'ai toujours entendu dire qu'en matière de comptabilité, comme vous dites, un bon caissier ne rend et ne reprend jamais.

— Alors, monsieur, nous verrons ce que dira le roi, à qui je montrerai ce bordereau, qui prouve que M. Fouquet non seulement paie ce qu'il ne doit pas, mais même ne garde pas quittance de ce qu'il paie.

— Ah ! je comprends, s'écria d'Artagnan, pourquoi vous m'avez pris ce papier, monsieur Colbert.

Colbert ne comprit pas tout ce qu'il y avait de menace dans son nom prononcé d'une certaine façon.

— Vous en verrez l'utilité plus tard, répliqua-t-il en élevant l'ordonnance dans ses doigts.

— Oh ! s'écria d'Artagnan en attrapant le papier par un geste rapide, je le comprends parfaitement, monsieur Colbert, et je n'ai pas besoin d'attendre pour cela.

Et il serra dans sa poche le papier qu'il venait de saisir au vol.

— Monsieur, monsieur ! s'écria Colbert... cette violence...

— Allons donc ! est-ce qu'il faut faire attention aux manières d'un soldat ! répondit le mousquetaire ; recevez mes baise-mains, cher monsieur Colbert !

Et il sortit en riant au nez du futur ministre.

— Cet homme-là va m'adorer, murmura-t-il ; c'est bien dommage qu'il me faille lui fausser compagnie.

LXV

PHILOSOPHIE DU CŒUR ET DE L'ESPRIT

Pour un homme qui en avait vu de plus dangereuses, la position de d'Artagnan vis-à-vis de Colbert n'était que comique.

D'Artagnan ne se refusa donc pas la satisfaction de rire aux dépens de M. l'intendant, depuis la rue Neuve-des-Petits-Champs jusqu'à la rue des Lombards.

Il y a loin. D'Artagnan rit donc longtemps.

Il riait encore lorsque Planchet lui apparut, riant aussi, sur la porte de sa maison.

Car Planchet, depuis le retour de son patron, depuis la rentrée des guinées anglaises, passait la plus grande partie de sa vie à faire ce que d'Artagnan venait de faire seulement de la rue Neuve-des-Petits-Champs à la rue des Lombards.

— Vous arrivez donc, mon cher maître ? dit Planchet à d'Artagnan.

— Non, mon ami, répliqua le mousquetaire, je pars au plus vite, c'est-à-dire que je vais souper, me coucher, dormir cinq heures, et qu'au point du jour je sauterai en selle... A-t-on donné ration et demie à mon cheval ?

— Eh ! mon cher maître, répliqua Planchet, vous savez bien que votre cheval est le bijou de la maison, que mes garçons le baisent toute la journée et lui font manger mon sucre, mes noisettes et mes biscuits. Vous me demandez s'il a eu sa ration d'avoine ? demandez donc plutôt s'il n'en a pas eu de quoi crever dix fois.

— Bien, Planchet, bien. Alors, je passe à ce qui me concerne. Le souper ?

— Prêt : un rôti fumant, du vin blanc, des écrevisses, des cerises fraîches. C'est du nouveau, mon maître.

— Tu es un aimable homme, Planchet ; soupons donc, et que je me couche.

Pendant le souper, d'Artagnan observa que Planchet se frottait le front fréquemment comme pour faciliter la sortie d'une idée logée à l'étroit dans son cerveau. Il regarda d'un air affectueux ce digne compagnon de ses traverses d'autrefois, et heurtant le verre au verre :

— Voyons, dit-il, ami Planchet, voyons ce qui te gêne tant à m'annoncer ; mordioux ! parle franc, tu parleras vite.

— Voici, répondit Planchet, vous me faites l'effet d'aller à une expédition quelconque.

— Je ne dis pas non.

— Alors vous auriez eu quelque idée nouvelle.

— C'est possible, Planchet.

— Alors, il y aurait un nouveau capital à aventurer ? Je mets cinquante mille livres sur l'idée que vous allez exploiter.

Et, ce disant, Planchet frotta ses mains l'une contre l'autre avec la rapidité que donne une grande joie.

— Planchet, répliqua d'Artagnan, il n'y a qu'un malheur.

— Et lequel ?

— L'idée n'est pas à moi... Je ne puis rien placer dessus.

Ces mots arrachèrent un gros soupir du cœur de Planchet. C'est une ardente conseillère, l'avarice ; elle enlève son homme comme Satan fit à Jésus sur la montagne[1], et lorsqu'une fois elle a montré à un malheureux tous les royaumes de la terre, elle peut se reposer, sachant bien qu'elle a laissé sa compagne, l'envie, pour mordre le cœur.

Planchet avait goûté la richesse facile, il ne devait plus s'arrêter dans ses désirs ; mais, comme c'était un bon cœur malgré son avidité, comme il adorait d'Artagnan, il ne put s'empêcher de lui faire mille recommandations plus affectueuses les unes que les autres.

Il n'eût pas été fâché non plus d'attraper une petite bribe du secret que cachait si bien son maître : ruses, mines, conseils et traquenards furent inutiles ; d'Artagnan ne lâcha rien de confidentiel.

La soirée se passa ainsi. Après souper, le portemanteau occupa d'Artagnan ; il fit un tour à l'écurie, caressa son cheval en lui visitant les fers et les jambes ; puis, ayant recompté son argent, il se mit au lit, où, dormant comme à vingt ans, parce qu'il n'avait ni inquiétude ni remords, il ferma la paupière cinq minutes après avoir soufflé la lampe.

Beaucoup d'événements pouvaient pourtant le tenir éveillé. La pensée bouillonnait en son cerveau, les conjectures abondaient, et d'Artagnan était grand tireur d'horoscopes ; mais, avec ce flegme imperturbable qui fait plus que le génie pour la fortune et le bonheur des gens d'action, il remit au lendemain la réflexion, de peur, se dit-il, de n'être pas frais en ce moment.

Le jour vint. La rue des Lombards eut sa part des caresses de l'aurore aux doigts de rose, et d'Artagnan se leva comme l'aurore.

Il n'éveilla personne, mit son portemanteau sous son bras, descendit l'escalier sans faire crier une marche, sans troubler un seul des ronflements sonores étagés du grenier à la cave ; puis, ayant sellé son cheval, refermé l'écurie et la boutique, il partit au pas pour son expédition de Bretagne.

Il avait eu bien raison de ne pas penser la veille à toutes les affaires politiques et diplomatiques qui sollicitaient son esprit, car au matin, dans la fraîcheur et le doux crépuscule, il sentit ses idées se développer pures et fécondes.

Et d'abord, il passa devant la maison de Fouquet, et jeta dans une large boîte béante à la porte du surintendant le bienheureux bordereau que, la veille, il avait eu tant de peine à soustraire aux doigts crochus de l'intendant.

Mis sous enveloppe à l'adresse de Fouquet, le bordereau n'avait pas même été deviné par Planchet, qui, en fait de divination, valait Calchas ou Apollon Pythien[2].

D'Artagnan renvoyait donc la quittance à Fouquet, sans se compromettre lui-même et sans avoir désormais de reproches à s'adresser.

1. Matthieu, IV, 8-10 ; Luc, IV, 5-8.
2. A Delphes, Apollon rendait ses oracles par le truchement de trois pythies vaticinantes.

Lorsqu'il eut fait cette restitution commode :

— Maintenant, se dit-il, humons beaucoup d'air matinal, beaucoup d'insouciance et de santé, laissons respirer le cheval Zéphire, qui gonfle ses flancs comme s'il s'agissait d'aspirer un hémisphère, et soyons très ingénieux dans nos petites combinaisons.

« Il est temps, poursuivit d'Artagnan, de faire un plan de campagne, et, selon la méthode de M. de Turenne, qui a une fort grosse tête pleine de toutes sortes de bons avis, avant le plan de campagne, il convient de dresser un portrait ressemblant des généraux ennemis à qui nous avons affaire.

« Tout d'abord se présente M. Fouquet. Qu'est-ce que M. Fouquet ?

« M. Fouquet, se répondit à lui-même d'Artagnan, c'est un bel homme fort aimé des femmes ; un galant homme fort aimé des poètes ; un homme d'esprit très exécré des faquins.

« Je ne suis ni femme, ni poète, ni faquin ; je n'aime donc ni ne hais M. le surintendant : je me trouve donc absolument dans la position où se trouva M. de Turenne, lorsqu'il s'agit de gagner la bataille des Dunes[1]. Il ne haïssait pas les Espagnols, mais il les battit à plate couture.

« Non pas ; il y a meilleur exemple, mordioux : je suis dans la position où se trouva le même M. de Turenne lorsqu'il eut en tête le prince de Condé à Jargeau, à Gien et au faubourg Saint-Antoine[2]. Il n'exécrait pas M. le prince, c'est vrai, mais il obéissait au roi. M. le prince est un homme charmant, mais le roi est le roi ; Turenne poussa un gros soupir, appela Condé "mon cousin", et lui rafla son armée.

« Maintenant, que veut le roi ? Cela ne me regarde pas.

« Maintenant, que veut M. Colbert ? Oh ! c'est autre chose. M. Colbert veut tout ce que ne veut pas M. Fouquet.

« Que veut donc M. Fouquet ? Oh ! oh ! ceci est grave. M. Fouquet veut précisément tout ce que veut le roi.

Ce monologue achevé, d'Artagnan se remit à rire en faisant siffler sa houssine. Il était déjà en pleine grande route, effarouchant les oiseaux sur les haies, écoutant les louis qui dansaient à chaque secousse dans sa poche de peau, et, avouons-le, chaque fois que d'Artagnan se rencontrait en de pareilles conditions, la tendresse n'était pas son vice dominant.

---

1. Mettant le siège devant Dunkerque, Turenne livra bataille dans les dunes, entre cette ville et Nieuport, à l'armée espagnole, commandée par don Juan d'Autriche et Condé, le 14 juin 1658 : victorieux, il put s'emparer de la ville.

2. Sur ces trois batailles, Gien (7 avril 1652) — il s'agit de la bataille de Bléneau (« De Sully, nous allâmes à Gien, où bientôt après nous apprîmes que M. le prince était arrivé de Guyenne [...]. M. de Turenne commandait l'armée du roi [...] qui fut défaite, et, si M. de Turenne n'eût fait bonne contenance, faisant paraître toute son armée de front sur le haut d'une colline, nous aurions couru de grands risques ») —, Jargeau et Faubourg-Saint-Antoine (2 juillet 1652), voir La Rochefoucauld, *Mémoires*, collection de la Pléiade, p. 188-190 et 203-207.

— Allons, dit-il, l'expédition n'est pas fort dangereuse, et il en sera de mon voyage comme de cette pièce que M. Monck me mena voir à Londres, et qui s'appelle, je crois : *Beaucoup de bruit pour rien*[1].

LXVI

VOYAGE

C'était la cinquantième fois peut-être, depuis le jour où nous avons ouvert cette histoire, que cet homme au cœur de bronze et aux muscles d'acier avait quitté maison et amis, tout enfin, pour aller chercher la fortune et la mort. L'une, c'est-à-dire la mort, avait constamment reculé devant lui comme si elle en eût peur ; l'autre, c'est-à-dire la fortune, depuis un mois seulement avait fait réellement alliance avec lui.

Quoique ce ne fût pas un grand philosophe, selon Épicure ou selon Socrate, c'était un puissant esprit, ayant la pratique de la vie et de la pensée. On n'est pas brave, on n'est pas aventureux, on n'est pas adroit comme l'était d'Artagnan, sans être en même temps un peu rêveur.

Il avait donc retenu çà et là quelques bribes de M. de La Rochefoucauld[2], dignes d'être mises en latin par MM. de Port-Royal, et il avait fait collection en passant, dans la société d'Athos et d'Aramis, de beaucoup de morceaux de Sénèque et de Cicéron, traduits par eux et appliqués à l'usage de la vie commune[3].

Ce mépris des richesses, que notre Gascon avait observé comme article de foi pendant les trente-cinq premières années de sa vie, avait été regardé longtemps par lui comme l'article premier du code de la bravoure.

— Article premier, disait-il :

« On est brave parce qu'on n'a rien ;

« On n'a rien parce qu'on méprise les richesses.

Aussi avec ces principes, qui, ainsi que nous l'avons dit, avaient régi les trente-cinq premières années de sa vie, d'Artagnan ne fut pas plutôt riche qu'il dut se demander si, malgré sa richesse, il était toujours brave.

A cela, pour tout autre que d'Artagnan, l'événement de la place de Grève eût pu servir de réponse. Bien des consciences s'en fussent

1. *Much Ado About Nothing*, comédie de Shakespeare, en cinq actes, en prose mêlée de vers, datée de 1598.

2. Léger anachronisme de Dumas : l'édition originale des *Réflexions ou sentences et maximes morales* ne fut publiée qu'en 1664 à Paris chez Barbin ; l'année précédente, une préoriginale en avait été donnée à La Haye.

3. Sur les messieurs de Port-Royal, voir chap. LVIII, p. 354, note 1.

contentées ; mais d'Artagnan était assez brave pour se demander sincèrement et consciencieusement s'il était brave.

Aussi à ceci :

— Mais il me semble que j'ai assez vivement dégainé et assez proprement estocadé sur la place de Grève pour être rassuré sur ma bravoure.

D'Artagnan s'était répondu à lui-même.

— Tout beau, capitaine ! ceci n'est point une réponse. J'ai été brave ce jour-là parce qu'on brûlait ma maison, et il y a cent et même mille à parier contre un que, si ces messieurs de l'émeute n'eussent pas eu cette malencontreuse idée, leur plan d'attaque eût réussi, ou du moins ce n'eût point été moi qui m'y fusse opposé.

« Maintenant, que va-t-on tenter contre moi ? Je n'ai pas de maison à brûler en Bretagne ; je n'ai pas de trésor qu'on puisse m'enlever.

« Non ! mais j'ai ma peau ; cette précieuse peau de M. d'Artagnan, qui vaut toutes les maisons et tous les trésors du monde ; cette peau à laquelle je tiens par-dessus tout parce qu'elle est, à tout prendre, la reliure d'un corps qui renferme un cœur très chaud et très satisfait de battre, et par conséquent de vivre.

« Donc, je désire vivre, et en réalité je vis bien mieux, bien plus complètement, depuis que je suis riche. Qui diable disait que l'argent gâtait la vie ? Il n'en est rien, sur mon âme ! il semble, au contraire, que maintenant j'absorbe double quantité d'air et de soleil. Mordioux ! que sera-ce donc si je double encore cette fortune, et si, au lieu de cette badine que je tiens en ma main, je porte jamais le bâton de maréchal ?

« Alors je ne sais plus s'il y aura, à partir de ce moment-là, assez d'air et de soleil pour moi.

« Au fait, ce n'est pas un rêve ; qui diable s'opposerait à ce que le roi me fît duc et maréchal, comme son père, le roi Louis XIII, a fait duc et connétable Albert de Luynes ? Ne suis-je pas aussi brave et bien autrement intelligent que cet imbécile de Vitry[1] ?

« Ah ! voilà justement ce qui s'opposera à mon avancement ; j'ai trop d'esprit.

« Heureusement, s'il y a une justice en ce monde, la fortune en est avec moi aux compensations. Elle me doit, certes, une récompense pour tout ce que j'ai fait pour Anne d'Autriche et un dédommagement pour tout ce qu'elle n'a point fait pour moi.

« Donc, à l'heure qu'il est, me voilà bien avec un roi, et avec un roi qui a l'air de vouloir régner.

« Dieu le maintienne dans cette illustre voie ! Car s'il veut régner, il a besoin de moi, et s'il a besoin de moi, il faudra bien qu'il me donne ce qu'il m'a promis. Chaleur et lumière. Donc, je marche, comparativement, aujourd'hui, comme je marchais autrefois, de rien à tout.

1. Voir Dictionnaire. Temps modernes (Luynes) et Contemporains (Vitry).

« Seulement, le rien aujourd'hui, c'est le tout d'autrefois ; il n'y a que ce petit changement dans ma vie.

« Et maintenant, voyons ! faisons la part du cœur, puisque j'en ai parlé tout à l'heure.

« Mais, en vérité, je n'en ai parlé que pour mémoire.

Et le Gascon appuya la main sur sa poitrine, comme s'il y eût cherché effectivement la place du cœur.

— Ah ! malheureux ! murmura-t-il en souriant avec amertume. Ah ! pauvre espèce ! tu avais espéré un instant n'avoir pas de cœur, et voilà que tu en as un, courtisan manqué que tu es, et même un des plus séditieux.

« Tu as un cœur qui te parle en faveur de M. Fouquet.

« Qu'est-ce que M. Fouquet, cependant, lorsqu'il s'agit du roi ? Un conspirateur, un véritable conspirateur, qui ne s'est même pas donné la peine de te cacher qu'il conspirait ; aussi, quelle arme n'aurais-tu pas contre lui, si sa bonne grâce et son esprit n'eussent pas fait un fourreau à cette arme.

« La révolte à main armée !... car enfin, M. Fouquet a fait de la révolte à main armée.

« Ainsi, quand le roi soupçonne vaguement M. Fouquet de sourde rébellion, moi, je sais, moi, je puis prouver que M. Fouquet a fait verser le sang des sujets du roi.

« Voyons maintenant : sachant tout cela et le taisant, que veut de plus ce cœur si pitoyable pour un bon procédé de M. Fouquet, pour une avance de quinze mille livres, pour un diamant de mille pistoles, pour un sourire où il y avait bien autant d'amertume que de bienveillance ? Je lui sauve la vie.

« Maintenant j'espère, continua le mousquetaire, que cet imbécile de cœur va garder le silence et qu'il est bel et bien quitte avec M. Fouquet.

« Donc, maintenant le roi est mon soleil, et comme voilà mon cœur quitte avec M. Fouquet, gare à qui se remettra devant mon soleil ! En avant pour Sa Majesté Louis XIV, en avant !

Ces réflexions étaient les seuls empêchements qui pussent retarder l'allure de d'Artagnan. Or, ces réflexions une fois faites, il pressa le pas de sa monture.

Mais, si parfait que fût le cheval Zéphire, il ne pouvait aller toujours. Le lendemain du départ de Paris, il fut laissé à Chartres chez un vieil ami que d'Artagnan s'était fait d'un hôtelier de la ville.

Puis, à partir de ce moment, le mousquetaire voyagea sur des chevaux de poste. Grâce à ce mode de locomotion, il traversa donc l'espace qui sépare Chartres de Châteaubriant[1].

1. 235 km environ.

Dans cette dernière ville, encore assez éloignée des côtes pour que nul ne devinât que d'Artagnan allait gagner la mer, assez éloignée de Paris pour que nul ne soupçonnât qu'il en venait, le messager de Sa Majesté Louis XIV, que d'Artagnan avait appelé son soleil sans se douter que celui qui n'était encore qu'une assez pauvre étoile dans le ciel de la royauté ferait un jour de cet astre son emblème, le messager du roi Louis XIV, disons-nous, quitta la poste et acheta un bidet de la plus pauvre apparence, une de ces montures que jamais officier de cavalerie ne se permettrait de choisir, de peur d'être déshonoré.

Sauf le pelage, cette nouvelle acquisition rappelait fort à d'Artagnan ce fameux cheval orange[1] avec lequel ou plutôt sur lequel il avait fait son entrée dans le monde.

Il est vrai de dire que, du moment où il avait enfourché cette nouvelle monture, ce n'était plus d'Artagnan qui voyageait, c'était un bonhomme vêtu d'un justaucorps gris de fer, d'un haut-de-chausses marron, tenant le milieu entre le prêtre et le laïque ; ce qui, surtout, le rapprochait de l'homme d'Église, c'est que d'Artagnan avait mis sur son crâne une calotte de velours râpé, et par-dessus la calotte un grand chapeau noir ; plus d'épée : un bâton pendu par une corde à son avant-bras, mais auquel il se promettait, comme auxiliaire inattendu, de joindre à l'occasion une bonne dague de dix pouces cachée sous son manteau.

Le bidet acheté à Châteaubriant complétait la différence. Il s'appelait, ou plutôt d'Artagnan l'avait appelé Furet.

— Si de Zéphire j'ai fait Furet, dit d'Artagnan, il faut faire de mon nom un diminutif quelconque.

« Donc, au lieu de d'Artagnan, je serai Agnan tout court ; c'est une concession que je dois naturellement à mon habit gris, à mon chapeau rond et à ma calotte râpée.

M. Agnan voyagea donc sans secousse exagérée sur Furet, qui trottait l'amble comme un véritable cheval déluré, et qui, tout en trottant l'amble, faisait gaillardement ses douze lieues par jour, grâce à quatre jambes sèches comme des fuseaux, dont l'art exercé de d'Artagnan avait apprécié l'aplomb et la sûreté sous l'épaisse fourrure qui les cachait.

Chemin faisant, le voyageur prenait des notes, étudiait le pays sévère et froid qu'il traversait, tout en cherchant le prétexte le plus plausible d'aller à Belle-Ile-en-Mer et de tout voir sans éveiller le soupçon.

De cette façon, il put se convaincre de l'importance que prenait l'événement à mesure qu'il s'en approchait.

Dans cette contrée reculée, dans cet ancien duché de Bretagne qui n'était pas français à cette époque, et qui ne l'est guère encore aujourd'hui, le peuple ne connaissait pas le roi de France.

1. Le fameux Bouton-d'Or : « C'était un bidet du Béarn, âgé de douze ou quatorze ans, jaune de robe, sans crins à la queue, mais non pas sans javarts aux jambes » (*Les Trois Mousquetaires*, chap. I).

Non seulement il ne le connaissait pas, mais même ne voulait pas le connaître.

Un fait, un seul, surnageait visible pour lui sur le courant de la politique. Ses anciens ducs ne gouvernaient plus, mais c'était un vide : rien de plus. A la place du duc souverain, les seigneurs de paroisse régnaient sans limite.

Et au-dessus de ces seigneurs, Dieu, qui n'a jamais été oublié en Bretagne.

Parmi ces suzerains de châteaux et de clochers, le plus puissant, le plus riche et surtout le plus populaire, c'était M. Fouquet, seigneur de Belle-Ile.

Même dans le pays, même en vue de cette île mystérieuse, les légendes et les traditions consacraient ses merveilles.

Tout le monde n'y pénétrait pas ; l'île, d'une étendue de six lieues de long sur six de large, était une propriété seigneuriale que longtemps le peuple avait respectée, couverte qu'elle était du nom de Retz[1], si fort redouté dans la contrée.

Peu après l'érection de cette seigneurie en marquisat par Charles IX, Belle-Ile était passée à M. Fouquet.

La célébrité de l'île ne datait pas d'hier : son nom, ou plutôt sa qualification, remontait à la plus haute Antiquité ; les anciens l'appelaient Kalonèse, de deux mots grecs qui signifient belle île[2].

Ainsi, à dix-huit cents ans de distance, elle avait, dans un autre idiome, porté le même nom qu'elle portait encore.

C'était donc quelque chose en soi que cette propriété de M. le surintendant, outre sa position à six lieues des côtes de France, position qui la fait souveraine dans sa solitude maritime, comme un majestueux navire qui dédaignerait les rades et qui jetterait fièrement ses ancres au beau milieu de l'océan.

D'Artagnan apprit tout cela sans paraître le moins du monde étonné : il apprit aussi que le meilleur moyen de prendre langue était de passer à La Roche-Bernard, ville assez importante sur l'embouchure de la Vilaine[3].

Peut-être là pourrait-il s'embarquer. Sinon, traversant les marais salins, il se rendrait à Guérande ou au Croisic pour attendre l'occasion

1. Belle-Ile avait appartenu à la famille de Retz jusqu'au jour (28 août 1658) où Louis XIV invita Fouquet à en conclure l'achat « pour que cette place ne tombe pas entre les mains de personnes suspectes et qui n'aient pas toutes les qualités requises pour la bien défendre ». L'acte avait été signé le 5 septembre 1658, et était devenu irrévocable le 16 décembre 1660. Cependant, il fait allusion ici à Gilles de Rais ou Retz.

2. Calonesus, de *kalos*, « beau », et de *nessos*, « île ». Pline, et après lui César, utilisent la dénomination de *Insulae Veneticae* pour désigner l'archipel qui dépendait des Vénètes. Les cartes de Ptolémée et l'itinéraire d'Augustin l'appellent *Vindilis*. Après avoir été la gaélique Guedel, elle reçut son nom actuel au Xe siècle (voir Yvonne Lanco, *La Citadelle de l'Atlantique. Histoire de Belle-Ile-en-Mer*, Éditions Œdipus, 1952, p. 26-27).

3. A 17 km de Vannes.

de passer à Belle-Ile. Il s'était aperçu, au reste, depuis son départ de Châteaubriant, que rien ne serait impossible à Furet sous l'impulsion de M. Agnan, et rien à M. Agnan sur l'initiative de Furet.

Il s'apprêta donc à souper d'une sarcelle et d'un tourteau dans un hôtel de La Roche-Bernard, et fit tirer de la cave, pour arroser ces deux mets bretons, un cidre qu'au seul toucher du bout des lèvres il reconnut pour être infiniment plus breton encore.

LXVII

COMMENT D'ARTAGNAN FIT CONNAISSANCE D'UN POÈTE QUI S'ÉTAIT FAIT IMPRIMEUR POUR QUE SES VERS FUSSENT IMPRIMÉS[1]

Avant de se mettre à table, d'Artagnan prit, comme d'habitude, ses informations ; mais c'est un axiome de curiosité que tout homme qui veut bien et fructueusement questionner doit d'abord s'offrir lui-même aux questions.

D'Artagnan chercha donc avec son habileté ordinaire un utile questionneur dans l'hôtellerie de La Roche-Bernard.

Justement il y avait dans cette maison, au premier étage, deux voyageurs occupés aussi des préparatifs de leur souper ou de leur souper lui-même.

D'Artagnan avait vu à l'écurie leur monture, et dans la salle leur équipage.

L'un voyageait avec un laquais, comme une sorte de personnage ; deux juments du Perche, belles et rondes bêtes, leur servaient de monture.

L'autre, assez petit compagnon, voyageur de maigre apparence, portant surtout poudreux, linge usé, bottes plus fatiguées par le pavé que par l'étrier, l'autre était venu de Nantes avec un chariot traîné par un cheval tellement pareil à Furet pour la couleur que d'Artagnan eût fait cent lieues avant de trouver mieux pour apparier un attelage.

[2]Ce chariot renfermait divers gros paquets enfermés dans de vieilles étoffes.

---

1. A partir de ce chapitre, début du cinquième volume de la publication en feuilleton, nous possédons deux manuscrits que nous désignerons par M[1] et M[2]. M[1] : ms. autographe, conservé à la Bibliothèque nationale (chap. LXVII et LXIX à LXXX); M[2]: copie manuscrite, conservée à la Pierpont Morgan Library de New York (chap. LXVII à LXXV). Pr. désigne la préoriginale. Nous avons généralement adopté la leçon de M[1]. M[1] : f°s 7-15 ; M[2] : f[os] [7] - 15.

2. Début de M[2].

« Ce voyageur-là, se dit d'Artagnan, est de ma farine. Il me va, il me convient. Je dois lui aller et lui convenir. M. Agnan, au justaucorps gris et à la calotte râpée, n'est pas indigne de souper avec le monsieur aux vieilles bottes et au vieux cheval. »

Cela dit, d'Artagnan appela l'hôte et lui commanda de monter sa sarcelle, son tourteau et son cidre dans la chambre du monsieur aux dehors modestes.

Lui-même, gravissant, une assiette à la main, un escalier de bois qui conduisait[1] à la chambre, se mit à heurter à la porte.

— Entrez ! dit l'inconnu.

D'Artagnan entra la bouche en cœur, son assiette sous le bras, son chapeau d'une main, sa chandelle de l'autre.

— Monsieur, dit-il, excusez-moi, je suis comme vous un voyageur, je ne connais personne dans l'hôtel et j'ai la mauvaise habitude de m'ennuyer quand je mange seul, de sorte que mon repas me paraît mauvais et ne me profite point. Votre figure, que j'aperçus tout à l'heure quand vous descendîtes pour vous faire ouvrir des huîtres, votre figure me revient fort ; en outre, j'ai observé que vous aviez un cheval tout pareil au mien, et que l'hôte, à cause de cette ressemblance sans doute, les a placés côte à côte dans son écurie, où ils paraissent se trouver à merveille de cette compagnie. Je ne vois donc pas, monsieur, pourquoi les maîtres seraient séparés, quand les chevaux sont réunis. En conséquence, je viens vous demander le plaisir d'être admis à votre table. Je m'appelle Agnan, Agnan pour vous servir, monsieur, intendant indigne d'un riche seigneur qui veut acheter des salines dans le pays et m'envoie visiter ses futures acquisitions. En vérité, monsieur, je voudrais que ma figure vous agréât autant que la vôtre m'agrée, car je suis tout vôtre en honneur.

L'étranger, que d'Artagnan voyait pour la première fois, car d'abord il ne l'avait qu'entrevu, l'étranger avait des yeux noirs et brillants, un[2] teint jaune, le front un peu plissé par le poids de cinquante années, de la bonhomie dans l'ensemble des traits, mais de la finesse dans le regard.

« On dirait, pensa d'Artagnan, que ce gaillard-là n'a jamais exercé que la partie supérieure de sa tête, l'œil et le cerveau et ce doit être un homme de science : la bouche, le nez, le menton ne signifient absolument rien. »

— Monsieur, répliqua celui dont on fouillait ainsi l'idée et la personne, vous me faites honneur, non pas que je m'ennuyasse ; j'ai, ajouta-t-il en souriant, une compagnie qui me distrait toujours ; mais n'importe, je suis très heureux de vous recevoir.

---

1. M[2] : « ... qui *menait* à la chambre... »
2. M[2] : « ... *le* teint... »

Mais, en disant ces mots, l'homme aux bottes usées jeta un regard inquiet sur sa table, dont les huîtres avaient disparu et sur laquelle il ne restait plus qu'un morceau de lard salé.

— Monsieur, se hâta de dire d'Artagnan, l'hôte me monte une jolie volaille rôtie et un superbe tourteau.

D'Artagnan avait lu dans le regard de son compagnon, si rapide qu'il eût été, la crainte d'une attaque par un parasite.

Il avait deviné juste : à cette ouverture, les traits de l'homme aux dehors modestes se déridèrent.

En effet comme s'il eût guetté son entrée, l'hôte parut aussitôt, portant les mets annoncés.

Le tourteau et la sarcelle étant ajoutés au morceau de lard grillé, d'Artagnan et son convive se saluèrent, s'assirent face à face, et comme deux frères firent le partage du lard et des autres plats.

— Monsieur, dit d'Artagnan, avouez que c'est une merveilleuse chose que l'association.

— Pourquoi ? demanda l'étranger la bouche pleine.

— Eh bien ! je vais vous le dire, répondit d'Artagnan.

L'étranger donna trêve aux mouvements de ses mâchoires pour mieux écouter.

— D'abord, continua d'Artagnan, au lieu d'une chandelle que nous avions chacun, en voici deux.

— C'est vrai, dit l'étranger, frappé de l'extrême justesse de l'observation.

— Puis je vois que vous mangez mon tourteau par préférence, tandis que moi, par préférence aussi[1], je mange votre lard.

— C'est encore vrai.

— Enfin, par-dessus le plaisir d'être mieux éclairé et de manger des choses à mon goût[2], je mets le plaisir de la société.

— En vérité, monsieur, vous êtes jovial, dit agréablement l'inconnu.

— Mais oui, monsieur ; jovial comme tous ceux qui n'ont rien dans la tête. Oh ! il n'en est pas ainsi de vous, poursuivit d'Artagnan, et je vois dans vos yeux toute sorte de génie.

— Oh ! monsieur...

— Voyons, avouez-moi une chose.

— Laquelle ?

— C'est que vous êtes un savant.

— Ma foi, monsieur...

— Hein ?

— Presque.

— Allons donc !

1. Texte : « aussi », omis.
2. M[2] : « ... *de son* goût... »

— Je suis un auteur.

— Là ! s'écria d'Artagnan ravi en frappant dans ses deux mains, je ne m'étais pas trompé ! C'est du miracle...

— Monsieur...

— Eh quoi ! continua d'Artagnan, j'aurais le bonheur de passer cette nuit dans la société d'un auteur, d'un auteur célèbre peut-être ?

— Oh ! fit l'inconnu en rougissant, célèbre, monsieur, célèbre n'est pas le mot.

— Modeste ! s'écria d'Artagnan transporté ; il est modeste !

Puis, revenant à l'étranger avec le caractère d'une brusque[1] bonhomie :

— Mais, dites-moi au moins le nom de vos œuvres, monsieur, car vous remarquerez que vous ne m'avez point dit le vôtre, et que j'ai été forcé de vous deviner.

— Je m'appelle Jupenet, monsieur, dit l'auteur.

— Beau nom ! fit d'Artagnan ; beau nom, sur ma parole, et je ne sais pourquoi, pardonnez-moi cette bévue, si c'en est une, je ne sais comment je me figure avoir entendu prononcer ce nom quelque part.

— Mais j'ai fait des vers, dit modestement le poète.

— Eh ! voilà ! on me les aura fait lire.

— Une tragédie.

— Je l'aurai vu jouer.

Le poète rougit encore.

— Je ne crois pas, dit-il[2], car mes vers n'ont pas été imprimés.

— Eh bien ! je vous le dis, c'est la tragédie qui m'aura appris votre nom.

— Vous vous trompez encore, car MM. les comédiens de l'hôtel de Bourgogne n'en ont pas voulu, dit le poète avec le sourire dont certains orgueils savent seuls le secret.

D'Artagnan se mordit les lèvres.

— Ainsi donc, monsieur, continua le poète, vous voyez que vous êtes dans l'erreur à mon endroit, et que, n'étant point connu du tout[3], vous n'avez pu entendre parler de moi.

— Voilà qui me confond. Ce nom de Jupenet me semble cependant un beau nom et bien digne d'être connu, aussi bien que ceux de MM. Corneille, ou Rotrou, ou Garnier. J'espère, monsieur, que vous voudrez bien me dire un peu votre tragédie, plus tard, comme cela, au dessert. Ce sera la rôtie au sucre, mordioux ! Ah ! pardon, monsieur, c'est un juron, qui m'échappe parce qu'il est habituel à mon seigneur et maître. Je me permets donc quelquefois d'usurper quelquefois[4] ce

1. M[2] : barré, « bienveillante ».
2. M[2] : « dit-il », omis.
3. M[2] : « ... du tout *de vous...* »
4. M[2] : mot omis.

juron qui me paraît de bon goût. Je me permets cela en son absence seulement, bien entendu, car vous comprenez qu'en sa présence... Mais en vérité, monsieur, ce cidre est abominable ; n'êtes-vous point de mon avis ? Et de plus le pot est de forme si peu régulière qu'il ne tient point sur la table.

— Si nous le calions ?

— Sans doute : mais avec quoi ?

— Avec ce couteau.

— Et la sarcelle, avec quoi la découperons-nous ? tenez[1]-vous par hasard ne point[2] toucher à la sarcelle ?

— Si fait.

— Eh bien ! alors...

— Attendez.

Le poète fouilla dans sa poche et en tira un petit morceau de fonte oblong, quadrangulaire, épais d'une ligne à peu près, long d'un pouce et demi.

Mais à peine le petit morceau de fonte eut-il vu le jour que le poète parut avoir commis une imprudence et fit un mouvement pour le remettre dans sa poche.

D'Artagnan s'en aperçut. C'était un homme à qui rien n'échappait.

Il étendit la main vers le petit morceau de fonte.

— Tiens, c'est gentil, ce que vous tenez là, dit-il ; peut-on voir ?

— Certainement, dit le poète, qui parut avoir cédé trop vite à un premier mouvement, certainement qu'on peut voir ; mais vous avez beau regarder, ajouta-t-il d'un air satisfait, si je ne vous dis point à quoi cela sert, vous ne le saurez pas.

D'Artagnan avait saisi comme un aveu les hésitations du poète et son empressement à cacher le morceau de fonte qu'un premier mouvement l'avait porté à sortir de sa poche.

Aussi, son attention une fois éveillée sur ce point, il se renferma dans une circonspection qui lui donnait en toute occasion la supériorité. D'ailleurs, quoi qu'en eût dit M. Jupenet, à la simple inspection de l'objet, il l'avait parfaitement reconnu.

C'était un caractère d'imprimerie.

— Devinez-vous ce que c'est ? continua le poète.

— Non ! dit d'Artagnan ; non, ma foi !

— Eh bien ! monsieur, dit maître Jupenet, ce petit morceau de fonte, c'est[3] une lettre d'imprimerie.

— Bah !

— Une majuscule.

---

1. Texte : « *Comptez-vous...* »
2. M^2 : « ... *pas* toucher... »
3. M^2 : « ... de fonte est... »

— Tiens ! tiens tiens[1] ! fit M. Agnan écarquillant des yeux bien naïfs.

— Oui, monsieur, un J majuscule, la première lettre de mon nom.

— Et c'est une lettre, cela ?

— Oui, monsieur.

— Eh bien ! je vais vous avouer une chose.

— Laquelle ?

— Non ! car c'est encore une bêtise que je vais vous dire.

— Eh ! non, fit maître Jupenet d'un air protecteur.

— Eh bien ! je ne comprends pas, si cela est une lettre, comment on peut faire un mot.

— Un mot ?

— Pour l'imprimer, oui.

— C'est bien facile.

— Voyons.

— Cela vous intéresse ?

— Énormément.

— Eh bien ! je vais vous expliquer la chose. Attendez !

— J'attends.

— M'y voici.

— Bon !

— Regardez bien.

— Je regarde.

D'Artagnan, en effet, paraissait absorbé dans sa contemplation. Jupenet tira de sa poche sept ou huit autres[2] morceaux de fonte, mais plus petits.

— Ah ! ah ! fit d'Artagnan.

— Quoi ?

— Vous avez donc toute une imprimerie dans votre poche. Peste ! c'est curieux, en effet.

— N'est-ce pas ?

— Que de choses on apprend en voyageant, mon Dieu !

— A votre santé, dit Jupenet enchanté.

— A la vôtre, mordioux, à la vôtre ! Mais un instant, pas avec ce cidre. C'est une abominable boisson et indigne d'un homme qui s'abreuve à l'Hippocrène : n'est-ce pas ainsi que vous appelez votre fontaine, à vous autres poètes ?

— Oui, monsieur, notre fontaine s'appelle ainsi en effet. Cela vient de deux mots grecs, *hippos*, qui veut dire cheval... et...

— Monsieur, interrompit d'Artagnan, je vais vous faire boire une liqueur qui vient d'un seul mot français et qui n'en est pas plus mauvaise

1. Texte : « Tiens ! tiens !... »
2. Texte : mot omis.

pour cela, du mot raisin ; ce cidre m'écœure et me gonfle à la fois. Permettez-moi de m'informer près de notre hôte s'il n'a pas quelque bonne bouteille de beaugency ou de la coulée de Céran[1] derrière les grosses bûches de son cellier.

En effet, l'hôte interpellé monta aussitôt.

— Monsieur, interrompit le poète, prenez garde, nous n'aurons pas le temps de boire le vin, à moins que nous ne nous pressions fort, car je dois profiter de la marée pour prendre le bateau.

— Quel bateau ? demanda d'Artagnan.

— Mais le bateau qui part pour Belle-Ile.

— Ah ! pour Belle-Ile ? dit le mousquetaire. Bon !

— Bah ! vous aurez tout le temps, monsieur, répliqua l'hôtelier en débouchant la bouteille ; le bateau ne part que dans une heure.

— Mais qui m'avertira ? fit le poète.

— Votre voisin, répliqua l'hôte.

— Mais je le connais à peine.

— Quand vous l'entendrez partir, il sera temps que vous partiez.

— Il va donc à Belle-Ile aussi ?

— Oui.

— Ce monsieur qui a un laquais ? demanda d'Artagnan.

— Ce monsieur qui a un laquais.

— Quelque gentilhomme, sans doute ?

— Je l'ignore.

— Comment, vous l'ignorez ?

— Oui. Tout ce que je sais, c'est qu'il boit le même vin que vous.

— Peste ! voilà bien de l'honneur pour nous, dit d'Artagnan en versant à boire à son compagnon, tandis que l'hôte s'éloignait.

— Ainsi, reprit le poète, revenant à ses idées dominantes, vous n'avez jamais vu imprimer ?

— Jamais.

— Tenez, on prend ainsi les lettres qui composent le mot, voyez-vous ; AB ; ma foi, voici un R, deux EE[2], puis un G.

Et il assembla les lettres avec une vitesse et une habileté qui n'échappèrent point à l'œil de d'Artagnan.

— *Abrégé*, dit-il en terminant.

— Bon ! fit[3] d'Artagnan ; voici bien les lettres assemblées ; mais comment tiennent-elles ?

Et il versa un second verre de vin à son hôte.

M. Jupenet sourit en homme qui a réponse à tout ; puis il tira, de sa

---

1. « Céran », pour « Serrant ». La coulée de Serrant, à une vingtaine de kilomètres d'Angers, est un vin blanc d'Anjou, légèrement liquoreux, comme ses voisins de Savennières et des côteaux du Layon.

2. Texte : « E ».

3. Texte : « ... *dit* d'Artagnan... »

poche toujours, une petite règle de métal, composée de deux parties assemblées en équerre, sur laquelle il réunit et aligna les caractères en les maintenant sous son pouce gauche.

— Et comment s'appelle[1] cette petite règle de fer ? dit d'Artagnan ; car enfin cela[2] doit avoir un nom.

— Cela s'appelle un composteur, dit Jupenet. C'est à l'aide de cette règle que l'on forme les lignes.

— Allons, allons, je maintiens ce que j'ai dit ; vous avez une presse dans votre poche, dit d'Artagnan en riant d'un air de simplicité si lourde, que le poète fut complètement sa dupe.

— Non, répliqua-t-il, mais je suis paresseux pour écrire, et quand j'ai fait un vers dans ma tête, je le compose tout de suite pour l'imprimerie. C'est une besogne dédoublée.

« Mordioux ! pensa en lui-même d'Artagnan, il s'agit d'éclaircir cela. »

Et sous un prétexte qui n'embarrassa point[3] le mousquetaire, homme fertile en expédients, il quitta la table, descendit l'escalier, courut au hangar sous lequel était le petit chariot, fouilla avec la pointe de son poignard l'étoffe et les enveloppes d'un des paquets, qu'il trouva plein de caractères de fonte pareils à ceux que le poète imprimeur avait dans sa poche.

« Bien ! dit d'Artagnan, je ne sais point encore si M. Fouquet veut fortifier matériellement Belle-Ile ; mais voilà, en tout cas, des munitions spirituelles pour le château. »

Puis, riche de cette découverte, il revint se mettre à table.

D'Artagnan savait ce qu'il voulait savoir. Il n'en resta pas moins en face de son partner[4] jusqu'au moment où l'on entendit dans la chambre voisine le remue-ménage d'un homme qui s'apprête à partir.

Aussitôt l'imprimeur-poète[5] fut sur pied ; il avait donné des ordres pour que son cheval fût attelé. La voiture l'attendait à la porte. Le second voyageur se mettait en selle dans la cour avec son laquais.

D'Artagnan suivit Jupenet jusqu'au port ; il embarqua sa voiture et son cheval sur le bateau.

Quant au voyageur opulent, il en fit autant de ses deux chevaux et de son domestique. Mais quelque esprit que dépensât d'Artagnan pour savoir son nom, il ne put rien apprendre.

Seulement, il remarqua son visage de façon à ce que le visage se gravât pour toujours dans sa mémoire[6].

---

1. M²: « ... appelle-*t-on* cette petite règle... »
2. M²: « ... enfin *tout* cela... »
3. M²: « ... n'embarrassa *pas*... »
4. Texte : « partenaire ».
5. M²: « l'imprimeur ».
6. M², texte : « ... de façon que le visage... »

D'Artagnan avait bonne envie de s'embarquer avec les deux passagers, mais un intérêt plus puissant que celui de la curiosité, celui du succès, le repoussa du rivage et le ramena dans l'hôtellerie.

Il y rentra en soupirant et se mit immédiatement au lit afin d'être prêt le lendemain de bonne heure avec de fraîches idées et le conseil de la nuit.

LXVIII

D'ARTAGNAN CONTINUE SES INVESTIGATIONS[1]

Au point du jour, d'Artagnan sella lui-même Furet, qui avait fait bombance toute la nuit, et dévoré à lui seul les restes de provisions de ses deux compagnons.

Le mousquetaire prit tous ses renseignements de l'hôte, qu'il trouva fin, défiant, et dévoué corps et âme à M. Fouquet.

Il en résulta que, pour ne donner aucun soupçon à cet homme, il continua sa fable d'un achat probable de quelques salines.

S'embarquer pour Belle-Ile à La Roche-Bernard, c'eût été s'exposer à des commentaires que peut-être on avait déjà faits et qu'on allait porter au château.

De plus, il était singulier que ce voyageur et son laquais fussent restés un secret pour d'Artagnan, malgré toutes les questions adressées par lui à l'hôte, à l'hôte[2] qui semblait le connaître parfaitement.

Le mousquetaire se fit donc renseigner sur les salines et prit le chemin des marais, laissant la mer à sa droite et pénétrant dans cette plaine vaste et désolée qui ressemble à une mer de boue, dont çà et là quelques crêtes de sel argentent les ondulations.

Furet marchait à merveille avec ses petits pieds nerveux, sur les chaussées larges d'un pied qui divisent les salines. D'Artagnan, rassuré sur les conséquences d'une chute qui aboutirait à un bain froid, le laissait faire, se contentant, lui, de regarder à l'horizon les trois rochers aigus qui sortaient pareils à des fers de lance du sein de la plaine sans verdure.

Piriac[3], le bourg de Batz et Le Croisic, semblables les uns les[4] autres, attiraient et suspendaient son attention. Si le voyageur se retournait pour mieux s'orienter, il voyait de l'autre côté un horizon de trois autres clochers, Guérande, Le Pouliguen, Saint-Joachim[5], qui,

---

1. M[1] : titre du chap. manquant ; M[2] : f°s 16-22.
2. Texte : « à l'hôte », non répété.
3. Texte, M[2] : « Pirial ». Piriac est situé à la pointe septentrionale de la rade du Croisic.
4. Texte : « ... les uns *aux* autres... »
5. Bourg de la Grande Brière, à une vingtaine de kilomètres de La Roche-Bernard.

dans leur circonférence, lui figuraient un jeu de quilles, dont Furet et lui n'étaient que la boule vagabonde. Piriac était le premier petit port sur sa droite. Il s'y rendit, le nom des principaux sauniers à la bouche. Au moment où il visita le petit port de Piriac, cinq gros chalands chargés de pierres s'en éloignaient.

Il parut étrange à d'Artagnan que des pierres partissent d'un pays où l'on n'en trouve pas. Il eut recours à toute l'aménité de M. Agnan pour demander aux gens du port la cause de cette singularité.

Un vieux pêcheur répondit à M. Agnan que les pierres ne venaient pas de Piriac, ni des marais, bien entendu.

— D'où viennent-elles, alors ? demanda le mousquetaire.

— Monsieur, elles viennent de Nantes et de Paimbœuf.

— Où donc vont-elles ?

— Monsieur, à Belle-Ile.

— Ah ! ah ! fit d'Artagnan, du même ton qu'il avait pris pour dire à l'imprimeur que ses caractères l'intéressaient... On travaille donc, à Belle-Ile ?

— Mais oui-da ! monsieur. Tous les ans, M. Fouquet fait réparer les murs du château.

— Il est en ruine donc ?

— Il est vieux.

— Fort bien.

« Le fait est, se dit d'Artagnan, que rien n'est plus naturel, et que tout propriétaire a le droit de faire réparer sa propriété. C'est comme si l'on venait me dire, à moi, que je fortifie l'Image-de-Notre-Dame, lorsque je serai purement et simplement obligé d'y faire des réparations. En vérité, je crois qu'on a fait de faux rapports à Sa Majesté et qu'elle pourrait bien avoir tort... »

— Vous m'avouerez, continua-t-il alors tout haut en s'adressant au pêcheur, car son rôle d'homme défiant lui était imposé par le but même de la mission, vous m'avouerez, mon bon monsieur, que ces pierres voyagent d'une bien singulière façon.

— Comment ! dit le pêcheur.

— Elles viennent de Nantes ou de Paimbœuf par la Loire, n'est-ce pas ?

— Ça descend.

— C'est commode, je ne dis pas ; mais pourquoi ne vont-elles pas droit de Saint-Nazaire à Belle-Ile ?

— Eh ! parce que les chalands sont de mauvais bateaux et tiennent mal la mer, répliqua le pêcheur.

— Ce n'est pas une raison.

— Pardonnez-moi, monsieur, on voit bien que vous n'avez jamais navigué, ajouta le pêcheur, non sans une sorte de dédain.

— Expliquez-moi cela, je vous prie, mon bonhomme. Il me semble à moi que venir de Paimbœuf à Piriac, pour aller de Piriac à Belle-Ile, c'est comme si on allait de La Roche-Bernard à Nantes et de Nantes à Piriac.

— Par eau, ce serait plus court, répliqua imperturbablement le pêcheur.

— Mais il y a un coude ?

Le pêcheur secoua la tête.

— Le chemin le plus court d'un point à un autre, c'est la ligne droite, poursuivit d'Artagnan.

— Vous oubliez le flot, monsieur.

— Soit ! va pour le flot.

— Et le vent.

— Ah ! bon !

— Sans doute ; le courant de la Loire pousse presque les barques jusqu'au Croisic. Si elles ont besion de se radouber un peu ou de rafraîchir l'équipage, elles viennent à Piriac en longeant la côte ; de Piriac, elles trouvent un autre courant inverse qui les mène à l'île Dumet[1], deux lieues et demie.

— D'accord.

— Là, le courant de la Vilaine les jette sur une autre île, l'île d'Hoëdic[2].

— Je le veux bien.

— Eh ! monsieur, de cette île à Belle-Ile, le chemin est tout droit. La mer, brisée en amont et en aval, passe comme un canal, comme un miroir entre les deux îles ; les chalands glissent là-dessus semblables à des canards sur la Loire, voilà !

— N'importe, dit l'entêté M. Agnan, c'est bien du chemin.

— Ah !... M. Fouquet le veut ! répliqua pour conclusion le pêcheur en ôtant son bonnet de laine à l'énoncé de ce nom respectable.

Un regard de d'Artagnan, regard vif et perçant comme une lame d'épée, ne trouva dans le cœur du vieillard que la confiance naïve, sur ses traits que la satisfaction et l'indifférence. Il disait : « M. Fouquet le veut », comme il eût dit : « Dieu l'a voulu ! »

D'Artagnan s'était encore trop avancé à cet endroit ; d'ailleurs, les chalands partis, il ne restait à Piriac qu'une seule barque, celle du vieillard, et elle ne semblait pas disposée à reprendre la mer sans beaucoup de préparatifs.

Aussi, d'Artagnan caressa-t-il Furet, qui, pour nouvelle preuve de son charmant caractère, se remit en marche les pieds dans les salines et le nez au vent très sec qui courbe les ajoncs et les maigres bruyères de ce pays. Il arriva vers cinq heures au Croisic.

Si d'Artagnan eût été poète, c'était un beau spectacle que celui de

1. L'île Dumet, au large de Piriac.
2. Rocher granitique, entouré d'écueils, au large de l'île d'Houat et de Belle-Ile.

ces immenses grèves, d'une lieue et plus, que couvre la mer aux marées, et qui, au reflux, apparaissent grisâtres, désolées, jonchées de polypes et d'algues mortes avec leurs galets épars et blancs, comme des ossements dans un vaste cimetière. Mais le soldat, le politique, l'ambitieux n'avait plus même cette douce consolation de regarder au ciel pour y lire un espoir ou un avertissement.

Le ciel rouge signifie pour ces gens du vent et de la tourmente. Les nuages blancs et ouatés sur l'azur disent tout simplement que la mer sera égale et douce. D'Artagnan trouva le ciel bleu, la bise embaumée de parfums salins, et se dit : « Je m'embarquerai à la première marée, fût-ce sur une coquille de noix. »

Au Croisic, comme à Piriac, il avait remarqué des tas énormes de pierres alignées sur la grève. Ces murailles gigantesques, démolies à chaque marée par les transports qu'on opérait pour Belle-Ile, furent aux yeux du mousquetaire la suite et la preuve de ce qu'il avait si bien deviné à Piriac. Était-ce un mur que M. Fouquet reconstruisait ? était-ce une fortification qu'il édifiait ? Pour le savoir, il fallait le voir.

D'Artagnan mit Furet à l'écurie, soupa, se coucha, et le lendemain, au jour, il se promenait sur le port, ou mieux, sur les galets.

Le Croisic a un port de cinquante pieds, il a une vigie qui ressemble à une énorme brioche élevée sur un plat. Les grèves plates sont le plat. Cent brouettées de terre solidifiées avec des galets, et arrondies en cône avec des allées sinueuses sont la brioche et la vigie en même temps.

C'est ainsi aujourd'hui, c'était ainsi il y a cent quatre-vingts ans ; seulement, la brioche était moins grosse et l'on ne voyait probablement pas autour de la brioche les treillages de lattes qui en font l'ornement et que l'édilité de cette pauvre et pieuse bourgade a plantés comme garde-fous le long des allées en limaçon qui aboutissent à la petite terrasse[1].

Sur les galets, trois ou quatre pêcheurs causaient sardines et chevrettes[2].

M. Agnan, l'œil animé d'une bonne grosse gaieté, le sourire aux lèvres, s'approcha des pêcheurs.

— Pêche-t-on aujourd'hui ? dit-il.

— Oui, monsieur, dit l'un d'eux, et nous attendons la marée.

— Où pêchez-vous, mes amis ?

— Sur les côtes, monsieur.

— Quelles sont les bonnes côtes ?

---

1. Le Mont-Esprit, construit avec le lest des barques salinières, ne fut élevé que de 1816 à 1818. Dumas avait visité Le Croisic lorsqu'en août 1830 il avait rejoint sa maîtresse Mélanie Waldor dans sa propriété familiale de La Jarrie : « Ne va pas au Croisic. J'irai plutôt te voir d'ici au moment où on jouera ma pièce que de te laisser voir la mer sans moi » (16 juin 1830), Claude Schopp, *Lettres d'Alexandre Dumas à Mélanie Waldor*, PUF, 1982, p. 91.

2. *Chevrette* : nom populaire donné à la crevette.

— Ah ! c'est selon ; le tour des îles, par exemple.

— Mais c'est loin, les îles ?

— Pas trop ; quatre lieues.

— Quatre lieues ! C'est un voyage !

Le pêcheur se mit à rire au nez de M. Agnan.

— Écoutez donc, reprit celui-ci avec sa naïve bêtise, à quatre lieues on perd de vue la côte, n'est-ce pas ?

— Mais... pas toujours.

— Enfin... c'est loin... trop loin même ; sans quoi, je vous eusse demandé de me prendre à bord et de me montrer ce que je n'ai jamais vu.

— Quoi donc ?

— Un poisson de mer vivant.

— Monsieur est de province ? dit un des pêcheurs.

— Oui, je suis de Paris.

Le Breton haussa les épaules ; puis :

— Avez-vous vu M. Fouquet à Paris ? demanda-t-il.

— Souvent, répondit Agnan.

— Souvent ? firent les pêcheurs en resserrant leur cercle autour du Parisien. Vous le connaissez ?

— Un peu ; il est ami intime de mon maître.

— Ah ! firent les pêcheurs.

— Et, ajouta d'Artagnan, j'ai vu tous ses châteaux, de Saint-Mandé, de Vaux, et son hôtel de Paris.

— C'est beau ?

— Superbe.

— Ce n'est pas si beau que Belle-Ile, dit un pêcheur.

— Bah ! répliqua M. Agnan en éclatant d'un rire assez dédaigneux, qui courrouça tous les assistants.

— On voit bien que vous n'avez pas vu Belle-Ile, répliqua le pêcheur le plus curieux. Savez-vous que cela fait six lieues, et qu'il a des arbres que l'on n'en voit pas de pareils à Nantes sur le fossé ?

— Des arbres ! en mer ! s'écria d'Artagnan. Je voudrais bien voir cela !

— C'est facile, nous pêchons à l'île de Hoëdic ; venez avec nous. De cet endroit, vous verrez comme un paradis les arbres noirs de Belle-Ile sur le ciel ; vous verrez la ligne blanche du château, qui coupe comme une lame l'horizon de la mer.

— Oh ! fit d'Artagnan, ce doit être beau. Mais il y a cent clochers au château de M. Fouquet, à Vaux, savez-vous ?

Le Breton leva la tête avec une admiration profonde, mais ne fut pas convaincu.

— Cent clochers ! dit-il ; c'est égal, Belle-Ile est plus beau[1]. Voulez-vous voir Belle-Ile ?

1. Texte : « ... est *le* plus beau. »

— Est-ce que c'est possible ? demanda M. Agnan.

— Oui, avec la permission du gouverneur.

— Mais je ne le connais pas, moi, ce gouverneur.

— Puisque vous connaissez M. Fouquet, vous direz votre nom.

— Oh ! mes amis, je ne suis pas un gentilhomme, moi !

— Tout le monde entre à Belle-Ile, continua le pêcheur dans sa langue forte et pure, pourvu qu'on ne veuille pas de mal à Belle-Ile ni à son seigneur.

Un frisson léger parcourut le corps du mousquetaire. « C'est vrai », pensa-t-il.

Puis, se reprenant :

— Si j'étais sûr, dit-il, de ne pas souffrir du mal de mer...

— Là-dessus ? fit le pêcheur en montrant avec orgueil sa jolie barque au ventre rond.

— Allons ! vous me persuadez, s'écria M. Agnan ; j'irai voir Belle-Ile ; mais on ne me laissera pas entrer.

— Nous entrons bien, nous.

— Vous ! pourquoi ?

— Mais dame !... pour vendre du poisson aux corsaires.

— Hé !... des corsaires, que dites-vous ?

— Je dis que M. Fouquet fait construire deux corsaires pour la chasse aux Hollandais ou aux Anglais, et que nous vendons du poisson aux équipages de ces petits navires.

« Tiens !... tiens !... fit d'Artagnan, de mieux en mieux ! une imprimerie, des bastions et des corsaires !... Allons, M. Fouquet n'est pas un médiocre ennemi, comme je l'avais présumé. Il vaut la peine qu'on se remue pour le voir de près. »

— Nous partons à cinq heures et demie, ajouta gravement le pêcheur.

— Je suis tout à vous, je ne vous quitte pas.

En effet, d'Artagnan vit les pêcheurs haler avec un tourniquet leurs barques jusqu'au flot ; la mer monta, M. Agnan se laissa glisser jusqu'au bord, non sans jouer la frayeur et prêter à rire aux petits mousses qui le surveillaient de leurs grands yeux intelligents.

Il se coucha sur une voile pliée en quatre, laissa l'appareillage se faire, et la barque, avec sa grande voile carrée, prit le large en deux heures de temps.

Les pêcheurs, qui faisaient leur état tout en marchant, ne s'aperçurent pas que leur passager n'avait point pâli, point gémi, point souffert ; que malgré l'horrible tangage et le roulis brutal de la barque, à laquelle nulle main n'imprimait la direction, le passager novice avait conservé sa présence d'esprit et son appétit.

Ils pêchaient, et la pêche était assez heureuse. Aux lignes amorcées de crevettes venaient mordre, avec force soubresauts, les soles et les carrelets. Deux fils avaient déjà été brisés par des congres et des cabillauds d'un poids énorme ; trois anguilles de mer labouraient la cale de leurs replis vaseux et de leurs frétillements d'agonie.

D'Artagnan leur portait bonheur ; ils le lui dirent. Le soldat trouva la besogne si réjouissante, qu'il mit la main à l'œuvre, c'est-à-dire aux lignes, et poussa des rugissements de joie et des *mordioux* à étonner ses mousquetaires eux-mêmes, chaque fois qu'une secousse imprimée à la ligne, par une proie conquise, venait déchirer les muscles de son bras, et solliciter l'emploi de ses forces et de son adresse.

La partie de plaisir lui avait fait oublier la mission diplomatique. Il en était à lutter contre un effroyable congre, à se cramponner au bordage d'une main pour attirer la hure béante de son antagoniste, lorsque le patron lui dit :

— Prenez garde qu'on ne vous voie de Belle-Ile !

Ces mots firent l'effet à d'Artagnan du premier boulet qui siffle en un jour de bataille : il lâcha le fil et le congre, qui, l'un tirant l'autre, s'en retournèrent vau l'eau.

D'Artagnan venait d'apercevoir à une demi-lieue au plus la silhouette bleuâtre et accentuée des rochers de Belle-Ile, dominée par la ligne blanche et majestueuse du château.

Au loin, la terre, avec des forêts et des plaines verdoyantes ; dans les herbages, des bestiaux.

Voilà ce qui tout d'abord attira l'attention du mousquetaire.

Le soleil, parvenu au quart du ciel, lançait des rayons d'or sur la mer et faisait voltiger une poussière resplendissante autour de cette île enchantée. On n'en voyait, grâce à cette lumière éblouissante, que les points aplanis ; toute ombre tranchait durement et zébrait d'une bande de ténèbres le drap lumineux de la prairie ou des murailles.

— Eh ! eh ! fit d'Artagnan à l'aspect de ces masses de roches noires, voilà, ce me semble, des fortifications qui n'ont besoin d'aucun ingénieur pour inquiéter un débarquement. Par où diable[1] peut-on descendre sur cette terre que Dieu a défendue si complaisamment ?

— Par ici, répliqua le patron de la barque en changeant la voile et en imprimant au gouvernail une secousse qui mena l'esquif dans la direction d'un joli petit port tout coquet, tout rond et tout crénelé à neuf.

— Que diable vois-je là, dit d'Artagnan.

— Vous voyez Locmaria, répliqua le pêcheur.

— Mais là-bas ?

— C'est Bangor.

— Et plus loin ?

— Sauzon[2]... Puis Le Palais.

---

1. M^2 s'arrête ici, le f° 23 manquant.
2. Texte : « Bangos », « Saujeu » au lieu de « Bangor », « Sauzon », localités de Belle-Ile, à la suite d'une mauvaise lecture du copiste.

— Mordioux ! c'est un monde. Ah ! voilà des soldats.

— Il y a dix-sept cents hommes à Belle-Ile, monsieur, répliqua le pêcheur avec orgueil. Savez-vous que la moindre garnison est de vingt-deux compagnies d'infanterie ?

— Mordioux ! s'écria d'Artagnan en frappant du pied, Sa Majesté pourrait bien avoir raison.

LXIX

OÙ LE LECTEUR SERA SANS DOUTE AUSSI ÉTONNÉ QUE LE FUT D'ARTAGNAN DE RETROUVER UNE ANCIENNE CONNAISSANCE[1]

Il y a presque[2] toujours dans un débarquement, fût-ce celui du plus petit esquif de la mer, un trouble et une confusion qui ne laissent pas à l'esprit la liberté dont il aurait besoin pour étudier du premier coup d'œil l'endroit nouveau qui lui est offert.

Le pont mobile, le matelot agité, le bruit de l'eau sur le galet, les cris et les empressements de ceux qui attendent au rivage, sont les détails multiples de cette sensation, qui se résume en un seul résultat, l'hésitation.

Ce ne fut donc que quelques minutes après avoir débarqué que d'Artagnan[3] vit sur le port, et surtout dans l'intérieur de l'île, s'agiter un monde de travailleurs. A ses pieds, d'Artagnan reconnut les cinq chalands chargés de moellons qu'il avait vus partir du port de Piriac. Ils[4] étaient transportés au rivage au moyen[5] d'une chaîne formée par vingt-cinq ou trente paysans.

Les grosses pierres était chargées sur des charrettes qui les conduisaient dans la même direction que les moellons, c'est-à-dire vers des travaux dont d'Artagnan ne pouvait encore apprécier la valeur ni l'étendue.

Partout régnait une activité égale à celle que remarqua Télémaque en débarquant à Salente[6].

---

1. M[1], M[2] : f°s 24-30.
2. M[2] : mot omis.
3. M[2] : « Ce ne fut donc *qu'après avoir débarqué et quelques minutes de station sur le rivage* que d'Artagnan... »
4. M[2] : « *Les pierres* étaient transport*ées*... »
5. M[2] : « ... *à l'aide* d'une chaîne... »
6. Fénelon, *Aventures de Télémaque*, huitième livre : « Tous les chefs animaient le peuple au travail, dès que l'aurore paraissait, et le roi Idoménée, donnant partout les ordres lui-même, faisait avancer les ouvrages avec une incroyable diligence. » Salente, ville de Calabrie, capitale des Salentins, fondée par Idoménée, à qui Mentor enseigne l'art de gouverner les hommes.

D'Artagnan avait bonne envie de pénétrer plus avant ; mais il ne pouvait, sous peine de défiance, se laisser soupçonner de curiosité. Il n'avançait donc que petit à petit, dépassant à peine la ligne que les pêcheurs formaient sur la plage, observant tout, ne disant rien, et allant au-devant de toutes les suppositions que l'on eût pu faire avec une question niaise ou un salut poli.

Cependant, tandis que ses compagnons faisaient leur commerce, vendant ou vantant leurs poissons aux ouvriers ou aux habitants de la ville, d'Artagnan avait gagné peu à peu du terrain, et, rassuré par le peu d'attention qu'on lui accordait, il commençait[1] à jeter un regard intelligent et assuré sur les hommes et les choses qui apparaissaient à ses yeux.

Au reste, les premiers regards de d'Artagnan rencontrèrent des mouvements de terrain auxquels l'œil d'un soldat ne pouvait se tromper.

[Aux deux extrémités du port, afin que les feux se croisassent sur le grand axe de l'ellipse formée par le bassin, on avait élevé d'abord deux batteries destinées évidemment à recevoir des pièces de côte, car d'Artagnan vit les ouvriers achever les plates-formes et disposer la demi-circonférence en bois sur laquelle la joue[2] des pièces doit tourner pour prendre toutes les directions au-dessus de l'épaulement.

A côté de chacune de ces batteries, d'autres travailleurs garnissaient de gabions remplis de terre le revêtement d'une autre batterie. Celle-ci avait des embrasures, et un conducteur de travaux appelait successivement les hommes qui, avec des harts[3], liaient des saucissons, et ceux qui découpaient les losanges et les rectangles de gazon destinés à retenir les joncs des embrasures.

A l'activité déployée à ces travaux déjà avancés, on pouvait les regarder comme terminés ; ils n'étaient point garnis de leurs canons, mais les plates-formes avaient leurs gîtes et leurs madriers tout dressés ; la terre, battue avec soin, les avait consolidés, et, en supposant l'artillerie dans l'île, en moins de deux ou trois jours le port pouvait être complètement armé[4].]

Ce qui étonna d'Artagnan, lorsqu'il reporta ses regards des batteries de côte aux fortifications de la ville, fut de voir que Belle-Ile était défendue par un système tout à fait nouveau, dont il avait entendu parler plus d'une fois au comte de La Fère comme d'un grand progrès, mais dont il n'avait point encore vu l'application.

---

1. M[2] : « ... il commenç*a*... »
2. Texte : « roue ». *Joue* : partie latérale d'une arme.
3. Texte : « liards ». Le *hart* est un lien d'osier ; le *saucisson*, un tuyau rempli de poudre.
4. M[1] : ces trois derniers paragraphes sont réduits à un seul : « Aux deux côtés du port et, afin que les feux se croisassent sur un point donné, on avait élevé d'abord une espèce de cavalier disposé pour recevoir des pièces de côte. En moins de deux ou trois jours le port pouvait être complètement armé. »

Ces fortifications n'appartenaient plus ni à la méthode hollandaise de Marollois, ni à la méthode française du chevalier Antoine de Ville, mais au système de Manesson Mallet, habile ingénieur qui, depuis six ou huit ans à peu près, avait quitté le service du Portugal pour entrer au service de France.

Ces travaux avaient cela de remarquable qu'au lieu de s'élever hors de terre, comme faisaient les anciens remparts destinés à défendre la ville des échellades, ils s'y enfonçaient au contraire; et ce qui faisait la hauteur des murailles, c'était la profondeur des fossés.

Il ne fallut pas un long temps à d'Artagnan pour reconnaître toute la supériorité d'un pareil système, qui ne donne aucune prise au canon.

En outre, comme les fossés étaient au-dessous du niveau de la mer, ces fossés pouvaient être inondés par des écluses souterraines.

Au reste, les travaux étaient presque achevés, et un groupe de travailleurs, recevant des ordres d'un homme qui paraissait être le conducteur des travaux, était occupé à poser les dernières pierres.

Un pont de planches jeté sur le fossé, pour la plus grande commodité des manœuvres conduisant les brouettes, reliait l'extérieur à l'intérieur[1].

D'Artagnan demanda avec une curiosité naïve s'il lui était permis de traverser le pont, et il lui fut répondu qu'aucun ordre ne s'y opposait.

En conséquence, d'Artagnan traversa le pont et s'avança vers le groupe.

Ce groupe était dominé par cet homme qu'avait déjà remarqué d'Artagnan, et qui paraissait être l'ingénieur en chef. Un plan était étendu sur une grosse pierre formant table, et à quelques pas de cet homme une grue fonctionnait.

Cet ingénieur, qui, en qualité[2] de son importance, devait tout d'abord attirer l'attention de d'Artagnan, portait un justaucorps qui, par sa somptuosité, n'était guère en harmonie avec la besogne qu'il faisait, laquelle eût plutôt nécessité le costume d'un maître maçon que celui d'un seigneur.

C'était, en outre, un homme d'une haute taille, aux épaules larges et carrées, et portant un chapeau tout couvert de panaches. Il gesticulait d'une façon on ne peut plus majestueuse, et paraissait, car on ne le voyait que de dos, gourmander les travailleurs sur leur inertie ou leur faiblesse.

D'Artagnan approchait toujours.

En ce moment, l'homme aux panaches avait cessé de gesticuler, et, les mains appuyées sur ses[3] genoux, il suivait, à demi courbé sur lui-même, les efforts de six ouvriers qui essayaient de soulever une pierre

1. M²: « ... reliait l'intérieur à l'extérieur. »
2. Texte, M²: « ... *en raison* de son importance... »
3. M²: « ... sur *les* genoux... »

de taille à la hauteur d'une pièce de bois destinée à soutenir cette pierre, de façon qu'on pût[1] passer sous elle la corde de la grue.

Les six hommes, réunis sur une seule face de la pierre, rassemblaient tous leurs efforts pour la soulever à huit ou dix pouces de terre, suant et soufflant, tandis qu'un septième s'apprêtait, dès qu'il y aurait un jour suffisant, à glisser le rouleau qui devait la supporter. Mais déjà deux fois la pierre leur était échappée des mains avant d'arriver à une hauteur suffisante pour que le rouleau fût introduit.

Il va sans dire que chaque fois que la pierre leur était échappée, ils avaient fait un bond en arrière pour éviter qu'en retombant la pierre ne leur écrasât les pieds.

A chaque fois cette pierre abandonnée par eux s'était enfoncée de plus en plus dans la terre grasse, ce qui rendait de plus en plus difficile l'opération à laquelle les travailleurs se livraient en ce moment.

Un troisième effort fut tenté[2] sans un succès meilleur, mais avec un découragement progressif.

[Et cependant, lorsque les six hommes s'étaient courbés sur la pierre, l'homme aux panaches avait lui-même, d'une voix puissante, articulé le commandement de « Ferme ! » qui préside à toutes les manœuvres de force[3].]

Alors l'homme au panache[4] se redressa.

— Oh ! oh ! dit-il, qu'est-ce que cela ? ai-je donc affaire à des hommes de paille ?... Corne de bœuf ! rangez-vous, et vous allez voir comment cela se pratique.

— Peste ! dit d'Artagnan, aurait-il la prétention de lever ce rocher ? Ce serait curieux, par exemple.

Les ouvriers, interpellés par l'ingénieur, se rangèrent l'oreille basse et secouant la tête, à l'exception de celui qui tenait le madrier et qui s'apprêtait[5] à remplir son office.

L'homme aux panaches s'approcha de la pierre, se baissa, glissa ses mains sous la face qui posait à terre, roidit ses muscles herculéens, et, sans secousse, d'un mouvement lent comme celui d'une machine, il souleva le rocher à un pied de terre.

L'ouvrier qui tenait le madrier profita du[6] jeu qui lui était donné et glissa le rouleau sous la pierre.

— Voilà ! dit le géant, non pas en laissant retomber le rocher, mais en le reposant sur son support.

---

1. M[1] : « ... qu'on *puisse*... »
2. Pr. : « ... un troisième effort *fut resté*... » Texte : « ... un troisième effort *fait resta*... »
3. M[1] : paragraphe absent.
4. M[2] : « ... *il* se redressa. »
5. M[2] : « ... s'apprêt*a* à remplir... »
6. M[2] : « ... profita *de ce* jeu... »

— Mordioux ! s'écria d'Artagnan, je ne connais qu'un homme capable d'un tel tour de force.

— Hein ? fit le colosse en se retournant.

— Porthos ! murmura d'Artagnan saisi de stupeur, Porthos à Belle-Ile !

De son côté, l'homme aux panaches arrêta ses yeux sur le faux intendant, et, malgré son déguisement, le reconnut.

— D'Artagnan ! s'écria-t-il.

Et le rouge lui monta au visage.

— Chut ! fit-il à d'Artagnan.

— Chut ! lui fit le mousquetaire.

En effet, si Porthos venait d'être découvert par d'Artagnan, d'Artagnan de son côté[1] venait d'être découvert par Porthos.

L'intérêt de leur secret particulier les emporta chacun tout d'abord.

Néanmoins, le premier mouvement des deux hommes fut de se jeter dans les bras l'un de l'autre.

Ce qu'ils voulaient cacher aux assistants, ce n'était pas leur amitié, c'étaient leurs noms.

Mais après l'embrassade vint la réflexion.

« Pourquoi diantre Porthos est-il à Belle-Ile et lève-t-il des pierres ? » se dit d'Artagnan.

Seulement d'Artagnan se fit cette question tout bas.

Moins fort en diplomatie que son ami, Porthos pensa tout haut.

— Pourquoi diable êtes-vous à Belle-Ile ? demanda-t-il à d'Artagnan ; et qu'y venez-vous faire ?

Il fallait répondre sans hésiter.

Hésiter à répondre à Porthos c'eût été[2] un échec dont l'amour-propre de d'Artagnan n'eût jamais pu se consoler.

— Pardieu ! mon ami, répondit-il[3], je suis à Belle-Ile parce que vous y êtes.

— Ah bah ! fit Porthos, visiblement étourdi de l'argument et cherchant à s'en rendre compte avec cette lucidité de déduction que nous lui connaissons.

— Sans doute, continua d'Artagnan, qui ne voulait pas donner à son ami le temps de se reconnaître ; j'ai été pour vous voir à Pierrefonds.

— Vraiment ?

— Oui.

— Et vous ne m'y avez pas trouvé ?

— Non, mais j'ai trouvé Mouston.

— Il va bien ?

— Peste !

1. M^2 : « de son côté », omis.
2. M^2 : « ... eût été... »
3. M^2 : incise omise.

— Mais enfin, Mouston ne vous a pas dit que j'étais ici.

— Pourquoi ne me l'eût-il pas dit ? Ai-je par hasard démérité de la confiance de Mouston ?

— Non ; mais il ne le savait pas.

— Oh ! voilà une raison qui n'a rien d'offensant pour mon amour-propre au moins.

— Mais comment avez-vous fait pour me rejoindre ?

— Eh ! mon cher, un grand seigneur comme vous laisse toujours trace de son passage, et je m'estimerais bien peu si je ne savais pas suivre les traces de mes amis.

Cette explication, toute flatteuse qu'elle était, ne satisfit pas entièrement Porthos.

— Mais je n'ai pu laisser de traces, étant venu déguisé, dit Porthos.

— Ah ! vous êtes venu déguisé ? fit d'Artagnan.

— Oui.

— Et comment cela ?

— En meunier.

— Est-ce qu'un grand seigneur comme vous, Porthos, peut affecter des manières communes au point de tromper les gens ?

— Eh bien ! je vous jure, mon ami, que tout le monde y a été trompé, tant j'ai bien joué mon rôle.

— Enfin, pas si bien que je ne vous aie rejoint et découvert.

— Justement. Comment m'avez-vous rejoint et découvert ?

— Attendez donc. J'allais vous raconter la chose. Imaginez-vous que Mouston...

— Ah ! c'est ce drôle de Mouston, dit Porthos en plissant les deux arcs de triomphe qui lui servaient de sourcils.

— Mais attendez donc, attendez donc. Il n'y a pas de la faute de Mouston, puisqu'il ignorait lui-même où vous étiez.

— Sans doute. Voilà pourquoi j'ai si grande hâte de comprendre.

— Oh ! comme vous êtes devenu[1] impatient, Porthos !

— Quand je ne comprends pas, je suis terrible.

— Vous allez comprendre. Aramis vous a écrit à Pierrefonds, n'est-ce pas ?

— Oui.

— Il vous a écrit d'arriver avant l'équinoxe ?

— C'est vrai.

— Eh bien ! voilà, dit d'Artagnan, espérant que cette raison suffirait à Porthos.

Porthos parut se livrer à un violent travail d'esprit.

— Oh ! oui, dit-il, je comprends. Comme Aramis me disait d'arriver avant l'équinoxe, vous avez compris que c'était pour le rejoindre. Vous

1. M^2 : « devenu », omis.

vous êtes informé où était Aramis, vous disant : « Où sera Aramis, sera Porthos. » Vous avez appris qu'Aramis était en Bretagne, et vous vous êtes dit : « Porthos est en Bretagne. »

— Eh ! justement. En vérité, Porthos, je ne sais comment vous ne vous êtes pas fait devin. Alors, vous comprenez : en arrivant à La Roche-Bernard, j'ai appris les beaux travaux de fortification que l'on faisait à Belle-Ile. Le récit qu'on m'en a fait a piqué ma curiosité. Je me suis embarqué sur un bâtiment pêcheur, sans savoir le moins du monde que vous étiez ici. Je suis venu. J'ai vu un gaillard qui levait[1] une pierre qu'Ajax n'eût pas ébranlée. Je me suis écrié : « Il n'y a que le baron de Bracieux qui soit capable d'un pareil tour de force. » Vous m'avez entendu, vous vous êtes retourné, vous m'avez reconnu, nous nous sommes embrassés, et, ma foi, si vous le voulez bien, cher ami, nous nous embrasserons encore.

— Voilà comment tout s'explique, en effet, dit Porthos.

Et il embrassa d'Artagnan avec une si grande amitié, que le mousquetaire en perdit la respiration pendant cinq minutes.

— Allons, allons, plus fort que jamais, dit d'Artagnan.

Et toujours dans les bras, heureusement.

Porthos salua d'Artagnan avec un gracieux sourire.

Pendant les cinq minutes où d'Artagnan avait repris sa respiration, il avait réfléchi qu'il avait un rôle fort difficile à jouer.

Il s'agissait de toujours questionner sans jamais répondre.

Quand la respiration lui revint, son plan de campagne était fait.

LXX

OÙ LES IDÉES DE D'ARTAGNAN, D'ABORD FORT TROUBLÉES, COMMENCENT A S'ÉCLAIRCIR UN PEU[2]

D'Artagnan prit aussitôt l'offensive.

— Maintenant que je vous ai tout dit, cher ami, ou plutôt que vous avez tout deviné, dites-moi ce que vous faites ainsi[3], couvert de poussière et de boue ?

Porthos essuya son front, et regardant autour de lui avec orgueil :

— Mais il me semble, dit-il, que vous pouvez le voir, ce que je fais ici !

— Sans doute, sans doute ; vous levez des pierres.

1. M[2] : « ... qui *remuait* une pierre... »
2. M[1], M[2] : f°s 31-39.
3. M[2] : « ... ce que vous faites *ici*... »

— Oh ! pour leur montrer ce que c'est qu'un homme, à ces fainéants[1] ! dit Porthos avec mépris. Mais vous comprenez...

— Oui, vous ne faites pas votre état de lever des pierres, quoiqu'il y en a[2] beaucoup qui en font leur état et qui ne les lèvent pas comme vous. Voilà donc ce qui me faisait vous demander tout à l'heure : « Que faites-vous ici, baron ? »

— J'étudie la topographie, chevalier.

— Vous étudiez la topographie ?

— Oui ; mais vous-même, que faites-vous sous cet habit bourgeois ?

D'Artagnan reconnut qu'il avait fait une faute en se laissant aller à son étonnement. Porthos en avait profité pour riposter avec une question. Heureusement d'Artagnan s'attendait à cette question.

— Mais, dit-il, vous savez que je suis bourgeois, en effet ; l'habit n'a donc rien d'étonnant, puisqu'il est en rapport avec la condition.

— Allons donc, vous, un mousquetaire !

— Vous n'y êtes plus, mon bon ami ; j'ai donné ma démission.

— Bah !

— Ah ! mon Dieu, oui !

— Et vous avez abandonné le service ?

— Je l'ai quitté.

— Vous avez abandonné le roi ?

— Tout net.

Porthos leva les bras au ciel comme fait un homme qui apprend une nouvelle inouïe.

— Oh ! par exemple, voilà qui me confond, dit-il.

— C'est pourtant ainsi.

— Et qui a pu vous déterminer à cela ?

— Le roi m'a déplu ; Mazarin me dégoûtait depuis longtemps, comme vous savez ; j'ai jeté ma casaque aux orties.

— Mais Mazarin est mort.

— Je le sais parbleu bien ; seulement, à l'époque de sa mort, la démission était donnée et acceptée depuis deux mois. C'est alors que, me trouvant libre, j'ai couru à Pierrefonds pour voir mon cher Porthos. J'avais entendu parler de l'heureuse division que vous aviez faite de votre temps, et je voulais pendant une quinzaine de jours diviser le mien sur le vôtre.

— Mon ami, vous savez que ce n'est pas pour quinze jours que la maison vous est ouverte : c'est pour un an, c'est pour dix ans, c'est pour la vie.

— Merci, Porthos.

— Ah çà ! vous n'avez point besoin d'argent ? dit Porthos en faisant

---

1. M[2] : « ... *aux* fainéants... »
2. Leçon de M[1] et M[2], qui peut être de bonne langue, malgré qu'en aient les puristes.

sonner une cinquantaine de louis que renfermait son gousset. Auquel cas, vous savez...

— Non, je n'ai besoin de rien ; j'ai placé mes économies chez Planchet, qui m'en sert la rente.

— Vos économies ?

— Sans doute, dit d'Artagnan ; pourquoi voulez-vous que je n'aie pas fait mes économies comme un autre, Porthos ?

— Moi ! je ne veux pas cela ; au contraire, je vous ai toujours soupçonné... c'est-à-dire Aramis vous a toujours soupçonné d'avoir des économies. Moi, voyez-vous, je ne me mêle pas des affaires de ménage ; seulement, ce que je présume, c'est que des économies de mousquetaire, c'est léger.

— Sans doute, relativement à vous, Porthos, qui êtes millionnaire ; mais enfin je vais vous en faire juge. J'avais d'une part vingt-cinq mille livres.

— C'est gentil, dit Porthos d'un air affable.

— Et, continua d'Artagnan, j'y ai ajouté, le 25 du mois dernier, deux cents autres mille livres.

Porthos ouvrit des yeux énormes, qui demandaient éloquemment au mousquetaire : « Où diable avez-vous volé une pareille somme, cher ami ? »

— Deux cent mille livres ! s'écria-t-il enfin.

— Oui, qui, avec vingt-cinq que j'avais déjà[1], et vingt mille que j'ai sur moi, me complètent une somme de deux cent quarante-cinq mille livres.

— Mais voyons, voyons ! d'où vous vient cette fortune ?

— Ah ! voilà. Je vous conterai la chose plus tard, cher ami ; mais comme vous avez d'abord beaucoup de choses à me dire vous-même, mettons mon récit à son rang.

— Bravo ! dit Porthos, nous voilà tous riches. Mais qu'avais-je donc à vous raconter ?

— Vous avez à me raconter comment Aramis a été nommé...

— Ah ! évêque de Vannes.

— C'est cela, dit d'Artagnan, évêque de Vannes. Ce cher Aramis ! savez-vous qu'il fait son chemin ?

— Oui, oui, oui ! Sans compter qu'il n'en restera pas là.

— Comment ! vous croyez qu'il ne se contentera pas des bas violets, et qu'il lui faudra le chapeau rouge ?

— Chut ! cela lui est promis.

— Bah ! par le roi ?

— Par quelqu'un qui est plus puissant que le roi.

— Ah ! diable ! Porthos, que vous me dites là de choses incroyables, mon ami !

1. M[2] : mot omis.

— Pourquoi, incroyables ? Est-ce qu'il n'y a pas toujours eu en France quelqu'un de plus puissant que le roi ?

— Oh ! si fait. Du temps du roi Louis XIII, c'était le duc de Richelieu ; du temps de la régence, c'était le cardinal[1] Mazarin ; du temps de Louis XIV, c'est M...

— Allons donc !

— C'est M. Fouquet.

— Tope ! Vous l'avez nommé du premier coup.

— Ainsi c'est M. Fouquet qui a promis le chapeau à Aramis ?

Porthos prit un air réservé.

— Cher ami, dit-il, Dieu me préserve de m'occuper des affaires des autres et surtout de révéler des secrets qu'ils peuvent avoir intérêt à garder. Quand vous verrez Aramis, il vous dira ce qu'il croira devoir vous dire.

— Vous avez raison, Porthos, et vous êtes un cadenas pour la sûreté. Revenons donc à vous.

— Oui, dit Porthos.

— Vous m'avez donc dit que vous étiez ici pour étudier la topographie ?

— Justement.

— Tudieu ! mon ami, les belles études[2] que vous ferez !

— Comment cela ?

— Mais ces fortifications sont admirables.

— C'est votre opinion ?

— Sans doute. En vérité, à moins d'un siège tout à fait en règle, Belle-Ile est imprenable.

Porthos se frotta les mains.

— C'est mon avis, dit-il.

— Mais qui diable a fortifié ainsi cette bicoque ?

Porthos se rengorgea.

— Je ne vous l'ai pas dit ?

— Non.

— Vous ne vous en doutez pas ?

— Non ; tout ce que je puis dire, c'est que c'est un homme qui a étudié tous les systèmes et qui me paraît s'être arrêté au meilleur.

— Chut ! dit Porthos ; ménagez ma modestie, mon cher d'Artagnan.

— Comment ! s'écria le mousquetaire[3] ; ce serait vous... qui... Oh !

— Par grâce, mon ami !

— Vous qui avez imaginé, tracé et combiné entre eux ces bastions, ces redans, ces courtines, ces demi-lunes, qui préparez ce chemin couvert ?

---

1. M[1] : « ... cardinal *de* Mazarin... »
2. M[2] : « ... les belles *choses*... »
3. M[2] : « *Vraiment ! répondit* le mousquetaire... »

— Je vous en prie...

— Vous qui avez édifié cette lunette avec ses angles saillants et ses angles rentrants[1] ?

— Mon ami...

— Vous qui avez donné aux joues de vos embrasures cette inclinaison[2] à l'aide de laquelle vous protégez si efficacement les servants de vos pièces ?

— Eh ! mon Dieu, oui.

— Ah ! Porthos, Porthos, il faut s'incliner devant vous, il faut admirer ! Mais vous nous avez toujours caché ce beau génie ! J'espère, mon ami, que vous allez me montrer tout cela en détail[3].

— Rien de plus facile. Voici mon plan.

— Montrez.

Porthos conduisit d'Artagnan vers la pierre qui lui servait de table et sur laquelle le plan était étendu.

Au bas du plan était écrit, de cette formidable écriture de Porthos, écriture dont nous avons déjà eu[4] l'occasion de parler :

Au lieu de vous servir du carré ou du rectangle, ainsi qu'on le faisait jusqu'aujourd'hui, vous supposerez votre place enfermée dans un hexagone régulier. Ce polygone ayant l'avantage d'offrir plus d'angles que le quadrilatère. Chaque côté de votre hexagone, dont vous déterminerez la longueur en raison des dimensions prises sur la place, sera divisé en deux parties, et sur le point milieu vous élèverez une perpendiculaire vers le centre du polygone, laquelle égalera en longueur la sixième partie du côté.

Par les extrémités, de chaque côté du polygone, vous tracerez deux diagonales et qui iront couper la perpendiculaire. Ces deux droites formeront les lignes de défense.

— Diable ! dit d'Artagnan s'arrêtant à ce point de la démonstration ; mais c'est un système complet, cela, Porthos ?

— Tout entier, fit Porthos. Voulez-vous continuer ?

— Non pas, j'en ai lu assez ; mais puisque c'est vous, mon cher Porthos, qui dirigez les travaux, qu'avez-vous besoin d'établir ainsi votre système par écrit ?

— Oh ! mon cher, la mort !

— Comment, la mort ?

— Eh oui ! nous sommes tous mortels.

— C'est vrai, dit d'Artagnan ; vous avez réponse à tout, mon ami.

Et il reposa le plan sur la pierre.

Mais si peu de temps qu'il eût eu ce plan entre les mains, d'Artagnan

1. M[2] : « ... avec ses angles *rentrants* et ses angles *saillants*... »
2. M[1] : « ... donné cette *inclination aux joues de vos embrasures*... »
3. M[2] : « ... *dans le* détail. »
4. M[2] : « ... avons *eu déjà*... »

avait pu distinguer, sous l'énorme écriture de Porthos, une écriture beaucoup plus fine qui lui rappelait certaines lettres à Marie Michon dont il avait eu connaissance dans sa jeunesse.

Seulement, la gomme avait passé et repassé sur cette écriture, qui eût échappé à un œil moins perçant[1] que celui de notre mousquetaire.

— Bravo, mon ami, bravo ! dit d'Artagnan.

— Et maintenant, vous savez tout ce que vous vouliez savoir, n'est-ce pas ? reprit Porthos[2] en faisant la roue.

— Oh ! mon Dieu, oui ; seulement, faites-moi une dernière grâce, cher ami.

— Parlez ; je suis le maître ici.

— Faites-moi le plaisir de me nommer ce monsieur qui se promène là-bas.

— Où, là-bas ?

— Derrière les soldats.

— Suivi d'un laquais ?

— Précisément.

— En compagnie d'une espèce de maraud vêtu de noir ?

— A merveille !

— C'est M. Gétard.

— Qu'est-ce que M. Gétard, mon ami ?

— C'est l'architecte de la maison.

— De quelle maison ?

— De la maison de M. Fouquet.

— Ah ! ah ! s'écria d'Artagnan ; vous êtes donc de la maison de M. Fouquet, vous, Porthos ?

— Moi ! et pourquoi cela ? fit le topographe en rougissant jusqu'au centre des oreilles[3].

— Mais, vous dites *la maison*, en parlant de Belle-Ile, comme si vous parliez du château de Pierrefonds.

Porthos se pinça les lèvres.

— Mon cher, dit-il, Belle-Ile est à M. Fouquet, n'est-ce pas ?

— Oui.

— Comme Pierrefonds est à moi ?

— Certainement.

— Vous êtes venu à Pierrefonds ?

— Je vous ai dit que j'y étais ne voilà point[4] deux mois.

— Y avez-vous vu un monsieur qui a l'habitude de s'y promener une règle à la main ?

— Non ; mais j'eusse pu l'y voir, s'il s'y promenait effectivement.

1. Texte : « *exercé* ».
2. M^2 : « ... *dit* Porthos... »
3. M^2 : « ... *à l'extrémité supérieure* des oreilles. »
4. M^2 : « ... ne voilà *pas*... »

— Eh bien ! ce monsieur, c'est M. Boulingrin.

— Qu'est-ce que M. Boulingrin ?

— Voilà justement. Si quand ce monsieur se promène une règle à la main, quelqu'un me demande : « Qu'est-ce que M. Boulingrin ? » je réponds : « C'est l'architecte de la maison. » Eh bien ! M. Gétard est le Boulingrin de M. Fouquet. Mais il n'a rien à voir aux fortifications, qui me regardent seul, entendez-vous bien ? rien, absolument.

— Ah ! Porthos, s'écria d'Artagnan en laissant tomber ses bras comme un vaincu qui rend son épée ; ah ! mon ami, vous n'êtes pas seulement un topographe herculéen, vous êtes encore un dialecticien de première trempe.

— N'est-ce pas, répondit Porthos, que c'est puissamment raisonné ?

Et il souffla comme le congre que d'Artagnan avait laissé échapper le matin.

— Et maintenant, continua d'Artagnan, ce maraud qui accompagne M. Gétard est-il aussi de la maison de M. Fouquet ?

— Oh ! fit Porthos avec mépris, c'est un M. Jupenet ou Juponet, une espèce de poète.

— Qui vient s'établir ici ?

— Je crois que oui.

— Je pensais que M. Fouquet avait bien assez de poètes là-bas : Scudéry, Loret, Pellisson, La Fontaine. S'il faut que je vous dise la vérité, Porthos, ce poète-là vous déshonore.

— Eh ! mon ami, ce qui nous sauve, c'est qu'il n'est pas ici comme poète.

— Comment donc y est-il ?

— Comme imprimeur, et même vous me faites songer que j'ai un mot à lui dire, à ce cuistre.

— Dites.

Porthos fit un signe à Jupenet, lequel avait bien reconnu d'Artagnan et ne se souciait pas trop[1] d'approcher.

Ce qui amena tout naturellement un second signe de Porthos.

Ce signe était tellement impératif, qu'il fallait obéir cette fois.

Il s'approcha donc.

— Çà ! dit Porthos, vous voilà débarqué d'hier et vous faites déjà des vôtres.

— Comment cela, monsieur le baron ? demanda Jupenet tout tremblant.

— Votre presse a gémi toute la nuit, monsieur, dit Porthos, et vous m'avez empêché de dormir, corne de bœuf !

— Monsieur... objecta timidement Jupenet.

1. M[2] : mot omis.

— Vous n'avez rien encore à imprimer ; donc vous ne devez pas encore faire aller la presse. Qu'avez-vous donc imprimé cette nuit ?

— Monsieur, une poésie légère de ma composition.

— Légère ! Allons donc, monsieur, la presse criait que c'était pitié. Que cela ne vous arrive plus, entendez-vous ?

— Non, monsieur.

— Vous me le promettez ?

— Je le promets.

— C'est bien ; pour cette fois, je vous pardonne. Allez !

Le poète se retira avec la même humilité dont il avait fait preuve en arrivant.

— Eh bien ! maintenant que nous avons lavé la tête à ce drôle, dit Porthos, déjeunons[1].

— Oui, dit d'Artagnan, déjeunons.

— Seulement, mon ami, dit Porthos[2], je vous ferai observer que nous n'avons que deux heures pour notre repas.

— Que voulez-vous ! nous tâcherons d'en faire assez. Mais pourquoi n'avons-nous que deux heures ?

— Parce que la marée monte à une heure, et qu'avec la marée je pars pour Vannes. Mais, comme je reviens demain, cher ami, restez chez moi, vous y serez le maître. J'ai bon cuisinier, bonne cave.

— Mais non, interrompit d'Artagnan, mieux que cela.

— Quoi ?

— Vous allez à Vannes, dites-vous ?

— Sans doute.

— Pour voir Aramis ?

— Oui.

— Eh bien ! moi qui étais venu de Paris exprès pour voir Aramis...

— C'est vrai.

— Je partirai avec vous.

— Tiens ! c'est cela.

— Seulement, je devais commencer par voir Aramis, et vous après. Mais, vous savez, l'homme[3] propose et Dieu dispose. J'aurai commencé par vous, je finirai par Aramis.

— Très bien !

— Et en combien d'heures allez-vous d'ici à Vannes ?

— Ah ! mon Dieu ! en six heures. Trois heures de mer d'ici à Sarzeau[4], trois heures de route de Sarzeau à Vannes.

— Comme c'est commode ! Et vous allez souvent à Vannes, étant si près de l'évêché ?

---

1. M^2 : « ... ce drôle, *déjeunons, dit Porthos.* »
2. M^2 : « Seulement, dit Porthos, je vous ferai observer, *mon ami...* »
3. M^2 : « Mais l'homme... »
4. Sarzeau est à 3 km de la mer et à 28 km de Vannes.

— Oui, une fois par semaine. Mais attendez que je prenne mon plan.

Porthos ramassa son plan, le plia avec soin et l'engouffra dans sa large poche.

— Bon ! dit à part d'Artagnan, je crois que je sais maintenant quel est le véritable ingénieur qui fortifie Belle-Ile.

Deux heures après, à la marée montante, Porthos et d'Artagnan partaient pour Sarzeau.

LXXI

UNE PROCESSION A VANNES[1]

La traversée de Belle-Ile à Sarzeau se fit assez rapidement, grâce à l'un de ces petits corsaires dont on avait parlé à d'Artagnan pendant son voyage, et qui, taillés pour la course et destinés à la chasse, s'abritaient momentanément dans la rade de Locmaria, où l'un d'eux, avec le quart de son équipage de guerre, faisait le service entre Belle-Ile et le continent.

D'Artagnan eut l'occasion de se convaincre cette fois encore que Porthos, bien qu'ingénieur et topographe, n'était pas profondément enfoncé dans les secrets d'État.

Sa parfaite ignorance, au reste, eût passé près de tout autre pour une savante dissimulation. Mais d'Artagnan connaissait trop bien tous les plis et replis de son Porthos pour n'y pas trouver[2] un secret s'il y était, comme ces vieux garçons rangés et minutieux savent trouver, les yeux fermés, tel livre sur les rayons de la bibliothèque, telle pièce de linge dans un tiroir de leur commode.

Donc, s'il n'avait rien trouvé, ce rusé d'Artagnan, en roulant et en déroulant son Porthos, c'est qu'en vérité il n'y avait rien.

— Soit, dit d'Artagnan ; j'en saurai plus à Vannes en une demi-heure que Porthos n'en a su à Belle-Ile en deux mois. Seulement, pour que je sache quelque chose, il importe que Porthos n'use pas du seul stratagème dont je lui ai laissé[3] la disposition. Il faut qu'il ne prévienne point Aramis de mon arrivée.

Tous les soins du mousquetaire se bornèrent donc pour le moment à surveiller Porthos.

Et, hâtons-nous de le dire, Porthos ne méritait pas cet excès de défiance. Porthos ne songeait aucunement à mal. Peut-être, à la première vue,

1. M[1] : f°s 40-47 ; M[2] : f°s 39-46.
2. M[2] : « ... pour *ne pas y* trouver... »
3. M[2] : « ... lui *laisse*... »

d'Artagnan lui avait-il inspiré quelque[1] défiance ; mais presque aussitôt d'Artagnan avait reconquis dans ce bon et brave cœur la place qu'il y avait toujours occupée, et pas le moindre nuage n'obscurcissait le gros œil de Porthos se fixant de temps en temps avec tendresse sur son ami.

En débarquant, Porthos s'informa si ses chevaux l'attendaient. Et, en effet, il les aperçut bientôt à la croix du chemin qui tourne autour de Sarzeau et qui, sans traverser cette petite ville, aboutit à Vannes.

Ces chevaux étaient au nombre de deux : celui de M. de Vallon et celui de son écuyer.

Car Porthos avait un écuyer depuis que Mousqueton n'usait plus que du chariot comme moyen de locomotion.

D'Artagnan s'attendait à ce que Porthos proposât d'envoyer en avant son écuyer sur un cheval pour en ramener un autre, et il se promettait, lui, d'Artagnan, de combattre cette proposition. Mais rien de ce que présumait d'Artagnan n'arriva. Porthos ordonna tout simplement au serviteur de mettre pied à terre et d'attendre son retour à Sarzeau tandis que[2] d'Artagnan monterait son cheval.

Ce qui fut fait.

— Eh ! mais vous êtes homme de précaution, mon cher Porthos, dit d'Artagnan à son ami lorsqu'il se trouva en selle sur le cheval de l'écuyer.

— Oui ; mais c'est une gracieuseté d'Aramis. Je n'ai pas mes équipages ici. Aramis a donc mis ses écuries à ma disposition.

— Bons chevaux, mordioux ! pour des chevaux d'évêque, dit d'Artagnan. Il est vrai qu'Aramis est un évêque tout particulier.

— C'est un saint homme, répondit Porthos d'un ton presque nasillard et en levant les yeux au ciel.

— Alors il est donc bien changé, dit d'Artagnan, car nous l'avons connu passablement profane.

— La grâce l'a touché, dit Porthos.

— Bravo ! dit d'Artagnan, cela redouble mon désir de le voir, ce cher Aramis.

Et il éperonna son cheval, qui l'emporta avec une nouvelle rapidité.

— Peste ! dit Porthos, si nous allons de ce train-là, nous ne mettrons qu'une heure au lieu de deux.

— Pour faire combien, dites-vous, Porthos ?

— Quatre lieues et demie.

— Ce sera aller bon pas.

— J'aurais pu, cher ami, vous faire embarquer sur le canal ; mais au diable les rameurs ou les chevaux de trait ! Les premiers vont comme

1. M[2] : « ... *un peu de* défiance... »
2. M[2] : « ... *pendant* que... »

des tortues, les seconds[1] comme des limaces, et quand on peut se mettre un bon coursier entre les genoux, mieux vaut un bon cheval que rameurs ou tout autre moyen[2].

— Vous avez raison, vous surtout, Porthos, qui êtes toujours magnifique à cheval.

— Un peu lourd, mon ami ; je me suis pesé dernièrement.

— Et combien pesez-vous ?

— Trois cents ! dit Porthos avec orgueil.

— Bravo !

— De sorte, vous comprenez, qu'on est forcé de me choisir des chevaux dont le rein soit droit et large, autrement je les crève en deux heures.

— Oui, des chevaux de géant, n'est-ce pas, Porthos ?

— Vous êtes bien bon, mon ami, répliqua l'ingénieur avec une affectueuse majesté.

— En effet, répliqua d'Artagnan, il semble, mon ami[3], que votre monture sue déjà.

— Dame ; il fait chaud. Ah ! ah ! voyez-vous Vannes maintenant ?

— Oui, très bien. C'est une fort belle ville, à ce qu'il paraît ?

— Charmante, selon Aramis, du moins ; moi, je la trouve noire ; mais il paraît que c'est beau, le noir, pour les artistes. J'en suis fâché.

— Pourquoi cela, Porthos ?

— Parce que j'ai précisément fait badigeonner en blanc mon château de Pierrefonds, qui était gris de vieillesse.

— Hum ! fit d'Artagnan ; en effet, le blanc est plus gai.

— Oui, mais c'est moins auguste, à ce que m'a dit Aramis. Heureusement qu'il y a des marchands de noir : je ferai rebadigeonner Pierrefonds en noir, voilà tout. Si le gris est beau, vous comprenez, mon ami, le noir doit être superbe.

— Dame ! fit d'Artagnan, cela me paraît logique.

— Est-ce que vous n'êtes jamais venu à Vannes, d'Artagnan ?

— Jamais.

— Alors vous ne connaissez pas la ville ?

— Non.

— Eh bien ! tenez, dit Porthos en se haussant sur ses étriers, mouvement qui fit fléchir l'avant-main de son cheval, voyez-vous dans le soleil, là-bas, cette flèche ?

— Certainement, que je la vois.

— C'est la cathédrale.

— Qui s'appelle ?

1. M[1] : « ... les *autres*... »
2. M[1] : « ... mieux vaut *se mettre un bon cheval entre les genoux.* »
3. M[2] : « mon ami », après « En effet ».

— Saint-Pierre. Maintenant, là, tenez, dans le faubourg à gauche, voyez-vous une autre croix ?

— A merveille.

— C'est Saint-Paterne, la paroisse de prédilection d'Aramis.

— Ah !

— Sans doute. Saint Paterne, voyez-vous[1], passe pour avoir été le premier évêque de Vannes. Il est vrai qu'Aramis prétend que non, lui. Il est vrai qu'il est si savant, que cela pourrait bien n'être qu'un paro... qu'un para...

— Qu'un paradoxe, dit d'Artagnan.

— Précisément. Merci, la langue me fourchait... il fait si chaud.

— Mon ami, fit d'Artagnan, continuez, je vous prie, votre intéressante démonstration. Qu'est-ce que ce grand bâtiment blanc percé de fenêtres ?

— Ah ! celui-là, c'est le collège des jésuites. Pardieu ! vous avez la main heureuse. Voyez-vous près du collège une grande maison à clochetons à tourelles[2], d'un beau style gothique, comme dit cette brute de M. Gétard ?

— Oui, je la vois. Eh bien ?

— Eh bien ! c'est là que loge Aramis.

— Quoi ! il ne loge pas à l'évêché ?

— Non ; l'évêché est en ruines. L'évêché, d'ailleurs, est dans la ville, et Aramis préfère le faubourg. Voilà pourquoi je vous dis : « Il affectionne Saint-Paterne, parce que Saint-Paterne est dans le faubourg[3]. » Et puis il y a dans ce même faubourg un mail, un jeu de paume et une maison de dominicains. Tenez, celle-là qui élève jusqu'au ciel ce beau clocher.

— Très bien.

— Ensuite, voyez-vous, le faubourg est comme une ville à part ; il a ses murailles, ses tours, ses fossés ; le quai même y aboutit, et les bateaux abordent au quai. Si notre petit corsaire ne tirait pas huit pieds d'eau, nous serions arrivés à pleines voiles jusque sous les fenêtres d'Aramis.

— Porthos, Porthos, mon ami, s'écria d'Artagnan, vous êtes un puits de science, une source de réflexions ingénieuses et profondes. Porthos, vous ne me surprenez plus, vous me confondez.

— Nous voici arrivés, dit Porthos, détournant la conversation avec sa modestie ordinaire.

« Et il était temps, pensa d'Artagnan, car le cheval d'Aramis fond comme un cheval de glace. »

Ils entrèrent presque au même instant dans le faubourg, mais à peine eurent-ils fait cent pas, qu'ils furent surpris de voir les rues jonchées de feuillages et de fleurs.

---

1. M^2 : « Voyez-vous, saint Paterne... »
2. M^2 : « ... tourelles, *et* d'un... »
3. M^2 : « ... pourquoi, *vous dis-je*, il affectionne... »

Aux vieilles murailles de Vannes pendaient les plus vieilles et les plus étranges tapisseries de France.

Des balcons de fer tombaient de longs draps blancs tout parsemés de bouquets de fleurs[1].

Les rues étaient désertes ; on sentait que toute la population était rassemblée sur un point.

Les jalousies étaient closes, et la fraîcheur pénétrait dans les maisons sous l'abri des tentures, qui faisaient de larges ombres noires entre leurs saillies et les murailles.

Soudain, au détour d'une rue, des chants frappèrent les oreilles des nouveaux débarqués. Une foule endimanchée apparut à travers les vapeurs de l'encens qui montait au ciel en bleuâtres flocons, et les nuages de feuilles de roses voltigeant jusqu'aux premiers étages.

Au-dessus de toutes les têtes, on distinguait les croix et les bannières, signes sacrés de la religion.

Puis, au-dessous de ces croix et de ces bannières, et comme protégées par elles, tout un monde de jeunes filles vêtues de blanc et couronnées de bleuets.

Aux deux côtés de la rue, enfermant le cortège, s'avançaient les soldats de la garnison, portant des bouquets dans les canons de leurs fusils et à la pointe de leurs lances.

C'était une procession.

Tandis que d'Artagnan et Porthos regardaient avec une ferveur de bon goût qui déguisait une extrême impatience de pousser en avant, un dais magnifique s'approchait, précédé de cent jésuites, de cent[2] dominicains, et escorté par deux archidiacres, un trésorier, un pénitencier et douze chanoines.

Un chantre à la voix foudroyante, un chantre trié certainement dans toutes les voix de la France, comme l'était le tambour-major de la garde impériale dans tous les géants de l'Empire, un chantre, escorté de quatre autres chantres qui semblaient n'être là que pour lui servir d'accompagnement, faisait retentir les airs et vibrer les vitres de toutes les maisons.

Sous le dais apparaissait une figure pâle et noble, aux yeux noirs, aux cheveux noirs mêlés de fils d'argent, à la bouche fine et circonspecte, au menton proéminent et anguleux. Cette tête, pleine de gracieuse majesté, était coiffée de la mitre épiscopale, coiffure qui lui donnait, outre le caractère de la souveraineté, celui de l'ascétisme et de la méditation évangélique.

— Aramis ! s'écria involontairement le mousquetaire quand cette figure altière passa devant lui.

---

1. M[2] : « de fleurs », omis.
2. M[2] : « ... jésuites *et* de cent... »

Le prélat tressaillit ; il parut avoir entendu cette voix comme un mort ressuscitant entend la voix du Sauveur.

Il leva ses grands yeux noirs aux longs cils et les porta sans hésiter vers l'endroit d'où l'exclamation était partie.

D'un seul coup d'œil, il avait vu Porthos et d'Artagnan près de lui.

De son côté, d'Artagnan, grâce à l'acuité de son regard, avait tout vu, tout saisi. Le portrait en pied du prélat était entré dans sa mémoire pour n'en plus sortir.

Une chose surtout avait frappé d'Artagnan.

En l'apercevant, Aramis avait rougi, puis il avait à l'instant même concentré sous sa paupière le feu du regard du maître et l'imperceptible affectuosité du regard de l'ami.

Il était évident qu'Aramis s'adressait tout bas cette question : « Pourquoi d'Artagnan est-il là avec Porthos, et que vient-il faire à Vannes ? »

Aramis comprit tout ce qui se passait dans l'esprit de d'Artagnan en reportant son regard sur lui et en voyant qu'il n'avait pas baissé les yeux.

Il connaît la finesse de son ami et son intelligence ; il craint de laisser deviner le secret de sa rougeur et de son étonnement. C'est bien le même Aramis, ayant toujours un secret quelconque[1] à dissimuler.

Aussi, pour en finir avec ce regard d'inquisiteur qu'il faut faire baisser à tout prix, comme à tout prix un général éteint le feu d'une batterie qui le gêne, Aramis étend sa belle main blanche, à laquelle étincelle l'améthyste[2] de l'anneau pastoral, il fend l'air avec le signe de la croix et foudroie ses deux amis avec sa bénédiction.

Mais peut-être, rêveur et distrait, d'Artagnan, impie malgré lui, ne se fût point baissé sous cette bénédiction sainte ; mais Porthos a vu cette distraction, et, appuyant amicalement la main sur le cou[3] de son compagnon, il l'écrase vers la terre.

D'Artagnan fléchit : peu s'en faut même qu'il ne tombe à plat ventre.

Pendant ce temps, Aramis est passé.

D'Artagnan, comme Antée, n'a fait que toucher la terre, et il se retourne[4] vers Porthos tout prêt à se fâcher.

Mais il n'y a pas à se tromper à l'intention du brave hercule : c'est un sentiment de bienséance religieuse qui l'a poussé[5].

D'ailleurs, la parole, chez Porthos, au lieu de déguiser la pensée, la complète toujours.

---

1. Pr., M[2], texte : « quelconque », omis.
2. M[1] : « ... *le diamant* de l'anneau pastoral... »
3. M[2] : « ... *sa* main sur le *dos*... »
4. M[2] : « ... et *se retournant*... »
5. Texte : « ... qui *le pousse*... »

— C'est fort gentil à lui, dit-il, de nous avoir donné comme cela une bénédiction, à nous tout seuls. Décidément, c'est un saint homme et un brave homme.

Moins convaincu que Porthos, d'Artagnan ne répondit mot[1].

— Voyez, cher ami, continua Porthos, il nous a vus, et au lieu de marcher[2] au simple pas de procession, comme tout à l'heure, voilà qu'il se hâte. Voyez-vous comme le cortège double sa vitesse ? Il est pressé de nous voir et de nous embrasser, ce cher Aramis.

— C'est vrai, répondit d'Artagnan tout haut.

Puis tout bas :

— Toujours est-il qu'il m'a vu, le renard, et qu'il aura le temps de se préparer à me recevoir.

Mais la procession était passée ; le chemin était libre[3].

D'Artagnan et Porthos marchèrent droit au palais épiscopal, qu'une foule nombreuse entourait pour voir rentrer le prélat.

D'Artagnan remarqua que cette foule était surtout composée de bourgeois et de militaires.

Il reconnut dans la nature de ces partisans l'adresse de son ami.

En effet, Aramis n'était pas homme à rechercher une popularité inutile : peu lui importait d'être aimé de gens qui ne lui servaient à rien.

Des femmes, des enfants, des vieillards, c'est-à-dire le cortège ordinaire des pasteurs, ce n'était pas son cortège à lui.

Dix minutes après que les deux amis avaient passé le seuil de l'évêché, Aramis rentra comme un triomphateur ; les soldats lui présentaient les armes comme à un supérieur ; les bourgeois le saluaient comme un ami, comme un patron plutôt que comme un chef religieux.

Il y avait dans Aramis quelque chose de ces sénateurs romains qui avaient toujours leurs portes encombrées de clients.

Au bas du perron, il eut une conférence d'une demi-minute avec un jésuite qui, pour lui parler plus discrètement, passa la tête sous le dais.

Puis il rentra chez lui ; les portes se refermèrent lentement, et la foule s'écoula, tandis que les chants et les prières retentissaient encore.

C'était une magnifique journée. Il y avait des parfums terrestres mêlés à des parfums d'air et de mer. La ville respirait le bonheur, la joie, la force.

D'Artagnan sentit comme la présence d'une main invisible qui avait, toute-puissante, créé cette force, cette joie, ce bonheur, et répandu partout ces parfums.

« Oh ! oh ! se dit-il, Porthos a engraissé ; mais Aramis a grandi. »

---

1. Texte : « ... ne répondit *pas*. »
2. M[2] : « ... au lieu de *continuer à* marcher... »
3. M[2] : « ... *est* passée [...] *est* libre. »

LXXII

LA GRANDEUR DE L'ÉVÊQUE DE VANNES[1]

Porthos et d'Artagnan étaient entrés à l'évêché par une porte particulière, connue des seuls amis de la maison.

Il va sans dire que Porthos avait servi de guide à d'Artagnan. Le digne baron se comportait un peu partout comme chez lui. Cependant, soit reconnaissance tacite de cette sainteté du personnage d'Aramis et de son caractère, soit habitude de respecter ce qui lui imposait moralement, digne habitude qui avait toujours fait de Porthos un esprit excellent et un soldat modèle quant à la discipline[2], par toutes ces raisons, disons-nous, Porthos conservait[3], chez Sa Grandeur l'évêque de Vannes, une sorte de réserve que d'Artagnan remarqua tout d'abord dans l'attitude qu'il prit avec les valets et les commensaux.

Cependant cette réserve n'allait pas jusqu'à se priver de questions, Porthos questionna.

On apprit alors que Sa Grandeur venait de rentrer dans ses appartements, et se préparait à paraître, dans l'intimité, moins majestueuse qu'elle n'avait paru à[4] ses ouailles.

En effet, après un petit quart d'heure que passèrent d'Artagnan et Porthos à se regarder mutuellement le blanc des yeux, à tourner leurs pouces dans les différentes évolutions qui joignent le nord[5] au midi, une porte de la salle s'ouvrit et l'on vit paraître Sa Grandeur vêtue du petit costume de prélat[6].

Aramis portait la tête haute, en homme qui a l'habitude du commandement, la robe de drap violet retroussée sur le côté, et le poing sur la hanche.

En outre, il avait conservé la fine moustache et la royale allongée du temps de Louis XIII.

Il exhala en entrant ce parfum délicat qui, chez les hommes élégants, chez les femmes du grand monde, ne change jamais, et semble s'être incorporé dans la personne dont il est devenu l'émanation naturelle.

Cette fois seulement le parfum avait retenu quelque chose de la

1. M[1], M[2] : f°s 47bis-56.
2. M[2] : « ... un soldat modèle et un esprit excellent... »
3. M[2] : « ... Porthos conserv*a*... »
4. M[2] : « ... *avec* ses ouailles... »
5. M[2] : « ... *vont du* nord... »
6. M[2] : « ... costume *complet* de prélat. »

sublimité religieuse de l'encens. Il n'enivrait plus, il pénétrait ; il n'inspirait plus le désir, il inspirait le respect.

Aramis, en entrant dans la chambre, n'hésita pas un instant, et sans prononcer une parole qui, quelle qu'elle fût, eût été froide en pareille occasion, il vint droit au mousquetaire si bien déguisé sous le costume de M. Agnan, et le serra dans ses bras avec une tendresse que le plus défiant n'eût pu soupçonner[1] de froideur ou d'affectation.

D'Artagnan, de son côté, l'embrassa d'une égale ardeur.

Porthos serra la main délicate d'Aramis dans ses grosses mains, et d'Artagnan remarqua que Sa Grandeur lui livrait[2] la main gauche probablement par habitude, attendu que Porthos devait déjà dix fois lui avoir meurtri ses doigts ornés de bagues en broyant sa chair dans l'étau de son poignet. Aramis, averti par la douleur, se défiait donc et ne présentait que des chairs à froisser sur des chairs[3] et non des doigts à écraser contre de l'or ou des facettes de diamant.

Entre deux accolades, Aramis regarda en face d'Artagnan, lui offrit une chaise et s'assit dans l'ombre, observant que le jour donnait sur les traits[4] de son interlocuteur.

Cette manœuvre, familière aux diplomates et aux femmes, ressemble beaucoup à l'avantage de la garde que cherchent, selon leur habileté ou leur habitude, à prendre les combattants sur le terrain du duel.

D'Artagnan ne fut pas dupe de la manœuvre ; mais il ne parut pas s'en apercevoir. Il se sentait pris ; mais, justement parce qu'il était pris, il se sentait sur la voie de la découverte, et peu lui importait, vieux condottiere, de se faire battre en apparence, pourvu qu'il tirât de sa prétendue défaite tous[5] les avantages de la victoire.

Ce fut Aramis qui commença la conversation.

— Ah ! cher ami ! mon bon d'Artagnan ! dit-il, quel excellent hasard !

— C'est un hasard, mon révérend compagnon, dit d'Artagnan, que j'appellerai de l'amitié. Je vous cherche, comme toujours je vous ai cherché, dès que j'ai eu quelque grande entreprise à vous offrir ou quelques heures de liberté à vous donner.

— Ah ! vraiment, dit Aramis sans explosion, vous me cherchez ?

— Eh ! oui, il vous cherche, mon cher Aramis, dit Porthos, et la preuve, c'est qu'il m'a relancé, moi, à Belle-Ile. C'est aimable, n'est-ce pas ?

— Ah ! fit Aramis, certainement, à Belle-Ile...

« Bon ! dit d'Artagnan, voilà mon butor de Porthos qui, sans y songer, a tiré du premier coup le canon d'attaque. »

---

1. Texte : « ... n'eût *pas* soupçonn*ée*... »
2. M^2 : « ... lui *serrait*... »
3. M^2 : « sur des chairs », omis.
4. M^2 : « ... sur *le visage*... »
5. M^2 : mot omis.

— A Belle-Ile, répéta[1] Aramis, dans ce trou, dans ce désert ! C'est aimable, en effet.

— Et c'est moi qui lui ai appris que vous étiez à Vannes, continua Porthos du même ton.

D'Artagnan arma sa bouche d'une finesse presque ironique.

— Si fait, je le savais, dit-il ; mais j'ai voulu voir.

— Voir quoi ?

— Si notre vieille amitié tenait toujours ; si, en nous voyant, notre cœur, tout racorni qu'il est par l'âge, laissait encore échapper ce bon cri de joie qui salue la venue d'un ami.

— Eh bien ! vous avez dû être satisfait ? demanda Aramis.

— Couci-couci[2].

— Comment cela ?

— Oui, Porthos m'a dit : « Chut ! » et vous...

— Eh bien ! et moi ?

— Et vous, vous m'avez donné votre bénédiction.

— Que voulez-vous ! mon ami, dit en souriant Aramis, c'est ce qu'un pauvre prélat comme moi a de plus précieux.

— Allons donc, mon cher ami.

— Sans doute.

— L'on dit[3] cependant à Paris que l'évêché de Vannes est un des meilleurs de France.

— Ah ! vous voulez parler des biens temporels ? dit Aramis d'un air détaché.

— Mais certainement j'en veux parler. J'y tiens, moi.

— En ce cas, parlons-en, dit Aramis avec un sourire.

— Vous avouez être un des plus riches prélats de France ?

— Mon cher, puisque vous me demandez mes comptes, je vous dirai que l'évêché de Vannes vaut vingt mille livres de rente, ni plus ni moins. C'est un diocèse qui renferme cent soixante paroisses.

— C'est fort joli, dit d'Artagnan.

— C'est superbe, dit Porthos.

— Mais cependant, reprit d'Artagnan en couvrant Aramis du regard, vous ne vous êtes pas enterré ici à jamais ?

— Pardonnez-moi. Seulement je n'admets pas le mot *enterré*.

— Mais il me semble qu'à cette distance de Paris on est enterré, ou peu s'en faut.

— Mon ami, je me fais vieux, dit Aramis ; le bruit et le mouvement de la ville ne me vont plus. A cinquante-sept ans, on doit chercher le

---

1. M[2] : « ... *dit* Aramis... »

2. Expression familière, de l'italien *cosi cosi*, déjà utilisée par Porthos dans *Les Trois Mousquetaires*, chap. XXV, p. 228, note 1.

3. Texte : « *On* dit... »

calme et la méditation. Je les ai trouvés ici. Quoi de plus beau et de plus sévère à la fois que cette vieille Armorique ? Je trouve ici, cher d'Artagnan, tout le contraire de ce que j'aimais autrefois, et c'est ce qu'il faut à la fin de la vie, qui est le contraire du commencement. Un peu de mon plaisir d'autrefois vient encore m'y saluer de temps en temps sans me distraire de mon salut. Je suis encore de ce monde, et cependant, à chaque pas que je fais, je me rapproche de Dieu.

— Éloquent, sage, discret, vous êtes un prélat accompli, Aramis, et je vous félicite.

— Mais, dit Aramis en souriant, vous n'êtes pas seulement venu, cher ami, pour me faire des compliments... Parlez, qui vous amène ? Serais-je assez heureux pour que, d'une façon quelconque, vous eussiez besoin de moi ?

— Dieu merci, non, mon cher ami, dit d'Artagnan, ce n'est rien de cela. Je suis riche et libre.

— Riche ?

— Oui, riche pour moi ; pas pour vous ni pour Porthos, bien entendu. J'ai une quinzaine de mille livres de rente.

Aramis le regarda soupçonneux. Il ne pouvait croire, surtout en retrouvant[1] son ancien ami avec cet humble aspect, qu'il eût fait une si belle fortune.

Alors d'Artagnan, voyant que l'heure des explications était venue, raconta son histoire d'Angleterre.

Pendant le récit, il vit dix fois briller les yeux et tressaillir les doigts effilés du prélat.

Quant à Porthos, ce n'était pas de l'admiration qu'il manifestait pour d'Artagnan, c'était de l'enthousiasme, c'était du délire.

Lorsque d'Artagnan eut achevé son récit :

— Eh bien ? fit Aramis.

— Eh bien ! dit d'Artagnan, vous voyez que j'ai en Angleterre des amis et des propriétés, en France un trésor. Si le cœur vous en dit, je vous les offre. Voilà pourquoi je suis venu.

Si assuré que fût son regard, il ne put soutenir en ce moment le regard d'Aramis. Il laissa donc dévier son œil sur Porthos, comme fait l'épée qui cède à une pression toute-puissante et cherche un autre chemin.

— En tout cas, dit l'évêque, vous avez pris un singulier costume de voyage, cher ami.

— Affreux ! je le sais. Vous comprenez que je ne voulais voyager ni en cavalier ni en seigneur. Depuis que je suis riche, je suis avare.

— Et vous dites donc que vous êtes venu à Belle-Ile ? reprit[2] Aramis sans transition.

---

1. M[2] : « ... en *voyant* son ancien ami... »
2. M[2] : « ... *fit* Aramis... »

— Oui, répliqua d'Artagnan, je savais y trouver Porthos et vous.

— Moi ! s'écria Aramis. Moi ! depuis un an que je suis ici je n'ai point une seule fois passé la mer.

— Oh ! fit d'Artagnan, je ne vous savais pas si casanier.

— Ah ! cher ami, c'est qu'il faut vous dire que je ne suis plus l'homme d'autrefois. Le cheval m'incommode, la mer me fatigue ; je suis un pauvre prêtre souffreteux, se plaignant toujours, grognant toujours, et enclin aux austérités, qui me paraissent des accommodements avec la vieillesse, des pourparlers avec la mort. Je réside, mon cher d'Artagnan, je réside.

— Eh bien ! tant mieux, mon ami, répondit le mousquetaire[1], car nous allons probablement devenir voisins.

— Bah ! dit Aramis, non sans une certaine surprise qu'il ne chercha même point[2] à dissimuler, vous, mon voisin ?

— Eh ! mon Dieu, oui.

— Comment cela ?

— Je vais acheter des salines fort avantageuses qui sont situées entre Piriac et Le Croisic. Figurez-vous, mon cher, une exploitation de douze pour cent de revenu clair ; jamais de non-valeur, jamais de faux frais ; l'océan, fidèle et régulier, apporte toutes les six heures son contingent à ma caisse. Je suis le premier Parisien qui ait imaginé une pareille spéculation. N'éventez pas la mine, je vous en prie, et avant peu nous communiquerons. J'aurai trois lieues de pays pour trente mille livres.

Aramis lança un regard à Porthos comme pour lui demander si tout cela était bien vrai, si quelque piège ne se cachait point sous ces dehors d'indifférence. Mais bientôt, comme honteux d'avoir consulté ce pauvre auxiliaire, il rassembla toutes ses forces pour un nouvel assaut ou pour une nouvelle défense.

— On m'avait assuré, dit-il, que vous aviez eu quelque démêlé avec la cour, mais que vous en étiez sorti comme vous savez sortir de tout, mon cher d'Artagnan, avec les honneurs de la guerre.

— Moi ? s'écria le mousquetaire avec un grand éclat de rire insuffisant à cacher son embarras ; car, à ces mots d'Aramis, il pouvait le croire instruit de ses dernières relations avec le roi ; moi ? Ah ! racontez-moi donc cela, mon cher Aramis.

— Oui, l'on m'avait raconté, à moi, pauvre évêque perdu au milieu des landes, on m'avait dit que le roi vous avait pris pour confident de ses amours.

— Avec qui ?

— Avec Mlle de Mancini.

D'Artagnan respira.

— Ah ! je ne dis pas non, répliqua-t-il.

1. M²: incise omise.
2. M²: « … même *pas* à dissimuler… »

— Il paraît que le roi vous a emmené un matin au-delà du pont de Blois pour causer avec sa belle.

— C'est vrai, fit[1] d'Artagnan. Ah ! vous savez cela ? Mais alors, vous devez savoir que, le jour même, j'ai donné ma démission.

— Sincère ?

— Ah ! mon ami, on ne peut plus sincère.

— C'est alors que vous allâtes chez le comte de La Fère ?

— Oui.

— Chez moi ?

— Oui.

— Et chez Porthos ?

— Oui.

— Était-ce pour nous faire une simple visite ?

— Non ; je ne vous savais point attachés, et je voulais vous emmener en Angleterre.

— Oui, je comprends, et alors vous avez exécuté seul, homme merveilleux, ce que vous vouliez nous proposer d'exécuter à nous quatre. Je me suis douté que vous étiez pour quelque chose dans cette belle restauration, quand j'appris qu'on vous avait vu aux réceptions du roi Charles, lequel vous parlait comme un ami, ou plutôt comme un obligé.

— Mais comment diable avez-vous su tout cela ? demanda d'Artagnan, qui craignait que les investigations d'Aramis ne s'étendissent plus loin qu'il ne le voulait[2].

— Cher d'Artagnan, dit le prélat, mon amitié ressemble un peu à la sollicitude de ce veilleur de nuit que nous avons dans la petite tour du môle, à l'extrémité du quai. Ce brave homme allume tous les soirs une lanterne pour éclairer les barques qui viennent de la mer. Il est caché dans sa guérite, et les pêcheurs ne le voient pas ; mais lui les suit avec intérêt ; il les devine, il les appelle, il les attire dans la voie du port. Je ressemble à ce veilleur ; de temps en temps quelques avis m'arrivent et me rappellent au souvenir de tout ce que j'aimais. Alors je suis ces[3] amis d'autrefois sur la mer orageuse du monde, moi, pauvre guetteur auquel Dieu a bien voulu donner l'abri d'une guérite.

— Et, dit d'Artagnan, après l'Angleterre, qu'ai-je fait ?

— Ah ! voilà ! fit Aramis, vous voulez forcer ma vue. Je ne sais plus rien depuis votre retour, d'Artagnan ; mes yeux se sont troublés. J'ai regretté que vous ne pensiez point à moi. J'ai pleuré votre oubli. J'avais tort. Je vous revois, et c'est une fête, une grande fête, je vous le jure... Comment se porte Athos ?

— Très bien, merci.

---

1. M[2] : « ... *dit* d'Artagnan... »
2. M[1] : « ... qu'il ne *l'avouait*. »
3. M[2] : « ... *les* amis... »

— Et notre jeune pupille ?

— Raoul ?

— Oui.

— Il paraît avoir hérité de l'adresse de son père Athos et de la force de son tuteur Porthos.

— Et à quelle occasion avez-vous pu juger de cela ?

— Eh ! mon Dieu ! la veille même de mon départ.

— Vraiment ?

— Oui, il y avait exécution en Grève, et, à la suite de cette exécution, émeute. Nous nous sommes trouvés pris[1] dans l'émeute, et, à la suite de l'émeute, il a fallu jouer de l'épée ; il s'en est tiré à merveille.

— Bah ! et qu'a-t-il fait ? dit Porthos.

— D'abord il a jeté un homme par la fenêtre, comme il eût fait d'un ballot de coton.

— Oh ! très bien ! s'écria Porthos.

— Puis il a dégainé, pointé, estocadé, comme nous faisions dans notre beau temps, nous autres.

— Et à quel propos cette émeute ? demanda Porthos.

D'Artagnan remarqua à cette question qu'Aramis paraissait tout à fait indifférent[2].

— Mais, dit-il en regardant Aramis, à propos de deux traitants à qui le roi faisait rendre gorge, de[3] deux amis de M. Fouquet que l'on pendait.

A peine un léger froncement des sourcils[4] du prélat indiqua-t-il qu'il avait entendu.

— Oh ! oh ! fit Porthos, et comment les nommait-on, ces amis de M. Fouquet ?

— MM. d'Emerys et Lyodot, dit d'Artagnan. Connaissez-vous ces noms-là, Aramis ?

— Non, fit dédaigneusement le prélat ; cela m'a l'air de noms de financiers.

— Justement.

— Oh ! M. Fouquet a laissé pendre ses amis ? s'écria Porthos.

— Et pourquoi pas ? dit Aramis.

— C'est qu'il me semble...

— Si on a pendu ces malheureux, c'était par ordre du roi. Or, M. Fouquet, pour être surintendant des finances, n'a pas, je le pense[5], droit de vie et de mort.

— C'est égal, grommela Porthos, à la place de M. Fouquet...

1. M²: mot omis.
2. M² : « ... remarqua *sur la figure d'Aramis une complète indifférence à cette question de Porthos.* »
3. M²: mot omis.
4. M² : « ... *de* sourcils... »
5. M² : « ... je pense... »

Aramis comprit que Porthos allait dire quelque sottise. Il brisa la conversation.

— Voyons, dit-il, mon cher d'Artagnan, c'est assez parler des autres ; parlons un peu de vous.

— Mais, de moi, vous en savez tout ce que je puis vous en dire. Parlons de vous, au contraire, cher Aramis.

— Je vous l'ai dit, mon ami, il n'y a plus d'Aramis en moi.

— Plus même de l'abbé d'Herblay ?

— Plus même. Vous voyez un homme que Dieu a pris par la main et qu'il a conduit à une position qu'il n'osait ni ne devait espérer[1].

— Dieu ? interrogea d'Artagnan.

— Oui.

— Tiens ! c'est étrange ; on m'avait dit, à moi, M. Fouquet[2].

— Qui vous a dit cela ? fit Aramis sans que toute la puissance de sa volonté pût empêcher une légère rougeur de colorer ses joues.

— Ma foi ! c'est Bazin.

— Le sot !

— Je ne dis pas qu'il soit homme de génie, c'est vrai ; mais il me l'a dit, et après lui, je vous le répète.

— Je n'ai jamais vu M. Fouquet, répondit Aramis avec un regard aussi calme et aussi pur que celui d'une jeune vierge qui n'a jamais menti.

— Mais, répliqua d'Artagnan, quand vous l'eussiez vu et même connu, il n'y aurait point de mal à cela ; c'est un fort brave homme que M. Fouquet.

— Ah !

— Un grand politique.

Aramis fit un geste d'indifférence.

— Un tout-puissant ministre.

— Je ne relève que du roi et du pape, dit Aramis.

— Dame ! écoutez donc, dit d'Artagnan du ton le plus naïf, je vous dis cela, moi, parce que tout le monde ici jure par M. Fouquet. La plaine est à M. Fouquet, les salines que j'ai achetées sont à M. Fouquet, l'île dans laquelle Porthos s'est fait topographe est à M. Fouquet, la garnison est à M. Fouquet, les galères sont à M. Fouquet. J'avoue donc que rien ne m'eût surpris dans votre inféodation, ou plutôt dans celle de votre diocèse, à M. Fouquet. C'est un autre maître que le roi, voilà tout, mais aussi puissant qu'un roi.

— Dieu merci ! mon ami[3], je ne suis inféodé à personne ; je n'appartiens à personne et suis tout à moi, répondit Aramis, qui, pendant

1. M[2] : « ... une position *qu'il n'osait ni ne devait* espérer. »
2. M[2] : « ... dit, à moi, *que c'était* M. Fouquet. »
3. Texte : « mon ami », omis.

toute[1] cette conversation, suivait de l'œil chaque geste de d'Artagnan, chaque clin d'œil de Porthos.

Mais d'Artagnan était impassible et Porthos immobile ; les coups portés habilement étaient parés par un habile adversaire ; aucun ne toucha.

Néanmoins chacun sentait la fatigue d'une pareille lutte, et l'annonce du souper fut bien reçue par tout le monde.

Le souper changea le cours de la conversation. D'ailleurs, Aramis et d'Artagnan[2] avaient compris que, sur leurs gardes comme ils étaient chacun de son côté, ni l'un ni l'autre n'en saurait davantage.

Porthos n'avait rien compris du tout. Il s'était tenu immobile parce qu'Aramis lui avait fait signe de ne pas bouger. Le souper ne fut donc pour lui que le souper. Mais c'était bien assez pour Porthos.

Le souper se passa donc à merveille.

D'Artagnan fut d'une gaieté éblouissante.

Aramis se surpassa par sa douce affabilité.

Porthos mangea comme feu Pélops.

On causa guerre et finance, arts et amours.

Aramis faisait l'étonné à chaque mot de politique que risquait d'Artagnan. Celle longue série de surprises augmenta la défiance de d'Artagnan, comme l'éternelle indifférence de d'Artagnan provoquait la défiance d'Aramis.

Enfin d'Artagnan laissa à dessein tomber le nom de Colbert.

Il avait réservé ce coup pour le dernier.

— Qu'est-ce que Colbert ? demanda l'évêque.

« Oh ! pour le coup, se dit d'Artagnan, c'est trop fort. Veillons, mordioux ! veillons. »

Et il donna sur Colbert tous les renseignements qu'Aramis pouvait désirer.

Le souper ou plutôt la conversation se prolongea jusqu'à une heure du matin entre d'Artagnan et Aramis.

A dix heures précises, Porthos s'était endormi sur sa chaise et ronflait comme un orgue.

A minuit, on le réveilla et on l'envoya coucher.

— Hum ! dit-il ; il me semble que je me suis assoupi ; c'était pourtant fort intéressant ce que vous disiez.

A une heure, Aramis conduisit d'Artagnan dans la chambre qui lui était destinée et qui était la meilleure du palais épiscopal.

Deux serviteurs furent mis à ses ordres.

— Demain, à huit heures, dit-il en prenant congé de d'Artagnan, nous ferons, si vous le voulez, une promenade à cheval avec Porthos.

---

1. M²: mot omis.
2. Texte : « ... *ils* avaient compris... »

— A huit heures ! fit d'Artagnan, si tard ?

— Vous savez que j'ai besoin de sept heures de sommeil, dit Aramis.

— C'est juste.

— Bonsoir, cher ami !

Et il embrassa le mousquetaire avec cordialité.

D'Artagnan le laissa partir.

— Bon ! dit-il quand sa porte fut refermée[1] derrière Aramis, à cinq heures je serai sur pied.

Puis, cette disposition arrêtée, il se coucha et mit, comme on dit, les morceaux doubles.

LXXIII

OÙ PORTHOS COMMENCE A ÊTRE FÂCHÉ D'ÊTRE VENU AVEC D'ARTAGNAN[2]

A peine d'Artagnan avait-il éteint sa bougie, qu'Aramis, qui guettait à travers ses rideaux le dernier soupir de la lumière chez son ami, traversa le corridor sur la pointe du pied et passa chez Porthos.

Le géant, couché depuis une heure et demie à peu près, se prélassait sur l'édredon. Il était dans ce calme heureux du premier sommeil qui, chez Porthos, résistait au bruit des cloches et du canon. Sa tête nageait dans ce doux balancement qui rappelle le mouvement moelleux d'un navire. Une minute de plus, Porthos allait rêver.

La porte de sa chambre s'ouvrit doucement sous la pression délicate de la main d'Aramis.

L'évêque s'approcha du dormeur. Un épais tapis assourdissait le bruit de ses pas ; d'ailleurs, Porthos ronflait de façon à éteindre tout autre bruit.

Il lui posa une main sur l'épaule.

— Allons, dit-il, allons, mon cher Porthos.

La voix d'Aramis était douce et affectueuse, mais elle renfermait plus qu'un avis, elle renfermait un ordre. Sa main était légère, et cependant[3] elle indiquait un danger.

Porthos entendit la voix et sentit la main d'Aramis au fond de son sommeil.

Il tressaillit.

— Qui va là ? dit-il de sa voix[4] de géant.

---

1. M²: « ... sa porte fut *fermée*... »
2. M¹, M²: f°s 57-69.
3. M²: « ... *mais* elle indiquait... »
4. M²: « ... *avec* sa voix... »

— Chut ! c'est moi, dit Aramis.

— Vous, cher ami ! et pourquoi diable m'éveillez-vous ?

— Pour vous dire qu'il faut partir.

— Partir ?

— Oui.

— Pour où ?

— Pour Paris.

Porthos bondit dans son lit et retomba assis en fixant sur Aramis ses gros yeux effarés.

— Pour Paris ?

— Oui.

— Cent lieues ! fit-il.

— Cent quatre, répliqua l'évêque.

— Ah ! mon Dieu ! soupira Porthos en se recouchant, pareil à ces enfants qui luttent avec leur bonne pour gagner une heure ou deux de sommeil.

— Trente heures de cheval, ajouta résolument Aramis. Vous savez qu'il y a de bons relais.

Porthos bougea une jambe en laissant échapper un gémissement.

— Allons ! allons ! cher ami, insista le prélat avec une sorte d'impatience.

Porthos tira l'autre jambe du lit.

— Et c'est absolument nécessaire que je parte ? dit-il.

— De toute nécessité.

Porthos se dressa sur ses jambes et commença d'ébranler le plancher et les murs de son pas de statue.

— Chut ! pour l'amour de Dieu, mon cher Porthos ! dit Aramis ; vous allez réveiller quelqu'un.

— Ah ! c'est vrai, répondit Porthos d'une voix de tonnerre ; j'oubliais ; mais, soyez tranquille, je m'observerai.

Et, en disant ces mots, il fit tomber une ceinture chargée de son épée, de ses pistolets et d'une bourse dont les écus s'échappèrent avec un bruit vibrant et prolongé.

Ce bruit fit bouillir le sang d'Aramis, tandis qu'il provoquait chez Porthos un formidable éclat de rire.

— Que c'est bizarre ! dit-il de sa même voix.

— Plus bas, Porthos, plus bas, donc !

— C'est vrai.

Et il baissa en effet la voix d'un demi-ton.

— Je disais donc, continua Porthos, que c'est bizarre qu'on ne soit jamais aussi lent que lorsqu'on veut se presser, aussi bruyant que lorsqu'on désire être muet.

— Oui, c'est vrai ; mais faisons mentir le proverbe, Porthos, hâtons-nous et taisons-nous.

— Vous voyez que je fais de mon mieux, dit Porthos en passant son haut-de-chausses.

— Très bien.

— Il paraît que c'est pressé ?

— C'est plus que pressé, c'est grave, Porthos.

— Oh ! oh !

— D'Artagnan vous a questionné, n'est-ce pas ?

— Moi ?

— Oui, à Belle-Ile ?

— Pas le moins du monde.

— Vous en êtes bien sûr, Porthos ?

— Parbleu !

— C'est impossible. Souvenez-vous bien.

— Il m'a demandé ce que je faisais, je lui ai dit : « De la topographie. » J'aurais voulu dire un autre mot dont vous vous étiez servi un jour.

— De la castramétation[1] ?

— C'est cela ; mais je n'ai jamais pu me le rappeler.

— Tant mieux ! Que vous a-t-il demandé encore ?

— Ce que c'était que M. Gétard.

— Et encore ?

— Ce que c'était que M. Jupenet.

— Il n'a pas vu notre plan de fortifications, par hasard ?

— Si fait.

— Ah ! diable !

— Mais soyez tranquille, j'avais effacé votre écriture avec de la gomme. Impossible de supposer que vous avez bien voulu me donner quelque avis dans ce travail.

— Il a de bien bons yeux, notre ami.

— Que craignez-vous ?

— Je crains que tout ne soit découvert, Porthos ; il s'agit donc de prévenir un grand malheur. J'ai donné l'ordre à mes gens de fermer toutes les portes. On ne laissera point sortir d'Artagnan avant le jour. Votre cheval est tout sellé ; vous gagnez le premier relais ; à cinq heures du matin, vous aurez fait quinze lieues. Venez.

On vit alors Aramis vêtir Porthos pièce par pièce avec autant de célérité qu'eût pu le faire le plus habile valet de chambre.

Porthos, moitié confus, moitié étourdi, se laissait faire et se confondait en excuses.

Lorsqu'il fut prêt, Aramis le prit par la main et l'emmena, en lui faisant poser le pied avec précaution sur chaque marche de l'escalier, l'empêchant de se heurter aux embrasures des portes, le tournant et le retournant comme si lui, Aramis, eût été le géant et Porthos le nain.

---

1. *Castramétation* : art de choisir et de disposer l'emplacement d'un camp.

Cette âme incendiait et soulevait cette matière.

Un cheval, en effet, attendait tout sellé dans la cour.

Porthos se mit en selle.

Alors Aramis prit lui-même le cheval par la bride et le guida sur du fumier répandu dans la cour, dans l'intention évidente d'éteindre le bruit. Il lui pinçait en même temps les naseaux pour qu'il ne hennît pas...

— Puis, une fois arrivé à la porte extérieure, attirant à lui Porthos, qui allait partir sans même lui demander pourquoi :

— Maintenant, ami Porthos, dit-il à son oreille[1], maintenant, sans débrider jusqu'à Paris ; mangez à cheval, buvez à cheval, dormez à cheval, mais ne perdez pas une minute.

— C'est dit ; on ne s'arrêtera pas.

— Cette lettre à M. Fouquet, coûte que coûte ; il faut qu'il l'ait demain à midi[2].

— Il l'aura.

— Et pensez à une chose, cher ami.

— A laquelle ?

— C'est que vous courez après votre brevet de duc et pair.

— Oh ! oh ! fit Porthos les yeux étincelants, j'irai en vingt-quatre heures en ce cas.

— Tâchez.

— Alors lâchez la bride, et en avant, Goliath !

Aramis lâcha effectivement, non pas la bride, mais les narines[3] du cheval. Porthos rendit la main, piqua des deux, et l'animal furieux partit au galop sur la terre.

Tant qu'il put voir Porthos dans la nuit, Aramis le suivit des yeux ; puis, lorsqu'il l'eut perdu de vue, il rentra dans la cour.

Rien n'avait bougé chez d'Artagnan.

Le valet mis en faction auprès de sa porte n'avait vu aucune lumière, n'avait entendu aucun bruit.

Aramis referma la porte avec soin, envoya le laquais se coucher, et lui-même se mit au lit.

D'Artagnan ne se doutait réellement de rien ; aussi crut-il avoir tout gagné, lorsque le matin il s'éveilla vers quatre heures et demie.

Il courut tout en chemise regarder par la fenêtre : la fenêtre donnait sur la cour. Le jour se levait.

La cour était déserte, les poules elles-mêmes n'avaient pas encore quitté leurs perchoirs.

Pas un valet n'apparaissait.

Toutes les portes étaient fermées.

---

1. M^2 : « Porthos, maintenant, sans débrider jusqu'à Paris, *lui dit-il à l'oreille.* »
2. M^2 : « ... *avant* midi. »
3. M^2 : « ... *naseaux* du cheval. »

« Bon ! calme parfait, se dit d'Artagnan. N'importe, me voici réveillé le premier de toute la maison. Habillons-nous ; ce sera autant de fait. »

Et d'Artagnan s'habilla.

Mais cette fois il s'étudia à ne point donner au costume de M. Agnan cette rigidité bourgeoise et presque ecclésiastique qu'il affectait auparavant ; il sut même, en se serrant davantage, en se boutonnant d'une certaine façon, en posant son feutre plus obliquement, rendre à sa personne un peu de cette tournure militaire dont l'absence avait effarouché Aramis.

Cela fait, il en usa ou plutôt feignit d'en user sans façon avec son hôte, et entra tout à l'improviste dans son appartement.

Aramis dormait ou feignait de dormir.

Un grand livre était ouvert sur son pupitre de nuit ; la bougie brûlait encore au-dessus de son plateau d'argent. C'était plus qu'il n'en fallait pour prouver à d'Artagnan l'innocence de la nuit du prélat et les bonnes intentions de son réveil.

Le mousquetaire fit précisément à l'évêque ce que l'évêque avait fait à Porthos.

Il lui frappa sur l'épaule.

Évidemment Aramis feignait de dormir, car, au lieu de s'éveiller soudain, lui qui avait le sommeil si léger, il se fit réitérer l'avertissement.

— Ah ! ah ! c'est vous, dit-il en allongeant les bras. Quelle bonne surprise ! Ma foi, le sommeil m'avait fait oublier que j'eusse le bonheur de vous posséder. Quelle heure est-il ?

— Je ne sais, dit d'Artagnan un peu embarrassé. De bonne heure, je crois. Mais, vous le savez, cette diable d'habitude militaire de m'éveiller avec le jour me tient encore.

— Est-ce que vous voulez déjà que nous sortions, par hasard ? demanda Aramis. Il est bien matin, ce me semble.

— Ce sera comme vous voudrez.

— Je croyais que nous étions convenus de ne monter à cheval qu'à huit heures.

— C'est possible ; mais, moi, j'avais si grande envie de vous voir, que je me suis dit : « Le plus tôt sera le meilleur. »

— Et mes sept heures de sommeil ? dit Aramis. Prenez garde, j'avais compté là-dessus, et ce qu'il m'en manquera, il faudra que je le rattrape.

— Mais il me semble qu'autrefois vous étiez moins dormeur que cela, cher ami ; vous aviez le sang alerte et l'on ne vous trouvait jamais au lit.

— Et c'est justement à cause de ce que vous me dites là que j'aime fort à y demeurer maintenant.

— Aussi, avouez que ce n'était pas pour dormir que vous m'avez demandé jusqu'à huit heures.

— J'ai toujours peur que vous ne vous moquiez de moi si je vous dis la vérité.

— Dites toujours.

— Eh bien ! de six à huit heures, j'ai l'habitude de faire mes dévotions.

— Vos dévotions ?

— Oui.

— Je ne croyais pas qu'un évêque eût des exercices si sévères.

— Un évêque, cher ami, a plus à donner aux apparences qu'un simple clerc.

— Mordioux ! Aramis, voici un mot qui me réconcilie avec Votre Grandeur. Aux apparences ! c'est un mot de mousquetaire, celui-là, à la bonne heure ! Vivent les apparences, Aramis !

— Au lieu de m'en féliciter, pardonnez-le-moi, d'Artagnan. C'est un mot bien mondain que j'ai laissé échapper là.

— Faut-il donc que je vous quitte ?

— J'ai besoin de recueillement, cher ami.

— Bon. Je vous laisse ; mais à cause de ce païen qu'on appelle d'Artagnan, abrégez-les, je vous prie ; j'ai soif de votre parole.

— Eh bien ! d'Artagnan, je vous promets que dans une heure et demie...

— Une heure et demie de dévotions ? Ah ! mon ami, passez-moi cela au plus juste. Faites-moi le meilleur marché possible.

Aramis se mit à rire.

— Toujours charmant, toujours jeune, toujours gai, dit-il. Voilà que vous êtes venu dans mon diocèse pour me brouiller avec la grâce.

— Bah !

— Et vous savez bien que je n'ai jamais résisté à vos entraînements ; vous me coûterez mon salut, d'Artagnan.

D'Artagnan se pinça les lèvres.

— Allons, dit-il, je prends le péché sur mon compte, dessinez[1]-moi un simple signe de croix de chrétien, débridez-moi un *Pater* et partons.

— Chut ! dit Aramis, nous ne sommes déjà plus seuls, et j'entends des étrangers qui montent.

— Eh bien ! congédiez-les.

— Impossible ; je leur avais donné rendez-vous hier : c'est le principal du collège des jésuites et le supérieur des dominicains.

— Votre état-major, soit.

— Qu'allez-vous faire ?

— Je vais aller réveiller Porthos et attendre dans sa compagnie que vous ayez fini vos conférences.

Aramis ne bougea point, ne sourcilla point, ne précipita ni son geste ni sa parole.

— Allez, dit-il.

D'Artagnan s'avança vers la porte.

1. Texte, M[2] : « ... *débridez*-moi... »

— A propos, vous savez où loge Porthos ?

— Non ; mais je vais m'en informer.

— Prenez le corridor, et ouvrez la deuxième porte à gauche.

— Merci ! au revoir.

Et d'Artagnan s'éloigna dans la direction indiquée par Aramis.

Dix minutes ne s'étaient point écoulées qu'il revint.

Il trouva Aramis assis entre le principal du collège des jésuites et le supérieur des dominicains[1], exactement dans la même situation où il l'avait retrouvé autrefois dans l'auberge de Crèvecœur[2].

Cette compagnie n'effraya pas le mousquetaire.

— Qu'est-ce ? dit tranquillement Aramis. Vous avez quelque chose à me dire, ce me semble, cher ami ?

— C'est, répondit d'Artagnan en regardant Aramis, c'est que Porthos n'est pas chez lui.

— Tiens ! fit Aramis avec calme ; vous êtes sûr ?

— Pardieu ! je viens de sa chambre.

— Où peut-il être alors ?

— Je vous le demande.

— Et vous ne vous en êtes pas informé ?

— Si fait.

— Et que vous a-t-on répondu ?

— Que Porthos sortait souvent le matin sans rien dire à personne et était probablement sorti[3].

— Qu'avez-vous fait alors ?

— J'ai été à l'écurie, répondit indifféremment d'Artagnan.

— Pour quoi faire ?

— Pour voir si Porthos est sorti à cheval.

— Et ?... interrogea l'évêque.

— Eh bien ! il manque un cheval au râtelier, le numéro 5, Goliath.

Tout ce dialogue, on le comprend, n'était pas exempt d'une certaine affectation de la part du mousquetaire et d'une parfaite complaisance de la part d'Aramis.

— Oh ! je vois ce que c'est, dit Aramis après avoir rêvé un moment : Porthos est sorti pour nous faire une surprise.

— Une surprise ?

— Oui. Le canal qui va de Vannes à la mer[4] est très giboyeux en sarcelles et en bécassines ; c'est la chasse favorite de Porthos ; il nous en rapportera une douzaine pour notre déjeuner.

— Vous croyez ? fit d'Artagnan.

---

1. M[2] : « ... entre le supérieur des dominicains et le principal du collège des jésuites... »
2. Voir *Les Trois Mousquetaires*, chap. XXVI.
3. M[2] : « ... Porthos *sortant* [...] était probablement sorti. »
4. Bras du golfe du Morbihan qui s'enfonce dans les terres jusqu'au port de Vannes.

— J'en suis sûr. Où voulez-vous qu'il soit allé ? Je parie qu'il a emporté un fusil.

— C'est possible, dit d'Artagnan.

— Faites une chose, cher ami, montez à cheval et le rejoignez.

— Vous avez raison, dit d'Artagnan, j'y vais.

— Voulez-vous qu'on vous accompagne ?

— Non, merci, Porthos est reconnaissable. Je me renseignerai.

— Prenez-vous une arquebuse ?

— Merci.

— Faites-vous seller le cheval que vous voudrez.

— Celui que je montais hier en venant de Belle-Ile.

— Soit ; usez de la maison comme de la vôtre.

Aramis sonna et donna l'ordre de seller le cheval que choisirait M. d'Artagnan.

D'Artagnan suivit le serviteur chargé de l'exécution de cet ordre.

Arrivé à la porte, le serviteur se rangea pour laisser passer d'Artagnan.

Dans ce moment son œil rencontra l'œil de son maître. Un froncement de sourcils suffit à faire[1] comprendre à l'intelligent espion que l'on donnait à d'Artagnan ce qu'il avait à faire.

D'Artagnan monta à cheval ; Aramis entendit le bruit des fers qui battaient le pavé.

Un instant après, le serviteur rentra.

— Eh bien ? demanda l'évêque.

— Monseigneur, il suit le canal et se dirige vers la mer, dit le serviteur.

— Bien ! dit Aramis.

En effet, d'Artagnan, chassant tout soupçon, courait vers l'océan, espérant toujours voir dans les landes ou sur la grève la colossale silhouette de son ami Porthos.

D'Artagnan s'obstinait à reconnaître des pas de cheval dans chaque flaque d'eau.

Quelquefois il se figurait entendre la détonation d'une arme à feu. Cette illusion dura trois heures.

Pendant deux heures, d'Artagnan chercha Porthos.

Pendant la troisième, il revint à la maison.

— Nous nous serons croisés, dit-il, et je vais trouver les deux convives attendant mon retour.

D'Artagnan se trompait. Il ne retrouva pas plus Porthos à l'évêché qu'il ne l'avait trouvé sur le bord du canal.

Aramis l'attendait au haut de l'escalier avec une figure[2] désespérée.

— Ne vous a-t-on pas rejoint, mon cher d'Artagnan ? cria-t-il du plus loin qu'il aperçut le mousquetaire.

---

1. M[2] : « ... *fit* comprendre... »
2. M[2] : « ... une *mine* désespérée. »

— Non. Auriez-vous fait courir après moi ?

— Désolé, mon cher ami, désolé de vous avoir fait courir inutilement ; mais, vers sept heures, l'aumônier de Saint-Paterne est venu ; il avait rencontré du Vallon qui s'en allait et qui, n'ayant voulu réveiller personne à l'évêché, l'avait chargé de me dire que, craignant que M. Gétard ne lui fît quelque mauvais tour en son absence, il allait profiter de la marée du matin pour faire un tour à Belle-Ile.

— Mais, dites-moi, Goliath n'a pas traversé les quatre lieues de mer, ce me semble ?

— Il y en a bien six, dit Aramis.

— Encore moins, alors.

— Aussi, cher ami, dit le prélat avec un doux sourire, Goliath est à l'écurie, fort satisfait même, j'en réponds, de n'avoir plus Porthos sur le dos.

En effet, le cheval avait été ramené du relais par les soins du prélat, à qui aucun détail n'échappait.

D'Artagnan parut on ne peut plus satisfait de l'explication.

Il commençait un rôle de dissimulation qui convenait parfaitement aux soupçons qui s'accentuaient de plus en plus dans son esprit.

Il déjeuna entre le jésuite et Aramis, ayant le dominicain en face de lui et souriant particulièrement au dominicain, dont la bonne grosse figure lui revenait assez.

[1]Le repas fut long et somptueux ; d'excellent vin d'Espagne, de belles huîtres du Morbihan, les poissons exquis de l'embouchure de la Loire, les énormes chevrettes de Paimbœuf et le gibier délicat des bruyères en firent les frais.

D'Artagnan mangea beaucoup et but peu.

Aramis ne but pas du tout, ou du moins ne but que de l'eau.

Puis après le déjeuner :

— Vous m'avez offert une arquebuse ? dit d'Artagnan.

— Oui.

— Prêtez-la-moi.

— Vous voulez chasser ?

— En attendant Porthos, c'est ce que j'ai de mieux à faire, je crois.

— Prenez celle que vous voudrez au trophée.

— Venez-vous avec moi ?

— Hélas ! cher ami, ce serait avec grand plaisir, mais la chasse est défendue aux évêques.

— Ah ! dit d'Artagnan, je ne savais pas.

— D'ailleurs, continua Aramis, j'ai affaire jusqu'à midi.

---

1. M[2] : le f° 66 est cancelé à partir de : « Le repas fut long... » jusqu'à « ... d'Artagnan voguait vers Belle-Ile. » Mais ce passage est repris au début du f° 67 : il s'agit du raboutage de deux copies différentes.

— J'irai donc seul ? dit d'Artagnan.

— Hélas ! oui ! mais revenez dîner surtout.

— Pardieu ! on mange trop bien chez vous pour que je n'y revienne pas.

Et là-dessus d'Artagnan quitta son hôte, salua les convives, prit son arquebuse, mais, au lieu de chasser, courut tout droit au petit port de Vannes.

Il regarda en vain si on le suivait ; il ne vit rien ni personne.

Il fréta un petit bâtiment de pêche pour vingt-cinq livres et partit à onze heures et demie, convaincu qu'on ne l'avait pas suivi.

On ne l'avait pas suivi, c'était vrai. Seulement, un frère jésuite, placé au haut du clocher de son église, n'avait pas, depuis le matin, à l'aide d'une excellente lunette, perdu un seul de ses pas.

A onze heures trois quarts, Aramis était averti que d'Artagnan voguait vers Belle-Ile.

Le voyage de d'Artagnan fut rapide : un bon vent nord-nord-est le poussait vers Belle-Ile.

Au fur et à mesure qu'il approchait, ses yeux interrogeaient la côte. Il cherchait à voir, soit sur le rivage, soit au-dessus des fortifications, l'éclatant habit de Porthos et sa vaste stature se détachant sur un ciel légèrement nuageux.

D'Artagnan cherchait inutilement ; il débarqua sans avoir rien vu, et apprit du premier soldat interrogé par lui que M. du Vallon n'était point encore revenu de Vannes.

Alors, sans perdre un instant, d'Artagnan ordonna à sa petite barque de mettre le cap sur Sarzeau.

On sait que le vent tourne avec les différentes heures de la journée ; le vent était passé du nord-nord-est au sud-est ; le vent était donc presque aussi bon pour le retour à Sarzeau qu'il l'avait été pour le voyage de Belle-Ile. En trois heures, d'Artagnan eut touché le continent ; deux autres heures lui suffirent pour gagner Vannes.

Malgré la rapidité de la course, ce que d'Artagnan dévora d'impatience et de dépit pendant cette traversée, le pont seul du bateau sur lequel il trépigna pendant trois heures pourrait le raconter à l'histoire.

D'Artagnan ne fit qu'un bond du quai où il avait[1] débarqué au palais épiscopal.

Il comptait terrifier Aramis par la promptitude de son retour, et il voulait lui reprocher sa duplicité, avec réserve toutefois, mais avec assez d'esprit néanmoins pour lui en faire sentir toutes les conséquences et lui arracher une partie de son secret.

Il espérait enfin, grâce à cette verve d'expression qui est aux mystères

1. M[2] : « ... *était* débarqué... »

ce que la charge à la baïonnette est aux redoutes, enlever le mystérieux Aramis jusqu'à une manifestation quelconque.

Mais il trouva dans le vestibule du palais le valet de chambre qui lui fermait le passage tout en lui souriant d'un air béat.

— Monseigneur ? cria d'Artagnan en essayant de l'écarter de la main.

Un instant ébranlé, le valet reprit son aplomb.

— Monseigneur ? fit-il.

— Eh ! oui, sans doute ; ne me reconnais-tu pas, imbécile ?

— Si fait ; vous êtes M. le chevalier d'Artagnan[1].

— Alors, laisse-moi passer.

— Inutile.

— Pourquoi inutile ?

— Parce que Sa Grandeur n'est point chez elle.

— Comment, Sa Grandeur n'est point chez elle ! Mais où est-elle donc ?

— Partie.

— Partie ?

— Oui.

— Pour où ?

— Je n'en sais rien ; mais peut-être le dit-elle à Monsieur le chevalier.

— Comment ? où cela ? de quelle façon ?

— Dans cette lettre qu'elle m'a remise pour Monsieur le chevalier.

Et le valet de chambre tira une lettre de sa poche.

— Eh ! donne donc, maroufle ! fit d'Artagnan en la lui arrachant des mains. Oh ! oui, continua d'Artagnan à la première ligne ; oui, je comprends.

Et il lut à demi-voix :

Cher ami,

Une affaire des plus urgentes m'appelle dans une des paroisses de mon diocèse. J'espérais vous voir avant de partir ; mais je perds cet espoir en songeant que vous allez sans doute rester deux ou trois jours à Belle-Ile avec notre cher Porthos.

Amusez-vous bien, mais n'essayez pas de lui tenir tête à table ; c'est un conseil que je n'eusse pas donné, même à Athos, dans son plus beau et son meilleur temps.

Adieu, cher ami ; croyez bien que j'en suis aux regrets de n'avoir pas mieux et plus longtemps profité de votre excellente compagnie.

— Mordioux ! s'écria d'Artagnan, je suis joué. Ah ! pécore, brute, triple sot que je fais[2] ! mais rira bien qui rira le dernier. Oh ! dupé, dupé comme un singe à qui on donne une noix vide !

Et, bourrant un coup de poing sur le museau toujours riant du valet de chambre, il s'élança hors du palais épiscopal.

---

1. M²: « ... M. », omis.
2. M²: « ... je *suis* ! »

Furet, si bon trotteur qu'il fût, n'était plus à la hauteur des circonstances.

D'Artagnan gagna donc la poste, et il y choisit un cheval auquel il fit, avec de bons éperons et une main légère[1], voir que les cerfs ne sont point les plus agiles coureurs de la création.

LXXIV

OÙ D'ARTAGNAN COURT, OÙ PORTHOS RONFLE, OÙ ARAMIS CONSEILLE[2]

Trente à trente-cinq heures après les événements que nous venons de raconter, comme M. Fouquet, selon son habitude, ayant interdit sa porte, travaillait dans ce cabinet de sa maison de Saint-Mandé que nous connaissons déjà, un carrosse attelé de quatre chevaux ruisselant de sueur entra au galop dans sa cour[3].

Ce carrosse était probablement attendu, car trois ou quatre laquais se précipitèrent vers la portière, qu'ils ouvrirent tandis que M. Fouquet se levait de son bureau et courait lui-même à la fenêtre.

Un homme sortit péniblement du carrosse, descendant avec difficulté les trois degrés du marchepied et s'appuyant sur l'épaule des laquais.

A peine eut-il dit son nom, que celui sur l'épaule duquel il ne s'appuyait point s'élança vers le perron et disparut dans le vestibule.

Cet homme courait prévenir son maître ; mais il n'eut pas même[4] besoin de frapper à la porte.

Fouquet était debout sur le seuil.

— Mgr l'évêque de Vannes ! dit le laquais.

— Bien ! dit Fouquet.

Puis, se penchant sur la rampe de l'escalier, dont Aramis commençait à monter les premiers degrés :

— Vous, cher ami, dit-il, vous si tôt !

— Oui, moi-même, monsieur ; mais moulu, brisé, comme vous voyez.

— Oh ! pauvre cher, dit Fouquet en lui présentant son bras sur lequel Aramis s'appuya, tandis que les serviteurs s'éloignaient[5] avec respect.

— Bah ! répondit Aramis, ce n'est rien, puisque me voilà ; le principal était que j'arrivasse, et me voilà arrivé.

---

1. M[2] : « ... il fit *voir*, avec de bons... »
2. M[1] : f°s 70-76, premier titre barré : « Où Porthos ronfle, où Aramis conseille, où M. Fouquet agit » ; M[2] : f°s 70-75.
3. M[2] : « ... *la* cour. »
4. Texte : « même », omis.
5. M[2] : « ... les serviteurs *s'éloignèrent...* »

— Parlez vite, dit Fouquet en refermant la porte du cabinet derrière Aramis et lui.

— Sommes-nous seuls ?

— Oui, parfaitement seuls.

— Nul ne peut nous écouter ? nul ne peut nous entendre ?

— Soyez donc tranquille.

— M. du Vallon est arrivé ?

— Oui.

— Et vous avez reçu ma lettre ?

— Oui, l'affaire est grave, à ce qu'il paraît, puisqu'elle nécessite votre présence à Paris, dans un moment où votre présence était si urgente là-bas.

— Vous avez raison, on ne peut plus grave.

— Merci, merci ! De quoi s'agit-il ? Mais, pour Dieu, et avant toute chose, respirez, cher ami ; vous êtes pâle à faire frémir !

— Je souffre, en effet ; mais, par grâce ! ne faites pas attention à moi. M. du Vallon ne vous a-t-il rien dit en vous remettant sa lettre ?

— Non : j'ai entendu un grand bruit, je me suis mis à la fenêtre ; j'ai vu, au pied du perron, une espèce de cavalier de marbre ; je suis descendu, il m'a tendu la lettre, et son cheval est tombé mort.

— Mais lui ?

— Lui est tombé avec le cheval ; on l'a enlevé pour le porter dans les appartements ; la lettre lue, j'ai voulu monter près de lui pour avoir de plus amples nouvelles : mais il était endormi de telle façon qu'il a été impossible de le réveiller. J'ai eu pitié de lui, et j'ai ordonné qu'on lui ôtat ses bottes et qu'on le laissât tranquille.

— Bien ; maintenant, voici ce dont il s'agit, monseigneur. Vous avez vu M. d'Artagnan à Paris, n'est-ce pas ?

— Certes, et c'est un homme d'esprit et même un homme de cœur, bien qu'il m'ait fait tuer nos chers amis Lyodot et d'Emerys.

— Hélas ! oui, je le sais ; j'ai rencontré à Tours le courrier qui m'apportait la lettre de Gourville et les dépêches de Pellisson. Avez-vous bien réfléchi à cet événement, monsieur ?

— Oui.

— Et vous avez compris que c'était une attaque directe à votre souveraineté ?

— Croyez-vous ?

— Oh ! oui, je le crois.

— Eh bien ! je vous l'avouerai, cette sombre idée m'est venue, à moi aussi.

— Ne vous aveuglez pas, monsieur, au nom du Ciel, écoutez bien... j'en reviens à d'Artagnan.

— J'écoute.

— Dans quelle circonstance l'avez-vous vu ?

— Il est venu chercher de l'argent.

— Avec quelle ordonnance ?

— Avec un bon du roi.

— Direct ?

— Signé de Sa Majesté.

— Voyez-vous ! Eh bien ! d'Artagnan est venu à Belle-Ile ; il était déguisé, il passait pour un intendant quelconque chargé par son maître d'acheter des salines. Or, d'Artagnan n'a pas d'autre maître que le roi ; il venait donc comme envoyé du roi. Il a vu Porthos.

— Qu'est-ce que Porthos ?

— Pardon, je me trompe. Il a vu M. du Vallon à Belle-Ile, et il sait, comme vous et moi, que Belle-Ile est fortifiée.

— Et vous croyez que le roi l'aurait envoyé ? dit Fouquet tout pensif.

— Assurément.

— Et d'Artagnan aux mains du roi est un instrument dangereux ?

— Le plus dangereux de tous.

— Je l'ai donc bien jugé du premier coup d'œil.

— Comment cela ?

— J'ai voulu me l'attacher.

— Si vous avez jugé que ce fût l'homme de France le plus brave, le plus fin et le plus adroit, vous l'avez bien jugé.

— Il faut donc l'avoir à tout prix !

— D'Artagnan ?

— N'est-ce pas votre avis ?

— C'est mon avis ; mais vous ne l'aurez pas.

— Pourquoi ?

— Parce que nous avons laissé passer le temps. Il était en dissentiment avec la cour, il fallait profiter de ce dissentiment ; depuis il a passé en Angleterre, depuis il a puissamment contribué à la restauration, depuis il a gagné une fortune, depuis enfin il est rentré au service du roi. Eh bien ! s'il est rentré au service du roi, c'est qu'on lui a bien payé ce service.

— Nous le paierons davantage, voilà tout.

— Oh ! monsieur, permettez ; d'Artagnan a une parole, et, une fois engagée, cette parole demeure où elle est.

— Que concluez-vous de cela ? dit Fouquet avec inquiétude.

— Que pour le moment il s'agit de parer un coup terrible.

— Et comment le parez-vous ?

— Attendez... d'Artagnan va venir rendre compte au roi de sa mission.

— Oh ! nous avons le temps d'y penser.

— Comment cela ?

— Vous avez bonne avance sur lui, je présume ?

— Dix heures à peu près.

— Eh bien ! en dix heures...

— Aramis secoua sa tête pâle.

— Voyez ces nuages qui courent au ciel, ces hirondelles qui fendent l'air : d'Artagnan va plus vite que le nuage et que l'oiseau ; d'Artagnan, c'est le vent qui les emporte.

— Allons donc !

— Je vous dis que c'est quelque chose de surhumain que cet homme, monsieur ; il est de mon âge, et je le connais depuis trente-cinq ans.

— Eh bien ?

— Eh bien ! écoutez mon calcul, monsieur : je vous ai expédié M. du Vallon à deux heures de la nuit ; M. du Vallon avait huit heures d'avance sur moi. Quand M. du Vallon est-il arrivé ?

— Voilà quatre heures, à peu près.

— Vous voyez bien, j'ai gagné quatre heures sur lui, et cependant c'est un rude cavalier que Porthos, et cependant il a tué sur la route huit chevaux dont j'ai retrouvé les cadavres. Moi, j'ai couru la poste cinquante lieues, mais j'ai la goutte, la gravelle, que sais-je ? de sorte que la fatigue me tue. J'ai dû descendre à Tours ; depuis, roulant en carrosse à moitié mort, à moitié versé, souvent traîné sur les flancs, parfois sur le dos de la voiture, toujours au galop de quatre chevaux furieux, je suis arrivé, arrivé gagnant quatre heures sur Porthos ; mais, voyez-vous, d'Artagnan ne pèse pas trois cents livres comme Porthos, d'Artagnan n'a pas la goutte et la gravelle comme moi : ce n'est pas un cavalier, c'est un centaure ; d'Artagnan, voyez-vous, parti pour Belle-Ile quand je partais pour Paris, d'Artagnan, malgré dix heures d'avance que j'ai sur lui, d'Artagnan arrivera deux heures après moi.

— Mais enfin, les accidents ?

— Il n'y a pas d'accidents pour lui.

— Si les chevaux manquent ?

— Il courra plus vite que les chevaux.

— Quel homme, bon Dieu !

— Oui, c'est un homme que j'aime et que j'admire ; je l'aime, parce qu'il est bon, grand, loyal ; je l'admire, parce qu'il représente pour moi le point culminant de la puissance humaine ; mais, tout en l'aimant, tout en l'admirant, je le crains et je le prévois. Donc, je me résume, monsieur : dans deux heures, d'Artagnan sera ici ; prenez les devants, courez au Louvre, voyez le roi avant qu'il voie d'Artagnan.

— Que dirai-je au roi ?

— Rien ; donnez-lui Belle-Ile.

— Oh ! monsieur d'Herblay, monsieur d'Herblay ! s'écria Fouquet, que de projets manqués tout à coup !

— Après un projet avorté, il y a toujours un autre projet que l'on peut mener à bien ! Ne désespérons jamais, et allez, monsieur, allez vite.

— Mais cette garnison si soigneusement triée, le roi la fera changer tout de suite.

— Cette garnison, monsieur, était au roi quand elle entra dans Belle-Ile ; elle est à vous aujourd'hui : il en sera de même pour toutes les garnisons après quinze jours d'occupation. Laissez faire, monsieur. Voyez-vous inconvénient à avoir une armée à vous au bout d'un an au lieu d'un ou deux régiments ? Ne voyez-vous pas que votre garnison d'aujourd'hui vous fera des partisans à La Rochelle, à Nantes, à Bordeaux, à Toulouse, partout où on l'enverra ? Allez au roi, monsieur, allez, le temps s'écoule, et d'Artagnan, pendant que nous perdons notre temps, vole comme une flèche sur le grand chemin.

— Monsieur d'Herblay, vous savez que toute parole de vous est un germe qui fructifie dans ma pensée ; je vais au Louvre.

— A l'instant même, n'est-ce pas ?

— Je ne vous demande que le temps de changer d'habits.

— Rappelez-vous que d'Artagnan n'a pas besoin de passer par Saint-Mandé, lui, mais qu'il se rendra tout droit au Louvre ; c'est une heure à retrancher sur l'avance qui nous reste.

— D'Artagnan peut tout avoir, excepté mes chevaux anglais ; je serai au Louvre dans vingt-cinq minutes.

— Et, sans perdre une seconde, Fouquet commanda le départ.

Aramis n'eut que le temps de lui dire :

— Revenez aussi vite que vous serez parti, car je vous attends avec impatience.

Cinq minutes après, le surintendant volait vers Paris.

Pendant ce temps, Aramis se faisait indiquer la chambre où reposait Porthos.

A la porte du cabinet de Fouquet, il fut serré dans les bras de Pellisson, qui venait d'apprendre son arrivée et quittait les bureaux pour le voir.

Aramis reçut, avec cette dignité amicale qu'il savait si bien prendre, ces caresses aussi respectueuses qu'empressées ; mais tout à coup, s'arrêtant sur le palier :

— Qu'entends-je là-haut ? demanda-t-il.

On entendait, en effet, un rauquement sourd pareil à celui d'un tigre affamé ou d'un lion impatient.

— Oh ! ce n'est rien, dit Pellisson en souriant.

— Mais enfin ?...

— C'est M. du Vallon qui ronfle.

— En effet, dit Aramis, il n'y avait que lui capable de faire un tel bruit. Vous permettez, Pellisson, que je m'informe s'il ne manque de rien ?

— Et vous, permettez-vous que je vous accompagne ?

— Comment donc !

Tous deux entrèrent dans la chambre.

Porthos était étendu sur un lit, la face violette plutôt que rouge, les yeux gonflés, la bouche béante. Ce rugissement qui s'échappait des profondes cavités de sa poitrine faisait vibrer les carreaux des fenêtres.

A ses muscles tendus et sculptés en saillie sur sa face, à ses cheveux collés de sueur, aux énergiques soulèvements de son menton et de ses épaules, on ne pouvait refuser une certaine admiration : la force poussée à ce point, c'est presque de la divinité.

Les jambes et les pieds herculéens de Porthos avaient, en se gonflant, fait craquer ses bottes de cuir ; toute la force de son énorme corps s'était convertie en une rigidité de pierre. Porthos ne remuait pas plus que le géant de granit couché dans la plaine d'Agrigente[1].

Sur l'ordre de Pellisson, un valet de chambre s'occupa[2] de couper les bottes de Porthos, car nulle puissance au monde n'eût pu les lui arracher.

Quatre laquais y avaient essayé en vain, tirant à eux comme des cabestans.

Ils n'avaient pas même réussi à réveiller Porthos.

On lui enleva ses bottes par lanières, et ses jambes retombèrent sur le lit ; on lui coupa le reste de ses habits, on le porta dans un bain, on l'y laissa une heure, puis on le revêtit de linge blanc et on l'introduisit dans un lit bassiné, le tout avec des efforts et des peines qui eussent incommodé un mort, mais qui ne firent pas même ouvrir l'œil à Porthos et n'interrompirent pas une seconde l'orgue formidable de ses ronflements.

Aramis voulait, de son côté, nature sèche et nerveuse, armée d'un courage exquis, braver aussi la fatigue et travailler avec Gourville et Pellisson ; mais il s'évanouit sur la chaise où il s'était obstiné à rester.

On l'enleva pour le porter dans une chambre voisine, où le repos du lit ne tarda point à provoquer le calme de la tête.

---

1. « En 1401, Fazello, le chroniqueur de la Sicile, dit avoir encore vu debout trois des géants qui formaient les cariatides [du temple des Géants]. Ce sont ces trois géants que la Girgenti moderne, en fille fière de sa race, a pris pour armes. Quelques temps après, un tremblement de terre les renversa et aujourd'hui, de toute cette *cour de colosses*, comme le dit la devise de la ville, il ne reste qu'un pauvre géant couché dont on a rapproché les morceaux [...]. Nous mesurâmes ce géant de pierre : il avait de 24 à 25 pieds, y compris ses bras ployés au-dessus de sa tête », A. Dumas, *Le Speronare*, « Le colonel Santa-Croce ».

2. M[2] s'interrompt ici, le f° 76 manquant.

LXXV

OÙ M. FOUQUET AGIT[1]

Cependant Fouquet courait vers le Louvre au grand galop de son attelage anglais.

Le roi travaillait avec Colbert.

Tout à coup le roi demeura pensif. Ces deux arrêts de mort qu'il avait signés en montant sur le trône lui revenaient parfois en mémoire.

C'étaient deux taches de deuil qu'il voyait les yeux ouverts ; deux taches de sang qu'il voyait les yeux fermés[2].

— Monsieur, dit-il tout à coup à l'intendant, il me semble parfois que ces deux hommes que vous avez fait condamner n'étaient pas de bien grands coupables.

— Sire, ils avaient été choisis dans le troupeau des traitants, qui avait besoin d'être décimé.

— Choisis par qui ?

— Par la nécessité, sire, répondit froidement Colbert.

— La nécessité ! grand mot ! murmura le jeune roi.

— Grande déesse, sire.

— C'étaient des amis fort dévoués au surintendant, n'est-ce pas ?

— Oui, sire, des amis qui eussent donné leur vie pour M. Fouquet.

— Ils l'ont donnée, monsieur, dit le roi.

— C'est vrai, mais inutilement, par bonheur, ce qui n'était pas leur intention.

— Combien ces hommes avaient-ils dilapidé d'argent ?

— Dix millions peut-être, dont six ont été confisqués sur eux.

— Et cet argent est dans mes coffres ? demanda le roi avec un certain sentiment de répugnance.

— Il y est, sire ; mais cette confiscation, tout en menaçant M. Fouquet, ne l'a point atteint.

— Vous concluez, monsieur Colbert ?...

— Que si M. Fouquet a soulevé contre Votre Majesté une troupe de factieux pour arracher ses amis au supplice, il soulèvera une armée quand il s'agira de se soustraire lui-même au châtiment.

Le roi fit jaillir sur son confident un de ces regards qui ressemblent au feu sombre d'un éclair d'orage ; un de ces regards qui vont illuminer les ténèbres des plus profondes consciences.

---

1. M[1] : f°s 77-85 ; M[2] : f°s 77-78.

2. M[1] : barré, « ... deux taches de *sang*, qu'il voyait les yeux ouverts *pendant sa veille* ; deux taches de sang qu'il voyait les yeux fermés *pendant son sommeil.* »

— Je m'étonne, dit-il, que, pensant sur M. Fouquet de pareilles choses, vous ne veniez pas me donner un avis.

— Quel avis, sire ?

— Dites-moi d'abord, clairement et précisément, ce que vous pensez, monsieur Colbert.

— Sur quoi ?

— Sur la conduite de M. Fouquet.

— Je pense, sire, que M. Fouquet, non content d'attirer à lui l'argent, comme faisait M. de Mazarin, et de priver par là Votre Majesté d'une partie de sa puissance, veut encore attirer à lui tous les amis de la vie facile et des plaisirs, de ce qu'enfin les fainéants appellent la poésie, et les politiques la corruption ; je pense qu'en soudoyant les sujets de Votre Majesté il empiète sur la prérogative royale, et ne peut, si cela continue ainsi, tarder à reléguer Votre Majesté parmi les faibles et les obscurs.

— Comment qualifie-t-on tous ces projets, monsieur Colbert ?

— Les projets de M. Fouquet, sire ?

— Oui[1].

— On les nomme crimes de lèse-majesté.

— Et que fait-on aux criminels de lèse-majesté ?

— On les arrête, on les juge, on les punit.

— Vous êtes bien sûr que M. Fouquet a conçu la pensée des crimes[2] que vous lui imputez ?

— Je dirai plus, sire, il y a eu chez lui commencement d'exécution.

— Eh bien ! j'en reviens à ce que je disais, monsieur Colbert.

— Et vous disiez, sire ?

— Donnez-moi un conseil.

— Pardon, sire, mais auparavant j'ai encore quelque chose à ajouter.

— Dites.

— Une preuve évidente, palpable, matérielle de trahison.

— Laquelle ?

— Je viens d'apprendre que M. Fouquet fait fortifier Belle-Ile-en-Mer.

— Ah ! vraiment !

— Oui, sire.

— Vous en êtes sûr ?

— Parfaitement ; savez-vous, sire, ce qu'il y a de soldats à Belle-Ile ?

— Non, ma foi ; et vous ?

— Je l'ignore, sire, je voulais donc proposer à Votre Majesté d'envoyer quelqu'un à Belle-Ile.

— Qui cela ?

— Moi, par exemple.

1. Fin de M², début du ms. de Detroit Public Library (M² bis), f°s 78-84.

2. M² : « ... *du* crime... »

— Qu'iriez-vous faire à Belle-Ile ?

— M'informer s'il est vrai qu'à l'exemple des anciens seigneurs féodaux, M. Fouquet fait créneler ses murailles.

— Et dans quel but ferait-il cela ?

— Dans le but de se défendre un jour contre son roi.

— Mais s'il en est ainsi, monsieur Colbert, dit Louis, il faut faire tout de suite comme vous disiez : il faut arrêter M. Fouquet.

— Impossible !

— Je croyais vous avoir déjà dit, monsieur, que je supprimais ce mot dans mon service.

— Le service de Votre Majesté ne peut empêcher que M. Fouquet ne soit procureur[1] général.

— Eh bien ?

— Et que par conséquent, par cette charge, il n'ait pour lui tout le Parlement, comme il a toute l'armée par ses largesses, toute la littérature par ses grâces, toute la noblesse par ses présents.

— C'est-à-dire alors que je ne puis rien contre M. Fouquet ?

— Rien absolument, du moins à cette heure, sire.

— Vous êtes un conseiller stérile, monsieur Colbert.

— Oh ! non pas, sire, car je ne me bornerai plus à montrer le péril à Votre Majesté.

— Allons donc ! Par où peut-on saper le colosse ? Voyons !

Et le roi se mit à rire avec amertume.

— Il a grandi par l'argent, tuez-le par l'argent, sire.

— Si je lui enlevais sa charge ?

— Mauvais moyen.

— Le bon, le bon alors ?

— Ruinez-le, sire, je vous le dis.

— Comment cela ?

— Les occasions ne vous manqueront pas, profitez de toutes les occasions.

— Indiquez-les-moi.

— En voici une d'abord. Son Altesse Royale Monsieur va se marier, ses noces doivent être magnifiques. C'est une belle occasion pour votre Majesté de demander un million à M. Fouquet ; M. Fouquet, qui paie des[2] vingt mille livres d'un coup, lorsqu'il n'en doit que cinq, trouvera facilement ce million quand le demandera Votre Majesté.

— C'est bien, je le lui demanderai, fit Louis XIV.

— Si Votre Majesté veut signer l'ordonnance, je ferai prendre l'argent moi-même.

Et Colbert poussa devant le roi un papier et lui présenta une plume.

1. M^{2bis} : « ... empêcher M. Fouquet *d'être...* » ; texte : « ... *surintendant...* »
2. Texte : « des », omis.

En ce moment, l'huissier entrouvrit la porte et annonça M. le surintendant.

Louis pâlit.

Colbert laissa tomber la plume et s'écarta du roi sur lequel il étendait ses ailes noires de mauvais ange.

Le surintendant fit son entrée en homme de cour, à qui un seul coup d'œil suffit pour apprécier une situation.

Cette situation n'était pas rassurante pour Fouquet, quelle que fût la conscience de sa force. Le petit œil noir de Colbert, dilaté par l'envie, et l'œil limpide de Louis XIV, enflammé par la colère, signalaient un danger pressant.

Les courtisans sont, pour les bruits de cour, comme les vieux soldats qui distinguent, à travers les rumeurs du vent et des feuillages, le retentissement lointain des pas d'une troupe armée ; ils peuvent, après avoir écouté, dire à peu près combien d'hommes marchent, combien d'armes sonnent[1], combien de canons roulent.

Fouquet n'eut donc qu'à interroger le silence qui s'était fait à son arrivée : il le trouva gros de menaçantes révélations.

Le roi lui laissa tout le temps de s'avancer jusqu'au milieu de la chambre.

Sa pudeur adolescente lui commandait cette abstention du moment.

Fouquet saisit hardiment l'occasion.

— Sire, dit-il, j'étais impatient de voir Votre Majesté.

— Pourquoi cela, monsieur[2] ? demanda Louis.

— Pour lui annoncer une bonne nouvelle.

Colbert, moins la grandeur de la personne, moins la largesse du cœur, ressemblait en beaucoup de points à Fouquet.

Même pénétration, même habitude des hommes. De plus, cette grande force de contraction, qui donne aux hypocrites le temps de réfléchir et de se ramasser pour prendre du ressort.

Il devina que Fouquet marchait au-devant du coup qu'il allait lui porter.

Ses yeux brillèrent.

— Quelle nouvelle ? demanda le roi.

Fouquet déposa un rouleau de papier sur la table.

— Que Votre Majesté veuille bien jeter les yeux sur ce travail, dit-il.

Le roi déplia lentement le rouleau.

— Des plans ? dit-il.

— Oui, sire.

— Et quels sont ces plans ?

— Une fortification nouvelle, sire.

---

1. Texte : « ... *résonnent*... »
2. M[2bis] : « *Et pourquoi* ? »

— Ah ! ah ! fit le roi, vous vous occupez donc de tactique et de stratégie, monsieur Fouquet.

— Je m'occupe de tout ce qui peut être utile au règne de Votre Majesté, répliqua Fouquet.

— Belles images ! dit le roi en regardant le dessin.

— Votre Majesté comprend sans doute, dit Fouquet en s'inclinant sur le papier : ici est la ceinture de murailles, ici[1] les forts, là les ouvrages avancés.

— Et que vois-je là, monsieur ?

— La mer.

— La mer tout autour ?

— Oui, sire.

— Et quelle est donc cette place dont vous me montrez le plan ?

— Sire, c'est Belle-Ile-en-Mer, répondit Fouquet avec simplicité.

A ce mot, à ce nom, Colbert fit un mouvement si marqué que le roi se retourna pour lui commander[2] la réserve.

Fouquet ne parut pas s'être ému le moins du monde du mouvement de Colbert, ni du signe du roi.

— Monsieur, continua Louis, vous avez donc fait fortifier Belle-Ile ?

— Oui, sire, et j'en apporte les devis et les comptes à Votre Majesté, répliqua Fouquet ; j'ai dépensé seize cent mille livres à cette opération.

— Pour quoi faire ? répliqua froidement Louis qui avait puisé de l'initiative dans un regard haineux de l'intendant.

— Pour un but assez facile à saisir, répondit Fouquet, Votre Majesté était en froid avec la Grande-Bretagne.

— Oui ; mais depuis la restauration du roi Charles II, j'ai fait alliance avec elle.

— Depuis un mois, sire, Votre Majesté l'a bien dit ; mais il y a près de six mois que les fortifications de Belle-Ile sont commencées.

— Alors elles sont devenues inutiles.

— Sire, des fortifications ne sont jamais inutiles. J'avais fortifié Belle-Ile contre MM. Monck et Lambert et tous ces bourgeois de Londres qui jouaient au soldat. Belle-Ile se trouvera toute fortifiée contre les Hollandais à qui ou l'Angleterre ou Votre Majesté ne peut manquer de faire la guerre.

Le roi se tut encore une fois et regarda en dessous Colbert.

— Belle-Ile, je crois, ajouta Louis, est à vous, monsieur Fouquet ?

— Non, sire.

— A qui donc alors ?

— A Votre Majesté.

---

1. Texte : « ... *là sont* les forts... »
2. Texte : « ... *recommander* la réserve. »

Colbert fut saisi d'effroi comme si un gouffre se fût ouvert sous ses pieds.

Louis tressaillit d'admiration, soit pour le génie, soit pour le dévouement de Fouquet.

— Expliquez-vous, monsieur, dit-il.

— Rien de plus facile, sire ; Belle-Ile est une terre à moi ; je l'ai fortifiée de mes deniers ; mais comme rien au monde ne peut s'opposer à ce qu'un sujet fasse un humble présent à son roi, j'offre à Votre Majesté la propriété de la terre dont elle me laissera l'usufruit. Belle-Ile, place de guerre, doit être occupée par le roi ; Sa Majesté, désormais, pourra y tenir une sûre garnison.

Colbert se laissa presque entièrement aller sur le parquet glissant. Il eut besoin, pour ne pas tomber, de se tenir aux colonnes de la boiserie.

— C'est une grande habileté d'homme de guerre que vous avez témoignée là, monsieur, dit Louis XIV.

— Sire, l'initiative n'est pas venue de moi, répondit Fouquet ; beaucoup d'officiers me l'ont inspirée ; les plans eux-mêmes ont été faits par un ingénieur des plus distingués.

— Son nom ?

— M. du Vallon.

— M. du Vallon ? reprit Louis. Je ne le connais pas. Il est fâcheux, monsieur Colbert, continua-t-il, que je ne connaisse pas le nom des hommes de talent qui honorent mon règne.

Et en disant ces mots, il se retourna vers Colbert.

Celui-ci se sentait écrasé, la sueur lui coulait du front, aucune parole ne se présentait à ses lèvres, il souffrait un martyre inexprimable.

— Vous retiendrez ce nom, ajouta Louis XIV.

Colbert s'inclina, plus pâle que ses manchettes de dentelles de Flandre.

Fouquet continua :

— Les maçonneries sont de mastic romain ; des architectes[1] me l'ont composé d'après les relations de l'Antiquité.

— Et les canons ? demanda Louis.

— Oh ! sire, ceci regarde Votre Majesté, il ne m'appartient pas de mettre des canons chez moi, sans que Votre Majesté m'ait dit qu'elle était chez elle.

Louis commençait à flotter indécis entre la haine que lui inspirait cet homme si puissant et la pitié que lui inspirait cet autre homme abattu, qui lui semblait une contrefaçon[2] du premier.

Mais la conscience de son devoir de roi l'emporta sur les sentiments de l'homme.

Il allongea son doigt sur le papier.

1. M^{2bis} : « ... des *acheteurs* me l'ont... »
2. M^{2bis} : « ... *la* contrefaçon... »

— Ces plans ont dû vous coûter beaucoup d'argent à exécuter? dit-il.

— Je croyais avoir eu l'honneur de dire le chiffre à Votre Majesté.

— Redites, je l'ai oublié.

— Seize cent mille livres.

— Seize cent mille livres ! Vous êtes énormément riche, monsieur Fouquet.

— C'est Votre Majesté qui est riche, dit le surintendant, puisque Belle-Ile est à elle.

— Oui, merci ; mais si riche que je sois, monsieur Fouquet...

Le roi s'arrêta.

— Eh bien ! sire ?... demanda le surintendant.

— Je prévois le moment où je manquerai d'argent.

— Vous, sire ?

— Oui, moi.

— Et à quel moment donc ?

— Demain, par exemple.

— Que Votre Majesté me fasse l'honneur de s'expliquer.

— Mon frère épouse Madame d'Angleterre.

— Eh bien, sire ?

— Eh bien ! je dois faire à la jeune princesse une réception digne de la petite-fille de Henri IV.

— C'est trop juste, sire.

— J'ai donc besoin d'argent.

— Sans doute.

— Et il me faudrait...

Louis XIV hésita. La somme qu'il avait à demander était juste celle qu'il avait été obligé de refuser à Charles II.

Il se tourna vers Colbert pour qu'il donnât le coup.

— Il me faudrait demain... répéta-t-il en regardant Colbert.

— Un million, dit brutalement celui-ci enchanté de reprendre sa revanche.

Fouquet tournait le dos à l'intendant pour écouter le roi. Il ne se retourna même point et attendit que le roi répétât ou plutôt murmurât :

— Un million.

— Oh ! sire, répondit dédaigneusement Fouquet, un million ! que fera Votre Majesté avec un million ?

— Il me semble cependant... dit Louis XIV.

— C'est ce qu'on dépense aux noces d'un petit prince d'Allemagne[1].

— Monsieur...

— Il faut deux millions au moins à Votre Majesté. Les chevaux seuls

1. M^{2bis} : « ... *du* petit prince... » ; texte : « ... *du plus* petit prince... »

emporteront cinq cent mille livres. J'aurai l'honneur d'envoyer ce soir seize cent mille livres à Votre Majesté.

— Comment, dit le roi, seize cent mille livres !

— Attendez, sire, répondit Fouquet sans même se retourner vers Colbert, je sais qu'il manque quatre cent mille livres. Mais ce monsieur de l'intendance (et par-dessus son épaule il montrait du pouce Colbert, qui pâlissait derrière lui), mais ce monsieur de l'intendance... a dans sa caisse neuf cent mille livres à moi.

Le roi se retourna pour regarder Colbert[1].

— Mais... dit celui-ci.

— Monsieur, poursuivit Fouquet toujours parlant indirectement à Colbert, Monsieur a reçu il y a huit jours seize cent mille livres ; il a payé cent mille livres aux haras[2], soixante-quinze mille aux hôpitaux, vingt-cinq mille aux Suisses, cent trente mille aux vivres, mille aux armes, dix mille aux menus frais ; je ne me trompe donc point en comptant sur neuf cent mille livres qui restent.

Alors, se tournant à demi vers Colbert, comme fait un chef dédaigneux vers son inférieur :

— Ayez soin, monsieur, dit-il, que ces neuf cent mille livres soient remises ce soir en or à Sa Majesté.

— Mais, dit le roi, cela fera deux millions cinq cent mille livres ?

— Sire, les cinq cent mille livres de plus seront la monnaie de poche de Son Altesse Royale. Vous entendez, monsieur Colbert, ce soir, avant huit heures.

Et sur ces mots, saluant le roi avec respect, le surintendant fit à reculons sa sortie sans honorer d'un seul regard l'envieux auquel il venait d'écraser[3] à moitié la tête.

Colbert déchira de rage son point de Flandre et mordit ses lèvres jusqu'au sang.

Fouquet n'était pas à la porte du cabinet que l'huissier[4], passant à côté de lui, cria :

— Un courrier de Bretagne pour Sa Majesté.

— M. d'Herblay avait raison, murmura Fouquet en tirant sa montre : une heure cinquante-cinq minutes. Il était temps !

1. Fin de M^{2bis}.
2. Texte : « ... aux *gardes*... »
3. Texte, Pr. : « ... il venait *de raser*... »
4. M^1 : barré : « ouvrant la porte opposée à celle par laquelle il sortait ».

LXXVI

OÙ D'ARTAGNAN FINIT PAR METTRE ENFIN LA MAIN SUR SON BREVET DE CAPITAINE[1]

Le lecteur sait d'avance qui l'huissier annonçait en annonçant le messager de Bretagne.

Ce messager, il était facile de le reconnaître.

C'était d'Artagnan, l'habit poudreux, le visage enflammé, les cheveux dégouttants de sueur, les jambes roidies ; il levait péniblement les pieds à la hauteur de chaque marche sur laquelle résonnaient ses éperons ensanglantés.

Il apparut sur le seuil, au moment où le franchissait M. le surintendant[2].

Fouquet salua avec un sourire celui qui, une heure plus tôt, lui amenait la ruine ou la mort.

D'Artagnan trouva dans sa bonté d'âme et dans son inépuisable vigueur corporelle assez de présence d'esprit pour se rappeler le bon accueil de cet homme ; il le salua donc aussi, bien plutôt par bienveillance et par compassion que par respect.

Il se sentit sur les lèvres ce mot qui tant de fois avait été répété au duc de Guise : « Fuyez ! »

Mais prononcer ce mot, c'eût été trahir une cause ; dire ce mot dans le cabinet du roi et devant un huissier, c'eût été se perdre gratuitement sans sauver personne.

D'Artagnan se contenta donc de saluer Fouquet sans lui parler et entra.

En ce moment même, le roi flottait entre la surprise où venaient de le jeter les dernières paroles de Fouquet et le plaisir du retour de d'Artagnan.

Sans être courtisan, d'Artagnan avait le regard aussi sûr et aussi rapide que s'il l'eût été.

Il lut en entrant l'humiliation dévorante imprimée au front de Colbert.

Il put même entendre ces mots que lui disait le roi :

— Ah ! monsieur Colbert, vous aviez donc neuf cent mille livres à la surintendance ?

Colbert, suffoqué, s'inclinait sans répondre.

Toute cette scène entra donc dans l'esprit de d'Artagnan par les yeux et par les oreilles à la fois.

---

1. M[1] : f°s 86-93.
2. Texte : « Il *aperçut* sur le seuil au moment où *il* le franchissait le surintendant. »

Le premier mot de Louis XIV à son mousquetaire, comme s'il eût voulu faire opposition à ce qu'il disait en ce moment, fut un bonjour affectueux.

Puis son second un congé à Colbert.

Ce dernier sortit du cabinet du roi, livide et chancelant, tandis que d'Artagnan retroussait les crocs de ses moustaches[1].

— J'aime à voir dans ce désordre un de mes serviteurs, dit le roi, admirant la martiale souillure des habits de son envoyé.

— En effet, sire, dit d'Artagnan, j'ai cru ma présence assez urgente au Louvre pour me présenter ainsi devant vous.

— Vous m'apportez donc de grandes nouvelles, monsieur ? demanda le roi en souriant.

— Sire, voici la chose en deux mots : Belle-Ile est fortifiée, admirablement fortifiée ; Belle-Ile a une double enceinte, une citadelle, deux forts détachés ; son port renferme trois corsaires, et ses batteries de côte n'attendent plus que du canon.

— Je sais tout cela, monsieur, répondit le roi.

— Ah ! Votre Majesté sait tout cela ? fit le mousquetaire stupéfait.

— J'ai le plan des fortifications de Belle-Ile, dit le roi.

— Votre Majesté a le plan ?...

— Le voici.

— En effet, sire, dit d'Artagnan, c'est bien cela, et là-bas j'ai vu le pareil.

Le front de d'Artagnan se rembrunit.

— Ah ! je comprends, Votre Majesté ne s'est pas fiée à moi seul, et elle a envoyé quelqu'un, dit-il d'un ton plein de reproche.

— Qu'importe, monsieur, de quelle façon j'ai appris ce que je sais, du moment où[2] je sais ?

— Soit, sire, reprit le mousquetaire, sans chercher même à déguiser son mécontentement ; mais je me permettrai de dire à Votre Majesté que ce n'était point la peine de me faire tant courir, de risquer vingt fois de me rompre les os, pour me saluer en arrivant ici d'une pareille nouvelle. Sire, quand on se défie des gens, ou quand on les croit insuffisants, on ne les emploie pas.

Et d'Artagnan, par un mouvement tout militaire, frappa du pied et fit tomber sur le parquet une poussière sanglante.

Le roi le regardait et jouissait intérieurement de son premier triomphe.

— Monsieur, dit-il au bout d'un instant, non seulement Belle-Ile m'est connue, mais encore Belle-Ile est à moi.

— C'est bon, c'est bon, sire ; je ne vous en demande pas davantage, répondit d'Artagnan. Mon congé !

1. Texte : « ... *sa* moustache. »
2. Texte : « ... *que* je sais ? »

— Comment ! votre congé ?

— Sans doute. Je suis trop fier pour manger le pain du roi sans le gagner, ou plutôt pour le gagner mal. Mon congé, sire !

— Oh ! oh !

— Mon congé, ou je le prends.

— Vous vous fâchez, monsieur ?

— Il y a de quoi, mordioux ! Je reste en selle trente-deux heures, je cours jour et nuit, je fais des prodiges de vitesse, j'arrive roide comme un pendu, et un autre est arrivé avant moi ! Allons ! je suis un niais. Mon congé, sire !

— Monsieur d'Artagnan, dit Louis XIV en appuyant sa main blanche sur le bras poudreux du mousquetaire, ce que je viens de vous dire ne nuira en rien à ce que je vous ai promis. Parole donnée, parole tenue.

Et le jeune roi, allant droit à sa table, ouvrit un tiroir et y prit un papier plié en quatre.

— Voici votre brevet de capitaine des mousquetaires ; vous l'avez gagné, dit-il, monsieur d'Artagnan.

D'Artagnan ouvrit vivement le papier et le regarda à deux fois. Il ne pouvait en croire ses yeux.

— Et ce brevet, continua le roi, vous est donné, non seulement pour votre voyage à Belle-Ile, mais encore pour votre brave intervention à la place de Grève. Là, en effet, vous m'avez servi bien vaillamment.

— Ah ! ah ! dit d'Artagnan, sans que sa puissance sur lui-même pût empêcher une certaine rougeur de lui monter aux yeux ; vous savez aussi cela, sire ?

— Oui, je le sais.

Le roi avait le regard perçant et le jugement infaillible, quand il s'agissait de lire dans une conscience.

— Vous avez quelque chose, dit-il au mousquetaire, quelque chose à dire et que vous ne dites pas. Voyons, parlez franchement, monsieur : vous savez que je vous ai dit, une fois pour toutes, que vous aviez toute franchise avec moi.

— Eh bien ! sire, ce que j'ai, c'est que j'aimerais mieux être nommé capitaine des mousquetaires pour avoir chargé à la tête de ma compagnie, fait taire une batterie ou pris une ville, que pour avoir fait pendre deux malheureux.

— Est-ce bien vrai, ce que vous me dites là ?

— Et pourquoi Votre Majesté me soupçonnerait-elle de dissimulation, je le lui demande ?

— Parce que, si je vous connais bien, monsieur, vous ne pouvez vous repentir d'avoir tiré l'épée pour moi.

— Eh bien ! c'est ce qui vous trompe, sire, et grandement ; oui, je me repens d'avoir tiré l'épée à cause des résultats que cette action a amenés ; ces pauvres gens qui sont morts, sire, n'étaient ni vos ennemis ni les miens, et ils ne se défendaient pas.

Le roi garda un moment le silence.

— Et votre compagnon, monsieur d'Artagnan, partage-t-il votre repentir ?

— Mon compagnon ?

— Oui, vous n'étiez pas seul, ce me semble.

— Seul ? où cela ?

— A la place de Grève.

— Non, sire, non, dit d'Artagnan, rougissant à ce soupçon[1] que le roi pouvait avoir l'idée que lui, d'Artagnan, avait voulu accaparer pour lui seul la gloire qui revenait à Raoul ; non, mordioux ! et, comme dit Votre Majesté, j'avais un compagnon, et même un bon compagnon.

— Un jeune homme ?

— Oui, sire, un jeune homme. Oh ! mais j'en fais compliment à Votre Majesté, elle est aussi bien informée du dehors que du dedans. C'est M. Colbert qui fait au roi tous ces beaux rapports ?

— M. Colbert ne m'a dit que du bien de vous, monsieur d'Artagnan, et il eût été malvenu à m'en dire autre chose.

— Ah ! c'est heureux !

— Mais il a dit aussi beaucoup de bien de ce jeune homme.

— Et c'est justice, dit le mousquetaire.

— Enfin, il paraît que ce jeune homme est un brave, dit Louis XIV, pour aiguiser ce sentiment qu'il prenait pour du dépit.

— Un brave, oui, sire, répéta d'Artagnan, enchanté, de son côté, de pousser le roi sur le compte de Raoul.

— Savez-vous son nom ?

— Mais je pense...

— Vous le connaissez donc ?

— Depuis à peu près vingt-cinq ans, oui, sire.

— Mais il a vingt-cinq ans à peine ! s'écria le roi.

— Eh bien ! sire, je le connais depuis sa naissance, voilà tout[2].

— Vous m'affirmez cela ?

— Sire, dit d'Artagnan, Votre Majesté m'interroge avec une défiance dans laquelle je reconnais un tout autre caractère que le sien. M. Colbert, qui vous a si bien instruit, a-t-il donc oublié de vous dire que ce jeune homme était le fils de mon ami intime ?

— Le vicomte de Bragelonne ?

— Eh ! certainement, sire : le vicomte de Bragelonne a pour père M. le comte de La Fère, qui a si puissamment aidé à la restauration du roi Charles II. Oh ! Bragelonne est d'une race de vaillants, sire.

---

1. Texte : « ... *au* soupçon... »

2. D'Artagnan ne découvre l'existence de Raoul que lorsqu'il a quinze ans, en 1648. Voir *Vingt Ans après*, chap. XV.

— Alors il est le fils de ce seigneur qui m'est venu trouver, ou plutôt qui est venu trouver M. de Mazarin, de la part du roi Charles II, pour nous offrir son alliance[1] ?

— Justement.

— Et c'est un brave que ce comte de La Fère, dites-vous ?

— Sire, c'est un homme qui a plus de fois tiré l'épée pour le roi votre père qu'il n'y a encore de jours dans la vie bienheureuse de Votre Majesté.

Ce fut Louis XIV qui se mordit les lèvres à son tour.

— Bien, monsieur d'Artagnan, bien ! Et M. le comte de La Fère est votre ami ?

— Mais depuis tantôt quarante ans, oui, sire. Votre Majesté voit que je ne lui parle pas d'hier.

— Seriez-vous content de voir ce jeune homme, monsieur d'Artagnan ?

— Enchanté, sire.

Le roi frappa sur son timbre. Un huissier parut.

— Appelez M. de Bragelonne, dit le roi.

— Ah ! ah ! il est ici ? fit[2] d'Artagnan.

— Il est de garde aujourd'hui au Louvre avec la compagnie des gentilshommes de M. le prince.

Le roi achevait à peine, quand Raoul se présenta, et, voyant d'Artagnan, lui sourit de ce charmant sourire qui ne se trouve que sur les lèvres de la jeunesse.

— Allons, allons, dit familièrement d'Artagnan à Raoul, le roi permet que tu m'embrasses ; seulement, dis à Sa Majesté que tu la remercies.

Raoul s'inclina si gracieusement, que Louis, à qui toutes les supériorités savaient plaire lorsqu'elles n'affectaient rien contre la sienne, admira cette beauté, cette vigueur et cette modestie.

— Monsieur, dit le roi s'adressant à Raoul, j'ai demandé à M. le prince qu'il veuille bien vous céder à moi ; j'ai reçu sa réponse ; vous m'appartenez donc dès ce matin. M. le prince était bon maître ; mais j'espère bien que vous ne perdez[3] pas au change.

— Oui, oui, Raoul, sois tranquille, le roi a du bon, dit d'Artagnan, qui avait deviné le caractère de Louis et qui jouait avec son amour-propre dans certaines limites, bien entendu, réservant toujours les convenances et flattant, lors même qu'il semblait railler.

— Sire, dit alors Bragelonne d'une voix douce et pleine de charmes, avec cette élocution naturelle et facile qu'il tenait de son père ; sire, ce n'est point d'aujourd'hui que je suis à Votre Majesté.

— Oh ! je sais cela, dit le roi, et vous voulez parler de votre expédition

1. Voir ci-dessus, chap. XL.
2. Texte : « ... *dit* d'Artagnan. »
3. Texte : « ... vous ne perd*rez*... »

de la place de Grève. Ce jour-là, en effet, vous fûtes bien à moi, monsieur.

— Sire, ce n'est point non plus de ce jour que je parle ; il ne me siérait point de rappeler un service si mince[1] en présence d'un homme comme M. d'Artagnan ; je voulais parler d'une circonstance qui a fait époque dans ma vie et qui m'a consacré, dès l'âge de seize ans, au service dévoué de Votre Majesté.

— Ah ! ah ! dit le roi, et quelle est cette circonstance, dites, monsieur ?

— La voici... Lorsque je partis pour ma première campagne, c'est-à-dire pour rejoindre l'armée de M. le prince, M. le comte de La Fère me vint conduire jusqu'à Saint-Denis, où les restes du roi Louis XIII attendent, sur les derniers degrés de la basilique funèbre, un successeur que Dieu ne lui enverra point, je l'espère avant longues années. Alors il me fit jurer sur la cendre de mes[2] maîtres de servir la royauté, représentée par vous, incarnée en vous, sire, de la servir en pensées, en paroles et en action. Je jurai, Dieu et les morts ont reçu mon serment[3]. Depuis dix ans, sire, je n'ai point eu aussi souvent que je l'eusse désiré l'occasion de le tenir : je suis un soldat de Votre Majesté, pas autre chose, et en m'appelant près d'elle, elle ne me fait pas changer de maître, mais seulement de garnison.

Raoul se tut et s'inclina.

Il avait fini, que Louis XIV écoutait encore.

— Mordioux ! s'écria d'Artagnan, c'est bien dit, n'est-ce pas, Votre Majesté ? Bonne race, sire, grande race !

— Oui, murmura le roi ému, sans oser cependant manifester son émotion, car elle n'avait d'autre cause que le contact d'une nature éminemment aristocratique. Oui, monsieur, vous dites vrai ; partout où vous étiez, vous étiez au roi. Mais en changeant de garnison, vous trouverez, croyez-moi, un avancement dont vous êtes digne.

Raoul vit que là s'arrêtait ce que le roi avait à lui dire. Et avec le tact parfait qui caractérisait cette nature exquise, il s'inclina et sortit.

— Vous reste-t-il encore quelque chose à m'apprendre, monsieur ? dit le roi lorsqu'il se retrouva seul avec d'Artagnan.

— Oui, sire et j'avais gardé cette nouvelle pour la dernière, car elle est triste et va vêtir la royauté européenne de deuil.

— Que me dites-vous ?

— Sire, en passant à Blois, un mot, un triste mot, écho du palais, est venu frapper mon oreille.

— En vérité, vous m'effrayez, monsieur d'Artagnan.

— Sire, ce mot était prononcé par un piqueur qui portait un crêpe au bras.

---

1. Texte : « ... un service si *minime*... »
2. Texte : « ... les cendres de *nos* maîtres... »
3. Voir *Vingt Ans après*, chap. XXVI.

— Mon oncle Gaston d'Orléans, peut-être ?

— Sire, il a rendu le dernier soupir.

— Et je ne suis pas prévenu[1] ! s'écria le roi, dont la susceptibilité royale voyait une insulte dans l'absence de cette nouvelle.

— Oh ! ne vous fâchez point, sire, dit d'Artagnan, les courriers de Paris, les courriers[2] du monde entier ne vont point comme votre serviteur ; le courrier de Blois ne sera pas ici avant deux heures, et il court bien, je vous en réponds, attendu que je ne l'ai rejoint qu'au-delà d'Orléans.

— Mon oncle Gaston, murmura Louis en appuyant la main sur son front et en enfermant dans ces trois mots tout ce que sa mémoire lui rappelait à ce nom de sentiments opposés.

— Eh ! oui, sire, c'est ainsi, dit philosophiquement d'Artagnan, répondant à la pensée royale ; le passé s'envole.

— C'est vrai, monsieur, c'est vrai ; mais il nous reste, Dieu merci, l'avenir, et nous tâcherons de ne pas le faire trop sombre.

— Je m'en rapporte pour cela à Votre Majesté, dit le mousquetaire en s'inclinant. Et maintenant...

— Oui, vous avez raison, monsieur, j'oublie les cent dix lieues que vous venez de faire. Allez, monsieur, prenez soin d'un de mes meilleurs soldats, et, quand vous serez reposé, venez vous mettre à mes ordres.

— Sire, absent ou présent, j'y suis toujours.

D'Artagnan s'inclina et sortit.

Puis, comme s'il fût arrivé de Fontainebleau seulement, il se mit à arpenter le Louvre pour rejoindre Bragelonne.

LXXVII

UN AMOUREUX ET UNE MAITRESSE[3]

Tandis que les cires brûlaient dans le château de Blois autour du corps inanimé de Gaston d'Orléans, ce dernier représentant du passé ; tandis que les bourgeois de la ville faisaient son épitaphe, qui était loin d'être un panégyrique ; tandis que Madame douairière ne se souvenait[4] plus que pendant ses jeunes années elle avait aimé ce cadavre gisant, au point

1. La cour apprit la nouvelle de la mort de Gaston d'Orléans à Aix-en-Provence (février 1660). Voir Mlle de Montpensier, *Mémoires*.
2. Texte : « ... *et* les courriers... »
3. M[1] : f°s 94-100.
4. Texte : « ... tandis que Madame douairière, ne se souven*ant* plus... »

de fuir pour le suivre le palais paternel[1] et faisait, à vingt pas de la salle funèbre, ses petits calculs d'intérêt et ses petits sacrifices d'orgueil, d'autres intérêts et d'autres orgueils s'agitaient dans toutes les parties du château où avait pu pénétrer une âme vivante.

Ni les sons lugubres des cloches, ni les voix des chantres, ni l'éclat des cierges à travers les vitres, ni les préparatifs de l'ensevelissement n'avaient le pouvoir de distraire deux personnes placées à une fenêtre de la cour intérieure, fenêtre que nous connaissons déjà et qui éclairait une chambre faisant partie de ce qu'on appelait les petits appartements.

Au reste, un rayon joyeux de soleil, car le soleil paraissait fort peu s'inquiéter de la perte que venait de faire la France, un rayon joyeux[2] de soleil, disons-nous, descendait sur eux, tirant les parfums des fleurs voisines et animant les murailles elles-mêmes.

Ces deux personnes si occupées, non de la mort[3] du duc, mais de la conversation qui était la suite de cette mort, ces deux personnes étaient une jeune fille et un jeune homme.

Ce dernier personnage, garçon de vingt-cinq à vingt-six ans à peu près, à la mine tantôt éveillée, tantôt sournoise, faisait jouer à propos deux yeux immenses recouverts de longs cils, était petit et brun de peau ; il souriait avec une bouche énorme, mais bien meublée, et son menton pointu, qui semblait jouir d'une mobilité que la nature n'accorde pas d'ordinaire à cette portion de visage, s'allongeait parfois très amoureusement vers son interlocutrice, qui, disons-le, ne se reculait pas toujours aussi rapidement que les strictes bienséances avaient le droit de l'exiger.

La jeune fille, nous la connaissons, car nous l'avons déjà vue à cette même fenêtre, à la lueur de ce même soleil ; la jeune fille offrait un singulier mélange de finesse et de réflexion : elle était charmante quand elle riait, belle quand elle devenait sérieuse ; mais, hâtons-nous de le dire, elle était plus souvent charmante que belle.

Les deux personnes paraissaient avoir atteint le point culminant d'une discussion moitié railleuse, moitié grave.

— Voyons, monsieur Malicorne, disait la jeune fille, vous plaît-il enfin que nous parlions raison ?

— Vous croyez que c'est facile, mademoiselle Aure, répliqua le jeune homme. Faire ce qu'on veut, quand on ne peut faire ce que l'on peut…

— Bon ! le voilà qui s'embrouille dans ses phrases.

— Moi ?

1. Réfugié chez le duc de Lorraine (mars 1631), Gaston d'Orléans s'allia à lui et épousa sa sœur Marguerite dans la nuit du 2 au 3 janvier 1632 à Nancy ; cependant, Louis XIII attaquait la Lorraine : Gaston s'enfuit aussitôt à Bruxelles ; six mois plus tard, le 3 septembre, Marguerite s'évada à son tour de Nancy, bouclé par les armées françaises, pour rejoindre son mari. Madame ne vit son mariage reconnu qu'après la mort de Richelieu.

2. Texte : mot omis.

3. Texte : « … non *par* la mort… »

— Oui, vous ; voyons, quittez cette logique de procureur, mon cher.

— Encore une chose impossible. Clerc je suis, mademoiselle de Montalais.

— Demoiselle je suis, monsieur Malicorne.

— Hélas ! je le sais bien, et vous m'accablez par la distance ; aussi, je ne vous dirai rien.

— Mais non, je ne vous accable pas ; dites ce que vous avez à me dire, dites, je le veux !

— Eh bien ! je vous obéis.

— C'est bien heureux, vraiment !

— Monsieur est mort.

— Ah ! peste, voilà du nouveau ! Et d'où arrivez-vous pour nous dire cela ?

— J'arrive d'Orléans, mademoiselle.

— Et c'est la seule nouvelle que vous apportez ?

— Oh ! non pas... J'arrive aussi pour vous dire que Madame Henriette d'Angleterre arrive pour épouser le frère de Sa Majesté.

— En vérité, Malicorne, vous êtes insupportable avec vos nouvelles du siècle passé ; voyons, si vous prenez aussi cette mauvaise habitude de vous moquer, je vous ferai jeter dehors.

— Oh !

— Oui, car vraiment vous m'exaspérez.

— Là ! là ! patience, mademoiselle.

— Vous vous faites valoir ainsi. Je sais bien pourquoi, allez...

— Dites, et je vous répondrai franchement oui, si la chose est vraie.

— Vous savez que j'ai envie de cette commission de dame d'honneur que j'ai eu la sottise de vous demander, et vous ménagez votre crédit.

— Moi ?

Malicorne abaissa ses paupières, joignit les mains et prit son air sournois.

— Et quel crédit un pauvre clerc de procureur saurait-il avoir, je vous le demande ?

— Votre père n'a pas pour rien vingt mille livres de rente, monsieur Malicorne.

— Fortune de province, mademoiselle de Montalais.

— Votre père n'est pas pour rien dans les secrets de M. le prince.

— Avantage qui se borne à prêter de l'argent à Monseigneur.

— En un mot, vous n'êtes pas pour rien le plus rusé compère de la province.

— Vous me flattez.

— Moi ?

— Oui, vous.

— Comment cela ?

— Puisque c'est moi qui vous soutiens que je n'ai point de crédit, et vous qui me soutenez que j'en ai.

— Enfin, ma commission ?

— Eh bien ! votre commission ?

— L'aurai-je ou ne l'aurai-je pas ?

— Vous l'aurez.

— Mais quand ?

— Quand vous voudrez.

— Où est-elle, alors ?

— Dans ma poche.

— Comment ! dans votre poche ?

— Oui.

Et, en effet, avec son sourire narquois, Malicorne tira de sa poche une lettre dont la Montalais s'empara comme d'une proie et qu'elle lut avec avidité.

A mesure qu'elle lisait, son visage s'éclairait.

— Malicorne ! s'écria-t-elle après avoir lu, en vérité vous êtes un bon garçon.

— Pourquoi cela, mademoiselle ?

— Parce que vous auriez pu vous faire payer cette commission et que vous ne l'avez pas fait.

Et elle éclata de rire, croyant décontenancer le clerc.

Mais Malicorne soutint bravement l'attaque.

— Je ne vous comprends pas, dit-il.

Ce fut Montalais qui fut décontenancée à son tour.

— Je vous ai déclaré mes sentiments, continua Malicorne ; vous m'avez dit trois fois en riant que vous ne m'aimiez pas ; vous m'avez embrassé une fois sans rire, c'est tout ce qu'il me faut.

— Tout ? fit[1] la fière et coquette Montalais d'un ton où perçait l'orgueil blessé.

— Absolument tout, mademoiselle, répliqua Malicorne.

— Ah !

Ce monosyllabe indiquait autant de colère que le jeune homme eût pu attendre de reconnaissance.

Il secoua tranquillement la tête.

— Écoutez, Montalais, dit-il sans s'inquiéter si cette familiarité plaisait ou non à sa maîtresse, ne discutons point là-dessus.

— Pourquoi cela ?

— Parce que, depuis un an que je vous connais, vous m'eussiez mis à la porte vingt fois si je ne vous plaisais pas.

— En vérité ! Et à quel propos[2] vous eussé-je mis à la porte ?

1. Texte : « ... *dit* la fière... »
2. Texte : « *A* quel propos... »

— Parce que j'ai été assez impertinent pour cela.

— Oh ! cela, c'est vrai.

— Vous voyez bien que vous êtes forcée de l'avouer, fit Malicorne.

— Monsieur Malicorne !

— Ne nous fâchons pas ; donc, si vous m'avez conservé, ce n'est pas sans cause.

— Ce n'est pas au moins parce que je vous aime ! s'écria Montalais.

— D'accord. Je vous dirai même qu'en ce moment je suis certain que vous m'exécrez.

— Oh ! vous n'avez jamais[1] dit si vrai.

— Bien ! Moi, je vous déteste.

— Ah ! je prends acte.

— Prenez. Vous me trouvez brutal et sot ; je vous trouve, moi, la voix dure et le visage décomposé par la colère. En ce moment, vous vous jetteriez par cette fenêtre plutôt que de me laisser baiser le bout de votre doigt ; moi, je me précipiterais du haut du clocheton plutôt que de toucher le bas de votre robe. Mais dans cinq minutes vous m'aimerez, et moi, je vous adorerai. Oh ! c'est comme cela.

— J'en doute.

— Et moi, j'en jure.

— Fat !

— Et puis ce n'est point la véritable raison ; vous avez besoin de moi, Aure, et moi, de vous[2]. Quand il vous plaît d'être gaie, je vous fais rire ; quand il me sied d'être amoureux, je vous regarde. Je vous ai donné une commission de dame d'honneur que vous désiriez ; vous m'allez donner tout à l'heure quelque chose que je désirerai.

— Moi ?

— Vous ! mais en ce moment, ma chère Aure, je vous déclare que je ne désire absolument rien ; ainsi, soyez tranquille.

— Vous êtes un homme odieux, Malicorne ; j'allais me réjouir de cette commission, et voilà que vous m'ôtez toute ma joie.

— Bon ! il n'y a point de temps perdu ; vous vous réjouirez quand je serai parti.

— Partez donc, alors...

— Soit ; mais, auparavant, un conseil...

— Lequel ?

— Reprenez votre belle humeur ; vous devenez laide quand vous boudez.

— Grossier !

— Allons, disons-nous nos vérités tandis que nous y sommes.

— Ô Malicorne ! ô mauvais cœur !

1. Texte : « ... jamais vous n'avez dit... »
2. Texte : « ..., et moi, *j'ai besoin* de vous. »

— Ô Montalais ! ô ingrate !

Et le jeune homme s'accouda tranquillement[1] sur l'appui de la fenêtre.

Montalais prit un livre et l'ouvrit.

Malicorne se redressa, brossa son feutre avec sa manche et défripa son pourpoint noir.

Montalais, tout en faisant semblant de lire, le regardait du coin de l'œil.

— Bon ! s'écria-t-elle furieuse, le voilà qui prend son air respectueux. Il va bouder pendant huit jours.

— Quinze, mademoiselle, dit Malicorne en s'inclinant.

Montalais s'avança sur lui le poing[2] crispé.

— Monstre ! dit-elle. Oh ! si j'étais un homme !

— Que me feriez-vous ?

— Je t'étranglerais !

— Ah ! fort bien, dit Malicorne ; je crois que je commence à désirer quelque chose.

— Et que désirez-vous, monsieur le démon ! Que je perde mon âme par la colère ?

Malicorne roulait respectueusement son chapeau entre ses doigts ; mais tout à coup il laissa tomber son chapeau, saisit la jeune fille par les deux épaules, l'approcha de lui et appuya sur ses lèvres deux lèvres bien ardentes pour un homme ayant la prétention d'être si indifférent.

Aure voulut pousser un cri, mais ce cri s'éteignit dans le baiser.

Nerveuse et irritée, la jeune fille repoussa Malicorne contre la muraille.

— Bon ! dit philosophiquement Malicorne, en voilà pour six semaines ; adieu, mademoiselle ! agréez mon très humble salut.

Et il fit trois pas pour se retirer.

— Eh bien ! non, vous ne sortirez pas ! s'écria Montalais en frappant du pied ; restez ! je vous l'ordonne !

— Vous l'ordonnez ?

— Oui ; ne suis-je pas la maîtresse ?

— De mon âme et de mon esprit, sans aucun doute.

— Belle propriété, ma foi ! L'âme est sotte et l'esprit est[3] sec.

— Prenez garde, Montalais, je vous connais, dit Malicorne ; vous allez vous reprendre[4] d'amour pour votre serviteur.

— Eh bien ! oui, dit-elle en se pendant à son cou avec une enfantine indolence bien plus qu'avec un voluptueux abandon ; eh bien ! oui, car il faut que je vous remercie, enfin.

— Et de quoi ?

— De cette commission ; n'est-ce pas tout mon avenir ?

---

1. Texte : mot omis.
2. Texte : « Montalais *leva* sur lui *son* poing... »
3. Texte : mot omis.
4. Texte : « ... *prendre* d'amour... »

— Et tout le mien.

Montalais le regarda.

— C'est affreux, dit-elle, de ne jamais pouvoir deviner si vous parlez sérieusement.

— On ne peut plus sérieusement ; j'allais à Paris, vous y allez, nous y allons.

— Alors, c'est par ce seul motif que vous m'avez servie, égoïste ?

— Que voulez-vous, Aure, je ne puis me passer de vous.

— Eh bien ! en vérité, c'est comme moi ; vous êtes cependant, il faut l'avouer, un bien méchant cœur !

— Aure, ma chère Aure, prenez garde ; si vous retombez dans les injures, vous savez l'effet qu'elles me produisent, et je vais vous adorer.

Et, tout en disant ces paroles, Malicorne rapprocha[1] une seconde fois la jeune fille de lui.

Au même instant un pas retentit dans l'escalier.

Les jeunes gens étaient si rapprochés qu'on les eût surpris dans les bras l'un de l'autre, si Montalais n'eût violemment repoussé Malicorne, lequel alla frapper du dos la porte, qui s'ouvrait en ce moment.

Un grand cri, suivi d'injures, retentit aussitôt.

C'était Mme de Saint-Remy qui poussait ce cri et qui proférait ces injures : le malheureux Malicorne venait de l'écraser à moitié entre la muraille et la porte qu'elle entrouvrait.

— C'est encore ce vaurien ! s'écria la vieille dame ; toujours là !

— Ah ! madame, répondit Malicorne d'une voix respectueuse, il y a huit grands jours que je ne suis venu ici.

LXXVIII

OÙ L'ON VOIT ENFIN REPARAITRE LA VÉRITABLE HÉROINE DE CETTE HISTOIRE[2]

Derrière Mme de Saint-Remy montait Mlle de La Vallière.

Elle entendit l'explosion de la colère maternelle, et comme elle en devinait la cause, elle entra toute tremblante dans la chambre et aperçut le malheureux Malicorne, dont la contenance désespérée eût attendri ou égayé quiconque l'eût observé de sang-froid.

En effet, il s'était vivement retranché derrière une grande chaise, comme pour éviter les premiers assauts de Mme de Saint-Remy ; il

1. Texte : « ... *approcha* une seconde fois... »
2. M[1] : f°s 101-108.

n'espérait pas la fléchir par la parole, car elle parlait plus haut que lui et sans interruption, mais il comptait sur l'éloquence de ses gestes.

La vieille dame n'écoutait et ne voyait rien ; Malicorne, depuis longtemps, était une des ses antipathies. Mais sa colère était trop grande pour ne pas déborder de Malicorne sur sa complice.

Montalais eut son tour.

— Et vous, mademoiselle, et vous, comptez-vous que je n'avertirai point Madame de ce qui se passe chez une de ses filles d'honneur ?

— Oh ! ma mère, s'écria Mlle de La Vallière, par grâce, épargnez Aure[1] !

— Taisez-vous, mademoiselle, et ne vous fatiguez pas inutilement à intercéder pour des sujets indignes ; qu'une fille honnête comme vous subisse le mauvais exemple, c'est déjà certes un assez grand malheur ; mais qu'elle l'autorise par son indulgence, c'est ce que je ne souffrirai pas.

— Mais, en vérité, dit Montalais se rebellant enfin, je ne sais pas sous quel prétexte vous me traitez ainsi ; je ne fais point de mal, je suppose ?

— Et ce grand fainéant, mademoiselle, reprit Mme de Saint-Remy montrant Malicorne, est-il ici pour faire le bien ? je vous le demande.

— Il n'est ici ni pour le bien ni pour le mal, madame ; il vient me voir, voilà tout.

— C'est bien, c'est bien, dit Mme de Saint-Remy ; Son Altesse Royale sera instruite, et elle jugera.

— En tout cas, je ne vois pas pourquoi, répondit Montalais, il serait défendu à M. Malicorne d'avoir dessein sur moi, si son dessein est honnête.

— Dessein honnête, avec une pareille figure ! s'écria Mme de Saint-Remy.

— Je vous remercie au nom de ma figure, madame, dit Malicorne.

— Venez, ma fille, venez, continua Mme de Saint-Remy ; allons prévenir Madame qu'au moment même où elle pleure un époux, au moment où nous pleurons un maître dans ce vieux château de Blois, séjour de la douleur, il y a des gens qui s'amusent et se réjouissent.

— Oh ! firent d'un seul mouvement les deux accusés.

— Une fille d'honneur ! une fille d'honneur ! s'écria la vieille dame en levant les mains au ciel.

— Eh bien ! c'est ce qui vous trompe, madame, dit Montalais exaspérée ; je ne suis plus fille d'honneur, de Madame du moins.

— Vous donnez votre démission, mademoiselle ? Très bien ! je ne puis qu'applaudir à une telle détermination et j'y applaudis.

— Je ne donne point ma démission, madame ; je prends un autre service, voilà tout.

1. Texte : prénom omis.

— Dans la bourgeoisie ou dans la robe ? demanda Mme de Saint-Remy avec dédain.

— Apprenez, madame, dit Montalais, que je ne suis point fille à servir des bourgeoises ni des robines, et qu'au lieu de la cour misérable où vous végétez, je vais habiter une cour presque royale.

— Ah ! ah ! une cour royale, dit Mme de Saint-Remy en se forçant pour rire[1] ; une cour royale, qu'en pensez-vous, ma fille ?

Et elle se retournait vers Mlle de La Vallière, qu'elle voulait à toute force entraîner contre Montalais, et qui, au lieu d'obéir à l'impulsion de Mme de Saint-Remy, regardait tantôt sa mère, tantôt Montalais avec ses beaux yeux conciliateurs.

— Je n'ai point dit une cour royale, madame, répondit Montalais, parce que Madame Henriette d'Angleterre, qui va devenir la femme de Son Altesse Royale Monsieur, n'est point une reine. J'ai dit presque royale, et j'ai dit juste, puisqu'elle va être la belle-sœur du roi.

La foudre tombant sur le château de Blois n'eût point étourdi Mme de Saint-Remy comme le fit cette dernière phrase de Montalais.

— Que parlez-vous de Son Altesse Royale Madame Henriette ? balbutia la vieille dame.

— Je dis que je vais entrer chez elle comme demoiselle d'honneur : voilà ce que je dis.

— Comme demoiselle d'honneur ! s'écrièrent à la fois Mme de Saint-Remy avec désespoir et Mlle de La Vallière[2] avec joie.

— Oui, madame, comme demoiselle d'honneur.

La vieille dame baissa la tête comme si le coup eût été trop fort pour elle.

Cependant, presque aussitôt elle se redressa pour lancer un dernier projectile à son adversaire.

— Oh ! oh ! dit-elle, on parle beaucoup de ces sortes de promesses à l'avance, on se flatte souvent d'espérances folles, et au dernier moment, lorsqu'il s'agit de tenir ces promesses, de réaliser ces espérances, on est tout surpris de se voir réduire en vapeur le grand crédit sur lequel on comptait.

— Oh ! madame, le crédit de mon protecteur, à moi, est incontestable, et ses promesses valent des actes.

— Et ce protecteur si puissant, serait-ce indiscret de vous demander son nom ?

— Oh ! mon Dieu, non ; c'est Monsieur que voilà, dit Montalais en montrant Malicorne, qui, pendant toute cette scène, avait conservé le plus imperturbable sang-froid et la plus comique dignité.

— Monsieur ! s'écria Mme de Saint-Remy avec une explosion

1. Texte : « ... en *s'efforçant* pour rire. »
2. M[1] : « ... et La Vallière... »

d'hilarité, Monsieur est votre protecteur ! Cet homme dont le crédit est si puissant, dont les promesses valent des actes, c'est M. Malicorne ?

Malicorne salua.

Quant à Montalais, pour toute réponse elle tira le brevet de sa poche, et le montrant à la vieille dame :

— Voici le brevet, dit-elle.

Pour le coup, tout fut fini. Dès qu'elle eut parcouru du regard le bienheureux parchemin, la bonne dame joignit les mains, une expression indicible d'envie et de désespoir contracta son visage, et elle fut obligée de s'asseoir pour ne point s'évanouir.

Montalais n'était point assez méchante pour se réjouir outre mesure de sa victoire et accabler l'ennemi vaincu, surtout lorsque cet ennemi c'était la mère de son amie ; elle usa donc, mais n'abusa point du triomphe.

Malicorne fut moins généreux ; il prit des poses nobles sur son fauteuil et s'étendit avec une familiarité qui, deux heures plus tôt, lui eût attiré la menace du bâton.

— Dame d'honneur de la jeune Madame ! répétait Mme de Saint-Remy, encore mal convaincue.

— Oui, madame, et par la protection de M. Malicorne, encore.

— C'est incroyable ! répétait la vieille dame ; n'est-ce pas, Louise, que c'est incroyable ?

Mais Louise ne répondit pas ; elle était inclinée, rêveuse, presque affligée ; une main sur son beau front, elle soupirait.

— Enfin, monsieur, dit tout à coup Mme de Saint-Remy, comment avez-vous fait pour obtenir cette charge ?

— Je l'ai demandée madame.

— A qui ?

— A un de mes amis.

— Et vous avez des amis assez bien en cour pour vous donner de pareilles preuves de crédit ?

— Dame ! il paraît.

— Et peut-on savoir le nom de ces amis ?

— Je n'ai pas dit que j'eusse plusieurs amis madame, j'ai dit un ami.

— Et cet ami s'appelle ?

— Peste ! madame, comme vous y allez ! Quand on a un ami aussi puissant que le mien, on ne le produit pas comme cela au grand jour pour qu'on vous le vole.

— Vous avez raison, monsieur, de taire le nom de cet ami car je crois qu'il vous serait difficile de le dire.

— En tout cas, dit Montalais, si l'ami n'existe pas, le brevet existe, et voilà qui tranche la question.

— Alors je conçois, dit Mme de Saint-Remy avec le sourire gracieux du chat qui va griffer, quand j'ai trouvé Monsieur chez vous tout à l'heure...

— Eh bien ?

— Il vous apportait votre brevet.

— Justement, madame, vous avez deviné.

— Mais c'était on ne peut plus moral, alors.

— Je le crois, madame.

— Et j'ai eu tort, à ce qu'il paraît, de vous faire des reproches, mademoiselle.

— Très grand tort, madame ; mais je suis tellement habituée à vos reproches, que je vous les pardonne.

— En ce cas, allons-nous-en, Louise ; nous n'avons plus qu'à nous retirer. Eh bien ?

— Madame ! fit La Vallière en tressaillant, vous dites ?

— Tu n'écoutais pas, à ce qu'il paraît, mon enfant ?

— Non, madame, je pensais.

— Et à quoi ?

— A mille choses.

— Tu ne m'en veux pas au moins, Louise ? s'écria Montalais lui prenant[1] la main.

— Et de quoi t'en voudrais-je, ma chère Aure ? répondit la jeune fille avec sa voix douce comme une musique.

— Dame ! reprit Mme de Saint-Remy, quand elle vous en voudrait un peu, pauvre enfant ! elle n'aurait pas tout à fait tort.

— Et pourquoi m'en voudrait-elle, bon Dieu ?

— Il me semble qu'elle est d'aussi bonne famille et aussi jolie que vous.

— Ma mère ! s'écria Louise.

— Plus jolie cent fois, madame ; de meilleure famille, non ; mais cela ne me dit point pourquoi Louise doit m'en vouloir.

— Croyez-vous donc que ce soit si[2] amusant pour elle de s'enterrer à Blois quand vous allez briller à Paris ?

— Mais, madame, ce n'est point moi qui empêche Louise de m'y suivre, à Paris ; au contraire, je serais certes bien heureuse qu'elle y vînt.

— Mais il me semble que M. Malicorne, qui est tout-puissant à la cour...

— Ah ! tant pis, madame, fit Malicorne, chacun pour soi en ce pauvre monde.

— Malicorne ! fit Montalais.

Puis, se baissant vers le jeune homme :

— Occupez Mme de Saint-Remy, soit en disputant, soit en vous raccommodant avec elle ; il faut que je cause avec Louise.

1. Texte : « ... *pressant* la main... »
2. Texte : adverbe omis.

Et, en même temps, une douce pression de main récompensait Malicorne de sa future obéissance.

Malicorne se rapprocha tout grognant de Mme de Saint-Remy, tandis que Montalais disait à son amie, en lui jetant un bras autour du cou :

— Qu'as-tu ? Voyons ! Est-il vrai que tu ne m'aimeras plus parce que je brillerai[1], comme dit ta mère ?

— Oh ! non, répondit la jeune fille retenant à peine ses larmes ; je suis bien heureuse de ton bonheur, au contraire.

— Heureuse ! et l'on dirait que tu es prête à pleurer.

— Ne pleure-t-on que d'envie ?

— Ah ! oui, je comprends, je vais à Paris, et ce mot « Paris » te rappelait certain cavalier.

— Aure !

— Certain cavalier qui, autrefois, habitait Blois, et qui aujourd'hui habite Paris.

— Je ne sais, en vérité, ce que j'ai, mais j'étouffe.

— Pleure alors, puisque tu ne peux pas me sourire.

Louise releva son visage si doux que des larmes, roulant l'une après l'autre, illuminaient comme des diamants.

— Voyons, avoue, dit Montalais.

— Que veux-tu que j'avoue ?

— Ce qui te fait pleurer ; on ne pleure pas sans cause. Je suis ton amie ; tout ce que tu voudras que je fasse, je le ferai. Malicorne est plus puissant qu'on ne croit, va ! Veux-tu venir à Paris ?

— Hélas ! fit Louise.

— Veux-tu venir à Paris ?

— Rester seule ici, dans ce vieux château, moi qui avais cette douce habitude d'entendre tes chansons, de te presser la main, de courir avec vous toutes dans ce parc ; oh ! comme je vais m'ennuyer, comme je vais mourir vite !

— Veux-tu venir à Paris ?

Louise poussa un soupir.

— Tu ne réponds pas.

— Que veux-tu que je te réponde ?

— Oui ou non ; ce n'est pas bien difficile, ce me semble.

— Oh ! tu es bien heureuse, Montalais !

— Allons, ce qui veut dire que tu voudrais être à ma place ?

Louise se tut.

— Petite obstinée ! dit Montalais ; a-t-on jamais vu avoir des secrets pour une amie ! Mais avoue donc que tu voudrais venir à Paris, avoue donc que tu meurs d'envie de revoir Raoul !

1. Texte : « … m'aimer*ais* […] je briller*ais*… »

— Je ne puis avouer cela.

— Et tu as tort.

— Pourquoi ?

— Parce que... Vois-tu ce brevet ?

— Sans doute que je le vois.

— Eh bien ! je t'en eusse fait avoir un pareil.

— Par qui ?

— Par Malicorne.

— Aure, dis-tu vrai ? serait-ce possible ?

— Dame ! Malicorne est là, et ce qu'il a fait pour moi, il faudra bien qu'il le fasse pour toi.

Malicorne venait d'entendre prononcer deux fois son nom, il était enchanté d'avoir une occasion d'en finir avec Mme de Saint-Remy, et il se retourna.

— Qu'y a-t-il, mademoiselle ?

— Venez çà, Malicorne, fit Montalais avec un geste impératif.

Malicorne obéit.

— Un brevet pareil, dit Montalais.

— Comment cela ?

— Un brevet pareil à celui-ci ; c'est clair.

— Mais...

— Il me le faut !

— Oh ! oh ! il vous le faut ?

— Oui.

— Il est impossible, n'est-ce pas, monsieur Malicorne ? dit Louise avec sa douce voix.

— Dame ! si c'est pour vous, mademoiselle...

— Pour moi. Oui, monsieur Malicorne, ce serait pour moi.

— Et si Mlle de Montalais le demande en même temps que vous...

— Mlle de Montalais ne le demande pas, elle l'exige.

— Eh bien ! on verra à vous obéir, mademoiselle.

— Et vous la ferez nommer ?

— On tâchera.

— Pas de réponse évasive. Louise de La Vallière sera demoiselle d'honneur de Madame Henriette avant huit jours.

— Comme vous y allez !

— Avant huit jours, ou bien...

— Ou bien ?

— Vous reprendrez votre brevet, monsieur Malicorne ; je ne quitte pas mon amie.

— Chère Montalais !

— C'est bien, gardez votre brevet ; Mlle de La Vallière sera dame d'honneur.

— Est-ce vrai ?

— C'est vrai.

— Je puis donc espérer d'aller à Paris ?

— Comptez-y.

— Oh ! monsieur Malicorne, quelle reconnaissance ! s'écria Louise en joignant les mains et en bondissant de joie.

— Petite dissimulée ! dit Montalais, essaie encore de me faire croire que tu n'es pas amoureuse de Raoul.

Louise rougit comme la rose de mai ; mais, au lieu de répondre, elle alla embrasser sa mère.

— Madame, lui dit-elle, savez-vous que M. Malicorne va me faire nommer demoiselle d'honneur ?

— M. Malicorne est un prince déguisé, répliqua la vieille dame ; il a tous les pouvoirs.

— Voulez-vous aussi être demoiselle d'honneur ? demanda Malicorne à Mme de Saint-Remy. Pendant que j'y suis, autant que je fasse nommer tout le monde.

Et, sur ce, il sortit laissant la pauvre dame toute déferrée comme dirait Tallemant des Réaux[1].

— Allons, murmura Malicorne en descendant les escaliers, allons, c'est encore un billet de mille livres que cela va me coûter ; mais il faut en prendre son parti ; mon ami Manicamp ne fait rien pour rien.

LXXIX

MALICORNE ET MANICAMP[2]

L'introduction de ces deux nouveaux personnages dans cette histoire, et cette affinité mystérieuse de noms et de sentiments méritent quelque attention de la part de l'historien et du lecteur.

Nous allons donc entrer dans quelques détails sur M. Malicorne et sur M. de Manicamp.

Malicorne, on le sait, avait fait le voyage d'Orléans pour aller chercher ce brevet destiné à Mlle de Montalais, et dont l'arrivée venait de produire une si vive sensation au château de Blois.

1. Expression tirée des *Historiettes*, déjà employée dans *Joseph Balsamo*, chap. LXXXIV (Robert Laffont, coll. « Bouquins », 1990). Occurrences multiples dans Tallemant, dont : « Chapelain, cette fois-là, fut tout à fait desferré et ne savait que lui dire » (Costar).

2. M[1] : f°s 109-114.

C'est qu'à Orléans se trouvait pour le moment M. de Manicamp.

Singulier personnage s'il en fut que ce M. de Manicamp : garçon de beaucoup d'esprit, toujours à sec, toujours besogneux, bien qu'il puisât à volonté dans la bourse de M. le comte de Guiche, l'une des bourses les mieux garnies de l'époque.

C'est que M. le comte de Guiche avait eu pour compagnon d'enfance, de Manicamp, pauvre gentillâtre vassal né des Grammont.

C'est que M. de Manicamp, avec son esprit, s'était créé un revenu dans l'opulente famille du maréchal.

Dès l'enfance, il avait, par un calcul fort au-dessus de son âge, prêté son nom et sa complaisance aux folies du comte de Guiche. Son noble compagnon avait-il dérobé un fruit destiné à Mme la maréchale, avait-il brisé une glace, éborgné un chien, de Manicamp se déclarait coupable du crime commis, et recevait la punition, qui n'en était pas plus douce pour tomber sur l'innocent.

Mais aussi, ce système d'abnégation lui était payé. Au lieu de porter des habits médiocres comme la fortune paternelle lui en faisait une loi, il pouvait paraître éclatant, superbe, comme un jeune seigneur de cinquante mille livres de revenu.

Ce n'est point qu'il fût vil de caractère ou humble d'esprit ; non, il était philosophe, ou plutôt il avait l'indifférence, l'apathie et la rêverie qui éloignent chez l'homme tout sentiment du monde hiérarchique. Sa seule ambition était de dépenser de l'argent.

Mais, sous ce rapport, c'était un gouffre que ce bon M. de Manicamp.

Trois ou quatre fois régulièrement par année, il épuisait le comte de Guiche, et, quand le comte de Guiche était bien épuisé, qu'il avait retourné ses poches et sa bourse devant lui, et déclaré qu'il fallait au moins quinze jours à la munificence paternelle pour remplir bourse et poches, de Manicamp perdait toute son énergie, il se couchait, restait au lit, ne mangeait plus et vendait ses beaux habits sous prétexte que, restant couché, il n'en avait plus besoin.

Pendant cette prostration de force et d'esprit, la bourse du comte de Guiche se remplissait, et, une fois remplie, débordait dans celle de Manicamp, qui rachetait de nouveaux habits, se rhabillait et recommençait la même vie qu'auparavant.

Cette manie de vendre ses habits neufs le quart de ce qu'ils valaient avait rendu notre héros assez célèbre dans Orléans, ville où, en général, nous serions fort embarrassés de dire pourquoi il venait passer ses jours de pénitence.

Les débauchés de province, les petits-maîtres à six cents livres par an se partageaient les bribes de son opulence.

Parmi les admirateurs de ces splendides toilettes brillait notre ami Malicorne, fils d'un syndic de la ville, à qui M. le prince de Condé, toujours besoigneux[1] comme un Condé, empruntait souvent de l'argent à gros intérêt.

M. Malicorne tenait la caisse paternelle.

C'est-à-dire qu'en ce temps de facile morale il se faisait de son côté, en suivant l'exemple de son père et en prêtant à la petite semaine, un revenu de dix-huit cents livres annuelles[2], sans compter six cents autres livres que fournissait la générosité du syndic, de sorte que Malicorne était le roi des raffinés d'Orléans, ayant deux mille quatre cents livres à dilapider, à gaspiller, à éparpiller en folies de tout genre.

Mais, tout au contraire de Manicamp, Malicorne était effroyablement ambitieux.

Il aimait par ambition, il dépensait par ambition, il se fût ruiné par ambition.

Malicorne avait résolu de parvenir à quelque prix que ce fût ; et pour cela, à quelque prix que ce fût, il s'était donné une maîtresse et un ami.

La maîtresse, Mlle de Montalais, lui était cruelle dans les dernières faveurs de l'amour ; mais c'était une fille noble, et cela suffisait à Malicorne.

L'ami n'avait pas d'amitié, mais c'était le favori du comte de Guiche, ami lui-même de Monsieur, frère du roi, et cela suffisait à Malicorne.

Seulement, au chapitre des charges, Mlle de Montalais coûtait par an :

Rubans, gants et sucreries, mille livres.

De Manicamp coûtait, argent prêté jamais rendu, de douze à quinze cents livres par an.

Il ne restait donc rien à Malicorne.

Ah ! si fait, nous nous trompons, il lui restait la caisse paternelle.

Il usa d'un procédé sur lequel il garda le plus profond secret, et qui consistait à s'avancer à lui-même, sur la caisse du syndic, une demi-douzaine d'années, c'est-à-dire une quinzaine de mille livres, se jurant bien entendu, à lui-même, de combler ce déficit aussitôt que l'occasion s'en présenterait.

L'occasion devait être la concession d'une belle charge dans la maison de Monsieur, quand on monterait cette maison à l'époque de son mariage.

Cette époque était venue, et l'on allait enfin monter sa[3] maison.

Une bonne charge chez un prince du sang, lorsqu'elle est donnée par le crédit et sur la recommandation d'un ami tel que le comte de Guiche, c'est au moins douze mille livres par an, et, moyennant cette habitude qu'avait prise Malicorne de faire fructifier ses revenus, douze mille livres pouvaient s'élever à vingt.

---

1. Forme figurant encore dans le Dictionnaire de l'Académie de 1835.
2. Texte : adjectif omis.
3. Texte : « ... *la* maison. »

Alors, une fois titulaire de cette charge, Malicorne épouserait Mlle de Montalais ; Mlle de Montalais, d'une famille où le ventre anoblissait, non seulement serait dotée, mais encore anoblirait[1] Malicorne.

Mais, pour que Mlle de Montalais, qui n'avait pas grande fortune patrimoniale, quoiqu'elle fût fille unique, fût convenablement dotée, il fallait qu'elle appartînt à quelque grande princesse, aussi prodigue que Madame douairière était avare.

Et afin que la femme ne fût point d'un côté pendant que le mari serait de l'autre, situation qui présente de graves inconvénients, surtout avec des caractères comme étaient ceux des futurs conjoints, Malicorne avait imaginé de mettre le point central de réunion dans la maison même de Monsieur, frère du roi.

Mlle de Montalais serait fille d'honneur de Madame.

M. Malicorne serait officier de Monsieur.

On voit que le plan venait d'une bonne tête, on voit aussi qu'il avait été bravement exécuté.

Malicorne avait demandé à Manicamp de demander au comte de Guiche un brevet de fille d'honneur.

Et le comte de Guiche avait demandé ce brevet à Monsieur, lequel l'avait signé sans hésitation.

Le plan moral de Malicorne, car on pense bien que les combinaisons d'un esprit aussi actif que le sien ne se bornaient point au présent et s'étendaient à l'avenir, le plan moral de Malicorne, disons-nous, était celui-ci :

Faire entrer chez Madame Henriette une femme dévouée à lui, spirituelle, jeune, jolie et intrigante ; savoir, par cette femme, tous les secrets féminins du jeune ménage, tandis que lui, Malicorne, et son ami Manicamp sauraient, à eux deux, tous les mystères masculins de la jeune communauté.

C'était par ces moyens qu'on arriverait à une fortune rapide et splendide à la fois.

Malicorne était un vilain nom ; celui qui le portait avait trop d'esprit pour se dissimuler cette vérité ; mais on achetait une terre, et Malicorne de quelque chose, ou même de Malicorne tout court, sonnait fort noblement à l'oreille.

Il n'était pas invraisemblable que l'on pût trouver à ce nom de Malicorne une origine des plus aristocratiques.

En effet, ne pouvait-il pas venir d'une terre où un taureau aux cornes mortelles aurait causé quelque grand malheur et baptisé le sol avec le sang qu'il aurait répandu ?

Certes, ce plan se présentait hérissé de difficultés ; mais la plus grande de toutes, c'était Mlle de Montalais elle-même.

---

1. Texte : « ... anoblissait Malicorne. »

Capricieuse, variable, sournoise, étourdie, libertine, prude, vierge armée de griffes, Érigone barbouillée de raisins, elle renversait parfois, d'un seul coup de ses doigts blancs ou d'un seul souffle de ses lèvres riantes, l'édifice que la patience de Malicorne avait mis un mois à établir.

Amour à part, Malicorne était heureux ; mais cet amour, qu'il ne pouvait s'empêcher de ressentir, il avait la force de le cacher avec soin, persuadé qu'au moindre relâchement de ces liens, dont il avait garrotté son Protée femelle, le démon le terrasserait et se moquerait de lui.

Il humiliait sa maîtresse en la dédaignant. Brûlant de désirs quand elle s'avançait pour le tenter, il avait l'art de paraître de glace, persuadé que, s'il ouvrait ses bras, elle s'enfuirait en le raillant.

De son côté, Montalais croyait ne pas aimer Malicorne, et, tout au contraire, elle l'aimait. Malicorne lui répétait si souvent ses protestations d'indifférence, qu'elle finissait de temps en temps par y croire, et alors elle croyait détester Malicorne. Voulait-elle le ramener par la coquetterie, Malicorne se faisait plus coquet qu'elle.

Mais ce qui faisait que Montalais tenait à Malicorne d'une indissoluble façon, c'est que Malicorne était toujours bourré de nouvelles fraîches apportées de la cour et de la ville ; c'est que Malicorne apportait toujours à Blois une mode, un secret, un parfum ; c'est que Malicorne ne demandait jamais un rendez-vous, et, tout au contraire, se faisait supplier pour recevoir des faveurs qu'il brûlait d'obtenir.

De son côté, Montalais n'était pas avare d'histoires. Par elle, Malicorne savait tout ce qui se passait chez Madame douairière, et il en faisait à Manicamp des contes à mourir de rire, que celui-ci, par paresse, portait tout faits à M. de Guiche, qui les portait à Monsieur.

Voilà en deux mots quelle était la trame de petits intérêts et de petites conspirations qui unissait Blois à Orléans et Orléans à Paris, et qui allait amener dans cette dernière ville, où elle devait produire une si grande révolution, la pauvre petite La Vallière, qui était bien loin de se douter, en s'en retournant toute joyeuse au bras de sa mère, à quel étrange avenir elle était réservée.

Quant au bonhomme Malicorne, nous voulons parler du syndic d'Orléans, il ne voyait pas plus clair dans le présent que les autres dans l'avenir, et ne se doutait guère, en promenant tous les jours, de trois à cinq heures, après son dîner, sur la place Sainte-Catherine[1], son habit gris taillé sous Louis XIII et ses souliers de drap à grosses bouffettes, que c'était lui qui payait tous ces éclats de rire, tous ces baisers furtifs,

1. L'église Sainte-Catherine, démolie en août 1791, jouxtait l'ancienne muraille de la ville (à l'emplacement de l'actuelle place Louis XI) et était incluse entre les maisons : il n'a jamais existé de place de ce nom (renseignements communiqués par M. Jacques Debal, président de la Société archéologique et historique de l'Orléanais).

tous ces chuchotements, toute cette rubanerie et tous ces projets soufflés qui faisaient une chaîne de quarante-cinq lieues du palais de Blois au Palais-Royal.

LXXX

MANICAMP ET MALICORNE[1]

Donc, Malicorne partit, comme nous l'avons dit, et alla trouver son ami Manicamp, en retraite momentanée dans la ville d'Orléans.

C'était juste au moment où ce jeune seigneur s'occupait de vendre le dernier habit un peu propre qui lui restât.

Il avait, quinze jours auparavant, tiré du comte de Guiche cent pistoles, les seules qui pussent l'aider à se mettre en campagne, pour aller au-devant de Madame, qui arrivait au Havre.

Il avait tiré de Malicorne, trois jours auparavant, cinquante pistoles, prix du brevet obtenu pour Montalais.

Il ne s'attendait donc plus à rien, ayant épuisé toutes les ressources, sinon à vendre un bel habit de drap et de satin, tout brodé et passementé d'or, qui avait fait l'admiration de la cour.

Mais, pour être en mesure de vendre cet habit, le dernier qui lui restât, comme nous avons été forcé de l'avouer au lecteur, Manicamp avait été obligé de prendre le lit.

Plus de feu, plus d'argent de poche, plus d'argent de promenade, plus rien que le sommeil pour remplacer les repas, les compagnies et les bals.

On a dit : « Qui dort dîne » ; mais on n'a pas dit : « Qui dort joue », ou « Qui dort danse ».

Manicamp, réduit à cette extrémité de ne plus jouer ou de ne plus danser de huit jours au moins, était donc fort triste. Il attendait un usurier : il vit[2] entrer Malicorne.

Un cri de détresse lui échappa.

— Eh bien ! dit-il d'un ton que rien ne pourrait rendre, c'est encore vous, cher ami ?

— Bon ! vous êtes poli ! dit Malicorne.

— Ah ! voyez-vous, c'est que j'attendais de l'argent, et, au lieu d'argent, vous arrivez.

— Et si je vous en apporte[3], de l'argent ?

---

1. M[1] : f°s 114bis-121.
2. Texte : « ... un usurier *et* vit... »
3. Texte : « ... apport*ais*, de l'argent ? »

— Oh ! alors, c'est autre chose. Soyez le bienvenu, cher ami.

Et il tendit la main, non pas à la main de Malicorne, mais à sa bourse.

Malicorne fit semblant de s'y tromper et lui donna la main.

— Et l'argent ? fit Manicamp.

— Mon cher ami, si vous voulez l'avoir, gagnez-le.

— Que faut-il faire pour cela ?

— Le gagner, parbleu !

— Et de quelle façon ?

— Oh ! c'est rude, je vous en avertis !

— Diable !

— Il faut quitter le lit et aller trouver sur-le-champ M. le comte de Guiche.

— Moi, me lever ? fit Manicamp en se détirant voluptueusement dans son lit. Oh ! non pas.

— Vous avez donc vendu tous vos habits ?

— Non, il m'en reste un, le plus beau même, mais j'attends Esaü[1].

— Et des chausses ?

— Il me semble que vous les voyez sur cette chaise.

— Eh bien ! puisqu'il vous reste des chausses et un pourpoint, chaussez les unes et endossez l'autre, faites seller un cheval et mettez-vous en chemin.

— Point du tout.

— Pourquoi cela ?

— Morbleu ! vous ne savez donc pas que M. de Guiche est à Étampes ?

— Non, je le croyais à Paris, moi ; vous n'aurez que quinze lieues à faire au lieu de trente.

— Vous êtes charmant ! Si je fais quinze lieues avec mon habit, il ne sera plus mettable, et, au lieu de le vendre trente pistoles, je serai obligé de le donner pour cinq[2].

— Donnez-le pour ce que vous voudrez, mais il me faut une seconde commission de fille d'honneur.

— Bon ! pour qui ? La Montalais est donc double ?

— Méchant homme ! c'est vous qui l'êtes. Vous engloutissez deux fortunes : la mienne et celle de M. le comte de Guiche.

— Vous pourriez bien dire celle de M. de Guiche et la vôtre.

— C'est juste, à tout seigneur tout honneur ; mais j'en reviens à mon brevet.

— Et vous avez tort.

— Prouvez-moi cela.

— Mon ami, il n'y aura que douze filles d'honneur pour Madame ;

1. Texte : « ... j'attends *acheteur.* »
2. Texte : « ... pour *quinze.* »

j'ai déjà obtenu pour vous ce que douze cents femmes se disputent, et pour cela, il m'a fallu déployer une diplomatie...

— Oui, je sais que vous avez été héroïque, cher ami.

— On sait les affaires, dit Manicamp.

— A qui le dites-vous ! Aussi, quand je serai roi, je vous promets une chose.

— Laquelle ? de vous appeler Malicorne Ier ?

— Non, de vous faire surintendant de mes finances ; mais ce n'est point de cela qu'il s'agit.

— Malheureusement.

— Il s'agit de me procurer une seconde charge de fille d'honneur.

— Mon ami, vous me promettriez le ciel que je ne me dérangerais pas dans ce moment-ci.

Malicorne fit sonner sa poche.

— Il y a là vingt pistoles, dit Malicorne.

— Et que voulez-vous faire de vingt pistoles, mon Dieu ?

— Eh ! dit Malicorne un peu fâché, quand ce ne serait que pour les ajouter aux cinq cents que vous me devez déjà !

— Vous avez raison, reprit Manicamp en tendant de nouveau la main, et sous ce point de vue je puis les accepter. Donnez-les-moi.

— Un instant, que diable ! il ne s'agit pas seulement de tendre la main ; si je vous donne les vingt pistoles, aurai-je le brevet ?

— Sans doute.

— Bientôt ?

— Aujourd'hui.

— Oh ! prenez garde, monsieur de Manicamp ! vous vous engagez beaucoup, et je ne vous en demande pas si long. Trente lieues en un jour, c'est trop, et vous vous tueriez.

— Pour obliger un ami, je ne trouve rien d'impossible.

— Vous êtes héroïque.

— Où sont les vingt pistoles ?

— Les voici, fit Malicorne en les montrant.

— Bien.

— Mais, mon cher monsieur Manicamp, vous allez les dévorer rien qu'en chevaux de poste.

— Non pas ; soyez tranquille.

— Pardonnez-moi.

— Quinze lieues d'ici à Étampes...

— Quatorze.

— Soit ; quatorze lieues font sept postes ; à vingt sous la poste, sept livres ; sept livres de courrier, quatorze ; autant pour revenir, vingt-huit ; coucher et souper autant ; c'est une soixantaine de livres que vous coûtera cette complaisance.

Manicamp s'allongea comme un serpent dans son lit, et fixant ses deux grands yeux sur Malicorne :

— Vous avez raison, dit-il, je ne pourrais pas revenir avant demain.

Et il prit les vingt pistoles.

— Alors, partez.

— Puisque je ne pourrai revenir que demain, nous avons le temps.

— Le temps de quoi faire ?

— Le temps de jouer.

— Que voulez-vous jouer ?

— Vos vingt pistoles, pardieu !

— Non pas, vous gagnez[1] toujours.

— Je vous les gage, alors.

— Contre quoi !

— Contre vingt autres.

— Et quel sera l'objet du pari ?

— Voici. Nous avons dit quatorze lieues pour aller à Étampes.

— Oui.

— Quatorze lieues pour revenir.

— Oui.

— Par conséquent vingt-huit lieues.

— Sans doute.

— Pour ces vingt-huit lieues, vous m'accordez bien quatorze heures ?

— Je vous les accorde.

— Une heure pour trouver le comte de Guiche ?

— Soit.

— Et une heure pour lui faire écrire la lettre à Monsieur ?

— A merveille.

— Seize heures en tout.

— Vous comptez comme M. Colbert.

— Il est midi ?

— Et demi.

— Tiens ! vous avez une belle montre.

— Vous disiez ?... fit Malicorne en remettant sa montre dans son gousset.

— Ah ! c'est vrai ; je vous offrais de vous gagner vingt pistoles contre celles que vous m'avez prêtées, que vous aurez la lettre du comte de Guiche dans...

— Dans combien ?

— Dans huit heures.

— Avez-vous un cheval ailé ?

— Cela me regarde. Pariez toujours[2].

1. Texte : « ... vous gagn*er*ez... »
2. Texte : « ... pariez-*vous* toujours *?* »

— J'aurai la lettre du comte dans huit heures ?
— Oui.
— Signée ?
— Oui.
— En main ?
— En main.
— Eh bien, soit ! je parie, dit Malicorne, curieux de savoir comment son vendeur d'habits se tirerait de là.
— Est-ce dit ?
— C'est dit.
— Passez-moi la plume, l'encre et le papier.
— Voici.
— Ah !

Manicamp se souleva avec un soupir, et s'accoudant sur son bras gauche, de sa plus belle écriture il traça les lignes suivantes :

Bon pour une charge de fille d'honneur de Madame que M. le comte de Guiche se chargera d'obtenir à première vue.

DE MANICAMP

Ce travail pénible accompli, Manicamp se recoucha tout de son long.
— Eh bien ? demanda Malicorne, qu'est-ce que cela veut dire ?
— Cela veut dire que si vous êtes pressé d'avoir la lettre du comte de Guiche pour Monsieur, j'ai gagné mon pari.
— Comment cela ?
— C'est limpide, ce me semble ; vous prenez ce papier.
— Oui.
— Vous partez à ma place.
— Ah !
— Vous lancez vos chevaux à fond de train.
— Bon !
— Dans six heures, vous êtes à Étampes ; dans sept heures, vous avez la lettre du comte, et j'ai gagné mon pari sans avoir bougé de mon lit, ce qui m'accommode tout à la fois et vous aussi, j'en suis bien sûr.
— Décidément, Manicamp, vous êtes un grand homme.
— Je le sais bien.
— Je pars donc pour Étampes.
— Vous partez.
— Je vais trouver le comte de Guiche avec ce bon.
— Il vous en donne un pareil sur[1] Monsieur.
— Je pars pour Paris.
— Vous allez trouver Monsieur avec le bon du comte de Guiche.
— Monsieur approuve.

1. Texte : « ... *pour* Monsieur. »

— A l'instant même.
— Et j'ai mon brevet.
— Vous l'avez.
— Ah !
— J'espère que je suis gentil, hein ?
— Adorable !
« Vous faites donc du comte de Guiche tout ce que vous voulez, mon cher Manicamp ?
— Tout, excepté de l'argent.
— Diable ! l'exception est fâcheuse ; mais enfin, si au lieu de lui demander de l'argent, vous lui demandiez...
— Quoi ?
— Quelque chose d'important.
— Qu'appelez-vous important ?
— Enfin, si un de vos amis vous demandait un service ?
— Je ne le lui rendrais pas.
— Égoïste !
— Ou du moins je lui demanderais quel service il me rendra en échange.
— A la bonne heure ! Eh bien ! cet ami vous parle.
— C'est vous, Malicorne ?
— C'est moi.
— Ah çà ! vous êtes donc bien riche ?
— J'ai encore cinquante pistoles.
— Juste la somme dont j'ai besoin. Où sont ces cinquante pistoles ?
— Là, dit Malicorne en frappant sur son gousset.
— Alors, parlez, mon cher ; que vous faut-il ?
Malicorne reprit l'encre, la plume et le papier, et présenta le tout à Manicamp.
— Écrivez, lui dit-il.
— Dictez.
— « Bon pour une charge dans la maison de Monsieur. »
— Oh ! fit Manicamp en levant la plume, une charge dans la maison de Monsieur pour cinquante pistoles ?
— Vous avez mal entendu, mon cher.
— Comment avez-vous dit ?
— J'ai dit cinq cents.
— Et les cinq cents pistoles[1] ?
Malicorne tira de sa poche un rouleau d'or qu'il écorna par un bout.
— Les voilà.
Manicamp dévora des yeux le rouleau ; mais, cette fois, Malicorne le tenait à distance.

1. Texte : mot omis.

— Ah ! qu'en dites-vous ? Cinq cents pistoles...

— Je dis que c'est pour rien, mon cher, dit Manicamp en reprenant la plume, et que vous userez mon crédit ; dictez.

Malicorne continua :

— « Que mon ami le comte de Guiche obtiendra de Monsieur pour mon ami Malicorne. »

— Voilà, dit Manicamp.

— Pardon, vous avez oublié de signer.

— Ah ! c'est vrai. Les cinq cents pistoles ?

— En voilà deux cent cinquante.

— Et les deux cent cinquante autres ?

— Quand je tiendrai ma charge.

Manicamp fit la grimace.

— En ce cas, rendez-moi la recommandation, dit-il.

— Pour quoi faire ?

— Pour que j'y ajoute un mot.

— Un mot ?

— Oui, un seul.

— Lequel ?

— « Pressé. »

Malicorne rendit la recommandation : Manicamp ajouta le mot.

— Bon ! fit Malicorne en reprenant le papier.

Manicamp se mit à compter ses[1] pistoles.

— Il en manque vingt, dit-il.

— Comment cela ?

— Les vingt que j'ai gagnées.

— Où ?

— En pariant que vous auriez la lettre du duc de Guiche dans huit heures.

— C'est juste.

Et il lui donna les vingt pistoles.

Manicamp se mit à prendre son or à pleines mains et le fit pleuvoir en cascades sur son lit.

— Voilà une seconde charge, murmurait Malicorne en faisant sécher son papier, qui, au premier abord, paraît me coûter plus cher[2] que la première ; mais...

Il s'arrêta, prit à son tour la plume, et écrivit à Montalais :

Mademoiselle, annoncez à votre amie que sa commission ne peut tarder à lui arriver ; je pars pour la faire signer : c'est quatre-vingt-dix[3] lieues que j'aurai faites pour l'amour de vous...

---

1. Texte : « ... *les* pistoles. »
2. Texte : « ... *plus que* la première... »
3. Texte : « ... quatre-vingt-*six*... »

Puis avec son sourire de démon, reprenant la phrase interrompue :

— Voilà, dit-il, une charge qui, au premier abord, paraît me coûter plus cher que la première ; mais... le bénéfice sera, je l'espère, dans la proportion de la dépense, et Mlle de La Vallière me rapportera plus que Mlle de Montalais, ou bien, ou bien, je ne m'appelle plus Malicorne. Adieu, Manicamp.

Et il sortit[1].

LXXXI

LA COUR DE L'HÔTEL GRAMMONT

Lorsque Malicorne arriva à Étampes, il apprit que le comte de Guiche venait de partir pour Paris. Malicorne prit deux heures de repos et s'apprêta à continuer son chemin.

Il arriva dans la nuit à Paris, descendit à un petit hôtel dont il avait l'habitude lors de ses voyages dans la capitale, et le lendemain, à huit heures, il se présenta à l'hôtel Grammont[2].

Il était temps que Malicorne arrivât.

Le comte de Guiche se préparait à faire ses adieux à Monsieur avant de partir pour Le Havre, où l'élite de la noblesse française allait chercher Madame à son arrivée d'Angleterre.

Malicorne prononça le nom de Manicamp, et fut introduit à l'instant même. Le comte de Guiche était dans la cour de l'hôtel Grammont, visitant ses équipages, que des piqueurs et des écuyers faisaient passer en revue devant lui.

Le comte louait ou blâmait devant ses fournisseurs et ses gens les habits, les chevaux et les harnais qu'on venait de lui apporter, lorsque au milieu de cette importante occupation on lui jeta le nom de Manicamp.

— Manicamp ? s'écria-t-il. Qu'il entre, parbleu ! qu'il entre !

Et il fit quatre pas vers la porte.

Malicorne se glissa par cette porte demi-ouverte, et regardant le comte de Guiche surpris de voir un visage inconnu en place de celui qu'il attendait :

— Pardon, monsieur le comte, dit-il, mais je crois qu'on a fait erreur : on vous a annoncé Manicamp lui-même, et ce n'est que son envoyé.

1. M[1] : fin du cinquième volume.

2. Le maréchal de Gramont possédait l'hôtel de Clèves, situé dans la rue du Louvre (ancienne rue d'Autriche), qui avait été rebâti en 1613 par Marie de Clèves, veuve du duc de Guise. En 1667, Louis XIV l'acheta 120 000 francs pour le faire démolir ; en échange, le maréchal devint propriétaire de l'hôtel des frères Pierre et Nicolas Monnerot, bâti par Chamois en 1654 et confisqué par le roi. La rue de Gramont fut construite sur son emplacement.

— Ah ! ah ! fit de Guiche un peu refroidi, et vous m'apportez ?

— Une lettre, monsieur le comte.

Malicorne présenta le premier bon et observa le visage du comte. Celui-ci lut et se mit à rire.

— Encore ! dit-il, encore une fille d'honneur ? Ah çà ! mais ce drôle de Manicamp protège donc toutes les filles d'honneur de France ?

Malicorne salua.

— Et pourquoi ne vient-il pas lui-même ? demanda-t-il.

— Il est au lit.

— Ah ! diable ! Il n'a donc pas d'argent ?

De Guiche haussa les épaules.

— Mais qu'en fait-il donc, de son argent ?

Malicorne fit un mouvement qui voulait dire que, sur cet article-là, il était aussi ignorant que le comte.

— Alors qu'il use de son crédit, continua de Guiche.

— Ah ! mais c'est que je crois une chose.

— Laquelle ?

— C'est que Manicamp n'a de crédit qu'auprès de vous, monsieur le comte.

— Mais alors il ne se trouvera donc pas au Havre ?

Autre mouvement de Malicorne.

— C'est impossible, et tout le monde y sera !

— J'espère, monsieur le comte, qu'il ne négligera point une si belle occasion.

— Il devrait déjà être à Paris.

— Il prendra la traverse pour regagner le temps perdu.

— Et où est-il ?

— A Orléans.

— Monsieur, dit de Guiche en saluant, vous me paraissez homme de bon goût.

Malicorne avait l'habit de Manicamp.

Il salua à son tour.

— Vous me faites grand honneur, monsieur, dit-il.

— A qui ai-je le plaisir de parler ?

— Je me nomme Malicorne, monsieur.

— Monsieur de Malicorne, comment trouvez-vous les fontes de ces pistolets ?

Malicorne était homme d'esprit ; il comprit la situation. D'ailleurs, le *de* mis avant son nom venait de l'élever à la hauteur de celui qui lui parlait.

Il regarda les fontes en connaisseur, et, sans hésiter :

— Un peu lourdes, monsieur, dit-il.

— Vous voyez, fit de Guiche au sellier, Monsieur, qui est homme de goût, trouve vos fontes lourdes : que vous avais-je dit tout à l'heure ?

Le sellier s'excusa.

— Et ce cheval, qu'en dites-vous ? demanda de Guiche. C'est encore une emplette que je viens de faire.

— A la vue, il me paraît parfait, monsieur le comte ; mais il faudrait que je le montasse pour vous en dire mon avis.

— Eh bien ! montez-le, monsieur de Malicorne, et faites-lui faire deux ou trois fois le tour du manège.

La cour de l'hôtel était en effet disposée de manière à servir de manège en cas de besoin.

Malicorne, sans embarras, assembla la bride et le bridon, prit la crinière de la main gauche, plaça son pied à l'étrier, s'enleva et se mit en selle.

La première fois il fit faire au cheval le tour de la cour au pas.

La seconde fois, au trot.

Et la troisième fois, au galop.

Puis il s'arrêta près du comte, mit pied à terre et jeta la bride aux mains d'un palefrenier.

— Eh bien ! dit le comte, qu'en pensez-vous, monsieur de Malicorne ?

— Monsieur le comte, fit Malicorne, ce cheval est de race mecklembourgeoise. En regardant si le mors reposait bien sur les branches, j'ai vu qu'il prenait sept ans. C'est l'âge auquel il faut préparer le cheval de guerre. L'avant-main est léger. Cheval à tête plate, dit-on, ne fatigue jamais la main du cavalier. Le garrot est un peu bas. L'avalement de la croupe me ferait douter de la pureté de la race allemande. Il doit avoir du sang anglais. L'animal est droit sur ses aplombs, mais il chasse au trot ; il doit se couper. Attention à la ferrure. Il est, au reste, maniable. Dans les voltes et les changements de pied je lui ai trouvé les aides fines[1].

— Bien jugé, monsieur de Malicorne, fit le comte. Vous êtes connaisseur.

Puis, se retournant vers le nouvel arrivé :

— Vous avez là un habit charmant, dit de Guiche à Malicorne. Il ne vient pas de province, je présume ; on ne taille pas dans ce goût-là à Tours ou à Orléans.

— Non, monsieur le comte, cet habit vient en effet de Paris.

— Oui, cela se voit... Mais retournons à notre affaire... Manicamp veut donc faire une seconde fille d'honneur ?

— Vous voyez ce qu'il vous écrit, monsieur le comte.

— Qui était la première déjà ?

Malicorne sentit le rouge lui monter au visage.

1. Termes de manège : *branches* : parties en fer qui portent l'embouchure et la gourmette ; *avant-main* : partie de devant du cheval ; *avalement de la croupe* : chute de la croupe ; *chasser* : glisser par l'arrière ; *se couper* : atteindre du sabot de la jambe en action la jambe d'appui ; *aides* : moyens à l'aide desquels le cavalier dirige son cheval.

— Une charmante fille d'honneur, se hâta-t-il de répondre, Mlle de Montalais.

— Ah ! ah ! vous la connaissez, monsieur ?

— Oui, c'est ma fiancée, ou à peu près.

— C'est autre chose, alors... Mille compliments ! s'écria de Guiche, sur les lèvres duquel voltigeait déjà une plaisanterie de courtisan, et que ce titre de *fiancée* donné par Malicorne à Mlle de Montalais rappela au respect des femmes.

— Et le second brevet, pour qui est-ce ? demanda de Guiche. Est-ce pour la fiancée de Manicamp ?... En ce cas, je la plains. Pauvre fille ! elle aura pour mari un méchant sujet.

— Non, monsieur le comte... Le second brevet est pour Mlle La Baume Le Blanc de La Vallière.

— Inconnue, fit de Guiche.

— Inconnue ? Oui, monsieur, fit Malicorne en souriant à son tour.

— Bon ! je vais en parler à Monsieur. A propos, elle est demoiselle ?

— De très bonne maison, fille d'honneur de Madame douairière.

— Très bien ! Voulez-vous m'accompagner chez Monsieur ?

— Volontiers, si vous me faites cet honneur.

— Avez-vous votre carrosse ?

— Non, je suis venu à cheval.

— Avec cet habit ?

— Non, monsieur ; j'arrive d'Orléans en poste, et j'ai changé mon habit de voyage contre celui-ci pour me présenter chez vous.

— Ah ! c'est vrai, vous m'avez dit que vous arriviez d'Orléans.

Et il fourra, en la froissant, la lettre de Manicamp dans sa poche.

— Monsieur, dit timidement Malicorne, je crois que vous n'avez pas tout lu.

— Comment, je n'ai pas tout lu ?

— Non, il y avait deux billets dans la même enveloppe.

— Ah ! ah ! vous êtes sûr ?

— Oh ! très sûr.

— Voyons donc.

Et le comte rouvrit le cachet.

— Ah ! fit-il, c'est, ma foi, vrai.

Et il déplia le papier qu'il n'avait pas encore lu.

— Je m'en doutais, dit-il, un autre bon pour une charge chez Monsieur ; oh ! mais c'est un gouffre que ce Manicamp. Oh ! le scélérat, il en fait donc commerce ?

— Non, monsieur le comte, il veut en faire don.

— A qui ?

— A moi, monsieur.

— Mais que ne disiez-vous cela tout de suite, mon cher monsieur de Mauvaisecorne.

— Malicorne !

— Ah ! pardon ; c'est le latin qui me brouille, l'affreuse habitude des étymologies. Pourquoi diantre fait-on apprendre le latin aux jeunes gens de famille ? *Mala* : mauvaise. Vous comprenez, c'est tout un. Vous me pardonnez, n'est-ce pas, monsieur de Malicorne ?

— Votre bonté me touche, monsieur ; mais c'est une raison pour que je vous dise une chose tout de suite.

— Quelle chose, monsieur ?

— Je ne suis pas gentilhomme : j'ai bon cœur, un peu d'esprit, mais je m'appelle Malicorne tout court.

— Eh bien ! s'écria de Guiche en regardant la malicieuse figure de son interlocuteur, vous me faites l'effet, monsieur, d'un aimable homme. J'aime votre figure, monsieur Malicorne ; il faut que vous ayez de furieusement bonnes qualités pour avoir plu à cet égoïste de Manicamp. Soyez franc, vous êtes quelque saint descendu sur la terre.

— Pourquoi cela ?

— Morbleu ! pour qu'il vous donne quelque chose. N'avez-vous pas dit qu'il voulait vous faire don d'une charge chez le roi ?

— Pardon, monsieur le comte ; si j'obtiens cette charge, ce n'est point lui qui me l'aura donnée, c'est vous.

— Et puis il ne vous l'aura peut-être pas donnée pour rien tout à fait ?

— Monsieur le comte...

— Attendez donc : il y a un Malicorne à Orléans. Parbleu ! c'est cela ! qui prête de l'argent à M. le prince.

— Je crois que c'est mon père, monsieur.

— Ah ! voilà ! M. le prince a le père, et cet affreux dévorateur de Manicamp a le fils. Prenez garde, monsieur, je le connais ; il vous rongera, mordieu ! jusqu'aux os.

— Seulement, je prête sans intérêt, moi, monsieur, dit en souriant Malicorne.

— Je disais bien que vous étiez un saint ou quelque chose d'approchant, monsieur Malicorne. Vous aurez votre charge ou j'y perdrai mon nom.

— Oh ! monsieur le comte, quelle reconnaissance ! dit Malicorne transporté.

— Allons chez le prince, mon cher monsieur Malicorne, allons chez le prince.

Et de Guiche se dirigea vers la porte en faisant signe à Malicorne de le suivre.

Mais au moment où ils allaient en franchir le seuil, un jeune homme apparut de l'autre côté.

C'était un cavalier de vingt-quatre à vingt-cinq ans, au visage pâle, aux lèvres minces, aux yeux brillants, aux cheveux et aux sourcils bruns.

— Eh ! bonjour, dit-il tout à coup en repoussant pour ainsi dire Guiche dans l'intérieur de la cour.

— Ah ! ah ! vous ici, de Wardes. Vous, botté, éperonné, et le fouet à la main !

— C'est la tenue qui convient à un homme qui part pour Le Havre. Demain, il n'y aura plus personne à Paris.

Et le nouveau venu salua cérémonieusement Malicorne, à qui son bel habit donnait des airs de prince.

— M. Malicorne, dit de Guiche à son ami.

De Wardes salua.

— M. de Wardes, dit de Guiche à Malicorne.

Malicorne salua à son tour.

— Voyons, de Wardes, continua de Guiche, dites-nous cela, vous qui êtes à l'affût de ces sortes de choses : quelles charges y a-t-il encore à donner à la cour, ou plutôt dans la maison de Monsieur ?

— Dans la maison de Monsieur ? dit de Wardes en levant les yeux en l'air pour chercher. Attendez donc... celle de grand écuyer, je crois.

— Oh ! s'écria Malicorne, ne parlons point de pareils postes, monsieur ; mon ambition ne va pas au quart du chemin.

De Wardes avait le coup d'œil plus défiant que de Guiche, il devina tout de suite Malicorne.

— Le fait est, dit-il en le toisant, que, pour occuper cette charge, il faut être duc et pair.

— Tout ce que je demande, moi, dit Malicorne, c'est une charge très humble ; je suis peu et ne m'estime point au-dessus de ce que je suis.

— Monsieur Malicorne, que vous voyez, dit de Guiche à de Wardes, est un charmant garçon qui n'a d'autre malheur que de ne pas être gentilhomme. Mais, vous le savez, moi, je fais peu de cas de l'homme qui n'est que gentilhomme.

— D'accord, dit de Wardes ; mais seulement je vous ferai observer, mon cher comte, que, sans qualité, on ne peut raisonnablement espérer d'entrer chez Monsieur.

— C'est vrai, dit le comte, l'étiquette est formelle. Diable ! diable ! nous n'avions pas pensé à cela.

— Hélas ! voilà un grand malheur pour moi, dit Malicorne en pâlissant légèrement, un grand malheur, monsieur le comte.

— Mais qui n'est pas sans remède, j'espère, répondit de Guiche.

— Pardieu ! s'écria de Wardes, le remède est tout trouvé ; on vous fera gentilhomme, mon cher monsieur : Son Éminence le cardinal Mazarini ne faisait pas autre chose du matin au soir.

— Paix, paix, de Wardes ! dit le comte, pas de mauvaise plaisanterie ; ce n'est point entre nous qu'il convient de plaisanter de la sorte ; la noblesse peut s'acheter, c'est vrai, mais c'est un assez grand malheur pour que les nobles n'en rient pas.

— Ma foi ! tu es bien puritain, comme disent les Anglais.

— M. le vicomte de Bragelonne, annonça un valet dans la cour, comme il eût fait dans un salon.

— Ah ! cher Raoul, viens, viens donc. Tout botté aussi ! tout éperonné aussi ! Tu pars donc ?

Bragelonne s'approcha du groupe de jeunes gens, et salua de cet air grave et doux qui lui était particulier. Son salut s'adressa surtout à de Wardes, qu'il ne connaissait point, et dont les traits s'étaient armés d'une étrange froideur en voyant apparaître Raoul.

— Mon ami, dit-il à de Guiche, je viens te demander ta compagnie. Nous partons pour Le Havre, je présume ?

— Ah ! c'est au mieux ! c'est charmant ! Nous allons faire un merveilleux voyage. Monsieur Malicorne, M. de Bragelonne. Ah ! M. de Wardes, que je te présente.

Les jeunes gens échangèrent un salut compassé. Les deux natures semblaient dès l'abord disposées à se discuter l'une l'autre. De Wardes était souple, fin, dissimulé ; Raoul, sérieux, élevé, droit.

— Mets-nous d'accord, de Wardes et moi, Raoul.

— A quel propos ?

— A propos de noblesse.

— Qui s'y connaîtra, si ce n'est un Grammont ?

— Je ne te demande pas de compliments, je te demande ton avis.

— Encore faut-il que je connaisse l'objet de la discussion.

— De Wardes prétend que l'on fait abus de titres ; moi, je prétends que le titre est inutile à l'homme.

— Et tu as raison, dit tranquillement de Bragelonne.

— Mais, moi aussi, reprit de Wardes avec une espèce d'obstination, moi aussi, monsieur le vicomte, je prétends que j'ai raison.

— Que disiez-vous, monsieur ?

— Je disais, moi, que l'on fait tout ce qu'on peut en France pour humilier les gentilshommes.

— Et qui donc cela ? demanda Raoul.

— Le roi lui-même ; il s'entoure de gens qui ne feraient pas preuve de quatre quartiers.

— Allons donc ! fit de Guiche, je ne sais pas où diable vous avez vu cela, de Wardes.

— Un seul exemple.

Et de Wardes couvrit Bragelonne tout entier de son regard.

— Dis.

— Sais-tu qui vient d'être nommé capitaine général des mousquetaires, charge qui vaut plus que la pairie, charge qui donne le pas sur les maréchaux de France ?

Raoul commença de rougir, car il voyait où de Wardes en voulait venir.

— Non ; qui a-t-on nommé ? Il n'y a pas longtemps en tout cas ; car il y a huit jours la charge était encore vacante ; à telle enseigne que le roi l'a refusée à Monsieur, qui la demandait pour un de ses protégés.

— Eh bien ! mon cher, le roi l'a refusée au protégé de Monsieur pour la donner au chevalier d'Artagnan, à un cadet de Gascogne qui a traîné l'épée trente ans dans les antichambres.

— Pardon, monsieur, si je vous arrête, dit Raoul en lançant un regard plein de sévérité à de Wardes ; mais vous me faites l'effet de ne pas connaître celui dont vous parlez.

— Je ne connais pas M. d'Artagnan ! Eh ! mon Dieu ! qui donc ne le connaît pas ?

— Ceux qui le connaissent, monsieur, reprit Raoul avec plus de calme et de froideur, sont tenus de dire que, s'il n'est pas aussi bon gentilhomme que le roi, ce qui n'est point sa faute, il égale tous les rois du monde en courage et en loyauté. Voilà mon opinion à moi, monsieur, et Dieu merci ! je connais M. d'Artagnan depuis ma naissance[1].

De Wardes allait répliquer, mais de Guiche l'interrompit.

LXXXII

LE PORTRAIT DE MADAME

La discussion allait s'aigrir, de Guiche l'avait parfaitement compris. En effet, il y avait dans le regard de Bragelonne quelque chose d'instinctivement hostile.

Il y avait dans celui de de Wardes quelque chose comme un calcul d'agression. Sans se rendre compte des divers sentiments qui agitaient ses deux amis, de Guiche songea à parer le coup qu'il sentait prêt à être porté par l'un ou l'autre et peut-être par tous les deux.

— Messieurs, dit-il, nous devons nous quitter, il faut que je passe chez Monsieur. Prenons nos rendez-vous : toi, de Wardes, viens avec moi au Louvre ; toi, Raoul, demeure le maître de la maison, et comme tu es le conseil de tout ce qui se fait ici, tu donneras le dernier coup d'œil à mes préparatifs de départ.

Raoul, en homme qui ne cherche ni ne craint une affaire, fit de la tête un signe d'assentiment, et s'assit sur un banc au soleil.

— C'est bien, dit de Guiche, reste là, Raoul, et fais-toi montrer les deux chevaux que je viens d'acheter ; tu me diras ton sentiment, car je

1. Voir ci-dessus, chap. LXXVI, p. 473, note 2.

ne les ai achetés qu'à la condition que tu ratifierais le marché. A propos, pardon ! j'oubliais de te demander des nouvelles de M. le comte de La Fère.

Et tout en prononçant ces derniers mots, il observait de Wardes et essayait de saisir l'effet que produirait sur lui le nom du père de Raoul.

— Merci, répondit le jeune homme. M. le comte se porte bien.

Un éclair de haine passa dans les yeux de de Wardes.

De Guiche ne parut pas remarquer cette lueur funèbre, et allant donner une poignée de main à Raoul :

— C'est convenu, n'est-ce pas, Bragelonne, dit-il, tu viens nous rejoindre dans la cour du Palais-Royal ?

Puis, faisant signe de le suivre à de Wardes, qui se balançait tantôt sur un pied, tantôt sur l'autre.

— Nous partons, dit-il ; venez, monsieur Malicorne.

Ce nom fit tressaillir Raoul.

Il lui sembla qu'il avait déjà entendu prononcer ce nom une fois ; mais il ne put se rappeler dans quelle occasion. Tandis qu'il cherchait, moitié rêveur, moitié irrité de sa conversation avec de Wardes, les trois jeunes gens s'acheminaient vers le Palais-Royal, où logeait Monsieur.

Malicorne comprit deux choses.

La première, c'est que les jeunes gens avaient quelque chose à se dire.

La seconde, c'est qu'il ne devait pas marcher sur le même rang qu'eux.

Il demeura en arrière.

— Êtes-vous fou ? dit de Guiche à son compagnon, lorsqu'ils eurent fait quelques pas hors de l'hôtel de Grammont ; vous attaquez M. d'Artagnan, et cela devant Raoul !

— Eh bien ! après ? fit de Wardes.

— Comment, après ?

— Sans doute : est-il défendu d'attaquer M. d'Artagnan ?

— Mais vous savez bien que M. d'Artagnan fait le quart de ce tout si glorieux et si redoutable qu'on appelait les Mousquetaires.

— Soit ; mais je ne vois pas pourquoi cela peut m'empêcher de haïr M. d'Artagnan.

— Que vous a-t-il fait ?

— Oh ! à moi, rien.

— Alors, pourquoi le haïr ?

— Demandez cela à l'ombre de mon père.

— En vérité, mon cher de Wardes, vous m'étonnez : M. d'Artagnan n'est point de ces hommes qui laissent derrière eux une inimitié sans apurer leur compte. Votre père, m'a-t-on dit, était de son côté haut la main[1]. Or, il n'est si rudes inimitiés qui ne se lavent dans le sang d'un bon et loyal coup d'épée.

1. *Haut la main* : arrogant.

— Que voulez-vous, cher ami, cette haine existait entre mon père et M. d'Artagnan ; il m'a, tout enfant, entretenu de cette haine, et c'est un legs particulier qu'il m'a laissé au milieu de son héritage[1]

— Et cette haine avait pour objet M. d'Artagnan seul ?

— Oh ! M. d'Artagnan était trop bien incorporé dans ses trois amis pour que le trop-plein n'en rejaillît pas sur eux ; elle est de mesure, croyez-moi, à ce que les autres, le cas échéant, n'aient point à se plaindre de leur part.

De Guiche avait les yeux fixés sur de Wardes ; il frissonna en voyant le pâle sourire du jeune homme. Quelque chose comme un pressentiment fit tressaillir sa pensée ; il se dit que le temps était passé des grands coups d'épée entre gentilshommes, mais que la haine, en s'extravasant au fond du cœur, au lieu de se répandre au-dehors, n'en était pas moins de la haine ; que parfois le sourire était aussi sinistre que la menace et qu'en un mot, enfin, après les pères, qui s'étaient haïs avec le cœur et combattus avec le bras, viendraient les fils ; qu'eux aussi se haïraient avec le cœur, mais qu'ils ne se combattraient plus qu'avec l'intrigue ou la trahison.

Or, comme ce n'était point Raoul qu'il soupçonnait de trahison ou d'intrigue, ce fut pour Raoul que de Guiche frissonna.

Mais tandis que ces sombres pensées obscurcissaient le front de de Guiche, de Wardes était redevenu complètement maître de lui-même.

— Au reste, dit-il, ce n'est pas que j'en veuille personnellement à M. de Bragelonne, je ne le connais pas.

— En tout cas, de Wardes, dit de Guiche avec une certaine sévérité, n'oubliez pas une chose, c'est que Raoul est le meilleur de mes amis.

De Wardes s'inclina.

La conversation en demeura là, quoique de Guiche fît tout ce qu'il put pour lui tirer son secret du cœur ; mais de Wardes avait sans doute résolu de n'en pas dire davantage, et il demeura impénétrable.

De Guiche se promit d'avoir plus de satisfaction avec Raoul.

Sur ces entrefaites, on arriva au Palais-Royal, qui était entouré d'une foule de curieux.

La maison de Monsieur attendait ses ordres pour monter à cheval et faire escorte aux ambassadeurs chargés de ramener la jeune princesse.

Ce luxe de chevaux, d'armes et de livrées compensait en ce temps-là, grâce au bon vouloir des peuples et aux traditions de respectueux attachement pour les rois, les énormes dépenses couvertes par l'impôt.

Mazarin avait dit : « Laissez-les chanter, pourvu qu'ils paient. »

Louis XIV disait : « Laissez-les voir. »

La vue avait remplacé la voix : on pouvait encore regarder, mais on ne pouvait plus chanter.

---

1. Wardes n'apparaît qu'à Calais où il est grièvement blessé par d'Artagnan (*Les Trois Mousquetaires*, chap. XX).

M. de Guiche laissa de Wardes et Malicorne au pied du grand escalier ; mais lui, qui partageait la faveur de Monsieur avec le chevalier de Lorraine, qui lui faisait les blanches dents, mais ne pouvait le souffrir, il monta droit chez Monsieur.

Il trouva le jeune prince qui se mirait en se posant du rouge.

Dans l'angle du cabinet, sur des coussins, M. le chevalier de Lorraine était étendu, venant de faire friser ses longs cheveux blonds, avec lesquels il jouait comme eût fait une femme.

Le prince se retourna au bruit, et, apercevant le comte :

— Ah ! c'est toi, Guiche, dit-il ; viens çà et dis-moi la vérité.

— Oui, monseigneur, vous savez que c'est mon défaut.

— Figure-toi, Guiche, que ce méchant chevalier me fait de la peine.

Le chevalier haussa les épaules.

— Et comment cela ? demanda de Guiche. Ce n'est pas l'habitude de M. le chevalier.

— Eh bien ! il prétend, continua le prince, il prétend que Mlle Henriette est mieux comme femme que je ne suis comme homme.

— Prenez garde, monseigneur, dit de Guiche en fronçant le sourcil, vous m'avez demandé la vérité.

— Oui, dit Monsieur presque en tremblant.

— Eh bien ! je vais vous la dire.

— Ne te hâte pas, Guiche, s'écria le prince, tu as le temps ; regarde-moi avec attention et rappelle-toi bien Madame ; d'ailleurs, voici son portrait ; tiens.

Et il lui tendit la miniature, du plus fin travail.

De Guiche prit le portrait et le considéra longtemps.

— Sur ma foi, dit-il, voilà, monseigneur, une adorable figure.

— Mais regarde-moi à mon tour, regarde-moi donc, s'écria le prince essayant de ramener à lui l'attention du comte, absorbée tout entière par le portrait.

— En vérité, c'est merveilleux ! murmura de Guiche.

— Eh ! ne dirait-on pas, continua Monsieur, que tu n'as jamais vu cette petite fille.

— Je l'ai vue, monseigneur, c'est vrai, mais il y a cinq ans de cela, et il s'opère de grands changements entre une enfant de douze ans et une jeune fille de dix-sept.

— Enfin, ton opinion, dis-la ; parle, voyons !

— Mon opinion est que le portrait doit être flatté, monseigneur.

— Oh ! d'abord, oui, dit le prince triomphant, il l'est certainement ; mais enfin suppose qu'il ne soit point flatté, et dis-moi ton avis.

— Monseigneur, Votre Altesse est bien heureuse d'avoir une si charmante fiancée.

— Soit, c'est ton avis sur elle ; mais sur moi ?

— Mon avis, monseigneur, est que vous êtes beaucoup trop beau pour un homme.

Le chevalier de Lorraine se mit à rire aux éclats.

Monseigneur comprit tout ce qu'il y avait de sévère pour lui dans l'opinion du comte de Guiche.

Il fronça le sourcil.

— J'ai des amis peu bienveillants, dit-il.

De Guiche regarda encore le portrait ; mais après quelques secondes de contemplation, le rendant avec effort à Monsieur :

— Décidément, dit-il, monseigneur, j'aimerais mieux contempler dix fois Votre Altesse qu'une fois de plus Madame.

Sans doute le chevalier vit quelque chose de mystérieux dans ces paroles qui restèrent incomprises du prince, car il s'écria :

— Eh bien ! mariez-vous donc !

Monsieur continua à se mettre du rouge ; puis, quand il eut fini, il regarda encore le portrait, puis se mira dans la glace et sourit.

Sans doute il était satisfait de la comparaison.

— Au reste, tu es bien gentil d'être venu, dit-il à de Guiche ; je craignais que tu ne partisses sans venir me dire adieu.

— Monseigneur me connaît trop pour croire que j'eusse commis une pareille inconvenance.

— Et puis tu as bien quelque chose à me demander avant de quitter Paris ?

— Eh bien ! Votre Altesse a deviné juste ; j'ai, en effet, une requête à lui présenter.

— Bon ! parle.

Le chevalier de Lorraine devint tout yeux et tout oreilles ; il lui semblait que chaque grâce obtenue par un autre était un vol qui lui était fait.

Et comme de Guiche hésitait :

— Est-ce de l'argent ? demanda le prince. Cela tomberait à merveille, je suis richissime ; M. le surintendant des finances m'a fait remettre cinquante mille pistoles.

— Merci à Votre Altesse ; mais il ne s'agit pas d'argent.

— Et de quoi s'agit-il ? Voyons.

— D'un brevet de fille d'honneur.

— Tudieu ! Guiche, quel protecteur tu fais, dit le prince avec dédain ; ne me parleras-tu donc jamais que de péronnelles ?

Le chevalier de Lorraine sourit ; il savait que c'était déplaire à Monseigneur que de protéger les dames.

— Monseigneur, dit le comte, ce n'est pas moi qui protège directement la personne dont je viens de vous parler ; c'est un de mes amis.

— Ah ! c'est différent ; et comment se nomme la protégée de ton ami ?

— Mlle de La Baume Le Blanc de La Vallière, déjà fille d'honneur de Madame douairière.

— Fi ! une boiteuse, dit le chevalier de Lorraine en s'allongeant sur son coussin.

— Une boiteuse ! répéta le prince. Madame aurait cela sous les yeux ? Ma foi, non, ce serait trop dangereux pour ses grossesses.

Le chevalier de Lorraine éclata de rire.

— Monsieur le chevalier, dit de Guiche, ce que vous faites là n'est point généreux ; je sollicite et vous me nuisez.

— Ah ! pardon, monsieur le comte, dit le chevalier de Lorraine inquiet du ton avec lequel le comte avait accentué ses paroles, telle n'était pas mon intention, et, au fait, je crois que je confonds cette demoiselle avec une autre.

— Assurément, et je vous affirme, moi, que vous confondez.

— Voyons, y tiens-tu beaucoup, Guiche ? demanda le prince.

— Beaucoup, monseigneur.

— Eh bien ! accordé ; mais ne demande plus de brevet, il n'y a plus de place.

— Ah ! s'écria le chevalier, midi déjà ; c'est l'heure fixée pour le départ.

— Vous me chassez, monsieur ? demanda de Guiche.

— Oh ! comte, comme vous me maltraitez aujourd'hui ! répondit affectueusement le chevalier.

— Pour Dieu ! comte : pour Dieu ! chevalier, dit Monsieur, ne vous disputez donc pas ainsi : ne voyez-vous pas que cela me fait de la peine ?

— Ma signature ? demanda de Guiche.

— Prends un brevet dans ce tiroir, et donne-le-moi.

De Guiche prit le brevet indiqué d'une main, et de l'autre présenta à Monsieur une plume toute trempée dans l'encre.

Le prince signa.

— Tiens, dit-il en lui rendant le brevet ; mais c'est à une condition.

— Laquelle ?

— C'est que tu feras ta paix avec le chevalier.

— Volontiers, dit de Guiche.

Et il tendit la main au chevalier avec une indifférence qui ressemblait à du mépris.

— Allez, comte, dit le chevalier sans paraître aucunement remarquer le dédain du comte ; allez, et ramenez-nous une princesse qui ne jase pas trop avec son portrait.

— Oui, pars et fais diligence... A propos, qui emmènes-tu ?

— Bragelonne et de Wardes.

— Deux braves compagnons.

— Trop braves, dit le chevalier ; tâchez de les ramener tous deux, comte.

— Vilain cœur ! murmura de Guiche ; il flaire le mal partout et avant tout.

Puis, saluant Monsieur, il sortit.

En arrivant sous le vestibule, il éleva en l'air le brevet tout signé.

Malicorne se précipita et le reçut tout tremblant de joie.

Mais, après l'avoir reçu, de Guiche s'aperçut qu'il attendait quelque chose encore.

— Patience, monsieur, patience, dit-il à son client ; mais M. le chevalier était là et j'ai craint d'échouer si je demandais trop à la fois. Attendez donc à mon retour. Adieu !

— Adieu, monsieur le comte ; mille grâces, dit Malicorne.

— Et envoyez-moi Manicamp. A propos, est-ce vrai, monsieur, que Mlle de La Vallière est boiteuse ?

Au moment où il prononçait ces mots, un cheval s'arrêtait derrière lui.

Il se retourna et vit pâlir Bragelonne, qui entrait au moment même dans la cour.

Le pauvre amant avait entendu.

Il n'en était pas de même de Malicorne, qui était déjà hors de la portée de la voix.

« Pourquoi parle-t-on ici de Louise ? se demanda Raoul ; oh ! qu'il n'arrive jamais à ce de Wardes, qui sourit là-bas, de dire un mot d'elle devant moi ! »

— Allons, allons, messieurs ! cria le comte de Guiche, en route.

En ce moment, le prince, dont la toilette était terminée parut à la fenêtre.

Toute l'escorte le salua de ses acclamations, et dix minutes après, bannières, écharpes et plumes flottaient à l'ondulation du galop des coursiers.

LXXXIII

AU HAVRE

Toute cette cour, si brillante, si gaie, si animée de sentiments divers, arriva au Havre quatre jours après son départ de Paris. C'était vers les cinq heures du soir ; on n'avait encore aucune nouvelle de Madame.

On chercha des logements ; mais dès lors commença une grande confusion parmi les maîtres, de grandes querelles parmi les laquais. Au milieu de tout ce conflit, le comte de Guiche crut reconnaître Manicamp. C'était en effet lui qui était venu ; mais comme Malicorne s'était accommodé de son plus bel habit, il n'avait pu trouver, lui, à racheter qu'un habit de velours violet brodé d'argent.

De Guiche le reconnut autant à son habit qu'à son visage. Il avait vu très souvent à Manicamp cet habit violet, sa dernière ressource.

Manicamp se présenta au comte sous une voûte de flambeaux qui incendiaient plutôt qu'ils n'illuminaient le porche par lequel on entrait au Havre, et qui était situé près de la tour de François Ier[1].

Le comte, en voyant la figure attristée de Manicamp, ne put s'empêcher de rire.

— Eh ! mon pauvre Manicamp, dit-il, comme te voilà violet ; tu es donc en deuil ?

— Je suis en deuil, oui, répondit Manicamp.

— De qui ou de quoi ?

— De mon habit bleu et or, qui a disparu, et à la place duquel je n'ai plus trouvé que celui-ci ; et encore m'a-t-il fallu économiser à force pour le racheter.

— Vraiment ?

— Pardieu ! étonne-toi de cela ; tu me laisses sans argent.

— Enfin, te voilà, c'est le principal.

— Par des routes exécrables.

— Où es-tu logé ?

— Logé ?

— Oui.

— Mais je ne suis pas logé.

De Guiche se mit à rire.

— Alors, où logeras-tu ?

— Où tu logeras.

— Alors, je ne sais pas.

— Comment, tu ne sais pas ?

— Sans doute ; comment veux-tu que je sache où je logerai ?

— Tu n'as donc pas retenu un hôtel ?

— Moi ?

— Toi ou Monsieur ?

— Nous n'y avons pensé ni l'un ni l'autre. Le Havre est grand, je suppose, et pourvu qu'il y ait une écurie pour douze chevaux et une maison propre dans un bon quartier.

— Oh ! il y a des maisons très propres.

— Eh bien ! alors...

— Mais pas pour nous.

— Comment, pas pour nous ? Et pour qui ?

1. « A l'extrémité de cette partie [des quais] qui fait l'entrée du port en se resserrant, s'élèvent deux tours [...]. La première et la plus remarquable est la grosse tour qu'a fait bâtir François Ier [...] dont on voit la statue au-dessus de la porte », abbé Pleuvri, *Histoire, antiquités et description de la ville et du port du Havre-de-Grace*, 1796.

— Pour les Anglais, parbleu !

— Pour les Anglais ?

— Oui, elles sont toutes louées.

— Par qui ?

— Par M. de Buckingham.

— Plaît-il ? fit de Guiche, à qui ce mot fit dresser l'oreille.

— Eh ! oui, mon cher, par M. de Buckingham. Sa Grâce s'est fait précéder d'un courrier ; ce courrier est arrivé depuis trois jours, et il a retenu tous les logements logeables qui se trouvaient dans la ville.

— Voyons, voyons, Manicamp, entendons-nous.

— Dame ! ce que je te dis là est clair, ce me semble.

— Mais M. de Buckingham n'occupe pas tout Le Havre, que diable ?

— Il ne l'occupe pas, c'est vrai, puisqu'il n'est pas encore débarqué ; mais, une fois débarqué, il l'occupera.

— Oh ! oh !

— On voit bien que tu ne connais pas les Anglais, toi ; ils ont la rage d'accaparer.

— Bon ! un homme qui a toute une maison s'en contente et n'en prend pas deux.

— Oui, mais deux hommes ?

— Soit, deux maisons ; quatre, six, dix, si tu veux ; mais il y a cent maisons au Havre ?

— Eh bien ! alors, elles sont louées toutes les cent.

— Impossible !

— Mais, entêté que tu es, quand je te dis que M. de Buckingham a loué toutes les maisons qui entourent celle où doit descendre Sa Majesté la reine douairière d'Angleterre et la princesse sa fille.

— Ah ! par exemple, voilà qui est particulier, dit de Wardes en caressant le cou de son cheval.

— C'est ainsi, monsieur.

— Vous en êtes bien sûr, monsieur de Manicamp ?

Et, en faisant cette question, il regardait sournoisement de Guiche, comme pour l'interroger sur le degré de confiance qu'on pouvait avoir dans la raison de son ami.

Pendant ce temps, la nuit était venue, et les flambeaux, les pages, les laquais, les écuyers, les chevaux et les carrosses encombraient la porte et la place ; les torches se reflétaient dans le chenal qu'emplissait la marée montante, tandis que, de l'autre côté de la jetée, on apercevait mille figures curieuses de matelots et de bourgeois qui cherchaient à ne rien perdre du spectacle.

Pendant toutes ces hésitations, Bragelonne, comme s'il y eût été étranger, se tenait à cheval un peu en arrière de de Guiche, et regardait les jeux de la lumière qui montaient dans l'eau, en même temps qu'il respirait avec délices le parfum salin de la vague qui roule bruyante sur les grèves, les galets et l'algue, et jette à l'air son écume, à l'espace son bruit.

— Mais, enfin, s'écria de Guiche, quelle raison M. de Buckingham a-t-il eue pour faire cette provision de logements ?
— Oui, demanda de Wardes, quelle raison ?
— Oh ! une excellente, répondit Manicamp.
— Mais enfin, la connais-tu ?
— Je crois la connaître.
— Parle donc.
— Penche-toi.
— Diable ! cela ne peut se dire que tout bas ?
— Tu en jugeras toi-même.
— Bon.
De Guiche se pencha.
— L'amour, dit Manicamp.
— Je ne comprends plus.
— Dis que tu ne comprends pas encore.
— Explique-toi.
— Eh bien ! il passe pour certain, monsieur le comte, que Son Altesse Royale Monsieur sera le plus infortuné des maris.
— Comment ! le duc de Buckingham ?...
— Ce nom porte malheur aux princes de la maison de France.
— Ainsi, le duc ?...
— Serait amoureux fou de la jeune Madame, à ce qu'on assure, et ne voudrait point que personne approchât d'elle, si ce n'est lui[1].
De Guiche rougit.
— Bien ! bien ! merci, dit-il en serrant la main de Manicamp.
Puis, se relevant :
— Pour l'amour de Dieu ! dit-il à Manicamp, fais en sorte que ce projet du duc de Buckingham n'arrive pas à des oreilles françaises, ou sinon, Manicamp, il reluira au soleil de ce pays des épées qui n'ont pas peur de la trempe anglaise.
— Après tout, dit Manicamp, cet amour ne m'est point prouvé à moi, et n'est peut-être qu'un conte.
— Non, dit de Guiche, ce doit être la vérité.
Et malgré lui, les dents du jeune homme se serraient.
— Eh bien ! après tout, qu'est-ce que cela te fait à toi ? qu'est-ce que cela me fait, à moi, que Monsieur soit ce que le feu roi fût ? Bunckingham

1. « Le duc de Buckingham, [...] jeune et bien fait, [...] devint si passionnément amoureux d'elle, qu'on peut dire qu'il en perdit la raison. [...] Au lieu de s'en retourner [à Londres], il ne put se résoudre à abandonner la princesse d'Angleterre et demanda au roi la permission de passer en France ; de sorte que, sans équipage et sans toutes les choses nécessaires pour un pareil voyage, il s'embarqua à Portsmouth avec la reine [2 janvier 1661] », Mme de La Fayette, *Histoire de Madame Henriette d'Angleterre*, deuxième partie.

père, pour la reine ; Buckingham fils, pour la jeune Madame ; rien, pour tout le monde.

— Manicamp ! Manicamp !

— Eh ! que diable ! c'est un fait ou tout au moins un dire.

— Silence ! dit le comte.

— Et pourquoi silence ? dit de Wardes : c'est un fait fort honorable pour la nation française. N'êtes-vous point de mon avis, monsieur de Bragelonne ?

— Quel fait ? demanda tristement Bragelonne.

— Que les Anglais rendent ainsi hommage à la beauté de vos reines et de vos princesses.

— Pardon, je ne suis pas à ce que l'on dit, et je vous demanderai une explication.

— Sans doute, il a fallu que M. de Buckingham père vînt à Paris pour que Sa Majesté le roi Louis XIII s'aperçût que sa femme était une des plus belles personnes de la cour de France ; il faut maintenant que M. de Buckingham fils consacre à son tour, par l'hommage qu'il lui rend, la beauté d'une princesse de sang français. Ce sera désormais un brevet de beauté que d'avoir inspiré un amour d'outre-mer.

— Monsieur, répondit Bragelonne, je n'aime pas à entendre plaisanter sur ces matières. Nous autres gentilhommes, nous sommes les gardiens de l'honneur des reines et des princesses. Si nous rions d'elles, que feront les laquais ?

— Oh ! oh ! monsieur, dit de Wardes, dont les oreilles rougirent, comment dois-je prendre cela ?

— Prenez-le comme il vous plaira, monsieur, répondit froidement Bragelonne.

— Bragelonne ! Bragelonne ! murmura de Guiche.

— Monsieur de Wardes ! s'écria Manicamp voyant le jeune homme pousser son cheval du côté de Raoul.

— Messieurs ! Messieurs ! dit de Guiche, ne donnez pas un pareil exemple en public, dans la rue. De Wardes, vous avez tort.

— Tort ! en quoi ? Je vous le demande.

— Tort en ce que vous dites toujours du mal de quelque chose ou de quelqu'un, répliqua Raoul avec son implacable sang-froid.

— De l'indulgence, Raoul, fit tout bas de Guiche.

— Et ne vous battez pas avant de vous être reposés ; vous ne feriez rien qui vaille, dit Manicamp.

— Allons ! allons ! dit de Guiche, en avant, messieurs, en avant !

Et là-dessus, écartant les chevaux et les pages, il se fit une route jusqu'à la place au milieu de la foule, attirant après lui tout le cortège des Français.

Une grande porte donnant sur une cour était ouverte ; de Guiche entra dans cette cour ; Bragelonne, de Wardes, Manicamp et trois ou quatre autres gentilhommes l'y suivirent.

Là se tint une espèce de conseil de guerre ; on délibéra sur le moyen qu'il fallait employer pour sauver la dignité de l'ambassade.

Bragelonne conclut pour que l'on respectât le droit de priorité.

De Wardes proposa de mettre la ville à sac.

Cette proposition parut un peu vive à Manicamp.

Il proposa de dormir d'abord : c'était le plus sage.

Malheureusement, pour suivre son conseil, il ne manquait que deux choses : une maison et des lits.

De Guiche rêva quelque temps ; puis, à haute voix :

— Qui m'aime me suive, dit-il.

— Les gens aussi ? demanda un page qui s'était approché du groupe.

— Tout le monde ! s'écria le fougueux jeune homme. Allons Manicamp, conduis-nous à la maison que Son Altesse Madame doit occuper.

Sans rien deviner des projets du comte, ses amis le suivirent, escortés d'une foule de peuple dont les acclamations et la joie formaient un présage heureux pour le projet encore inconnu que poursuivait cette ardente jeunesse.

Le vent soufflait bruyamment du port et grondait par lourdes rafales.

LXXXIV

EN MER

Le jour suivant se leva un peu plus calme, quoique le vent soufflât toujours.

Cependant le soleil s'était levé dans un de ces nuages rouges découpant ses rayons ensanglantés sur la crête des vagues noires.

Du haut des vigies, on guettait impatiemment.

Vers onze heures du matin, un bâtiment fut signalé : ce bâtiment arrivait à pleines voiles : deux autres le suivaient à la distance d'un demi-nœud.

Ils venaient comme des flèches lancées par un vigoureux archer, et cependant la mer était si grosse, que la rapidité de leur marche n'ôtait rien aux mouvements du roulis qui couchait les navires tantôt à droite, tantôt à gauche.

Bientôt la forme des vaisseaux et la couleur des flammes firent connaître la flotte anglaise[1]. En tête marchait le bâtiment monté par la princesse, portant le pavillon de l'amirauté.

1. Le voyage avait été difficile : « Le vent fut favorable le premier jour ; mais le lendemain, il fut si contraire que le vaisseau de la reine se trouva ensablé et en grand danger de périr. L'épouvante fut grande dans tout le navire et le duc de Buckingham, qui craignait pour plus

Aussitôt le bruit se répandit que la princesse arrivait. Toute la noblesse française courut au port ; le peuple se porta sur les quais et sur les jetées.

Deux heures après, les vaisseaux avaient rallié le vaisseau amiral, et tous les trois, n'osant sans doute pas se hasarder à entrer dans l'étroit goulet du port, jetaient l'ancre entre Le Havre et la Hève.

Aussitôt la manœuvre achevée, le vaisseau amiral salua la France de douze coups de canon, qui lui furent rendus coup pour coup par le fort François Ier.

Aussitôt cent embarcations prirent la mer ; elles étaient tapissées de riches étoffes ; elles étaient destinées à porter les gentilhommes français jusqu'aux vaisseaux mouillés.

Mais en les voyant, même dans le port, se balancer violemment, en voyant au-delà de la jetée les vagues s'élever en montagnes et venir se briser sur la grève avec un rugissement terrible, on comprenait bien qu'aucune de ces barques n'atteindrait le quart de la distance qu'il y avait à parcourir pour arriver aux vaisseaux sans avoir chaviré. Cependant, un bateau pilote, malgré le vent et la mer, s'apprêtait à sortir du port pour aller se mettre à la disposition de l'amiral anglais.

De Guiche avait cherché parmi toutes ces embarcations un bateau un peu plus fort que les autres, qui lui donnât chance d'arriver jusqu'aux bâtiments anglais, lorsqu'il aperçut le pilote côtier qui appareillait.

— Raoul, dit-il, ne trouves-tu point qu'il est honteux pour des créatures intelligentes et fortes comme nous de reculer devant cette force brutale du vent et de l'eau ?

— C'est la réflexion que justement je faisais tout bas, répondit Bragelonne.

— Eh bien ! veux-tu que nous montions ce bateau et que nous poussions en avant ? Veux-tu, de Wardes ?

— Prenez garde, vous allez vous faire noyer, dit Manicamp.

— Et pour rien, dit de Wardes, attendu qu'avec le vent debout, comme vous l'aurez, vous n'arriverez jamais aux vaisseaux.

— Ainsi, tu refuses ?

— Oui, ma foi ! Je perdrais volontiers la vie dans une lutte contre les hommes, dit-il en regardant obliquement Bragelonne ; mais me battre à coups d'aviron contre les flots d'eau salée, je n'y ai pas le moindre goût.

— Et moi, dit Manicamp, dussé-je arriver jusqu'aux bâtiments, je me soucierais peu de perdre le seul habit propre qui me reste ; l'eau salée rejaillit, et elle tache.

---

d'une vie, dans un désespoir inconcevable. Enfin on tira le vaisseau du péril où il était ; mais il fallut relâcher au port. Madame la princesse d'Angleterre fut attaquée d'une fièvre très violente. Elle eut pourtant le courage de vouloir se rembarquer dès que le vent fut favorable ; mais sitôt qu'elle fut dans le vaisseau, la rougeole sortit : de sorte qu'on ne put abandonner la terre et qu'on ne put aussi songer à débarquer, de peur de hasarder sa vie par cette agitation », Mme de La Fayette, *op. cit.*

— Toi aussi, tu refuses ? s'écria de Guiche.

— Mais tout à fait : je te prie de le croire, et plutôt deux fois qu'une.

— Mais voyez donc, s'écria de Guiche ; vois donc, de Wardes, vois donc, Manicamp ; là-bas, sur la dunette du vaisseau amiral, les princesses nous regardent.

— Raison de plus, cher ami, pour ne pas prendre un bain ridicule devant elles.

— C'est ton dernier mot, Manicamp ?

— Oui.

— C'est ton dernier mot, de Wardes ?

— Oui.

— Alors j'irai tout seul.

— Non pas, dit Raoul, je vais avec toi : il me semble que c'est chose convenue.

Le fait est que Raoul, libre de toute passion, mesurant le danger avec sang-froid, voyait le danger imminent ; mais il se laissait entraîner volontiers à faire une chose devant laquelle reculait de Wardes.

Le bateau se mettait en route ; de Guiche appela le pilote côtier.

— Holà de la barque ! dit-il, il nous faut deux places !

Et roulant cinq ou dix pistoles dans un morceau de papier, il les jeta du quai dans le bateau.

— Il paraît que vous n'avez pas peur de l'eau salée, mes jeunes maîtres ? dit le patron.

— Nous n'avons peur de rien, répondit de Guiche.

— Alors, venez, mes gentilhommes.

Le pilote s'approcha du bord, et l'un après l'autre, avec une légèreté pareille, les deux jeunes gens sautèrent dans le bateau.

— Allons, courage, enfants, dit de Guiche ; il y a encore vingt pistoles dans cette bourse, et si nous atteignons le vaisseau amiral, elles sont à vous.

Aussitôt les rameurs se courbèrent sur leurs rames, et la barque bondit sur la cime des flots.

Tout le monde avait pris intérêt à ce départ si hasardé ; la population du Havre se pressait sur les jetées : il n'y avait pas un regard qui ne fût pour la barque.

Parfois, la frêle embarcation demeurait un instant comme suspendue aux crêtes écumeuses, puis tout à coup elle glissait au fond d'un abîme mugissant, et semblait être précipitée.

Néanmoins, après une heure de lutte, elle arriva dans les eaux du vaisseau amiral, dont se détachaient déjà deux embarcations destinées à venir à son aide.

Sur le gaillard d'arrière du vaisseau amiral, abritées par un dais de velours et d'hermine que soutenaient de puissantes attaches, Madame Henriette douairière et la jeune Madame, ayant auprès d'elle l'amiral comte de Norfolk[1], regardaient avec terreur cette barque tantôt enlevée au ciel, tantôt engloutie jusqu'aux enfers, contre la voile sombre de laquelle brillaient, comme deux lumineuses apparitions, les deux nobles figures des deux gentilshommes français.

L'équipage, appuyé sur les bastingages et grimpé dans les haubans, applaudissait à la bravoure de ces deux intrépides, à l'adresse du pilote et à la force des matelots.

Un hourra de triomphe accueillit leur arrivée à bord.

Le comte de Norfolk, beau jeune homme de vingt-six à vingt-huit ans, s'avança au-devant d'eux.

De Guiche et Bragelonne montèrent lestement l'escalier de tribord, et conduits par le comte de Norfolk, qui reprit sa place auprès d'elles, ils vinrent saluer les princesses.

Le respect, et surtout une certaine crainte dont il ne se rendait pas compte, avaient empêché jusque-là le comte de Guiche de regarder attentivement la jeune Madame.

Celle-ci, au contraire, l'avait distingué tout d'abord et avait demandé à sa mère :

— N'est-ce point Monsieur que nous apercevons sur cette barque ?

Madame Henriette, qui connaissait Monsieur mieux que sa fille, avait souri à cette erreur de son amour-propre et avait répondu :

— Non, c'est M. de Guiche, son favori, voilà tout.

A cette réponse, la princesse avait été forcée de contenir l'instinctive bienveillance provoquée par l'audace du comte.

Ce fut au moment où la princesse faisait cette question que de Guiche, osant enfin lever les yeux sur elle, put comparer l'original au portrait.

Lorsqu'il vit ce visage pâle, ces yeux animés, ces adorables cheveux châtains, cette bouche frémissante et ce geste si éminemment royal qui semblait remercier et encourager tout à la fois, il fut saisi d'une telle émotion, que, sans Raoul, qui lui prêta son bras, il eût chancelé.

Le regard étonné de son ami, le geste bienveillant de la reine, rappelèrent de Guiche à lui.

En peu de mots, il expliqua sa mission, dit comment il était l'envoyé de Monsieur, et salua, selon leur rang et les avances qu'ils lui firent, l'amiral et les différents seigneurs anglais qui se groupaient autour des princesses.

Raoul fut présenté à son tour et gracieusement accueilli ; tout le monde savait la part que le comte de La Fère avait prise à la restauration du roi Charles II ; en outre, c'était encore le comte qui avait été chargé

1. L'amiral qui commandait le *London* transportant Henriette d'Angleterre n'était pas Norfolk, mais Edward Montagu, comte de Sandwich (1625-1672), général de la Flotte depuis 1660.

de la négociation du mariage qui ramenait en France la petite-fille de Henri IV.

Raoul parlait parfaitement anglais ; il se constitua l'interprète de son ami près des jeunes seigneurs anglais auxquels notre langue n'était point familière.

En ce moment parut un jeune homme d'une beauté remarquable et d'une splendide richesse de costume et d'armes. Il s'approcha des princesses, qui causaient avec le comte de Norfolk, et d'une voix qui déguisait mal son impatience :

— Allons, mesdames, dit-il, il faut descendre à terre.

A cette invitation, la jeune Madame se leva et elle allait accepter la main que le jeune homme lui tendait avec une vivacité pleine d'expressions diverses, lorsque l'amiral s'avança entre la jeune Madame et le nouveau venu.

— Un moment, s'il vous plaît, milord de Buckingham, dit-il ; le débarquement n'est point possible à cette heure pour des femmes. La mer est trop grosse ; mais, vers quatre heures, il est probable que le vent tombera ; on ne débarquera donc que ce soir.

— Permettez, milord, dit Buckingham avec une irritation qu'il ne chercha point même à déguiser. Vous retenez ces dames et vous n'en avez pas le droit. De ces dames, l'une appartient, hélas ! à la France, et, vous le voyez, la France la réclame par la voix de ses ambassadeurs.

Et, de la main, il montra de Guiche et Raoul, qu'il saluait en même temps.

— Je ne suppose pas, répondit l'amiral, qu'il entre dans les intentions de ces messieurs d'exposer la vie des princesses ?

— Milord, ces messieurs sont bien venus malgré le vent ; permettez-moi de croire que le danger ne sera pas plus grand pour ces dames, qui s'en iront avec le vent.

— Ces messieurs sont fort braves, dit l'amiral. Vous avez vu que beaucoup étaient sur le port et n'ont point osé les suivre. En outre, le désir qu'ils avaient de présenter le plus tôt possible leurs hommages à Madame et à son illustre mère les a portés à affronter la mer, fort mauvaise aujourd'hui, même pour des marins. Mais ces messieurs, que je présenterai pour exemple à mon état-major, ne doivent pas en être un pour ces dames.

Un regard dérobé de Madame surprit la rougeur qui couvrait les joues du comte.

Ce regard échappa à Buckingham. Il n'avait d'yeux que pour surveiller Norfolk. Il était évidemment jaloux de l'amiral, et semblait brûler du désir d'arracher les princesses à ce sol mouvant des vaisseaux sur lequel l'amiral était roi[1].

1. « Sa maladie fut très dangereuse. Le duc de Buckingham parut comme un fou et un

— Au reste, reprit Buckingham, j'en appelle à Madame elle-même.

— Et moi, milord, répondit l'amiral, j'en appelle à ma conscience et à ma responsabilité. J'ai promis de rendre saine et sauve Madame à la France, je tiendrai ma promesse.

— Mais, cependant, monsieur...

— Milord, permettez-moi de vous rappeler que je commande seul ici.

— Milord, savez-vous ce que vous dites? répondit avec hauteur Buckingham.

— Parfaitement, et je le répète: Je commande seul ici, milord, et tout m'obéit: la mer, le vent, les navires et les hommes.

Cette parole était grande et noblement prononcée. Raoul en observa l'effet sur Buckingham. Celui-ci frissonna par tout le corps et s'appuya à l'un des soutiens de la tente pour ne pas tomber; ses yeux s'injectèrent de sang, et la main dont il ne se soutenait point se porta sur la garde de son épée.

— Milord, dit la reine, permettez-moi de vous dire que je suis en tout point de l'avis du comte de Norfolk; puis le temps, au lieu de se couvrir de vapeur comme il le fait en ce moment, fût-il parfaitement pur et favorable, nous devons bien quelques heures à l'officier qui nous a conduites si heureusement et avec des soins si empressés jusqu'en vue des côtes de France, où il doit nous quitter.

Buckingham, au lieu de répondre, consulta le regard de Madame.

Madame, à demi cachée sous les courtines de velours et d'or qui l'abritaient, n'écoutait rien de ce débat, occupée qu'elle était à regarder le comte de Guiche qui s'entretenait avec Raoul.

Ce fut un nouveau coup pour Buckingham, qui crut découvrir dans le regard de Madame Henriette un sentiment plus profond que celui de la curiosité.

Il se retira tout chancelant et alla heurter le grand mât.

— M. de Buckingham n'a pas le pied marin, dit en français la reine mère; voilà sans doute pourquoi il désire si fort toucher la terre ferme.

Le jeune homme entendit ces mots, pâlit, laissa tomber ses mains avec découragement à ses côtés, et se retira confondant dans un soupir ses anciennes amours et ses haines nouvelles.

Cependant l'amiral, sans se préoccuper autrement de cette mauvaise humeur de Buckingham, fit passer les princesses dans sa chambre de poupe, où le dîner avait été servi avec une magnificence digne de tous les convives.

---

désespéré dans les moments où il la crut en péril. Enfin, lorsqu'elle se porta assez bien pour souffrir la mer [la princesse quitte Portsmouth le 25 janvier 1661] et aborder au Havre [5 février 1661], il eut des jalousies si extravagantes des soins que l'amiral d'Angleterre prenait pour cette princesse, qu'il le querella sans aucune sorte de raison », Mme de La Fayette, *op. cit.*

L'amiral prit place à droite de Madame et mit le comte de Guiche à sa gauche.

C'était la place qu'occupait d'ordinaire Buckingham.

Aussi, lorsqu'il entra dans la salle à manger, fut-ce une douleur pour lui que de se voir reléguer par l'étiquette, cette autre reine à qui il devait le respect, à un rang inférieur à celui qu'il avait tenu jusque-là.

De son côté, de Guiche, plus pâle encore peut-être de son bonheur que son rival ne l'était de sa colère, s'assit en tressaillant près de la princesse, dont la robe de soie, en effleurant son corps, faisait passer dans tout son être des frissons d'une volupté jusqu'alors inconnue. Après le repas, Buckingham s'élança pour donner la main à Madame.

Mais ce fut au tour de de Guiche de faire la leçon au duc.

— Milord, dit-il, soyez assez bon, à partir de ce moment, pour ne plus vous interposer entre Son Altesse Royale Madame et moi. A partir de ce moment, en effet, Son Altesse Royale appartient à la France, et c'est la main de Monsieur, frère du roi, qui touche la main de la princesse quand Son Altesse Royale me fait l'honneur de me toucher la main.

Et, en prononçant ces paroles, il présenta lui-même sa main à la jeune Madame avec une timidité si visible et en même temps une noblesse si courageuse, que les Anglais firent entendre un murmure d'admiration, tandis que Buckingham laissait échapper un soupir de douleur.

Raoul aimait ; Raoul comprit tout.

Il attacha sur son ami un de ces regards profonds que l'ami seul ou la mère étendent comme protecteur ou comme surveillant sur l'enfant ou sur l'ami qui s'égare.

Vers deux heures, enfin, le soleil parut, le vent tomba, la mer devint unie comme une large nappe de cristal, la brume, qui couvrait les côtes, se déchira comme un voile qui s'envole en lambeaux.

Alors les riants coteaux de la France apparurent avec leurs mille maisons blanches, se détachant, ou sur le vert des arbres, ou sur le bleu du ciel.

LXXXV

LES TENTES

L'amiral, comme nous l'avons vu, avait pris le parti de ne plus faire attention aux yeux menaçants et aux emportements convulsifs de Buckingham. En effet, depuis le départ d'Angleterre, il devait s'y être tout doucement habitué. De Guiche n'avait point encore remarqué en aucune façon cette animosité que le jeune lord paraissait avoir contre lui ; mais il ne se sentait, d'instinct, aucune sympathie pour le favori de Charles II. La reine mère, avec une expérience plus grande et un sens plus froid, dominait toute la situation, et, comme elle en comprenait le danger, elle s'apprêtait à en trancher le nœud lorsque le moment en serait venu. Ce moment arriva. Le calme était rétabli partout, excepté dans le cœur de Buckingham, et celui-ci, dans son impatience, répétait à demi-voix à la jeune princesse :

— Madame, Madame, au nom du Ciel, rendons-nous à terre, je vous en supplie ! Ne voyez-vous pas que ce fat de comte de Norfolk me fait mourir avec ses soins et ses adorations pour vous ?

Henriette entendit ces paroles ; elle sourit et, sans se retourner, donnant seulement à sa voix cette inflexion de doux reproche et de langoureuse impertinence avec lesquels la coquetterie sait donner un acquiescement tout en ayant l'air de formuler une défense :

— Mon cher lord, murmura-t-elle, je vous ai déjà dit que vous étiez fou.

Aucun de ces détails, nous l'avons déjà dit, n'échappait à Raoul ; il avait entendu la prière de Buckingham, la réponse de la princesse ; il avait vu Buckingham faire un pas en arrière à cette réponse, pousser un soupir et passer la main sur son front ; et n'ayant de voile ni sur les yeux, ni autour du cœur, il comprenait tout et frémissait en appréciant l'état des choses et des esprits.

Enfin l'amiral, avec une lenteur étudiée, donna les derniers ordres pour le départ des canots.

Buckingham accueillit ces ordres avec de tels transports, qu'un étranger eût pu croire que le jeune homme avait le cerveau troublé.

A la voix du comte de Norfolk, une grande barque, toute pavoisée, descendit lentement des flancs du vaisseau amiral : elle pouvait contenir vingt rameurs et quinze passagers.

Des tapis de velours, des housses brodées aux armes d'Angleterre, des guirlandes de fleurs, car en ce temps on cultivait assez volontiers la parabole au milieu des alliances politiques, formaient le principal ornement de cette barque vraiment royale.

A peine la barque était-elle à flot, à peine les rameurs avaient-ils dressé leurs avirons, attendant, comme des soldats au port d'arme, l'embarquement de la princesse, que Buckingham courut à l'escalier pour prendre sa place dans le canot.

Mais la reine l'arrêta.

— Milord, dit-elle, il ne convient pas que vous laissiez aller ma fille et moi à terre sans que les logements soient préparés d'une façon certaine. Je vous prie donc, milord, de nous devancer au Havre et de veiller à ce que tout soit en ordre à notre arrivée.

Ce fut un nouveau coup pour le duc, coup d'autant plus terrible qu'il était inattendu.

Il balbutia, rougit, mais ne put répondre.

Il avait cru pouvoir se tenir près de Madame pendant le trajet, et savourer ainsi jusqu'au dernier des moments qui lui étaient donnés par la fortune. Mais l'ordre était exprès.

L'amiral, qui l'avait entendu, s'écria aussitôt :

— Le petit canot à la mer !

L'ordre fut exécuté avec cette rapidité particulière aux manœuvres des bâtiments de guerre.

Buckingham, désolé, adressa un regard de désespoir à la princesse, un regard de supplication à la reine, un regard de colère à l'amiral.

La princesse fit semblant de ne pas le voir.

La reine détourna la tête.

L'amiral se mit à rire.

Buckingham, à ce rire, fut tout prêt à s'élancer sur Norfolk.

La reine mère se leva.

— Partez, monsieur, dit-elle avec autorité.

Le jeune duc s'arrêta.

Mais regardant autour de lui et tentant un dernier effort :

— Et vous, messieurs, demanda-t-il tout suffoqué par tant d'émotions diverses, vous, monsieur de Guiche ; vous, monsieur de Bragelonne, ne m'accompagnez-vous point ?

De Guiche s'inclina.

— Je suis, ainsi que M. de Bragelonne, aux ordres de la reine, dit-il ; ce qu'elle nous commandera de faire, nous le ferons.

Et il regarda la jeune princesse, qui baissa les yeux.

— Pardon, monsieur de Buckingham, dit la reine, mais M. de Guiche représente ici Monsieur ; c'est lui qui doit nous faire les honneurs de la France, comme vous nous avez fait les honneurs de l'Angleterre ; il ne peut donc se dispenser de nous accompagner ; nous devons bien, d'ailleurs, cette légère faveur au courage qu'il a eu de nous venir trouver par ce mauvais temps.

Buckingham ouvrit la bouche comme pour répondre ; mais, soit qu'il ne trouvât point de pensée ou point de mots pour formuler cette pensée, aucun son ne tomba de ses lèvres, et, se retournant comme en délire, il sauta du bâtiment dans le canot.

Les rameurs n'eurent que le temps de le retenir et de se retenir eux-mêmes, car le poids et le contrecoup avaient failli faire chavirer la barque.

— Décidément, Milord est fou, dit tout haut l'amiral à Raoul.

— J'en ai peur pour Milord, répondit Bragelonne.

Pendant tout le temps que le canot mit à gagner la terre, le duc ne cessa de couvrir de ses regards le vaisseau amiral, comme ferait un avare qu'on arracherait à son coffre, une mère qu'on éloignerait de sa fille pour la conduire à la mort. Mais rien ne répondit à ses signaux, à ses manifestations, à ses lamentables attitudes.

Buckingham en fut tellement étourdi, qu'il se laissa tomber sur un banc, enfonça sa main dans ses cheveux, tandis que les matelots insoucieux faisaient voler le canot sur les vagues.

En arrivant, il était dans une torpeur telle, que s'il n'eût pas rencontré sur le port le messager auquel il avait fait prendre les devants comme maréchal des logis, il n'eût pas su demander son chemin.

Une fois arrivé à la maison qui lui était destinée, il s'y enferma comme Achille dans sa tente[1].

Cependant le canot qui portait les princesses quittait le bord du vaisseau amiral au moment même où Buckingham mettait pied à terre.

Une barque suivait, remplie d'officiers, de courtisans et d'amis empressés.

Toute la population du Havre, embarquée à la hâte sur des bateaux de pêche et des barques plates ou sur de longues péniches normandes, accourut au-devant du bateau royal.

Le canon des forts retentissait ; le vaisseau amiral et les deux autres échangeaient leurs salves, et des nuages de flammes s'envolaient des bouches béantes en flocons ouatés de fumée au-dessus des flots, puis s'évaporaient dans l'azur du ciel.

La princesse descendit aux degrés du quai. Une musique joyeuse l'attendait à terre et accompagnait chacun de ses pas.

Tandis que, s'avançant dans le centre de la ville, elle foulait de son pied délicat les riches tapisseries et les jonchées de fleurs, de Guiche et Raoul, se dérobant du milieu des Anglais, prenaient leur chemin par la ville et s'avançaient rapidement vers l'endroit désigné pour la résidence de Madame.

— Hâtons-nous, disait Raoul à de Guiche, car, du caractère que je lui connais, ce Buckingham nous fera quelque malheur en voyant le résultat de notre délibération d'hier.

— Oh ! dit le comte, nous avons là de Wardes, qui est la fermeté en personne, et Manicamp, qui est la douceur même.

De Guiche n'en fit pas moins diligence, et, cinq minutes après, ils étaient en vue de l'Hôtel de Ville[2].

Ce qui les frappa d'abord, c'était une grande quantité de gens assemblés sur la place.

— Bon ! dit de Guiche, il paraît que nos logements sont construits.

En effet, devant l'hôtel, sur la place même, s'élevaient huit tentes de la plus grande élégance, surmontées des pavillons de France et d'Angleterre unis.

1. *L'Iliade*, chant I.

2. Le Logis du Roy, construit en 1520 sur le côté nord de la place d'Armes qui se trouvait à l'entrée du port, fut, de la fin du XVIe siècle jusqu'à la Révolution, l'hôtel de ville du Havre. Il fut détruit en 1842.

L'Hôtel de Ville était entouré par des tentes comme d'une ceinture bigarrée ; dix pages et douze chevau-légers donnés pour escorte aux ambassadeurs montaient la garde devant ces tentes.

Le spectacle était curieux, étrange ; il avait quelque chose de féerique.

Ces habitations improvisées avaient été construites dans la nuit. Revêtues au-dedans et au-dehors des plus riches étoffes que de Guiche avait pu se procurer au Havre, elles encerclaient entièrement l'Hôtel de Ville, c'est-à-dire la demeure de la jeune princesse ; elles étaient réunies les unes aux autres par de simples câbles de soie, tendus et gardés par des sentinelles, de sorte que le plan de Buckingham se trouvait complètement renversé, si ce plan avait été réellement de garder pour lui et ses Anglais les abords de l'Hôtel de Ville.

Le seul passage qui donnât accès aux degrés de l'édifice, et qui ne fût point fermé par cette barricade soyeuse, était gardé par deux tentes pareilles à deux pavillons, et dont les portes s'ouvraient aux deux côtés de cette entrée.

Ces deux tentes étaient celles de de Guiche et de Raoul, et en leur absence devaient toujours être occupées : celle de de Guiche, par de Wardes ; celle de Raoul par Manicamp.

Tout autour de ces deux tentes et des six autres, une centaine d'officiers, de gentilshommes et de pages reluisaient de soie et d'or, bourdonnant comme des abeilles autour de leur ruche.

Tout cela, l'épée à la hanche, était prêt à obéir à un signe de de Guiche ou de Bragelonne, les deux chefs de l'ambassade.

Au moment même où les deux jeunes gens apparaissaient à l'extrémité d'une rue aboutissant sur la place, ils aperçurent, traversant cette même place au galop de son cheval, un jeune gentilhomme d'une merveilleuse élégance. Il fendait la foule des curieux, et, à la vue de ces bâtisses improvisées, il poussa un cri de colère et de désespoir.

C'était Buckingham, Buckingham sorti de sa stupeur pour revêtir un éblouissant costume et pour venir attendre Madame et la reine à l'Hôtel de Ville.

Mais à l'entrée des tentes on lui barra le passage, et force lui fut de s'arrêter.

Buckingham, exaspéré, leva son fouet ; deux officiers lui saisirent le bras.

Des deux gardiens, un seul était là. De Wardes, monté dans l'intérieur de l'Hôtel de Ville, transmettait quelques ordres donnés par de Guiche.

Au bruit que faisait Buckingham, Manicamp, couché paresseusement sur les coussins d'une des deux tentes d'entrée, se souleva avec sa nonchalance ordinaire, et s'apercevant que le bruit continuait, apparut sous les rideaux.

— Qu'est-ce, dit-il avec douceur, et qui donc mène tout ce grand bruit ?

Le hasard fit qu'au moment où il commençait à parler, le silence venait de renaître, et bien que son accent fût doux et modéré, tout le monde entendit sa question.

Buckingham se retourna, regarda ce grand corps maigre et ce visage indolent.

Probablement la personne de notre gentilhomme, vêtu d'ailleurs assez simplement, comme nous l'avons dit, ne lui inspira pas grand respect, car il répondit dédaigneusement :

— Qui êtes-vous, monsieur ?

Manicamp s'appuya au bras d'un énorme chevau-léger, droit comme un pilier de cathédrale, et répondit du même ton tranquille :

— Et vous, monsieur ?

— Moi, je suis milord duc de Buckingham. J'ai loué toutes les maisons qui entourent l'Hôtel de Ville, où j'ai affaire ; or, puisque ces maisons sont louées, elles sont à moi, et puisque je les ai louées pour avoir le passage libre à l'Hôtel de Ville, vous n'avez pas le droit de me fermer ce passage.

— Mais, monsieur, qui vous empêche de passer ? demanda Manicamp.

— Mais vos sentinelles.

— Parce que vous voulez passer à cheval, monsieur, et que la consigne est de ne laisser passer que les piétons.

— Nul n'a le droit de donner de consigne ici, excepté moi, dit Buckingham.

— Comment cela, monsieur ? demanda Manicamp avec sa voix douce. Faites-moi la grâce de m'expliquer cette énigme.

— Parce que, comme je vous l'ai dit, j'ai loué toutes les maisons de la place.

— Nous le savons bien, puisqu'il ne nous est resté que la place elle-même.

— Vous vous trompez, monsieur, la place est à moi comme les maisons.

— Oh ! pardon, monsieur, vous faites erreur. On dit chez nous le pavé du roi ; donc, la place est au roi ; donc, puisque nous sommes les ambassadeurs du roi, la place est à nous.

— Monsieur, je vous ai déjà demandé qui vous étiez ! s'écria Buckingham exaspéré du sang-froid de son interlocuteur.

— On m'appelle Manicamp, répondit le jeune homme d'une voix éolienne, tant elle était harmonieuse et suave.

Buckingham haussa les épaules.

— Bref, dit-il, quand j'ai loué les maisons qui entourent l'Hôtel de Ville, la place était libre ; ces baraques obstruent ma vue, ôtez ces baraques !

Un sourd et menaçant murmure courut dans la foule des auditeurs.

De Guiche arrivait en ce moment ; il écarta cette foule qui le séparait de Buckingham, et, suivi de Raoul, il arriva d'un côté, tandis que de Wardes arrivait de l'autre.

— Pardon, milord, dit-il ; mais si vous avez quelque réclamation à faire, ayez l'obligeance de la faire à moi, attendu que c'est moi qui ai donné les plans de cette construction.

— En outre, je vous ferai observer, monsieur, que le mot baraque se prend en mauvaise part, ajouta gracieusement Manicamp.

— Vous disiez donc, monsieur ? continua de Guiche.

— Je disais, monsieur le comte, reprit Buckingham avec un accent de colère encore sensible, quoiqu'il fût tempéré par la présence d'un égal, je disais qu'il est impossible que ces tentes demeurent où elles sont.

— Impossible, fit de Guiche, et pourquoi ?

— Parce qu'elles me gênent.

De Guiche laissa échapper un mouvement d'impatience, mais un coup d'œil froid de Raoul le retint.

— Elles doivent moins vous gêner, monsieur, que cet abus de la priorité que vous vous êtes permis.

— Un abus !

— Mais sans doute. Vous envoyez ici un messager qui loue, en votre nom, toute la ville du Havre, sans s'inquiéter des Français qui doivent venir au-devant de Madame. C'est peu fraternel, monsieur le duc, pour le représentant d'une nation amie.

— La terre est au premier occupant, dit Buckingham.

— Pas en France, monsieur.

— Et pourquoi pas en France ?

— Parce que c'est le pays de la politesse.

— Qu'est-ce à dire ? s'écria Buckingham d'une façon si emportée, que les assistants se reculèrent, s'attendant à une collision immédiate.

— C'est-à-dire, monsieur, répondit de Guiche en pâlissant, que j'ai fait construire ce logement pour moi et mes amis, comme l'asile des ambassadeurs de France, comme le seul abri que votre exigence nous ait laissé dans la ville, et que dans ce logement j'habiterai, moi et les miens, à moins qu'une volonté plus puissante et surtout plus souveraine que la vôtre ne me renvoie.

— C'est-à-dire ne nous déboute, comme on dit au palais, dit doucement Manicamp.

— J'en connais un, monsieur, qui sera tel, je l'espère, que vous le désirez, dit Buckingham en mettant la main à la garde de son épée.

En ce moment, et comme la déesse Discorde allait, enflammant les esprits, tourner toutes les épées contre des poitrines humaines, Raoul posa doucement sa main sur l'épaule de Buckingham.

— Un mot, milord, dit-il.

— Mon droit ! mon droit d'abord ! s'écria le fougueux jeune homme.

— C'est justement sur ce point que je vais avoir l'honneur de vous entretenir, dit Raoul.

— Soit, mais pas de longs discours, monsieur.

— Une seule question ; vous voyez qu'on ne peut pas être plus bref.

— Parlez, j'écoute.

— Est-ce vous ou M. le duc d'Orléans qui allez épouser la petite-fille du roi Henri IV ?

— Plaît-il ? demanda Buckingham en se reculant tout effaré.

— Répondez-moi, je vous prie, monsieur, insista tranquillement Raoul.

— Votre intention est-elle de me railler, monsieur ? demanda Buckingham.

— C'est toujours répondre, monsieur, et cela me suffit. Donc, vous l'avouez, ce n'est pas vous qui allez épouser la princesse d'Angleterre.

— Vous le savez bien, monsieur, ce me semble.

— Pardon, mais c'est que, d'après votre conduite, la chose n'était plus claire.

— Voyons, au fait, que prétendez-vous dire, monsieur ?

Raoul se rapprocha du duc.

— Vous avez, dit-il en baissant la voix, des fureurs qui ressemblent à des jalousies ; savez-vous cela, milord ? Or, ces jalousies, à propos d'une femme, ne vont point à quiconque n'est ni son amant, ni son époux ; à bien plus forte raison, je suis sûr que vous comprendrez cela, milord, quand cette femme est une princesse.

— Monsieur, s'écria Buckingham, insultez-vous Madame Henriette ?

— C'est vous, répondit froidement Bragelonne, c'est vous qui l'insultez, milord, prenez-y garde. Tout à l'heure, sur le vaisseau amiral, vous avez poussé à bout la reine et lassé la patience de l'amiral. Je vous observais, milord, et vous ai cru fou d'abord ; mais depuis j'ai deviné le caractère réel de cette folie.

— Monsieur !

— Attendez, car j'ajouterai un mot. J'espère être le seul parmi les Français qui l'ait deviné.

— Mais, savez-vous, monsieur, dit Buckingham frissonnant de colère et d'inquiétude à la fois, savez-vous que vous tenez là un langage qui mérite répression ?

— Pesez vos paroles, milord, dit Raoul avec hauteur ; je ne suis pas d'un sang dont les vivacités se laissent réprimer ; tandis qu'au contraire, vous, vous êtes d'une race dont les passions sont suspectes aux bons Français ; je vous le répète donc pour la seconde fois, prenez garde, milord.

— A quoi, s'il vous plaît ? Me menaceriez-vous ?

— Je suis le fils du comte de La Fère, monsieur de Buckingham, et je ne menace jamais, parce que je frappe d'abord. Ainsi, entendons-nous bien, la menace que je vous fais, la voici...

Buckingham serra les poings ; mais Raoul continua comme s'il ne s'apercevait de rien.

— Au premier mot hors des bienséances que vous vous permettrez envers Son Altesse Royale. Oh ! soyez patient, monsieur de Buckingham ; je le suis bien moi.

— Vous ?

— Sans doute. Tant que Madame a été sur sol anglais, je me suis tu ; mais, à présent qu'elle a touché au sol de la France, maintenant que nous l'avons reçue au nom du prince, à la première insulte que, dans votre étrange attachement, vous commettrez envers la maison royale de France, j'ai deux partis à prendre : ou je déclare devant tous la folie dont vous êtes affecté en ce moment, et je vous fais renvoyer honteusement en Angleterre ; ou, si vous le préférez, je vous donne du poignard dans la gorge en pleine assemblée. Au reste, ce second moyen me paraît le plus convenable, et je crois que je m'y tiendrai.

Buckingham était devenu plus pâle que le flot de dentelle d'Angleterre qui entourait son cou.

— Monsieur de Bragelonne, dit-il, est-ce bien un gentilhomme qui parle ?

— Oui ; seulement, ce gentilhomme parle à un fou. Guérissez, milord, et il vous tiendra un autre langage.

— Oh ! mais, monsieur de Bragelonne, murmura le duc d'une voix étranglée et en portant la main à son cou, vous voyez bien que je me meurs !

— Si la chose arrivait en ce moment, monsieur, dit Raoul avec son inaltérable sang-froid, je regarderais en vérité cela comme un grand bonheur, car cet événement préviendrait toutes sortes de mauvais propos sur votre compte et sur celui des personnes illustres que votre dévouement compromet si follement.

— Oh ! vous avez raison, vous avez raison, dit le jeune homme éperdu ; oui, oui, mourir ! oui, mieux vaut mourir que souffrir ce que je souffre en ce moment.

Et il porta la main sur un charmant poignard au manche tout garni de pierreries qu'il tira à moitié de sa poitrine.

Raoul lui repoussa la main.

— Prenez garde, monsieur, dit-il ; si vous ne vous tuez pas, vous faites un acte ridicule ; si vous vous tuez, vous tachez de sang la robe nuptiale de la princesse d'Angleterre.

Buckingham demeura une minute haletant. Pendant cette minute, on vit ses lèvres trembler, ses joues frémir, ses yeux vaciller, comme dans le délire.

Puis, tout à coup :

— Monsieur de Bragelonne, dit-il, je ne connais pas un plus noble esprit que vous ; vous êtes le digne fils du plus parfait gentilhomme que l'on connaisse. Habitez vos tentes !

Et il jeta ses deux bras autour du cou de Raoul.

Toute l'assistance émerveillée de ce mouvement auquel on ne pouvait guère attendre, vu les trépignements de l'un des adversaires et la rude insistance de l'autre, l'assemblée se mit à battre des mains, et mille vivats, mille applaudissements joyeux s'élancèrent vers le ciel.

De Guiche embrassa à son tour Buckingham, un peu à contrecœur, mais enfin il l'embrassa.

Ce fut le signal : Anglais et Français, qui, jusque-là, s'étaient regardés avec inquiétude, fraternisèrent à l'instant même.

Sur ces entrefaites arriva le cortège des princesses, qui, sans Bragelonne, eussent trouvé deux armées aux prises et du sang sur les fleurs.

Tout se remit à l'aspect des bannières.

LXXXVI

LA NUIT

La concorde était revenue s'asseoir au milieu des tentes. Anglais et Français rivalisaient de galanterie auprès des illustres voyageuses et de politesse entre eux.

Les Anglais envoyèrent aux Français des fleurs dont ils avaient fait provision pour fêter l'arrivée de la jeune princesse ; les Français invitèrent les Anglais à un souper qu'ils devaient donner le lendemain.

Madame recueillit donc sur son passage d'unanimes félicitations. Elle apparaissait comme une reine, à cause du respect de tous ; comme une idole, à cause de l'adoration de quelques-uns.

La reine mère fit aux Français l'accueil le plus affectueux. La France était son pays, à elle, et elle avait été trop malheureuse en Angleterre pour que l'Angleterre lui pût faire oublier la France. Elle apprenait donc à sa fille, par son propre amour, l'amour du pays où toutes deux avaient trouvé l'hospitalité, et où elles allaient trouver la fortune d'un brillant avenir.

Lorsque l'entrée fut faite et les spectateurs un peu disséminés, lorsqu'on n'entendit plus que de loin les fanfares et le bruissement de la foule, lorsque la nuit tomba, enveloppant de ses voiles étoilés la mer, le port, la ville et la campagne encore émue de ce grand événement, de

Guiche rentra dans sa tente, et s'assit sur un large escabeau, avec une telle expression de douleur, que Bragelonne le suivit du regard jusqu'à ce qu'il l'eût entendu soupirer ; alors il s'approcha. Le comte était renversé en arrière, l'épaule appuyée à la paroi de la tente, le front dans ses mains, la poitrine haletante et le genou inquiet.

— Tu souffres, ami ? lui demanda Raoul.

— Cruellement.

— Du corps, n'est-ce pas ?

— Du corps, oui.

— La journée a été fatigante, en effet, continua le jeune homme, les yeux fixés sur celui qu'il interrogeait.

— Oui, et le sommeil me rafraîchirait.

— Veux-tu que je te laisse ?

— Non, j'ai à te parler.

— Je ne te laisserai parler qu'après avoir interrogé, moi-même, de Guiche.

— Interroge.

— Mais sois franc.

— Comme toujours.

— Sais-tu pourquoi Buckingham était si furieux ?

— Je m'en doute.

— Il aime Madame, n'est-ce pas ?

— Du moins on en jurerait, à le voir.

— Eh bien ! il n'en est rien.

— Oh ! cette fois, tu te trompes, Raoul, et j'ai bien lu sa peine dans ses yeux, dans son geste, dans toute sa vie depuis ce matin.

— Tu es poète, mon cher comte, et partout tu vois de la poésie.

— Je vois surtout l'amour.

— Où il n'est pas.

— Où il est.

— Voyons, de Guiche, tu crois ne pas te tromper ?

— Oh ! j'en suis sûr ! s'écria vivement le comte.

— Dis-moi, comte, demanda Raoul avec un profond regard, qui te rend si clairvoyant ?

— Mais, répondit de Guiche en hésitant, l'amour-propre.

— L'amour-propre ! c'est un mot bien long, de Guiche.

— Que veux-tu dire ?

— Je veux dire, mon ami, que d'ordinaire tu es moins triste que ce soir.

— La fatigue.

— La fatigue ?

— Oui.

— Écoute, cher ami, nous avons fait campagne ensemble, nous nous sommes vus à cheval pendant dix-huit heures ; trois chevaux, écrasés de lassitude ou mourant de faim, tombaient sous nous, que nous riions encore. Ce n'est point la fatigue qui te rend triste, comte.

— Alors, c'est la contrariété.

— Quelle contrariété ?

— Celle de ce soir.

— La folie de lord Buckingham ?

— Eh ! sans doute ; n'est-il point fâcheux, pour nous Français représentant notre maître, de voir un Anglais courtiser notre future maîtresse, la seconde dame du royaume ?

— Oui, tu as raison ; mais je crois que lord Buckingham n'est pas dangereux.

— Non, mais il est importun. En arrivant ici, n'a-t-il pas failli tout troubler entre les Anglais et nous, et sans toi, sans ta prudence si admirable et ta fermeté si étrange, nous tirions l'épée en pleine ville.

— Il a changé, tu vois.

— Oui, certes ; mais de là même vient ma stupéfaction. Tu lui as parlé bas ; que lui as-tu dit ? Tu crois qu'il l'aime ; tu le dis, une passion ne cède pas avec cette facilité ; il n'est donc pas amoureux d'elle !

Et de Guiche prononça lui-même ces derniers mots avec une telle expression, que Raoul leva la tête.

Le noble visage du jeune homme exprimait un mécontentement facile à lire.

— Ce que je lui ai dit, comte, répondit Raoul, je vais le répéter à toi. Écoute bien, le voici : « Monsieur, vous regardez d'un air d'envie, d'un air de convoitise injurieuse, la sœur de votre prince, laquelle ne vous est pas fiancée, laquelle n'est pas, laquelle ne peut pas être votre maîtresse ; vous faites donc affront à ceux qui, comme nous, viennent chercher une jeune fille pour la conduire à son époux. »

— Tu lui as dit cela ? demanda de Guiche rougissant.

— En propres termes ; j'ai même été plus loin.

De Guiche fit un mouvement.

— Je lui ai dit : « De quel œil nous regarderiez-vous, si vous aperceviez parmi nous un homme assez insensé, assez déloyal, pour concevoir d'autres sentiments que le plus pur respect à l'égard d'une princesse destinée à notre maître ? »

Ces paroles étaient tellement à l'adresse de de Guiche, que de Guiche pâlit, et, saisi d'un tremblement subit, ne put que tendre machinalement une main vers Raoul, tandis que de l'autre il se couvrait les yeux et le front.

— Mais, continua Raoul sans s'arrêter à cette démonstration de son ami, Dieu merci ! les Français, que l'on proclame légers, indiscrets, inconsidérés, savent appliquer un jugement sain et une saine morale à l'examen des questions de haute convenance. « Or, ai-je ajouté, sachez, monsieur de Buckingham, que nous autres, gentilshommes de France, nous servons nos rois en leur sacrifiant nos passions aussi bien que notre fortune et notre vie ; et quand, par hasard, le démon nous suggère une de ces mauvaises pensées qui incendient le cœur, nous éteignons cette flamme, fût-ce en l'arrosant de notre sang. De cette façon, nous sauvons trois honneurs à la fois : celui de notre pays, celui de notre maître et le nôtre. Voilà, monsieur de Buckingham, comme nous agissons ; voilà comment tout homme de cœur doit agir. » Et voilà, mon cher de Guiche, continua Raoul, comment j'ai parlé à M. de Buckingham ; aussi s'est-il rendu sans résistance à mes raisons.

De Guiche, courbé jusqu'alors sous la parole de Raoul, se redressa, les yeux fiers et la main fiévreuse, il saisit la main de Raoul ; les pommettes de ses joues, après avoir été froides comme la glace, étaient de flamme.

— Et tu as bien parlé, dit-il d'une voix étranglée ; et tu es un brave ami, Raoul, merci ; maintenant, je t'en supplie, laisse-moi seul.

— Tu le veux ?

— Oui, j'ai besoin de repos. Beaucoup de choses ont ébranlé aujourd'hui ma tête et mon cœur ; demain, quand tu reviendras, je ne serai plus le même homme.

— Et bien ! soit, je te laisse, dit Raoul en se retirant.

Le comte fit un pas vers son ami, et l'étreignit cordialement entre ses bras.

Mais, dans cette étreinte amicale, Raoul put distinguer le frissonnement d'une grande passion combattue.

La nuit était fraîche, étoilée, splendide ; après la tempête, la chaleur du soleil avait ramené partout la vie, la joie et la sécurité. Il s'était formé au ciel quelques nuages longs et effilés dont la blancheur azurée promettait une série de beaux jours tempérés par une brise de l'est. Sur la place de l'hôtel, de grandes ombres coupées de larges rayons lumineux formaient comme une gigantesque mosaïque aux dalles noires et blanches.

Bientôt tout s'endormit dans la ville ; il resta une faible lumière dans l'appartement de Madame, qui donnait sur la place, et cette douce clarté de la lampe affaiblie semblait une image de ce calme sommeil d'une jeune fille, dont la vie à peine se manifeste, à peine est sensible, et dont la flamme se tempère aussi quand le corps est endormi.

Bragelonne sortit de sa tente avec la démarche lente et mesurée de l'homme curieux de voir et jaloux de n'être point vu.

Alors, abrité derrière les rideaux épais, embrassant toute la place d'un seul coup d'œil, il vit, au bout d'un instant, les rideaux de la tente de de Guiche s'entrouvrir et s'agiter.

Derrière les rideaux se dessinait l'ombre de de Guiche, dont les yeux brillaient dans l'obscurité, attachés ardemment sur le salon de Madame, illuminé doucement par la lumière intérieure de l'appartement.

Cette douce lueur qui colorait les vitres était l'étoile du comte. On voyait monter jusqu'à ses yeux l'aspiration de son âme tout entière. Raoul, perdu dans l'ombre, devinait toutes les pensées passionnées qui établissaient entre la tente du jeune ambassadeur et le balcon de la princesse un lien mystérieux et magique de sympathie ; lien formé par des pensées empreintes d'une telle volonté, d'une telle obsession, qu'elles sollicitaient certainement les rêves amoureux à descendre sur cette couche parfumée que le comte dévorait avec les yeux de l'âme.

Mais de Guiche et Raoul n'étaient pas les seuls qui veillassent. La fenêtre d'une des maisons de la place était ouverte ; c'était la fenêtre d'une maison habitée par Buckingham.

Sur la lumière qui jaillissait hors de cette dernière fenêtre se détachait en vigueur la silhouette du duc, qui, mollement appuyé sur la traverse sculptée et garnie de velours, envoyait au balcon de Madame ses vœux et les folles visions de son amour.

Bragelonne ne put s'empêcher de sourire.

— Voilà un pauvre cœur bien assiégé, dit-il en songeant à Madame.

Puis, faisant un retour compatissant vers Monsieur :

— Et voilà un pauvre mari bien menacé, ajouta-t-il ; bien lui est d'être un grand prince et d'avoir une armée pour garder son bien.

Bragelonne épia pendant quelque temps le manège des deux soupirants, écouta le ronflement sonore, incivil, de Manicamp, qui ronflait avec autant de fierté que s'il eût eu son habit bleu au lieu d'avoir son habit violet, se tourna vers la brise qui apportait à lui le chant lointain d'un rossignol ; puis, après avoir fait sa provision de mélancolie, autre maladie nocturne, il rentra se coucher en songeant, pour son propre compte, que peut-être quatre ou six yeux tout aussi ardents que ceux de de Guiche ou de Buckingham couvaient son idole à lui dans le château de Blois.

— Et ce n'est pas une bien solide garnison que Mlle de Montalais, dit-il tout bas en soupirant tout haut.

LXXXVII

DU HAVRE A PARIS

Le lendemain, les fêtes eurent lieu avec toute la pompe et toute l'allégresse que les ressources de la ville et la disposition des esprits pouvaient donner.

Pendant les dernières heures passées au Havre, le départ avait été préparé.

Madame, après avoir fait ses adieux à la flotte anglaise et salué une dernière fois la patrie en saluant son pavillon, monta en carrosse au milieu d'une brillante escorte.

De Guiche espérait que le duc de Buckingham retournerait avec l'amiral en Angleterre ; mais Buckingham parvint à prouver à la reine que ce serait une inconvenance de laisser arriver Madame presque abandonnée à Paris[1].

Ce point une fois arrêté, que Buckingham accompagnerait Madame, le jeune duc se choisit une cour de gentilshommes et d'officiers destinés à lui faire cortège à lui-même ; en sorte que ce fut une armée qui s'achemina vers Paris, semant l'or et jetant les démonstrations brillantes au milieu des villes et des villages qu'elle traversait.

Le temps était beau. La France était belle à voir, surtout de cette route que traversait le cortège. Le printemps jetait ses fleurs et ses feuillages embaumés sur les pas de cette jeunesse. Toute la Normandie, aux végétations plantureuses, aux horizons bleus, aux fleuves argentés, se présentait comme un paradis pour la nouvelle sœur du roi.

Ce n'était que fêtes et enivrements sur la route. De Guiche et Buckingham oubliaient tout : de Guiche pour réprimer les nouvelles tentatives de l'Anglais, Buckingham pour réveiller dans le cœur de la princesse un souvenir plus vif de la patrie à laquelle se rattachait la mémoire des jours heureux.

Mais, hélas ! le pauvre duc pouvait s'apercevoir que l'image de sa chère Angleterre s'effaçait de jour en jour dans l'esprit de Madame, à mesure que s'y imprimait plus profondément l'amour de la France.

En effet, il pouvait s'apercevoir que tous ces petits soins n'éveillaient aucune reconnaissance, et il avait beau cheminer avec grâce sur l'un des plus fougueux coursiers du Yorkshire, ce n'était que par hasard et accidentellement que les yeux de la princesse tombaient sur lui.

En vain essayait-il, pour fixer sur lui un de ses regards égarés dans l'espace ou arrêtés ailleurs, de faire produire à la nature animale tout ce qu'elle peut réunir de force, de vigueur, de colère et d'adresse ; en vain, surexcitant le cheval aux narines de feu, le lançait-il, au risque de se briser mille fois contre les arbres ou de rouler dans les fossés, par-dessus les barrières et sur la déclivité des rapides collines, Madame, attirée par le bruit, tournait un moment la tête, puis, souriant légèrement, revenait à ses gardiens fidèles, Raoul et de Guiche, qui chevauchaient tranquillement aux portières de son carrosse.

Alors Buckingham se sentait en proie à toutes les tortures de la jalousie ; une douleur inconnue, inouïe, brûlante, se glissait dans ses veines et allait

1. « La reine, craignant qu'il n'en arrivât du désordre, ordonna au duc de Buckingham de s'en aller à Paris, pendant qu'elle séjournerait quelques temps au Havre avec sa fille », Mme de La Fayette, *op. cit.*

assiéger son cœur ; alors, pour prouver qu'il comprenait sa folie, et qu'il voulait racheter par la plus humble soumission ses torts d'étourderie, il domptait son cheval et le forçait, tout ruisselant de sueur, tout blanchi d'une écume épaisse, à ronger son frein près du carrosse, dans la foule des courtisans.

Quelquefois il obtenait pour récompense un mot de Madame, et encore ce mot lui semblait-il un reproche.

— Bien ! monsieur de Buckingham, disait-elle, vous voilà raisonnable.

Ou un mot de Raoul.

— Vous tuez votre cheval, monsieur de Buckingham.

Et Buckingham écoutait patiemment Raoul, car il sentait instinctivement, sans qu'aucune preuve lui en eût été donnée, que Raoul était le modérateur des sentiments de de Guiche, et que, sans Raoul, déjà quelque folle démarche, soit du comte, soit de lui, Buckingham, eût amené une rupture, un éclat, un exil peut-être.

Depuis la fameuse conversation que les deux jeunes gens avaient eue dans les tentes du Havre, et dans laquelle Raoul avait fait sentir au duc l'inconvenance de ses manifestations, Buckingham était comme malgré lui attiré vers Raoul.

Souvent il engageait la conversation avec lui, et presque toujours c'était pour lui parler ou de son père, ou de d'Artagnan, leur ami commun, dont Buckingham était presque aussi enthousiaste que Raoul.

Raoul affectait principalement de ramener l'entretien sur ce sujet devant de Wardes, qui pendant tout le voyage avait été blessé de la supériorité de Bragelonne, et surtout de son influence sur l'esprit de de Guiche. De Wardes avait cet œil fin et inquisiteur qui distingue toute mauvaise nature ; il avait remarqué sur-le-champ la tristesse de de Guiche et ses aspirations amoureuses vers la princesse.

Au lieu de traiter le sujet avec la réserve de Raoul, au lieu de ménager dignement comme ce dernier les convenances et les devoirs, de Wardes attaquait avec résolution chez le comte cette corde toujours sonore de l'audace juvénile et de l'orgueil égoïste.

Or, il arriva qu'un soir, pendant une halte à Mantes, de Guiche et de Wardes causant ensemble appuyés à une barrière, Buckingham et Raoul causant de leur côté en se promenant, Manicamp faisant sa cour aux princesses, qui déjà le traitaient sans conséquence à cause de la souplesse de son esprit, de la bonhomie civile de ses manières et de son caractère conciliant :

— Avoue, dit de Wardes au comte, que te voilà bien malade et que ton pédagogue ne te guérit pas.

— Je ne te comprends pas, dit le comte.

— C'est facile cependant : tu dessèches d'amour.

— Folie, de Wardes, folie !

— Ce serait folie, oui, j'en conviens, si Madame était indifférente à ton martyre ; mais elle le remarque à un tel point qu'elle se compromet, et je tremble qu'en arrivant à Paris ton pédagogue, M. de Bragelonne, ne vous dénonce tous les deux.

— De Wardes ! de Wardes ! encore une attaque à Bragelonne !

— Allons, trêve d'enfantillage, reprit à demi-voix le mauvais génie du comte ; tu sais aussi bien que moi tout ce que je veux dire ; tu vois bien, d'ailleurs, que le regard de la princesse s'adoucit en te parlant ; tu comprends au son de sa voix qu'elle se plaît à entendre la tienne ; tu sens qu'elle entend les vers que tu lui récites, et tu ne nieras point que chaque matin elle ne te dise qu'elle a mal dormi ?

— C'est vrai, de Wardes, c'est vrai ; mais à quoi bon me dire tout cela ?

— N'est-il pas important de voir clairement les choses ?

— Non quand les choses qu'on voit peuvent vous rendre fou.

Et il se retourna avec inquiétude du côté de la princesse, comme si, tout en repoussant les insinuations de de Wardes, il eût voulu en chercher la confirmation dans ses yeux.

— Tiens ! tiens ! dit de Wardes, regarde, elle t'appelle, entends-tu ? Allons, profite de l'occasion, le pédagogue n'est pas là.

De Guiche n'y put tenir ; une attraction invincible l'attirait vers la princesse.

De Wardes le regarda en souriant.

— Vous vous trompez, monsieur, dit tout à coup Raoul en enjambant la barrière où, un instant auparavant, s'adossaient les deux causeurs ; le pédagogue est là et il vous écoute.

De Wardes, à la voix de Raoul qu'il reconnut sans avoir besoin de le regarder, tira son épée à demi.

— Rentrez votre épée, dit Raoul ; vous savez bien que, pendant le voyage que nous accomplissons, toute démonstration de ce genre serait inutile. Rentrez votre épée, mais aussi rentrez votre langue. Pourquoi mettez-vous dans le cœur de celui que vous nommez votre ami tout le fiel qui ronge le vôtre ? A moi, vous voulez faire haïr un honnête homme, ami de mon père et des miens ! Au comte, vous voulez faire aimer une femme destinée à votre maître ! En vérité, monsieur, vous seriez un traître et un lâche à mes yeux, si, bien plus justement, je ne vous regardais comme un fou.

— Monsieur, s'écria de Wardes exaspéré, je ne m'étais donc pas trompé en vous appelant un pédagogue ! Ce ton que vous affectez, cette forme dont vous faites la vôtre, est celle d'un jésuite fouetteur et non celle d'un gentilhomme. Quittez donc, je vous prie, vis-à-vis de moi, cette forme et ce ton. Je hais M. d'Artagnan parce qu'il a commis une lâcheté envers mon père.

— Vous mentez, monsieur, dit froidement Raoul.

— Oh ! s'écria de Wardes, vous me donnez un démenti, monsieur ?

— Pourquoi pas, si ce que vous dites est faux ?

— Vous me donnez un démenti et vous ne mettez pas l'épée à la main ?

— Monsieur, je me suis promis à moi-même de ne vous tuer que lorsque nous aurons remis Madame à son époux.

— Me tuer ? Oh ! votre poignée de verges ne tue point ainsi, monsieur le pédant.

— Non, répliqua froidement Raoul, mais l'épée de M. d'Artagnan tue ; et non seulement j'ai cette épée, monsieur, mais c'est lui qui m'a appris à m'en servir, et c'est avec cette épée, monsieur, que je vengerai, en temps utile, son nom outragé par vous.

— Monsieur, monsieur ! s'écria de Wardes, prenez garde ! Si vous ne me rendez pas raison sur-le-champ, tous les moyens me seront bons pour me venger !

— Oh ! Oh ! monsieur ! fit Buckingham en apparaissant tout à coup sur le théâtre de la scène, voilà une menace qui frise l'assassinat, et qui, par conséquent, est d'assez mauvais goût pour un gentilhomme.

— Vous dites, monsieur le duc ? dit de Wardes en se retournant.

— Je dis que vous venez de prononcer des paroles qui sonnent mal à mes oreilles anglaises.

— Eh bien ! monsieur, si ce que vous dites est vrai, s'écria de Wardes exaspéré, tant mieux ! je trouverai au moins en vous un homme qui ne me glissera pas entre les doigts. Prenez donc mes paroles comme vous l'entendez.

— Je les prends comme il faut, monsieur, répondit Buckingham avec ce ton hautain qui lui était particulier et qui donnait, même dans la conversation ordinaire, le ton de défi à ce qu'il disait ; M. de Bragelonne est mon ami, vous insultez M. de Bragelonne, vous me rendrez raison de cette insulte.

De Wardes jeta un regard sur Bragelonne, qui, fidèle à son rôle, demeurait calme et froid, même devant le défi du duc.

— Et d'abord, il paraît que je n'insulte pas M. de Bragelonne, puisque M. de Bragelonne, qui a une épée au côté, ne se regarde pas comme insulté.

— Mais, enfin, vous insultez quelqu'un ?

— Oui, j'insulte M. d'Artagnan, reprit de Wardes, qui avait remarqué que ce nom était le seul aiguillon avec lequel il pût éveiller la colère de Raoul.

— Alors, dit Buckingham, c'est autre chose.

— N'est-ce pas ? dit de Wardes. C'est donc aux amis de M. d'Artagnan de le défendre.

— Je suis tout à fait de votre avis, monsieur, répondit l'Anglais, qui avait retrouvé tout son flegme ; pour M. de Bragelonne offensé, je ne pouvais, raisonnablement, prendre le parti de M. de Bragelonne, puisqu'il est là ; mais dès qu'il est question de M. d'Artagnan...

— Vous me laissez la place, n'est-ce pas, monsieur ? dit de Wardes.

— Non pas, au contraire, je dégaine, dit Buckingham en tirant son épée du fourreau, car si M. d'Artagnan a offensé monsieur votre père, il a rendu ou, du moins, il a tenté de rendre un grand service au mien.

De Wardes fit un mouvement de stupeur.

— M. d'Artagnan, poursuivit Buckingham, est le plus galant gentilhomme que je connaisse. Je serai donc enchanté, lui ayant des obligations personnelles, de vous les payer, à vous, d'un coup d'épée.

Et, en même temps, Buckingham tira gracieusement son épée, salua Raoul et se mit en garde.

De Wardes fit un pas pour croiser le fer.

— Là ! là ! messieurs, dit Raoul en s'avançant et en posant à son tour son épée nue entre les combattants, tout cela ne vaut pas la peine qu'on s'égorge presque aux yeux de la princesse. M. de Wardes dit du mal de M. d'Artagnan, mais il ne connaît même pas M. d'Artagnan.

— Oh ! Oh ! fit de Wardes en grinçant des dents et en abaissant la pointe de son épée sur le bout de sa botte ; vous dites que moi, je ne connais pas M. d'Artagnan ?

— Eh ! non, vous ne le connaissez pas, reprit froidement Raoul, et même vous ignorez où il est.

— Moi ! j'ignore où il est ?

— Sans doute, il faut bien que cela soit ainsi, puisque vous cherchez, à son propos, querelle à des étrangers, au lieu d'aller trouver M. d'Artagnan où il est.

De Wardes pâlit.

— Eh bien ! je vais vous le dire, moi, monsieur, où il est, continua Raoul ; M. d'Artagnan est à Paris ; il loge au Louvre quand il est de service, rue des Lombards quand il ne l'est pas ; M. d'Artagnan est parfaitement trouvable à l'un ou l'autre de ces deux domiciles ; donc, ayant tous les griefs que vous avez contre lui, vous n'êtes point un galant homme en ne l'allant point quérir, pour qu'il vous donne la satisfaction que vous semblez demander à tout le monde, excepté à lui.

De Wardes essuya son front ruisselant de sueur.

— Fi ! monsieur de Wardes, continua Raoul, il ne sied point d'être ainsi ferrailleur quand nous avons des édits contre les duels. Songez-y : le roi nous en voudrait de notre désobéissance, surtout dans un pareil moment, et le roi aurait raison.

— Excuses ! murmura de Wardes, prétextes !

— Allons donc, reprit Raoul, vous dites là des billevesées, mon cher monsieur de Wardes ; vous savez bien que M. le duc de Buckingham est un galant homme qui a tiré l'épée dix fois et qui se battra bien onze. Il porte un nom qui oblige, que diable ! Quant à moi, n'est-ce pas ? vous savez bien que je me bats aussi. Je me suis battu à Lens, à Bléneau, aux Dunes[1], en avant des canonniers, à cent pas en avant de la ligne, tandis que vous, par parenthèse, vous étiez à cent pas en arrière. Il est vrai que là-bas il y avait beaucoup trop de monde pour que l'on vît votre bravoure, c'est pourquoi vous la cachiez ; mais ici ce serait un spectacle, un scandale, vous voulez faire parler de vous, n'importe de quelle façon. Eh bien ! ne comptez pas sur moi, monsieur de Wardes, pour vous aider dans ce projet, je ne vous donnerai pas ce plaisir.

— Ceci est plein de raison, dit Buckingham en rengainant son épée, et je vous demande pardon, monsieur de Bragelonne, de m'être laissé entraîner à un premier mouvement.

Mais, au contraire, de Wardes furieux fit un bond en avant, et l'épée haute, menaçant Raoul, qui n'eut que le temps d'arriver à une parade de quarte.

— Eh ! monsieur, dit tranquillement Bragelonne, prenez donc garde, vous allez m'éborgner.

— Mais vous ne voulez pas vous battre ! s'écria M. de Wardes.

— Non, pas pour le moment ; mais voilà ce que je vous promets aussitôt notre arrivée à Paris : je vous mènerai à M. d'Artagnan, auquel vous conterez les griefs que vous pourrez avoir contre lui. M. d'Artagnan demandera au roi la permission de vous allonger un coup d'épée, le roi la lui accordera, et, le coup d'épée reçu, eh bien ! mon cher monsieur de Wardes, vous considérerez d'un œil plus calme les préceptes de l'Évangile qui commandent l'oubli des injures[2].

— Ah ! s'écria de Wardes furieux de ce sang-froid, on voit bien que vous êtes à moitié bâtard, monsieur de Bragelonne !

Raoul devint pâle comme le col de sa chemise ; son œil lança un éclair qui fit reculer de Wardes.

Buckingham lui-même en fut ébloui, et se jeta entre les deux adversaires, qu'il s'attendait à voir se précipiter l'un sur l'autre.

De Wardes avait réservé cette injure pour la dernière ; il serrait convulsivement son épée et attendait le choc.

— Vous avez raison, monsieur, dit Raoul en faisant un violent effort sur lui-même, je ne connais que le nom de mon père ; mais je sais trop combien M. le comte de La Fère est homme de bien et d'honneur pour craindre un seul instant, comme vous semblez le dire, qu'il y ait une tache sur ma naissance. Cette ignorance où je suis du nom de ma mère est donc seulement pour moi un malheur et non un opprobre. Or, vous manquez de loyauté, monsieur ; vous manquez de courtoisie en me reprochant un malheur. N'importe, l'insulte existe, et, cette fois, je me tiens pour insulté ! Donc, c'est chose convenue : après avoir vidé votre querelle avec M. d'Artagnan, vous aurez affaire à moi, s'il vous plaît.

1. Sur Lens, voir *Vingt Ans après*, chap. XXXVII ; sur les Dunes, voir ci-dessus, chap. LXV, p. 394, note 1 ; sur Bléneau, voir ci-dessus, chap. LXV, p. 394, note 2.
2. Matthieu, XXI, 21-22 ; Luc, XVII, 4.

— Oh ! oh ! répondit de Wardes avec un sourire amer, j'admire votre prudence, monsieur ; tout à l'heure vous me promettiez un coup d'épée de M. d'Artagnan, et c'est après ce coup d'épée, déjà reçu par moi, que vous m'offrez le vôtre.

— Ne vous inquiétez point, répondit Raoul avec une sourde colère ; M. d'Artagnan est un habile homme en fait d'armes et je lui demanderai cette grâce qu'il fasse pour vous ce qu'il a fait pour monsieur votre père, c'est-à-dire qu'il ne vous tue pas tout à fait, afin qu'il me laisse le plaisir, quand vous serez guéri, de vous tuer sérieusement, car vous êtes un méchant cœur, monsieur de Wardes, et l'on ne saurait, en vérité, prendre trop de précautions contre vous.

— Monsieur, j'en prendrai contre vous-même, dit de Wardes, soyez tranquille.

— Monsieur, fit Buckingham, permettez-moi de traduire vos paroles par un conseil que je vais donner à M. de Bragelonne : monsieur de Bragelonne, portez une cuirasse.

De Wardes serra les poings.

— Ah ! je comprends, dit-il, ces messieurs attendent le moment où ils auront pris cette précaution pour se mesurer contre moi.

— Allons ! monsieur, dit Raoul, puisque vous le voulez absolument, finissons-en.

Et il fit un pas vers de Wardes en étendant son épée.

— Que faites-vous ? demanda Buckingham.

— Soyez tranquille, dit Raoul, ce ne sera pas long.

De Wardes tomba en garde : les fers se croisèrent.

De Wardes s'élança avec une telle précipitation sur Raoul, qu'au premier froissement du fer, il fut évident pour Buckingham que Raoul ménageait son adversaire.

Buckingham recula d'un pas et regarda la lutte.

Raoul était calme comme s'il eût joué avec un fleuret, au lieu de jouer avec une épée ; il dégagea son arme engagée jusqu'à la poignée en faisant un pas de retraite, para avec des contres les trois ou quatre coups que lui porta de Wardes ; puis, sur une menace en quarte basse que de Wardes para par le cercle, il lia l'épée et l'envoya à vingt pas de l'autre côté de la barrière.

Puis, comme de Wardes demeurait désarmé et étourdi, Raoul remit son épée au fourreau, le saisit au collet et à la ceinture et le jeta de l'autre côté de la barrière, frémissant et hurlant de rage.

— Au revoir ! au revoir ! murmura de Wardes en se relevant et en ramassant son épée.

— Eh ! pardieu ! dit Raoul, je ne vous répète pas autre chose depuis une heure.

Puis, se retournant vers Buckingham :

— Duc, dit-il, pas un mot de tout cela, je vous en supplie ; je suis honteux d'en être venu à cette extrémité, mais la colère m'a emporté. Je vous en demande pardon, oubliez.

— Ah ! cher vicomte, dit le duc en serrant cette main si rude et si loyale à la fois, vous me permettrez bien de me souvenir, au contraire, et de me souvenir de votre salut ; cet homme est dangereux, il vous tuera.

— Mon père, répondit Raoul, a vécu vingt ans sous la menace d'un ennemi bien plus redoutable, et il n'est pas mort. Je suis d'un sang que Dieu favorise, monsieur le duc.

— Votre père avait de bons amis, vicomte.

— Oui, soupira Raoul, des amis comme il n'y en a plus.

— Oh ! ne dites point cela, je vous en supplie, au moment où je vous offre mon amitié.

Et Buckingham ouvrit ses bras à Bragelonne, qui reçut avec joie l'alliance offerte.

— Dans ma famille, ajouta Buckingham, on meurt pour ceux que l'on aime, vous savez cela, monsieur de Bragelonne.

— Oui, duc, je le sais, répondit Raoul.

LXXXVIII

CE QUE LE CHEVALIER DE LORRAINE PENSAIT DE MADAME

Rien ne troubla plus la sécurité de la route.

Sous un prétexte qui ne fit pas grand bruit, M. de Wardes s'échappa pour prendre les devants.

Il emmena Manicamp, dont l'humeur égale et rêveuse lui servait de balance.

Il est à remarquer que les esprits querelleurs et inquiets trouvent toujours une association à faire avec des caractères doux et timides, comme si les uns cherchaient dans le contraste un repos à leur humeur, les autres une défense pour leur propre faiblesse.

Buckingham et Bragelonne, initiant de Guiche à leur amitié, formaient tout le long de la route un concert de louanges en l'honneur de la princesse.

Seulement Bragelonne avait obtenu que ce concert fût donné par trios au lieu de procéder par solos comme de Guiche et son rival semblaient en avoir la dangereuse habitude.

Cette méthode d'harmonie plut beaucoup à Madame Henriette, la reine mère ; elle ne fut peut-être pas autant du goût de la jeune princesse, qui était coquette comme un démon, et qui, sans crainte pour sa voix, cherchait les occasions du péril. Elle avait, en effet, un de ces cœurs vaillants et téméraires qui se plaisent dans les extrêmes de la délicatesse et cherchent le fer avec un certain appétit de la blessure.

Aussi ses regards, ses sourires, ses toilettes, projectiles inépuisables, pleuvaient-ils sur les trois jeunes gens, les criblaient-ils, et de cet arsenal sans fond sortaient encore des œillades, des baise-mains et mille autres délices qui allaient férir à distance les gentilshommes de l'escorte, les bourgeois, les officiers des villes que l'on traversait, les pages, le peuple, les laquais : c'était un ravage général, une dévastation universelle.

Lorsque Madame arriva à Paris, elle avait fait en chemin cent mille amoureux, et ramenait à Paris une demi-douzaine de fous et deux aliénés.

Raoul seul, devinant toute la séduction de cette femme, et parce qu'il avait le cœur rempli, n'offrant aucun vide où pût se placer une flèche, Raoul arriva froid et défiant dans la capitale du royaume.

Parfois, en route, il causait avec la reine d'Angleterre de ce charme enivrant que laissait Madame autour d'elle, et la mère, que tant de malheurs et de déceptions laissaient expérimentée, lui répondait :

— Henriette devait être une femme illustre, soit qu'elle fût née sur le trône, soit qu'elle fût née dans l'obscurité ; car elle est femme d'imagination, de caprice et de volonté.

De Wardes et Manicamp, éclaireurs et courriers, avaient annoncé l'arrivée de la princesse. Le cortège vit, à Nanterre, apparaître une brillante escorte de cavaliers et de carrosses.

C'était Monsieur qui, suivi du chevalier de Lorraine et de ses favoris, suivis eux-mêmes d'une partie de la maison militaire du roi, venait saluer sa royale fiancée[1].

Dès Saint-Germain, la princesse et sa mère avaient changé le coche de voyage, un peu lourd, un peu fatigué par la route, contre un élégant et riche coupé traîné par six chevaux, harnachés de blanc et d'or.

Dans cette sorte de calèche apparaissait, comme sur un trône sous le parasol de soie brodée à longues franges de plumes, la jeune et belle princesse, dont le visage radieux recevait les reflets rosés si doux à sa peau de nacre.

Monsieur, en arrivant près du carrosse, fut frappé de cet éclat ; il témoigna son admiration en termes assez explicites pour que le chevalier de Lorraine haussât les épaules dans le groupe des courtisans, et pour que le comte de Guiche et Buckingham fussent frappés au cœur.

Après les civilités faites et le cérémonial accompli, tout le cortège reprit plus lentement la route de Paris.

Les présentations avaient eu lieu légèrement. M. de Buckingham avait été désigné à Monsieur avec les autres gentilshommes anglais.

Monsieur n'avait donné à tous qu'une attention assez légère.

1. « Lorsqu'elle fut entièrement rétablie, elle revint à Paris [arrivée : 20 février 1661]. Monsieur alla au-devant d'elle avec tous les empressements imaginables », Mme de La Fayette, *op. cit.*

Mais en chemin, comme il vit le duc s'empresser avec la même ardeur que d'habitude aux portières de la calèche :

— Quel est ce cavalier ? demanda-t-il au chevalier de Lorraine, son inséparable.

— On l'a présenté tout à l'heure à Votre Altesse, répliqua le chevalier de Lorraine ; c'est le beau duc de Buckingham.

— Ah ! c'est vrai.

— Le chevalier de Madame, ajouta le favori avec un tour et un ton que les seuls envieux peuvent donner aux phrases les plus simples.

— Comment ! que veux-tu dire ? répliqua le prince toujours chevauchant.

— J'ai dit le chevalier.

— Madame a-t-elle donc un chevalier attitré ?

— Dame ! il me semble que vous le voyez comme moi ; regardez-les seulement rire, et folâtrer, et faire du Cyrus[1] tous les deux.

— Tous les trois.

— Comment, tous les trois ?

— Sans doute ; tu vois bien que de Guiche en est.

— Certes !... Oui, je le vois bien... Mais qu'est-ce que cela prouve ?... Que Madame a deux chevaliers au lieu d'un.

— Tu envenimes tout, vipère.

— Je n'envenime rien... Ah ! monseigneur, que vous avez l'esprit mal fait ! Voilà qu'on fait les honneurs du royaume de France à votre femme et vous n'êtes pas content.

Le duc d'Orléans redoutait la verve satirique du chevalier, lorsqu'il la sentait montée à un certain degré de vigueur.

Il coupa court.

— La princesse est jolie, dit-il négligemment comme s'il s'agissait d'une étrangère.

— Oui, répliqua sur le même ton le chevalier.

— Tu dis ce oui comme un non. Elle a des yeux noirs fort beaux, ce me semble.

— Petits.

— C'est vrai, mais brillants. Elle est d'une taille avantageuse.

— La taille est un peu gâtée, monseigneur.

— Je ne dis pas non. L'air est noble.

— Mais le visage est maigre.

— Les dents m'ont paru admirables.

— On les voit. La bouche est assez grande[2]. Dieu merci ! Décidé-

1. *Artamène ou le Grand Cyrus* de Mlle de Scudéry, parangon du roman précieux, avait été publié en 1650.

2. « C'était une grande et toute gracieuse personne, quoique sa taille fût un peu gâtée ; elle avait le teint d'une finesse extrême, blanc et rose ; ses yeux étaient petits, mais doux et brillants ; son nez était bien fait, sa bouche vermeille, ses dents semblaient deux rangs

ment, monseigneur, j'avais tort; vous êtes plus beau que votre femme.

— Et trouves-tu aussi que je sois plus beau que Buckingham? Dis.

— Oh ! oui, et il le sent bien, allez ; car, voyez-le, il redouble de soins près de Madame pour que vous ne l'effaciez pas.

Monsieur fit un mouvement d'impatience; mais, comme il vit un sourire de triomphe passer sur les lèvres du chevalier, il remit son cheval au pas.

— Au fait, dit-il, pourquoi m'occuperais-je plus longtemps de ma cousine ? Est-ce que je ne la connais pas ? est-ce que je n'ai pas été élevé avec elle? est-ce que je ne l'ai pas vue tout enfant au Louvre ?

— Ah ! pardon, mon prince, il y a un changement d'opéré en elle, fit le chevalier. A cette époque dont vous parlez, elle était un peu moins brillante, et surtout beaucoup moins fière; ce soir surtout, vous en souvient-il, monseigneur, où le roi ne voulait pas danser avec elle, parce qu'il la trouvait laide et mal vêtue ?

Ces mots firent froncer le sourcil au duc d'Orléans. Il était, en effet, assez peu flatteur pour lui d'épouser une princesse dont le roi n'avait pas fait grand cas dans sa jeunesse.

Peut-être allait-il répondre, mais en ce moment de Guiche quittait le carrosse pour se rapprocher du prince.

De loin, il avait vu le prince et le chevalier, et il semblait, l'oreille inquiète, chercher à deviner les paroles qui venaient d'être échangées entre Monsieur et son favori.

Ce dernier, soit perfidie, soit impudence, ne prit pas la peine de dissimuler.

— Comte, dit-il, vous êtes de bon goût.

— Merci du compliment, répondit de Guiche ; mais à quel propos me dites-vous cela ?

— Dame ! j'en appelle à Son Altesse.

— Sans doute, dit Monsieur, et Guiche sait bien que je pense qu'il est parfait cavalier.

— Ceci posé, je reprends, comte ; vous êtes auprès de Madame depuis huit jours, n'est-ce pas ?

— Sans doute, répondit de Guiche rougissant malgré lui.

— Et bien ! dites-nous franchement ce que vous pensez de sa personne.

— De sa personne? reprit de Guiche stupéfait.

— Oui, de sa personne, de son esprit, d'elle, enfin...

Étourdi de cette question, de Guiche hésita à répondre.

---

de perles ; seulement son visage, un peu maigre et un peu long, lui donnait un air de mélancolie, qui aurait pu être une beauté de plus, si la mélancolie eût été à la mode à cette époque », A. Dumas, *Louis XIV et son siècle*, chap. XXXV, d'après Mme de Motteville, *Mémoires*, cinquième partie.

— Allons donc ! allons donc, de Guiche ! reprit le chevalier en riant, dis ce que tu penses, sois franc : Monsieur l'ordonne.

— Oui, oui, sois franc, dit le prince.

De Guiche balbutia quelques mots inintelligibles.

— Je sais bien que c'est délicat, reprit Monsieur ; mais, enfin, tu sais qu'on peut tout me dire, à moi. Comment la trouves-tu ?

Pour cacher ce qui se passait en lui, de Guiche eut recours à la seule défense qui soit au pouvoir de l'homme surpris : il mentit.

— Je ne trouve Madame, dit-il, ni bien ni mal, mais cependant mieux que mal.

— Eh ! cher comte, s'écria le chevalier, vous qui aviez fait tant d'extases et de cris à la vue de son portrait !

De Guiche rougit jusqu'aux oreilles. Heureusement son cheval un peu vif lui servit, par un écart, à dissimuler cette rougeur.

— Le portrait !... murmura-t-il en se rapprochant, quel portrait ?

Le chevalier ne l'avait pas quitté du regard.

— Oui, le portrait. La miniature n'était-elle donc pas ressemblante ?

— Je ne sais. J'ai oublié ce portrait ; il s'est effacé de mon esprit.

— Il avait fait pourtant sur vous une bien vive impression, dit le chevalier.

— C'est possible.

— A-t-elle de l'esprit, au moins ? demanda le duc.

— Je le crois, monseigneur.

— Et M. de Buckingham, en a-t-il ? dit le chevalier.

— Je ne sais.

— Moi, je suis d'avis qu'il en a, répliqua le chevalier, car il fait rire Madame, et elle paraît prendre beaucoup de plaisir en sa société, ce qui n'arrive jamais à une femme d'esprit quand elle se trouve dans la compagnie d'un sot.

— Alors c'est qu'il a de l'esprit, dit naïvement de Guiche, au secours duquel Raoul arriva soudain, le voyant aux prises avec ce dangereux interlocuteur, dont il s'empara et qu'il força ainsi de changer d'entretien.

L'entrée se fit brillante et joyeuse. Le roi, pour fêter son frère, avait ordonné que les choses fussent magnifiquement traitées. Madame et sa mère descendirent au Louvre, à ce Louvre où, pendant les temps d'exil, elles avaient supporté si douloureusement l'obscurité, la misère, les privations.

Ce palais inhospitalier pour la malheureuse fille de Henri IV, ces murs nus, ces parquets effondrés, ces plafonds tapissés de toiles d'araignées, ces vastes cheminées aux marbres écornés, ces âtres froids que l'aumône du Parlement avait à peine réchauffés pour elles, tout avait changé de face.

Tentures splendides, tapis épais, dalles reluisantes, peintures fraîches aux larges bordures d'or ; partout des candélabres, des glaces, des meubles somptueux; partout des gardes aux fières tournures, aux panaches flottants, un peuple de valets et de courtisans dans les antichambres et sur les escaliers.

Dans ces cours où naguère l'herbe poussait encore, comme si cet ingrat de Mazarin eût jugé bon de prouver aux Parisiens que la solitude et le désordre devaient être, avec la misère et le désespoir, le cortège des monarchies abattues; dans ces cours immenses, muettes, désolées, paradaient des cavaliers dont les chevaux arrachaient aux pavés brillants des milliers d'étincelles.

Des carrosses étaient peuplés de femmes belles et jeunes, qui attendaient, pour la saluer au passage, la fille de cette fille de France qui, durant son veuvage et son exil, n'avait quelquefois pas trouvé un morceau de bois pour son foyer, et un morceau de pain pour sa table, et que dédaignaient les plus humbles serviteurs du château.

Aussi Madame Henriette rentra-t-elle au Louvre avec le cœur plus gonflé de douleur et d'amers souvenirs que sa fille, nature oublieuse et variable, n'y revint avec triomphe et joie.

Elle savait bien que l'accueil brillant s'adressait à l'heureuse mère d'un roi replacé sur le second trône de l'Europe, tandis que l'accueil mauvais s'adressait à elle, fille de Henri IV, punie d'avoir été malheureuse.

Après que les princesses eurent été installées, après qu'elles eurent pris quelque repos, les hommes, qui s'étaient aussi remis de leurs fatigues, reprirent leurs habitudes et leurs travaux.

Bragelonne commença par aller voir son père.

Athos était reparti pour Blois.

Il voulut aller voir M. d'Artagnan.

Mais celui-ci, occupé de l'organisation d'une nouvelle maison militaire du roi, était devenu introuvable.

Bragelonne se rabattit sur de Guiche.

Mais le comte avait avec ses tailleurs et avec Manicamp des conférences qui absorbaient sa journée entière.

C'était bien pis avec le duc de Buckingham.

Celui-ci achetait chevaux sur chevaux, diamants sur diamants. Tout ce que Paris renferme de brodeuses, de lapidaires, de tailleurs, il l'accaparait. C'était entre lui et de Guiche un assaut plus ou moins courtois pour le succès duquel le duc voulait dépenser un million, tandis que le maréchal de Grammont avait donné soixante mille livres seulement à de Guiche. Buckingham riait et dépensait son million.

De Guiche soupirait et se fût arraché les cheveux sans les conseils de de Wardes.

— Un million ! répétait tous les jours de Guiche ; j'y succomberai. Pourquoi M. le maréchal ne veut-il pas m'avancer ma part de succession ?

— Parce que tu la dévorerais, disait Raoul.

— Eh ! que lui importe ! Si j'en dois mourir, j'en mourrai. Alors je n'aurai plus besoin de rien.

— Mais quelle nécessité de mourir ? disait Raoul.

— Je ne veux pas être vaincu en élégance par un Anglais.

— Mon cher comte, dit alors Manicamp, l'élégance n'est pas une chose coûteuse, ce n'est qu'une chose difficile.

— Oui, mais les choses difficiles coûtent fort cher, et je n'ai que soixante mille livres.

— Pardieu ! dit de Wardes, tu es bien embarrassé ; dépense autant que Buckingham ; ce n'est que neuf cent quarante mille livres de différence.

— Où les trouver ?

— Fais des dettes.

— J'en ai déjà.

— Raison de plus.

Ces avis finirent par exciter tellement de Guiche, qu'il fit des folies quand Buckingham ne faisait que des dépenses.

Le bruit de ces prodigalités épanouissait la mine de tous les marchands de Paris, et de l'hôtel de Buckingham à l'hôtel de Grammont on rêvait des merveilles.

Pendant ce temps, Madame se reposait, et Bragelonne écrivait à Mlle de La Vallière.

Quatre lettres s'étaient déjà échappées de sa plume, et pas une réponse n'arrivait, lorsque le matin même de la cérémonie du mariage, qui devait avoir lieu au Palais-Royal, dans la chapelle, Raoul, à sa toilette, entendit annoncer par son valet :

— M. de Malicorne.

« Que me veut ce Malicorne ? » pensa Raoul.

— Faites attendre, dit-il au laquais.

— C'est un monsieur qui vient de Blois, dit le valet.

— Ah ! faites entrer ! s'écria Raoul vivement.

Malicorne entra, beau comme un astre et porteur d'une épée superbe. Après avoir salué gracieusement :

— Monsieur de Bragelonne, fit-il, je vous apporte mille civilités de la part d'une dame.

Raoul rougit.

— D'une dame, dit-il, d'une dame de Blois ?

— Oui, monsieur, de Mlle de Montalais.

— Ah ! merci, monsieur, je vous reconnais maintenant, dit Raoul. Et que désire de moi Mlle de Montalais ?

Malicorne tira de sa poche quatre lettres qu'il offrit à Raoul.

— Mes lettres ! est-il possible ! dit celui-ci en pâlissant ; mes lettres encore cachetées !

— Monsieur, ces lettres n'ont plus trouvé à Blois les personnes à qui vous les destiniez ; on vous les retourne.

— Mademoiselle de La Vallière est partie de Blois ? s'écria Raoul.

— Il y a huit jours.

— Et où est-elle ?

— Elle doit être à Paris, monsieur.

— Mais comment sait-on que ces lettres venaient de moi ?

— Mlle de Montalais a reconnu votre écriture et votre cachet, dit Malicorne.

Raoul rougit et sourit.

— C'est fort aimable à Mlle Aure, dit-il ; elle est toujours bonne et charmante.

— Toujours, monsieur.

— Elle eût bien dû me donner un renseignement précis sur Mlle de La Vallière. Je ne chercherais pas dans cet immense Paris.

Malicorne tira de sa poche un autre paquet.

— Peut-être, dit-il, trouverez-vous dans cette lettre ce que vous souhaitez de savoir.

Raoul rompit précipitamment le cachet. L'écriture était de Mlle Aure, et voici ce que renfermait la lettre :

Paris, Palais-Royal, jour de la bénédiction nuptiale.

— Que signifie cela ? demanda Raoul à Malicorne ; vous le savez, vous, monsieur ?

— Oui, monsieur le vicomte.

— De grâce, dites-le-moi, alors.

— Impossible, monsieur.

— Pourquoi ?

— Parce que Mlle Aure m'a défendu de le dire.

Raoul regarda ce singulier personnage et resta muet.

— Au moins, reprit-il, est-ce heureux ou malheureux pour moi ?

— Vous verrez.

— Vous êtes sévère dans vos discrétions.

— Monsieur, une grâce.

— En échange de celle que vous ne me faites pas ?

— Précisément.

— Parlez !

— J'ai le plus vif désir de voir la cérémonie et je n'ai pas de billet d'admission, malgré toutes les démarches que j'ai faites pour m'en procurer. Pourriez-vous me faire entrer ?

— Certes.

— Faites cela pour moi, monsieur le vicomte, je vous en supplie.

— Je le ferai volontiers, monsieur ; accompagnez-moi.

— Monsieur, je suis votre humble serviteur.

— Je vous croyais ami de M. de Manicamp ?

— Oui, monsieur. Mais, ce matin, j'ai, en le regardant s'habiller, fait tomber une bouteille de vernis sur son habit neuf, et il m'a chargé l'épée à la main, si bien que j'ai dû m'enfuir. Voilà pourquoi je ne lui ai pas demandé de billet. Il m'eût tué.

— Cela se conçoit, dit Raoul. Je connais Manicamp capable de tuer l'homme assez malheureux pour commettre le crime que vous avez à vous reprocher à ses yeux, mais je réparerai le mal vis-à-vis de vous ; j'agrafe mon manteau, et je suis prêt à vous servir de guide et d'introducteur.

LXXXIX

LA SURPRISE DE MADEMOISELLE DE MONTALAIS

Madame fut mariée au Palais-Royal[1], dans la chapelle, devant un monde de courtisans sévèrement choisis.

Cependant, malgré la haute faveur qu'indiquait une invitation, Raoul, fidèle à sa promesse, fit entrer Malicorne, désireux de jouir de ce curieux coup d'œil.

Lorsqu'il eut acquitté cet engagement, Raoul se rapprocha de de Guiche, qui, pour contraste avec ses habits splendides, montrait un visage tellement bouleversé par la douleur, que le duc de Buckingham seul pouvait lui disputer l'excès de la pâleur et de l'abattement.

— Prends garde, comte, dit Raoul en s'approchant de son ami et en s'apprêtant à le soutenir, au moment où l'archevêque bénissait les deux époux.

En effet, on voyait M. le prince de Condé regardant d'un œil curieux ces deux images de la désolation, debout comme des cariatides aux deux côtés de la nef. Le comte s'observa plus soigneusement. La cérémonie terminée, le roi et la reine passèrent dans le grand salon, où ils se firent présenter Madame et sa suite.

On observa que le roi, qui avait paru très émerveillé à la vue de sa belle-sœur, lui fit les compliments les plus sincères.

On observa que la reine mère, attachant sur Buckingham un regard long et rêveur, se pencha vers Mme de Motteville pour lui dire :

— Ne trouvez-vous pas qu'il ressemble à son père ?

---

1. « Le mariage de Monsieur s'acheva et fut fait en carême [31 mars 1661], dans la chapelle du palais. Toute la cour rendit ses devoirs à madame la princesse d'Angleterre », Mme de La Fayette, *op. cit.* Mme de Motteville y signale la présence du prince de Condé.

On observa enfin que Monsieur observait tout le monde et paraissait assez mécontent.

Après la réception des princes et des ambassadeurs, Monsieur demanda au roi la permission de lui présenter, ainsi qu'à Madame, les personnes de sa maison nouvelle.

— Savez-vous, vicomte, demanda tout bas M. le prince à Raoul, si la maison a été formée par une personne de goût, et si nous aurons quelques visages assez propres ?

— Je l'ignore absolument, monseigneur, répondit Raoul.

— Oh ! vous jouez l'ignorance.

— Comment cela, monseigneur ?

— Vous êtes l'ami de de Guiche, qui est des amis du prince.

— C'est vrai, monseigneur : mais la chose ne m'intéressant point, je n'ai fait aucune question à de Guiche, et, de son côté, de Guiche, n'étant point interrogé, ne s'est point ouvert à moi.

— Mais Manicamp ?

— J'ai vu, il est vrai, M. de Manicamp au Havre et sur la route, mais j'ai eu soin d'être aussi peu questionneur vis-à-vis de lui que je l'avais été vis-à-vis de de Guiche. D'ailleurs, M. de Manicamp sait-il quelque chose de tout cela, lui qui n'est qu'un personnage secondaire ?

— Eh ! mon cher vicomte, d'où sortez-vous ? dit le prince ; mais ce sont les personnages secondaires qui, en pareille occasion, ont toute influence, et la preuve, c'est que presque tout s'est fait par la présentation de M. de Manicamp à de Guiche, et de Guiche à Monsieur.

— Eh bien ! monseigneur, j'ignorais cela complètement, dit Raoul, et c'est une nouvelle que Votre Altesse me fait l'honneur de m'apprendre.

— Je veux bien vous croire, quoique ce soit incroyable, et d'ailleurs nous n'aurons pas longtemps à attendre : voici l'escadron volant qui s'avance, comme disait la bonne reine Catherine. Tudieu ! les jolis visages !

Une troupe de jeunes filles s'avançait en effet dans la salle sous la conduite de Mme de Navailles, et nous devons le dire à l'honneur de Manicamp, si en effet il avait pris à cette élection la part que lui accordait le prince de Condé, c'était un coup d'œil fait pour enchanter ceux qui, comme M. le prince, étaient appréciateurs de tous les genres de beauté. Une jeune femme blonde, qui pouvait avoir vingt à vingt et un ans, et dont les grands yeux bleus dégageaient en s'ouvrant des flammes éblouissantes, marchait la première et fut présentée la première.

— Mlle de Tonnay-Charente, dit à Monsieur la vieille Mme de Navailles.

Et Monsieur répéta en saluant Madame :

— Mlle de Tonnay-Charente.

— Ah ! ah ! celle-ci me paraît assez agréable, dit M. le prince en se retournant vers Raoul... Et d'une.

— En effet, dit Raoul, elle est jolie, quoiqu'elle ait l'air un peu hautain.

— Bah ! nous connaissons ces airs-là, vicomte ; dans trois mois elle sera apprivoisée ; mais regardez donc, voici encore une beauté.

— Tiens, dit Raoul, et une beauté de ma connaissance même.

— Mlle Aure de Montalais, dit Mme de Navailles.

Nom et prénom furent scrupuleusement répétés par Monsieur.

— Grand Dieu ! s'écria Raoul fixant des yeux effarés sur la porte d'entrée.

— Qu'y a-t-il ? demanda le prince, et serait-ce Mlle Aure de Montalais qui vous fait pousser un pareil *grand Dieu* ?

— Non, monseigneur, non, répondit Raoul tout pâle et tout tremblant.

— Alors si ce n'est Mlle Aure de Montalais, c'est cette charmante blonde qui la suit. De jolis yeux, ma foi ! un peu maigre, mais beaucoup de charme.

— Mlle de La Baume Le Blanc de La Vallière, dit Mme de Navailles.

A ce nom retentissant jusqu'au fond du cœur de Raoul, un nuage monta de sa poitrine à ses yeux.

De sorte qu'il ne vit plus rien et n'entendit plus rien ; de sorte que M. le prince, ne trouvant plus en lui qu'un écho muet à ses railleries, s'en alla voir de plus près les belles jeunes filles que son premier coup d'œil avait déjà détaillées.

— Louise ici ! Louise demoiselle d'honneur de Madame ! murmurait Raoul.

Et ses yeux, qui ne suffisaient pas à convaincre sa raison, erraient de Louise à Montalais.

Au reste, cette dernière s'était déjà défaite de sa timidité d'emprunt, timidité qui ne devait lui servir qu'au moment de la présentation et pour les révérences.

Mlle de Montalais, de son petit coin à elle, regardait avec assez d'assurance tous les assistants, et, ayant retrouvé Raoul, elle s'amusait de l'étonnement profond où sa présence et celle de son amie avaient jeté le pauvre amoureux.

Cet œil mutin, malicieux, railleur, que Raoul voulait éviter, et qu'il revenait interroger sans cesse, mettait Raoul au supplice.

Quant à Louise, soit timidité naturelle, soit toute autre raison dont Raoul ne pouvait se rendre compte, elle tenait constamment les yeux baissés, et, intimidée, éblouie, la respiration brève, elle se retirait le plus qu'elle pouvait à l'écart, impassible même aux coups de coude de Montalais.

Tout cela était pour Raoul une véritable énigme dont le pauvre vicomte eût donné bien des choses pour savoir le mot.

Mais nul n'était là pour le lui donner, pas même Malicorne, qui, un peu inquiet de se trouver avec tant de gentilshommes, et assez effaré des regards railleurs de Montalais, avait décrit un cercle, et peu à peu s'était allé placer à quelques pas de M. le prince, derrière le groupe des filles d'honneur, presque à la portée de la voix de Mlle Aure, planète autour de laquelle, humble satellite, il semblait graviter forcément.

En revenant à lui, Raoul crut reconnaître à sa gauche des voix connues.

C'était, en effet, de Wardes, de Guiche et le chevalier de Lorraine qui causaient ensemble.

Il est vrai qu'ils causaient si bas, qu'à peine si l'on entendait le souffle de leurs paroles dans la vaste salle.

Parler ainsi de sa place, du haut de sa taille, sans se pencher, sans regarder son interlocuteur, c'était un talent dont les nouveaux venus ne pouvaient atteindre du premier coup la sublimité. Aussi fallait-il une longue étude à ces causeries, qui, sans regards, sans ondulation de tête, semblaient la conversation d'un groupe de statues.

En effet, aux grands cercles du roi et des reines, tandis que Leurs Majestés parlaient et que tous paraissaient les écouter dans un religieux silence, il se tenait bon nombre de ces silencieux colloques dans lesquels l'adulation n'était point la note dominante.

Mais Raoul était un de ces habiles dans cette étude toute d'étiquette, et, au mouvement des lèvres, il eût pu souvent deviner le sens des paroles.

— Qu'est-ce que cette Montalais ? demandait de Wardes. Qu'est-ce que cette La Vallière ? Qu'est-ce que cette province qui nous arrive ?

— La Montalais, dit le chevalier de Lorraine, je la connais : c'est une bonne fille qui amusera la cour. La Vallière, c'est une charmante boiteuse.

— Peuh ! dit de Wardes.

— N'en faites pas fi, de Wardes ; il y a sur les boiteuses des axiomes latins très ingénieux et surtout fort caractéristiques.

— Messieurs, messieurs, dit de Guiche en regardant Raoul avec inquiétude, un peu de mesure, je vous prie.

Mais l'inquiétude du comte, en apparence du moins, était inopportune. Raoul avait gardé la contenance la plus ferme et la plus indifférente, quoiqu'il n'eût pas perdu un mot de ce qui venait de se dire. Il semblait tenir registre des insolences et des libertés des deux provocateurs pour régler avec eux son compte à l'occasion.

De Wardes devina sans doute cette pensée et continua :

— Quels sont les amants de ces demoiselles ?

— De la Montalais ? fit le chevalier.

— Oui, de la Montalais d'abord.

— Eh bien ! vous, moi, de Guiche, qui voudra, pardieu !

— Et de l'autre ?

— De Mlle de La Vallière ?

— Oui.

— Prenez garde, messieurs, s'écria de Guiche pour couper court à la réponse du chevalier ; prenez garde, Madame nous écoute.

Raoul enfonçait sa main jusqu'au poignet dans son justaucorps et ravageait sa poitrine et ses dentelles.

Mais justement cet acharnement qu'il voyait se dresser contre de pauvres femmes lui fit prendre une résolution sérieuse.

« Cette pauvre Louise, se dit-il à lui-même, n'est venue ici que dans un but honorable et sous une honorable protection ; mais il faut que je connaisse ce but ; il faut que je sache qui la protège. »

Et, imitant la manœuvre de Malicorne, il se dirigea vers le groupe des filles d'honneur.

Bientôt la présentation fut terminée. Le roi, qui n'avait cessé de regarder et d'admirer Madame, sortit alors de la salle de réception avec les deux reines.

Le chevalier de Lorraine reprit sa place à côté de Monsieur, et, tout en l'accompagnant, il lui glissa dans l'oreille quelques gouttes de ce poison qu'il avait amassé depuis une heure, en regardant de nouveaux visages et en soupçonnant quelques cœurs d'être heureux.

Le roi, en sortant, avait entraîné derrière lui une partie des assistants ; mais ceux qui, parmi les courtisans, faisaient profession d'indépendance ou de galanterie, commencèrent à s'approcher des dames.

M. le prince complimenta Mlle de Tonnay-Charente. Buckingham fit la cour à Mme de Chalais[1] et à Mme de La Fayette, que déjà Madame avait distinguées et qu'elle aimait. Quant au comte de Guiche, abandonnant Monsieur depuis qu'il pouvait se rapprocher seul de Madame, il s'entretenait vivement avec Mme de Valentinois, sa sœur, et Mmes de Créquy et de Châtillon[2].

Au milieu de tous ces intérêts politiques ou amoureux, Malicorne voulait s'emparer de Montalais, mais celle-ci aimait bien mieux causer avec Raoul, ne fût-ce que pour jouir de toutes ses questions et de toutes ses surprises.

1. « Le comte [de Guiche] était alors amoureux de madame de Chalais, fille du duc de Noirmoutiers. Elle était très aimable sans être fort belle ; il la cherchait partout, la suivait en tous lieux [...]. Le duc de Buckingham fut le premier qui se douta qu'elle n'avait pas assez de charmes pour retenir un homme qui serait tous les jours exposé à ceux de madame la princesse d'Angleterre », Mme de La Fayette, *op. cit.*

2. Ces noms, comme celui de Mme de Chalais, viennent de Mme de La Fayette : « Madame de Valentinois, sœur du comte de Guiche, que Monsieur aimait fort à cause de son frère et à cause d'elle (car il avait pour elle toute l'inclination dont il était capable), fut une de celles que [Madame] choisit pour être dans ses plaisirs ; mesdames de Créquy et de Châtillon et mademoiselle de Tonnay-Charente avaient l'honneur de la voir souvent, aussi bien que d'autres personnes à qui elle avait témoigné de la bonté avant qu'elle fût mariée. Mademoiselle de la Trémoille et madame de La Fayette étaient de ce nombre. »

Texte : « Mlles de Créquy et de Châtillon » ; nous corrigeons cette inadvertance dans laquelle Dumas persiste par la suite.

Raoul était allé droit à Mlle de La Vallière, et l'avait saluée avec le plus profond respect.

Ce que voyant, Louise rougit et balbutia ; mais Montalais s'empressa de venir à son secours.

— Eh bien ! dit-elle, nous voilà, monsieur le vicomte.

— Je vous vois bien, dit en souriant Raoul, et c'est justement sur votre présence que je viens vous demander une petite explication.

Malicorne s'approcha avec son plus charmant sourire.

— Éloignez-vous donc, monsieur Malicorne, dit Montalais. En vérité, vous êtes fort indiscret.

Malicorne se pinça les lèvres et fit deux pas en arrière sans dire un seul mot.

Seulement, son sourire changea d'expression, et, d'ouvert qu'il était, devint railleur.

— Vous voulez une explication, monsieur Raoul? demanda Montalais.

— Certainement, la chose en vaut bien la peine, il me semble ; Mlle de la Vallière fille d'honneur de Madame !

— Pourquoi ne serait-elle pas fille d'honneur aussi bien que moi ? demanda Montalais.

— Recevez mes compliments, mesdemoiselles, dit Raoul, qui crut s'apercevoir qu'on ne voulait pas lui répondre directement.

— Vous dites cela d'un air fort complimenteur, monsieur le vicomte.

— Moi ?

— Dame? j'en appelle à Louise.

— M. de Bragelonne pense peut-être que la place est au-dessus de ma condition, dit Louise en balbutiant.

— Oh ! non pas, mademoiselle, répliqua vivement Raoul ; vous savez très bien que tel n'est pas mon sentiment ; je ne m'étonnerais pas que vous occupassiez la place d'une reine, à plus forte raison celle-ci. La seule chose dont je m'étonne, c'est de l'avoir appris aujourd'hui seulement et par accident.

— Ah ! c'est vrai, répondit Montalais avec son étourderie ordinaire. Tu ne comprends rien à cela, et, en effet, tu n'y dois rien comprendre. M. de Bragelonne t'avait écrit quatre lettres, mais ta mère seule était restée à Blois ; il fallait éviter que ces lettres ne tombassent entre ses mains ; je les ai interceptées et renvoyées à M. Raoul, de sorte qu'il te croyait à Blois quand tu étais à Paris, et ne savait pas surtout que tu fusses montée en dignité.

— Eh quoi ! tu n'avais pas fait prévenir M. Raoul commę je t'en avais priée ? s'écria Louise.

— Bon ! pour qu'il fît de l'austérité, pour qu'il prononçât des maximes, pour qu'il défît ce que nous avions eu tant de peine à faire ? Ah ! non certes.

— Je suis donc bien sévère? demanda Raoul.

— D'ailleurs, fit Montalais, cela me convenait ainsi. Je partais pour Paris, vous n'étiez pas là, Louise pleurait à chaudes larmes ; interprétez cela comme vous voudrez ; j'ai prié mon protecteur, celui qui m'avait fait obtenir mon brevet, d'en demander un pour Louise ; le brevet est venu. Louise est partie pour commander ses habits ; moi, je suis restée en arrière, attendu que j'avais les miens ; j'ai reçu vos lettres, je vous les ai renvoyées en y ajoutant un mot qui vous promettait une surprise. Votre surprise, mon cher monsieur, la voilà ; elle me paraît bonne, ne demandez pas autre chose. Allons, monsieur Malicorne, il est temps que nous laissions ces jeunes gens ensemble ; ils ont une foule de choses à se dire ; donnez-moi votre main : j'espère que voilà un grand honneur que l'on vous fait, monsieur Malicorne.

— Pardon, mademoiselle, dit Raoul en arrêtant la folle jeune fille et en donnant à ses paroles une intonation dont la gravité contrastait avec celles de Montalais ; pardon, mais pourrais-je savoir le nom de ce protecteur ? Car si l'on vous protège, vous, mademoiselle, et avec toutes sortes de raisons... — Raoul s'inclina — je ne vois pas les mêmes raisons pour que Mlle de La Vallière soit protégée.

— Mon Dieu ! monsieur Raoul, dit naïvement Louise, la chose est bien simple, et je ne vois pas pourquoi je ne vous le dirais pas moi-même... Mon protecteur, c'est M. Malicorne.

Raoul resta un instant stupéfait, se demandant si l'on se jouait de lui ; puis il se retourna pour interpeller Malicorne. Mais celui-ci était déjà loin, entraîné qu'il était par Montalais.

Mlle de La Vallière fit un mouvement pour suivre son amie ; mais Raoul la retint avec une douce autorité.

— Je vous en supplie, Louise, dit-il, un mot.

— Mais, monsieur Raoul, dit Louise toute rougissante, nous sommes seuls... Tout le monde est parti... On va s'inquiéter, nous chercher.

— Ne craignez rien, dit le jeune homme en souriant, nous ne sommes ni l'un ni l'autre des personnages assez importants pour que notre absence se remarque.

— Mais mon service, monsieur Raoul ?

— Tranquillisez-vous, mademoiselle, je connais les usages de la cour ; votre service ne doit commencer que demain ; il vous reste donc quelques minutes, pendant lesquelles vous pouvez me donner l'éclaircissement que je vais avoir l'honneur de vous demander.

— Comme vous êtes sérieux, monsieur Raoul ! dit Louise tout inquiète.

— C'est que la circonstance est sérieuse, mademoiselle. M'écoutez-vous ?

— Je vous écoute ; seulement, monsieur, je vous le répète, nous sommes bien seuls.

— Vous avez raison, dit Raoul.

Et, lui offrant la main, il conduisit la jeune fille dans la galerie voisine de la salle de réception, et dont les fenêtres donnaient sur la place.

Tout le monde se pressait à la fenêtre du milieu, qui avait un balcon extérieur d'où l'on pouvait voir dans tous leurs détails les lents préparatifs du départ.

Raoul ouvrit une des fenêtres latérales, et là, seul avec Mlle de La Vallière :

— Louise, dit-il, vous savez que, dès mon enfance, je vous ai chérie comme une sœur et que vous avez été la confidente de tous mes chagrins, la dépositaire de toutes mes espérances.

— Oui, répondit-elle bien bas, oui, monsieur Raoul, je sais cela.

— Vous aviez l'habitude, de votre côté, de me témoigner la même amitié, la même confiance ; pourquoi, en cette rencontre, n'avez-vous pas été mon amie ? pourquoi vous êtes-vous défiée de moi ?

La Vallière ne répondit point.

— J'ai cru que vous m'aimiez, dit Raoul, dont la voix devenait de plus en plus tremblante ; j'ai cru que vous aviez consenti à tous les plans faits en commun pour notre bonheur, alors que tous deux nous nous promenions dans les grandes allées de Cour-Cheverny[1] et sous les peupliers de l'avenue qui conduit à Blois. Vous ne répondez pas, Louise ?

Il s'interrompit.

— Serait-ce, demanda-t-il en respirant à peine, que vous ne m'aimeriez plus ?

— Je ne dis point cela, répliqua tout bas Louise.

— Oh ! dites-le-moi bien, je vous en prie ; j'ai mis tout l'espoir de ma vie en vous, je vous ai choisie pour vos habitudes douces et simples. Ne vous laissez pas éblouir, Louise, à présent que vous voilà au milieu de la cour, où tout ce qui est pur se corrompt, où tout ce qui est jeune vieillit vite. Louise, fermez vos oreilles pour ne pas entendre les paroles, fermez vos yeux pour ne pas voir les exemples, fermez vos lèvres pour ne point respirer les souffles corrupteurs. Sans mensonges, sans détours, Louise, faut-il que je croie ces mots de Mlle de Montalais ? Louise, êtes-vous venue à Paris parce que je n'étais plus à Blois ?

La Vallière rougit et cacha son visage dans ses mains.

— Oui, n'est-ce pas, s'écria Raoul exalté, oui, c'est pour cela que vous êtes venue ? Oh ! je vous aime comme jamais je ne vous ai aimée ! Merci, Louise, de ce dévouement ; mais il faut que je prenne un parti pour vous mettre à couvert de toute insulte, pour vous garantir de toute tache. Louise, une fille d'honneur, à la cour d'une jeune princesse, en ce temps de mœurs faciles et d'inconstantes amours, une fille d'honneur est placée dans le centre des attaques sans aucune défense ; cette

1. Cour-Cheverny, village proche du château de Cheverny.

condition ne peut vous convenir : il faut que vous soyez mariée pour être respectée.

— Mariée ?

— Oui.

— Mon Dieu !

— Voici ma main, Louise, laissez-y tomber la vôtre.

— Mais votre père ?

— Mon père me laisse libre.

— Cependant...

— Je comprends ce scrupule, Louise ; je consulterai mon père.

— Oh ! monsieur Raoul, réfléchissez, attendez.

— Attendre, c'est impossible ; réfléchir, Louise, réfléchir, quand il s'agit de vous ! ce serait vous insulter ; votre main, chère Louise, je suis maître de moi ; mon père dira oui, je vous le promets ; votre main, ne me faites point attendre ainsi, répondez vite un mot, un seul, sinon je croirais que, pour vous changer à jamais, il a suffi d'un seul pas dans le palais, d'un seul souffle de la faveur, d'un seul sourire des reines, d'un seul regard du roi.

Raoul n'avait pas prononcé ce dernier mot que La Vallière était devenue pâle comme la mort, sans doute par la crainte qu'elle avait de voir s'exalter le jeune homme.

Aussi, par un mouvement rapide comme la pensée, jeta-t-elle ses deux mains dans celles de Raoul.

Puis elle s'enfuit sans ajouter une syllabe et disparut sans avoir regardé en arrière.

Raoul sentit son corps frissonner au contact de cette main.

Il reçut le serment, comme un serment solennel arraché par l'amour à la timidité virginale.

XC

LE CONSENTEMENT D'ATHOS

Raoul était sorti du Palais-Royal avec des idées qui n'admettaient point de délais dans leur exécution.

Il monta donc à cheval dans la cour même et prit la route de Blois, tandis que s'accomplissaient, avec une grande allégresse des courtisans et une grande désolation de Guiche et de Buckingham, les noces de Monsieur et de la princesse d'Angleterre.

Raoul fit diligence ; en dix-huit heures il arriva à Blois.

Il avait préparé en route ses meilleurs arguments.

La fièvre aussi est un argument sans réplique, et Raoul avait la fièvre.

Athos était dans son cabinet, ajoutant quelques pages à ses mémoires[1], lorsque Raoul entra conduit par Grimaud.

Le clairvoyant gentilhomme n'eut besoin que d'un coup d'œil pour reconnaître quelque chose d'extraordinaire dans l'attitude de son fils.

— Vous me paraissez venir pour affaire de conséquence, dit-il en montrant un siège à Raoul après l'avoir embrassé.

— Oui, monsieur, répondit le jeune homme, et je vous supplie de me prêter cette bienveillante attention qui ne m'a jamais fait défaut.

— Parlez, Raoul.

— Monsieur, voici le fait dénué de tout préambule indigne d'un homme comme vous : Mlle de La Vallière est à Paris en qualité de fille d'honneur de Madame ; je me suis bien consulté, j'aime Mlle de La Vallière par-dessus tout, et il ne me convient pas de la laisser dans un poste où sa réputation, sa vertu peuvent être exposées ; je désire donc l'épouser, monsieur, et je viens vous demander votre consentement à ce mariage.

Athos avait gardé, pendant cette communication, un silence et une réserve absolus.

Raoul avait commencé son discours avec l'affectation du sang-froid, et il avait fini par laisser voir à chaque mot une émotion des plus manifestes.

Athos fixa sur Bragelonne un regard profond, voilé d'une certaine tristesse.

— Donc, vous avez bien réfléchi ? demanda-t-il.

— Oui, monsieur.

— Il me semblait vous avoir déjà dit mon sentiment à l'égard de cette alliance.

— Je le sais, monsieur, répondit Raoul bien bas ; mais vous avez répondu que si j'insistais...

— Et vous insistez ?

Bragelonne balbutia un oui presque inintelligible.

— Il faut, en effet, monsieur, continua tranquillement Athos, que votre passion soit bien forte, puisque, malgré ma répugnance pour cette union, vous persistez à la désirer.

Raoul passa sur son front une main tremblante, il essuyait ainsi la sueur qui l'inondait.

Athos le regarda, et la pitié descendit au fond de son cœur.

Il se leva.

— C'est bien, dit-il, mes sentiments personnels, à moi, ne signifient

1. Voir ci-dessus, chap. IV, p. 23, note 1.

rien, puisqu'il s'agit des vôtres ; vous me requérez, je suis à vous. Au fait, voyons, que désirez-vous de moi ?

— Oh ! votre indulgence, monsieur, votre indulgence d'abord, dit Raoul en lui prenant les mains.

— Vous vous méprenez sur mes sentiments pour vous, Raoul ; il y a mieux que cela dans mon cœur, répliqua le comte.

Raoul baisa la main qu'il tenait, comme eût pu le faire l'amant le plus passionné.

— Allons, allons, reprit Athos ; dites, Raoul, me voilà prêt, que faut-il signer ?

— Oh ! rien, monsieur, rien ; seulement, il serait bon que vous prissiez la peine d'écrire au roi, et de demander pour moi à Sa Majesté, à laquelle j'appartiens, la permission d'épouser Mlle de La Vallière.

— Bien, vous avez là une bonne pensée, Raoul. En effet, après moi, ou plutôt avant moi, vous avez un maître ; ce maître, c'est le roi ; vous vous soumettez donc à une double épreuve, c'est loyal.

— Oh ! monsieur !

— Je vais sur-le-champ acquiescer à votre demande, Raoul.

Le comte s'approcha de la fenêtre, et se penchant légèrement en dehors :

— Grimaud ! cria-t-il.

Grimaud montra sa tête à travers une tonnelle de jasmin qu'il émondait.

— Mes chevaux ! continua le comte.

— Que signifie cet ordre, monsieur ?

— Que nous partons dans deux heures.

— Pour où ?

— Pour Paris.

— Comment, pour Paris ! Vous venez à Paris ?

— Le roi n'est-il pas à Paris ?

— Sans doute.

— Eh bien ! ne faut-il pas que nous y allions, et avez-vous perdu le sens ?

— Mais, monsieur, dit Raoul presque effrayé de cette condescendance paternelle, je ne vous demande point un pareil dérangement, et une simple lettre...

— Raoul, vous vous méprenez sur mon importance ; il n'est point convenable qu'un simple gentilhomme comme moi écrive à son roi. Je veux et je dois parler à Sa Majesté. Je le ferai. Nous partirons ensemble, Raoul.

— Oh ! que de bontés, monsieur !

— Comment croyez-vous Sa Majesté disposée ?

— Pour moi, monsieur ?

— Oui.

— Oh ! parfaitement.

— Elle vous l'a dit ?

— De sa propre bouche.

— A quelle occasion ?

— Mais sur une recommandation de M. d'Artagnan, je crois, et à propos d'une affaire en Grève où j'ai eu le bonheur de tirer l'épée pour Sa Majesté. J'ai donc lieu de me croire, sans amour-propre, assez avancé dans l'esprit de Sa Majesté.

— Tant mieux !

— Mais, je vous en conjure, continua Raoul, ne gardez point avec moi ce sérieux et cette discrétion, ne me faites pas regretter d'avoir écouté un sentiment plus fort que tout.

— C'est la seconde fois que vous me le dites, Raoul, cela n'était point nécessaire ; vous voulez une formalité de consentement, je vous le donne, c'est acquis, n'en parlons plus. Venez voir mes nouvelles plantations, Raoul.

Le jeune homme savait qu'après l'expression d'une volonté du comte, il n'y avait plus de place pour la controverse.

Il baissa la tête et suivit son père au jardin.

Athos lui montra lentement les greffes, les pousses et les quinconces.

Cette tranquillité déconcertait de plus en plus Raoul ; l'amour qui remplissait son cœur lui semblait assez grand pour que le monde pût le contenir à peine. Comment le cœur d'Athos restait-il vide et fermé à cette influence ?

Aussi Bragelonne, rassemblant toutes ses forces, s'écria-t-il tout à coup :

— Monsieur, il est impossible que vous n'ayez pas quelque raison de repousser Mlle de La Vallière, elle est si bonne, si douce, si pure, que votre esprit, plein d'une suprême sagesse, devrait l'apprécier à sa valeur. Au nom du Ciel ! existe-t-il entre vous et sa famille quelque secrète inimitié, quelque haine héréditaire ?

— Voyez, Raoul, la belle planche de muguet, dit Athos, voyez comme l'ombre et l'humidité lui vont bien, cette ombre surtout des feuilles de sycomore, par l'échancrure desquelles filtre la chaleur et non la flamme du soleil.

Raoul s'arrêta, se mordit les lèvres ; puis, sentant le sang affluer à ses tempes :

— Monsieur, dit-il bravement, une explication, je vous en supplie ; vous ne pouvez oublier que votre fils est un homme.

— Alors, répondit Athos en se redressant avec sévérité, alors prouvez-moi que vous êtes un homme, car vous ne prouvez point que vous êtes un fils. Je vous priais d'attendre le moment d'une illustre alliance, je vous eusse trouvé une femme dans les premiers rangs de la riche noblesse[1]; je voulais que vous pussiez briller de ce double éclat que donnent la gloire et la fortune : vous avez la noblesse de la race.

— Monsieur, s'écria Raoul emporté par un premier mouvement, l'on m'a reproché l'autre jour de ne pas connaître ma mère.

Athos pâlit ; puis, fronçant le sourcil comme le dieu suprême de l'Antiquité :

— Il me tarde de savoir ce que vous avez répondu, monsieur, demanda-t-il majestueusement.

— Oh ! pardon... pardon !... murmura le jeune homme tombant du haut de son exaltation.

— Qu'avez-vous répondu, monsieur ? demanda le comte en frappant du pied.

— Monsieur, j'avais l'épée à la main, celui qui m'insultait était en garde, j'ai fait sauter son épée par-dessus une palissade, et je l'ai envoyé rejoindre son épée.

— Et pourquoi ne l'avez-vous pas tué ?

— Sa Majesté défend le duel, monsieur, et j'étais en ce moment ambassadeur de Sa Majesté.

— C'est bien, dit Athos, mais raison de plus pour que j'aille parler au roi.

— Qu'allez-vous lui demander, monsieur ?

— L'autorisation de tirer l'épée contre celui qui nous a fait cette offense.

— Monsieur, si je n'ai point agi comme je devais agir, pardonnez-moi, je vous en supplie.

— Qui vous a fait un reproche, Raoul ?

— Mais cette permission que vous voulez demander au roi.

— Raoul, je prierai Sa Majesté de signer à votre contrat de mariage.

— Monsieur...

— Mais à une condition...

— Avez-vous besoin de condition vis-à-vis de moi ? Ordonnez, monsieur, et j'obéirai.

— A la condition, continua Athos, que vous me direz le nom de celui qui a ainsi parlé de votre mère.

— Mais, monsieur, qu'avez-vous besoin de savoir ce nom ? C'est à moi que l'offense a été faite, et une fois la permission obtenue de Sa Majesté, c'est moi que la vengeance regarde.

— Son nom, monsieur ?

— Je ne souffrirai pas que vous vous exposiez.

1. « Il y a une chose dont je suis convaincu c'est que si tu le veux tu épouseras d'ici à 6 mois une jeune fille de 18 ans avec un million de dot. Si tu juges qu'il vaille la peine d'en causer — viens me voir. » Dumas à son fils, vers juillet 1851, Aut., B.N., N.A.F. 24641, f° 94.

— Me prenez-vous pour un don Diègue[1] ? Son nom ?

— Vous l'exigez ?

— Je le veux.

— Le vicomte de Wardes.

— Ah ! dit tranquillement Athos, c'est bien, je le connais. Mais nos chevaux sont prêts, monsieur ; au lieu de partir dans deux heures, nous partirons tout de suite. A cheval, monsieur, à cheval !

XCI

MONSIEUR EST JALOUX DU DUC DE BUCKINGHAM[2]

Tandis que M. le comte de La Fère s'acheminait vers Paris, accompagné de Raoul, le Palais-Royal était le théâtre d'une scène que Molière eût appelée une bonne comédie.

C'était quatre jours après son mariage ; Monsieur, après avoir déjeuné à la hâte, passa dans ses antichambres, les lèvres en moue, le sourcil froncé.

Le repas n'avait pas été gai. Madame s'était fait servir dans son appartement.

Monsieur avait donc déjeuné en petit comité.

Le chevalier de Lorraine et Manicamp assistaient seuls à ce déjeuner, qui avait duré trois quarts d'heure sans qu'un seul mot eût été prononcé.

Manicamp, moins avancé dans l'intimité de Son Altesse Royale que le chevalier de Lorraine, essayait vainement de lire dans les yeux du prince ce qui lui donnait cette mine si maussade.

Le chevalier de Lorraine, qui n'avait besoin de rien devenir, attendu qu'il savait tout, mangeait avec cet appétit extraordinaire que lui donnait le chagrin des autres, et jouissait à la fois du dépit de Monsieur et du trouble de Manicamp.

---

1. Voir Corneille, *Le Cid*, acte I, scènes III et IV : « Mais mon âge a trompé ma généreuse envie/ Et ce fer, que mon bras ne peut plus soutenir,/ Je le remets au tien pour venger et punir. »

2. « Monsieur s'aperçut bientôt [de la passion du duc], et ce fut en cette occasion que madame la princesse d'Angleterre découvrit pour la première fois cette jalousie naturelle, dont il donna depuis tant de marques. Elle vit donc son chagrin ; et, comme elle ne se souciait pas du duc de Buckingham, [...] elle en parla à la reine sa mère, qui prit soin de remettre l'esprit de Monsieur et de lui faire concevoir que la passion du duc était regardée comme une chose ridicule.

« Cela ne déplut pas à Monsieur, mais il n'en fut pas entièrement satisfait ; il s'en ouvrit à la reine sa mère, qui eut de l'indulgence pour la passion du duc, en faveur de celle que son père lui avait autrefois témoignée », Mme de La Fayette, *op. cit.*

Il prenait plaisir à retenir à table, en continuant de manger, le prince impatient, qui brûlait du désir de lever le siège.

Parfois Monsieur se repentait de cet ascendant qu'il avait laissé prendre sur lui au chevalier de Lorraine, et qui exemptait celui-ci de toute étiquette.

Monsieur était dans un de ces moments-là ; mais il craignait le chevalier presque autant qu'il l'aimait, et se contentait de rager intérieurement.

De temps en temps, Monsieur levait les yeux au ciel, puis les abaissait sur les tranches de pâté que le chevalier attaquait ; puis enfin, n'osant éclater, il se livrait à une pantomime dont Arlequin se fût montré jaloux.

Enfin Monsieur n'y put tenir, et au fruit[1], se levant tout courroucé, comme nous l'avons dit, il laissa le chevalier de Lorraine achever son déjeuner comme il l'entendrait.

En voyant Monsieur se lever, Manicamp se leva tout roide, sa serviette à la main.

Monsieur courut plutôt qu'il ne marcha vers l'antichambre, et, trouvant un huissier, il le chargea d'un ordre à voix basse.

Puis, rebroussant chemin, pour ne pas passer par la salle à manger, il traversa ses cabinets, dans l'intention d'aller trouver la reine mère dans son oratoire, où elle se tenait habituellement.

Il pouvait être dix heures du matin.

Anne d'Autriche écrivait lorsque Monsieur entra.

La reine mère aimait beaucoup ce fils, qui était beau de visage et doux de caractère.

Monsieur, en effet, était plus tendre et, si l'on veut, plus efféminé que le roi.

Il avait pris sa mère par les petites sensibleries de femme, qui plaisent toujours aux femmes; Anne d'Autriche, qui eût fort aimé avoir une fille, trouvait presque en ce fils les attentions, les petits soins et les mignardises d'un enfant de douze ans.

Ainsi, Monsieur employait tout le temps qu'il passait chez sa mère à admirer ses beaux bras, à lui donner des conseils sur ses pâtes et des recettes sur ses essences, où elle se montrait fort recherchée; puis il lui baisait les mains et les yeux avec un enfantillage charmant, avait toujours quelque sucrerie à lui offrir, quelque ajustement nouveau à lui recommander.

Anne d'Autriche aimait le roi, ou plutôt la royauté dans son fils aîné : Louis XIV lui représentait la légitimité divine. Elle était reine mère avec le roi ; elle était mère seulement avec Philippe.

Et ce dernier savait que, de tous les abris, le sein d'une mère est le plus doux et le plus sûr.

Aussi, tout enfant, allait-il se réfugier là quand des orages s'étaient

1. *Le fruit*: partie du repas où l'on mangeait les fruits.

élevés entre son frère et lui ; souvent après les gourmades qui constituaient de sa part des crimes de lèse-majesté, après les combats à coups de poings et d'ongles, que le roi et son sujet très insoumis se livraient en chemise sur un lit contesté, ayant le valet de chambre La Porte pour tout juge du camp, Philippe, vainqueur, mais épouvanté de sa victoire, était allé demander du renfort à sa mère, ou du moins l'assurance d'un pardon que Louis XIV n'accordait que difficilement et à distance[1].

Anne avait réussi, par cette habitude d'intervention pacifique, à concilier tous les différends de ses fils et à participer par la même occasion à tous leurs secrets.

Le roi, un peu jaloux de cette sollicitude maternelle qui s'épandait surtout sur son frère, se sentait disposé envers Anne d'Autriche à plus de soumission et de prévenances qu'il n'était dans son caractère d'en avoir.

Anne d'Autriche avait surtout pratiqué ce système de politique envers la jeune reine.

Aussi régnait-elle presque despotiquement sur le ménage royal, et dressait-elle déjà toutes ses batteries pour régner avec le même absolutisme sur le ménage de son second fils.

Anne d'Autriche était presque fière lorsqu'elle voyait entrer chez elle une mine allongée, des joues pâles et des yeux rouges, comprenant qu'il s'agissait d'un secours à donner au plus faible ou au plus mutin.

Elle écrivait, disons-nous, lorsque Monsieur entra dans son oratoire, non pas les yeux rouges, non pas les joues pâles, mais inquiet, dépité, agacé.

Il baisa distraitement les bras de sa mère, et s'assit avant qu'elle lui en eût donné l'autorisation.

Avec les habitudes d'étiquette établies à la cour d'Anne d'Autriche, cet oubli des convenances était un signe d'égarement, de la part surtout de Philippe, qui pratiquait si volontiers l'adulation du respect.

Mais, s'il manquait si notoirement à tous ces principes, c'est que la cause en devait être grave.

— Qu'avez-vous, Philippe ? demanda Anne d'Autriche en se tournant vers son fils.

— Ah ! madame, bien des choses, murmura le prince d'un air dolent.

— Vous ressemblez, en effet, à un homme fort affairé, dit la reine en posant la plume dans l'écritoire.

1. « Le roi sans y penser cracha sur le lit de Monsieur, qui cracha aussitôt sur le lit du roi, qui un peu en colère lui cracha au nez : Monsieur sauta sur le lit du roi et pissa dessus ; le roi en fit autant sur le lit de Monsieur : [...] ils se mirent à tirer les draps l'un de l'autre dans la place ; et peu après ils se prirent pour se battre [...]. Monsieur s'était plutôt fâché que le roi, mais le roi fut bien plus difficile à apaiser que Monsieur », La Porte, *Mémoires*. La scène est à Corbeil en 1652.

Philippe fronça le sourcil, mais ne répondit point.

— Dans toutes les choses qui remplissent votre esprit, dit Anne d'Autriche, il doit cependant s'en trouver quelqu'une qui vous occupe plus que les autres ?

— Une, en effet, m'occupe plus que les autres, oui, madame.

— Je vous écoute.

Philippe ouvrit la bouche pour donner passage à tous les griefs qui se passaient dans son esprit et semblaient n'attendre qu'une issue pour s'exhaler.

Mais tout à coup il se tut, et tout ce qu'il avait sur le cœur se résuma par un soupir.

— Voyons, Philippe, voyons, de la fermeté, dit la reine mère. Une chose dont on se plaint, c'est presque toujours une personne qui gêne, n'est-ce pas ?

— Je ne dis point cela, madame.

— De qui voulez-vous parler ? Allons, allons, résumez-vous.

— Mais c'est qu'en vérité, madame, ce que j'aurais à dire est fort discret.

— Ah ! mon Dieu !

— Sans doute ; car, enfin, une femme...

— Ah ! vous voulez parler de Madame ? demanda la reine mère avec un vif sentiment de curiosité.

— De Madame ?

— De votre femme, enfin.

— Oui, oui, j'entends.

— Eh bien ! si c'est de Madame que vous voulez me parler, mon fils, ne vous gênez pas. Je suis votre mère, et Madame n'est pour moi qu'une étrangère. Cependant, comme elle est ma bru, ne doutez point que je n'écoute avec intérêt, ne fût-ce que pour vous, tout ce que vous m'en direz.

— Voyons, à votre tour, madame, dit Philippe, avouez-moi si vous n'avez pas remarqué quelque chose ?

— Quelque chose, Philippe ?... Vous avez des mots d'un vague effrayant... Quelque chose, et de quelle sorte est-ce quelque chose ?

— Madame est jolie, enfin.

— Mais oui.

— Cependant ce n'est point une beauté.

— Non ; mais, en grandissant, elle peut singulièrement embellir encore. Vous avez bien vu les changements que quelques années déjà ont apportés sur son visage. Eh bien ! elle se développera de plus en plus, elle n'a que seize ans. A quinze ans, moi aussi, j'étais fort maigre ; mais enfin, telle qu'elle est, Madame est jolie.

— Par conséquent, on peut l'avoir remarquée.

— Sans doute, on remarque une femme ordinaire, à plus forte raison une princesse.

— Elle a été bien élevée, n'est-ce pas, madame ?

— Madame Henriette, sa mère, est une femme un peu froide, un peu prétentieuse, mais une femme pleine de beaux sentiments. L'éducation de la jeune princesse peut avoir été négligée, mais, quant aux principes, je les crois bons ; telle était du moins mon opinion sur elle lors de son séjour en France ; depuis, elle est retournée en Angleterre, et je ne sais ce qui s'est passé.

— Que voulez-vous dire ?

— Eh ! mon Dieu, je veux dire que certaines têtes, un peu légères, sont facilement tournées par la prospérité.

— Eh bien ! madame, vous avez dit le mot ; je crois à la princesse une tête un peu légère, en effet.

— Il ne faudrait pas exagérer, Philippe : elle a de l'esprit et une certaine dose de coquetterie très naturelle chez une jeune femme ; mais, mon fils, chez les personnes de haute qualité ce défaut tourne à l'avantage d'une cour. Une princesse un peu coquette se fait ordinairement une cour brillante ; un sourire d'elle fait éclore partout le luxe, l'esprit et le courage même ; la noblesse se bat mieux pour un prince dont la femme est belle.

— Grand merci, madame, dit Philippe avec humeur ; en vérité, vous me faites là des peintures fort alarmantes, ma mère.

— En quoi ? demanda la reine avec une feinte naïveté.

— Vous savez, madame, dit dolemment Philippe, vous savez si j'ai eu de la répugnance à me marier.

— Ah ! mais, cette fois, vous m'alarmez. Vous avez donc un grief sérieux contre Madame ?

— Sérieux, je ne dis point cela.

— Alors, quittez cette physionomie renversée. Si vous vous montrez ainsi chez vous, prenez-y garde, on vous prendra pour un mari fort malheureux.

— Au fait, répondit Philippe, je ne suis pas un mari satisfait, et je suis aise qu'on le sache.

— Philippe ! Philippe !

— Ma foi ! madame, je vous dirai franchement, je n'ai point compris la vie comme on me la fait.

— Expliquez-vous.

— Ma femme n'est point à moi, en vérité ; elle m'échappe en toute circonstance. Le matin, ce sont les visites, les correspondances, les toilettes ; le soir, ce sont les bals et les concerts.

— Vous êtes jaloux, Philippe !

— Moi ? Dieu m'en préserve ! A d'autres qu'à moi ce sot rôle de mari jaloux ; mais je suis contrarié.

— Philippe, ce sont toutes choses innocentes que vous reprochez là à votre femme, et tant que vous n'aurez rien de plus considérable…

— Écoutez donc, sans être coupable, une femme peut inquiéter ; il est de certaines fréquentations, de certaines préférences que les jeunes femmes affichent et qui suffisent pour faire donner parfois au diable les maris les moins jaloux.

— Ah ! nous y voilà, enfin ; ce n'est point sans peine. Les fréquentations, les préférences, bon ! Depuis une heure que nous battons la campagne, vous venez enfin d'aborder la véritable question.

— Eh bien ! oui...

— Ceci est plus sérieux. Madame aurait-elle donc de ces sortes de torts envers vous ?

— Précisément.

— Quoi ! votre femme, après quatre jours de mariage, vous préférerait quelqu'un, fréquenterait quelqu'un ? Prenez-y garde, Philippe, vous exagérez ses torts ; à force de vouloir prouver, on ne prouve rien.

Le prince, effarouché du sérieux de sa mère, voulut répondre, mais il ne put que balbutier quelques paroles inintelligibles.

— Voilà que vous reculez, dit Anne d'Autriche, j'aime mieux cela ; c'est une reconnaissance de vos torts.

— Non ! s'écria Philippe, non, je ne recule pas, et je vais le prouver. J'ai dit préférences, n'est-ce pas ? j'ai dit fréquentations, n'est-ce pas ? Eh bien ! écoutez.

Anne d'Autriche s'apprêta complaisamment à écouter avec ce plaisir de commère que la meilleure femme, que la meilleure mère, fût-elle reine, trouve toujours dans son immixtion à de petites querelles de ménage.

— Eh bien ! reprit Philippe, dites-moi une chose.

— Laquelle ?

— Pourquoi ma femme a-t-elle conservé une cour anglaise ? Dites !

Et Philippe se croisa les bras en regardant sa mère, comme s'il eût été convaincu qu'elle ne trouverait rien à répondre à ce reproche.

— Mais, reprit Anne d'Autriche, c'est tout simple, parce que les Anglais sont ses compatriotes, parce qu'ils ont dépensé beaucoup d'argent pour l'accompagner en France, et qu'il serait peu poli, peu politique même, de congédier brusquement une noblesse qui n'a reculé devant aucun dévouement, devant aucun sacrifice.

— Eh ! ma mère, le beau sacrifice, en vérité, que de se déranger d'un vilain pays pour venir dans une belle contrée, où l'on fait avec un écu plus d'effet qu'autre part avec quatre ! Le beau dévouement, n'est-ce pas, que de faire cent lieues pour accompagner une femme dont on est amoureux ?

— Amoureux, Philippe ? Songez-vous à ce que vous dites ?

— Parbleu !

— Et qui donc est amoureux de Madame ?

— Le beau duc de Buckingham... N'allez-vous pas aussi me défendre celui-là, ma mère ?

Anne d'Autriche rougit et sourit en même temps. Ce nom de duc de Buckingham lui rappelait à la fois de si doux et de si tristes souvenirs !

— Le duc de Buckingham ? murmura-t-elle.

— Oui, un de ces mignons de couchette, comme disait mon grand-père Henri IV.

— Les Buckingham sont loyaux et braves, dit courageusement Anne d'Autriche.

— Allons ! bien ; voilà ma mère qui défend contre moi le galant de ma femme ! s'écria Philippe tellement exaspéré que sa nature frêle en fut ébranlée jusqu'aux larmes.

— Mon fils ! mon fils ! s'écria Anne d'Autriche, l'expression n'est pas digne de vous. Votre femme n'a point de galant, et si elle en devait avoir un, ce ne serait pas M. de Buckingham : les gens de cette race, je vous le répète, sont loyaux et discrets ; l'hospitalité leur est sacrée.

— Eh ! madame ! s'écria Philippe, M. de Buckingham est un Anglais, et les Anglais respectent-ils si fort religieusement le bien des princes français ?

Anne rougit sous ses coiffes pour la seconde fois, et se retourna sous prétexte de tirer sa plume de l'écritoire ; mais, en réalité, pour cacher sa rougeur aux yeux de son fils.

— En vérité, Philippe, dit-elle, vous savez trouver des mots qui me confondent, et votre colère vous aveugle, comme elle m'épouvante ; réfléchissez, voyons !

— Madame, je n'ai pas besoin de réfléchir, je vois.

— Et que voyez-vous ?

— Je vois que M. de Buckingham ne quitte point ma femme. Il ose lui faire des présents, elle ose les accepter. Hier, elle parlait de sachets à la violette ; or, nos parfumeurs français, vous le savez bien, madame, vous qui en avez demandé tant de fois sans pouvoir en obtenir, or, nos parfumeurs français n'ont jamais pu trouver cette odeur. Eh bien ! le duc, lui aussi, avait sur lui un sachet à la violette. C'est donc de lui que venait celui de ma femme.

— En vérité, monsieur, dit Anne d'Autriche, vous bâtissez des pyramides sur des pointes d'aiguilles ; prenez garde. Quel mal, je vous le demande, y a-t-il à ce qu'un compatriote donne une recette d'essence nouvelle à sa compatriote ? Ces idées étranges, je vous le jure, me rappellent douloureusement votre père, qui m'a fait souvent souffrir avec injustice.

— Le père de M. de Buckingham était sans doute plus réservé, plus respectueux que son fils, dit étourdiment Philippe, sans voir qu'il touchait rudement au cœur de sa mère.

La reine pâlit et appuya une main crispée sur sa poitrine ; mais, se remettant promptement :

— Enfin, dit-elle, vous êtes venu ici dans une intention quelconque ?

— Sans doute.

— Alors, expliquez-vous.

— Je suis venu, madame, dans l'intention de me plaindre énergiquement, et pour vous prévenir que je n'endurerai rien de la part de M. de Buckingham.

— Vous n'endurerez rien ?

— Non.

— Que ferez-vous ?

— Je me plaindrai au roi.

— Et que voulez-vous que vous réponde le roi ?

— Eh bien ! dit Monsieur avec une expression de féroce fermeté qui faisait un étrange contraste avec la douceur habituelle de sa physionomie, eh bien ! je me ferai justice moi-même.

— Qu'appelez-vous vous faire justice vous-même ? demanda Anne d'Autriche avec un certain effroi.

— Je veux que M. de Buckingham quitte Madame ; je veux que M. de Buckingham quitte la France, et je lui ferai signifier ma volonté.

— Vous ne ferez rien signifier du tout, Philippe, dit la reine ; car si vous agissiez de la sorte, si vous violiez à ce point l'hospitalité, j'invoquerais contre vous la sévérité du roi.

— Vous me menacez, ma mère ! s'écria Philippe éploré ; vous me menacez quand je me plains !

— Non, je ne vous menace pas, je mets une digue à votre emportement. Je vous dis que prendre contre M. de Buckingham ou tout autre Anglais un moyen rigoureux, qu'employer même un procédé peu civil, c'est entraîner la France et l'Angleterre dans des divisions fort douloureuses. Quoi ! un prince, le frère du roi de France, ne saurait pas dissimuler une injure, même réelle, devant une nécessité politique !

Philippe fit un mouvement.

— D'ailleurs, continua la reine, l'injure n'est ni vraie ni possible, et il ne s'agit que d'une jalousie ridicule.

— Madame, je sais ce que je sais.

— Et moi, quelque chose que vous sachiez, je vous exhorte à la patience.

— Je ne suis point patient, madame.

La reine se leva pleine de roideur et de cérémonie glacée.

— Alors expliquez vos volontés, dit-elle.

— Je n'ai point de volonté, madame ; mais j'exprime des désirs. Si, de lui-même, M. de Buckingham ne s'écarte point de ma maison, je la lui interdirai.

— Ceci est une question dont nous référerons au roi, dit Anne d'Autriche le cœur gonflé, la voix émue.

— Mais, madame, s'écria Philippe en frappant ses mains l'une contre l'autre, soyez ma mère et non la reine, puisque je vous parle en fils ;

entre M. de Buckingham et moi, c'est l'affaire d'un entretien de quatre minutes.

— C'est justement cet entretien que je vous interdis, monsieur, dit la reine reprenant son autorité ; ce n'est pas digne de vous.

— Eh bien ! soit ! je ne paraîtrai pas, mais j'intimerai mes volontés à Madame.

— Oh ! fit Anne d'Autriche avec la mélancolie du souvenir, ne tyrannisez jamais une femme, mon fils ; ne commandez jamais trop haut impérativement à la vôtre. Femme vaincue n'est pas toujours convaincue.

— Que faire alors ?... Je consulterai autour de moi.

— Oui, vos conseillers hypocrites, votre chevalier de Lorraine, votre de Wardes... Laissez-moi le soin de cette affaire, Philippe ; vous désirez que le duc de Buckingham s'éloigne, n'est-ce pas ?

— Au plus tôt, madame.

— Eh bien ! envoyez-moi le duc, mon fils ! Souriez-lui, ne témoignez rien à votre femme, au roi, à personne. Des conseils, n'en recevez que de moi. Hélas ! je sais ce que c'est qu'un ménage troublé par des conseillers.

— J'obéirai, ma mère.

— Et vous serez satisfait, Philippe. Trouvez-moi le duc.

— Oh ! ce ne sera point difficile.

— Où croyez-vous qu'il soit ?

— Pardieu ! à la porte de Madame, dont il attend le lever : c'est hors de doute.

— Bien ! fit Anne d'Autriche avec calme. Veuillez dire au duc que je le prie de me venir voir.

Philippe baisa la main de sa mère et partit à la recherche de M. de Buckingham.

XCII

FOR EVER

Milord Buckingham, soumis à l'invitation de la reine mère, se présenta chez elle une demi-heure après le départ du duc d'Orléans.

Lorsque son nom fut prononcé par l'huissier, la reine, qui s'était accoudée sur sa table, la tête dans ses mains, se releva et reçut avec un sourire le salut plein de grâce et de respect que le duc lui adressait.

Anne d'Autriche était belle encore. On sait qu'à cet âge déjà avancé ses longs cheveux cendrés, ses belles mains, ses lèvres vermeilles faisaient encore l'admiration de tous ceux qui la voyaient.

En ce moment, tout entière à un souvenir qui remuait le passé dans son cœur, elle était aussi belle qu'aux jours de la jeunesse, alors que son palais s'ouvrait pour recevoir, jeune et passionné, le père de ce Buckingham, cet infortuné qui avait vécu pour elle, qui était mort en prononçant son nom.

Anne d'Autriche attacha donc sur Buckingham un regard si tendre, que l'on y découvrait à la fois la complaisance d'une affection maternelle et quelque chose de doux comme une coquetterie d'amante.

— Votre Majesté, dit Buckingham avec respect, a désiré me parler ?

— Oui, duc, répliqua la reine en anglais. Veuillez vous asseoir.

Cette faveur que faisait Anne d'Autriche au jeune homme, cette caresse de la langue du pays dont le duc était sevré depuis son séjour en France, remuèrent profondément son âme. Il devina sur-le-champ que la reine avait quelque chose à lui demander.

Après avoir donné les premiers moments à l'oppression insurmontable qu'elle avait ressentie, la reine reprit son air riant.

— Monsieur, dit-elle en français, comment trouvez-vous la France ?

— Un beau pays, madame, répliqua le duc.

— L'aviez-vous déjà vue ?

— Déjà une fois, oui, madame.

— Mais, comme tout bon Anglais, vous préférez l'Angleterre ?

— J'aime mieux ma patrie que la patrie d'un Français, répondit le duc ; mais si Votre Majesté me demande lequel des deux séjours je préfère, Londres ou Paris, je répondrai Paris.

Anne d'Autriche remarqua le ton plein de chaleur avec lequel ces paroles avaient été prononcées.

— Vous avez, m'a-t-on dit, milord, de beaux biens chez vous ; vous habitez un palais riche et ancien ?

— Le palais de mon père, répliqua Buckingham en baissant les yeux.

— Ce sont là des avantages précieux et des souvenirs, répliqua la reine en touchant malgré elle des souvenirs dont on ne se sépare pas volontiers.

— En effet, dit le duc subissant l'influence mélancolique de ce préambule, les gens de cœur rêvent autant par le passé ou par l'avenir que par le présent.

— C'est vrai, dit la reine à voix basse. Il en résulte, ajouta-t-elle, que vous, milord, qui êtes un homme de cœur... vous quitterez bientôt la France... pour vous renfermer dans vos richesses, dans vos reliques.

Buckingham leva la tête.

— Je ne crois pas, dit-il, madame.

— Comment ?

— Je pense, au contraire, que je quitterai l'Angleterre pour venir habiter la France.

Ce fut au tour d'Anne d'Autriche à manifester son étonnement.

— Quoi ! dit-elle, vous ne vous trouvez donc pas dans la faveur du nouveau roi ?

— Au contraire, madame, Sa Majesté m'honore d'une bienveillance sans bornes.

— Il ne se peut, dit la reine, que votre fortune soit diminuée ; on la disait considérable.

— Ma fortune, madame, n'a jamais été plus florissante.

— Il faut alors que ce soit quelque cause secrète ?

— Non, madame, dit vivement Buckingham, il n'est rien dans la cause de ma détermination qui soit secret. J'aime le séjour de France, j'aime une cour pleine de goût et de politesse ; j'aime enfin, madame, ces plaisirs un peu sérieux qui ne sont pas les plaisirs de mon pays et qu'on trouve en France.

Anne d'Autriche sourit avec finesse.

— Les plaisirs sérieux ! dit-elle ; avez-vous bien réfléchi, monsieur de Buckingham, à ce sérieux-là ?

Le duc balbutia.

— Il n'est pas de plaisir si sérieux, continua la reine, qui doive empêcher un homme de votre rang...

— Madame, interrompit le duc, Votre Majesté insiste beaucoup sur ce point, ce me semble.

— Vous trouvez, duc ?

— C'est, n'en déplaise à Votre Majesté, la deuxième fois qu'elle vante les attraits de l'Angleterre aux dépens du charme qu'on éprouve à vivre en France.

Anne d'Autriche s'approcha du jeune homme, et, posant sa belle main sur son épaule qui tressaillit au contact :

— Monsieur, dit-elle, croyez-moi, rien ne vaut le séjour du pays natal. Il m'est arrivé, à moi, bien souvent, de regretter l'Espagne. J'ai vécu longtemps, milord, bien longtemps pour une femme, et je vous avoue qu'il ne s'est point passé d'année que je n'aie regretté l'Espagne.

— Pas une année, madame ! dit froidement le jeune duc ; pas une de ces années où vous étiez reine de beauté, comme vous l'êtes encore, du reste ?

— Oh ! pas de flatterie, duc ; je suis une femme qui serait votre mère !

Elle mit, sur ces derniers mots, un accent, une douceur qui pénétrèrent le cœur de Buckingham.

— Oui, dit-elle, je serais votre mère, et voilà pourquoi je vous donne un bon conseil.

— Le conseil de m'en retourner à Londres ? s'écria-t-il.

— Oui, milord, dit-elle.

Le duc joignit les mains d'un air effrayé, qui ne pouvait manquer son effet sur cette femme disposée à des sentiments tendres par de tendres souvenirs.

— Il le faut, ajouta la reine.

— Comment ! s'écria-t-il encore, l'on me dit sérieusement qu'il faut que je parte, qu'il faut que je m'exile, qu'il faut que je me sauve !

— Que vous vous exiliez, avez-vous dit ? Ah ! milord, on croirait que la France est votre patrie.

— Madame, le pays des gens qui aiment, c'est le pays de ceux qu'ils aiment.

— Pas un mot de plus, milord, dit la reine, vous oubliez à qui vous parlez !

Buckingham se mit à deux genoux.

— Madame, madame, vous êtes une source d'esprit, de bonté, de clémence ; madame, vous n'êtes pas seulement la première de ce royaume par le rang, vous êtes la première du monde par les qualités qui vous font divine ; je n'ai rien dit, madame. Ai-je dit quelque chose à quoi vous puissiez me répondre une aussi cruelle parole ? Est-ce que je me suis trahi, madame ?

— Vous vous êtes trahi, dit la reine à voix basse.

— Je n'ai rien dit ! je ne sais rien !

— Vous oubliez que vous avez parlé, pensé devant une femme, et d'ailleurs...

— D'ailleurs, interrompit-il vivement, nul ne sait que vous m'écoutez.

— On le sait, au contraire, duc ; vous avez les défauts et les qualités de la jeunesse.

— On m'a trahi ! on m'a dénoncé !

— Qui cela ?

— Ceux qui déjà, au Havre, avaient, avec une infernale perspicacité, lu dans mon cœur à livre ouvert.

— Je ne sais de qui vous entendez parler.

— Mais M. de Bragelonne, par exemple.

— C'est un nom que je connais sans connaître celui qui le porte. Non, M. de Bragelonne n'a rien dit.

— Qui donc, alors ? Oh, madame, si quelqu'un avait eu l'audace de voir en moi ce que je n'y veux point voir moi-même...

— Que feriez-vous, duc ?

— Il est des secrets qui tuent ceux qui les trouvent.

— Celui qui a trouvé votre secret, fou que vous êtes, celui-là n'est pas tué encore ; il y a plus, vous ne le tuerez pas ; celui-là est armé de tous droits : c'est un mari, c'est un jaloux, c'est le second gentilhomme de France, c'est mon fils, le duc d'Orléans.

Le duc pâlit.

— Que vous êtes cruelle, madame ! dit-il.

— Vous voilà bien, Buckingham, dit Anne d'Autriche avec mélancolie, passant par tous les extrêmes et combattant les nuages, quand il vous serait si facile de demeurer en paix avec vous-même.

— Si nous guerroyons, madame, nous mourrons sur le champ de bataille, répliqua doucement le jeune homme en se laissant aller au plus douloureux abattement.

Anne courut à lui et lui prit la main.

— Villiers, dit-elle en anglais avec une véhémence à laquelle nul n'eût pu résister, que demandez-vous ? A une mère, de sacrifier son fils ; à une reine, de consentir au déshonneur de sa maison ! Vous êtes un enfant, n'y pensez pas ! Quoi ! pour vous épargner une larme, je commettrais ces deux crimes, Villiers ? Vous parlez des morts ; les morts du moins furent respectueux et soumis ; les morts s'inclinaient devant un ordre d'exil ; ils emportaient leur désespoir comme une richesse en leur cœur, parce que le désespoir venait de la femme aimée, parce que la mort, ainsi trompeuse, était comme un don, comme une faveur.

Buckingham se leva les traits altérés, les mains sur le cœur.

— Vous avez raison, madame, dit-il ; mais ceux dont vous parlez avaient reçu l'ordre d'exil d'une bouche aimée ; on ne les chassait point : on les priait de partir, on ne riait pas d'eux.

— Non, l'on se souvenait ! murmura Anne d'Autriche. Mais qui vous dit qu'on vous chasse, qu'on vous exile ? Qui vous dit qu'on ne se souvienne pas de votre dévouement ? Je ne parle pour personne, Villiers, je parle pour moi, partez ! Rendez-moi ce service, faites-moi cette grâce ; que je doive cela encore à quelqu'un de votre nom.

— C'est donc pour vous, madame ?

— Pour moi seule.

— Il n'y aura derrière moi aucun homme qui rira, aucun prince qui dira : « J'ai voulu ! »

— Duc, écoutez-moi.

Et ici la figure auguste de la vieille reine prit une expression solennelle.

— Je vous jure que nul ici ne commande, si ce n'est moi ; je vous jure que non seulement personne ne rira, ne se vantera, mais que personne même ne manquera au devoir que votre rang impose. Comptez sur moi, duc, comme j'ai compté sur vous.

— Vous ne vous expliquez point, madame ; je suis ulcéré, je suis au désespoir ; la consolation, si douce et si complète qu'elle soit, ne me paraîtra pas suffisante.

— Ami, avez-vous connu votre mère ? répliqua la reine avec un caressant sourire.

— Oh ! bien peu, madame[1], mais je me rappelle que cette noble dame me couvrait de baisers et de pleurs quand je pleurais.

— Villiers ! murmura la reine en passant son bras au cou du jeune

1. Après la mort du duc, Lady Katherine Manners, duchesse de Buckingham, épousa le duc d'Antrim.

homme, je suis une mère pour vous, et, croyez-moi bien, jamais personne ne fera pleurer mon fils.

— Merci, madame, merci ! dit le jeune homme attendri et suffoquant d'émotion ; je sens qu'il y avait place encore dans mon cœur pour un sentiment plus doux, plus noble que l'amour.

La reine mère le regarda et lui serra la main.

— Allez, dit-elle.

— Quand faut-il que je parte ? Ordonnez !

— Mettez le temps convenable, milord, reprit la reine ; vous partez, mais vous choisissez votre jour... Ainsi, au lieu de partir aujourd'hui, comme vous le désireriez sans doute ; demain, comme on s'y attendait, partez après-demain au soir ; seulement, annoncez dès aujourd'hui votre volonté[1].

— Ma volonté ? murmura le jeune homme.

— Oui, duc.

— Et... je ne reviendrai jamais en France ?

Anne d'Autriche réfléchit un moment, et s'absorba dans la douloureuse gravité de cette méditation.

— Il me sera doux, dit-elle, que vous reveniez le jour où j'irai dormir éternellement à Saint-Denis près du roi mon époux.

— Qui vous fit tant souffrir ! dit Buckingham.

— Qui était roi de France, répliqua la reine.

— Madame, vous êtes pleine de bonté, vous entrez dans la prospérité, vous nagez dans la joie ; de longues années vous sont promises.

— Eh bien ! vous viendrez tard alors, dit la reine en essayant de sourire.

— Je ne reviendrai pas, dit tristement Buckingham, moi qui suis jeune.

— Oh ! Dieu merci...

— La mort, madame, ne compte pas les années ; elle est impartiale ; on meurt quoique jeune, on vit quoique vieillard.

— Duc, pas de sombres idées ; je vais vous égayer. Venez dans deux ans. Je vois sur votre charmante figure que les idées qui vous font si lugubre aujourd'hui seront des idées décrépites avant six mois ; donc, elles seront mortes et oubliées dans le délai que je vous assigne.

— Je crois que vous me jugiez mieux tout à l'heure, madame, répliqua le jeune homme, quand vous disiez que, sur nous autres de la maison de Buckingham, le temps n'a pas de prise.

— Silence ! oh ! silence ! fit la reine en embrassant le duc sur le front avec une tendresse qu'elle ne put réprimer ; allez ! allez ! ne m'attendrissez point, ne vous oubliez plus ! Je suis la reine, vous êtes sujet du roi

1. « [La reine mère] ne voulut pas qu'on fît du bruit ; mais elle fut d'avis qu'on lui fît entendre, lorsqu'il aurait fait encore quelque séjour en France, que son retour était nécessaire en Angleterre, ce qui fut exécuté dans la suite », Mme de La Fayette, *op. cit.*

d'Angleterre ; le roi Charles vous attend ; adieu, Villiers ! *farewell*, Villiers !

— *For ever*[1] ! répliqua le jeune homme.

Et il s'enfuit en dévorant ses larmes.

Anne appuya ses mains sur son front ; puis, se regardant au miroir :

— On a beau dire, murmura-t-elle, la femme est toujours jeune ; on a toujours vingt ans dans quelque coin du cœur.

XCIII

OÙ SA MAJESTÉ LOUIS XIV NE TROUVE MLLE DE LA VALLIÈRE NI ASSEZ RICHE NI ASSEZ JOLIE POUR UN GENTILHOMME DU RANG DU VICOMTE DE BRAGELONNE

Raoul et le comte de La Fère arrivèrent à Paris le soir du jour où Buckingham avait eu cet entretien avec la reine mère.

A peine arrivé, le comte fit demander par Raoul une audience au roi.

Le roi avait passé une partie de la journée à regarder avec Madame et les dames de la cour des étoffes de Lyon dont il faisait présent à sa belle-sœur. Il y avait eu ensuite dîner à la cour, puis jeu, et, selon son habitude, le roi, quittant le jeu à huit heures, avait passé dans son cabinet pour travailler avec M. Colbert et M. Fouquet.

Raoul était dans l'antichambre au moment où les deux ministres sortirent, et le roi l'aperçut par la porte entrebâillée.

— Que veut M. de Bragelonne ? demanda-t-il.

Le jeune homme s'approcha.

— Sire, répliqua-t-il, une audience pour M. le comte de La Fère, qui arrive de Blois avec grand désir d'entretenir Votre Majesté.

— J'ai une heure avant le jeu et mon souper, dit le roi. M. de La Fère est-il prêt ?

— M. le comte est en bas, aux ordres de Votre Majesté.

— Qu'il monte.

Cinq minutes après, Athos entrait chez Louis XIV, accueilli par le maître avec cette gracieuse bienveillance que Louis, avec un tact au-dessus de son âge, réservait pour s'acquérir les hommes que l'on ne conquiert point avec des faveurs ordinaires.

— Comte, dit le roi, laissez-moi espérer que vous venez me demander quelque chose.

1. « Adieu ! à jamais ! »

— Je ne le cacherai point à Votre Majesté, répliqua le comte ; je viens en effet solliciter.

— Voyons ! dit le roi d'un air joyeux.

— Ce n'est pas pour moi, sire.

— Tant pis ! mais enfin, pour votre protégé, comte, je ferai ce que vous me refusez de faire pour vous.

— Votre Majesté me console... Je viens parler au roi pour le vicomte de Bragelonne.

— Comte, c'est comme si vous parliez pour vous.

— Pas tout à fait, sire... Ce que je désire obtenir de vous, je ne le puis pour moi-même. Le vicomte pense à se marier.

— Il est jeune encore ; mais qu'importe... C'est un homme distingué, je lui veux trouver une femme.

— Il l'a trouvée, sire, et ne cherche que l'assentiment de Votre Majesté.

— Ah ! il ne s'agit que de signer un contrat de mariage ?

Athos s'inclina.

— A-t-il choisi sa fiancée riche et d'une qualité qui vous agrée ?

Athos hésita un moment.

— La fiancée est demoiselle, répliqua-t-il ; mais pour riche, elle ne l'est pas.

— C'est un mal auquel nous voyons remède.

— Votre Majesté me pénètre de reconnaissance ; toutefois, elle me permettra de lui faire une observation.

— Faites, comte.

— Votre Majesté semble annoncer l'intention de doter cette jeune fille ?

— Oui, certes.

— Et ma démarche au Louvre aurait eu ce résultat ? J'en serais chagrin, sire.

— Pas de fausse délicatesse, comte ; comment s'appelle la fiancée ?

— C'est, dit Athos froidement, Mlle de La Vallière de La Baume Le Blanc.

— Ah ! fit le roi en cherchant dans sa mémoire ; je connais ce nom ; un marquis de La Vallière...[1].

— Oui, sire, c'est sa fille.

— Il est mort ?

— Oui, sire.

— Et la veuve s'est remariée à M. de Saint-Remy, maître d'hôtel de Madame douairière ?

— Votre Majesté est bien informée.

1. Laurent de La Baume Le Blanc, seigneur de La Vallière, était mort en 1651 ; il laissait à sa femme, Françoise Le Prévost de La Coutelaye, trois enfants : Jean-François, Jean-Michel et Françoise-Louise. Sa veuve épousa en secondes noces (1655) Jacques de Courtavel, marquis de Saint-Rémy.

— C'est cela, c'est cela !... Il y a plus : la demoiselle est entrée dans les filles d'honneur de Madame la jeune.

— Votre Majesté sait mieux que moi toute l'histoire.

Le roi réfléchit encore, et regardant à la dérobée le visage assez soucieux d'Athos :

— Comte, dit-il, elle n'est pas fort jolie, cette demoiselle, il me semble ?

— Je ne sais trop, répondit Athos.

— Moi, je l'ai regardée : elle ne m'a point frappé.

— C'est un air de douceur et de modestie, mais peu de beauté, sire.

— De beaux cheveux blonds, cependant.

— Je crois que oui.

— Et d'assez beaux yeux bleus.

— C'est cela même.

— Donc, sous le rapport de la beauté, le parti est ordinaire. Passons à l'argent.

— Quinze à vingt mille livres de dot au plus, sire ; mais les amoureux sont désintéressés ; moi-même, je fais peu de cas de l'argent.

— Le superflu, voulez-vous dire ; mais le nécessaire, c'est urgent. Avec quinze mille livres de dot, sans apanages, une femme ne peut aborder la cour. Nous y suppléerons ; je veux faire cela pour Bragelonne.

Athos s'inclina. Le roi remarqua encore sa froideur.

— Passons de l'argent à la qualité, dit Louis XIV ; fille du marquis de La Vallière, c'est bien ; mais nous avons ce bon Saint-Remy qui gâte un peu la maison... par les femmes, je le sais, enfin cela gâte ; et vous, comte, vous tenez fort, je crois, à votre maison.

— Moi, sire, je ne tiens plus à rien du tout qu'à mon dévouement pour Votre Majesté.

Le roi s'arrêta encore.

— Tenez, dit-il, monsieur, vous me surprenez beaucoup depuis le commencement de votre entretien. Vous venez me faire une demande en mariage, et vous paraissez fort affligé de faire cette demande. Oh ! je me trompe rarement, tout jeune que je suis, car avec les uns, je mets mon amitié au service de l'intelligence ; avec les autres, je mets ma défiance que double la perspicacité. Je le répète, vous ne faites point cette demande de bon cœur.

— Eh bien ! sire, c'est vrai.

— Alors, je ne vous comprends point ; refusez.

— Non, sire : j'aime Bragelonne de tout mon amour ; il est épris de Mlle de La Vallière, il se forge des paradis pour l'avenir ; je ne suis pas de ceux qui veulent briser les illusions de la jeunesse. Ce mariage me déplaît, mais je supplie Votre Majesté d'y consentir au plus vite, et de faire ainsi le bonheur de Raoul.

— Voyons, voyons, comte, l'aime-t-elle ?

— Si Votre Majesté veut que je lui dise la vérité, je ne crois pas à l'amour de Mlle de La Vallière ; elle est jeune, elle est enfant, elle est enivrée ; le plaisir de voir la cour, l'honneur d'être au service de Madame, balanceront dans sa tête ce qu'elle pourrait avoir de tendresse dans le cœur, ce sera donc un mariage comme Votre Majesté en voit beaucoup à la cour ; mais Bragelonne le veut ; que cela soit ainsi.

— Vous ne ressemblez cependant pas à ces pères faciles qui se font esclaves de leurs enfants ? dit le roi.

— Sire, j'ai de la volonté contre les méchants, je n'en ai point contre les gens de cœur. Raoul souffre, il prend du chagrin ; son esprit, libre d'ordinaire, est devenu lourd et sombre ; je ne veux pas priver Votre Majesté des services qu'il peut rendre.

— Je vous comprends, dit le roi, et je comprends surtout votre cœur.

— Alors, répliqua le comte, je n'ai pas besoin de dire à Votre Majesté que mon but est de faire le bonheur de ces enfants ou plutôt de cet enfant.

— Et moi, je veux, comme vous, le bonheur de M. de Bragelonne.

— Je n'attends plus, sire, que la signature de Votre Majesté. Raoul aura l'honneur de se présenter devant vous, et recevra votre consentement.

— Vous vous trompez, comte, dit fermement le roi ; je viens de vous dire que je voulais le bonheur du vicomte ; aussi m'opposé-je en ce moment à son mariage.

— Mais, sire, s'écria Athos, Votre Majesté m'a promis...

— Non pas cela, comte ; je ne vous l'ai point promis, car cela est opposé à mes vues.

— Je comprends tout ce que l'initiative de Votre Majesté a de bienveillant et de généreux pour moi ; mais je prends la liberté de vous rappeler que j'ai pris l'engagement de venir en ambassadeur.

— Un ambassadeur, comte, demande souvent et n'obtient pas toujours.

— Ah ! sire, quel coup pour Bragelonne !

— Je donnerai le coup, je parlerai au vicomte.

— L'amour, sire, c'est une force irrésistible.

— On résiste à l'amour ; je vous le certifie, comte.

— Lorsqu'on a l'âme d'un roi, votre âme, sire.

— Ne vous inquiétez plus à ce sujet. J'ai des vues sur Bragelonne ; je ne dis pas qu'il n'épousera pas Mlle de La Vallière ; mais je ne veux point qu'il se marie si jeune ; je ne veux point qu'il épouse avant qu'il ait fait fortune, et lui, de son côté, mérite mes bonnes grâces, telles que je veux les lui donner. En un mot, je veux qu'on attende.

— Sire, encore une fois...

— Monsieur le comte, vous êtes venu, disiez-vous, me demander une faveur ?

— Oui, certes.

— Eh bien ! accordez-m'en une, ne parlons plus de cela. Il est possible qu'avant un long temps je fasse la guerre ; j'ai besoin de gentilshommes libres autour de moi. J'hésiterais à envoyer sous les balles et le canon un homme marié, un père de famille, j'hésiterais aussi, pour Bragelonne, à doter, sans raison majeure, une jeune fille inconnue, cela sèmerait de la jalousie dans ma noblesse.

Athos s'inclina et ne répondit rien.

— Est-ce tout ce qu'il vous importait de me demander ? ajouta Louis XIV.

— Tout absolument, sire, et je prends congé de Votre Majesté. Mais faut-il que je prévienne Raoul ?

— Épargnez-vous ce soin, épargnez-vous cette contrariété. Dites au vicomte que demain, à mon lever, je lui parlerai ; quant à ce soir, comte, vous êtes de mon jeu.

— Je suis en habit de voyage, sire.

— Un jour viendra, j'espère, où vous ne me quitterez pas. Avant peu, comte, la monarchie sera établie de façon à offrir une digne hospitalité à tous les hommes de votre mérite.

— Sire, pourvu qu'un roi soit grand dans le cœur de ses sujets, peu importe le palais qu'il habite, puisqu'il est adoré dans un temple.

En disant ces mots, Athos sortit du cabinet et retrouva Bragelonne qui l'attendait.

— Eh bien ! monsieur ? dit le jeune homme.

— Raoul, le roi est bien bon pour nous, peut-être pas dans le sens que vous croyez, mais il est bon et généreux pour notre maison.

— Monsieur, vous avez une mauvaise nouvelle à m'apprendre, fit le jeune homme en pâlissant.

— Le roi vous dira demain matin que ce n'est pas une mauvaise nouvelle.

— Mais enfin, monsieur, le roi n'a pas signé ?

— Le roi veut faire votre contrat lui-même, Raoul ; et il veut le faire si grand, que le temps lui manque. Prenez-vous-en à votre impatience bien plutôt qu'à la bonne volonté du roi.

Raoul, consterné, parce qu'il connaissait la franchise du comte et en même temps son habileté, demeura plongé dans une morne stupeur.

— Vous ne m'accompagnez pas chez moi ? dit Athos.

— Pardonnez-moi, monsieur, je vous suis, balbutia-t-il.

Et il descendit les degrés derrière Athos.

— Oh ! pendant que je suis ici, fit tout à coup ce dernier, ne pourrais-je voir M. d'Artagnan ?

— Voulez-vous que je vous mène à son appartement ? dit Bragelonne.

— Oui, certes.

— C'est dans l'autre escalier, alors.

Et ils changèrent de chemin ; mais, arrivés au palier de la grande galerie,

Raoul aperçut un laquais à la livrée du comte de Guiche qui accourut aussitôt vers lui en entendant sa voix.

— Qu'y a-t-il ? dit Raoul.

— Ce billet, monsieur. M. le comte a su que vous étiez de retour, et il vous a écrit sur-le-champ ; je vous cherche depuis une heure.

Raoul se rapprocha d'Athos pour décacheter la lettre.

— Vous permettez, monsieur ? dit-il.

— Faites.

Cher Raoul, *disait le comte de Guiche*, j'ai une affaire d'importance à traiter sans retard ; je sais que vous êtes arrivé ; venez vite.

Il achevait à peine de lire, lorsque, débouchant de la galerie, un valet, à la livrée de Buckingham, reconnaissant Raoul, s'approcha de lui respectueusement.

— De la part de milord duc, dit-il.

— Ah ! s'écria Athos, je vois, Raoul, que vous êtes déjà en affaires comme un général d'armée ; je vous laisse, je trouverai seul M. d'Artagnan.

— Veuillez m'excuser, je vous prie, dit Raoul.

— Oui, oui, je vous excuse ; adieu, Raoul. Vous me retrouverez chez moi jusqu'à demain ; au jour, je pourrai partir pour Blois, à moins de contrordre.

— Monsieur, je vous présenterai demain mes respects.

Athos partit.

Raoul ouvrit la lettre de Buckingham.

Monsieur de Bragelonne, *disait le duc*, vous êtes de tous les Français que j'ai vus celui qui me plaît le plus ; je vais avoir besoin de votre amitié. Il m'arrive certain message écrit en bon français. Je suis Anglais, moi, et j'ai peur de ne pas assez bien comprendre. La lettre est signée d'un bon nom, voilà tout ce que je sais. Serez-vous assez obligeant pour me venir voir, car j'apprends que vous êtes arrivé de Blois ?

Votre dévoué,

VILLIERS, DUC DE BUCKINGHAM

— Je vais trouver ton maître, dit Raoul au valet de Guiche en le congédiant. Et, dans une heure, je serai chez M. de Buckingham, ajouta-t-il en faisant de la main un signe au messager du duc.

XCIV

UNE FOULE DE COUPS D'ÉPÉE DANS L'EAU

Raoul, en se rendant chez de Guiche, trouva celui-ci causant avec de Wardes et Manicamp. De Wardes, depuis l'aventure de la barrière, traitait Raoul en étranger.

On eût dit qu'il ne s'était rien passé entre eux ; seulement, ils avaient l'air de ne pas se connaître.

Raoul entra, de Guiche marcha au-devant de lui.

Raoul, tout en serrant la main de son ami, jeta un regard rapide sur les deux jeunes gens. Il espérait lire sur leur visage ce qui s'agitait dans leur esprit.

De Wardes était froid et impénétrable.

Manicamp semblait perdu dans la contemplation d'une garniture qui l'absorbait.

De Guiche emmena Raoul dans un cabinet voisin et le fit asseoir.

— Comme tu as bonne mine ! lui dit-il.

— C'est assez étrange, répondit Raoul, car je suis fort peu joyeux.

— C'est comme moi, n'est-ce pas, Raoul ? L'amour va mal.

— Tant mieux, de ton côté, comte ; la pire nouvelle, celle qui pourrait le plus m'attrister, serait une bonne nouvelle.

— Oh ! alors, ne t'afflige pas, car non seulement je suis très malheureux, mais encore je vois des gens heureux autour de moi.

— Voilà ce que je ne comprends plus, répondit Raoul ; explique, mon ami, explique.

— Tu vas comprendre. J'ai vainement combattu le sentiment que tu as vu naître en moi, grandir en moi, s'emparer de moi ; j'ai appelé à la fois tous les conseils et toute ma force ; j'ai bien considéré le malheur où je m'engageais ; je l'ai sondé, c'est un abîme, je le sais ; mais n'importe, je poursuivrai mon chemin.

— Insensé ! tu ne peux faire un pas de plus sans vouloir aujourd'hui ta ruine, demain ta mort.

— Advienne que pourra !

— De Guiche !

— Toutes réflexions sont faites ; écoute.

— Oh ! tu crois réussir, tu crois que Madame t'aimera !

— Raoul, je ne crois rien, j'espère, parce que l'espoir est dans l'homme et qu'il y vit jusqu'au tombeau.

— Mais j'admets que tu obtiennes ce bonheur que tu espères, et tu es plus sûrement perdu encore que si tu ne l'obtiens pas.

— Je t'en supplie, ne m'interromps plus, Raoul, tu ne me convaincras point ; car, je te le dis d'avance, je ne veux pas être convaincu ; j'ai tellement marché que je ne puis reculer, j'ai tellement souffert que la mort me paraîtrait un bienfait. Je ne suis plus seulement amoureux jusqu'au délire, Raoul, je suis jaloux jusqu'à la fureur.

Raoul frappa l'une contre l'autre ses deux mains avec un sentiment qui ressemblait à de la colère.

— Bien ! dit-il.

— Bien ou mal, peu importe. Voici ce que je réclame de toi, de mon ami, de mon frère. Depuis trois jours, Madame est en fêtes, en ivresse. Le premier jour, je n'ai point osé la regarder ; je la haïssais de ne pas être aussi malheureuse que moi. Le lendemain, je ne la pouvais plus perdre de vue ; et de son côté, oui, je crus le remarquer, du moins, Raoul, de son côté, elle me regarda, sinon avec quelque pitié, du moins avec quelque douceur. Mais entre ses regards et les miens vint s'interposer une ombre ; le sourire d'un autre provoque son sourire. A côté de son cheval galope éternellement un cheval qui n'est pas le mien ; à son oreille vibre incessamment une voix caressante qui n'est pas ma voix. Raoul, depuis trois jours, ma tête est en feu ; c'est de la flamme qui coule dans mes veines. Cette ombre, il faut que je la chasse ; ce sourire, que je l'éteigne ; cette voix, que je l'étouffe.

— Tu veux tuer Monsieur ? s'écria Raoul.

— Eh ! non. Je ne suis pas jaloux de Monsieur ; je ne suis pas jaloux du mari ; je suis jaloux de l'amant.

— De l'amant ?

— Mais ne l'as-tu donc pas remarqué ici, toi qui là-bas étais si clairvoyant ?

— Tu es jaloux de M. de Buckingham ?

— A en mourir !

— Encore.

— Oh ! cette fois la chose sera facile à régler entre nous, j'ai pris les devants, je lui ai fait passer un billet.

— Tu lui as écrit ? c'est toi ?

— Comment sais-tu cela ?

— Je le sais, parce qu'il me l'a appris. Tiens.

Et il tendit à de Guiche la lettre qu'il avait reçue presque en même temps que la sienne. De Guiche la lut avidement.

— C'est d'un brave homme et surtout d'un galant homme, dit-il.

— Oui, certes, le duc est un galant homme ; je n'ai pas besoin de te demander si tu lui as écrit en aussi bons termes.

— Je te montrerai ma lettre quand tu l'iras trouver de ma part.

— Mais c'est presque impossible.

— Quoi ?

— Que j'aille le trouver.

— Comment ?

— Le duc me consulte, et toi aussi.

— Oh ! tu me donneras la préférence, je suppose. Écoute, voici ce que je te prie de dire à Sa Grâce... C'est bien simple... Un de ces jours, aujourd'hui, demain, après-demain, le jour qui lui conviendra, je veux le rencontrer à Vincennes.

— Réfléchis.

— Je croyais t'avoir déjà dit que mes réflexions étaient faites.

— Le duc est étranger ; il a une mission qui le fait inviolable... Vincennes est tout près de la Bastille.

— Les conséquences me regardent.

— Mais la raison de cette rencontre ? quelle raison veux-tu que je lui donne ?

— Il ne t'en demandera pas, sois tranquille... Le duc doit être aussi las de moi que je le suis de lui ; le duc doit me haïr autant que je le hais. Ainsi, je t'en supplie, va trouver le duc, et, s'il faut que je le supplie d'accepter ma proposition, je le supplierai.

— C'est inutile... Le duc m'a prévenu qu'il me voulait parler. Le duc est au jeu du roi... Allons-y tous deux. Je le tirerai à quartier[1] dans la galerie. Tu resteras à l'écart. Deux mots suffiront.

— C'est bien. Je vais emmener de Wardes pour me servir de contenance.

— Pourquoi pas Manicamp ? De Wardes nous rejoindra toujours, le laissassions-nous ici.

— Oui, c'est vrai.

— Il ne sait rien ?

— Oh ! rien absolument. Vous êtes toujours en froid, donc !

— Il ne t'a rien raconté ?

— Non.

— Je n'aime pas cet homme, et, comme je ne l'ai jamais aimé, il résulte de cette antipathie que je ne suis pas plus en froid avec lui aujourd'hui que je ne l'étais hier.

— Partons alors.

Tous quatre descendirent. Le carrosse de de Guiche attendait à la porte et les conduisit au Palais-Royal.

En chemin, Raoul se forgeait un thème. Seul dépositaire des deux secrets, il ne désespérait pas de conclure un accommodement entre les deux parties.

Il se savait influent près de Buckingham ; il connaissait son ascendant sur de Guiche : les choses ne lui paraissaient donc point désespérées.

En arrivant dans la galerie, resplendissante de lumière, où les femmes les plus belles et les plus illustres de la cour s'agitaient comme des astres

1. *Tirer à quartier* : tirer à l'écart.

dans leur atmosphère de flammes, Raoul ne put s'empêcher d'oublier un instant de Guiche pour regarder Louise, qui, au milieu de ses compagnes, pareille à une colombe fascinée, dévorait des yeux le cercle royal, tout éblouissant de diamants et d'or.

Les hommes étaient debout, le roi seul était assis.

Raoul aperçut Buckingham.

Il était à dix pas de Monsieur, dans un groupe de Français et d'Anglais qui admiraient le grand air de sa personne et l'incomparable magnificence de ses habits.

Quelques-uns des vieux courtisans se rappelaient avoir vu le père, et ce souvenir ne faisait aucun tort au fils.

Buckingham causait avec Fouquet. Fouquet lui parlait tout haut de Belle-Ile.

— Je ne puis l'aborder dans ce moment, dit Raoul.

— Attends et choisis ton occasion, mais termine tout sur l'heure. Je brûle.

— Tiens, voici notre sauveur, dit Raoul apercevant d'Artagnan, qui, magnifique dans son habit neuf de capitaine des mousquetaires, venait de faire dans la galerie une entrée de conquérant.

Et il se dirigea vers d'Artagnan.

— Le comte de La Fère vous cherchait, chevalier, dit Raoul.

— Oui, répondit d'Artagnan, je le quitte.

— J'avais cru comprendre que vous deviez passer une partie de la nuit ensemble.

— Rendez-vous est pris pour nous retrouver.

Et tout en répondant à Raoul, d'Artagnan promenait ses regards distraits à droite et à gauche, cherchant dans la foule quelqu'un ou dans l'appartement quelque chose.

Tout à coup son œil devint fixe comme celui de l'aigle qui aperçoit sa proie.

Raoul suivit la direction de ce regard. Il vit que de Guiche et d'Artagnan se saluaient. Mais il ne put distinguer à qui s'adressait ce coup d'œil si curieux et si fier du capitaine.

— Monsieur le chevalier, dit Raoul, il n'y a que vous qui puissiez me rendre un service.

— Lequel, mon cher vicomte ?

— Il s'agit d'aller déranger M. de Buckingham, à qui j'ai deux mots à dire, et comme M. de Buckingham cause avec M. Fouquet, vous comprenez que ce n'est point moi qui puis me jeter au milieu de la conversation.

— Ah ! ah ! M. Fouquet ; il est là ? demanda d'Artagnan.

— Le voyez-vous ? Tenez.

— Oui, ma foi ! Et tu crois que j'ai plus de droits que toi ?

— Vous êtes un homme plus considérable.

— Ah ! c'est vrai, je suis capitaine des mousquetaires ; il y a si longtemps qu'on me promettait ce grade et si peu de temps que je l'ai, que j'oublie toujours ma dignité.

— Vous me rendrez ce service, n'est-ce pas ?

— M. Fouquet, diable !

— Avez-vous quelque chose contre lui ?

— Non, ce serait plutôt lui qui aurait quelque chose contre moi ; mais enfin, comme il faudra qu'un jour ou l'autre...

— Tenez, je crois qu'il vous regarde ; ou bien serait-ce ?...

— Non, non, tu ne te trompes pas, c'est bien à moi qu'il fait cet honneur.

— Le moment est bon, alors.

— Tu crois ?

— Allez, je vous en prie.

— J'y vais.

De Guiche ne perdait pas de vue Raoul ; Raoul lui fit signe que tout était arrangé.

D'Artagnan marcha droit au groupe, et salua civilement M. Fouquet comme les autres.

— Bonjour, monsieur d'Artagnan. Nous parlions de Belle-Ile-en-Mer, dit Fouquet avec cet usage du monde et cette science du regard qui demandent la moitié de la vie pour être bien appris, et auxquels certaines gens, malgré toute leur étude, n'arrivent jamais.

— De Belle-Ile-en-Mer ? Ah ! ah ! fit d'Artagnan. C'est à vous, je crois, monsieur Fouquet ?

— Monsieur vient de me dire qu'il l'avait donnée au roi, dit Buckingham. Serviteur, monsieur d'Artagnan.

— Connaissez-vous Belle-Ile, chevalier ? demanda Fouquet au mousquetaire.

— J'y ai été une seule fois, monsieur, répondit d'Artagnan en homme d'esprit et en galant homme.

— Y êtes-vous resté longtemps ?

— A peine une journée, monseigneur.

— Et vous y avez vu ?

— Tout ce qu'on peut voir en un jour.

— C'est beaucoup d'un jour quand on a votre regard, monsieur.

D'Artagnan s'inclina.

Pendant ce temps, Raoul faisait signe à Buckingham.

— Monsieur le surintendant, dit Buckingham, je vous laisse le capitaine, qui se connaît mieux que moi en bastions, en escarpes et en contrescarpes, et je vais rejoindre un ami qui me fait signe. Vous comprenez...

En effet, Buckingham se détacha du groupe et s'avança vers Raoul, mais tout en s'arrêtant un instant à la table où jouaient Madame, la reine mère, la jeune reine et le roi.

— Allons, Raoul, dit de Guiche, le voilà ; ferme et vite !

Buckingham en effet, après avoir présenté un compliment à Madame, continuait son chemin vers Raoul.

Raoul vint au-devant de lui. De Guiche demeura à sa place.

Il le suivit des yeux.

La manœuvre était combinée de telle façon que la rencontre des deux jeunes gens eut lieu dans l'espace resté vide entre le groupe du jeu et la galerie où se promenaient, en s'arrêtant de temps en temps, pour causer, quelques braves gentilshommes.

Mais, au moment où les deux lignes allaient s'unir, elles furent rompues par une troisième.

C'était Monsieur qui s'avançait vers le duc de Buckingham.

Monsieur avait sur ses lèvres roses et pommadées son plus charmant sourire.

— Eh ! mon Dieu ! dit-il avec une affectueuse politesse, que vient-on de m'apprendre, mon cher duc ?

Buckingham se retourna : il n'avait pas vu venir Monsieur ; il avait entendu sa voix, voilà tout.

Il tressaillit malgré lui. Une légère pâleur envahit ses joues.

— Monseigneur, demanda-t-il, qu'a-t-on dit à Votre Altesse qui paraisse lui causer ce grand étonnement ?

— Une chose qui me désespère, monsieur, dit le prince, une chose qui sera un deuil pour toute la cour.

— Ah ! Votre Altesse est trop bonne, dit Buckingham, car je vois qu'elle veut parler de mon départ.

— Justement.

— Hélas ! monseigneur, à Paris depuis cinq à six jours à peine, mon départ ne peut être un deuil que pour moi.

De Guiche entendit le mot de la place où il était resté et tressaillit à son tour.

— Son départ ! murmura-t-il. Que dit-il donc ?

Philippe continua avec son même air gracieux :

— Que le roi de la Grande-Bretagne vous rappelle, monsieur, je conçois cela ; on sait que Sa Majesté Charles II, qui se connaît en gentilshommes, ne peut se passer de vous. Mais que nous vous perdions sans regret, cela ne se peut comprendre ; recevez donc l'expression des miens.

— Monseigneur, dit le duc, croyez que si je quitte la cour de France...

— C'est qu'on vous rappelle, je comprends cela ; mais enfin, si vous croyez que mon désir ait quelque poids près du roi, je m'offre à supplier Sa Majesté Charles II de vous laisser avec nous quelque temps encore.

— Tant d'obligeance me comble, monseigneur, répondit Buckingham ; mais j'ai reçu des ordres précis. Mon séjour en France était limité ; je l'ai prolongé au risque de déplaire à mon gracieux souverain. Aujourd'hui seulement, je me rappelle que, depuis quatre jours, je devrais être parti.

— Oh ! fit Monsieur.

— Oui, mais, ajouta Buckingham en élevant la voix, même de manière à être entendu des princesses, mais je ressemble à cet homme de l'Orient qui, pendant plusieurs jours, devint fou d'avoir fait un beau rêve[1], et qui, un beau matin, se réveilla guéri, c'est-à-dire raisonnable. La cour de France a des enivrements qui peuvent ressembler à ce rêve, monseigneur, mais on se réveille enfin et l'on part. Je ne saurais donc prolonger mon séjour comme Votre Altesse veut bien me le demander.

— Et quand partez-vous ? demanda Philippe d'un air plein de sollicitude.

— Demain, monseigneur... Mes équipages sont prêts depuis trois jours.

Le duc d'Orléans fit un mouvement de tête qui signifiait : « Puisque c'est une résolution prise, duc, il n'y a rien à dire. »

Buckingham leva les yeux sur les reines ; son regard rencontra celui d'Anne d'Autriche, qui le remercia et l'approuva par un geste.

Buckingham lui rendit ce geste en cachant sous un sourire le serrement de son cœur.

Monsieur s'éloigna par où il était venu.

Mais en même temps, du côté opposé, s'avançait de Guiche.

Raoul craignit que l'impatient jeune homme ne vînt faire la proposition lui-même, et se jeta au-devant de lui.

— Non, non, Raoul, tout est inutile maintenant, dit de Guiche en tendant ses deux mains au duc et en l'entraînant derrière une colonne... Oh ! duc, duc ! dit de Guiche, pardonnez-moi ce que je vous ai écrit ; j'étais un fou ! Rendez-moi ma lettre !

— C'est vrai, répliqua le jeune duc avec un sourire mélancolique, vous ne pouvez plus m'en vouloir.

— Oh ! duc, duc, excusez-moi !... Mon amitié, mon amitié éternelle...

— Pourquoi, en effet, m'en voudriez-vous, comte, du moment où je la quitte, du moment où je ne la verrai plus ?

Raoul entendit ces mots, et, comprenant que sa présence était désormais inutile entre ces deux jeunes gens qui n'avaient plus que des paroles amies, il recula de quelques pas.

Ce mouvement le rapprocha de de Wardes.

1. Allusion probable à Bedreddin Hassan, dans l'« Histoire de Noureddin Ali et de Bedreddin Hassan » des *Mille et Une Nuits*, XCIII[e] à CXXIII[e] nuit : il passe pour fou quand, au matin, à Damas, il raconte que le soir précédent il s'est endormi à Balsora et qu'il a ensuite passé une nuit nuptiale au Caire.

De Wardes parlait du départ de Buckingham. Son interlocuteur était le chevalier de Lorraine.

— Sage retraite ! disait de Wardes.

— Pourquoi cela ?

— Parce qu'il économise un coup d'épée au cher duc.

Et tous se mirent à rire.

Raoul, indigné, se retourna, le sourcil froncé, le sang aux tempes, la bouche dédaigneuse.

Le chevalier de Lorraine pivota sur ses talons ; de Wardes demeura ferme et attendit.

— Monsieur, dit Raoul à de Wardes, vous ne vous déshabituerez donc pas d'insulter les absents ? Hier, c'était M. d'Artagnan ; aujourd'hui, c'est M. de Buckingham.

— Monsieur, monsieur, dit de Wardes, vous savez bien que parfois aussi j'insulte ceux qui sont là.

De Wardes touchait Raoul, leurs épaules s'appuyaient l'une à l'autre, leurs visages se penchaient l'un vers l'autre comme pour s'embraser réciproquement du feu de leur souffle et de leur colère.

On sentait que l'un était au sommet de sa haine, l'autre au bout de sa patience.

Tout à coup ils entendirent une voix pleine de grâce et de politesse qui disait derrière eux :

— On m'a nommé, je crois.

Ils se retournèrent : c'était d'Artagnan qui l'œil souriant et la bouche en cœur, venait de poser sa main sur l'épaule de de Wardes.

Raoul s'écarta d'un pas pour faire place au mousquetaire.

De Wardes frissonna par tout le corps, pâlit, mais ne bougea point.

D'Artagnan, toujours avec son sourire, prit la place que Raoul lui abandonnait.

— Merci, mon cher Raoul, dit-il. Monsieur de Wardes, j'ai à causer avec vous. Ne vous éloignez pas, Raoul ; tout le monde peut entendre ce que j'ai à dire à M. de Wardes.

Puis son sourire s'effaça, et son regard devint froid et aigu comme une lame d'acier.

— Je suis à vos ordres, monsieur, dit de Wardes.

— Monsieur, reprit d'Artagnan, depuis longtemps je cherchais l'occasion de causer avec vous ; aujourd'hui seulement, je l'ai trouvée. Quant au lieu, il est mal choisi, j'en conviens ; mais, si vous voulez vous donner la peine de venir jusque chez moi, mon chez-moi est justement dans l'escalier qui aboutit à la galerie.

— Je vous suis, monsieur, dit de Wardes.

— Est-ce que vous êtes seul ici, monsieur ? fit d'Artagnan.

— Non pas, j'ai MM. Manicamp et de Guiche, deux de mes amis.

— Bien, dit d'Artagnan ; mais deux personnes, c'est peu. Vous en trouverez bien encore quelques-unes, n'est-ce pas ?

— Certes ! dit le jeune homme, qui ne savait pas où d'Artagnan voulait en venir. Tant que vous en voudrez.

— Des amis ?

— Oui, monsieur.

— De bons amis ?

— Sans doute.

— Eh bien ! faites-en provision, je vous prie. Et vous, Raoul, venez... Amenez aussi M. de Guiche ; amenez M. de Buckingham, s'il vous plaît.

— Oh ! mon Dieu, monsieur, que de tapage ! répondit de Wardes en essayant de sourire.

Le capitaine lui fit, de la main, un petit signe pour lui recommander la patience.

— Je suis toujours impassible. Donc, je vous attends, monsieur, dit-il.

— Attendez-moi.

— Alors, au revoir !

Et il se dirigea du côté de son appartement.

La chambre de d'Artagnan n'était point solitaire : le comte de La Fère attendait, assis dans l'embrasure d'une fenêtre.

— Eh bien ? demanda-t-il à d'Artagnan en le voyant rentrer.

— Eh bien ! dit celui-ci, M. de Wardes veut bien m'accorder l'honneur de me faire une petite visite, en compagnie de quelques-uns de ses amis et des nôtres.

En effet, derrière le mousquetaire apparurent de Wardes et Manicamp.

De Guiche et Buckingham les suivaient, assez surpris et ne sachant ce qu'on leur voulait.

Raoul venait avec deux ou trois gentilshommes. Son regard erra, en entrant, sur toutes les parties de la chambre. Il aperçut le comte et alla se placer près de lui.

D'Artagnan recevait ses visiteurs avec toute la courtoisie dont il était capable.

Il avait conservé sa physionomie calme et polie.

Tous ceux qui se trouvaient là étaient des hommes de distinction occupant un poste à la cour.

Puis, lorsqu'il eut fait à chacun ses excuses du dérangement qu'il lui causait, il se retourna vers de Wardes, qui, malgré sa puissance sur lui-même, ne pouvait empêcher sa physionomie d'exprimer une surprise mêlée d'inquiétude.

— Monsieur, dit-il, maintenant que nous voici hors du palais du roi, maintenant que nous pouvons causer tout haut sans manquer aux convenances, je vais vous faire savoir pourquoi j'ai pris la liberté de vous prier de passer chez moi et d'y convoquer en même temps ces messieurs. J'ai appris, par M. le comte de La Fère, mon ami, les bruits injurieux que vous semiez sur mon compte ; vous m'avez dit que vous me teniez pour votre ennemi mortel, attendu que j'étais, dites-vous, celui de votre père.

— C'est vrai, monsieur, j'ai dit cela, reprit de Wardes, dont la pâleur se colora d'une légère flamme.

— Ainsi, vous m'accusez d'un crime, d'une faute ou d'une lâcheté. Je vous prie de préciser votre accusation.

— Devant témoins, monsieur ?

— Oui, sans doute, devant témoins, et vous voyez que je les ai choisis experts en matière d'honneur.

— Vous n'appréciez pas ma délicatesse, monsieur. Je vous ai accusé, c'est vrai ; mais j'ai gardé le secret sur l'accusation. Je ne suis entré dans aucun détail, je me suis contenté d'exprimer ma haine devant des personnes pour lesquelles c'était presque un devoir de vous la faire connaître. Vous ne m'avez pas tenu compte de ma discrétion, quoique vous fussiez intéressé à mon silence. Je ne reconnais point là votre prudence habituelle, monsieur d'Artagnan.

D'Artagnan se mordit le coin de la moustache.

— Monsieur, dit-il, j'ai déjà eu l'honneur de vous prier d'articuler les griefs que vous aviez contre moi.

— Tout haut ?

— Parbleu !

— Je parlerai donc.

— Parlez, monsieur, dit d'Artagnan en s'inclinant, nous vous écoutons tous.

— Eh bien ! monsieur, il s'agit, non pas d'un tort envers moi, mais d'un tort envers mon père.

— Vous l'avez déjà dit.

— Oui, mais il y a certaines choses qu'on n'aborde qu'avec hésitation.

— Si cette hésitation existe réellement, je vous prie de la surmonter, monsieur.

— Même dans le cas où il s'agirait d'une action honteuse ?

— Dans tous les cas.

Les témoins de cette scène commencèrent par se regarder entre eux avec une certaine inquiétude. Cependant, ils se rassurèrent en voyant que le visage de d'Artagnan ne manifestait aucune émotion.

De Wardes gardait le silence.

— Parlez, monsieur, dit le mousquetaire. Vous voyez bien que vous nous faites attendre.

— Eh bien ! écoutez. Mon père aimait une femme, une femme noble ; cette femme aimait mon père.

D'Artagnan échangea un regard avec Athos.

De Wardes continua.

— M. d'Artagnan surprit des lettres qui indiquaient un rendez-vous, se substitua, sous un déguisement, à celui qui était attendu et abusa de l'obscurité[1].

— C'est vrai, dit d'Artagnan.

Un léger murmure se fit entendre parmi les assistants.

— Oui, j'ai commis cette mauvaise action. Vous auriez dû ajouter, monsieur, puisque vous êtes si impartial, qu'à l'époque où se passa l'événement que vous me reprochez, je n'avais point encore vingt et un ans.

— L'action n'en est pas moins honteuse, dit de Wardes, et l'âge de raison suffit à un gentilhomme pour ne pas commettre une indélicatesse.

Un nouveau murmure se fit entendre, mais d'étonnement et presque de doute.

— C'était une supercherie honteuse, en effet, dit d'Artagnan, et je n'ai point attendu que M. de Wardes me la reprochât pour me la reprocher moi-même et bien amèrement. L'âge m'a fait plus raisonnable, plus probe surtout, et j'ai expié ce tort par de longs regrets. Mais j'en appelle à vous, messieurs ; cela se passait en 1626, et c'était un temps, heureusement pour vous, vous ne savez cela que par tradition, et c'était un temps où l'amour n'était pas scrupuleux, où les consciences ne distillaient pas, comme aujourd'hui, le venin et la myrrhe. Nous étions de jeunes soldats toujours battants, toujours battus, toujours l'épée hors du fourreau ou tout au moins à moitié tirée, toujours entre deux morts ; la guerre nous faisait durs, et le cardinal nous faisait pressés. Enfin, je me suis repenti, et, il y a plus, je me repens encore, monsieur de Wardes.

— Oui, monsieur, je comprends cela, car l'action comportait le repentir ; mais vous n'en avez pas moins causé la perte d'une femme. Celle dont vous parlez, voilée par sa honte, courbée sous son affront, celle dont vous parlez a fui, elle a quitté la France, et l'on n'a jamais su ce qu'elle était devenue...

— Oh ! fit le comte de La Fère en étendant le bras vers de Wardes avec un sinistre sourire, si fait, monsieur, on l'a vue, et il est même ici quelques personnes qui, en ayant entendu parler, peuvent la reconnaître au portrait que j'en vais faire. C'était une femme de vingt-cinq ans, mince, pâle, blonde, qui s'était mariée en Angleterre.

— Mariée ? fit de Wardes.

— Ah ! vous ignoriez qu'elle fût mariée ? Vous voyez que nous sommes mieux instruits que vous, monsieur de Wardes. Savez-vous qu'on l'appelait habituellement Milady, sans ajouter aucun nom à cette qualification ?

— Oui, monsieur, je sais cela.

— Mon Dieu ! murmura Buckingham.

— Eh bien ! cette femme, qui venait d'Angleterre, retourna en

1. Voir *Les Trois Mousquetaires*, chap. XXX, XXXIII, XXXV et XXXVI.

Angleterre, après avoir trois fois conspiré la mort de M. d'Artagnan. C'était justice, n'est-ce pas ? Je le veux bien, M. d'Artagnan l'avait insultée. Mais ce qui n'est plus justice, c'est qu'en Angleterre, par ses séductions, cette femme conquit un jeune homme qui était au service de lord de Winter, et que l'on nommait Felton. Vous pâlissez, milord de Buckingham ? vos yeux s'allument à la fois de colère et de douleur ? Alors, achevez le récit, milord, et dites à M. de Wardes quelle était cette femme qui mit le couteau à la main de l'assassin de votre père.

Un cri s'échappa de toutes les bouches. Le jeune duc passa un mouchoir sur son front inondé de sueur.

Un grand silence s'était fait parmi tous les assistants.

— Vous voyez, monsieur de Wardes, dit d'Artagnan, que ce récit avait d'autant plus impressionné que ses propres souvenirs se ravivaient aux paroles d'Athos ; vous voyez que mon crime n'est point la cause d'une perte d'âme, et que l'âme était bel et bien perdue avant mon regret. C'est donc bien un acte de conscience. Or, maintenant que ceci est établi, il me reste, monsieur de Wardes, à vous demander bien humblement pardon de cette action honteuse, comme bien certainement j'eusse demandé pardon à M. votre père, s'il vivait encore, et si je l'eusse rencontré après mon retour en France depuis la mort de Charles Ier.

— Mais c'est trop, monsieur d'Artagnan, s'écrièrent vivement plusieurs voix.

— Non, messieurs, dit le capitaine. Maintenant, monsieur de Wardes, j'espère que tout est fini entre nous deux, et qu'il ne vous arrivera plus de mal parler de moi. C'est une affaire purgée, n'est-ce pas ?

De Wardes s'inclina en balbutiant.

— J'espère aussi, continua d'Artagnan en se rapprochant du jeune homme, que vous ne parlerez plus mal de personne comme vous en avez la fâcheuse habitude ; car un homme aussi consciencieux, aussi parfait que vous l'êtes, vous qui reprochez une vétille de jeunesse à un vieux soldat, après trente-cinq ans, vous, dis-je, qui arborez cette pureté de conscience, vous prenez, de votre côté, l'engagement tacite de ne rien faire contre la conscience et l'honneur. Or, écoutez bien ce qui me reste à vous dire, monsieur de Wardes. Gardez-vous qu'une histoire où votre nom figurera ne parvienne à mes oreilles.

— Monsieur, dit de Wardes, il est inutile de menacer pour rien.

— Oh ! je n'ai point fini, monsieur de Wardes, reprit d'Artagnan, et vous êtes condamné à m'entendre encore.

Le cercle se rapprocha curieusement.

— Vous parliez haut tout à l'heure de l'honneur d'une femme et de l'honneur de votre père ; vous nous avez plu en parlant ainsi, car il est doux de songer que ce sentiment de délicatesse et de probité qui ne vivait pas, à ce qu'il paraît, dans notre âme, vit dans l'âme de nos enfants, et il est beau enfin de voir un jeune homme à l'âge où d'habitude on se fait le larron de l'honneur des femmes, il est beau de voir ce jeune homme le respecter et le défendre.

De Wardes serrait les lèvres et les poings, évidemment fort inquiet de savoir comment finirait ce discours dont l'exorde s'annonçait si mal.

— Comment se fait-il donc alors, continua d'Artagnan, que vous vous soyez permis de dire à M. le vicomte de Bragelonne qu'il ne connaissait point sa mère ?

Les yeux de Raoul étincelèrent.

— Oh ! s'écria-t-il en s'élançant, monsieur le chevalier, monsieur le chevalier, c'est une affaire qui m'est personnelle.

De Wardes sourit méchamment.

D'Artagnan repoussa Raoul du bras.

— Ne m'interrompez pas, jeune homme, dit-il.

Et dominant de Wardes du regard :

— Je traite ici une question qui ne se résout point par l'épée, continua-t-il. Je la traite devant des hommes d'honneur, qui tous ont mis plus d'une fois l'épée à la main. Je les ai choisis exprès. Or, ces messieurs savent que tout secret pour lequel on se bat cesse d'être un secret. Je réitère donc ma question à M. de Wardes : A quel propos avez-vous offensé ce jeune homme en offensant à la fois son père et sa mère ?

— Mais il me semble, dit de Wardes, que les paroles sont libres, quand on offre de les soutenir par tous les moyens qui sont à la disposition d'un galant homme.

— Ah ! monsieur, quels sont les moyens, dites-moi, à l'aide desquels un galant homme peut soutenir une méchante parole ?

— Par l'épée.

— Vous manquez non seulement de logique en disant cela, mais encore de religion et d'honneur ; vous exposez la vie de plusieurs hommes, sans parler de la vôtre, qui me paraît fort aventurée. Or, toute mode passe, monsieur, et la mode est passée des rencontres, sans compter les édits de Sa Majesté qui défendent le duel. Donc, pour être conséquent avec vos idées de chevalerie, vous allez présenter vos excuses à M. Raoul de Bragelonne ; vous lui direz que vous regrettez d'avoir tenu un propos léger ; que la noblesse et la pureté de sa race sont écrites non seulement dans son cœur, mais encore dans toutes les actions de sa vie. Vous allez faire cela, monsieur de Wardes, comme je l'ai fait tout à l'heure, moi, vieux capitaine, devant votre moustache d'enfant.

— Et si je ne le fais pas ? demanda de Wardes.

— Eh bien ! il arrivera...

— Ce que vous croyez empêcher, dit de Wardes en riant ; il arrivera que votre logique de conciliation aboutira à une violation des défenses du roi.

— Non, monsieur, dit tranquillement le capitaine, et vous êtes dans l'erreur.

— Qu'arrivera-t-il donc, alors ?

— Il arrivera que j'irai trouver le roi, avec qui je suis assez bien ; le roi, à qui j'ai eu le bonheur de rendre quelques services qui datent d'un temps où vous n'étiez pas encore né ; le roi, enfin, qui, sur ma demande, vient de m'envoyer un ordre en blanc pour M. Baisemeaux de Montlezun, gouverneur de la Bastille, et que je dirai au roi : « Sire, un homme a insulté lâchement M. de Bragelonne dans la personne de sa mère. J'ai écrit le nom de cet homme sur la lettre de cachet que Votre Majesté a bien voulu me donner, de sorte que M. de Wardes est à la Bastille pour trois ans. »

Et d'Artagnan, tirant de sa poche l'ordre signé du roi, le tendit à de Wardes.

Puis, voyant que le jeune homme n'était pas bien convaincu, et prenait l'avis pour une menace vaine, il haussa les épaules et se dirigea froidement vers la table sur laquelle étaient une écritoire et une plume dont la longueur eût épouvanté le topographe Porthos.

Alors de Wardes vit que la menace était on ne peut plus sérieuse ; la Bastille, à cette époque, était déjà chose effrayante. Il fit un pas vers Raoul, et d'une voix presque inintelligible :

— Monsieur, dit-il, je vous fais les excuses que m'a dictées tout à l'heure M. d'Artagnan, et que force m'est de vous faire.

— Un instant, un instant, monsieur, dit le mousquetaire avec la plus grande tranquillité ; vous vous trompez sur les termes. Je n'ai pas dit : « Et que force m'est de vous faire. » J'ai dit : « Et que ma conscience me porte à vous faire. » Ce mot vaut mieux que l'autre, croyez-moi ; il vaudra d'autant mieux qu'il sera l'expression plus vraie de vos sentiments.

— J'y souscris donc, dit de Wardes ; mais, en vérité messieurs, avouez qu'un coup d'épée au travers du corps, comme on se le donnait autrefois, valait mieux qu'une pareille tyrannie.

— Non, monsieur, répondit Buckingham, car le coup d'épée ne signifie pas, si vous le recevez, que vous avez tort ou raison ; il signifie seulement que vous êtes plus ou moins adroit.

— Monsieur ! s'écria de Wardes.

— Ah ! vous allez dire quelque mauvaise chose, interrompit d'Artagnan coupant la parole à de Wardes, et je vous rends service en vous arrêtant là.

— Est-ce tout, monsieur ? demanda de Wardes.

— Absolument tout, répondit d'Artagnan, et ces messieurs et moi sommes satisfaits de vous.

— Croyez-moi, monsieur, répondit de Wardes, vos conciliations ne sont pas heureuses !

— Et pourquoi cela ?

— Parce que nous allons nous séparer, je le gagerais, M. de Bragelonne et moi, plus ennemis que jamais.

— Vous vous trompez quant à moi, monsieur, répondit Raoul, et je ne conserve pas contre vous un atome de fiel dans le cœur.

Ce dernier coup écrasa de Wardes. Il jeta les yeux autour de lui en homme égaré.

D'Artagnan salua gracieusement les gentilshommes qui avaient bien voulu assister à l'explication, et chacun se retira en lui donnant la main.

Pas une main ne se tendit vers de Wardes.

— Oh ! s'écria le jeune homme succombant à la rage qui lui mangeait le cœur ; oh ! je ne trouverai donc personne sur qui je puisse me venger !

— Si fait, monsieur, car je suis là, moi, dit à son oreille une voix toute chargée de menaces.

De Wardes se retourna et vit le duc de Buckingham qui, resté sans doute dans cette intention, venait de s'approcher de lui.

— Vous, monsieur ! s'écria de Wardes.

— Oui, moi. Je ne suis pas sujet du roi de France, moi, monsieur ; moi, je ne reste pas sur le territoire, puisque je pars pour l'Angleterre. J'ai amassé aussi du désespoir et de la rage, moi. J'ai donc, comme vous, besoin de me venger sur quelqu'un. J'approuve fort les principes de M. d'Artagnan, mais je ne suis pas tenu de les appliquer à vous. Je suis Anglais, et je viens vous proposer à mon tour ce que vous avez inutilement proposé aux autres.

— Monsieur le duc !

— Allons, cher monsieur de Wardes, puisque vous êtes si fort courroucé, prenez-moi pour quintaine[1]. Je serai à Calais dans trente-quatre heures. Venez avec moi, la route nous paraîtra moins longue ensemble que séparés. Nous tirerons l'épée là-bas, sur le sable que couvre la marée, et qui, six heures par jour, est le territoire de la France, mais pendant six autres heures le territoire de Dieu.

— C'est bien, répliqua de Wardes ; j'accepte.

— Pardieu ! dit le duc, si vous me tuez, mon cher monsieur de Wardes, vous me rendrez, je vous en réponds, un signalé service.

— Je ferai ce que je pourrai pour vous être agréable, duc, dit de Wardes.

— Ainsi, c'est convenu, je vous emmène.

— Je serai à vos ordres. Pardieu ! j'avais besoin pour me calmer d'un bon danger, d'un péril mortel.

— Eh bien ! je crois que vous avez trouvé votre affaire. Serviteur, monsieur de Wardes ; demain, au matin, mon valet de chambre vous

1. *Quintaine* : mannequin monté sur un pivot servant aux exercices dans les académies militaires.

dira l'heure précise du départ ; nous voyagerons ensemble comme deux bons amis. Je voyage d'ordinaire en homme pressé. Adieu !

Buckingham salua de Wardes et rentra chez le roi.

De Wardes, exaspéré, sortit du Palais-Royal et prit rapidement le chemin de la maison qu'il habitait.

XCV

M. BAISEMEAUX DE MONTLEZUN

Après la leçon un peu dure donnée à de Wardes, Athos et d'Artagnan descendirent ensemble l'escalier qui conduit à la cour du Palais-Royal.

— Voyez-vous, disait Athos à d'Artagnan, Raoul ne peut échapper tôt ou tard à ce duel avec de Wardes ; de Wardes est brave autant qu'il est méchant.

— Je connais ces drôles-là, répliqua d'Artagnan ; j'ai eu affaire au père. Je vous déclare, et en ce temps j'avais de bons muscles et une sauvage assurance, je vous déclare, dis-je, que le père m'a donné du mal. Il fallait voir cependant comme j'en décousais. Ah ! mon ami, on ne fait plus des assauts pareils aujourd'hui ; j'avais une main qui ne pouvait rester un moment en place, une main de vif-argent, vous le savez, Athos, vous m'avez vu à l'œuvre. Ce n'était plus un simple morceau d'acier, c'était un serpent qui prenait toutes ses formes et toutes ses longueurs pour parvenir à placer convenablement sa tête, c'est-à-dire sa morsure ; je me donnais six pieds, puis trois, je pressais l'ennemi corps à corps, puis je me jetais à dix pieds. Il n'y avait pas force humaine capable de résister à ce féroce entrain. Eh bien ! de Wardes le père, avec sa bravoure de race, sa bravoure hargneuse, m'occupa fort longtemps, et je me souviens que mes doigts, à l'issue du combat, étaient fatigués[1].

— Donc, je vous le disais bien, reprit Athos, le fils cherchera toujours Raoul et finira par le rencontrer, car on trouve Raoul facilement lorsqu'on le cherche.

— D'accord, mon ami, mais Raoul calcule bien ; il n'en veut point à de Wardes, il l'a dit : il attendra d'être provoqué ; alors sa position est bonne. Le roi ne peut se fâcher ; d'ailleurs, nous saurons le moyen de calmer le roi. Mais pourquoi ces craintes, ces inquiétudes chez vous qui ne vous alarmez pas aisément ?

— Voici : tout me trouble. Raoul va demain voir le roi qui lui dira sa volonté sur certain mariage. Raoul se fâchera comme un amoureux

1. Voir *Les Trois Mousquetaires*, chap. XX.

qu'il est, et, une fois dans sa mauvaise humeur, s'il rencontre de Wardes, la bombe éclatera.

— Nous empêcherons l'éclat, cher ami.

— Pas moi, car je veux retourner à Blois. Toute cette élégance fardée de cour, toutes ces intrigues me dégoûtent. Je ne suis plus un jeune homme pour pactiser avec les mesquineries d'aujourd'hui. J'ai lu dans le grand livre de Dieu beaucoup de choses trop belles et trop larges pour m'occuper avec intérêt des petites phrases que se chuchotent ces hommes quand ils veulent se tromper. En un mot, je m'ennuie à Paris, partout où je ne vous ai pas, et, comme je ne puis toujours vous avoir, je veux m'en retourner à Blois.

— Oh ! que vous avez tort, Athos ! que vous mentez à votre origine et à la destinée de votre âme ! Les hommes de votre trempe sont faits pour aller jusqu'au dernier jour dans la plénitude de leurs facultés. Voyez ma vieille épée de La Rochelle, cette lame espagnole ; elle servit trente ans aussi parfaite ; un jour d'hiver, en tombant sur le marbre du Louvre, elle se cassa net, mon cher. On m'en a fait un couteau de chasse qui durera cent ans encore. Vous, Athos, avec votre loyauté, votre franchise, votre courage froid et votre instruction solide, vous êtes l'homme qu'il faut pour avertir et diriger les rois. Restez ici : M. Fouquet ne durera pas aussi longtemps que ma lame espagnole.

— Allons, dit Athos en souriant, voilà d'Artagnan qui, après m'avoir élevé aux nues, fait de moi une sorte de dieu, me jette du haut de l'Olympe et m'aplatit sur terre. J'ai des ambitions plus grandes, ami. Être ministre, être esclave, allons donc ! Ne suis-je pas plus grand ? je ne suis rien. Je me souviens de vous avoir entendu m'appeler quelquefois le grand Athos. Or, je vous défie, si j'étais ministre, de me confirmer cette épithète. Non, non, je ne me livre pas ainsi.

— Alors n'en parlons plus ; abdiquez tout, même la fraternité !

— Oh ! cher ami, c'est presque dur, ce que vous me dites là !

D'Artagnan serra vivement la main d'Athos.

— Non, non, abdiquez sans crainte. Raoul peut se passer de vous, je suis à Paris.

— Eh bien ! alors, je retournerai à Blois. Ce soir, vous me direz adieu ; demain, au point du jour, je remonterai à cheval.

— Vous ne pouvez pas rentrer seul à votre hôtel ; pourquoi n'avez-vous pas amené Grimaud ?

— Mon ami, Grimaud dort ; il se couche de bonne heure. Mon pauvre vieux se fatigue aisément. Il est venu avec moi de Blois, et je l'ai forcé de garder le logis ; car s'il lui fallait, pour reprendre haleine, remonter les quarante lieues qui nous séparent de Blois, il en mourrait sans se plaindre. Mais je tiens à mon Grimaud.

— Je vais vous donner un mousquetaire pour porter le flambeau. Holà ! quelqu'un !

Et d'Artagnan se pencha sur la rampe dorée.

Sept ou huit têtes de mousquetaires apparurent.

— Quelqu'un de bonne volonté pour escorter M. le comte de La Fère, cria d'Artagnan.

— Merci de votre empressement, messieurs, dit Athos. Je ne saurais ainsi déranger des gentilshommes.

— J'escorterais bien Monsieur, dit quelqu'un, si je n'avais à parler à M. d'Artagnan.

— Qui est là ? fit d'Artagnan en cherchant dans la pénombre.

— Moi, cher monsieur d'Artagnan.

— Dieu me pardonne, si ce n'est pas la voix de Baisemeaux !

— Moi-même, monsieur.

— Eh ! mon cher Baisemeaux, que faites-vous là dans la cour ?

— J'attends vos ordres, mon cher monsieur d'Artagnan.

— Ah ! malheureux que je suis, pensa d'Artagnan ; c'est vrai, vous avez été prévenu pour une arrestation ; mais venir vous-même au lieu d'envoyer un écuyer !

— Je suis venu parce que j'avais à vous parler.

— Et vous ne m'avez pas fait prévenir ?

— J'attendais, dit timidement M. Baisemeaux.

— Je vous quitte. Adieu, d'Artagnan, fit Athos à son ami.

— Pas avant que je vous présente M. Baisemeaux de Montlezun, gouverneur du château de la Bastille[1].

Baisemeaux salua. Athos également.

— Mais vous devez vous connaître, ajouta d'Artagnan.

— J'ai un vague souvenir de Monsieur, dit Athos.

— Vous savez bien, mon cher ami, Baisemeaux, ce garde du roi avec qui nous fîmes de si bonnes parties autrefois sous le cardinal.

— Parfaitement, dit Athos en prenant congé avec affabilité.

— M. le comte de La Fère, qui avait nom de guerre Athos, dit d'Artagnan à l'oreille de Baisemeaux.

— Oui, oui, un galant homme, un des quatre fameux, dit Baisemeaux.

— Précisément. Mais, voyons, mon cher Baisemeaux, causons-nous ?

— S'il vous plaît !

— D'abord, quant aux ordres, c'est fait, pas d'ordres. Le roi renonce à faire arrêter la personne en question.

— Ah ! tant pis, dit Baisemeaux avec un soupir.

1. Voir Ch. Samaran, « Un Gascon gouverneur de la Bastille sous Louis XIV, François de Montlezun, marquis de Besmaux », *Bulletin de la Société de l'Histoire de Paris et de l'Ile-de-France*, 1967, p. 53-67. Également *Histoire de la Bastille depuis sa fondation, 1374, jusqu'à sa destruction, 1789* par MM. Arnould et Alboize (et Maquet), Paris, 26, rue Notre-Dame-des-Victoires, 1844, 8 tomes en 4 volumes.

— Comment, tant pis ? s'écria d'Artagnan en riant.

— Sans doute, s'écria le gouverneur de la Bastille, mes prisonniers sont mes rentes, à moi.

— Eh ! c'est vrai. Je ne voyais pas la chose sous ce jour-là.

— Donc, pas d'ordres ?

Et Baisemeaux soupira encore.

— C'est vous, reprit-il, qui avez une belle position : capitaine-lieutenant des mousquetaires !

— C'est assez bon, oui. Mais je ne vois pas ce que vous avez à m'envier : gouverneur de la Bastille, qui est le premier château de France.

— Je le sais bien, dit tristement Baisemeaux.

— Vous dites cela comme un pénitent, mordioux ! Je changerai mes bénéfices contre les vôtres, si vous voulez ?

— Ne parlons pas bénéfices, dit Baisemeaux, si vous ne voulez pas me fendre l'âme.

— Mais vous regardez de droite et de gauche comme si vous aviez peur d'être arrêté, vous qui gardez ceux qu'on arrête.

— Je regarde qu'on nous voit et qu'on nous entend, et qu'il serait plus sûr de causer à l'écart, si vous m'accordiez cette faveur.

— Baisemeaux ! Baisemeaux ! vous oubliez donc que nous sommes des connaissances de trente-cinq ans. Ne prenez donc pas avec moi des airs contrits. Soyez à l'aise. Je ne mange pas crus des gouverneurs de la Bastille.

— Plût au Ciel !

— Voyons, venez dans la cour, nous nous prendrons par le bras ; il fait un clair de lune superbe, et le long des chênes, sous les arbres, vous me conterez votre histoire lugubre. Venez.

Il attira le dolent gouverneur dans la cour, lui prit le bras, comme il l'avait dit, et avec sa brusque bonhomie :

— Allons, flamberge au vent ! dit-il, dégoisez, Baisemeaux, que voulez-vous me dire ?

— Ce sera bien long.

— Vous aimez donc mieux vous lamenter ? M'est avis que ce sera plus long encore. Gage que vous vous faites cinquante mille livres sur vos pigeons de la Bastille.

— Quand cela serait, cher monsieur d'Artagnan ?

— Vous m'étonnez, Baisemeaux ; regardez-vous donc, mon cher. Vous faites l'homme contrit, mordioux ! je vais vous conduire devant une glace, vous y verrez que vous êtes grassouillet, fleuri, gras et rond comme un fromage ; que vous avez des yeux comme des charbons allumés, et que, sans ce vilain pli que vous affectez de vous creuser au front, vous ne paraîtriez pas cinquante ans. Or, vous en avez soixante[1], hein ?

1. Né vers 1613, Besmaux n'a alors que 48 ans.

— Tout cela est vrai...

— Pardieu ! je le sais bien que c'est vrai, vrai comme les cinquante mille livres de bénéfice.

Le petit Baisemeaux frappa du pied.

— Là, là ! dit d'Artagnan, je m'en vais vous faire votre compte ; vous étiez capitaine des gardes de M. de Mazarin : douze mille livres par an ; vous les avez touchées douze ans, soit cent quarante mille livres.

— Douze mille livres ! Êtes-vous fou ! s'écria Baisemeaux. Le vieux grigou n'a jamais donné que six mille, et les charges de la place allaient à six mille cinq cents. M. Colbert, qui m'avait fait rogner les six mille autres livres, daignait me faire toucher cinquante pistoles comme gratification. En sorte que, sans ce petit fief de Montlezun[1], qui donne douze mille livres, je n'eusse pas fait honneur à mes affaires.

— Passons condamnation, arrivons aux cinquante mille livres de la Bastille. Là, j'espère, vous êtes nourri, logé ; vous avez six mille livres de traitement.

— Soit.

— Bon an mal an, cinquante prisonniers qui, l'un dans l'autre, vous rapportent mille livres.

— Je n'en disconviens pas.

— C'est bien cinquante mille livres par an ; vous occupez depuis trois ans, c'est donc cent cinquante mille livres que vous avez.

— Vous oubliez un détail, cher monsieur d'Artagnan.

— Lequel ?

— C'est que, vous, vous avez reçu la charge de capitaine des mains du roi.

— Je le sais bien.

— Tandis que, moi, j'ai reçu celle de gouverneur de MM. Tremblay et Louvière.

— C'est juste, et Tremblay n'était pas homme à vous laisser sa charge pour rien.

— Oh ! Louvière non plus. Il en résulte que j'ai donné soixante-quinze mille livres à Tremblay pour sa part.

— Joli !... Et à Louvière ?

— Autant.

— Tout de suite ?

— Non pas, c'eût été impossible. Le roi ne voulait pas, ou plutôt M. de Mazarin ne voulait pas paraître destituer ces deux gaillards issus de la barricade ; il a donc souffert qu'ils fissent pour se retirer des conditions léonines.

1. Le gouverneur ne possédait pas le fief de Montlezun, situé entre les fiefs de Fezensac et de Bigorre, mais la terre de Besmaus, située sur la commune de Pavie (Gers) : Louis XIV l'érigea en alleu (1655).

— Quelles conditions ?

— Frémissez !... trois années du revenu comme pot-de-vin.

— Diable ! en sorte que les cent cinquante mille livres ont passé dans leurs mains ?

— Juste.

— Et outre cela ?

— Une somme de quinze mille écus ou cinquante mille pistoles, comme il vous plaira, en trois paiements.

— C'est exorbitant.

— Ce n'est pas tout.

— Allons donc !

— Faute à moi de remplir l'une des conditions, ces messieurs rentrent dans leur charge. On a fait signer cela au roi.

— C'est énorme, c'est incroyable !

— C'est comme cela.

— Je vous plains, mon pauvre Baisemeaux. Mais alors, cher ami, pourquoi diable M. de Mazarin vous a-t-il accordé cette prétendue faveur ? Il était plus simple de vous la refuser.

— Oh ! oui ! mais il a eu la main forcée par mon protecteur.

— Votre protecteur ! qui cela ?

— Parbleu ! un de vos amis, M. d'Herblay.

— M. d'Herblay ? Aramis ?

— Aramis, précisément, il a été charmant pour moi.

— Charmant ! de vous faire passer sous ces fourches ?

— Écoutez donc ! je voulais quitter le service du cardinal. M. d'Herblay parla pour moi à Louvière et à Tremblay ; ils résistèrent ; j'avais envie de la place, car je sais ce qu'elle peut donner ; je m'ouvris à M. d'Herblay sur ma détresse : il m'offrit de répondre pour moi à chaque paiement.

— Bah ! Aramis ? Oh ! vous me stupéfiez. Aramis répondit pour vous ?

— En galant homme. Il obtint la signature ; Tremblay et Louvière se démirent ; j'ai fait payer vingt-cinq mille livres chaque année de bénéfice à un de ces deux messieurs ; chaque année aussi, en mai, M. d'Herblay vint lui-même à la Bastille m'apporter deux mille cinq cents pistoles pour distribuer à mes crocodiles.

— Alors, vous devez cent cinquante mille livres à Aramis ?

— Eh ! voilà mon désespoir, je ne lui en dois que cent mille.

— Je ne vous comprends pas parfaitement.

— Eh ! sans doute, il n'est venu que deux ans. Mais aujourd'hui nous sommes le 31 mai, et il n'est pas venu, et c'est demain l'échéance, à midi. Et demain, si je n'ai pas payé, ces messieurs, aux termes du contrat, peuvent rentrer dans le marché ; je serai dépouillé et j'aurai travaillé trois ans et donné deux cent cinquante mille livres pour rien, mon cher monsieur d'Artagnan, pour rien absolument.

— Voilà qui est curieux, murmura d'Artagnan.

— Concevez-vous maintenant que je puisse avoir un pli sur le front ?

— Oh ! oui.

— Concevez-vous que, malgré cette rondeur de fromage et cette fraîcheur de pomme d'api, malgré ces yeux brillants comme des charbons allumés, je sois arrivé à craindre de n'avoir plus même un fromage ni une pomme d'api à manger, et de n'avoir plus que des yeux pour pleurer ?

— C'est désolant.

— Je suis donc venu à vous, monsieur d'Artagnan, car vous seul pouvez me tirer de peine.

— Comment cela ?

— Vous connaissez l'abbé d'Herblay ?

— Pardieu !

— Vous le connaissez mystérieux ?

— Oh ! oui.

— Vous pouvez me donner l'adresse de son presbytère, car j'ai cherché à Noisy-le-Sec, et il n'y est plus.

— Parbleu ! il est évêque de Vannes.

— Vannes, en Bretagne ?

— Oui.

Le petit homme se mit à s'arracher les cheveux.

— Hélas ! dit-il, comment aller à Vannes d'ici demain à midi ?... Je suis un homme perdu. Vannes ! Vannes ! criait Baisemeaux.

— Votre désespoir me fait mal. Écoutez donc, un évêque ne réside pas toujours ; Mgr d'Herblay pourrait n'être pas si loin que vous le craignez.

— Oh ! dites-moi son adresse.

— Je ne sais, mon ami.

— Décidément me voilà perdu ! Je vais aller me jeter aux pieds du roi.

— Mais, Baisemeaux, vous m'étonnez ; comment, la Bastille pouvant produire cinquante mille livres, n'avez-vous pas poussé la vis pour en faire produire cent mille ?

— Parce que je suis un honnête homme, cher monsieur d'Artagnan, et que mes prisonniers sont nourris comme des potentats.

— Pardieu ! vous voilà bien avancé ; donnez-vous une bonne indigestion avec vos belles nourritures, et crevez-moi d'ici à demain midi.

— Cruel ! il a le cœur de rire.

— Non, vous m'affligez... Voyons, Baisemeaux, avez-vous une parole d'honneur ?

— Oh ! capitaine !

— Eh bien ! donnez-moi votre parole que vous n'ouvrirez la bouche à personne de ce que je vais vous dire.

— Jamais ! jamais !

— Vous voulez mettre la main sur Aramis ?

— A tout prix !

— Eh bien ! allez trouver M. Fouquet.

— Quel rapport...

— Niais que vous êtes !... Où est Vannes ?

— Dame !...

— Vannes est dans le diocèse de Belle-Ile, ou Belle-Ile dans le diocèse de Vannes. Belle-Ile est à M. Fouquet : M. Fouquet a fait nommer M. d'Herblay à cet évêché.

— Vous m'ouvrez les yeux et vous me rendez la vie.

— Tant mieux. Allez donc dire tout simplement à M. Fouquet que vous désirez parler à M. d'Herblay.

— C'est vrai ! c'est vrai ! s'écria Baisemeaux transporté.

— Et, fit d'Artagnan en l'arrêtant avec un regard sévère, la parole d'honneur ?

— Oh ! sacrée ! répliqua le petit homme en s'apprêtant à courir.

— Où allez-vous ?

— Chez M. Fouquet.

— Non pas, M. Fouquet est au jeu du roi. Que vous alliez chez M. Fouquet demain de bonne heure, c'est tout ce que vous pouvez faire.

— J'irai ; merci !

— Bonne chance !

— Merci !

— Voilà une drôle d'histoire, murmura d'Artagnan, qui, après avoir quitté Baisemeaux, remonta lentement son escalier. Quel diable d'intérêt Aramis peut-il avoir à obliger ainsi Baisemeaux ? Hein !... nous saurons cela un jour ou l'autre.

XCVI

LE JEU DU ROI[1]

Fouquet assistait, comme l'avait dit d'Artagnan, au jeu du roi.

Il semblait que le départ de Buckingham eût jeté du baume sur tous les cœurs ulcérés la veille.

Monsieur, rayonnant, faisait mille signaux affectueux à sa mère.

Le comte de Guiche ne pouvait se séparer de Buckingham, et, tout en jouant, il s'entretenait avec lui des éventualités de son voyage.

1. « Après le souper tous les hommes de la cour s'y rendaient et on passait le soir parmi les plaisirs de la comédie, du jeu et des violons. Enfin on s'y divertissait avec tout l'agrément imaginable et sans aucun mélange de chagrin [aux Tuileries où Madame vint loger quelque temps après son mariage] », Mme de La Fayette, *op. cit.*

Buckingham, rêveur et affectueux comme un homme de cœur qui a pris son parti, écoutait le comte et adressait de temps en temps à Madame un regard de regrets et de tendresse éperdue.

La princesse, au sein de son enivrement, partageait encore sa pensée entre le roi, qui jouait avec elle, Monsieur, qui la raillait doucement sur des gains considérables, et de Guiche, qui témoignait une joie extravagante.

Quant à Buckingham, elle s'en occupait légèrement ; pour elle, ce fugitif, ce banni était un souvenir, non plus un homme.

Les cœurs légers sont ainsi faits ; entiers au présent, ils rompent violemment avec tout ce qui peut déranger leurs petits calculs de bien-être égoïste.

Madame se fût accommodée des sourires, des gentillesses, des soupirs de Buckingham présent ; mais de loin, soupirer, sourire, s'agenouiller, à quoi bon ?

Le vent du détroit, qui enlève les navires pesants, où balaie-t-il les soupirs ? Le sait-on ?

Le duc ne se dissimula point ce changement ; son cœur en fut mortellement blessé.

Nature délicate, fière et susceptible de profond attachement, il maudit le jour où la passion était entrée dans son cœur.

Les regards qu'il envoyait à Madame se refroidirent peu à peu au souffle glacial de sa pensée. Il ne pouvait mépriser encore, mais il fut assez fort pour imposer silence aux cris tumultueux de son cœur.

A mesure que Madame devinait ce changement, elle redoublait d'activité pour recouvrer le rayonnement qui lui échappait ; son esprit, timide et indécis d'abord, se fit jour en brillants éclats ; il fallait à tout prix qu'elle fût remarquée par-dessus tout, par-dessus le roi lui-même.

Elle le fut. Les reines, malgré leur dignité, le roi, malgré les respects de l'étiquette, furent éclipsés.

Les reines, roides et guindées, dès l'abord, s'humanisèrent et rirent. Madame Henriette, reine mère, fut éblouie de cet éclat qui revenait sur sa race, grâce à l'esprit de la petite-fille de Henri IV.

Le roi, si jaloux comme jeune homme, si jaloux comme roi de toutes les supériorités qui l'entouraient, ne put s'empêcher de rendre les armes à cette pétulance française dont l'humeur anglaise rehaussait encore l'énergie. Il fut saisi comme un enfant par cette radieuse beauté que suscitait l'esprit.

Les yeux de Madame lançaient des éclairs. La gaieté s'échappait de ses lèvres de pourpre comme la persuasion des lèvres du vieux Grec Nestor.

Autour des reines et du roi, toute la cour, soumise à ces enchantements, s'apercevait, pour la première fois, qu'on pouvait rire devant le plus grand roi du monde, comme des gens dignes d'être appelés les plus polis et les plus spirituels du monde.

Madame eut, dès ce soir, un succès capable d'étourdir quiconque n'eût pas pris naissance dans ces régions élevées qu'on appelle un trône et qui sont à l'abri de semblables vertiges, malgré leur hauteur.

A partir de ce moment, Louis XIV regarda Madame comme un personnage.

Buckingham la regarda comme une coquette digne des plus cruels supplices.

De Guiche la regarda comme une divinité.

Les courtisans, comme un astre dont la lumière devait devenir un foyer pour toute faveur, pour toute puissance.

Cependant Louis XIV, quelques années auparavant, n'avait pas seulement daigné donner la main à ce *laideron* pour un ballet[1].

Cependant Buckingham avait adoré cette coquette à deux genoux.

Cependant de Guiche avait regardé cette divinité comme une femme.

Cependant les courtisans n'avaient pas osé applaudir sur le passage de cet astre dans la crainte de déplaire au roi, à qui cet astre avait autrefois déplu.

Voilà ce qui se passait, dans cette mémorable soirée, au jeu du roi.

La jeune reine, quoique Espagnole et nièce d'Anne d'Autriche, aimait le roi et ne savait pas dissimuler.

Anne d'Autriche, observatrice, comme toute femme et impérieuse comme toute reine, sentit la puissance de Madame et s'inclina tout aussitôt.

Ce qui détermina la jeune reine à lever le siège et à rentrer chez elle.

A peine le roi fit-il attention à ce départ, malgré les symptômes affectés d'indisposition qui l'accompagnaient.

Fort des lois de l'étiquette qu'il commençait à introduire chez lui comme élément de toute relation, Louis XIV ne s'émut point ; il offrit la main à Madame sans regarder Monsieur, son frère, et conduisit la jeune princesse jusqu'à la porte de son appartement.

On remarqua que, sur le seuil de la porte, Sa Majesté, libre de toute contrainte ou moins forte que la situation, laissa échapper un énorme soupir.

Les femmes, car elles remarquent tout, Mlle de Montalais, par exemple, ne manquèrent pas de dire à leurs compagnes :

— Le roi a soupiré.

— Madame a soupiré.

C'était vrai.

---

1. Voir Mme de Motteville, *Mémoires* : « [Louis XIV] répondit à [Anne d'Autriche] qu'il n'aimait point les petites filles » (1655).

Madame avait soupiré sans bruit, mais avec un accompagnement bien plus dangereux pour le repos du roi.

Madame avait soupiré en fermant ses beaux yeux noirs, puis elle les avait rouverts, et, tout chargés qu'ils étaient d'une indicible tristesse, elle les avait relevés sur le roi, dont le visage, à ce moment, s'était empourpré visiblement.

Il résultait de cette rougeur, de ces soupirs échangés et de tout ce mouvement royal, que Montalais avait commis une indiscrétion, et que cette indiscrétion avait certainement affecté sa compagne, car Mlle de La Vallière, moins perspicace sans doute, pâlit quand rougit le roi, et, son service l'appelant chez Madame, entra toute tremblante derrière la princesse, sans songer à prendre les gants, ainsi que le cérémonial le voulait.

Il est vrai que cette provinciale pouvait alléguer pour excuse le trouble où la jetait la majesté royale. En effet, Mlle de La Vallière, tout occupée de refermer la porte, avait involontairement les yeux attachés sur le roi, qui marchait à reculons.

Le roi rentra dans la salle de jeu ; il voulut parler à diverses personnes mais l'on put voir qu'il n'avait pas l'esprit fort présent.

Il brouilla divers comptes dont profitèrent divers seigneurs qui avaient retenu ces habitudes depuis M. de Mazarin, mauvaise mémoire, mais bonne arithmétique.

Ainsi Manicamp, distrait personnage s'il en fut, que le lecteur ne s'y trompe pas, Manicamp, l'homme le plus honnête du monde, ramassa purement et simplement vingt mille livres qui traînaient sur le tapis et dont la propriété ne paraissait légitimement acquise à personne.

Ainsi M. de Wardes, qui avait la tête un peu embarrassée par les affaires de la soirée, laissa-t-il soixante louis doubles qu'il avait gagnés à M. de Buckingham, et que celui-ci, incapable comme son père de salir ses mains avec une monnaie quelconque, abandonna au chandelier[1], ce chandelier dût-il être vivant.

Le roi ne recouvra un peu de son attention qu'au moment où M. Colbert, qui guettait depuis quelques instants, s'approcha, et, fort respectueusement sans doute, mais avec insistance, déposa un de ses conseils dans l'oreille encore bourdonnante de Sa Majesté.

Au conseil, Louis prêta une attention nouvelle, et, aussitôt, jetant ses regards devant lui :

— Est-ce que M. Fouquet, dit-il, n'est plus là ?

— Si fait, si fait, sire, répliqua la voix du surintendant, occupé avec Buckingham.

Et il s'approcha. Le roi fit un pas vers lui d'un air charmant et plein de négligence.

---

1. *Mettre au chandelier* : mettre de l'argent pour payer les cartes et autres frais du jeu.

— Pardon, monsieur le surintendant, si je trouble votre conversation, dit Louis ; mais je vous réclame partout où j'ai besoin de vous.

— Mes services sont au roi toujours, répliqua Fouquet.

— Et surtout votre caisse, dit le roi en riant d'un sourire faux.

— Ma caisse plus encore que le reste, dit froidement Fouquet.

— Voici le fait, monsieur : je veux donner une fête à Fontainebleau. Quinze jours de maison ouverte. J'ai besoin de...

Il regarda obliquement Colbert.

Fouquet attendit sans se troubler.

— De... dit-il.

— De quatre millions, fit le roi, répondant au sourire cruel de Colbert.

— Quatre millions ? dit Fouquet en s'inclinant profondément.

Et ses ongles, entrant dans sa poitrine, y creusèrent un sillon sanglant sans que la sérénité de son visage en fût un moment altérée.

— Oui, monsieur, dit le roi.

— Quand, sire ?

— Mais... prenez votre temps... C'est-à-dire... non... le plus tôt possible.

— Il faut le temps.

— Le temps ! s'écria Colbert triomphant.

— Le temps de compter les écus, fit le surintendant avec un majestueux mépris ; l'on ne tire et l'on ne pèse qu'un million par jour, monsieur.

— Quatre jours, alors, dit Colbert.

— Oh ! répliqua Fouquet en s'adressant au roi, mes commis font des prodiges pour le service de Sa Majesté. La somme sera prête dans trois jours.

Colbert pâlit à son tour. Louis le regarda étonné.

Fouquet se retira sans forfanterie, sans faiblesse, souriant aux nombreux amis dans le regard desquels, seul, il sait une véritable amitié, un intérêt allant jusqu'à la compassion.

Il ne fallait pas juger Fouquet sur ce sourire ; Fouquet avait, en réalité, la mort dans le cœur.

Quelques gouttes de sang tachaient, sous son habit, le fin tissu qui couvrait sa poitrine.

L'habit cachait le sang, le sourire, la rage.

A la façon dont il aborda son carrosse, ses gens devinèrent que le maître n'était pas de joyeuse humeur. Il résulta de cette intelligence que les ordres s'exécutèrent avec cette précision de manœuvre que l'on trouve sur un vaisseau de guerre commandé pendant l'orage par un capitaine irrité.

Le carrosse ne roula point, il vola.

A peine si Fouquet eut le temps de se recueillir durant le trajet.

En arrivant, il monta chez Aramis.

Aramis n'était point encore couché.

Quant à Porthos, il avait soupé fort convenablement d'un gigot braisé, de deux faisans rôtis et d'une montagne d'écrevisses ; puis il s'était fait oindre le corps avec des huiles parfumées, à la façon des lutteurs antiques ; puis, l'onction achevée, il s'était étendu dans des flanelles et fait transporter dans un lit bassiné.

Aramis, nous l'avons dit, n'était point couché. A l'aise dans une robe de chambre de velours, il écrivait lettres sur lettres, de cette écriture si fine et si pressée dont une page tient un quart de volume.

La porte s'ouvrit précipitamment ; le surintendant parut, pâle, agité, soucieux.

Aramis releva la tête.

— Bonsoir, cher hôte ! dit-il.

Et son regard observateur devina toute cette tristesse, tout ce désordre.

— Beau jeu chez le roi ? demanda Aramis pour engager la conversation.

Fouquet s'assit, et, du geste, montra la porte au laquais qui l'avait suivi. Puis, quand le laquais fut sorti :

— Très beau ! dit-il.

Et Aramis, qui le suivait de l'œil, le vit, avec une impatience fébrile, s'allonger sur les coussins.

— Vous avez perdu, comme toujours ? demanda Aramis, sa plume à la main.

— Mieux que toujours, répliqua Fouquet.

— Mais on sait que vous supportez bien la perte, vous.

— Quelquefois.

— Bon ! M. Fouquet, mauvais joueur ?

— Il y a jeu et jeu, monsieur d'Herblay.

— Combien avez-vous donc perdu, monseigneur ? demanda Aramis avec une certaine inquiétude.

Fouquet se recueillit un moment pour poser convenablement sa voix, et puis, sans émotion aucune :

— La soirée me coûte quatre millions, dit-il.

Et un rire amer se perdit sur la dernière vibration de ces paroles. Aramis ne s'attendait point à un pareil chiffre ; il laissa tomber sa plume.

— Quatre millions ! dit-il. Vous avez joué quatre millions ? Impossible !

— M. Colbert tenait mes cartes, répondit le surintendant avec le même rire sinistre.

— Ah ! je comprends maintenant, monseigneur. Ainsi, nouvel appel de fonds ?

— Oui, mon ami.

— Par le roi ?

— De sa bouche même. Il est impossible d'assommer un homme avec un plus beau sourire.

— Diable !

— Que pensez-vous de cela ?

— Parbleu ! je pense que l'on veut vous ruiner : c'est clair.

— Ainsi, c'est toujours votre avis ?

— Toujours. Il n'y a rien là, d'ailleurs, qui doive vous étonner, puisque c'est ce que nous avons prévu.

— Soit ; mais je ne m'attendais pas aux quatre millions.

— Il est vrai que la somme est lourde ; mais, enfin, quatre millions ne sont point la mort d'un homme, c'est là le cas de le dire, surtout quand cet homme s'appelle M. Fouquet.

— Si vous connaissiez le fond du coffre, mon cher d'Herblay, vous seriez moins tranquille.

— Et vous avez promis ?

— Que vouliez-vous que je fisse ?

— C'est vrai.

— Le jour où je refuserai, Colbert en trouvera ; où ? je n'en sais rien ; mais il en trouvera et je serai perdu !

— Incontestablement. Et dans combien de jours avez-vous promis ces quatre millions ?

— Dans trois jours. Le roi paraît fort pressé.

— Dans trois jours !

— Oh ! mon ami, reprit Fouquet, quand on pense que tout à l'heure, quand je passais dans la rue, des gens criaient : « Voilà le riche M. Fouquet qui passe ! » En vérité, cher d'Herblay, c'est à en perdre la tête !

— Oh ! non, monseigneur, halte-là ! la chose n'en vaut pas la peine, dit flegmatiquement Aramis en versant de la poudre sur la lettre qu'il venait d'écrire.

— Alors, un remède, un remède à ce mal sans remède ?

— Il n'y en a qu'un : payez.

— Mais à peine si j'ai la somme. Tout doit être épuisé ; on a payé Belle-Ile ; on a payé la pension ; l'argent, depuis les recherches des traitants, est rare. En admettant qu'on paie cette fois, comment paiera-t-on l'autre ? Car, croyez-le bien, nous ne sommes pas au bout ! Quand les rois ont goûté de l'argent, c'est comme les tigres quand ils ont goûté de la chair : ils dévorent ! Un jour, il faudra bien que je dise : « Impossible, sire ! » Eh bien ! ce jour-là, je serai perdu !

Aramis haussa légèrement les épaules.

— Un homme dans votre position, monseigneur, dit-il, n'est perdu que lorsqu'il veut l'être.

— Un homme, dans quelque position qu'il soit, ne peut lutter contre un roi.

— Bah ! dans ma jeunesse, j'ai bien lutté, moi, avec le cardinal de Richelieu, qui était roi de France, plus, cardinal !

— Ai-je des armées, des troupes, des trésors ? Je n'ai même plus Belle-Ile !

— Bah ! la nécessité est la mère de l'invention. Quand vous croirez tout perdu...

— Eh bien ?

— On découvrira quelque chose d'inattendu qui sauvera tout.

— Et qui découvrira ce merveilleux quelque chose ?

— Vous.

— Moi ? Je donne ma démission d'inventeur.

— Alors, moi.

— Soit. Mais alors mettez-vous à l'œuvre sans retard.

— Ah ! nous avons bien le temps.

— Vous me tuez avec votre flegme, d'Herblay, dit le surintendant en passant son mouchoir sur son front.

— Ne vous souvenez-vous donc pas de ce que je vous ai dit un jour ?

— Que m'avez-vous dit ?

— De ne pas vous inquiéter, si vous avez du courage. En avez-vous ?

— Je le crois.

— Ne vous inquiétez donc pas.

— Alors, c'est dit, au moment suprême, vous venez à mon aide, d'Herblay ?

— Ce ne sera que vous rendre ce que je vous dois, monseigneur.

— C'est le métier des gens de finance que d'aller au-devant des besoins des hommes comme vous, d'Herblay.

— Si l'obligeance est le métier des hommes de finance, la charité est la vertu des gens d'Église. Seulement, cette fois encore, exécutez-vous, monseigneur. Vous n'êtes pas encore assez bas ; au dernier moment, nous verrons.

— Nous verrons dans peu, alors.

— Soit. Maintenant, permettez-moi de vous dire que, personnellement, je regrette beaucoup que vous soyez si fort à court d'argent.

— Pourquoi cela ?

— Parce que j'allais vous en demander, donc !

— Pour vous ?

— Pour moi ou pour les miens, pour les miens ou pour les nôtres.

— Quelle somme ?

— Oh ! tranquillisez-vous ; une somme rondelette, il est vrai, mais peu exorbitante.

— Dites le chiffre !

— Oh ! cinquante mille livres.

— Misère !

— Vraiment ?

— Sans doute, on a toujours cinquante mille livres. Ah ! pourquoi ce coquin que l'on nomme M. Colbert ne se contente-t-il pas comme vous, je me mettrais moins en peine que je ne le fais. Et quand vous faut-il cette somme ?

— Pour demain matin.

— Bien, et...

— Ah ! c'est vrai, la destination, voulez-vous dire ?

— Non, chevalier, non ; je n'ai pas besoin d'explication.

— Si fait ; c'est demain le 1er juin ?

— Eh bien ?

— Échéance d'une de nos obligations.

— Nous avons donc des obligations ?

— Sans doute, nous payons demain notre dernier tiers.

— Quel tiers ?

— Des cent cinquante mille livres de Baisemeaux.

— Baisemeaux ! Qui cela ?

— Le gouverneur de la Bastille.

— Ah ! oui, c'est vrai ; vous me faites payer cent cinquante mille francs pour cet homme.

— Allons donc !

— Mais à quel propos ?

— A propos de sa charge qu'il a achetée, ou plutôt que nous avons achetée à Louvière et à Tremblay.

— Tout cela est fort vague dans mon esprit.

— Je conçois cela, vous avez tant d'affaires ! Cependant, je ne crois pas que vous en ayez de plus importante que celle-ci.

— Alors, dites-moi à quel propos nous avons acheté cette charge.

— Mais pour lui être utile.

— Ah !

— A lui d'abord.

— Et puis ensuite ?

— Ensuite à nous.

— Comment, à nous ? Vous vous moquez.

— Monseigneur, il y a des temps où un gouverneur de la Bastille est une fort belle connaissance.

— J'ai le bonheur de ne pas vous comprendre, d'Herblay.

— Monseigneur, nous avons nos poètes, notre ingénieur, notre architecte, nos musiciens, notre imprimeur, nos peintres ; il nous fallait notre gouverneur de la Bastille.

— Ah ! vous croyez ?

— Monseigneur, ne nous faisons pas illusion ; nous sommes fort exposés à aller à la Bastille, cher monsieur Fouquet, ajouta le prélat en montrant sous ses lèvres pâles des dents qui étaient encore ces belles dents adorées trente ans auparavant par Marie Michon.

— Et vous croyez que ce n'est pas trop de cent cinquante mille livres pour cela, d'Herblay ? Je vous assure que d'ordinaire vous placez mieux votre argent.

— Un jour viendra où vous reconnaîtrez votre erreur.

— Mon cher d'Herblay, le jour où l'on entre à la Bastille, on n'est plus protégé par le passé.

— Si fait, si les obligations souscrites sont bien en règle ; et puis, croyez-moi, cet excellent Baisemeaux n'a pas un cœur de courtisan. Je suis sûr qu'il me gardera bonne reconnaissance de cet argent ; sans compter, comme je vous le dis, monseigneur, que je garde les titres.

— Quelle diable d'affaire ! De l'usure en matière de bienfaisance !

— Monseigneur, monseigneur, ne vous mêlez point de tout cela ; s'il y a usure, c'est moi qui la fais seul ; nous en profitons à nous deux, voilà tout.

— Quelque intrigue, d'Herblay ?...

— Je ne dis pas non.

— Et Baisemeaux complice.

— Et pourquoi pas ? On en a de pires. Ainsi je puis compter demain sur les cinq mille pistoles ?

— Les voulez-vous ce soir ?

— Ce serait encore mieux, car je veux me mettre en chemin de bonne heure ; ce pauvre Baisemeaux, qui ne sait pas ce que je suis devenu, il est sur des charbons ardents.

— Vous aurez la somme dans une heure. Ah ! d'Herblay, l'intérêt de vos cent cinquante mille francs ne paiera jamais mes quatre millions, dit Fouquet en se levant.

— Pourquoi pas, monseigneur ?

— Bonsoir ! j'ai affaire aux commis avant de me coucher.

— Bonne nuit, monseigneur !

— D'Herblay vous me souhaitez l'impossible.

— J'aurai mes cinquante mille livres ce soir ?

— Oui.

— Eh bien ! dormez sur les deux oreilles, c'est moi qui vous le dis. Bonne nuit, monseigneur !

Malgré cette assurance et le ton avec lequel elle était donnée, Fouquet sortit en hochant la tête et en poussant un soupir.

XCVII

LES PETITS COMPTES DE M. BAISEMEAUX DE MONTLEZUN

Sept heures sonnaient à Saint-Paul, lorsque Aramis à cheval, en costume de bourgeois, c'est-à-dire vêtu de drap de couleur, ayant pour toute distinction une espèce de couteau de chasse au côté, passa devant la rue du Petit-Musc et vint s'arrêter en face de la rue des Tournelles[1], à la porte du château de la Bastille.

Deux factionnaires gardaient cette porte. Ils ne firent aucune difficulté pour admettre Aramis, qui entra tout à cheval comme il était, et le conduisirent du geste par un long passage bordé de bâtiments à droite et à gauche.

Ce passage conduisait jusqu'au pont-levis, c'est-à-dire jusqu'à la véritable entrée.

Le pont-levis était baissé, le service de la place commençait à se faire.

La sentinelle du corps de garde extérieur arrêta Aramis, et lui demanda d'un ton assez brusque quelle était la cause qui l'amenait.

Aramis expliqua avec sa politesse habituelle que la cause qui l'amenait était le désir de parler à M. Baisemeaux de Montlezun.

Le premier factionnaire appela un second factionnaire placé dans une cage intérieure.

Celui-ci mit la tête à son guichet et regarda fort attentivement le nouveau venu.

Aramis réitéra l'expression de son désir.

Le factionnaire appela aussitôt un bas officier qui se promenait dans une cour assez spacieuse, lequel, apprenant ce dont il s'agissait, courut chercher un officier de l'état-major du gouverneur.

Ce dernier, après avoir écouté la demande d'Aramis, le pria d'attendre un moment, fit quelques pas et revint pour lui demander son nom.

— Je ne puis vous le dire, monsieur, dit Aramis ; seulement sachez que j'ai des choses d'une telle importance à communiquer à M. le gouverneur, que je puis répondre d'avance d'une chose, c'est que M. de Baisemeaux sera enchanté de me voir. Il y a plus, c'est que, lorsque vous lui aurez dit que c'est la personne qu'il attend au 1er juin, je suis convaincu qu'il accourra lui-même.

1. Aramis emprunte la rue Saint-Antoine : il dépasse l'ancienne rue de Pute-y-Musse qui relie la rue Saint-Antoine au quai des Célestins ; puis la rue des Tournelles qui allait alors de la rue Saint-Antoine à la rue Saint-Gilles.

L'officier ne pouvait faire entrer dans sa pensée qu'un homme aussi important que M. le gouverneur se dérangeât pour un autre homme aussi peu important que paraissait l'être ce petit bourgeois à cheval.

— Justement, monsieur, cela tombe à merveille. M. le gouverneur se préparait à sortir, et vous voyez son carrosse attelé dans la cour du Gouvernement ; il n'aura donc pas besoin de venir au-devant de vous, mais il vous verra en passant.

Aramis fit de la tête un signe d'assentiment : il ne voulait pas donner de lui-même une trop haute idée ; il attendit donc patiemment et en silence, penché sur les arçons de son cheval.

Dix minutes ne s'étaient pas écoulées, que l'on vit s'ébranler le carrosse du gouverneur. Il s'approcha de la porte. Le gouverneur parut, monta dans le carrosse qui s'apprêta à sortir.

Mais alors la même cérémonie eut lieu pour le maître du logis que pour un étranger suspect ; la sentinelle de la cage s'avança au moment où le carrosse allait passer sous la voûte, et le gouverneur ouvrit sa portière pour obéir le premier à la consigne.

De cette façon, la sentinelle put se convaincre que nul ne sortait de la Bastille en fraude.

Le carrosse roula sous la voûte.

Mais, au moment où l'on ouvrait la grille, l'officier s'approcha du carrosse arrêté pour la seconde fois, et dit quelques mots au gouverneur.

Aussitôt le gouverneur passa la tête hors de la portière et aperçut Aramis à cheval à l'extrémité du pont-levis.

Il poussa aussitôt un grand cri de joie, et sortit, ou plutôt s'élança de son carrosse, et vint, tout courant, saisir les mains d'Aramis en lui faisant mille excuses. Peu s'en fallut qu'il ne les lui baisât.

— Que de mal pour entrer à la Bastille, monsieur le gouverneur ! Est-ce de même pour ceux qu'on y envoie malgré eux que pour ceux qui y viennent volontairement ?

— Pardon, pardon. Ah ! monseigneur, que de joie j'éprouve à voir Votre Grandeur !

— Chut ! Y songez-vous, mon cher monsieur de Baisemeaux ! Que voulez-vous qu'on pense de voir un évêque dans l'attirail où je suis ?

— Ah ! pardon, excuse, je n'y songeais pas... Le cheval de Monsieur à l'écurie ! cria Baisemeaux.

— Non pas, non pas, dit Aramis, peste !

— Pourquoi cela ?

— Parce qu'il y a cinq mille pistoles dans le porte-manteau.

Le visage du gouverneur devint si radieux, que les prisonniers, s'ils l'eussent vu, eussent pu croire qu'il lui arrivait quelque prince du sang.

— Oui, oui, vous avez raison, au Gouvernement le cheval. Voulez-vous, mon cher monsieur d'Herblay, que nous remontions en voiture pour aller jusque chez moi ?

— Monter en voiture pour traverser une cour, monsieur le gouverneur ! me croyez-vous donc si invalide ? Non pas, à pied, monsieur le gouverneur, à pied.

Baisemeaux offrit alors son bras comme appui, mais le prélat n'en fit point usage. Ils arrivèrent ainsi au Gouvernement, Baisemeaux se frottant les mains et lorgnant le cheval du coin de l'œil, Aramis regardant les murailles noires et nues.

Un vestibule assez grandiose, un escalier droit en pierres blanches, conduisaient aux appartements de Baisemeaux.

Celui-ci traversa l'antichambre, la salle à manger, où l'on apprêtait le déjeuner, ouvrit une petite porte dérobée, et s'enferma avec son hôte dans un grand cabinet dont les fenêtres s'ouvraient obliquement sur les cours et les écuries.

Baisemeaux installa le prélat avec cette obséquieuse politesse dont un bon homme ou un homme reconnaissant connaît seul le secret.

Fauteuil à bras, coussin sous les pieds, table roulante pour appuyer la main, le gouverneur prépara tout lui-même.

Lui-même aussi plaça sur cette table avec un soin religieux le sac d'or qu'un de ses soldats avait monté avec non moins de respect qu'un prêtre apporte le saint sacrement.

Le soldat sortit. Baisemeaux alla fermer derrière lui la porte, tira un rideau de la fenêtre, et regarda dans les yeux d'Aramis pour voir si le prélat ne manquait de rien.

— Eh bien ! monseigneur, dit-il sans s'asseoir, vous continuez à être le plus fidèle des gens de parole ?

— En affaires, cher monsieur de Baisemeaux, l'exactitude n'est pas une vertu, c'est un simple devoir.

— Oui, en affaires, je comprends ; mais ce n'est point une affaire que vous faites avec moi, monseigneur, c'est un service que vous me rendez.

— Allons, allons, cher monsieur Baisemeaux, avouez que, malgré cette exactitude, vous n'avez point été sans quelque inquiétude.

— Sur votre santé, oui, certainement, balbutia Baisemeaux.

— Je voulais venir hier, mais je n'ai pu, étant trop fatigué, continua Aramis.

Baisemeaux s'empressa de glisser un autre coussin sous les reins de son hôte.

— Mais, reprit Aramis, je me suis promis de venir vous visiter aujourd'hui de bon matin.

— Vous êtes excellent, monseigneur.

— Et bien m'en a pris de ma diligence, ce me semble.

— Comment cela ?

— Oui, vous alliez sortir.

Baisemeaux rougit.

— En effet, dit-il, je sortais.

— Alors je vous dérange ?

L'embarras de Baisemeaux devint visible.

— Alors je vous gêne, continua Aramis, en fixant son regard incisif sur le pauvre gouverneur. Si j'eusse su cela, je ne fusse point venu.

— Ah ! monseigneur, comment pouvez-vous croire que vous me gênez jamais, vous !

— Avouez que vous alliez en quête d'argent.

— Non ! balbutia Baisemeaux ; non, je vous jure.

— M. le gouverneur va-t-il toujours chez M. Fouquet ? cria d'en bas la voix du major.

Baisemeaux courut comme un fou à la fenêtre.

— Non, non, cria-t-il désespéré. Qui diable parle donc de M. Fouquet ? Est-on ivre là-bas ? Pourquoi me dérange-t-on quand je suis en affaire ?

— Vous alliez chez M. Fouquet, dit Aramis en se pinçant les lèvres ; chez l'abbé ou chez le surintendant ?

Baisemeaux avait bonne envie de mentir, mais il n'en eut pas le courage.

— Chez M. le surintendant, dit-il.

— Alors, vous voyez bien que vous aviez besoin d'argent, puisque vous alliez chez celui qui en donne.

— Mais non, monseigneur.

— Allons, vous vous défiez de moi.

— Mon cher seigneur, la seule incertitude, la seule ignorance où j'étais du lieu que vous habitez...

— Oh ! vous eussiez eu de l'argent chez M. Fouquet, cher monsieur Baisemeaux, c'est un homme qui a la main ouverte.

— Je vous jure que je n'eusse jamais osé demander de l'argent à M. Fouquet. Je lui voulais demander votre adresse, voilà tout.

— Mon adresse chez M. Fouquet ? s'écria Aramis en ouvrant malgré lui les yeux.

— Mais, fit Baisemeaux troublé par le regard du prélat, oui, sans doute, chez M. Fouquet.

— Il n'y a pas de mal à cela, cher monsieur Baisemeaux ; seulement, je me demande pourquoi chercher mon adresse chez M. Fouquet.

— Pour vous écrire.

— Je comprends, fit Aramis en souriant ; aussi, n'était-ce pas cela que je voulais dire ; je ne vous demande pas pour quoi faire vous cherchiez mon adresse, je vous demande à quel propos vous alliez la chercher chez M. Fouquet ?

— Ah ! dit Baisemeaux, parce que M. Fouquet ayant Belle-Ile...

— Eh bien ?

— Belle-Ile, qui est du diocèse de Vannes, et que, comme vous êtes évêque de Vannes...

— Cher monsieur de Baisemeaux, puisque vous saviez que j'étais évêque de Vannes, vous n'aviez point besoin de demander mon adresse à M. Fouquet.

— Enfin, monsieur, dit Baisemeaux aux abois, ai-je commis une inconséquence ? En ce cas, je vous en demande bien pardon.

— Allons donc ! Et en quoi pouviez-vous avoir commis une inconséquence ? demanda tranquillement Aramis.

Et tout en rassérénant son visage, et tout en souriant au gouverneur, Aramis se demandait comment Baisemeaux, qui ne savait pas son adresse, savait cependant que Vannes était sa résidence.

« J'éclaircirai cela », dit-il en lui-même.

Puis tout haut :

— Voyons, mon cher gouverneur, dit-il, voulez-vous que nous fassions nos petits comptes ?

— A vos ordres, monseigneur. Mais auparavant, dites-moi, monseigneur...

— Quoi ?

— Ne me ferez-vous point l'honneur de déjeuner avec moi comme d'habitude ?

— Si fait, très volontiers.

— A la bonne heure !

Baisemeaux frappa trois coups sur un timbre.

— Cela veut dire ? demanda Aramis.

— Que j'ai quelqu'un à déjeuner et que l'on agisse en conséquence.

— Ah ! diable ! Et vous frappez trois fois ! Vous m'avez l'air, savez-vous bien, mon cher gouverneur, de faire des façons avec moi ?

— Oh ! par exemple ! D'ailleurs, c'est bien le moins que je vous reçoive du mieux que je puis.

— A quel propos ?

— C'est qu'il n'y a pas de prince qui ait fait pour moi ce que vous avez fait, vous !

— Allons, encore !

— Non, non...

— Parlons d'autre chose. Ou plutôt, dites-moi, faites-vous vos affaires à la Bastille ?

— Mais oui.

— Le prisonnier donne donc ?

— Pas trop.

— Diable !

— M. de Mazarin n'était pas assez rude.

— Ah ! oui, il vous faudrait un gouvernement soupçonneux, notre ancien cardinal.

— Oui, sous celui-là, cela allait bien. Le frère de Son Éminence grise y a fait sa fortune.

— Croyez-moi, mon cher gouverneur, dit Aramis en se rapprochant de Baisemeaux, un jeune roi vaut un vieux cardinal. La jeunesse a ses défiances, ses colères, ses passions, si la vieillesse a ses haines, ses précautions, ses craintes. Avez-vous payé vos trois ans de bénéfices à Louvière et à Tremblay ?

— Oh ! mon Dieu, oui.

— De sorte qu'il ne vous reste plus à leur donner que les cinquante mille livres que je vous apporte ?

— Oui.

— Ainsi, pas d'économies ?

— Ah ! monseigneur, en donnant cinquante mille livres de mon côté à ces messieurs, je vous jure que je leur donne tout ce que je gagne. C'est ce que je disais encore hier au soir à M. d'Artagnan.

— Ah ! fit Aramis, dont les yeux brillèrent mais s'éteignirent à l'instant, ah ! hier, vous avez vu d'Artagnan !... Et comment se porte-t-il, ce cher ami ?

— A merveille.

— Et que lui disiez-vous, monsieur de Baisemeaux ?

— Je lui disais, continua le gouverneur sans s'apercevoir de son étourderie, je lui disais que je nourrissais trop bien mes prisonniers.

— Combien en avez-vous ? demanda négligemment Aramis.

— Soixante.

— Eh ! eh ! c'est un chiffre assez rond.

— Ah ! monseigneur, autrefois il y avait des années de deux cents.

— Mais enfin un minimum de soixante, voyons, il n'y a pas encore trop à se plaindre.

— Non, sans doute, car à tout autre que moi chacun devrait rapporter cent cinquante pistoles.

— Cent cinquante pistoles !

— Dame ! calculez : pour un prince du sang, par exemple, j'ai cinquante livres par jour.

— Seulement, vous n'avez pas de prince du sang, à ce que je suppose du moins, fit Aramis avec un léger tremblement dans la voix.

— Non, Dieu merci ! c'est-à-dire non, malheureusement.

— Comment, malheureusement ?

— Sans doute, ma place en serait bonifiée.

— C'est vrai.

— J'ai donc, par prince du sang, cinquante livres.

— Oui.

— Par maréchal de France, trente-six livres.

— Mais pas plus de maréchal de France en ce moment que de prince du sang, n'est-ce pas ?

— Hélas ! non ; il est vrai que les lieutenants généraux et les brigadiers sont à vingt-quatre livres, et que j'en ai deux.

— Ah ! ah !

— Il y a après cela les conseillers au Parlement, qui me rapportent quinze livres.

— Et combien en avez-vous ?

— J'en ai quatre.

— Je ne savais pas que les conseillers fussent d'un si bon rapport.

— Oui, mais de quinze livres, je tombe tout de suite à dix.

— A dix ?

— Oui, pour un juge ordinaire, pour un homme défenseur, pour un ecclésiastique, dix livres[1].

— Et vous en avez sept ? Bonne affaire !

— Non, mauvaise !

— En quoi ?

— Comment voulez-vous que je ne traite pas ces pauvres gens, qui sont quelque chose, enfin, comme je traite un conseiller au Parlement ?

— En effet, vous avez raison, je ne vois pas cinq livres de différence entre eux.

— Vous comprenez, si j'ai un beau poisson, je le paie toujours quatre ou cinq livres ; si j'ai un beau poulet, il me coûte une livre et demie. J'engraisse bien des élèves de basse-cour ; mais il me faut acheter le grain, et vous ne pouvez vous imaginer l'armée de rats que nous avons ici.

— Eh bien ! pourquoi ne pas leur opposer une demi-douzaine de chats ?

— Ah ! bien oui, des chats, ils les mangent ; j'ai été forcé d'y renoncer ; jugez comme ils traitent mon grain. Je suis forcé d'avoir des terriers que je fais venir d'Angleterre pour étrangler les rats. Les chiens ont un appétit féroce ; ils mangent autant qu'un prisonnier de cinquième ordre, sans compter qu'ils m'étranglent quelquefois mes lapins et mes poules.

Aramis écoutait-il, n'écoutait-il pas ? nul n'eût pu le dire : ses yeux baissés annonçaient l'homme attentif, sa main inquiète annonçait l'homme absorbé.

Aramis méditait.

— Je vous disais donc, continua Baisemeaux, qu'une volaille passable me revenait à une livre et demie, et qu'un bon poisson me coûtait quatre ou cinq livres. On fait trois repas à la Bastille ; les prisonniers, n'ayant

1. Voir *Histoire de la Bastille...*, par MM. Arnould et Alboize (et Maquet) qui reproduit cette comptabilité.

rien à faire, mangent toujours ; un homme de dix livres me coûte sept livres et dix sous.

— Mais vous me disiez que ceux de dix livres, vous les traitiez comme ceux de quinze livres ?

— Oui, certainement.

— Très bien ! alors vous gagnez sept livres dix sous sur ceux de quinze livres ?

— Il faut bien compenser, dit Baisemeaux, qui vit qu'il s'était laissé prendre.

— Vous avez raison, cher gouverneur ; mais est-ce que vous n'avez pas de prisonniers au-dessous de dix livres ?

— Oh ! que si fait ; nous avons le bourgeois et l'avocat.

— A la bonne heure. Taxés à combien ?

— A cinq livres.

— Est-ce qu'ils mangent, ceux-là ?

— Pardieu ! seulement, vous comprenez qu'on ne leur donne pas tous les jours une sole ou un poulet dégraissé, ni des vins d'Espagne à tous leurs repas ; mais enfin ils voient encore trois fois la semaine un bon plat à leur dîner.

— Mais c'est de la philanthropie, cela, mon cher gouverneur, et vous devez vous ruiner.

— Non. Comprenez bien : quand le quinze livres n'a pas achevé sa volaille, ou que le dix livres a laissé un bon reste, je l'envoie au cinq livres ; c'est une ripaille pour le pauvre diable. Que voulez-vous ! il faut être charitable.

— Et qu'avez-vous à peu près sur les cinq livres ?

— Trente sous.

— Allons, vous êtes un honnête homme, Baisemeaux !

— Merci !

— Non, en vérité, je le déclare.

— Merci, merci, monseigneur. Mais je crois que vous avez raison, maintenant. Savez-vous pourquoi je souffre ?

— Non.

— Eh bien ! c'est pour les petits-bourgeois et les clercs d'huissier taxés à trois livres. Ceux-là ne voient pas souvent des carpes du Rhin ni des esturgeons de la Manche.

— Bon ! est-ce que les cinq livres ne feraient pas de restes par hasard ?

— Oh ! monseigneur, ne croyez pas que je sois ladre à ce point, et je comble de bonheur le petit-bourgeois ou le clerc d'huissier, en lui donnant une aile de perdrix rouge, un filet de chevreuil, une tranche de pâté aux truffes, des mets qu'il n'a jamais vus qu'en songe ; enfin ce sont les restes des vingt-quatre livres ; il mange, il boit, au dessert il crie : « Vive le roi ! » et bénit la Bastille, avec deux bouteilles d'un joli vin de Champagne qui me revient à cinq sous, je le grise chaque dimanche.

Oh ! ceux-là me bénissent, ceux-là regrettent la prison lorsqu'ils la quittent. Savez-vous ce que j'ai remarqué ?

— Non, en vérité.

— Eh bien ! j'ai remarqué... Savez-vous que c'est un bonheur pour ma maison ? Eh bien ! j'ai remarqué que certains prisonniers libérés se sont fait réincarcérer presque aussitôt. Pour quoi serait-ce faire, sinon pour goûter de ma cuisine ? Oh ! mais c'est à la lettre !

Aramis sourit d'un air de doute.

— Vous souriez ?

— Oui.

— Je vous dis que nous avons des noms portés trois fois dans l'espace de deux ans.

— Il faudrait que je le visse pour le croire.

— Oh ! l'on peut vous montrer cela, quoiqu'il soit défendu de communiquer les registres aux étrangers.

— Je le crois.

— Mais vous, monseigneur, si vous tenez à voir la chose de vos yeux...

— J'en serais enchanté, je l'avoue.

— Eh bien ! soit !

Baisemeaux alla vers une armoire et en tira un grand registre.

Aramis le suivait ardemment des yeux.

Baisemeaux revint, posa le registre sur la table, le feuilleta un instant, et s'arrêta à la lettre M.

— Tenez, dit-il, par exemple, vous voyez bien.

— Quoi ?

« Martinier, janvier 1659. Martinier, juin 1660. Martinier, mars 1661[1], pamphlets, mazarinades, etc. » Vous comprenez que ce n'est qu'un prétexte : on n'était pas embastillé pour des mazarinades ; le compère allait se dénoncer lui-même pour qu'on l'embastillât. Et dans quel but, monsieur ? Dans le but de revenir manger ma cuisine à trois livres.

— A trois livres ! le malheureux !

— Oui, monseigneur ; le poète est au dernier degré, cuisine du petit-bourgeois et du clerc d'huissier ; mais, je vous le disais, c'est justement à ceux-là que je fais des surprises.

Et Aramis, machinalement, tournait les feuillets du registre, continuant de lire sans paraître seulement s'intéresser aux noms qu'il lisait.

— En 1661, vous voyez, dit Baisemeaux, quatre-vingts écrous ; en 1659, quatre-vingts.

1. L'*Histoire de la Bastille* ne cite pas ce prisonnier, mais dans son chapitre « La Bastille sous Louis XIV », elle signale parmi les prisonniers un relieur, Marsolier : le présent nom pourrait être une mauvaise lecture de l'imprimeur.

— Ah ! Seldon, dit Aramis ; je connais ce nom, ce me semble. N'est-ce pas vous qui m'aviez parlé d'un jeune homme ?

— Oui ! oui ! un pauvre diable d'étudiant qui fit... Comment appelez-vous ça, deux vers latins qui se touchent ?

— Un distique.

— Oui, c'est cela.

— Le malheureux ! pour un distique !

— Peste ! comme vous y allez ! Savez-vous qu'il l'a fait contre les jésuites, ce distique[1] ?

— C'est égal, la punition me paraît bien sévère.

— Ne le plaignez pas : l'année passée, vous avez paru vous intéresser à lui.

— Sans doute.

— Eh bien ! comme votre intérêt est tout-puissant ici, monseigneur, depuis ce jour je le traite comme un quinze livres.

— Alors, comme celui-ci, dit Aramis, qui avait continué de feuilleter, et qui s'était arrêté à un des noms qui suivaient celui de Martinier.

— Justement, comme celui-ci.

— Est-ce un Italien que ce Marchiali ? demanda Aramis en montrant du bout du doigt le nom qui avait attiré son attention[2].

— Chut ! fit Baisemeaux.

— Comment, chut ? dit Aramis en crispant involontairement sa main blanche.

— Je croyais vous avoir déjà parlé de ce Marchiali.

— Non, c'est la première fois que j'entends prononcer son nom.

— C'est possible, je vous en aurai parlé sans vous le nommer.

— Et c'est un vieux pécheur, celui-là ? demanda Aramis en essayant de sourire.

— Non, il est tout jeune, au contraire.

— Ah ! ah ! son crime est donc bien grand ?

— Impardonnable !

— Il a assassiné ?

— Bah !

— Incendié ?

— Bah !

— Calomnié ?

— Eh ! non. C'est celui qui...

Et Baisemeaux s'approcha de l'oreille d'Aramis en faisant de ses deux mains un cornet d'acoustique.

---

1. Sur François Seldon, voir Arnould, Alboize, Maquet, *op. cit.*, qui reproduit le distique : « Ils remplacent Jésus par les lis et le roi ; / Race inique, il n'est pas un autre Dieu pour toi. »

2. Marchialy n'est porté sur le livre d'écrou de la Bastille, par Étienne Du Junca, lieutenant du roi à la Bastille, que le 2 octobre 1690.

— C'est celui qui se permet de ressembler au...

— Ah ! oui, oui, dit Aramis. Je sais en effet, vous m'en aviez déjà parlé l'an dernier ; mais le crime m'avait paru si léger...

— Léger !

— Ou plutôt si involontaire...

— Monseigneur, ce n'est pas involontairement que l'on surprend une pareille ressemblance.

— Enfin, je l'avais oublié, voilà le fait. Mais, tenez, mon cher hôte, dit Aramis en fermant le registre, voilà, je crois, que l'on nous appelle.

Baisemeaux prit le registre, le reporta vivement vers l'armoire qu'il ferma, et dont il mit la clef dans sa poche.

— Vous plaît-il que nous déjeunions, monseigneur ? dit-il. Car vous ne vous trompez pas, on nous appelle pour le déjeuner.

— A votre aise, mon cher gouverneur.

Et ils passèrent dans la salle à manger.

XCVIII

LE DÉJEUNER DE M. DE BAISEMEAUX

Aramis était sobre d'ordinaire ; mais, cette fois, tout en se ménageant fort sur le vin, il fit honneur au déjeuner de Baisemeaux, qui d'ailleurs était excellent.

Celui-ci, de son côté, s'animait d'une gaieté folâtre ; l'aspect des cinq mille pistoles, sur lesquelles il tournait de temps en temps les yeux, épanouissait son cœur.

De temps en temps aussi, il regardait Aramis avec un doux attendrissement.

Celui-ci se renversait sur sa chaise et prenait du bout des lèvres dans son verre quelques gouttes de vin qu'il savourait en connaisseur.

— Qu'on ne vienne plus me dire du mal de l'ordinaire de la Bastille, dit-il en clignant les yeux ; heureux les prisonniers qui ont par jour seulement une demi-bouteille de ce bourgogne !

— Tous les quinze francs en boivent, dit Baisemeaux. C'est un Volnay fort vieux.

— Ainsi notre pauvre écolier, notre pauvre Seldon, en a, de cet excellent Volnay ?

— Non pas ! non pas !

— Je croyais vous avoir entendu dire qu'il était à quinze livres.

— Lui ! jamais ! un homme qui fait des districts... Comment dites-vous cela ?

— Des distiques.

— A quinze livres ! allons donc ! C'est son voisin qui est à quinze livres.

— Son voisin ?

— Oui.

— Lequel ?

— L'autre ; le deuxième Bertaudière.

— Mon cher gouverneur, excusez-moi, mais vous parlez une langue pour laquelle il faut un certain apprentissage.

— C'est vrai, pardon ; deuxième Bertaudière, voyez-vous, veut dire celui qui occupe le deuxième étage de la tour de la Bertaudière[1].

— Ainsi la Bertaudière est le nom d'une des tours de la Bastille ? J'ai, en effet, entendu dire que chaque tour avait son nom. Et où est cette tour ?

— Tenez, venez, dit Baisemeaux en allant à la fenêtre. C'est cette tour à gauche, la deuxième.

— Très bien. Ah ! c'est là qu'est le prisonnier à quinze livres ?

— Oui.

— Et depuis combien de temps y est-il ?

— Ah ! dame ! depuis sept ou huit ans, à peu près.

— Comment, à peu près ? Vous ne savez pas plus sûrement vos dates ?

— Ce n'était pas de mon temps, cher monsieur d'Herblay.

— Mais Louvière, mais Tremblay, il me semble qu'ils eussent dû vous instruire.

— Oh ! mon cher monsieur... Pardon, pardon, monseigneur.

— Ne faites pas attention. Vous disiez ?

— Je disais que les secrets de la Bastille ne se transmettent pas avec les clefs du gouvernement.

— Ah çà ? c'est donc un mystère que ce prisonnier, un secret d'État ?

— Oh ! un secret d'État, non, je ne crois pas ; c'est un secret comme tout ce qui se fait à la Bastille.

— Très bien, dit Aramis ; mais alors pourquoi parlez-vous plus librement de Seldon que de...

— Que du deuxième Bertaudière ?

— Oui.

— Mais parce qu'à mon avis le crime d'un homme qui a fait un distique est moins grand que celui qui ressemble au...

— Oui, oui, je vous comprends, mais les guichetiers...

— Eh bien ! les guichetiers ?

---

1. Du Junca mit le prisonnier, « en descendant de litière, dans la première chambre de la tour de la Bazinnière, en attendant la nuit pour le mettre [...] dans la troisième chambre, seul, de la tour de la Bertaudière, que j'avais fait meubler de toutes choses. » Les registres de la Bastille de Du Junca sont aujourd'hui conservés à la bibliothèque de l'Arsenal (Mss 5133-5134) ; les extraits concernant Marchiali (ou Marchioly) avaient été publiés dans *Traité des différentes sortes de preuves qui servent à établir la vérité de l'Histoire*, par le R. P. Henri Griffet, Liège, J. F. Bassompierre, 1769, in-12°, chap. XIV.

— Ils causent avec vos prisonniers.

— Sans doute.

— Alors vos prisonniers doivent leur dire qu'ils ne sont pas coupables.

— Ils ne leur disent que cela, c'est la formule générale, c'est l'antienne universelle.

— Oui, mais maintenant cette ressemblance dont vous parliez tout à l'heure ?

— Après ?

— Ne peut-elle pas frapper vos guichetiers ?

— Oh ! mon cher monsieur d'Herblay, il faut être homme de cour comme vous pour s'occuper de tous ces détails-là.

— Vous avez mille fois raison, mon cher monsieur de Baisemeaux. Encore une goutte de ce Volnay, je vous prie.

— Pas une goutte, un verre.

— Non, non. Vous êtes resté mousquetaire jusqu'au bout des ongles, tandis que, moi, je suis devenu évêque. Une goutte pour moi, un verre pour vous.

— Soit.

Aramis et le gouverneur trinquèrent.

— Et puis, dit Aramis en fixant son regard brillant sur le rubis en fusion élevé par sa main à la hauteur de son œil, comme s'il eût voulu jouir par tous les sens à la fois ; et puis ce que vous appelez une ressemblance, vous, un autre ne la remarquerait peut-être pas.

— Oh ! que si. Tout autre qui connaîtrait, enfin, la personne à laquelle il ressemble.

— Je crois, cher monsieur de Baisemeaux, que c'est tout simplement un jeu de votre esprit.

— Non pas, sur ma parole.

— Écoutez, continua Aramis : j'ai vu beaucoup de gens ressembler à celui que nous disons, mais par respect on n'en parlait pas.

— Sans doute parce qu'il y a ressemblance et ressemblance ; celle-là est frappante, et si vous le voyiez...

— Eh bien ?

— Vous en conviendriez vous-même.

— Si je le voyais, dit Aramis d'un air dégagé ; mais je ne le verrai pas, selon toute probabilité.

— Et pourquoi ?

— Parce que, si je mettais seulement le pied dans une de ces horribles chambres, je me croirais à tout jamais enterré.

— Eh non ! l'habitation est bonne.

— Nenni.

— Comment, nenni ?

— Je ne vous crois pas sur parole, voilà tout.

— Permettez, permettez, ne dites pas de mal de la deuxième

Bertaudière. Peste ! c'est une bonne chambre, meublée fort agréablement, ayant tapis.

— Diable !

— Oui ! oui ! il n'a pas été malheureux, ce garçon-là, le meilleur logement de la Bastille a été pour lui. En voilà une chance !

— Allons ! allons ! dit froidement Aramis, vous ne me ferez jamais croire qu'il y ait de bonnes chambres à la Bastille ; et quant à vos tapis...

— Eh bien ! quant à mes tapis ?...

— Eh bien ! ils n'existent que dans votre imagination ; je vois des araignées, des rats, des crapauds même.

— Des crapauds ? Ah ! dans les cachots, je ne dis pas.

— Mais je vois peu de meubles et pas du tout de tapis.

— Êtes-vous homme à vous convaincre par vos yeux ? dit Baisemeaux avec entraînement.

— Non ! oh ! pardieu, non !

— Même pour vous assurer de cette ressemblance, que vous niez comme les tapis ?

— Quelque spectre, quelque ombre, un malheureux mourant.

— Non pas ! non pas ! Un gaillard se portant comme le pont Neuf.

— Triste, maussade ?

— Pas du tout : folâtre.

— Allons donc !

— C'est le mot. Il est lâché, je ne le retire pas.

— C'est impossible !

— Venez.

— Où cela ?

— Avec moi.

— Quoi faire ?

— Un tour de Bastille.

— Comment ?

— Vous verrez, vous verrez par vous-même, vous verrez de vos yeux.

— Et les règlements ?

— Oh ! qu'à cela ne tienne. C'est le jour de sortie de mon major ; le lieutenant est en ronde sur les bastions ; nous sommes maîtres chez nous.

— Non, non, cher gouverneur ; rien que de penser au bruit des verrous qu'il nous faudra tirer, j'en ai le frisson.

— Allons donc !

— Vous n'auriez qu'à m'oublier dans quelque troisième ou quatrième Bertaudière... Brou !...

— Vous voulez rire ?

— Non, je vous parle sérieusement.

— Vous refusez une occasion unique. Savez-vous que, pour obtenir la faveur que je vous propose gratis, certains princes du sang ont offert jusqu'à cinquante mille livres ?

— Décidément, c'est donc bien curieux ?

— Le fruit défendu, monseigneur ! le fruit défendu ! Vous qui êtes d'Église, vous devez savoir cela.

— Non. Si j'avais quelque curiosité, moi, ce serait pour le pauvre écolier du distique.

— Eh bien ! voyons celui-là ; il habite la troisième Bertaudière, justement.

— Pourquoi dites-vous justement ?

— Parce que, moi, si j'avais une curiosité, ce serait pour la belle chambre tapissée et pour son locataire.

— Bah ! des meubles, c'est banal ; une figure insignifiante, c'est sans intérêt.

— Un quinze livres, monseigneur, un quinze livres, c'est toujours intéressant.

— Eh ! justement, j'oubliais de vous interroger là-dessus. Pourquoi quinze livres à celui-là et trois livres seulement au pauvre Seldon ?

— Ah ! voyez, c'est une chose superbe que cette distinction, mon cher monsieur, et voilà où l'on voit éclater la bonté du roi...

— Du roi ! du roi !

— Du cardinal, je veux dire. « Ce malheureux, s'est dit M. de Mazarin, ce malheureux est destiné à demeurer toujours en prison. »

— Pourquoi ?

— Dame ! il me semble que son crime est éternel, et que, par conséquent, le châtiment doit l'être aussi.

— Éternel ?

— Sans doute. S'il n'a pas le bonheur d'avoir la petite vérole, vous comprenez... et cette chance même lui est difficile, car on n'a pas de mauvais air à la Bastille.

— Votre raisonnement est on ne peut plus ingénieux, cher monsieur de Baisemeaux.

— N'est-ce pas ?

— Vous vouliez donc dire que ce malheureux devait souffrir sans trêve et sans fin...

— Souffrir, je n'ai pas dit cela, monseigneur ; un quinze livres ne souffre pas.

— Souffrir la prison, au moins ?

— Sans doute, c'est une fatalité ; mais cette souffrance, on la lui adoucit. Enfin, vous en conviendrez, ce gaillard-là n'était pas venu au monde pour manger toutes les bonnes choses qu'il mange. Pardieu ! vous allez voir : nous avons ici ce pâté intact, ces écrevisses auxquelles nous avons à peine touché, des écrevisses de Marne, grosses comme des langoustes, voyez. Eh bien ! tout cela va prendre le chemin de la Deuxième

Bertaudière, avec une bouteille de ce Volnay que vous trouvez si bon. Ayant vu, vous ne douterez plus, j'espère.

— Non, mon cher gouverneur, non ; mais, dans tout cela, vous ne pensez qu'aux bienheureuses quinze livres, et vous oubliez toujours le pauvre Seldon, mon protégé.

— Soit ! à votre considération, jour de fête pour lui : il aura des biscuits et des confitures, avec ce flacon de porto.

— Vous êtes un brave homme, je vous l'ai déjà dit et je vous le répète, mon cher Baisemeaux.

— Partons, partons, dit le gouverneur un peu étourdi, moitié par le vin qu'il avait bu, moitié par les éloges d'Aramis.

— Souvenez-vous que c'est pour vous obliger, ce que j'en fais, dit le prélat.

— Oh ! vous me remercierez en rentrant.

— Partons donc.

— Attendez que je prévienne le porte-clefs.

Baisemeaux sonna deux coups ; un homme parut.

— Je vais aux tours ! cria le gouverneur. Pas de gardes, pas de tambours, pas de bruit, enfin !

— Si je ne laissais ici mon manteau, dit Aramis, en affectant la crainte, je croirais, en vérité, que je vais en prison pour mon propre compte.

Le porte-clefs précéda le gouverneur ; Aramis prit la droite ; quelques soldats épars dans la cour se rangèrent, fermes comme des pieux, sur le passage du gouverneur.

Baisemeaux fit franchir à son hôte plusieurs marches qui menaient à une espèce d'esplanade ; de là, on vint au pont-levis, sur lequel les factionnaires reçurent le gouverneur et le reconnurent.

— Monsieur, dit alors le gouverneur en se retournant du côté d'Aramis et en parlant de façon que les factionnaires ne perdissent point une de ses paroles ; monsieur, vous avez bonne mémoire, n'est-ce pas ?

— Pourquoi ? demanda Aramis.

— Pour vos plans et pour vos mesures, car vous savez qu'il n'est pas permis, même aux architectes, d'entrer chez les personnes avec du papier, des plumes ou un crayon.

« Bon ! se dit Aramis à lui-même, il paraît que je suis un architecte. N'est-ce pas encore là une plaisanterie de d'Artagnan, qui m'a vu ingénieur à Belle-Ile ? »

Puis, tout haut :

— Tranquillisez-vous, monsieur le gouverneur ; dans notre état, le coup d'œil et la mémoire suffisent.

Baisemeaux ne sourcilla point : les gardes prirent Aramis pour ce qu'il semblait être.

— Eh bien ! allons d'abord à la Bertaudière, dit Baisemeaux toujours avec l'intention d'être entendu des factionnaires.

— Allons, répondit Aramis.

Puis, s'adressant au porte-clefs :

— Tu profiteras de cela, lui dit-il, pour porter au numéro 2 les friandises que j'ai désignées.

— Le numéro 3, cher monsieur de Baisemeaux, le numéro 3, vous l'oubliez toujours.

— C'est vrai.

Ils montèrent.

Ce qu'il y avait de verrous, de grilles et de serrures pour cette seule cour eût suffi à la sûreté d'une ville entière.

Aramis n'était ni un rêveur ni un homme sensible ; il avait fait des vers dans sa jeunesse ; mais il était sec de cœur, comme tout homme de cinquante-cinq ans qui a beaucoup aimé les femmes ou plutôt qui en a été fort aimé.

Mais, lorsqu'il posa le pied sur les marches de pierre usées par lesquelles avaient passé tant d'infortunes, lorsqu'il se sentit imprégné de l'atmosphère de ces sombres voûtes humides de larmes, il fut, sans nul doute, attendri, car son front se baissa, car ses yeux se troublèrent, et il suivit Baisemeaux sans lui adresser une parole.

XCIX

LE DEUXIÈME DE LA BERTAUDIÈRE

Au deuxième étage, soit fatigue, soit émotion, la respiration manqua au visiteur.

Il s'adossa contre le mur.

— Voulez-vous commencer par celui-ci ? dit Baisemeaux. Puisque nous allons de l'un chez l'autre, peu importe, ce me semble, que nous montions du second au troisième, ou que nous descendions du troisième au second. Il y a, d'ailleurs, aussi certaines réparations à faire dans cette chambre, se hâta-t-il d'ajouter à l'intention du guichetier qui se trouvait à la portée de la voix.

— Non ! non ! s'écria vivement Aramis ; plus haut, plus haut, monsieur le gouverneur, s'il vous plaît ; le haut est le plus pressé.

Ils continuèrent de monter.

— Demandez les clefs au geôlier, souffla tout bas Aramis.

— Volontiers.

Baisemeaux prit les clefs et ouvrit lui-même la porte de la troisième chambre. Le porte-clefs entra le premier et déposa sur une table les provisions que le bon gouverneur appelait des friandises.

Puis il sortit.

Le prisonnier n'avait pas fait un mouvement.

Alors Baisemeaux entra à son tour, tandis qu'Aramis se tenait sur le seuil.

De là, il vit un jeune homme, un enfant de dix-huit ans qui, levant la tête au bruit inaccoutumé, se jeta à bas de son lit en apercevant le gouverneur, et, joignant les mains, se mit à crier :

— Ma mère ! ma mère !

L'accent de ce jeune homme contenait tant de douleur, qu'Aramis se sentit frissonner malgré lui.

— Mon cher hôte, lui dit Baisemeaux en essayant de sourire, je vous apporte à la fois une distraction et un extra, la distraction pour l'esprit et l'extra pour le corps. Voilà Monsieur qui va prendre des mesures sur vous, et voilà des confitures pour votre dessert.

— Oh ! monsieur ! monsieur ! dit le jeune homme, laissez-moi seul pendant un an, nourrissez-moi de pain et d'eau pendant un an, mais dites-moi qu'au bout d'un an je sortirai d'ici, dites-moi qu'au bout d'un an je reverrai ma mère !

— Mais, mon cher ami, dit Baisemeaux, je vous ai entendu dire à vous-même qu'elle était fort pauvre, votre mère, que vous étiez fort mal logé chez elle, tandis qu'ici, peste !

— Si elle était pauvre, monsieur, raison de plus pour qu'on lui rende son soutien. Mal logé chez elle ? Oh ! monsieur, on est toujours bien logé quand on est libre.

— Enfin, puisque vous dites vous-même que vous n'avez fait que ce malheureux distique...

— Et sans intention, monsieur, sans intention aucune, je vous jure ; je lisais Martial quand l'idée m'en est venue. Oh ! monsieur, qu'on me punisse, moi, qu'on me coupe la main avec laquelle je l'ai écrit, je travaillerai de l'autre ; mais qu'on me rende ma mère.

— Mon enfant, dit Baisemeaux, vous savez que cela ne dépend pas de moi ; je ne puis que vous augmenter votre ration, vous donner un petit verre de porto, vous glisser un biscuit entre deux assiettes.

— O mon Dieu ! mon Dieu ! s'écria le jeune homme en se renversant en arrière et en se roulant sur le parquet.

Aramis, incapable de supporter plus longtemps cette scène, se retira jusque sur le palier.

— Le malheureux ! murmurait-il tout bas.

— Oh ! oui, monsieur, il est bien malheureux ; mais c'est la faute de ses parents.

— Comment cela ?

— Sans doute... Pourquoi lui faisait-on apprendre le latin ?... Trop de science, voyez-vous, monsieur, ça nuit... Moi, je ne sais ni lire ni écrire : aussi je ne suis pas en prison.

Aramis regarda cet homme, qui appelait n'être pas en prison être geôlier à la Bastille.

Quant à Baisemeaux, voyant le peu d'effet de ses conseils et de son vin de Porto, il sortit tout troublé.

— Eh bien ! et la porte ! la porte ! dit le geôlier, vous oubliez de refermer la porte.

— C'est vrai, dit Baisemeaux. Tiens, tiens, voilà les clefs.

— Je demanderai la grâce de cet enfant, dit Aramis.

— Et si vous ne l'obtenez pas, dit Baisemeaux, demandez au moins qu'on le porte à dix livres, cela fait que nous y gagnerons tous les deux.

— Si l'autre prisonnier appelle aussi sa mère, fit Aramis, j'aime mieux ne pas entrer, je prendrai mesure du dehors.

— Oh ! oh ! dit le geôlier, n'ayez pas peur, monsieur l'architecte, celui-là, il est doux comme un agneau ; pour appeler sa mère, il faudrait qu'il parlât, et il ne parle jamais.

— Alors entrons, dit sourdement Aramis.

— Oh ! monsieur, dit le porte-clefs, vous êtes architecte des prisons ?

— Oui.

— Et vous n'êtes pas plus habitué à la chose ? C'est étonnant !

Aramis vit que, pour ne pas inspirer de soupçons, il lui fallait appeler toute sa force à son secours.

Baisemeaux avait les clefs, il ouvrit la porte.

— Reste dehors, dit-il au porte-clefs, et attends-nous au bas du degré.

Le porte-clefs obéit et se retira.

Baisemeaux passa le premier et ouvrit lui-même la deuxième porte.

Alors on vit, dans le carré de lumière qui filtrait par la fenêtre grillée, un beau jeune homme, de petite taille, aux cheveux courts, à la barbe déjà croissante ; il était assis sur un escabeau, le coude dans un fauteuil auquel s'appuyait tout le haut de son corps.

Son habit, jeté sur le lit, était de fin velours noir, et il aspirait l'air frais qui venait s'engouffrer dans sa poitrine couverte d'une chemise de la plus belle batiste que l'on avait pu trouver.

Lorsque le gouverneur entra, ce jeune homme tourna la tête avec un mouvement plein de nonchalance, et, comme il reconnut Baisemeaux, il se leva et salua courtoisement.

Mais, quand ses yeux se portèrent sur Aramis, demeuré dans l'ombre, celui-ci frissonna ; il pâlit et son chapeau, qu'il tenait à la main, lui échappa comme si tous les muscles venaient de se détendre à la fois.

Baisemeaux, pendant ce temps, habitué à la présence de son prisonnier, semblait ne partager aucune des sensations que partageait Aramis ; il étalait sur la table son pâté et ses écrevisses, comme eût pu faire un serviteur plein de zèle. Ainsi occupé, il ne remarquait point le trouble de son hôte.

Mais, quand il eut fini, adressant la parole au jeune prisonnier :

— Vous avez bonne mine, dit-il, cela va bien ?

— Très bien, monsieur, merci, répondit le jeune homme.

Cette voix faillit renverser Aramis. Malgré lui il fit un pas en avant, les lèvres frémissantes.

Ce mouvement était si visible, qu'il ne put échapper à Baisemeaux, tout préoccupé qu'il était.

— Voici un architecte qui va examiner votre cheminée, dit Baisemeaux ; fume-t-elle ?

— Jamais, monsieur.

— Vous disiez qu'on ne pouvait pas être heureux en prison, dit le gouverneur en se frottant les mains ; voici pourtant un prisonnier qui l'est. Vous ne vous plaignez pas, j'espère ?

— Jamais.

— Vous ne vous ennuyez pas ? dit Aramis.

— Jamais.

— Hein ! fit tout bas Baisemeaux, avais-je raison ?

— Dame ! que voulez-vous, mon cher gouverneur, il faut bien se rendre à l'évidence. Est-il permis de lui faire des questions ?

— Tout autant qu'il vous plaira.

— Eh bien ! faites-moi donc le plaisir de lui demander s'il sait pourquoi il est ici.

— Monsieur me charge de vous demander, dit Baisemeaux, si vous connaissez la cause de votre détention.

— Non, monsieur, dit simplement le jeune homme, je ne la connais pas.

— Mais c'est impossible, dit Aramis emporté malgré lui. Si vous ignoriez la cause de votre détention, vous seriez furieux.

— Je l'ai été pendant les premiers jours.

— Pourquoi ne l'êtes-vous plus ?

— Parce que j'ai réfléchi.

— C'est étrange, dit Aramis.

— N'est-ce pas qu'il est étonnant ? fit Baisemeaux.

— Et à quoi avez-vous réfléchi ? demanda Aramis. Peut-on vous le demander, monsieur ?

— J'ai réfléchi que, n'ayant commis aucun crime, Dieu ne pouvait me châtier.

— Mais qu'est-ce donc que la prison, demanda Aramis, si ce n'est un châtiment ?

— Hélas ! dit le jeune homme, je ne sais ; tout ce que je puis vous dire, c'est que c'est tout le contraire de ce que j'avais dit il y a sept ans.

— A vous entendre, monsieur, à voir votre résignation, on serait tenté de croire que vous aimez la prison.

— Je la supporte.

— C'est dans la certitude d'être libre un jour ?

— Je n'ai pas de certitude, monsieur ; de l'espoir, voilà tout ; et cependant, chaque jour, je l'avoue, cet espoir se perd.

— Mais enfin, pourquoi ne seriez-vous pas libre, puisque vous l'avez déjà été ?

— C'est justement, répondit le jeune homme, la raison qui m'empêche d'attendre la liberté ; pourquoi m'eût-on emprisonné, si l'on avait l'intention de me faire libre plus tard ?

— Quel âge avez-vous ?

— Je ne sais.

— Comment vous nommez-vous ?

— J'ai oublié le nom qu'on me donnait.

— Vos parents ?

— Je ne les ai jamais connus.

— Mais ceux qui vous ont élevé ?

— Ils ne m'appelaient pas leur fils.

— Aimiez-vous quelqu'un avant de venir ici ?

— J'aimais ma nourrice et mes fleurs.

— Est-ce tout ?

— J'aimais aussi mon valet.

— Vous regrettez cette nourrice et ce valet ?

— J'ai beaucoup pleuré quand ils sont morts.

— Sont-ils morts depuis que vous êtes ici ou auparavant que vous y fussiez ?

— Ils sont morts la veille du jour où l'on m'a enlevé.

— Tous deux en même temps ?

— Tous deux en même temps.

— Et comment vous enleva-t-on ?

— Un homme me vint chercher, me fit monter dans un carrosse qui se trouva fermé avec des serrures, et m'amena ici.

— Cet homme, le reconnaîtriez-vous ?

— Il avait un masque.

— N'est-ce pas que cette histoire est extraordinaire ? dit tout bas Baisemeaux à Aramis.

Aramis pouvait à peine respirer.

— Oui, extraordinaire, murmura-t-il.

— Mais ce qu'il y a de plus extraordinaire encore, c'est que jamais il ne m'en a dit autant qu'il vient de vous en dire.

— Peut-être cela tient-il aussi à ce que vous ne l'avez jamais questionné, dit Aramis.

— C'est possible, répondit Baisemeaux, je ne suis pas curieux. Au reste, vous voyez la chambre : elle est belle, n'est-ce pas ?

— Fort belle.

— Un tapis...

— Superbe.

— Je gage qu'il n'en avait pas de pareil avant de venir ici.

— Je le crois.

Puis, se retournant vers le jeune homme :

— Ne vous rappelez-vous point avoir été jamais visité par quelque étranger ou quelque étrangère ? demanda Aramis au jeune homme.

— Oh ! si fait, trois fois par une femme, qui chaque fois s'arrêta en voiture à la porte, entra, couverte d'un voile qu'elle ne leva que lorsque nous fûmes enfermés et seuls.

— Vous vous rappelez cette femme ?

— Oui.

— Que vous disait-elle ?

Le jeune homme sourit tristement.

— Elle me demandait ce que vous me demandez, si j'étais heureux et si je m'ennuyais.

— Et lorsqu'elle arrivait ou partait ?

— Elle me pressait dans ses bras, me serrait sur son cœur, m'embrassait.

— Vous vous la rappelez ?

— A merveille.

— Je vous demande si vous vous rappelez les traits de son visage.

— Oui.

— Donc, vous la reconnaîtriez si le hasard l'amenait devant vous ou vous conduisait à elle ?

— Oh ! bien certainement.

Un éclair de fugitive satisfaction passa sur le visage d'Aramis.

En ce moment Baisemeaux entendit le porte-clefs qui remontait.

— Voulez-vous que nous sortions ? dit-il vivement à Aramis.

Probablement Aramis savait tout ce qu'il voulait savoir.

— Quand il vous plaira, dit-il.

Le jeune homme les vit se disposer à partir et les salua poliment.

Baisemeaux répondit par une simple inclination de tête.

Aramis, rendu respectueux par le malheur sans doute, salua profondément le prisonnier.

Ils sortirent. Baisemeaux ferma la porte derrière eux.

— Eh bien ! fit Baisemeaux dans l'escalier, que dites-vous de tout cela ?

— J'ai découvert le secret, mon cher gouverneur, dit-il.

— Bah ! Et quel est ce secret ?

— Il y a eu un assassinat commis dans cette maison.

— Allons donc !

— Comprenez-vous, le valet et la nourrice morts le même jour ?

— Eh bien ?

— Poison.

— Ah ! ah !

— Qu'en dites-vous ?

— Que cela pourrait bien être vrai... Quoi ! ce jeune homme serait un assassin ?

— Eh ! qui vous dit cela ? Comment voulez-vous que le pauvre enfant soit un assassin ?

— C'est ce que je disais.

— Le crime a été commis dans sa maison ; c'est assez ; peut-être a-t-il vu les criminels, et l'on craint qu'il ne parle.

— Diable ! si je savais cela.

— Eh bien ?

— Je redoublerais de surveillance.

— Oh ! il n'a pas l'air d'avoir envie de se sauver.

— Ah ! les prisonniers, vous ne les connaissez pas.

— A-t-il des livres ?

— Jamais ; défense absolue de lui en donner.

— Absolue ?

— De la main même de M. Mazarin.

— Et vous avez cette note ?

— Oui, monseigneur ; la voulez-vous voir en revenant prendre votre manteau ?

— Je le veux bien, les autographes me plaisent fort.

— Celui-là est d'une certitude superbe ; il n'y a qu'une rature.

— Ah ! ah ! une rature ! et à quel propos, cette rature ?

— A propos d'un chiffre ?

— D'un chiffre ?

— Oui. Voilà ce qu'il y avait d'abord : pension à cinquante livres.

— Comme les princes du sang, alors ?

— Mais le cardinal aura vu qu'il se trompait, vous comprenez bien ; il a biffé le zéro et a ajouté un un devant le cinq. Mais, à propos...

— Quoi ?

— Vous ne parlez pas de la ressemblance.

— Je n'en parle pas, cher monsieur de Baisemeaux, par une raison bien simple ; je n'en parle pas, parce qu'elle n'existe pas.

— Oh ! par exemple !

— Ou que, si elle existe, c'est dans votre imagination, et que même, existât-elle ailleurs, je crois que vous feriez bien de n'en point parler.

— Vraiment !

— Le roi Louis XIV, vous le comprenez bien, vous en voudrait mortellement s'il apprenait que vous contribuez à répandre ce bruit qu'un de ses sujets a l'audace de lui ressembler.

— C'est vrai, c'est vrai, dit Baisemeaux tout effrayé, mais je n'ai parlé de la chose qu'à vous, et vous comprenez, monseigneur, que je compte assez sur votre discrétion.

— Oh ! soyez tranquille.

— Voulez-vous toujours voir la note ? dit Baisemeaux ébranlé.

— Sans doute.

En causant ainsi, ils étaient rentrés ; Baisemeaux tira de l'armoire un registre particulier pareil à celui qu'il avait déjà montré à Aramis, mais fermé par une serrure.

La clef qui ouvrait cette serrure faisait partie d'un petit trousseau que Baisemeaux portait toujours sur lui.

Puis, posant le livre sur la table, il l'ouvrit à la lettre M et montra à Aramis cette note à la colonne des observations :

Jamais de livres, linge de la plus grande finesse, habits recherchés, pas de promenades, pas de changement de geôlier, pas de communications.

Instruments de musique ; toute licence pour le bien-être ; quinze livres de nourriture. M. de Baisemeaux peut réclamer si les 15 livres ne lui suffisent pas.

— Tiens, au fait, dit Baisemeaux, j'y songe : je réclamerai.

Aramis referma le livre.

— Oui, dit-il, c'est bien de la main de M. de Mazarin ; je reconnais son écriture. Maintenant, mon cher gouverneur, continua-t-il, comme si cette dernière communication avait épuisé son intérêt, passons, si vous le voulez bien, à nos petits arrangements.

— Eh bien ! quel terme voulez-vous que je prenne ? Fixez vous-même.

— Ne prenez pas de terme ; faites-moi une reconnaissance pure et simple de cent cinquante mille francs.

— Exigible ?

— A ma volonté. Mais, vous comprenez, je ne voudrai que lorsque vous voudrez vous-même.

— Oh ! je suis tranquille, dit Baisemeaux en souriant ; mais je vous ai déjà donné deux reçus.

— Aussi, vous voyez, je les déchire.

Et Aramis, après avoir montré les deux reçus au gouverneur, les déchira en effet.

Vaincu par une pareille marque de confiance, Baisemeaux souscrivit sans hésitation une obligation de cent cinquante mille francs remboursable à la volonté du prélat.

Aramis, qui avait suivi la plume par-dessus l'épaule du gouverneur, mit l'obligation dans sa poche sans avoir l'air de l'avoir lue, ce qui donna toute tranquillité à Baisemeaux.

— Maintenant, dit Aramis, vous ne m'en voudrez point, n'est-ce pas, si je vous enlève quelque prisonnier ?

— Comment cela ?

— Sans doute en obtenant sa grâce. Ne vous ai-je pas dit, par exemple, que le pauvre Seldon m'intéressait ?

— Ah ! c'est vrai !

— Eh bien ?

— C'est votre affaire ; agissez comme vous l'entendrez. Je vois que vous avez le bras long et la main large.

Et Aramis partit, emportant les bénédictions du gouverneur.

C

LES DEUX AMIES

A l'heure où M. de Baisemeaux montrait à Aramis les prisonniers de la Bastille, un carrosse s'arrêtait devant la porte de Mme de Bellière, et à cette heure encore matinale déposait au perron une jeune femme enveloppée de coiffes de soie.

Lorsqu'on annonça Mme Vanel à Mme de Bellière, celle-ci s'occupait ou plutôt s'absorbait à lire une lettre qu'elle cacha précipitamment.

Elle achevait à peine sa toilette du matin, ses femmes étaient encore dans la chambre voisine.

Au nom, au pas de Marguerite Vanel, Mme de Bellière courut à sa rencontre. Elle crut voir dans les yeux de son amie un éclat qui n'était pas celui de la santé ou de la joie.

Marguerite l'embrassa, lui serra les mains, lui laissa à peine le temps de parler.

— Ma chère, dit-elle, tu m'oublies donc ? Tu es donc tout entière aux plaisirs de la cour ?

— Je n'ai pas vu seulement les fêtes du mariage.

— Que fais-tu alors ?

— Je me prépare à aller à Bellière[1].

— A Bellière !

— Oui.

— Campagnarde alors. J'aime à te voir dans ces dispositions. Mais tu es pâle.

— Non, je me porte à ravir.

— Tant mieux, j'étais inquiète. Tu ne sais pas ce qu'on m'avait dit ?

— On dit tant de choses !

— Oh ! celle-là est extraordinaire.

— Comme tu sais faire languir ton auditoire, Marguerite.

— M'y voici. C'est que j'ai peur de te fâcher.

1. Les Rougé, seigneurs du Plessis-Bellière, étaient originaires de la région nantaise, mais nous n'avons pas retrouvé Bellière. Après la mort de son mari, Mme du Plessis-Bellière habita à Charenton, dans une maison décrite par Mlle de Scudéry au tome IX de *Clélie* dans laquelle Mme du Plessis-Bellière est Bélisanthe. Elle y vivait avec ses deux frères et sa nièce.

— Oh ! jamais. Tu admires toi-même mon égalité d'humeur.

— Eh bien ! on dit que... Ah ! vraiment, je ne pourrai jamais t'avouer cela.

— N'en parlons plus alors, fit Mme de Bellière, qui devinait une méchanceté sous ces préambules, mais qui cependant se sentait dévorée de curiosité.

— Eh bien ! ma chère marquise, on dit que depuis quelque temps tu regrettes beaucoup moins M. de Bellière, le pauvre homme[1] !

— C'est un mauvais bruit, Marguerite ; je regrette et regretterai toujours mon mari ; mais voilà deux ans qu'il est mort ; je n'en ai que vingt-huit, et la douleur de sa perte ne doit pas dominer toutes les actions, toutes les pensées de ma vie. Je le dirais, que toi, toi, Marguerite, la femme par excellence, tu ne le croirais pas.

— Pourquoi ? Tu as le cœur si tendre ! répliqua méchamment Mme Vanel.

— Tu l'as aussi, Marguerite, et je n'ai pas vu que tu te laissasses abattre par le chagrin quand le cœur était blessé.

Ces mots étaient une allusion directe à la rupture de Marguerite avec le surintendant. Ils étaient aussi un reproche voilé, mais direct, fait au cœur de la jeune femme.

Comme si elle n'eût attendu que ce signal pour décocher sa flèche, Marguerite s'écria :

— Eh bien ! Élise, on dit que tu es amoureuse.

Et elle dévora du regard Mme de Bellière, qui rougit sans pouvoir s'en empêcher.

— On ne se fait jamais faute de calomnier les femmes, répliqua la marquise après un instant de silence.

— Oh ! on ne te calomnie pas, Élise.

— Comment ! on dit que je suis amoureuse, et on ne me calomnie pas ?

— D'abord, si c'est vrai, il n'y a pas de calomnie, il n'y a que médisance ; ensuite, car tu ne me laisses pas achever, le public ne dit pas que tu t'abandonnes à cet amour. Il te peint, au contraire, comme une vertueuse amante armée de griffes et de dents, te renfermant chez toi comme dans une forteresse, et dans une forteresse autrement impénétrable que celle de Danaé, bien que la tour de Danaé fût faite d'airain[2].

— Tu as de l'esprit, Marguerite, dit Mme de Bellière, tremblante.

— Tu m'as toujours flattée, Élise... Bref, on te dit incorruptible et inaccessible. Tu vois si l'on te calomnie... Mais à quoi rêves-tu pendant que je te parle ?

— Moi ?

1. Jacques de Rougé, sieur du Plessis-Bellière, était mort en 1655.
2. Voir Dictionnaire. Antiquité.

— Oui, tu es toute rouge et toute muette.

— Je cherche, dit la marquise relevant ses beaux yeux brillant d'un commencement de colère, je cherche à quoi tu as pu faire allusion, toi, si savante dans la mythologie, en me comparant à Danaé.

— Ah ! ah ! fit Marguerite en riant, tu cherches cela ?

— Oui ; ne te souvient-il pas qu'au couvent, lorsque nous cherchions des problèmes d'arithmétique... Ah ! c'est savant aussi ce que je vais te dire, mais à mon tour... Ne te souviens-tu pas que, si l'un des termes était donné, nous devions trouver l'autre ? Cherche, alors, cherche.

— Mais je ne devine pas ce que tu veux dire.

— Rien de plus simple, pourtant. Tu prétends que je suis amoureuse, n'est-ce pas ?

— On me l'a dit.

— Eh bien ! on ne dit pas que je sois amoureuse d'une abstraction. Il y a un nom dans tout ce bruit ?

— Certes, oui, il y a un nom.

— Eh bien ! ma chère, il n'est pas étonnant que je doive chercher ce nom, puisque tu ne me le dis pas.

— Ma chère marquise, en te voyant rougir, je croyais que tu ne chercherais pas longtemps.

— C'est ton mot Danaé qui m'a surprise. Qui dit Danaé dit pluie d'or, n'est-ce pas ?

— C'est-à-dire que le Jupiter de Danaé se changea pour elle en pluie d'or.

— Mon amant alors... celui que tu me donnes...

— Oh ! pardon ; moi, je suis ton amie et ne te donne personne.

— Soit !... mais les ennemis.

— Veux-tu que je te dise le nom ?

— Il y a une demi-heure que tu me le fais attendre.

— Tu vas l'entendre. Ne t'effarouche pas, c'est un homme puissant.

— Bon !

La marquise s'enfonçait dans les mains ses ongles effilés, comme le patient à l'approche du fer.

— C'est un homme très riche, continua Marguerite, le plus riche peut-être. C'est enfin...

La marquise ferma un instant les yeux.

— C'est le duc de Buckingham, dit Marguerite en riant aux éclats.

La perfidie avait été calculée avec une adresse incroyable. Ce nom, qui tombait à faux à la place du nom que la marquise attendait, faisait bien l'effet sur la pauvre femme de ces haches mal aiguisées qui avaient déchiqueté, sans les tuer, MM. de Chalais et de Thou sur leurs échafauds.

Elle se remit pourtant.

— J'avais bien raison, dit-elle, de t'appeler une femme d'esprit ; tu me fais passer un agréable moment. La plaisanterie est charmante... Je n'ai jamais vu M. de Buckingham.

— Jamais ? fit Marguerite en contenant ses éclats.

— Je n'ai pas mis le pied hors de chez moi depuis que le duc est à Paris.

— Oh ! reprit Mme Vanel en allongeant son pied mutin vers un papier qui frissonnait près de la fenêtre sur un tapis. On peut ne pas se voir, mais on s'écrit.

La marquise frémit. Ce papier était l'enveloppe de la lettre qu'elle lisait à l'entrée de son amie. Cette enveloppe était cachetée aux armes du surintendant.

En se reculant sur son sofa, Mme de Bellière fit rouler sur ce papier les plis épais de sa large robe de soie, et l'ensevelit ainsi.

— Voyons, dit-elle alors, voyons, Marguerite, est-ce pour me dire toutes ces folies que tu es venue de si bon matin ?

— Non, je suis venue pour te voir d'abord et pour te rappeler nos anciennes habitudes si douces et si bonnes, tu sais, lorsque nous allions nous promener à Vincennes, et que, sous un chêne, dans un taillis, nous causions de ceux que nous aimions et qui nous aimaient.

— Tu me proposes une promenade.

— J'ai mon carrosse et trois heures de liberté.

— Je ne suis pas vêtue, Marguerite... et... si tu veux que nous causions, sans aller au bois de Vincennes, nous trouverions dans le jardin de l'hôtel un bel arbre, des charmilles touffues, un gazon semé de pâquerettes, et toute cette violette que l'on sent d'ici.

— Ma chère marquise, je regrette que tu me refuses... J'avais besoin d'épancher mon cœur dans le tien.

— Je te le répète, Marguerite, mon cœur est à toi, aussi bien dans cette chambre, aussi bien ici près, sous ce tilleul de mon jardin, que là-bas, sous un chêne dans le bois.

— Pour moi, ce n'est pas la même chose... En me rapprochant de Vincennes, marquise, je rapprochais mes soupirs du but vers lequel ils tendent depuis quelques jours.

La marquise leva tout à coup la tête.

— Cela t'étonne, n'est-ce pas... que je pense encore à Saint-Mandé ?

— A Saint-Mandé ! s'écria Mme de Bellière.

Et les regards des deux femmes se croisèrent comme deux épées inquiètes au premier engagement du combat.

— Toi, si fière ?... dit avec dédain la marquise.

— Moi... si fière !... répliqua Mme Vanel. Je suis ainsi faite... Je ne pardonne pas l'oubli, je ne supporte pas l'infidélité. Quand je quitte et qu'on pleure, je suis tentée d'aimer encore ; mais, quand on me quitte et qu'on rit, j'aime éperdument.

Mme de Bellière fit un mouvement involontaire.

« Elle est jalouse », se dit Marguerite.

— Alors, continua la marquise, tu es éperdument éprise... de M. de Buckingham... non, je me trompe... de M. Fouquet ?

Elle sentit le coup, et tout son sang afflua sur son cœur.

— Et tu voulais aller à Vincennes... à Saint-Mandé même !

— Je ne sais ce que je voulais, tu m'eusses conseillée peut-être.

— En quoi ?

— Tu l'as fait souvent.

— Certes, ce n'eût point été en cette occasion ; car, moi, je ne pardonne pas comme toi. J'aime moins peut-être ; mais quand mon cœur a été froissé, c'est pour toujours.

— Mais M. Fouquet ne t'a pas froissée, dit avec une naïveté de vierge Marguerite Vanel.

— Tu comprends parfaitement ce que je veux te dire. M. Fouquet ne m'a pas froissée ; il ne m'est connu ni par faveur, ni par injure, mais tu as à te plaindre de lui. Tu es mon amie, je ne te conseillerais donc pas comme tu voudrais.

— Ah ! tu préjuges ?

— Les soupirs dont tu parlais sont plus que des indices.

— Ah ! mais tu m'accables, fit tout à coup la jeune femme en rassemblant toutes ses forces comme le lutteur qui s'apprête à porter le dernier coup ; tu ne comptes qu'avec mes mauvaises passions et mes faiblesses. Quant à ce que j'ai de sentiments purs et généreux, tu n'en parles point. Si je me sens entraînée en ce moment vers M. le surintendant, si je fais même un pas vers lui, ce qui est probable, je te le confesse, c'est que le sort de M. Fouquet me touche profondément, c'est qu'il est, selon moi, un des hommes les plus malheureux qui soient.

— Ah ! fit la marquise en appuyant une main sur son cœur, il y a donc quelque chose de nouveau ?

— Tu ne sais donc pas ?

— Je ne sais rien, dit Mme de Bellière avec cette palpitation de l'angoisse qui suspend la pensée et la parole, qui suspend jusqu'à la vie.

— Ma chère, il y a d'abord que toute la faveur du roi s'est retirée de M. Fouquet pour passer à M. Colbert.

— Oui, on le dit.

— C'est tout simple, depuis la découverte du complot de Belle-Ile.

— On m'avait assuré que cette découverte de fortifications avait tourné à l'honneur de M. Fouquet.

Marguerite se mit à rire d'une façon si cruelle, que Mme de Bellière lui eût en ce moment plongé avec joie un poignard dans le cœur.

— Ma chère, continua Marguerite, il ne s'agit plus même de l'honneur de M. Fouquet ; il s'agit de son salut. Avant trois jours, la ruine du surintendant est consommée.

— Oh ! fit la marquise en souriant à son tour, c'est aller un peu vite.

— J'ai dit trois jours, parce que j'aime à me leurrer d'une espérance. Mais très certainement la catastrophe ne passera pas vingt-quatre heures.

— Et pourquoi ?

— Par la plus humble de toutes les raisons : M. Fouquet n'a plus d'argent.

— Dans la finance, ma chère Marguerite, tel n'a pas d'argent aujourd'hui, qui demain fait rentrer des millions.

— Cela pouvait être pour M. Fouquet alors qu'il avait deux amis riches et habiles qui amassaient pour lui et faisaient sortir l'argent de tous les coffres ; mais ces amis sont morts.

— Les écus ne meurent pas, Marguerite ; ils sont cachés, on les cherche, on les achète et on les trouve.

— Tu vois en blanc et en rose, tant mieux pour toi. Il est bien fâcheux que tu ne sois pas l'égérie de M. Fouquet, tu lui indiquerais la source où il pourra puiser les millions que le roi lui a demandés hier.

— Des millions ? fit la marquise avec effroi.

— Quatre... c'est un nombre pair.

— Infâme ! murmura Mme de Bellière torturée par cette féroce joie... M. Fouquet a bien quatre millions, je pense, répliqua-t-elle courageusement.

— S'il a ceux que le roi lui demande aujourd'hui, dit Marguerite, peut-être n'aura-t-il pas ceux que le roi lui demandera dans un mois.

— Le roi lui redemandera de l'argent ?

— Sans doute, et voilà pourquoi je te dis que la ruine de ce pauvre M. Fouquet devient infaillible. Par orgueil, il fournira de l'argent, et, quand il n'en aura plus, il tombera.

— C'est vrai, dit la marquise en frissonnant ; le plan est fort... Dis-moi, M. Colbert hait donc bien M. Fouquet ?

— Je crois qu'il ne l'aime pas... Or, c'est un homme puissant que M. Colbert ; il gagne à être vu de près ; des conceptions gigantesques, de la volonté, de la discrétion ; il ira loin.

— Il sera surintendant ?

— C'est probable... Voilà pourquoi, ma bonne marquise, je me sentais émue en faveur de ce pauvre homme qui m'a aimée, adorée même ; voilà pourquoi, le voyant si malheureux, je lui pardonnais son infidélité... dont il se repent, j'ai lieu de le croire ; voilà pourquoi je n'eusse pas été éloignée de lui porter une consolation, un bon conseil ; il aurait compris ma démarche et m'en aurait su gré. C'est doux d'être aimée, vois-tu. Les hommes apprécient fort l'amour quand ils ne sont pas aveuglés par la puissance.

La marquise, étourdie, écrasée par ces atroces attaques, calculées avec la justesse et la précision d'un tir d'artillerie, ne savait plus comment répondre ; elle ne savait plus comment penser.

La voix de la perfide avait pris les intonations les plus affectueuses ; elle parlait comme une femme et cachait les instincts d'une panthère.

— Eh bien ! dit Mme de Bellière, qui espéra vaguement que Marguerite cessait d'accabler l'ennemi vaincu ; eh bien ! que n'allez-vous trouver M. Fouquet ?

— Décidément, marquise, tu m'as fait réfléchir. Non, il serait inconvenant que je fisse la première démarche. M. Fouquet m'aime sans doute, mais il est trop fier. Je ne puis m'exposer à un affront... J'ai mon mari, d'ailleurs, à ménager. Tu ne me dis rien. Allons ! je consulterai là-dessus M. Colbert.

Elle se leva en souriant comme pour prendre congé. La marquise n'eut pas la force de l'imiter.

Marguerite fit quelques pas pour continuer à jouir de l'humiliante douleur où sa rivale était plongée ; puis soudain :

— Tu ne me reconduis pas ? dit-elle.

La marquise se leva, pâle et froide, sans s'inquiéter davantage de cette enveloppe qui l'avait si fort préoccupée au commencement de la conversation et que son premier pas laissa à découvert.

Puis elle ouvrit la porte de son oratoire, et, sans même retourner la tête du côté de Marguerite Vanel, elle s'y enferma.

Marguerite prononça ou plutôt balbutia trois ou quatre paroles que Mme de Bellière n'entendit même pas.

Mais, aussitôt que la marquise eut disparu, son envieuse ennemie ne put résister au désir de s'assurer que ses soupçons étaient fondés ; elle s'allongea comme une panthère et saisit l'enveloppe.

— Ah ! dit-elle en grinçant des dents, c'était bien une lettre de M. Fouquet qu'elle lisait quand je suis arrivée !

Et elle s'élança, à son tour, hors de la chambre.

Pendant ce temps, la marquise, arrivée derrière le rempart de sa porte, sentait qu'elle était au bout de ses forces ; un instant elle resta roide, pâle et immobile comme une statue ; puis, comme une statue qu'un vent d'orage ébranle sur sa base, elle chancela et tomba inanimée sur le tapis.

Le bruit de sa chute retentit en même temps que retentissait le roulement de la voiture de Marguerite sortant de l'hôtel.

CI

L'ARGENTERIE DE MME DE BELLIÈRE

Le coup avait été d'autant plus douloureux qu'il était inattendu ; la marquise fut donc quelque temps à se remettre ; mais, une fois remise, elle se prit aussitôt à réfléchir sur les événements tels qu'ils s'annonçaient.

Alors elle reprit, dût sa vue se briser encore en chemin, cette ligne d'idées que lui avait fait suivre son implacable amie.

Trahison, puis noires menaces voilées sous un semblant d'intérêt public, voilà pour les manœuvres de Colbert.

Joie odieuse d'une chute prochaine, efforts incessants pour arriver à ce but, séductions non moins coupables que le crime lui-même : voilà ce que Marguerite mettait en œuvre.

Les atomes crochus de Descartes triomphaient[1] ; à l'homme sans entrailles s'était unie la femme sans cœur.

La marquise vit avec tristesse, encore plus qu'avec indignation, que le roi trempât dans un complot qui décelait la duplicité de Louis XIII déjà vieux, et l'avarice de Mazarin lorsqu'il n'avait pas encore eu le temps de se gorger de l'or français. Mais bientôt l'esprit de cette courageuse femme reprit toute son énergie et cessa de s'arrêter aux spéculations rétrogrades de la compassion.

La marquise n'était point de ceux qui pleurent quand il faut agir et qui s'amusent à plaindre un malheur qu'ils ont moyen de soulager.

Elle appuya, pendant dix minutes à peu près, son front dans ses mains glacées ; puis, relevant le front, elle sonna ses femmes d'une main ferme et avec un geste plein d'énergie.

Sa résolution était prise.

— A-t-on tout préparé pour mon départ ? demanda-t-elle à une de ses femmes qui entrait.

— Oui, madame ; mais on ne comptait pas que Madame la marquise dût partir pour Bellière avant trois jours.

— Cependant tout ce qui est parures et valeurs est en caisse ?

— Oui, madame ; mais nous avons l'habitude de laisser tout cela à Paris ; Madame, ordinairement, n'emporte pas ses pierreries à la campagne.

— Et tout cela est rangé, dites-vous ?

— Dans le cabinet de Madame.

— Et l'orfèvrerie ?

1. La théorie des atomes crochus vient de Démocrite et d'Épicure.

— Dans les coffres.

— Et l'argenterie ?

— Dans la grande armoire de chêne.

La marquise se tut ; puis, d'une voix tranquille :

— Que l'on fasse venir mon orfèvre, dit-elle.

Les femmes disparurent pour exécuter l'ordre.

Cependant la marquise était entrée dans son cabinet, et, avec le plus grand soin, considérait ses écrins.

Jamais elle n'avait donné pareille attention à ces richesses qui font l'orgueil d'une femme ; jamais elle n'avait regardé ces parures que pour les choisir selon leurs montures ou leurs couleurs. Aujourd'hui elle admirait la grosseur des rubis et la limpidité des diamants ; elle se désolait d'une tache, d'un défaut ; elle trouvait l'or trop faible et les pierres misérables.

L'orfèvre la surprit dans cette occupation lorsqu'il arriva.

— Monsieur Faucheux, dit-elle, vous m'avez fourni mon orfèvrerie, je crois ?

— Oui, madame la marquise.

— Je ne me souviens plus à combien se montait la note.

— De la nouvelle, madame, ou de celle que M. de Bellière vous donna en vous épousant ? Car j'ai fourni les deux.

— Eh bien ! de la nouvelle, d'abord.

— Madame, les aiguières, les gobelets et les plats avec leurs étuis, le surtout et les mortiers à glace, les bassins à confitures et les fontaines ont coûté à Madame la marquise soixante mille livres.

— Rien que cela, mon Dieu ?

— Madame trouva ma note bien chère...

— C'est vrai ! c'est vrai ! Je me souviens qu'en effet c'était cher ; le travail, n'est-ce pas ?

— Oui, madame : gravures, ciselures, formes nouvelles.

— Le travail entre pour combien dans le prix ? N'hésitez pas.

— Un tiers de la valeur, madame. Mais...

— Nous avons encore l'autre service, le vieux, celui de mon mari ?

— Oh ! madame, il est moins ouvré que celui dont je vous parle. Il ne vaut que trente mille livres, valeur intrinsèque.

— Soixante-dix ! murmura la marquise. Mais, monsieur Faucheux, il y a encore l'argenterie de ma mère ; vous savez, tout ce massif dont je n'ai pas voulu me défaire à cause du souvenir ?

— Ah ! madame, par exemple, c'est là une fameuse ressource pour des gens qui, comme Madame la marquise, ne seraient pas libres de garder leur vaisselle. En ce temps, madame, on ne travaillait pas léger comme aujourd'hui. On travaillait dans des lingots. Mais cette vaisselle n'est plus présentable ; seulement, elle pèse.

— Voilà tout, voilà tout ce qu'il faut. Combien pèse-t-elle ?

— Cinquante mille livres, au moins. Je ne parle pas des énormes vases de buffet qui, seuls, pèsent cinq mille livres d'argent : soit dix mille les deux.

— Cent trente ! murmura la marquise. Vous êtes sûr de ces chiffres, monsieur Faucheux ?

— Sûr, madame. D'ailleurs, ce n'est pas difficile à peser.

— Les quantités sont écrites sur mes livres.

— Oh ! vous êtes une femme d'ordre, madame la marquise.

— Passons à autre chose, dit Mme de Bellière.

Et elle ouvrit un écrin.

— Je reconnais ces émeraudes, dit le marchand, c'est moi qui les ai fait monter ; ce sont les plus belles de la cour ; c'est-à-dire, non : les plus belles sont à Mme de Châtillon[1] ; elles lui viennent de MM. de Guise ; mais les vôtres, madame, sont les secondes.

— Elles valent ?

— Montées ?

— Non ; supposez qu'on voulût les vendre.

— Je sais bien qui les achèterait ! s'écria M. Faucheux.

— Voilà précisément ce que je vous demande. On les achèterait donc ?

— On achèterait toutes vos pierreries, madame ; on sait que vous avez le plus bel écrin de Paris. Vous n'êtes pas de ces femmes qui changent ; quand vous achetez, c'est du beau ; lorsque vous possédez, vous gardez.

— Donc, on paierait ces émeraudes ?

— Cent trente mille livres.

La marquise écrivit sur des tablettes, avec un crayon, le chiffre cité par l'orfèvre.

— Ce collier de rubis ? dit-elle.

— Des rubis balais ?

— Les voici.

— Ils sont beaux, ils sont superbes. Je ne vous connaissais pas ces pierres, madame.

— Estimez.

— Deux cent mille livres. Celui du milieu en vaut cent à lui seul.

— Oui, oui, c'est ce que je pensais, dit la marquise. Les diamants, les diamants ! oh ! j'en ai beaucoup : bagues, chaînes, pendants et girandoles, agrafes, ferrets ! Estimez, monsieur Faucheux, estimez.

L'orfèvre prit sa loupe, ses balances, pesa, lorgna, et tout bas, faisant son addition :

— Voilà des pierres, dit-il, qui coûtent à Madame la marquise quarante mille livres de rente.

— Vous estimez huit cent mille livres ?...

1. Voir Dictionnaire. Personnages. Après son veuvage, elle eut de nombreuses amours. Voir Bussy-Rabutin, *Histoire amoureuse des Gaules*, II, « Histoire d'Ardélie et de Ginolic ».

— A peu près.

— C'est bien ce que je pensais. Mais les montures sont à part.

— Comme toujours, madame. Et si j'étais appelé à vendre ou à acheter, je me contenterais, pour bénéfice, de l'or seul de ces montures ; j'aurais encore vingt-cinq bonnes mille livres.

— C'est joli !

— Oui, madame, très joli.

— Acceptez-vous le bénéfice à la condition de faire argent comptant des pierreries ?

— Mais, madame ! s'écria l'orfèvre effaré, vous ne vendez pas vos diamants, je suppose ?

— Silence, monsieur Faucheux, ne vous inquiétez pas de cela, rendez-moi seulement réponse. Vous êtes honnête homme, fournisseur de ma maison depuis trente ans, vous avez connu mon père et ma mère, que servaient votre père et votre mère[1]. Je vous parle comme à un ami ; acceptez-vous l'or des montures contre une somme comptant que vous verserez entre mes mains ?

— Huit cent mille livres ! mais c'est énorme !

— Je le sais.

— Impossible à trouver !

— Oh ! que non.

— Mais madame, songez à l'effet que ferait, dans le monde, le bruit d'une vente de vos pierreries !

— Nul ne le saurait... Vous me ferez fabriquer autant de parures fausses semblables aux fines. Ne répondez rien : je le veux. Vendez en détail, vendez seulement les pierres.

— Comme cela, c'est facile... Monsieur cherche des écrins, des pierres nues pour la toilette de Madame. Il y a concours. Je placerai facilement chez Monsieur pour six cent mille livres. Je suis sûr que les vôtres sont les plus belles.

— Quand cela ?

— Sous trois jours.

— Eh bien ! le reste, vous le placerez à des particuliers ; pour le présent, faites-moi un contrat de vente garanti... paiement sous quatre jours.

— Madame, madame, réfléchissez, je vous en conjure... Vous perdrez là cent mille livres, si vous vous hâtez.

— J'en perdrai deux cent mille s'il le faut. Je veux que tout soit fait ce soir. Acceptez-vous ?

— J'accepte, madame la marquise... Je ne dissimule pas que je gagnerai à cela cinq mille pistoles.

— Tant mieux ! comment aurai-je l'argent ?

1. La marquise était née de Bruc, mais au chap. CLXXVI (tome II de la présente édition), Dumas en fait la fille de lord Graffton.

— En or ou en billets de la Banque de Lyon, payables chez M. Colbert.

— J'accepte, dit vivement la marquise ; retournez chez vous et apportez vite la somme en billets, entendez-vous ?

— Oui, madame ; mais, de grâce...

— Plus un mot, monsieur Faucheux. A propos, l'argenterie, que j'oubliais... Pour combien en ai-je ?

— Cinquante mille livres, madame.

— C'est un million, se dit tout bas la marquise. Monsieur Faucheux, vous ferez prendre aussi l'orfèvrerie et l'argenterie avec toute la vaisselle. Je prétexte une refonte pour des modèles plus à mon goût... Fondez, dis-je, et rendez-moi la valeur en or... sur-le-champ.

— Bien, madame la marquise.

— Vous mettrez cet or dans un coffre ; vous ferez accompagner cet or d'un de vos commis et sans que mes gens le voient ; ce commis m'attendra dans un carrosse.

— Celui de Mme Faucheux ? dit l'orfèvre.

— Si vous le voulez, je le prendrai chez vous.

— Oui, madame la marquise.

— Prenez trois de mes gens pour porter chez vous l'argenterie.

— Oui, madame.

La marquise sonna.

— Le fourgon, dit-elle, à la disposition de M. Faucheux.

L'orfèvre salua et sortit en commandant que le fourgon le suivît de près et en annonçant, lui-même, que la marquise faisait fondre sa vaisselle pour en avoir de plus nouvelle.

Trois heures après, elle se rendait chez M. Faucheux et recevait de lui huit cent mille livres en billets de la Banque de Lyon, deux cent cinquante mille livres en or, enfermées dans un coffre que portait péniblement un commis jusqu'à la voiture de Mme Faucheux.

Car Mme Faucheux avait un coche. Fille d'un président des comptes, elle avait apporté trente mille écus à son mari, syndic des orfèvres. Les trente mille écus avaient fructifié depuis vingt ans. L'orfèvre était millionnaire et modeste. Pour lui, il avait fait l'emplette d'un vénérable carrosse, fabriqué en 1648, dix années après la naissance du roi. Ce carrosse, ou plutôt cette maison roulante, faisait l'admiration du quartier ; elle était couverte de peintures allégoriques et de nuages semés d'étoiles d'or et d'argent doré.

C'est dans cet équipage, un peu grotesque, que la noble femme monta, en regard du commis, qui dissimulait ses genoux de peur d'effleurer la robe de la marquise.

C'est ce même commis qui dit au cocher, fier de conduire une marquise :

— Route de Saint-Mandé !

CII

LA DOT

Les chevaux de M. Faucheux étaient d'honnêtes chevaux du Perche, ayant de gros genoux et des jambes tant soit peu engorgées. Comme la voiture, ils dataient de l'autre moitié du siècle.

Ils ne couraient donc pas comme les chevaux anglais de M. Fouquet.

Aussi mirent-ils deux heures à se rendre à Saint-Mandé.

On peut dire qu'ils marchaient majestueusement.

La majesté exclut le mouvement.

La marquise s'arrêta devant une porte bien connue, quoiqu'elle ne l'eût vue qu'une fois, on se le rappelle, dans une circonstance non moins pénible que celle qui l'amenait cette fois encore.

Elle tira de sa poche une clef, l'introduisit de sa petite main blanche dans la serrure, poussa la porte qui céda sans bruit, et donna l'ordre au commis de monter le coffret au premier étage.

Mais le poids de ce coffret était tel, que le commis fut forcé de se faire aider par le cocher.

Le coffret fut déposé dans ce petit cabinet, antichambre ou plutôt boudoir, attenant au salon où nous avons vu M. Fouquet aux pieds de la marquise.

Mme de Bellière donna un louis au cocher, un sourire charmant au commis, et les congédia tous deux.

Derrière eux, elle referma la porte et attendit ainsi, seule et barricadée. Nul domestique n'apparaissait à l'intérieur.

Mais toute chose était apprêtée comme si un génie invisible eût deviné les besoins et les désirs de l'hôte ou plutôt de l'hôtesse qui était attendue.

Le feu préparé, les bougies aux candélabres, les rafraîchissements sur l'étagère, les livres sur les tables, les fleurs fraîches dans les vases du Japon.

On eût dit une maison enchantée.

La marquise alluma les candélabres, respira le parfum des fleurs, s'assit et tomba bientôt dans une profonde rêverie.

Mais cette rêverie, toute mélancolique, était imprégnée d'une certaine douceur.

Elle voyait devant elle un trésor étalé dans cette chambre. Un million qu'elle avait arraché de sa fortune comme la moissonneuse arrache un bluet de sa couronne.

Elle se forgeait les plus doux songes.

Elle songeait surtout et avant tout au moyen de laisser tout cet argent à M. Fouquet sans qu'il pût savoir d'où venait le don. Ce moyen était celui qui naturellement s'était présenté le premier à son esprit.

Mais, quoique, en y réfléchissant, la chose lui eût paru difficile, elle ne désespérait point de parvenir à ce but.

Elle devait sonner pour appeler M. Fouquet, et s'enfuir plus heureuse que si, au lieu de donner un million, elle trouvait un million elle-même.

Mais, depuis qu'elle était arrivée là, depuis qu'elle avait vu ce boudoir si coquet, qu'on eût dit qu'une femme de chambre venait d'en enlever jusqu'au dernier atome de poussière ; quand elle avait vu ce salon si bien tenu, qu'on eût dit qu'elle en avait chassé les fées qui l'habitaient, elle se demanda si déjà les regards de ceux qu'elle avait fait fuir, génies, fées, lutins ou créatures humaines, ne l'avaient pas reconnue.

Alors Fouquet saurait tout ; ce qu'il ne saurait pas, il le devinerait ; Fouquet refuserait d'accepter comme don ce qu'il eût peut-être accepté à titre de prêt, et, ainsi menée, l'entreprise manquerait de but comme de résultat.

Il fallait donc que la démarche fût faite sérieusement pour réussir. Il fallait que le surintendant comprît toute la gravité de sa position pour se soumettre au caprice généreux d'une femme ; il fallait enfin, pour le persuader, tout le charme d'une éloquente amitié, et, si ce n'était point assez, tout l'enivrement d'un ardent amour que rien ne détournerait dans son absolu désir de convaincre.

En effet, le surintendant n'était-il pas connu pour un homme plein de délicatesse et de dignité ? Se laisserait-il charger des dépouilles d'une femme ? Non, il lutterait, et si une voix au monde pouvait vaincre sa résistance, c'était la voix de la femme qu'il aimait.

Maintenant, autre doute, doute cruel qui passait dans le cœur de Mme de Bellière avec la douleur et le froid aigu d'un poignard :

Aimait-il ?

Cet esprit léger, ce cœur volage se résoudrait-il à se fixer un moment, fût-ce pour contempler un ange ?

N'en était-il pas de Fouquet, malgré tout son génie, malgré toute sa probité, comme des conquérants qui versent des larmes sur le champ de bataille lorsqu'ils ont remporté la victoire ?

« Eh bien ! c'est de cela qu'il faut que je m'éclaircisse, c'est sur cela qu'il faut que je le juge, dit la marquise. Qui sait si ce cœur tant convoité n'est pas un cœur vulgaire et plein d'alliage, qui sait si cet esprit ne se trouvera pas être, quand j'y appliquerai la pierre de touche, d'une nature triviale et inférieure ? Allons ! allons ! s'écria-t-elle, c'est trop de doute, trop d'hésitation, l'épreuve ! l'épreuve ! »

Elle regarda la pendule.

« Voilà sept heures, il doit être arrivé, c'est l'heure des signatures. Allons ! »

Et, se levant avec une fébrile impatience, elle marcha vers la glace, dans laquelle elle se souriait avec l'énergique sourire du dévouement ; elle fit jouer le ressort et tira le bouton de la sonnette.

Puis, comme épuisée à l'avance par la lutte qu'elle venait d'engager, elle alla s'agenouiller éperdue devant un vaste fauteuil, où sa tête s'ensevelit dans ses mains tremblantes.

Dix minutes après, elle entendit grincer le ressort de la porte.

La porte roula sur ses gonds invisibles.

Fouquet parut.

Il était pâle ; il était courbé sous le poids d'une pensée amère.

Il n'accourait pas ; il venait, voilà tout.

Il fallait que la préoccupation fût bien puissante pour que cet homme de plaisir, pour qui le plaisir était tout, vînt si lentement à un semblable appel.

En effet, la nuit, féconde en rêves douloureux, avait amaigri ses traits d'ordinaire si noblement insoucieux, avait tracé autour de ses yeux des orbites de bistre.

Il était toujours beau, toujours noble, et l'expression mélancolique de sa bouche, expression si rare chez cet homme, donnait à sa physionomie un caractère nouveau qui la rajeunissait.

Vêtu de noir, la poitrine toute gonflée de dentelles ravagées par sa main inquiète, le surintendant s'arrêta l'œil plein de rêverie au seuil de cette chambre où tant de fois il était venu chercher le bonheur attendu.

Cette douceur morne, cette tristesse souriante remplaçant l'exaltation de la joie, firent sur Mme de Bellière, qui le regardait de loin, un effet indicible.

L'œil d'une femme sait lire tout orgueil ou toute souffrance sur les traits de l'homme qu'elle aime ; on dirait qu'en raison de leur faiblesse, Dieu a voulu accorder aux femmes plus qu'il n'accorde aux autres créatures.

Elles peuvent cacher leurs sentiments à l'homme ; l'homme ne peut leur cacher les siens.

La marquise devina d'un seul coup d'œil tout le malheur du surintendant.

Elle devina une nuit passée sans sommeil, un jour passé en déceptions.

Dès lors elle fut forte, elle sentait qu'elle aimait Fouquet au-delà de toute chose.

Elle se releva, et, s'approchant de lui :

— Vous m'écriviez ce matin, dit-elle, que vous commenciez à m'oublier, et que, moi que vous n'aviez pas revue, j'avais sans doute fini de penser à vous. Je viens vous démentir, monsieur, et cela d'autant plus sûrement que je lis dans vos yeux une chose.

— Laquelle, madame ? demanda Fouquet étonné.

— C'est que vous ne m'avez jamais tant aimée qu'à cette heure ; de même que vous devez lire dans ma démarche, à moi, que je ne vous ai point oublié.

— Oh ! vous, marquise, dit Fouquet, dont un éclair de joie illumina un instant la noble figure, vous, vous êtes un ange, et les hommes n'ont pas le droit de douter de vous ! Ils n'ont donc qu'à s'humilier et à demander grâce !

— Grâce vous soit donc accordée alors !

Fouquet voulut se mettre à genoux.

— Non, dit-elle, à côté de moi, asseyez-vous. Ah ! voilà une pensée mauvaise qui passe dans votre esprit !

— Et à quoi voyez-vous cela, madame ?

— A votre sourire, qui vient de gâter toute votre physionomie. Voyons, à quoi songez-vous ? Dites, soyez franc, pas de secrets entre amis ?

— Eh bien ! madame, dites-moi alors pourquoi cette rigueur de trois ou quatre mois.

— Cette rigueur ?

— Oui ; ne m'avez-vous pas défendu de vous visiter ?

— Hélas ! mon ami, dit Mme de Bellière avec un profond soupir, parce que votre visite chez moi vous a causé un grand malheur, parce que l'on veille sur ma maison, parce que les mêmes yeux qui vous ont vu pourraient vous voir encore, parce que je trouve moins dangereux pour vous, à moi de venir ici, qu'à vous de venir chez moi ; enfin, parce que je vous trouve assez malheureux pour ne pas vouloir augmenter encore votre malheur...

Fouquet tressaillit.

Ces mots venaient de le rappeler aux soucis de la surintendance, lui qui pendant quelques minutes ne se souvenait plus que des espérances de l'amant.

— Malheureux, moi ? dit-il en essayant un sourire. Mais en vérité, marquise, vous me le feriez croire avec votre tristesse. Ces beaux yeux ne sont-ils donc levés sur moi que pour me plaindre ? Oh ! j'attends d'eux un autre sentiment.

— Ce n'est pas moi qui suis triste, monsieur : regardez dans cette glace ; c'est vous.

— Marquise, je suis un peu pâle, c'est vrai, mais c'est l'excès du travail ; le roi m'a demandé hier de l'argent.

— Oui, quatre millions ; je sais cela.

— Vous le savez ! s'écria Fouquet, surpris. Et comment le savez-vous ? C'est au jeu seulement, après le départ des reines et en présence d'une seule personne, que le roi...

— Vous voyez que je le sais ; cela suffit, n'est-ce pas ? Eh bien ! continuez, mon ami : c'est que le roi vous a demandé...

— Eh bien ! vous comprenez, marquise, il a fallu se le procurer, puis le faire compter, puis le faire enregistrer, c'est long. Depuis la mort de M. de Mazarin, il y a un peu de fatigue et d'embarras dans le service des finances. Mon administration se trouve surchargée, voilà pourquoi j'ai veillé cette nuit.

— De sorte que vous avez la somme ? demanda la marquise, inquiète.

— Il ferait beau voir, marquise, répliqua gaiement Fouquet, qu'un surintendant des finances n'eût pas quatre pauvres millions dans ses coffres.

— Oui, je crois que vous les avez ou que vous les aurez.

— Comment, que je les aurai ?

— Il n'y a pas longtemps qu'il vous en avait déjà fait demander deux.

— Il me semble, au contraire, qu'il y a un siècle, marquise ; mais ne parlons plus argent, s'il vous plaît.

— Au contraire, parlons-en, mon ami.

— Oh !

— Écoutez, je ne suis venue que pour cela.

— Mais que voulez-vous donc dire ? demanda le surintendant, dont les yeux exprimèrent une inquiète curiosité.

— Monsieur, est-ce une charge inamovible que la surintendance ?

— Marquise !

— Vous voyez que je vous réponds, et franchement même.

— Marquise, vous me surprenez, vous me parlez comme un commanditaire.

— C'est tout simple : je veux placer de l'argent chez vous, et, naturellement, je désire savoir si vous êtes sûr.

— En vérité, marquise, je m'y perds et ne sais plus où vous voulez en venir.

— Sérieusement, mon cher monsieur Fouquet, j'ai quelques fonds qui m'embarrassent. Je suis lasse d'acheter des terres et désire charger un ami de faire valoir mon argent.

— Mais cela ne presse pas, j'imagine ? dit Fouquet.

— Au contraire, cela presse, et beaucoup.

— Eh bien ! nous en causerons plus tard.

— Non pas plus tard, car mon argent est là.

La marquise montra le coffret au surintendant, et, l'ouvrant, lui fit voir des liasses de billets et une masse d'or.

Fouquet s'était levé en même temps que Mme de Bellière ; il demeura un instant pensif ; puis tout à coup, se reculant, il pâlit et tomba sur une chaise en cachant son visage dans ses mains.

— Oh ! marquise ! marquise ! murmura-t-il.

— Eh bien ?

— Quelle opinion avez-vous donc de moi pour me faire une pareille offre ?

— De vous ?

— Sans doute.

— Mais que pensez-vous donc vous-même ? Voyons.

— Cet argent, vous me l'apportez pour moi : vous me l'apportez parce que vous me savez embarrassé. Oh ! ne niez pas. Je devine. Est-ce que je ne connais pas votre cœur ?

— Eh bien ! si vous connaissez mon cœur, vous voyez que c'est mon cœur que je vous offre.

— J'ai donc deviné ! s'écria Fouquet. Oh ! madame, en vérité, je ne vous ai jamais donné le droit de m'insulter ainsi.

— Vous insulter ! dit-elle en pâlissant. Étrange délicatesse humaine ! Vous m'aimez, m'avez-vous dit ? Vous m'avez demandé au nom de cet amour ma réputation, mon honneur ? Et quand je vous offre mon argent, vous me refusez !

— Marquise, marquise, vous avez été libre de garder ce que vous appelez votre réputation et votre honneur. Laissez-moi la liberté de garder les miens. Laissez-moi me ruiner, laissez-moi succomber sous le fardeau des haines qui m'environnent, sous le fardeau des fautes que j'ai commises, sous le fardeau de mes remords même ; mais, au nom du Ciel ! marquise, ne m'écrasez pas sous ce dernier coup.

— Vous avez manqué tout à l'heure d'esprit, monsieur Fouquet, dit-elle.

— C'est possible, madame.

— Et maintenant, voilà que vous manquez de cœur.

Fouquet comprima de sa main crispée sa poitrine haletante.

— Accablez-moi, madame, dit-il, je n'ai rien à répondre.

— Je vous ai offert mon amitié, monsieur Fouquet.

— Oui, madame ; mais vous vous êtes bornée là.

— Ce que je fais est-il d'une amie ?

— Sans doute.

— Et vous refusez cette preuve de mon amitié ?

— Je la refuse.

— Regardez-moi, monsieur Fouquet.

Les yeux de la marquise étincelaient.

— Je vous offre mon amour.

— Oh ! madame ! dit Fouquet.

— Je vous aime, entendez-vous, depuis longtemps ; les femmes ont comme les hommes leur fausse délicatesse. Depuis longtemps je vous aime, mais je ne voulais pas vous le dire.

— Oh ! fit Fouquet en joignant les mains.

— Eh bien ! je vous le dis. Vous m'avez demandé cet amour à genoux, je vous l'ai refusé ; j'étais aveugle comme vous l'étiez tout à l'heure. Mon amour, je vous l'offre.

— Oui, votre amour, mais votre amour seulement.

— Mon amour, ma personne, ma vie ! tout, tout, tout !

— Oh ! mon Dieu ! s'écria Fouquet ébloui.

— Voulez-vous de mon amour ?

— Oh ! mais vous m'accablez sous le poids de mon bonheur !

— Serez-vous heureux ? Dites, dites... si je suis à vous, tout entière à vous ?

— C'est la félicité suprême !

— Alors, prenez-moi. Mais, si je vous fais le sacrifice d'un préjugé, faites-moi celui d'un scrupule.

— Madame, madame, ne me tentez pas !

— Mon ami, mon ami, ne me refusez pas !

— Oh ! faites attention à ce que vous proposez !

— Fouquet, un mot... « Non !... » et j'ouvre cette porte. (Elle montra celle qui conduisait à la rue.) Et vous ne me verrez plus. Un autre mot... « Oui !... » et je vous suis où vous voudrez, les yeux fermés, sans défense, sans refus, sans remords.

— Élise !... Élise !... Mais ce coffret ?

— C'est ma dot !

— C'est votre ruine ! s'écria Fouquet en bouleversant l'or et les papiers ; il y a là un million...

— Juste... Mes pierreries, qui ne me serviront plus si vous ne m'aimez pas ; qui ne me serviront plus si vous m'aimez comme je vous aime !

— Oh ! c'en est trop ! c'en est trop ! s'écria Fouquet. Je cède, je cède : ne fût-ce que pour consacrer un pareil dévouement. J'accepte la dot...

— Et voici la femme, dit la marquise en se jetant dans ses bras.

CIII

LE TERRAIN DE DIEU

Pendant ce temps, Buckingham et de Wardes faisaient en bons compagnons et en harmonie parfaite la route de Paris à Calais.

Buckingham s'était hâté de faire ses adieux, de sorte qu'il en avait brusqué la meilleure partie.

Les visites à Monsieur et à Madame, à la jeune reine et à la reine douairière avaient été collectives.

Prévoyance de la reine mère, qui lui épargnait la douleur de causer encore en particulier avec Monsieur, qui lui épargnait le danger de revoir Madame.

Buckingham embrassa de Guiche et Raoul ; il assura le premier de toute sa considération ; le second d'une constante amitié destinée à triompher de tous les obstacles et à ne se laisser ébranler ni par la distance ni par le temps.

Les fourgons avaient déjà pris les devants ; il partit le soir en carrosse avec toute sa maison.

De Wardes, tout froissé d'être pour ainsi dire emmené à la remorque par cet Anglais, avait cherché dans son esprit subtil tous les moyens d'échapper à cette chaîne ; mais nul ne lui avait donné assistance, et force lui était de porter la peine de son mauvais esprit et de sa causticité.

Ceux à qui il eût pu s'ouvrir, en qualité de gens spirituels l'eussent raillé sur la supériorité du duc.

Les autres esprits, plus lourds, mais plus sensés, lui eussent allégué les ordres du roi, qui défendaient le duel.

Les autres enfin, et c'étaient les plus nombreux, qui, par charité chrétienne ou par amour-propre national, lui eussent prêté assistance, ne se souciaient point d'encourir une disgrâce, et eussent tout au plus prévenu les ministres d'un départ qui pouvait dégénérer en un petit massacre.

Il en résulta que, tout bien pesé, de Wardes fit son portemanteau, prit deux chevaux, et, suivi d'un seul laquais, s'achemina vers la barrière où le carrosse de Buckingham le devait prendre.

Le duc reçut son adversaire comme il eût fait de la plus aimable connaissance, se rangea pour le faire asseoir, lui offrit des sucreries, étendit sur lui le manteau de martre zibeline jeté sur le siège de devant. Puis on causa :

De la cour, sans parler de Madame ;

De Monsieur, sans parler de son ménage ;

Du roi, sans parler de sa belle-sœur ;

De la reine mère, sans parler de sa bru ;

Du roi d'Angleterre, sans parler de sa sœur ;

De l'état de cœur de chacun des voyageurs, sans prononcer aucun nom dangereux.

Aussi le voyage, qui se faisait à petites journées, fut-il charmant.

Aussi Buckingham, véritablement Français par l'esprit et l'éducation, fut-il enchanté d'avoir si bien choisi son partner.

Bons repas effleurés du bout des dents, essais de chevaux dans les belles prairies que coupait la route, chasses aux lièvres, car Buckingham avait ses lévriers. Tel fut l'emploi du temps.

Le duc ressemblait un peu à ce beau fleuve de Seine, qui embrasse mille fois la France dans ses méandres amoureux avant de se décider à gagner l'Océan.

Mais, en quittant la France, c'était surtout la Française nouvelle qu'il avait amenée à Paris que Buckingham regrettait ; pas une de ses pensées qui ne fût un souvenir et, par conséquent, un regret.

Aussi quand, parfois, malgré sa force sur lui-même, il s'abîmait dans ses pensées, de Wardes le laissait-il tout entier à ses rêveries.

Cette délicatesse eût certainement touché Buckingham et changé ses dispositions à l'égard de de Wardes, si celui-ci, tout en gardant le silence, eût eu l'œil moins méchant et le sourire moins faux.

Mais les haines d'instinct sont inflexibles ; rien ne les éteint ; un peu de cendre les recouvre parfois, mais sous cette cendre elles couvent plus furieuses.

Après avoir épuisé toutes les distractions que présentait la route, on arriva, comme nous l'avons dit, à Calais.

C'était vers la fin du sixième jour.

Dès la veille, les gens du duc avaient pris les devants et avaient frété une barque. Cette barque était destinée à aller joindre le petit yacht qui courait des bordées en vue, ou s'embossait, lorsqu'il sentait ses ailes blanches fatiguées, à deux ou trois portées de canon de la jetée.

Cette barque allant et venant devait porter tous les équipages du duc.

Les chevaux avaient été embarqués ; on les hissait de la barque sur le pont du bâtiment dans des paniers faits exprès, et ouatés de telle façon que leurs membres, dans les plus violentes crises même de terreur ou d'impatience, ne quittaient pas l'appui moelleux des parois, et que leur poil n'était pas même rebroussé.

Huit de ces paniers juxtaposés emplissaient la cale. On sait que, pendant les courtes traversées, les chevaux tremblants ne mangent point et frissonnent en présence des meilleurs aliments qu'ils eussent convoités sur terre.

Peu à peu l'équipage entier du duc fut transporté à bord du yacht, et alors ses gens revinrent lui annoncer que tout était prêt, et que, lorsqu'il voudrait s'embarquer avec le gentilhomme français, on n'attendait plus qu'eux.

Car nul ne supposait que le gentilhomme français pût avoir à régler avec milord duc autre chose que des comptes d'amitié.

Buckingham fit répondre au patron du yacht qu'il eût à se tenir prêt, mais que la mer était belle, que la journée promettant un coucher de soleil magnifique, il comptait ne s'embarquer que la nuit et profiter de la soirée pour faire une promenade sur la grève.

D'ailleurs, il ajouta que, se trouvant en excellente compagnie, il n'avait pas la moindre hâte de s'embarquer.

En disant cela, il montra aux gens qui l'entouraient le magnifique spectacle du ciel empourpré à l'horizon, et d'un amphithéâtre de nuages floconneux qui montaient du disque du soleil jusqu'au zénith, en affectant les formes d'une chaîne de montagnes aux sommets entassés les uns sur les autres.

Tout cet amphithéâtre était teint à sa base d'une espèce de mousse sanglante, se fondant dans des teintes d'opale et de nacre au fur et à mesure que le regard montait de la base au sommet. La mer, de son côté, se teignait de ce même reflet, et sur chaque cime de vague bleue dansait un point lumineux comme un rubis exposé au reflet d'une lame.

Tiède soirée, parfums salins chers aux rêveuses imaginations, vent d'est épais et soufflant en harmonieuses rafales, puis au loin le yacht se profilant en noir avec ses agrès à jour, sur le fond empourpré du ciel, et çà et là sur l'horizon les voiles latines courbées sous l'azur comme l'aile d'une mouette qui plonge, le spectacle, en effet, valait bien qu'on l'admirât. La foule des curieux suivit les valets dorés, parmi lesquels, voyant l'intendant et le secrétaire, elle croyait voir le maître et son ami.

Quant à Buckingham, simplement vêtu d'une veste de satin gris et d'un pourpoint de petit velours violet, le chapeau sur les yeux, sans ordres ni broderies, il ne fut pas plus remarqué que de Wardes, vêtu de noir comme un procureur.

Les gens du duc avaient reçu l'ordre de tenir une barque prête au môle et de surveiller l'embarquement de leur maître, sans venir à lui avant que lui ou son ami appelât.

— Quelque chose qu'ils vissent, avait-il ajouté en appuyant sur ces mots de façon qu'ils fussent compris.

Après quelques pas faits sur la plage :

— Je crois, monsieur, dit Buckingham à de Wardes, je crois qu'il va falloir nous faire nos adieux. Vous le voyez, la mer monte ; dans dix minutes elle aura tellement imbibé le sable où nous marchons, que nous serons hors d'état de sentir le sol.

— Milord, je suis à vos ordres ; mais...

— Mais nous sommes encore sur le terrain du roi, n'est-ce pas ?

— Sans doute.

— Eh bien ! venez ; il y a là-bas, comme vous le voyez, une espèce d'île entourée par une grande flaque circulaire ; la flaque va s'augmentant et l'île disparaissant de minute en minute. Cette île est bien à Dieu, car elle est entre deux mers et le roi ne l'a point sur ses cartes. La voyez-vous ?

— Je la vois. Nous ne pouvons même guère l'atteindre maintenant sans nous mouiller les pieds.

— Oui ; mais remarquez qu'elle forme une éminence assez élevée, et que la mer monte de chaque côté en épargnant sa cime. Il en résulte que nous serons à merveille sur ce petit théâtre. Que vous en semble ?

— Je serai bien partout où mon épée aura l'honneur de rencontrer la vôtre, milord.

— Eh bien ! allons donc. Je suis désespéré de vous faire mouiller les pieds, monsieur de Wardes ; mais il est nécessaire, je crois, que vous puissiez dire au roi : « Sire, je ne me suis point battu sur la terre de Votre

Majesté. » C'est peut-être un peu bien subtil, mais depuis Port-Royal[1] vous nagez dans les subtilités. Oh ! ne nous en plaignons pas, cela vous donne un fort charmant esprit, et qui n'appartient qu'à vous autres. Si vous voulez bien, nous nous hâterons, monsieur de Wardes, car voici la mer qui monte et la nuit qui vient.

— Si je ne marchais pas plus vite, milord, c'était pour ne point passer devant Votre Grâce. Êtes-vous à pied sec, monsieur le duc ?

— Oui, jusqu'à présent. Regardez donc là-bas : voici mes drôles qui ont peur de nous voir nous noyer et qui viennent faire une croisière avec le canot. Voyez donc comme ils dansent sur la pointe des lames, c'est curieux ; mais cela me donne le mal de mer. Voudriez-vous me permettre de leur tourner le dos ?

— Vous remarquerez qu'en leur tournant le dos vous aurez le soleil en face, milord.

— Oh ! il est bien faible à cette heure et aura bien vite disparu ; ne vous inquiétez donc point de cela.

— Comme vous voudrez, milord ; ce que j'en disais, c'était par délicatesse.

— Je le sais, monsieur de Wardes, et j'apprécie votre observation. Voulez-vous ôter nos pourpoints ?

— Décidez, milord.

— C'est plus commode.

— Alors je suis tout prêt.

— Dites-moi, là, sans façon, monsieur de Wardes, si vous vous sentez mal sur le sable mouillé, ou si vous vous croyez encore un peu trop sur le territoire français ? Nous nous battrons en Angleterre ou sur mon yacht.

— Nous sommes fort bien ici, milord ; seulement j'aurai l'honneur de vous faire observer que, comme la mer monte, nous aurons à peine le temps...

Buckingham fit un signe d'assentiment, ôta son pourpoint et le jeta sur le sable.

De Wardes en fit autant.

Les deux corps, blancs comme deux fantômes pour ceux qui les regardaient du rivage, se dessinaient sur l'ombre d'un rouge violet qui descendait du ciel.

— Ma foi ! monsieur le duc, nous ne pouvons guère rompre, dit de Wardes. Sentez-vous comme nos pieds tiennent dans le sable ?

— J'y suis enfoncé jusqu'à la cheville, dit Buckingham, sans compter que voilà l'eau qui nous gagne.

1. Allusion probable à la *Logique de Port-Royal ou Art de penser* de Antoine Arnauld et Pierre Nicole, écrite pour l'éducation du jeune duc de Chevreuse, qui ne fut publiée qu'en 1662.

— Elle m'a gagné déjà... Quand vous voudrez, monsieur le duc.

De Wardes mit l'épée à la main.

Le duc l'imita.

— Monsieur de Wardes, dit alors Buckingham, un dernier mot, s'il vous plaît... Je me bats contre vous, parce que je ne vous aime pas, parce que vous m'avez déchiré le cœur en raillant certaine passion que j'ai, que j'avoue en ce moment, et pour laquelle je serais très heureux de mourir. Vous êtes un méchant homme, monsieur de Wardes, et je veux faire tous mes efforts pour vous tuer ; car, je le sens, si vous ne mourez pas de ce coup, vous ferez dans l'avenir beaucoup de mal à mes amis. Voilà ce que j'avais à vous dire, monsieur de Wardes.

Et Buckingham salua.

— Et moi, milord, voici ce que j'ai à vous répondre : je ne vous haïssais pas ; mais, maintenant que vous m'avez deviné, je vous hais, et vais faire tout ce que je pourrai pour vous tuer.

Et de Wardes salua Buckingham.

Au même instant, les fers se croisèrent ; deux éclairs se joignirent dans la nuit.

Les épées se cherchaient, se devinaient, se touchaient.

Tous deux étaient habiles tireurs ; les premières passes n'eurent aucun résultat.

La nuit s'était avancée rapidement ; la nuit était si sombre, qu'on attaquait et se défendait d'instinct.

Tout à coup de Wardes sentit son fer arrêté ; il venait de piquer l'épaule de Buckingham.

L'épée du duc s'abaissa avec son bras.

— Oh ! fit-il.

— Touché, n'est-ce pas, milord ? dit de Wardes en reculant de deux pas.

— Oui, monsieur, mais légèrement.

— Cependant, vous avez quitté la garde.

— C'est le premier effet du froid du fer, mais je suis remis. Recommençons, s'il vous plaît, monsieur.

Et, dégageant avec un sinistre froissement de lame, le duc déchira la poitrine du marquis.

— Touché aussi, dit-il.

— Non, dit de Wardes restant ferme à sa place.

— Pardon ; mais, voyant votre chemise toute rouge.... dit Buckingham.

— Alors, dit de Wardes furieux, alors... à vous !

Et, se fendant à fond, il traversa l'avant-bras de Buckingham. L'épée passa entre les deux os.

Buckingham sentit son bras droit paralysé ; il avança le bras gauche, saisit son épée, prête à tomber de sa main inerte, et avant que de Wardes se fût remis en garde, il lui traversa la poitrine.

De Wardes chancela, ses genoux plièrent, et, laissant son épée engagée encore dans le bras du duc, il tomba dans l'eau qui se rougit d'un reflet plus réel que celui que lui envoyaient les nuages.

De Wardes n'était pas mort. Il sentit le danger effroyable dont il était menacé : la mer montait.

Le duc sentit le danger aussi. Avec un effort et un cri de douleur, il arracha le fer demeuré dans son bras ; puis, se retournant vers de Wardes :

— Est-ce que vous êtes mort, marquis ? dit-il.

— Non, répliqua de Wardes d'une voix étouffée par le sang qui montait de ses poumons à sa gorge, mais peu s'en faut.

— Eh bien qu'y a-t-il à faire ? Voyons, pouvez-vous marcher ?

Buckingham le souleva sur un genou.

— Impossible, dit-il.

Puis, retombant :

— Appelez vos gens, fit-il, ou je me noie.

— Holà ! cria Buckingham ; holà ! de la barque ! nagez vivement, nagez !

La barque fit force de rames.

Mais la mer montait plus vite que la barque ne marchait.

Buckingham vit de Wardes prêt à être recouvert par une vague : de son bras gauche, sain et sans blessure, il lui fit une ceinture et l'enleva.

La vague monta jusqu'à mi-corps, mais ne put l'ébranler.

Mais à peine eut-il fait dix pas qu'une seconde vague, accourant plus haute, plus menaçante, plus furieuse que la première, vint le frapper à la hauteur de la poitrine, le renversa, l'ensevelit.

Puis, le reflux l'emportant, elle laissa un instant à découvert le duc et de Wardes couchés sur le sable.

De Wardes était évanoui.

En ce moment quatre matelots du duc, qui comprirent le danger, se jetèrent à la mer et en une seconde furent près du duc.

Leur terreur fut grande lorsqu'ils virent leur maître se couvrir de sang à mesure que l'eau dont il était imprégné coulait vers les genoux et les pieds.

Ils voulurent l'emporter.

— Non, non ! dit le duc ; à terre ! à terre, le marquis !

— A mort ! à mort, le Français ! crièrent sourdement les Anglais.

— Misérables drôles ! s'écria le duc se dressant avec un geste superbe qui les arrosa de sang, obéissez. M. de Wardes à terre, M. de Wardes en sûreté avant toutes choses ou je vous fais pendre !

La barque s'était approchée pendant ce temps. Le secrétaire et l'intendant sautèrent à leur tour à la mer et s'approchèrent du marquis. Il ne donnait plus signe de vie.

— Je vous recommande cet homme sur votre tête, dit le duc. Au rivage ! M. de Wardes au rivage !

On le prit à bras et on le porta jusqu'au sable sec.

Quelques curieux et cinq ou six pêcheurs s'étaient groupés sur le rivage, attirés par le singulier spectacle de deux hommes se battant avec de l'eau jusqu'aux genoux.

Les pêcheurs, voyant venir à eux un groupe d'hommes portant un blessé, entrèrent, de leur côté, jusqu'à mi-jambe dans la mer. Les Anglais leur remirent le blessé au moment où celui-ci commençait à rouvrir les yeux.

L'eau salée de la mer et le sable fin s'étaient introduits dans ses blessures et lui causaient d'inexprimables souffrances.

Le secrétaire du duc tira de sa poche une bourse pleine et la remit à celui qui paraissait le plus considérable d'entre les assistants.

— De la part de mon maître, milord duc de Buckingham, dit-il, pour que l'on prenne de M. le marquis de Wardes tous les soins imaginables.

Et il s'en retourna, suivi des siens, jusqu'au canot que Buckingham avait regagné à grand-peine, mais seulement lorsqu'il avait vu de Wardes hors de danger.

La mer était déjà haute ; les habits brodés et les ceintures de soie furent noyés. Beaucoup de chapeaux furent enlevés par les lames.

Quant aux habits de milord duc et à ceux de de Wardes, le flux les avait portés vers le rivage.

On enveloppa de Wardes dans l'habit du duc, croyant que c'était le sien, et on le transporta à bras vers la ville.

CIV

TRIPLE AMOUR

Depuis le départ de Buckingham, de Guiche se figurait que la terre lui appartenait sans partage.

Monsieur, qui n'avait plus le moindre sujet de jalousie et qui, d'ailleurs, se laissait accaparer par le chevalier de Lorraine, accordait dans sa maison autant de liberté que les plus exigeants pouvaient en souhaiter.

De son côté, le roi, qui avait pris goût à la société de Madame, imaginait plaisirs sur plaisirs pour égayer le séjour de Paris, en sorte qu'il ne se passait pas un jour sans une fête au Palais-Royal ou une réception chez Monsieur.

Le roi faisait disposer Fontainebleau pour y recevoir la cour, et tout le monde s'employait pour être du voyage. Madame menait la vie la plus occupée. Sa voix, sa plume ne s'arrêtaient pas un moment.

Les conversations avec de Guiche prenaient peu à peu l'intérêt auquel on ne peut méconnaître les préludes des grandes passions.

Lorsque les yeux languissent à propos d'une discussion sur des couleurs d'étoffes, lorsque l'on passe une heure à analyser les mérites et le parfum d'un sachet ou d'une fleur, il y a dans ce genre de conversation des mots que tout le monde peut entendre, mais il y a des gestes ou des soupirs que tout le monde ne peut voir.

Quand Madame avait bien causé avec M. de Guiche, elle causait avec le roi, qui lui rendait visite régulièrement chaque jour. On jouait, on faisait des vers, on choisissait des devises et des emblèmes ; ce printemps n'était pas seulement le printemps de la nature, c'était la jeunesse de tout un peuple dont cette cour formait la tête.

Le roi était beau, jeune, galant plus que tout le monde. Il aimait amoureusement toutes les femmes, même la reine sa femme.

Seulement le grand roi était le plus timide ou le plus réservé de son royaume, tant qu'il ne s'était pas avoué à lui-même ses sentiments.

Cette timidité le retenait dans les limites de la simple politesse, et nulle femme ne pouvait se vanter d'avoir la préférence sur une autre.

On pouvait pressentir que le jour où il se déclarerait serait l'aurore d'une souveraineté nouvelle ; mais il ne se déclarait pas. M. de Guiche en profitait pour être le roi de toute la cour amoureuse.

On l'avait dit au mieux avec Mlle de Montalais, on l'avait dit assidu près de Mlle de Châtillon[1] ; maintenant il n'était plus même civil avec aucune femme de la cour. Il n'avait d'yeux, d'oreilles que pour une seule.

Aussi prenait-il insensiblement sa place chez Monsieur, qui l'aimait et le retenait le plus possible dans sa maison.

Naturellement sauvage, il s'éloignait trop avant l'arrivée de Madame ; une fois que Madame était arrivée, il ne s'éloignait plus assez.

Ce qui, remarqué de tout le monde, le fut particulièrement du mauvais génie de la maison, le chevalier de Lorraine, à qui Monsieur témoignait un vif attachement parce qu'il avait l'humeur joyeuse, même dans ses méchancetés, et qu'il ne manquait jamais d'idées pour employer le temps.

Le chevalier de Lorraine, disons-nous, voyant que de Guiche menaçait de le supplanter, eut recours au grand moyen. Il disparut, laissant Monsieur bien empêché.

Le premier jour de sa disparition, Monsieur ne le chercha presque pas, car de Guiche était là, et, sauf les entretiens avec Madame, il consacrait bravement les heures du jour et de la nuit au prince.

Mais le second jour, Monsieur, ne trouvant personne sous la main, demanda où était le chevalier.

---

1. Mme de La Fayette le montre épris de Mme de Chalais (voir ci-dessus, chap. LXXXIX, note 1, p. 558). Sur Mme de Châtillon (que le texte appelle Mlle de Châtillon), voir même chapitre, note 2, p. 558.

Il lui fut répondu que l'on ne savait pas.

De Guiche, après avoir passé sa matinée à choisir des broderies et des franges avec Madame, vint consoler le prince. Mais, après le dîner, il y avait encore des tulipes et des améthystes à estimer ; de Guiche retourna dans le cabinet de Madame.

Monsieur demeura seul ; c'était l'heure de sa toilette : il se trouva le plus malheureux des hommes et demanda encore si l'on avait des nouvelles du chevalier.

— Nul ne sait où trouver M. le chevalier, fut la réponse que l'on rendit au prince.

Monsieur, ne sachant plus où porter son ennui, s'en alla en robe de chambre et coiffé chez Madame.

Il y avait là grand cercle de gens qui riaient et chuchotaient à tous les coins : ici un groupe de femmes autour d'un homme et des éclats étouffés ; là Manicamp et Malicorne pillés par Montalais, Mlle de Tonnay-Charente et deux autres rieuses.

Plus loin, Madame, assise sur des coussins, et de Guiche éparpillant, à genoux près d'elle, une poignée de perles et de pierres dans lesquelles le doigt fin et blanc de la princesse désignait celles qui lui plaisaient le plus.

Dans un autre coin, un joueur de guitare qui chantonnait des séguedilles espagnoles dont Madame raffolait depuis qu'elle les avait entendu chanter à la jeune reine avec une certaine mélancolie ; seulement ce que l'Espagnole avait chanté avec des larmes dans les paupières, l'Anglaise le fredonnait avec un sourire qui laissait voir ses dents de nacre.

Ce cabinet, ainsi habité, présentait la plus riante image du plaisir.

En entrant, Monsieur fut frappé de voir tant de gens qui se divertissaient sans lui. Il en fut tellement jaloux, qu'il ne put s'empêcher de dire comme un enfant :

— Eh quoi ! vous vous amusez ici, et moi, je m'ennuie tout seul !

Sa voix fut comme le coup de tonnerre qui interrompt le gazouillement d'oiseaux sous le feuillage ; il se fit un grand silence.

De Guiche fut debout en un moment.

Malicorne se fit petit derrière les jupes de Montalais.

Manicamp se redressa et prit ses grands airs de cérémonie.

Le guitarrero fourra sa guitare sous une table et tira le tapis pour la dissimuler aux yeux du prince.

Madame seule ne bougea point, et, souriant à son époux, lui répondit :

— Est-ce que ce n'est pas l'heure de votre toilette ?

— Que l'on choisit pour se divertir, grommela le prince.

Ce mot malencontreux fut le signal de la déroute : les femmes s'enfuirent comme une volée d'oiseaux effrayés ; le joueur de guitare s'évanouit comme une ombre ; Malicorne, toujours protégé par Montalais, qui élargissait sa robe, se glissa derrière une tapisserie. Pour

Manicamp, il vint en aide à de Guiche, qui, naturellement, restait auprès de Madame, et tous deux soutinrent bravement le choc avec la princesse. Le comte était trop heureux pour en vouloir au mari ; mais Monsieur en voulait à sa femme.

Il lui fallait un motif de querelle ; il le cherchait, et le départ précipité de cette foule, si joyeuse avant son arrivée et si troublée par sa présence, lui servit de prétexte.

— Pourquoi donc prend-on la fuite à mon aspect ? dit-il d'un ton rogue.

Madame répliqua froidement que, toutes les fois que le maître paraissait, la famille se tenait à l'écart par respect.

Et, en disant ces mots, elle fit une mine si drôle et si plaisante, que de Guiche et Manicamp ne purent se retenir. Ils éclatèrent de rire ; madame les imita ; l'accès gagna Monsieur lui-même, qui fut forcé de s'asseoir, parce que, en riant, il perdait trop de sa gravité.

Enfin il cessa, mais sa colère s'était augmentée. Il était encore plus furieux de s'être laissé aller à rire qu'il ne l'avait été de voir rire les autres.

Il regardait Manicamp avec de gros yeux, n'osant pas montrer sa colère au comte de Guiche.

Mais, sur un signe qu'il fit avec trop de dépit, Manicamp et de Guiche sortirent.

En sorte que Madame, demeurée seule, se mit à ramasser tristement ses perles, ne rit plus du tout et parla encore moins.

— Je suis bien aise de voir, dit le duc, que l'on me traite comme un étranger chez vous, madame.

Et il sortit exaspéré. En chemin, il rencontra Montalais, qui veillait dans l'antichambre.

— Il fait beau venir vous voir, dit-il, mais à la porte.

Montalais fit la révérence la plus profonde.

— Je ne comprends pas bien, dit-elle, ce que Votre Altesse Royale me fait l'honneur de me dire.

— Je dis, mademoiselle, que quand vous riez tous ensemble, dans l'appartement de Madame, est mal venu celui qui ne reste pas dehors.

— Votre Altesse Royale ne pense pas et ne parle pas ainsi pour elle, sans doute ?

— Au contraire, mademoiselle, c'est pour moi que je parle, c'est à moi que je pense. Certes, je n'ai pas lieu de m'applaudir des réceptions qui me sont faites ici. Comment ! pour un jour qu'il y a chez Madame, chez moi, musique et assemblée, pour un jour que je compte me divertir un peu à mon tour, on s'éloigne !... Ah çà ! craignait-on donc de me voir, que tout le monde a pris la fuite en me voyant ?... On fait donc mal, quand je suis absent ?...

— Mais, repartit Montalais, on ne fait pas aujourd'hui, monseigneur, autre chose que l'on ne fasse les autres jours.

— Quoi ! tous les jours on rit comme cela ?

— Mais, oui, monseigneur.

— Tous les jours, ce sont des groupes comme ceux que je viens de voir ?

— Absolument pareils, monseigneur.

— Et enfin tous les jours on racle le boyau ?

— Monseigneur, la guitare est d'aujourd'hui ; mais, quand nous n'avons pas de guitare, nous avons les violons et les flûtes ; des femmes s'ennuient sans musique.

— Peste ! et des hommes ?

— Quels hommes, monseigneur ?

— M. de Guiche, M. de Manicamp et les autres.

— Tous de la maison de Monseigneur.

— Oui, oui, vous avez raison, mademoiselle.

Et le prince rentra dans ses appartements : il était tout rêveur. Il se précipita dans le plus profond de ses fauteuils, sans se regarder au miroir.

— Où peut être le chevalier ? dit-il.

Il y avait un serviteur auprès du prince.

Sa question fut entendue.

— On ne sait, monseigneur.

— Encore cette réponse !... Le premier qui me répondra : « Je ne sais », je le chasse.

Tout le monde, à cette parole, s'enfuit de chez Monsieur comme on s'était enfui de chez Madame.

Alors le prince entra dans une colère inexprimable. Il donna du pied dans un chiffonnier, qui roula sur le parquet brisé en trente morceaux.

Puis, du plus grand sang-froid, il alla aux galeries, et renversa l'un sur l'autre un vase d'émail, une aiguière de porphyre et un candélabre de bronze. Le tout fit un fracas effroyable. Tout le monde parut aux portes.

— Que veut Monseigneur ? se hasarda de dire timidement le capitaine des gardes.

— Je me donne de la musique, répliqua Monseigneur en grinçant des dents.

Le capitaine des gardes envoya chercher le médecin de Son Altesse Royale.

Mais avant le médecin, arriva Malicorne, qui dit au prince :

— Monseigneur, M. le chevalier de Lorraine me suit.

Le duc regarda Malicorne et lui sourit.

Le chevalier entra en effet.

CV

LA JALOUSIE DE M. DE LORRAINE

Le duc d'Orléans poussa un cri de satisfaction en apercevant le chevalier de Lorraine.

— Ah ! c'est heureux, dit-il, par quel hasard vous voit-on ? N'étiez-vous pas disparu, comme on le disait ?

— Mais, oui, monseigneur.

— Un caprice ?

— Un caprice ! moi, avoir des caprices avec Votre Altesse ? Le respect...

— Laisse là le respect, auquel tu manques tous les jours. Je t'absous. Pourquoi étais-tu parti ?

— Parce que j'étais parfaitement inutile à Monseigneur.

— Explique-toi ?

— Monseigneur a près de lui des gens plus divertissants que je ne le serai jamais. Je ne me sens pas de force à lutter, moi ; je me suis retiré.

— Toute cette réserve n'a pas le sens commun. Quels sont ces gens contre qui tu ne veux pas lutter ? Guiche ?

— Je ne nomme personne.

— C'est absurde ! Guiche te gêne ?

— Je ne dis pas cela, monseigneur ; ne me faites pas parler : vous savez bien que de Guiche est de nos bons amis.

— Qui, alors ?

— De grâce, monseigneur, brisons là, je vous en supplie.

Le chevalier savait bien que l'on irrite la curiosité comme la soif en éloignant le breuvage ou l'explication.

— Non, je veux savoir pourquoi tu as disparu.

— Eh bien ! je vais vous le dire ; mais ne le prenez pas en mauvaise part.

— Parle.

— Je me suis aperçu que je gênais.

— Qui ?

— Madame.

— Comment cela ? dit le duc étonné.

— C'est tout simple : Madame est peut-être jalouse de l'attachement que vous voulez bien avoir pour moi.

— Elle te le témoigne ?

— Monseigneur, Madame ne m'adresse jamais la parole, surtout depuis un certain temps.

— Quel temps ?

— Depuis que M. de Guiche lui ayant plu mieux que moi, elle le reçoit à toute heure[1].

Le duc rougit.

— A toute heure... Qu'est-ce que ce mot-là, chevalier ? dit-il sévèrement.

— Vous voyez bien, monseigneur, que je vous ai déplu ; j'en étais bien sûr.

— Vous ne me déplaisez pas, mais vous dites les choses un peu vivement. En quoi Madame préfère-t-elle Guiche à vous ?

— Je ne dirai plus rien, fit le chevalier avec un salut plein de cérémonie.

— Au contraire, j'entends que vous parliez. Si vous vous êtes retiré pour cela, vous êtes donc bien jaloux ?

— Il faut être jaloux quand on aime, monseigneur ; est-ce que Votre Altesse n'est pas jalouse de Madame ? est-ce que Votre Altesse, si elle voyait toujours quelqu'un près de Madame, et quelqu'un traité favorablement, ne prendrait pas de l'ombrage ? On aime ses amis comme ses amours. Votre Altesse Royale m'a fait quelquefois l'insigne honneur de m'appeler son ami.

— Oui, oui, mais voilà encore un mot équivoque ; chevalier, vous avez la conversation malheureuse.

— Quel mot, monseigneur ?

— Vous avez dit : *Traité favorablement*... Qu'entendez-vous par ce *favorablement* ?

— Rien que de fort simple, monseigneur, dit le chevalier avec une grande bonhomie. Ainsi, par exemple, quand un mari voit sa femme appeler de préférence tel ou tel homme près d'elle ; quand cet homme se trouve toujours à la tête de son lit ou bien à la portière de son carrosse ; lorsqu'il y a toujours une petite place pour le pied de cet homme dans la circonférence des robes de la femme ; lorsque les gens se rencontrent hors des appels de la conversation ; lorsque le bouquet de celle-ci est de la couleur des rubans de celui-là ; lorsque les musiques sont dans l'appartement, les soupers dans les ruelles ; lorsque, le mari paraissant, tout se tait chez la femme ; lorsque le mari se trouve avoir soudain pour compagnon le plus assidu, le plus tendre des hommes qui, huit jours auparavant, semblait le moins à lui... alors...

— Alors, achève.

— Alors, je dis, monseigneur, qu'on est peut-être jaloux ; mais tous ces détails-là ne sont pas de mise, il ne s'agit en rien de cela dans notre conversation.

1. Historiquement, le chevalier de Lorraine, né en 1643, n'apparaît que tardivement dans les démêlés conjugaux de Monsieur et de Madame, vers 1667.

Le duc s'agitait et se combattait évidemment.

— Vous ne me dites pas, finit-il par dire, pourquoi vous vous éloignâtes. Tout à l'heure, vous disiez que c'était dans la crainte de gêner, vous ajoutiez même que vous aviez remarqué de la part de Madame un penchant à fréquenter un de Guiche.

— Ah ! monseigneur, je n'ai pas dit cela.

— Si fait.

— Mais si je l'ai dit, je ne voyais rien là que d'innocent.

— Enfin, vous voyiez quelque chose ?

— Monseigneur m'embarrasse.

— Qu'importe ! parlez. Si vous dites la vérité, pourquoi vous embarrasser ?

— Je dis toujours la vérité, monseigneur, mais j'hésite toujours aussi quand il s'agit de répéter ce que disent les autres.

— Ah ! vous répétez... Il paraît qu'on a dit alors ?

— J'avoue qu'on m'a parlé.

— Qui ?

Le chevalier prit un air presque courroucé.

— Monseigneur, dit-il, vous me soumettez à une question, vous me traitez comme un accusé sur la sellette... et les bruits qui effleurent en passant l'oreille d'un gentilhomme n'y séjournent pas. Votre Altesse veut que je grandisse le bruit à la hauteur d'un événement.

— Enfin, s'écria le duc avec dépit, un fait constant, c'est que vous vous êtes retiré à cause de ce bruit.

— Je dois dire la vérité : on m'a parlé des assiduités de M. de Guiche près de Madame, rien de plus ; plaisir innocent, je le répète, et, de plus, permis ; mais, monseigneur, ne soyez pas injuste et ne poussez pas les choses à l'excès. Cela ne vous regarde pas.

— Il ne me regarde pas qu'on parle des assiduités de Guiche chez Madame ?...

— Non, monseigneur, non ; et ce que je vous dis, je le dirais à de Guiche lui-même, tant je vois en beau la cour qu'il fait à Madame ; je le lui dirais à elle-même. Seulement vous comprenez ce que je crains ? Je crains de passer pour un jaloux de faveur, quand je ne suis qu'un jaloux d'amitié. Je connais votre faible, je connais que, quand vous aimez, vous êtes exclusif. Or, vous aimez Madame, et d'ailleurs qui ne l'aimerait pas ? Suivez bien le cercle où je me promène : Madame a distingué dans vos amis le plus beau et le plus attrayant ; elle va vous influencer de telle façon au sujet de celui-là, que vous négligerez les autres. Un dédain de vous me ferait mourir ; c'est assez déjà de supporter ceux de Madame. J'ai donc pris mon parti, monseigneur, de céder la place au favori dont j'envie le bonheur, tout en professant pour lui une amitié sincère et une sincère admiration. Voyons, avez-vous quelque chose contre ce raisonnement ? Est-il d'un galant homme ? La conduite est-elle d'un brave ami ? Répondez au moins, vous qui m'avez si rudement interrogé.

Le duc s'était assis, il tenait sa tête à deux mains et ravageait sa coiffure. Après un silence assez long pour que le chevalier eût pu apprécier tout l'effet de ses combinaisons oratoires, Monseigneur se releva.

— Voyons, dit-il, et sois franc.

— Comme toujours.

— Bon ! Tu sais que nous avons déjà remarqué quelque chose au sujet de cet extravagant de Buckingham.

— Oh ! monseigneur, n'accusez pas Madame, ou je prends congé de vous. Quoi ! vous allez à ces systèmes ? quoi, vous soupçonnez ?

— Non, non, chevalier, je ne soupçonne pas Madame ; mais enfin... je vois... je compare...

— Buckingham était un fou !

— Un fou sur lequel tu m'as parfaitement ouvert les yeux.

— Non ! non ! dit vivement le chevalier, ce n'est pas moi qui vous ai ouvert les yeux, c'est de Guiche. Oh ! ne confondons pas.

Et il se mit à rire de ce rire strident qui ressemble au sifflet d'une couleuvre.

— Oui, oui, en effet... tu dis quelques mots, mais Guiche se montra le plus jaloux.

— Je crois bien, continua le chevalier sur le même ton ; il combattait pour l'autel et le foyer.

— Plaît-il ? fit le duc impérieusement et révolté de cette plaisanterie perfide.

— Sans doute, M. de Guiche n'est-il pas le premier gentilhomme de votre maison ?

— Enfin, répliqua le duc un peu plus calme, cette passion de Buckingham avait été remarquée ?

— Certes !

— Eh bien ! dit-on que celle de M. de Guiche soit remarquée autant ?

— Mais, monseigneur, vous retombez encore ; on ne dit pas que M. de Guiche ait de la passion.

— C'est bien ! c'est bien !

— Vous voyez, monseigneur, qu'il valait mieux, cent fois mieux, me laisser dans ma retraite que d'aller vous forger avec mes scrupules des soupçons que Madame regardera comme des crimes, et elle aura raison.

— Que ferais-tu, toi ?

— Une chose raisonnable.

— Laquelle ?

— Je ne ferais plus la moindre attention à la société de ces épicuriens nouveaux, et de cette façon les bruits tomberaient.

— Je verrai, je me consulterai.

— Oh ! vous avez le temps, le danger n'est pas grand, et puis il ne s'agit ni de danger ni de passion ; il s'agit d'une crainte que j'ai eue de voir s'affaiblir votre amitié pour moi. Dès que vous me la rendez avec une assurance aussi gracieuse, je n'ai plus d'autre idée en tête.

Le duc secoua la tête, comme s'il voulait dire : « Si tu n'as plus d'idées, moi, j'en ai. »

Mais l'heure du dîner étant arrivée, Monseigneur envoya prévenir Madame. Il fut répondu que Madame ne pouvait assister au grand couvert et qu'elle dînerait chez elle.

— Cela n'est pas ma faute, dit le duc ; ce matin, tombant au milieu de toutes leurs musiques, j'ai fait le jaloux, et on me boude.

— Nous dînerons seuls, dit le chevalier avec un soupir ; je regrette Guiche.

— Oh ! de Guiche ne boudera pas longtemps, c'est un bon naturel.

— Monseigneur, dit tout à coup le chevalier, il me vient une bonne idée : tantôt, dans notre conversation, j'ai pu aigrir Votre Altesse et donner sur lui des ombrages. Il convient que je sois le médiateur... Je vais aller à la recherche du comte et je le ramènerai.

— Ah ! chevalier, tu es une bonne âme.

— Vous dites cela comme si vous étiez surpris.

— Dame ! tu n'es pas tendre tous les jours.

— Soit ; mais je sais réparer un tort que j'ai fait, avouez.

— J'avoue.

— Votre Altesse veut bien me faire la grâce d'attendre ici quelques moments ?

— Volontiers, va... J'essaierai mes habits de Fontainebleau.

Le chevalier partit, il appela ses gens avec un grand soin, comme s'il leur donnait divers ordres.

Tous partirent dans différentes directions ; mais il retint son valet de chambre.

— Sache, dit-il, et sache tout de suite si M. de Guiche n'est pas chez Madame. Vois ; comment savoir cela ?

— Facilement, monsieur le chevalier ; je le demanderai à Malicorne, qui le saura de Mlle de Montalais. Cependant je dois dire que la demande sera vaine, car tous les gens de M. de Guiche sont partis : le maître a dû partir avec eux.

— Informe-toi, néanmoins.

Dix minutes ne s'étaient pas écoulées, que le valet de chambre revint. Il attira mystérieusement son maître dans un escalier de service, et le fit entrer dans une petite chambre dont la fenêtre donnait sur le jardin.

— Qu'y a-t-il ? dit le chevalier ; pourquoi tant de précautions ?

— Regardez, monsieur, dit le valet de chambre.

— Quoi ?

— Regardez sous le marronnier, en bas.

— Bien... Ah ! mon Dieu ! je vois Manicamp qui attend ; qu'attend-il ?

— Vous allez le voir, si vous prenez patience... Là ! voyez-vous, maintenant ?

— Je vois un, deux, quatre musiciens avec leurs instruments, et derrière eux, les poussant, de Guiche en personne. Mais que fait-il là ?

— Il attend qu'on lui ouvre la petite porte de l'escalier des dames d'honneur ; il montera par là chez Madame, où l'on va faire entendre une nouvelle musique pendant le dîner.

— C'est superbe, ce que tu dis là.

— N'est-ce pas, monsieur ?

— Et c'est M. Malicorne qui t'a dit cela ?

— Lui-même.

— Il t'aime donc ?

— Il aime Monsieur.

— Pourquoi ?

— Parce qu'il veut être de sa maison.

— Mordieu ! il en sera. Combien t'a-t-il donné pour cela ?

— Le secret que je vous vends, monsieur.

— Je te le paie cent pistoles. Prends !

— Merci, monsieur... Voyez-vous, la petite porte s'ouvre, une femme fait entrer les musiciens...

— C'est la Montalais ?

— Tout beau, monsieur, ne criez pas ce nom ; qui dit Montalais dit Malicorne. Si vous vous brouillez avec l'un, vous serez mal avec l'autre.

— Bien, je n'ai rien vu.

— Et moi rien reçu, dit le valet en emportant la bourse.

Le chevalier, ayant la certitude que de Guiche était entré, revint chez Monsieur, qu'il trouva splendidement vêtu et rayonnant de joie comme de beauté.

— On dit, s'écria-t-il, que le roi prend le soleil pour devise ; vrai, monseigneur, c'est à vous que cette devise conviendrait.

— Et Guiche ?

— Introuvable ! Il a fui, il s'est évaporé. Votre algarade du matin l'a effarouché. On ne l'a pas trouvé chez lui.

— Bah ! il est capable, ce cerveau fêlé, d'avoir pris la poste pour aller dans ses terres. Pauvre garçon ! nous le rappellerons, va. Dînons.

— Monseigneur, c'est le jour des idées ; j'en ai encore une.

— Laquelle ?

— Monseigneur, Madame vous boude, et elle a raison. Vous lui devez une revanche ; allez dîner avec elle.

— Oh ! c'est d'un mari faible.

— C'est d'un bon mari. La princesse s'ennuie : elle va pleurer dans son assiette, elle aura les yeux rouges. Un mari se fait odieux qui rougit les yeux de sa femme. Allons, monseigneur, allons !

— Non, mon service est commandé pour ici.

— Voyons, voyons, monseigneur, nous serons tristes ; j'aurai le cœur gros de savoir que Madame est seule ; vous, tout féroce que vous voudrez être, vous soupirerez. Emmenez-moi au dîner de Madame, et ce sera une charmante surprise. Je gage que nous nous divertirons ; vous aviez tort ce matin.

— Peut-être bien.

— Il n'y a pas de peut-être, c'est un fait.

— Chevalier, chevalier ! tu me conseilles mal.

— Je vous conseille bien, vous êtes dans vos avantages : votre habit pensée, brodé d'or, vous va divinement. Madame sera encore plus subjuguée par l'homme que par le procédé. Voyons, monseigneur.

— Tu me décides, partons.

Le duc sortit avec le chevalier de son appartement, et se dirigea vers celui de Madame.

Le chevalier glissa ces mots à l'oreille de son valet :

— Du monde devant la petite porte ! Que nul ne puisse s'échapper par là ! Cours.

Et derrière le duc il parvint aux antichambres de Madame.

Les huissiers allaient annoncer.

— Que nul ne bouge, dit le chevalier en riant, Monseigneur veut faire une surprise.

CVI

MONSIEUR EST JALOUX DE GUICHE[1]

Monsieur entra brusquement comme les gens qui ont une bonne intention et qui croient faire plaisir, ou comme ceux qui espèrent surprendre quelque secret, triste aubaine des jaloux.

Madame, enivrée par les premières mesures de la musique, dansait comme une folle, laissant là son dîner commencé.

---

1. « Dans ce même temps, le bruit fut grand de la passion du comte de Guiche. Monsieur en fut bientôt instruit et lui fit très mauvaise mine. Le comte de Guiche, soit par son naturel fier, soit par chagrin de voir Monsieur instruit d'une chose qu'il lui était commode qu'il ignorât, eut avec Monsieur un éclaircissement fort audacieux et rompit avec lui comme s'il eût été son égal [...]. Le jour que ce bruit arriva. Madame gardait la chambre et ne voyait personne ; elle ordonna qu'on laissât seulement entrer ceux qui répétaient avec elle, dont le comte de Guiche était du nombre, ne sachant point ce qui venait de se passer », Mme de La Fayette, *op. cit.*, dans lequel la passion de Guiche succède au vif attachement que le roi éprouve pour sa belle-sœur, et ne le précède pas, ordre de l'intrigue également prévu dans le plan initial du roman.

Son danseur était M. de Guiche, les bras en l'air, les yeux à demi fermés, le genou en terre, comme ces danseurs espagnols aux regards voluptueux, au geste caressant[1].

La princesse tournait autour de lui avec le même sourire et la même séduction provocante.

Montalais admirait. La Vallière, assise dans un coin, regardait toute rêveuse.

Il est impossible d'exprimer l'effet que produisit sur ces gens heureux la présence de Monsieur. Il serait tout aussi impossible d'exprimer l'effet que produisit sur Philippe la vue de ces gens heureux.

Le comte de Guiche n'eut pas la force de se relever ; Madame demeura au milieu de son pas et de son attitude, sans pouvoir articuler un mot.

Le chevalier de Lorraine, adossé au chambranle de la porte, souriait comme un homme plongé dans la plus naïve admiration.

La pâleur du prince, le tremblement convulsif de ses mains et de ses jambes furent les premiers symptômes qui frappèrent les assistants. Un profond silence succéda au bruit de la danse.

Le chevalier de Lorraine profita de cet intervalle pour venir saluer respectivement Madame et de Guiche, en affectant de les confondre dans ses révérences, comme les deux maîtres de la maison.

Monsieur, s'approchant à son tour :

— Je suis enchanté, dit-il d'une voix rauque ; j'arrivais ici croyant vous trouver malade et triste, je vous vois livrée à de nouveaux plaisirs ; en vérité, c'est heureux ! Ma maison est la plus joyeuse de l'univers.

Se retournant vers de Guiche :

— Comte, dit-il, je ne vous savais pas si brave danseur.

Puis, revenant à sa femme :

— Soyez meilleure pour moi, dit-il avec une amertume qui voilait sa colère ; chaque fois qu'on se réjouira chez vous, invitez-moi... Je suis un prince fort abandonné.

De Guiche avait repris toute son assurance, et, avec une fierté naturelle qui lui allait bien :

— Monseigneur, dit-il, sait bien que toute ma vie est à son service ; quand il s'agira de la donner, je suis prêt ; pour aujourd'hui il ne s'agit que de danser aux violons, je danse.

— Et vous avez raison, dit froidement le prince. Et puis, Madame, continua-t-il, vous ne remarquez pas que vos dames m'enlèvent mes amis : M. de Guiche n'est pas à vous, madame, il est à moi. Si vous voulez dîner sans moi, vous avez vos dames. Quand je dîne seul, j'ai mes gentilshommes ; ne me dépouillez pas tout à fait.

Madame sentit le reproche et la leçon.

1. Souvenir du voyage en Espagne de 1846. Voir *Impressions de voyage. De Paris à Cadix*, en particulier chap. XIX.

La rougeur monta soudain jusqu'à ses yeux.

— Monsieur, répliqua-t-elle, j'ignorais, en venant à la cour de France, que les princesses de mon rang dussent être considérées comme les femmes de Turquie. J'ignorais qu'il fût défendu de voir des hommes ; mais, puisque telle est votre volonté, je m'y conformerai ; ne vous gênez point si vous voulez faire griller mes fenêtres.

Cette riposte, qui fit sourire Montalais et de Guiche, ramena dans le cœur du prince la colère, dont une bonne partie venait de s'évaporer en paroles.

— Très bien ! dit-il d'un ton concentré, voilà comme on me respecte chez moi !

— Monseigneur ! monseigneur ! murmura le chevalier à l'oreille de Monsieur, de façon que tout le monde remarquât bien qu'il le modérait.

— Venez ! répliqua le duc pour toute réponse, en l'entraînant et en pirouettant par un mouvement brusque, au risque de heurter Madame.

Le chevalier suivit son maître jusque dans l'appartement, où le prince ne fut pas plutôt assis, qu'il donna un libre cours à sa fureur.

Le chevalier levait les yeux au ciel, joignait les mains et ne disait mot.

— Ton avis ? s'écria Monsieur.

— Sur quoi, monseigneur ?

— Sur tout ce qui se passe ici.

— Oh ! monseigneur, c'est grave.

— C'est odieux ! la vie ne peut se passer ainsi.

— Voyez, comme c'est malheureux ! dit le chevalier. Nous espérions avoir la tranquillité après le départ de ce fou de Buckingham.

— Et c'est pire !

— Je ne dis pas cela, monseigneur.

— Non, mais je le dis, moi, car Buckingham n'eût jamais osé faire le quart de ce que nous avons vu.

— Quoi donc ?

— Se cacher pour danser, feindre une indisposition pour dîner tête à tête.

— Oh ! monseigneur, non ! non !

— Si ! si ! cria le prince en s'excitant lui-même comme les enfants volontaires ; mais je n'endurerai pas cela plus longtemps, il faut qu'on sache ce qui se passe.

— Monseigneur, un éclat...

— Pardieu ! dois-je me gêner quand on se gêne si peu avec moi ? Attends-moi ici, chevalier, attends-moi !

Le prince disparut dans la chambre voisine, et s'informa de l'huissier si la reine mère était revenue de la chapelle.

Anne d'Autriche était heureuse : la paix revenue au foyer de sa famille, tout un peuple charmé par la présence d'un souverain jeune et bien disposé pour les grandes choses, les revenus de l'État agrandis, la paix extérieure assurée, tout lui présageait un avenir tranquille.

Elle se reprenait parfois au souvenir de ce pauvre jeune homme qu'elle avait reçu en mère et chassé en marâtre.

Un soupir achevait sa pensée. Tout à coup le duc d'Orléans entra chez elle.

— Ma mère, s'écria-t-il en fermant vivement les portières, les choses ne peuvent subsister ainsi.

Anne d'Autriche leva sur lui ses beaux yeux, et, avec une inaltérable douceur :

— De quelle chose voulez-vous parler ? dit-elle.

— Je veux parler de Madame.

— Votre femme ?

— Oui, ma mère.

— Je gage que ce fou de Buckingham lui aura écrit quelque lettre d'adieu.

— Ah bien ! oui, ma mère, est-ce qu'il s'agit de Buckingham !

— Et de qui donc alors ? Car ce pauvre garçon était bien à tort le point de mire de votre jalousie, et je croyais...

— Ma mère, Madame a déjà remplacé M. de Buckingham.

— Philippe, que dites-vous ? Vous prononcez là des paroles légères.

— Non pas, non pas. Madame a si bien fait que je suis encore jaloux.

— Et de qui, bon Dieu ?

— Quoi ! vous n'avez pas remarqué ?

— Non.

— Vous n'avez pas vu que M. de Guiche est toujours chez elle, toujours avec elle ?

La reine frappa ses deux mains l'une contre l'autre et se mit à rire.

— Philippe, dit-elle, ce n'est pas un défaut que vous avez là ; c'est une maladie.

— Défaut ou maladie, madame, j'en souffre.

— Et vous prétendez qu'on guérisse un mal qui existe seulement dans votre imagination ? Vous voulez qu'on vous approuve, jaloux, quand il n'y a aucun fondement à votre jalousie ?

— Allons, voilà que vous allez recommencer pour celui-ci ce que vous disiez pour celui-là.

— C'est que, mon fils, dit sèchement la reine, ce que vous faisiez pour celui-là, vous le recommencez pour celui-ci.

Le prince s'inclina un peu piqué.

— Et si je cite des faits, dit-il, croirez-vous ?

— Mon fils, pour toute autre chose que la jalousie, je vous croirais sans l'allégation des faits ; mais, pour la jalousie, je ne vous promets rien.

— Alors, c'est comme si Votre Majesté m'ordonnait de me taire et me renvoyait hors de cause.

— Nullement ; vous êtes mon fils, je vous dois toute l'indulgence d'une mère.

— Oh ! dites votre pensée : vous me devez toute l'indulgence que mérite un fou.

— N'exagérez pas, Philippe, et prenez garde de me représenter votre femme comme un esprit dépravé...

— Mais les faits !

— J'écoute.

— Ce matin, on faisait de la musique chez Madame, à dix heures.

— C'est innocent.

— M. de Guiche causait seul avec elle... Ah ! j'oublie de vous dire que, depuis huit jours, il ne la quitte pas plus que son ombre.

— Mon ami, s'ils faisaient mal, ils se cacheraient.

— Bon ! s'écria le duc ; je vous attendais là. Retenez bien ce que vous venez de dire. Ce matin, dis-je, je les surpris, et témoignai vivement mon mécontentement.

— Soyez sûr que cela suffira ; c'est peut-être même un peu vif. Ces jeunes femmes sont ombrageuses. Leur reprocher le mal qu'elles n'ont pas fait, c'est parfois leur dire qu'elles pourraient le faire.

— Bien, bien, attendez. Retenez aussi ce que vous venez de dire, Madame : « La leçon de ce matin eût dû suffire, et, s'ils faisaient mal, ils se cacheraient. »

— Je l'ai dit.

— Or, tantôt, me repentant de cette vivacité du matin et sachant que Guiche boudait chez lui, j'allai chez Madame. Devinez ce que j'y trouvai ? D'autres musiques, des danses, et Guiche ; on l'y cachait.

Anne d'Autriche fronça le sourcil.

— C'est imprudent, dit-elle. Qu'a dit Madame ?

— Rien.

— Et Guiche ?

— De même... Si fait... il a balbutié quelques impertinences.

— Que concluez-vous, Philippe ?

— Que j'étais joué, que Buckingham n'était qu'un prétexte, et que le vrai coupable, c'est Guiche.

Anne haussa les épaules.

— Après ?

— Je veux que Guiche sorte de chez moi comme Buckingham, et je le demanderai au roi, à moins que...

— A moins que ?

— Vous ne fassiez vous-même la commission, madame, vous qui êtes si spirituelle et si bonne.

— Je ne la ferai point.

— Quoi, ma mère !

— Écoutez, Philippe, je ne suis pas tous les jours disposée à faire aux gens de mauvais compliments ; j'ai de l'autorité sur cette jeunesse, mais je ne saurais m'en prévaloir sans la perdre ; d'ailleurs, rien ne prouve que M. de Guiche soit coupable.

— Il m'a déplu.

— Cela vous regarde.

— Bien, je sais ce que je ferai, dit le prince impétueusement.

Anne le regarda inquiète.

— ·Et que ferez-vous ? dit-elle.

— Je le ferai noyer dans mon bassin la première fois que je le trouverai chez moi.

Et, cette férocité lancée, le prince attendit un effet d'effroi. La reine fut impassible.

— Faites, dit-elle.

Philippe était faible comme une femme, il se mit à hurler.

— On me trahit, personne ne m'aime : voilà ma mère qui passe à mes ennemis !

— Votre mère y voit plus loin que vous et ne se soucie pas de vous conseiller, puisque vous ne l'écoutez pas.

— J'irai au roi.

— J'allais vous le proposer. J'attends Sa Majesté ici, c'est l'heure de sa visite ; expliquez-vous.

Elle n'avait pas fini, que Philippe entendit la porte de l'antichambre s'ouvrir bruyamment.

La peur le prit. On distinguait le pas du roi, dont les semelles craquaient sur les tapis.

Le duc s'enfuit par une petite porte, laissant la reine aux prises.

Anne d'Autriche se mit à rire, et riait encore lorsque le roi entra.

Il venait, très affectueusement, savoir des nouvelles de la santé, déjà chancelante, de la reine mère. Il venait lui annoncer aussi que tous les préparatifs pour le voyage de Fontainebleau étaient terminés.

La voyant rire, il sentit diminuer son inquiétude et l'interrogea lui-même en riant.

Anne d'Autriche lui prit la main, et, d'une voix pleine d'enjouement :

— Savez-vous, dit-elle, que je suis fière d'être Espagnole.

— Pourquoi, madame ?

— Parce que les Espagnoles valent mieux au moins que les Anglaises.

— Expliquez-vous.

— Depuis que vous êtes marié, vous n'avez pas un seul reproche à faire à la reine ?

— Non, certes.

— Et voilà un certain temps que vous êtes marié. Votre frère, au contraire, est marié depuis quinze jours...

— Eh bien ?

— Il se plaint de Madame pour la seconde fois.

— Quoi ! encore Buckingham ?

— Non, un autre.

— Qui ?

— Guiche.

— Ah çà ! mais c'est donc une coquette que Madame ?

— Je le crains.

— Mon pauvre frère ! dit le roi en riant.

— Vous excusez la coquetterie, à ce que je vois ?

— Chez Madame, oui ; Madame n'est pas coquette au fond.

— Soit ; mais votre frère en perdra la tête.

— Que demande-t-il ?

— Il veut faire noyer Guiche.

— C'est violent.

— Ne riez pas, il est exaspéré. Avisez à quelque moyen.

— Pour sauver Guiche, volontiers.

— Oh ! si votre frère vous entendait, il conspirerait contre vous comme faisait votre oncle, Monsieur, contre le roi votre père.

— Non. Philippe m'aime trop et je l'aime trop de mon côté ; nous vivrons bons amis. Le résumé de la requête ?

— C'est que vous empêchiez Madame d'être coquette et Guiche d'être aimable.

— Rien que cela ? Mon frère se fait une bien haute idée du pouvoir royal... corriger une femme ! Passe encore pour un homme.

— Comment vous y prendrez-vous ?

— Avec un mot dit à Guiche, qui est un garçon d'esprit, je le persuaderai.

— Mais Madame ?

— C'est plus difficile ; un mot ne suffira pas ; je composerai une homélie, je la prêcherai.

— Cela presse.

— Oh ! j'y mettrai toute la diligence possible. Nous avons répétition de ballet cette après-dînée.

— Vous prêcherez en dansant ?

— Oui, madame.

— Vous promettez de convertir ?

— J'extirperai l'hérésie par la conviction ou par le feu.

— A la bonne heure ! Ne me mêlez point dans tout cela, Madame ne me le pardonnerait de sa vie ; et, belle-mère, je dois vivre avec ma bru.

— Madame, ce sera le roi qui prendra tout sur lui. Voyons, je réfléchis.

— A quoi ?

— Il serait peut-être mieux que j'allasse trouver Madame chez elle ?

— C'est un peu solennel.

— Oui, mais la solennité ne messied pas aux prédicateurs, et puis le violon du ballet mangerait la moitié de mes arguments. En outre, il s'agit d'empêcher quelque violence de mon frère... Mieux vaut un peu de précipitation... Madame est-elle chez elle ?

— Je le crois.

— L'exposition des griefs, s'il vous plaît.

— En deux mots, voici : Musique perpétuelle... assiduité de Guiche... soupçons de cachotteries et de complots...

— Les preuves ?

— Aucune.

— Bien ; je me rends chez Madame.

Et le roi se prit à regarder, dans les glaces, sa toilette qui était riche et son visage qui resplendissait comme ses diamants.

— On éloigne bien un peu Monsieur ? dit-il.

— Oh ! le feu et l'eau ne se fuient pas avec plus d'acharnement.

— Il suffit. Ma mère, je vous baise les mains... les plus belles mains de France.

— Réussissez, sire... Soyez le pacificateur du ménage.

— Je n'emploie pas d'ambassadeur, répliqua Louis. C'est vous dire que je réussirai.

Il sortit en riant et s'épousseta soigneusement tout le long du chemin.

CVII

LE MÉDIATEUR

Quand le roi parut chez Madame, tous les courtisans, que la nouvelle d'une scène conjugale avait disséminés autour des appartements, commencèrent à concevoir les plus graves inquiétudes[1].

Il se formait aussi de ce côté un orage dont le chevalier de Lorraine, au milieu des groupes, analysait avec joie tous les éléments, grossissant les plus faibles et manœuvrant, selon ses mauvais desseins, les plus forts, afin de produire les plus méchants effets possibles.

Ainsi que l'avait annoncé Anne d'Autriche, la présence du roi donna un caractère solennel à l'événement.

Ce n'était pas une petite affaire, en 1662[2], que le mécontentement

1. « Comme le roi vint chez elle, elle lui dit les ordres qu'elle avait donnés, le roi lui répondit en souriant qu'elle ne connaissait pas mal ceux qui devaient être exemptés et lui conta ensuite ce qui venait de se passer entre Monsieur et le comte de Guiche », Mme de La Fayette, *op. cit.*

2. Indication chronologique surprenante puisque, au chapitre précédent, Anne d'Autriche disait à Louis XIV : « Votre frère [...] est marié depuis quinze jours » ; or, rappelons que Monsieur épouse Madame le 31 mars 1661. Voir également ci-dessous, chap. CXXI : « 1661 ».

de Monsieur contre Madame, et l'intervention du roi dans les affaires privées de Monsieur.

Aussi vit-on les plus hardis, qui entouraient le comte de Guiche dès le premier moment, s'éloigner de lui avec une sorte d'épouvante ; et le comte lui-même, gagné par la panique générale, se retirer chez lui tout seul.

Le roi entra chez Madame en saluant, comme il avait toujours l'habitude de le faire. Les dames d'honneur étaient rangées en file sur son passage dans la galerie.

Si fort préoccupée que fût Sa Majesté, elle donna un coup d'œil de maître à ces deux rangs de jeunes et charmantes femmes qui baissaient modestement les yeux.

Toutes étaient rouges de sentir sur elles le regard du roi. Une seule, dont les longs cheveux se roulaient en boucles soyeuses sur la plus belle peau du monde, une seule était pâle et se soutenait à peine, malgré les coups de coude de sa compagne.

C'était La Vallière, que Montalais étayait de la sorte en lui soufflant tout bas le courage dont elle-même était si abondamment pourvue.

Le roi ne put s'empêcher de se retourner. Tous les fronts, qui déjà s'étaient relevés, se baissèrent de nouveau ; mais la seule tête blonde demeura immobile, comme si elle eût épuisé tout ce qui lui restait de force et d'intelligence.

En entrant chez Madame, Louis trouva sa belle-sœur à demi couchée sur les coussins de son cabinet. Elle se souleva et fit une révérence profonde en balbutiant quelques remerciements sur l'honneur qu'elle recevait.

Puis elle se rassit, vaincue par une faiblesse, affectée sans doute, car un coloris charmant animait ses joues, et ses yeux, encore rouges de quelques larmes répandues récemment, n'avaient que plus de feu.

Quand le roi fut assis et qu'il eut remarqué, avec cette sûreté d'observation qui le caractérisait, le désordre de la chambre et celui, non moins grand, du visage de Madame, il prit un air enjoué.

— Ma sœur, dit-il, à quelle heure vous plaît-il que nous répétions le ballet aujourd'hui ?

Madame, secouant lentement et languissamment sa tête charmante :

— Ah ! sire, dit-elle, veuillez m'excuser pour cette répétition ; j'allais faire prévenir Votre Majesté que je ne saurais aujourd'hui.

— Comment ! dit le roi avec une surprise modérée ; ma sœur, seriez-vous indisposée ?

— Oui, sire.

— Je vais faire appeler vos médecins, alors.

— Non, car les médecins ne peuvent rien à mon mal.

— Vous m'effrayez !

— Sire, je veux demander à Votre Majesté la permission de m'en retourner en Angleterre.

Le roi fit un mouvement.

— En Angleterre ! Dites-vous bien ce que vous voulez dire, madame ?

— Je le dis à contrecœur, sire, répliqua la petite-fille de Henri IV avec résolution.

Et elle fit étinceler ses beaux yeux noirs.

— Oui, je regrette de faire à Votre Majesté des confidences de ce genre ; mais je me trouve trop malheureuse à la cour de Votre Majesté ; je veux retourner dans ma famille.

— Madame ! Madame !

Et le roi s'approcha.

— Écoutez-moi, sire, continua la jeune femme en prenant peu à peu sur son interlocuteur l'ascendant que lui donnaient sa beauté, sa nerveuse nature ; je suis accoutumée à souffrir. Jeune encore, j'ai été humiliée, j'ai été dédaignée. Oh ! ne me démentez pas, sire, dit-elle avec un sourire.

Le roi rougit.

— Alors, dis-je, j'ai pu croire que Dieu m'avait fait naître pour cela, moi, fille d'un roi puissant ; mais, puisqu'il avait frappé la vie dans mon père, il pouvait bien frapper en moi l'orgueil. J'ai bien souffert, j'ai bien fait souffrir ma mère ; mais j'ai juré que, si jamais Dieu me rendait une position indépendante, fût-ce celle de l'ouvrière du peuple qui gagne son pain avec son travail, je ne souffrirais plus la moindre humiliation. Ce jour est arrivé ; j'ai recouvré la fortune due à mon rang, à ma naissance ; j'ai remonté jusqu'aux degrés du trône ; j'ai cru que, m'alliant à un prince français, je trouverais en lui un parent, un ami, un égal ; mais je m'aperçois que je n'ai trouvé qu'un maître, et je me révolte, sire. Ma mère n'en saura rien, vous que je respecte et que... j'aime...

Le roi tressaillit ; nulle voix n'avait ainsi chatouillé son oreille.

— Vous, dis-je, sire, qui savez tout, puisque vous venez ici, vous me comprendrez peut-être. Si vous ne fussiez pas venu, j'allais à vous. C'est l'autorisation de partir librement que je veux. J'abandonne à votre délicatesse, à vous, l'homme par excellence, de me disculper et de me protéger.

— Ma sœur ! ma sœur ! balbutia le roi courbé par cette rude attaque, avez-vous bien réfléchi à l'énorme difficulté du projet que vous formez ?

— Sire, je ne réfléchis pas, je sens. Attaquée, je repousse d'instinct l'attaque ; voilà tout.

— Mais que vous a-t-on fait ? Voyons.

La princesse venait, on le voit, par cette manœuvre particulière aux femmes, d'éviter tout reproche et d'en formuler un plus grave, d'accusée elle devenait accusatrice. C'est un signe infaillible de culpabilité ; mais de ce mal évident, les femmes, même les moins adroites, savent toujours tirer parti pour vaincre.

Le roi ne s'aperçut pas qu'il était venu chez elle pour lui dire : « Qu'avez-vous fait à mon frère ? »

Et qu'il se réduisait à dire :

— Que vous a-t-on fait ?

— Ce qu'on m'a fait ? répliqua Madame. Oh ! il faut être femme pour le comprendre, sire : on m'a fait pleurer.

Et d'un doigt qui n'avait pas son égal en finesse et en blancheur nacrée, elle montrait des yeux brillants noyés dans le fluide, et elle recommençait à pleurer.

— Ma sœur, je vous en supplie, dit le roi en s'avançant pour lui prendre une main qu'elle lui abandonna moite et palpitante.

— Sire, on m'a tout d'abord privée de la présence d'un ami de mon frère. Milord de Buckingham était pour moi un hôte agréable, enjoué, un compatriote qui connaissait mes habitudes, je dirai presque un compagnon, tant nous avons passé de jours ensemble avec nos autres amis sur mes belles eaux de Saint-James.

— Mais, ma sœur, Villiers était amoureux de vous ?

— Prétexte ! Que fait cela, dit-elle sérieusement, que M. de Buckingham ait été ou non amoureux de moi ? Est-ce donc dangereux pour moi, un homme amoureux ?... Ah ! sire, il ne suffit pas qu'un homme vous aime.

Et elle sourit si tendrement, si finement, que le roi sentit son cœur battre et défaillir dans sa poitrine.

— Enfin, si mon frère était jaloux ? interrompit le roi.

— Bien, j'y consens, voilà une raison ; et l'on a chassé M. de Buckingham.

— Chassé !... Oh ! non.

— Expulsé, évincé, congédié, si vous aimez mieux, sire ; un des premiers gentilshommes de l'Europe s'est vu forcé de quitter la cour du roi de France, de Louis XIV, comme un manant, à propos d'une œillade ou d'un bouquet. C'est bien peu digne de la cour la plus galante... Pardon, sire, j'oubliais qu'en parlant ainsi j'attentais à votre souverain pouvoir.

— Ma foi ! non, ma sœur, ce n'est pas moi qui ai congédié M. de Buckingham... Il me plaisait fort.

— Ce n'est pas vous ? dit habilement Madame. Ah ! tant mieux !

Et elle accentua ce *tant mieux* comme si elle eût, à la place de ce mot, prononcé celui de *tant pis*.

Il y eut un silence de quelques minutes.

Elle reprit :

— M. de Buckingham parti... je sais à présent pourquoi et par qui... je croyais avoir recouvré la tranquillité... Point... Voilà que Monsieur trouve un autre prétexte ; voilà que...

— Voilà que, dit le roi avec enjouement, un autre se présente. Et c'est naturel ; vous êtes belle, madame ; on vous aimera toujours.

— Alors, s'écria la princesse, je ferai la solitude autour de moi. Oh !

c'est bien ce qu'on veut, c'est bien ce qu'on me prépare ; mais, non, je préfère retourner à Londres. Là, on me connaît, on m'apprécie. J'aurai mes amis sans craindre que l'on ose les nommer mes amants. Fi ! c'est un indigne soupçon de la part d'un gentilhomme ! Oh ! Monsieur a tout perdu dans mon esprit depuis que je le vois, depuis qu'il s'est révélé à moi, comme le tyran d'une femme.

— Là ! là ! mon frère n'est coupable que de vous aimer.

— M'aimer ! Monsieur m'aimer ? Ah ! sire...

Et elle rit aux éclats.

— Monsieur n'aimera jamais une femme, dit-elle ; Monsieur s'aime trop lui-même ; non, malheureusement pour moi, Monsieur est de la pire espèce des jaloux : jaloux sans amour.

— Avouez cependant, dit le roi, qui commençait à s'animer dans cet entretien varié, brûlant, avouez que Guiche vous aime.

— Ah ! sire, je n'en sais rien.

— Vous devez le voir. Un homme qui aime se trahit.

— M. de Guiche ne s'est pas trahi.

— Ma sœur, ma sœur, vous défendez M. de Guiche.

— Moi ! par exemple ! moi ? Oh ! sire, il ne manquerait plus à mon infortune qu'un soupçon de vous.

— Non, madame, non, reprit vivement le roi. Ne vous affligez pas. Oh ! vous pleurez ! Je vous en conjure, calmez-vous.

Elle pleurait cependant, de grosses larmes coulaient sur ses mains. Le roi prit une de ses mains et but une de ses larmes.

Elle le regarda si tristement et si tendrement, qu'il en fut frappé au cœur.

— Vous n'avez rien pour Guiche ? dit-il plus inquiet qu'il ne convenait à son rôle de médiateur.

— Mais rien, rien.

— Alors je puis rassurer mon frère.

— Eh ! sire, rien ne le rassurera. Ne croyez donc pas qu'il soit jaloux. Monsieur a reçu de mauvais conseils, et Monsieur est d'un caractère inquiet.

— On peut l'être lorsqu'il s'agit de vous.

Madame baissa les yeux et se tut. Le roi fit comme elle. Il lui tenait toujours la main.

Ce silence d'une minute dura un siècle.

Madame retira doucement sa main. Elle était sûre désormais du triomphe. Le champ de bataille était à elle.

— Monsieur se plaint, dit timidement le roi, que vous préférez à son entretien, à sa société, des sociétés particulières.

— Sire, Monsieur passe sa vie à regarder sa figure dans un miroir et à comploter des méchancetés contre les femmes avec M. le chevalier de Lorraine.

— Oh ! vous allez un peu loin.

— Je dis ce qui est. Observez, vous verrez, sire, si j'ai raison.

— J'observerai. Mais, en attendant, quelle satisfaction donner à mon frère ?

— Mon départ.

— Vous répétez ce mot ! s'écria imprudemment le roi, comme si depuis dix minutes un changement tel eût été produit, que Madame en eût toutes ses idées retournées.

— Sire, je ne puis plus être heureuse ici, dit-elle. M. de Guiche gêne Monsieur. Le fera-t-on partir aussi ?

— S'il le faut, pourquoi pas ? répondit en souriant Louis XIV.

— Eh bien ! après M. de Guiche ?... que je regretterai, du reste, je vous en préviens, sire.

— Ah ! vous le regretterez ?

— Sans doute ; il est aimable, il a pour moi de l'amitié, il me distrait.

— Ah ! si Monsieur vous entendait ! fit le roi piqué. Savez-vous que je ne me chargerais point de vous raccommoder et que je ne le tenterais même pas ?

— Sire, à l'heure qu'il est, pouvez-vous empêcher Monsieur d'être jaloux du premier venu ? Je sais bien que M. de Guiche n'est pas le premier venu.

— Encore ! Je vous préviens qu'en bon frère je vais prendre M. de Guiche en horreur.

— Ah ! sire, dit Madame, ne prenez, je vous en supplie, ni les sympathies ni les haines de Monsieur. Restez le roi ; mieux vaudra pour vous et pour tout le monde.

— Vous êtes une adorable railleuse, madame, et je comprends que ceux mêmes que vous raillez vous adorent.

— Et voilà pourquoi, vous, sire, que j'eusse pris pour mon défenseur, vous allez vous joindre à ceux qui me persécutent, dit Madame.

— Moi, votre persécuteur ? Dieu m'en garde !

— Alors, continua-t-elle languissamment, accordez-moi ma demande.

— Que demandez-vous ?

— A retourner en Angleterre.

— Oh ! cela, jamais ! jamais ! s'écria Louis XIV.

— Je suis donc prisonnière ?

— En France, oui.

— Que faut-il que je fasse alors ?

— Eh bien ! ma sœur, je vais vous le dire.

— J'écoute Votre Majesté en humble servante.

— Au lieu de vous livrer à des intimités un peu inconséquentes, au lieu de nous alarmer par votre isolement, montrez-vous à nous toujours, ne nous quittez pas, vivons en famille. Certes, M. de Guiche est aimable ; mais, enfin, si nous n'avons pas son esprit...

— Oh ! sire, vous savez bien que vous faites le modeste.

— Non, je vous jure. On peut être roi et sentir soi-même que l'on a moins de chance de plaire que tel ou tel gentilhomme.

— Je jure bien que vous ne croyez pas un seul mot de ce que vous dites là, sire.

Le roi regarda Madame tendrement.

— Voulez-vous me promettre une chose ? dit-il.

— Laquelle ?

— C'est de ne plus perdre dans votre cabinet, avec des étrangers, le temps que vous nous devez. Voulez-vous que nous fassions contre l'ennemi commun une alliance offensive et défensive ?

— Une alliance avec vous, sire ?

— Pourquoi pas ? N'êtes-vous pas une puissance ?

— Mais vous, sire, êtes-vous un allié bien fidèle ?

— Vous verrez, madame.

— Et de quel jour datera cette alliance ?

— D'aujourd'hui.

— Je rédigerai le traité ?

— Très bien !

— Et vous le signerez ?

— Aveuglément.

— Oh ! alors, sire, je vous promets merveille ; vous êtes l'astre de la cour, quand vous me paraîtrez...

— Eh bien ?

— Tout resplendira.

— Oh ! madame, madame, dit Louis XIV, vous savez bien que toute lumière vient de vous, et que, si je prends le soleil pour devise, ce n'est qu'un emblème.

— Sire, vous flattez votre alliée ; donc, vous voulez la tromper, dit Madame en menaçant le roi de son doigt mutin.

— Comment ! vous croyez que je vous trompe, lorsque je vous assure de mon affection ?

— Oui.

— Et qui vous fait douter ?

— Une chose.

— Une seule ?

— Oui.

— Laquelle ? Je serai bien malheureux si je ne triomphe pas d'une seule chose.

— Cette chose n'est point en votre pouvoir, sire, pas même au pouvoir de Dieu.

— Et quelle est cette chose ?

— Le passé.

— Madame, je ne comprends pas, dit le roi, justement parce qu'il avait trop bien compris.

La princesse lui prit la main.

— Sire, dit-elle, j'ai eu le malheur de vous déplaire si longtemps, que j'ai presque le droit de me demander aujourd'hui comment vous avez pu m'accepter comme belle-sœur[1].

— Me déplaire ! vous m'avez déplu ?

— Allons, ne le niez pas.

— Permettez.

— Non, non, je me rappelle.

— Notre alliance date d'aujourd'hui, s'écria le roi avec une chaleur qui n'était pas feinte ; vous ne vous souvenez donc plus du passé, ni moi non plus, mais je me souviens du présent. Je l'ai sous les yeux, le voici ; regardez.

Et il mena la princesse devant une glace, où elle se vit rougissante et belle à faire succomber un saint.

— C'est égal, murmura-t-elle, ce ne sera point là une bien vaillante alliance.

— Faut-il jurer ? demanda le roi, enivré par la tournure voluptueuse qu'avait prise tout cet entretien.

— Oh ! je ne refuse pas un bon serment, dit Madame. C'est toujours un semblant de sûreté.

Le roi s'agenouilla sur un carreau et prit la main de Madame.

Elle, avec un sourire qu'un peintre ne rendrait point et qu'un poète ne pourrait qu'imaginer, lui donna ses deux mains dans lesquelles il cacha son front brûlant.

Ni l'un ni l'autre ne put trouver une parole.

Le roi sentit que Madame retirait ses mains en lui effleurant les joues.

Il se releva aussitôt et sortit de l'appartement.

Les courtisans remarquèrent sa rougeur, et en conclurent que la scène avait été orageuse.

Mais le chevalier de Lorraine se hâta de dire :

— Oh ! non, messieurs, rassurez-vous. Quand Sa Majesté est en colère, elle est pâle.

1. Voir ci-dessus, chap. XCVI, p. 611, note 1.

CVIII

LES CONSEILLEURS

Le roi quitta Madame dans un état d'agitation qu'il eût eu peine à s'expliquer lui-même.

Il est impossible, en effet, d'expliquer le jeu secret de ces sympathies étranges qui s'allument subitement et sans cause après de nombreuses années passées dans le plus grand calme, dans la plus grande indifférence de deux cœurs destinés à s'aimer.

Pourquoi Louis avait-il autrefois dédaigné, presque haï Madame ? Pourquoi maintenant trouvait-il cette même femme si belle, si désirable, et pourquoi non seulement s'occupait-il, mais encore était-il si occupé d'elle ? Pourquoi Madame enfin, dont les yeux et l'esprit étaient sollicités d'un autre côté, avait-elle depuis huit jours, pour le roi, un semblant de faveur qui faisait croire à de plus parfaites intimités ?

Il ne faut pas croire que Louis se proposât à lui-même un plan de séduction : le lien qui unissait Madame à son frère était, ou du moins lui semblait, une barrière infranchissable ; il était même encore trop loin de cette barrière pour s'apercevoir qu'elle existât. Mais sur la pente de ces passions dont le cœur se réjouit, vers lesquelles la jeunesse nous pousse, nul ne peut dire où il s'arrêtera, pas même celui qui, d'avance, a calculé toutes les chances de succès ou de chute.

Quant à Madame, on expliquera facilement son penchant pour le roi : elle était jeune, coquette, et passionnée pour inspirer de l'admiration.

C'était une de ces natures à élans impétueux qui, sur un théâtre, franchiraient les brasiers ardents pour arracher un cri d'applaudissement aux spectateurs.

Il n'était donc pas surprenant que, progression gardée, après avoir été adorée de Buckingham, de Guiche, qui était supérieur à Buckingham, ne fût-ce que par ce grand mérite si bien apprécié des femmes, la nouveauté, il n'était donc pas étonnant, disons-nous, que la princesse élevât son ambition jusqu'à être admirée par le roi, qui était non seulement le premier du royaume, mais un des plus beaux et des plus spirituels.

Quant à la soudaine passion de Louis pour sa belle-sœur, la physiologie en donnerait l'explication par des banalités, et la nature par quelques-unes de ses affinités mystérieuses. Madame avait les plus beaux yeux noirs, Louis les plus beaux yeux bleus du monde. Madame était rieuse et expansive, Louis mélancolique et discret. Appelés à se rencontrer pour la première fois sur le terrain d'un intérêt et d'une curiosité communs, ces deux natures opposées s'étaient enflammées par le contact de leurs aspérités réciproques. Louis, de retour chez lui, s'aperçut que Madame était la femme la plus séduisante de la cour. Madame, demeurée seule, songea, toute joyeuse, qu'elle avait produit sur le roi une vive impression.

Mais ce sentiment chez elle devait être passif, tandis que chez le roi il ne pouvait manquer d'agir avec toute la véhémence naturelle à l'esprit inflammable d'un jeune homme, et d'un jeune homme qui n'a qu'à vouloir pour voir ses volontés exécutées.

Le roi annonça d'abord à Monsieur que tout était pacifié : que Madame avait pour lui le plus grand respect, la plus sincère affection ; mais que c'était un caractère altier, ombrageux même, et dont il fallait soigneusement ménager les susceptibilités. Monsieur répliqua, sur le ton aigre-doux qu'il prenait d'ordinaire avec son frère, qu'il ne s'expliquait pas bien les susceptibilités d'une femme dont la conduite pouvait, à son avis, donner prise à quelque censure, et que si quelqu'un avait droit d'être blessé, c'était à lui, Monsieur, que ce droit appartenait sans conteste.

Mais alors le roi répondit d'un ton assez vif et qui prouvait tout l'intérêt qu'il prenait à sa belle-sœur :

— Madame est au-dessus des censures, Dieu merci !

— Des autres, oui, j'en conviens, dit Monsieur, mais pas des miennes, je présume.

— Eh bien ! dit le roi, à vous, mon frère, je dirai que la conduite de Madame ne mérite pas vos censures. Oui, c'est sans doute une jeune femme fort distraite et fort étrange, mais qui fait profession des meilleurs sentiments. Le caractère anglais n'est pas toujours bien compris en France, mon frère, et la liberté des mœurs anglaises étonne parfois ceux qui ne savent pas combien cette liberté est rehaussée d'innocence.

— Ah ! dit Monsieur, de plus en plus piqué, dès que Votre Majesté absout ma femme, que j'accuse, ma femme n'est pas coupable, et je n'ai rien à dire.

— Mon frère, repartit vivement le roi, qui sentait la voix de la conscience murmurer tout bas à son cœur que Monsieur n'avait pas tout à fait tort, mon frère, ce que j'en dis et surtout ce que j'en fais, c'est pour votre bonheur. J'ai appris que vous vous étiez plaint d'un manque de confiance ou d'égards de la part de Madame, et je n'ai point voulu que votre inquiétude se prolongeât plus longtemps. Il entre dans mon devoir de surveiller votre maison comme celle du plus humble de mes sujets. J'ai donc vu avec le plus grand plaisir que vos alarmes n'avaient aucun fondement.

— Et, continua Monsieur d'un ton interrogateur et en fixant les yeux sur son frère, ce que Votre Majesté a reconnu pour Madame, et je m'incline devant votre sagesse royale, l'avez-vous aussi vérifié pour ceux qui ont été la cause du scandale dont je me plains ?

— Vous avez raison, mon frère, dit le roi ; j'aviserai.

Ces mots renfermaient un ordre en même temps qu'une consolation. Le prince le sentit et se retira.

Quant à Louis, il alla retrouver sa mère ; il sentait qu'il avait besoin d'une absolution plus complète que celle qu'il venait de recevoir de son frère.

Anne d'Autriche n'avait pas pour M. de Guiche les mêmes raisons d'indulgence qu'elle avait eues pour Buckingham.

Elle vit, aux premiers mots, que Louis n'était pas disposé à être sévère, elle le fut.

C'était une des ruses habituelles de la bonne reine pour arriver à connaître la vérité.

Mais Louis n'en était plus à son apprentissage : depuis près d'un an déjà, il était roi. Pendant cette année, il avait eu le temps d'apprendre à dissimuler.

Écoutant Anne d'Autriche, afin de la laisser dévoiler toute sa pensée, l'approuvant seulement du regard et du geste, il se convainquit, à certains coups d'œil profonds, à certaines insinuations habiles, que la reine, si perspicace en matière de galanterie, avait, sinon deviné, du moins soupçonné sa faiblesse pour Madame.

De toutes ses auxiliaires, Anne d'Autriche devait être la plus importante : de toutes ses ennemies, Anne d'Autriche eût été la plus dangereuse.

Louis changea donc de manœuvre.

Il chargea Madame, excusa Monsieur, écouta ce que sa mère disait de Guiche comme il avait écouté ce qu'elle avait dit de Buckingham.

Puis, quand il vit qu'elle croyait avoir remporté sur lui une victoire complète, il la quitta.

Toute la cour, c'est-à-dire tous les favoris et les familiers, et ils étaient nombreux, puisque l'on comptait déjà cinq maîtres, se réunirent au soir pour la répétition du ballet.

Cet intervalle avait été rempli pour le pauvre de Guiche par quelques visites qu'il avait reçues.

Au nombre de ces visites, il en était une qu'il espérait et craignait presque d'un égal sentiment. C'était celle du chevalier de Lorraine. Vers les trois heures de l'après-midi, le chevalier de Lorraine entra chez de Guiche.

Son aspect était des plus rassurants. Monsieur, dit-il à de Guiche, était de charmante humeur, et l'on n'eût pas dit que le moindre nuage eût passé sur le ciel conjugal.

D'ailleurs, Monsieur avait si peu de rancune !

Depuis très longtemps à la cour, le chevalier de Lorraine avait établi que, des deux fils de Louis XIII, Monsieur était celui qui avait pris le caractère paternel, le caractère flottant, irrésolu ; bon par élan, mauvais au fond, mais certainement nul pour ses amis.

Il avait surtout ranimé de Guiche en lui démontrant que Madame arriverait avant peu à mener son mari, et que, par conséquent, celui-là gouvernerait Monsieur qui parviendrait à gouverner Madame.

Ce à quoi de Guiche, plein de défiance et de présence d'esprit, avait répondu :

— Oui, chevalier ; mais je crois Madame fort dangereuse.

— Et en quoi ?

— En ce qu'elle a vu que Monsieur n'était pas un caractère très passionné pour les femmes.

— C'est vrai, dit en riant le chevalier de Lorraine.

— Et alors...

— Eh bien ?

— Eh bien ! Madame choisit le premier venu pour en faire l'objet de ses préférences et ramener son mari par la jalousie.

— Profond ! profond ! s'écria le chevalier.

— Vrai ! répondit de Guiche.

Et ni l'un ni l'autre ne disait sa pensée.

De Guiche, au moment où il attaquait ainsi le caractère de Madame, lui en demandait mentalement pardon du fond du cœur.

Le chevalier, en admirant la profondeur de vue de Guiche, le conduisait les yeux fermés au précipice.

De Guiche alors l'interrogea plus directement sur l'effet produit par la scène du matin, sur l'effet plus sérieux encore produit par la scène du dîner.

— Mais je vous ai déjà dit qu'on en riait, répondit le chevalier de Lorraine, et Monsieur tout le premier.

— Cependant, hasarda de Guiche, on m'a parlé d'une visite du roi à Madame.

— Eh bien ! précisément ; Madame était la seule qui ne rît pas, et le roi est passé chez elle pour la faire rire.

— En sorte que ?

— En sorte que rien n'est changé aux dispositions de la journée.

— Et l'on répète le ballet ce soir ?

— Certainement.

— Vous en êtes sûr ?

— Très sûr.

En ce moment de la conversation des deux jeunes gens, Raoul entra le front soucieux.

En l'apercevant, le chevalier, qui avait pour lui, comme pour tout noble caractère, une haine secrète, le chevalier se leva.

— Vous me conseillez donc, alors ?... demanda de Guiche au chevalier.

— Je vous conseille de dormir tranquille, mon cher comte.

— Et moi, de Guiche, dit Raoul, je vous donnerai un conseil tout contraire.

— Lequel, ami ?

— Celui de monter à cheval, et de partir pour une de vos terres ; arrivé là, si vous voulez suivre le conseil du chevalier, vous y dormirez aussi longtemps et aussi tranquillement que la chose pourra vous être agréable.

— Comment, partir ? s'écria le chevalier en jouant la surprise ; et pourquoi de Guiche partirait-il ?

— Parce que, et vous ne devez pas l'ignorer, vous surtout, parce que tout le monde parle déjà d'une scène qui se serait passée ici entre Monsieur et de Guiche.

De Guiche pâlit.

— Nullement, répondit le chevalier, nullement, et vous avez été mal instruit, monsieur de Bragelonne.

— J'ai été parfaitement instruit, au contraire, monsieur, répondit Raoul, et le conseil que je donne à de Guiche est un conseil d'ami.

Pendant ce débat, de Guiche, un peu atterré, regardait alternativement l'un et l'autre de ses deux conseillers.

Il sentait en lui-même qu'un jeu, important pour le reste de sa vie, se jouait à ce moment-là.

— N'est-ce pas, dit le chevalier interpellant le comte lui-même, n'est-ce pas, de Guiche, que la scène n'a pas été aussi orageuse que semble le penser M. le vicomte de Bragelonne, qui, d'ailleurs, n'était pas là ?

— Monsieur, insista Raoul, orageuse ou non, ce n'est pas précisément de la scène elle-même que je parle, mais des suites qu'elle peut avoir. Je sais que Monsieur a menacé ; je sais que Madame a pleuré.

— Madame a pleuré ? s'écria imprudemment de Guiche en joignant les mains.

— Ah ! par exemple, dit en riant le chevalier, voilà un détail que j'ignorais. Vous êtes décidément mieux instruit que moi, monsieur de Bragelonne.

— Et c'est aussi comme étant mieux instruit que vous, chevalier, que j'insiste pour que de Guiche s'éloigne.

— Mais non, non encore une fois, je regrette de vous contredire, monsieur le vicomte, mais ce départ est inutile.

— Il est urgent.

— Mais pourquoi s'éloignerait-il ? Voyons.

— Mais le roi ? le roi ?

— Le roi ! s'écria de Guiche.

— Eh ! oui, te dis-je, le roi prend l'affaire à cœur.

— Bah ! dit le chevalier, le roi aime de Guiche et surtout son père ; songez que, si le comte partait, ce serait avouer qu'il a fait quelque chose de répréhensible.

— Comment cela ?

— Sans doute, quand on fuit, c'est qu'on est coupable ou qu'on a peur.

— Ou bien que l'on boude, comme un homme accusé à tort, dit Bragelonne ; donnons à son départ le caractère de la bouderie, rien n'est plus facile ; nous dirons que nous avons fait tous deux ce que nous avons pu pour le retenir, et vous au moins ne mentirez pas. Allons ! allons ! de Guiche, vous êtes innocent ; la scène d'aujourd'hui a dû vous blesser ; partez, partez, de Guiche.

— Eh ! non, de Guiche, restez, dit le chevalier, restez, justement, comme le disait M. de Bragelonne, parce que vous êtes innocent. Pardon, encore une fois, vicomte ; mais je suis d'un avis tout opposé au vôtre.

— Libre à vous, monsieur ; mais remarquez bien que l'exil que de Guiche s'imposera lui-même sera un exil de courte durée. Il le fera cesser lorsqu'il voudra, et, revenant d'un exil volontaire, il trouvera le sourire sur toutes les bouches ; tandis qu'au contraire une mauvaise humeur du roi peut amener un orage dont personne n'oserait prévoir le terme.

Le chevalier sourit.

— C'est pardieu ! bien ce que je veux, murmura-t-il tout bas, et pour lui-même.

Et en même temps, il haussait les épaules.

Ce mouvement n'échappa point au comte ; il craignit, s'il quittait la cour, de paraître céder à un sentiment de crainte.

— Non, non, s'écria-t-il ; c'est décidé. Je reste, Bragelonne.

— Prophète je suis, dit tristement Raoul. Malheur à toi, de Guiche, malheur !

— Moi aussi, je suis prophète, mais pas prophète de malheur ; au contraire, comte, et je vous dis : Restez, restez.

— Le ballet se répète toujours, demanda de Guiche, vous en êtes sûr ?

— Parfaitement sûr.

— Eh bien ! tu le vois, Raoul, reprit de Guiche en s'efforçant de sourire ; tu le vois, ce n'est pas une cour bien sombre et bien préparée aux guerres intestines qu'une cour où l'on danse avec une telle assiduité. Voyons, avoue cela, Raoul.

Raoul secoua la tête.

— Je n'ai plus rien à dire, répliqua-t-il.

— Mais enfin, demanda le chevalier, curieux de savoir à quelle source Raoul avait puisé des renseignements dont il était forcé de reconnaître intérieurement l'exactitude, vous vous dites bien informé, monsieur le vicomte ; comment le seriez-vous mieux que moi qui suis des plus intimes du prince ?

— Monsieur, répondit Raoul, devant une pareille déclaration, je m'incline. Oui, vous devez être parfaitement informé, je le reconnais, et, comme un homme d'honneur est incapable de dire autre chose que ce qu'il sait, de parler autrement qu'il ne le pense, je me tais, me reconnais vaincu, et vous laisse le champ de bataille.

Et effectivement, Raoul, en homme qui paraît ne désirer que le repos, s'enfonça dans un vaste fauteuil, tandis que le comte appelait ses gens pour se faire habiller.

Le chevalier sentait l'heure s'écouler et désirait partir ; mais il craignait aussi que Raoul, demeuré seul avec de Guiche, ne le décidât à rompre la partie.

Il usa donc de sa dernière ressource.

— Madame sera resplendissante, dit-il ; elle essaie aujourd'hui son costume de Pomone.

— Ah ! c'est vrai, s'écria le comte.

— Oui, oui, continua le chevalier : elle vient de donner ses ordres en conséquence. Vous savez, monsieur de Bragelonne, que c'est le roi qui fait le Printemps[1].

— Ce sera admirable, dit de Guiche, et voilà une raison meilleure que toutes celles que vous m'avez données pour rester ; c'est que, comme c'est moi qui fais Vertumne et qui danse le pas avec Madame, je ne puis m'en aller sans un ordre du roi, attendu que mon départ désorganiserait le ballet.

— Et moi, dit le chevalier, je fais un simple égypan[2] ; il est vrai que je suis mauvais danseur, et que j'ai la jambe mal faite. Messieurs, au revoir. N'oubliez pas la corbeille de fruits que vous devez offrir à Pomone, comte.

— Oh ! je n'oublierai rien, soyez tranquille, dit de Guiche transporté.

— Je suis bien sûr qu'il ne partira plus maintenant, murmura en sortant le chevalier de Lorraine.

Raoul, une fois le chevalier parti, n'essaya pas même de dissuader son ami ; il sentait que c'eût été peine perdue.

— Comte, lui dit-il seulement de sa voix triste et mélodieuse, comte, vous vous embarquez dans une passion terrible. Je vous connais ; vous êtes extrême en tout ; celle que vous aimez l'est aussi... Eh bien ! j'admets pour un instant qu'elle vienne à vous aimer...

— Oh ! jamais, s'écria de Guiche.

— Pourquoi dites-vous jamais ?

— Parce que ce serait un grand malheur pour tous deux.

— Alors, cher ami, au lieu de vous regarder comme un imprudent, permettez-moi de vous regarder comme un fou.

— Pourquoi ?

---

1. « On répétait alors [à Fontainebleau] un ballet que le roi et Madame dansèrent », Mme de La Fayette, *op. cit.* Dans ce ballet, *Les Saisons* (livret de Bensérade, musique de Lulli), dansé en juillet 1661, Louis XIV était effectivement *Le Printemps*, tandis que Madame interprétait *Phœbé*.

2. Voir Dictionnaire. Antiquité.

— Êtes-vous bien assuré, voyons, répondez franchement, de ne rien désirer de celle que vous aimez ?

— Oh ! oui, bien sûr.

— Alors, aimez-la de loin.

— Comment, de loin ?

— Sans doute ; que vous importe la présence ou l'absence, puisque vous ne désirez rien d'elle ? Aimez un portrait, aimez un souvenir.

— Raoul !

— Aimez une ombre, une illusion, une chimère ; aimez l'amour, en mettant un nom sur votre réalité. Ah ! vous détournez la tête ? Vos valets arrivent, je ne dis plus rien. Dans la bonne ou dans la mauvaise fortune, comptez sur moi, de Guiche.

— Pardieu ! si j'y compte.

— Eh bien ! voilà tout ce que j'avais à vous dire. Faites-vous beau, de Guiche, faites-vous très beau. Adieu !

— Vous ne viendrez pas à la répétition du ballet, vicomte ?

— Non, j'ai une visite à faire en ville. Embrassez-moi, de Guiche. Adieu !

La réunion avait lieu chez le roi.

Les reines d'abord, puis Madame, quelques dames d'honneur choisies, bon nombre de courtisans choisis également, préludaient aux exercices de la danse par des conversations comme on savait en faire dans ce temps-là.

Nulle des dames invitées n'avait revêtu le costume de fête, ainsi que l'avait prédit le chevalier de Lorraine ; mais on causait beaucoup des ajustements riches et ingénieux dessinés par différents peintres pour le *Ballet des demi-dieux*. Ainsi appelait-on les rois et les reines dont Fontainebleau allait être le Panthéon.

Monsieur arriva tenant à la main le dessin qui représentait son personnage ; il avait le front encore un peu soucieux ; son salut à la jeune reine et à sa mère fut plein de courtoisie et d'affection. Il salua presque cavalièrement Madame, et pirouetta sur ses talons. Ce geste et cette froideur furent remarqués.

M. de Guiche dédommagea la princesse par son regard plein de flammes, et Madame, il faut le dire, en relevant les paupières, le lui rendit avec usure.

Il faut le dire, jamais de Guiche n'avait été si beau, le regard de Madame avait en quelque sorte illuminé le visage du fils du maréchal de Grammont. La belle-sœur du roi sentait un orage grondant au-dessus de sa tête ; elle sentait aussi que pendant cette journée, si féconde en événements futurs, elle avait, envers celui qui l'aimait avec tant d'ardeur et de passion, commis une injustice, sinon une grave trahison.

Le moment lui semblait venu de rendre compte au pauvre sacrifié de cette injustice de la matinée. Le cœur de Madame parlait alors, et au nom de de Guiche. Le comte était sincèrement plaint, le comte l'emportait donc sur tous.

Il n'était plus question de Monsieur, du roi, de milord de Buckingham. De Guiche à ce moment régnait sans partage.

Cependant Monsieur était aussi bien beau ; mais il était impossible de le comparer au comte. On le sait, toutes les femmes le disent, il y a toujours une différence énorme entre la beauté de l'amant et celle du mari.

Or, dans la situation présente, après la sortie de Monsieur, après cette salutation courtoise et affectueuse à la jeune reine et à la reine mère, après ce salut leste et cavalier fait à Madame, et dont tous les courtisans avaient fait la remarque, tous ces motifs, disons-nous, dans cette réunion, donnaient l'avantage à l'amant sur l'époux.

Monsieur était trop grand seigneur pour remarquer ce détail. Il n'est rien d'efficace comme l'idée bien arrêtée de la supériorité pour assurer l'infériorité de l'homme qui garde cette opinion de lui-même.

Le roi arriva. Tout le monde chercha les événements dans le coup d'œil qui commençait à remuer le monde comme le sourcil du Jupiter tonnant.

Louis n'avait rien de la tristesse de son frère, il rayonnait.

Ayant examiné la plupart des dessins qu'on lui montrait de tous côtés, il donna ses conseils ou ses critiques et fit des heureux ou des infortunés avec un seul mot.

Tout à coup son œil, qui souriait obliquement vers Madame, remarqua la muette correspondance établie entre la princesse et le comte.

La lèvre royale se pinça, et, lorsqu'elle fut rouverte une fois encore pour donner passage à quelques phrases banales :

— Mesdames, dit le roi en s'avançant vers les reines, je reçois la nouvelle que tout est préparé selon mes ordres à Fontainebleau.

Un murmure de satisfaction partit des groupes. Le roi lut sur tous les visages le désir violent de recevoir une invitation pour les fêtes.

— Je partirai demain, ajouta-t-il.

Silence profond dans l'assemblée.

— Et j'engage, termina le roi, les personnes qui m'entourent à se préparer pour m'accompagner.

Le sourire illuminait toutes les physionomies. Celle de Monsieur seule garda son caractère de mauvaise humeur.

Alors on vit successivement défiler devant le roi et les dames les seigneurs qui se hâtaient de remercier Sa Majesté du grand honneur de l'invitation.

Quand ce fut au tour de Guiche :

— Ah ! monsieur, lui dit le roi, je ne vous avais pas vu.

Le comte salua. Madame pâlit.

De Guiche allait ouvrir la bouche pour formuler son remerciement.

— Comte, dit le roi, voici le temps des secondes semailles. Je suis sûr que vos fermiers de Normandie vous verront avec plaisir dans vos terres.

Et le roi tourna le dos au malheureux après cette brutale attaque.

Ce fut au tour de de Guiche à pâlir ; il fit deux pas vers le roi, oubliant qu'on ne parle jamais à Sa Majesté sans avoir été interrogé.

— J'ai mal compris, peut-être, balbutia-t-il.

Le roi tourna légèrement la tête, et, de ce regard froid et fixe qui plongeait comme une épée inflexible dans le cœur des disgraciés :

— J'ai dit vos terres, répéta-t-il lentement en laissant tomber ses paroles une à une.

Une sueur froide monta au front du comte, ses mains s'ouvrirent et laissèrent tomber le chapeau qu'il tenait entre ses doigts tremblants.

Louis chercha le regard de sa mère, comme pour lui montrer qu'il était le maître. Il chercha le regard triomphant de son frère, comme pour lui demander si la vengeance était de son goût.

Enfin, il arrêta ses yeux sur Madame.

La princesse souriait et causait avec Mme de Noailles.

Elle n'avait rien entendu, ou plutôt avait feint de ne rien entendre.

Le chevalier de Lorraine regardait aussi avec une de ces insistances ennemies qui semblent donner au regard d'un homme la puissance du levier lorsqu'il soulève, arrache et fait jaillir au loin l'obstacle.

M. de Guiche demeura seul dans le cabinet du roi ; tout le monde s'était évaporé. Devant les yeux du malheureux dansaient des ombres.

Soudain il s'arracha au fixe désespoir qui le dominait, et courut d'un trait s'enfermer chez lui, où l'attendait encore Raoul, tenace dans ses sombres pressentiments.

— Eh bien ? murmura celui-ci en voyant son ami entrer tête nue, l'œil égaré, la démarche chancelante.

— Oui, oui, c'est vrai, oui...

Et de Guiche n'en put dire davantage ; il tomba épuisé sur les coussins.

— Et elle ?... demanda Raoul.

— Elle ! s'écria l'infortuné en levant vers le ciel un poing crispé par la colère. Elle !...

— Que dit-elle ?

— Elle dit que sa robe lui va bien.

— Que fait-elle ?

— Elle rit.

Et un accès de rire extravagant fit bondir tous les nerfs du pauvre exilé. Il tomba bientôt à la renverse ; il était anéanti[1].

---

1. « La chose fut sue de tout le monde ; et le maréchal de Gramont, père du comte de Guiche, renvoya son fils à Paris, et lui défendit de revenir à Fontainebleau », Mme de La Fayette, *op. cit.*

CIX

FONTAINEBLEAU

Depuis quatre jours, tous les enchantements réunis dans les magnifiques jardins de Fontainebleau faisaient de ce séjour un lieu de délices.

M. Colbert se multipliait... Le matin, comptes des dépenses de la nuit; le jour, programmes, essais, enrôlements, paiements.

M. Colbert avait réuni quatre millions, et les disposait avec une savante économie.

Il s'épouvantait des frais auxquels conduit la mythologie. Tout sylvain, toute dryade ne coûtait pas moins de cent livres par jour. Le costume revenait à trois cents livres.

Ce qui se brûlait de poudre et de soufre en feux d'artifice montait chaque nuit à cent mille livres. Il y avait en outre des illuminations sur les bords de la pièce d'eau pour trente mille livres par soirée.

Ces fêtes avaient paru magnifiques. Colbert ne se possédait plus de joie.

Il voyait à tous moments Madame et le roi sortir pour des chasses ou pour des réceptions de personnages fantastiques, solennités qu'on improvisait depuis quinze jours et qui faisaient briller l'esprit de Madame et la munificence du roi.

Car Madame, héroïne de la fête, répondait aux harangues de ces députations de peuples inconnus, Garamanthes, Scythes, Hyperboréens, Caucasiens et Patagons[1], qui semblaient sortir de terre pour venir la féliciter, et à chaque représentant de ces peuples le roi donnait quelque diamant ou quelque meuble de valeur.

Alors les députés comparaient, en vers plus ou moins grotesques, le roi au Soleil, Madame à Phœbé sa sœur, et l'on ne parlait pas plus des reines ou de Monsieur, que si le roi eût épousé Madame Henriette d'Angleterre et non Marie-Thérèse d'Autriche.

Le couple heureux, se tenant les mains, se serrant imperceptiblement les doigts, buvait à longues gorgées ce breuvage si doux de l'adulation, que rehaussent la jeunesse, la beauté, la puissance et l'amour.

Chacun s'étonnait à Fontainebleau du degré d'influence que Madame avait si rapidement acquis sur le roi.

---

1. *Garamanthes* : peuple de la Libye inférieure, au sud de l'Atlas, réputé pour sa férocité ; *Scythes* : peuple vivant au nord-est de l'Europe et au nord de l'Asie qui d'après Hérodote se désignait sous le nom de Scolotes ; *Hyperboréens* : peuple vivant au nord du monde connu des anciens, dans les monts Hyperboréens ou Riphées situés au nord de la Scythie ; *Patagons* : les premiers navigateurs leur attribuaient une taille gigantesque.

Chacun se disait tout bas que Madame était véritablement la reine.

Et, en effet, le roi proclamait cette étrange vérité par chacune de ses pensées, par chacune de ses paroles et par chacun de ses regards.

Il puisait ses volontés, il cherchait ses inspirations dans les yeux de Madame, et il s'enivrait de sa joie lorsque Madame daignait sourire.

Madame, de son côté, s'enivrait-elle de son pouvoir en voyant tout le monde à ses pieds ? Elle ne pouvait le dire elle-même ; mais ce qu'elle savait, c'est qu'elle ne formait aucun désir, c'est qu'elle se trouvait parfaitement heureuse.

Il résultait de toutes ces transpositions, dont la source était dans la volonté royale, que Monsieur, au lieu d'être le second personnage du royaume, en était réellement devenu le troisième.

C'était bien pis que du temps où de Guiche faisait sonner ses guitares chez Madame. Alors, Monsieur avait au moins la satisfaction de faire peur à celui qui le gênait.

Mais, depuis le départ de l'ennemi chassé par son alliance avec le roi, Monsieur avait sur les épaules un joug bien autrement lourd qu'auparavant.

Chaque soir, Madame rentrait excédée.

Le cheval, les bains dans la Seine, les spectacles, les dîners sous les feuilles, les bals au bord du grand canal, les concerts, c'eût été assez pour tuer, non pas une femme mince et frêle, mais le plus robuste Suisse du château.

Il est vrai qu'en fait de danses, de concerts, de promenades, une femme est bien autrement forte que le plus vigoureux enfant des treize cantons.

Mais, si étendues que soient les forces d'une femme, elles ont un terme, et elles ne sauraient tenir longtemps contre un pareil régime.

Quant à Monsieur, il n'avait pas même la satisfaction de voir Madame abdiquer la royauté le soir.

Le soir, Madame habitait un pavillon royal avec la jeune reine et la reine mère.

Il va sans dire que M. le chevalier de Lorraine ne quittait pas Monsieur, et venait verser sa goutte de fiel sur chaque blessure qu'il recevait.

Il en résultait que Monsieur, qui s'était d'abord trouvé tout hilare et tout rajeuni depuis le départ de Guiche, retomba dans la mélancolie trois jours après l'installation de la cour à Fontainebleau.

Or, il arriva qu'un jour, vers deux heures, Monsieur, qui s'était levé tard, qui avait mis plus de soin encore que d'habitude à sa toilette, il arriva que Monsieur, qui n'avait entendu parler de rien pour la journée, forma le projet de réunir sa cour à lui et d'emmener Madame souper à Moret[1], où il avait une belle maison de campagne.

1. Moret-sur-Loing, à 18 km de Fontainebleau, à l'orée de la forêt.

Il s'achemina donc vers le pavillon des reines, et entra, fort étonné de ne trouver là aucun homme du service royal.

Il entra tout seul dans l'appartement.

Une porte ouvrait à gauche sur le logis de Madame, une à droite sur le logis de la jeune reine.

Monsieur apprit chez sa femme, d'une lingère qui travaillait, que tout le monde était parti à onze heures pour s'aller baigner à la Seine, qu'on avait fait de cette partie une grande fête, que toutes les calèches avaient été disposées aux portes du parc, et que le départ s'était effectué depuis plus d'une heure[1].

« Bon ! se dit Monsieur, l'idée est heureuse ; il fait une chaleur lourde, je me baignerai volontiers. »

Et il appela ses gens... Personne ne vint.

Il appela chez Madame, tout le monde était sorti.

Il descendit aux remises.

Un palefrenier lui apprit qu'il n'y avait plus de calèches ni de carrosses.

Alors il commanda qu'on lui sellât deux chevaux, un pour lui, un pour son valet de chambre.

Le palefrenier lui répondit poliment qu'il n'y avait plus de chevaux.

Monsieur, pâle de colère, remonta chez les reines.

Il entra jusque dans l'oratoire d'Anne d'Autriche.

De l'oratoire, à travers une tapisserie entrouverte, il aperçut sa jeune belle-sœur agenouillée devant la reine mère et qui paraissait tout en larmes.

Il n'avait été vu ni entendu.

Il s'approcha doucement de l'ouverture et écouta ; le spectacle de cette douleur piquait sa curiosité.

Non seulement la jeune reine pleurait, mais encore elle se plaignait.

— Oui, disait-elle, le roi me néglige, le roi ne s'occupe plus que de plaisirs, et de plaisirs auxquels je ne participe point.

— Patience, patience, ma fille, répliquait Anne d'Autriche en espagnol.

Puis, en espagnol encore, elle ajoutait des conseils que Monsieur ne comprenait pas.

La reine y répondait par des accusations mêlées de soupirs et de larmes,

1. « [A Fontainebleau,] Madame y porta la joie et les plaisirs. Le roi [...] s'attacha fort à elle et lui témoigna une complaisance extrême. Elle disposait de toutes les parties de divertissement ; elles se faisaient toutes pour elle, et il paraissait que le roi n'y avait de plaisir que par celui qu'elle en recevait. C'était dans le milieu de l'été : Madame s'allait baigner tous les jours ; elle partait en carrosse, à cause de la chaleur, et revenait à cheval, suivie de toutes les dames, habillées galamment avec mille plumes sur leur tête, accompagnées du roi et de la jeunesse de la cour », Mme de La Fayette, *op. cit.*

parmi lesquelles Monsieur distinguait souvent le mot *baños* que Marie-Thérèse accentuait avec le dépit de la colère.

« Les bains, se disait Monsieur, les bains. Il paraît que c'est aux bains qu'elle en a. »

Et il cherchait à recoudre les parcelles de phrases qu'il comprenait à la suite les unes des autres.

Toutefois, il était aisé de deviner que la reine se plaignait amèrement, et que, si Anne d'Autriche ne la consolait point, elle essayait au moins de la consoler.

Monsieur craignait d'être surpris écoutant à la porte, il prit le parti de tousser.

Les deux reines se retournèrent au bruit.

Monsieur entra.

A la vue du prince, la jeune reine se releva précipitamment, et essuya ses yeux.

Monsieur savait trop bien son monde pour questionner, et savait trop bien la politesse pour rester muet, il salua donc.

La reine mère lui sourit agréablement.

— Que voulez-vous, mon fils ? dit-elle.

— Moi ?... Rien... balbutia Monsieur ; je cherchais...

— Qui ?

— Ma mère, je cherchais Madame.

— Madame est aux bains.

— Et le roi ? dit Monsieur d'un ton qui fit trembler la reine.

— Le roi aussi, toute la cour aussi, répliqua Anne d'Autriche.

— Alors vous, madame ? dit Monsieur.

— Oh ! moi, fit la jeune reine, je suis l'effroi de tous ceux qui se divertissent.

— Et moi aussi, à ce qu'il paraît, reprit Monsieur.

Anne d'Autriche fit un signe muet à sa bru, qui se retira en fondant en larmes.

Monsieur fronça le sourcil.

— Voilà une triste maison, dit-il, qu'en pensez-vous, ma mère ?

— Mais... non... non... tout le monde ici cherche son plaisir.

— C'est pardieu bien ce qui attriste ceux que ce plaisir gêne.

— Comme vous dites cela, mon cher Philippe !

— Ma foi ! ma mère, je le dis comme je le pense.

— Expliquez-vous ; qu'y a-t-il ?

— Mais demandez à ma belle-sœur, qui tout à l'heure vous contait ses peines.

— Ses peines... quoi ?...

— Oui, j'écoutais ; par hasard, je l'avoue, mais enfin j'écoutais... Eh bien ! j'ai trop entendu ma sœur se plaindre des fameux bains de Madame.

— Ah ! folie...

— Non, non, non, lorsqu'on pleure, on n'est pas toujours fou... *Baños*, disait la reine ; cela ne veut-il pas dire bains ?

— Je vous répète, mon fils, dit Anne d'Autriche, que votre belle-sœur est d'une jalousie puérile.

— En ce cas, madame, répondit le prince, je m'accuse bien humblement d'avoir le même défaut qu'elle.

— Vous aussi, mon fils ?

— Certainement.

— Vous aussi, vous êtes jaloux de ces bains ?

— Parbleu !

— Oh !

— Comment ! le roi va se baigner avec ma femme et n'emmène pas la reine ? Comment ! Madame va se baigner avec le roi, et l'on ne me fait pas l'honneur de me prévenir ? Et vous voulez que ma belle-sœur soit contente ? et vous voulez que je sois content ?

— Mais, mon cher Philippe, dit Anne d'Autriche, vous extravaguez ; vous avez fait chasser M. de Buckingham, vous avez fait exiler M. de Guiche ; ne voulez-vous pas maintenant renvoyer le roi de Fontainebleau ?

— Oh ! telle n'est point ma prétention, madame, dit aigrement Monsieur. Mais je puis bien me retirer, moi, et je me retirerai.

— Jaloux du roi ! jaloux de votre frère !

— Jaloux de mon frère ! du roi ! oui, madame, jaloux ! jaloux ! jaloux !

— Ma foi, monsieur, s'écria Anne d'Autriche en jouant l'indignation et la colère, je commence à vous croire fou et ennemi juré de mon repos, et vous quitte la place, n'ayant pas de défense contre de pareilles imaginations.

Elle dit, leva le siège et laissa Monsieur en proie au plus furieux emportement.

Monsieur resta un instant tout étourdi ; puis, revenant à lui, pour retrouver toutes ses forces, il descendit de nouveau à l'écurie, retrouva le palefrenier, lui redemanda un carrosse, lui redemanda un cheval ; et sur sa double réponse qu'il n'y avait ni cheval ni carrosse, Monsieur arracha une chambrière[1] aux mains d'un valet d'écurie et se mit à poursuivre le pauvre diable à grands coups de fouet tout autour de la cour des communs, malgré ses cris et ses excuses ; puis, essoufflé, hors d'haleine, ruisselant de sueur, tremblant de tous ses membres, il remonta chez lui, mit en pièces ses plus charmantes porcelaines, puis se coucha, tout botté, tout éperonné dans son lit, en criant :

— Au secours !

1. *Chambrière* : fouet à long manche et longue lanière.

CX

LE BAIN

A Vulaines[1], sous des voûtes impénétrables d'osiers fleuris, de saules qui, inclinant leurs têtes vertes, trempaient les extrémités de leur feuillage dans l'onde bleue, une barque, longue et plate, avec des échelles couvertes de longs rideaux bleus, servait de refuge aux Dianes baigneuses que guettaient à leur sortie de l'eau vingt Actéons empanachés qui galopaient, ardents et pleins de convoitise, sur le bord moussu et parfumé de la rivière.

Mais Diane, même la Diane pudique, vêtue de la longue chlamyde, était moins chaste, moins impénétrable que Madame, jeune et belle comme la déesse. Car, malgré la fine tunique de la chasseresse, on voyait son genou rond et blanc ; malgré le carquois sonore, on apercevait ses brunes épaules ; tandis qu'un long voile cent fois roulé enveloppait Madame, alors qu'elle se remettait aux bras de ses femmes, et la rendait inabordable aux plus indiscrets comme aux plus pénétrants regards.

Lorsqu'elle remonta l'escalier, les poètes présents, et tous étaient poètes quand il s'agissait de Madame, les vingt poètes galopants s'arrêtèrent, et, d'une voix commune, s'écrièrent que ce n'étaient pas des gouttes d'eau, mais bien des perles qui tombaient du corps de Madame et s'allaient perdre dans l'heureuse rivière.

Le roi, centre de ces poésies et de ces hommages, imposa silence aux amplificateurs dont la verve n'eût pas tari, et tourna bride, de peur d'offenser, même sous les rideaux de soie, la modestie de la femme et la dignité de la princesse.

Il se fit donc un grand vide dans la scène et un grand silence dans la barque. Aux mouvements, au jeu des plis, aux ondulations des rideaux, on devinait les allées et venues des femmes empressées pour leur service.

Le roi écoutait en souriant les propos de ses gentilshommes, mais on pouvait deviner en le regardant que son attention n'était point à leurs discours.

En effet, à peine le bruit des anneaux glissant sur les tringles eut-il annoncé que Madame était vêtue et que la déesse allait paraître, que le roi, se retournant sur-le-champ, et courant auprès du rivage, donna le signal à tous ceux que leur service ou leur plaisir appelaient auprès de Madame.

On vit les pages se précipiter, amenant avec eux les chevaux de main ; on vit les calèches, restées à couvert sous les branches, s'avancer auprès

1. A 5 km de Fontainebleau, sur la Seine.

de la tente, plus cette nuée de valets, de porteurs, de femmes qui, pendant le bain des maîtres, avaient échangé à l'écart leurs observations, leurs critiques, leurs discussions d'intérêts, journal fugitif de cette époque, dont nul ne se souvient, pas même les flots, miroir des personnages, écho des discours ; les flots, témoins que Dieu a précipités eux-mêmes dans l'immensité, comme il a précipité les acteurs dans l'éternité.

Tout ce monde encombrant les bords de la rivière, sans compter une foule de paysans attirés par le désir de voir le roi et la princesse, tout ce monde fut, pendant huit ou dix minutes, le plus désordonné, le plus agréable pêle-mêle qu'on pût imaginer.

Le roi avait mis pied à terre : tous les courtisans l'avaient imité ; il avait offert la main à Madame, dont un riche habit de cheval développait la taille élégante, qui ressortait sous ce vêtement de fine laine, broché d'argent.

Ses cheveux, humides encore, et plus foncés que le jais, mouillaient son cou si blanc et si pur. La joie et la santé brillaient dans ses beaux yeux ; elle était reposée, nerveuse, elle aspirait l'air à longs traits sous le parasol brodé que lui portait un page.

Rien de plus tendre, de plus gracieux, de plus poétique que ces deux figures noyées sous l'ombre rose du parasol : le roi, dont les dents blanches éclataient dans un continuel sourire ; Madame, dont les yeux noirs brillaient comme deux escarboucles au reflet micacé de la soie changeante.

Quand Madame fut arrivée à son cheval, magnifique haquenée andalouse, d'un blanc sans tache, un peu lourde peut-être, mais à la tête intelligente et fine, dans laquelle on retrouvait le mélange du sang arabe si heureusement uni au sang espagnol, et à la longue queue balayant la terre, comme la princesse se faisait paresseuse pour atteindre l'étrier, le roi la prit dans ses bras, de telle façon que le bras de Madame se trouva comme un cercle de feu au cou du roi.

Louis, en se retirant, effleura involontairement de ses lèvres ce bras qui ne s'éloignait pas. Puis, la princesse ayant remercié son royal écuyer, tout le monde fut en selle au même instant.

Le roi et Madame se rangèrent pour laisser passer les calèches, les piqueurs, les courriers.

Bon nombre de cavaliers, affranchis du joug de l'étiquette, rendirent la main à leurs chevaux et s'élancèrent après les carrosses qui emportaient les filles d'honneur, fraîches comme autant d'Oréades[1] autour de Diane, et les tourbillons, riant, jasant, bruissant, s'envolèrent.

Le roi et Madame maintinrent leurs chevaux au pas.

Derrière Sa Majesté et la princesse sa belle-sœur, mais à une

1. Texte : « Orcades ».

respectueuse distance, les courtisans, graves ou désireux de se tenir à la portée et sous les regards du roi, suivirent, retenant leurs chevaux impatients, réglant leur allure sur celle du coursier du roi et de Madame, et se livrèrent à tout ce que présente de douceur et d'agrément le commerce des gens d'esprit qui débitent avec courtoisie mille atroces noirceurs sur le compte du prochain.

Dans les petits rires étouffés, dans les réticences de cette hilarité sardonique, Monsieur, ce pauvre absent, ne fut pas ménagé.

Mais on s'apitoya, on gémit sur le sort de de Guiche, et, il faut l'avouer, la compassion n'était pas là déplacée.

Cependant le roi et Madame ayant mis leurs chevaux en haleine et répété cent fois tout ce que leur mettaient dans la bouche les courtisans qui les faisaient parler, prirent le petit galop de chasse, et alors on entendit résonner sous le poids de cette cavalerie les allées profondes de la forêt.

Aux entretiens à voix basse, aux discours en forme de confidences, aux paroles échangées avec une sorte de mystère, succédèrent les bruyants éclats ; depuis les piqueurs jusqu'aux princes, la gaieté s'épandit. Tout le monde se mit à rire et à s'écrier. On vit les pies et les geais s'enfuir avec leurs cris gutturaux sous les voûtes ondoyantes des chênes, le coucou interrompit sa monotone plainte au fond des bois, les pinsons et les mésanges s'envolèrent en nuées, pendant que les daims, les chevreuils et les biches bondissaient, effarés, au milieu des halliers.

Cette foule, répandant, comme en traînée, la joie, le bruit et la lumière sur son passage, fut précédée, pour ainsi dire, au château par son propre retentissement.

Le roi et Madame entrèrent dans la ville, salués tous deux par les acclamations universelles de la foule.

Madame s'empressa d'aller trouver Monsieur. Elle comprenait instinctivement qu'il était resté trop longtemps en dehors de cette joie.

Le roi alla rejoindre les reines ; il savait leur devoir, à une surtout, un dédommagement de sa longue absence.

Mais Madame ne fut pas reçue chez Monsieur. Il lui fut répondu que Monsieur dormait.

Le roi, au lieu de rencontrer Marie-Thérèse souriante comme toujours, trouva dans la galerie Anne d'Autriche qui, guettant son arrivée, s'avança au-devant de lui, le prit par la main et l'emmena chez elle.

Ce qu'ils se dirent, ou plutôt ce que la reine mère dit à Louis XIV, nul ne l'a jamais su ; mais on aurait pu bien certainement le deviner à la figure contrariée du roi à la sortie de cet entretien.

Mais nous, dont le métier est d'interpréter, comme aussi de faire part au lecteur de nos interprétations, nous manquerions à notre devoir en lui laissant ignorer le résultat de cette entrevue[1].

Il le trouvera suffisamment développé, nous l'espérons du moins, dans le chapitre suivant.

CXI

LA CHASSE AUX PAPILLONS

Le roi, en rentrant chez lui pour donner quelques ordres et pour asseoir ses idées, trouva sur sa toilette un petit billet dont l'écriture semblait déguisée.

Il l'ouvrit et lut :

Venez vite, j'ai mille choses à vous dire.

Il n'y avait pas assez longtemps que le roi et Madame s'étaient quittés, pour que ces mille choses fussent la suite des trois mille que l'on s'était dites pendant la route qui sépare Vulaines de Fontainebleau.

Aussi la confusion du billet et sa précipitation donnèrent-elles beaucoup à penser au roi.

Il s'occupa quelque peu de sa toilette et partit pour aller rendre visite à Madame.

La princesse, qui n'avait pas voulu paraître l'attendre, était descendue aux jardins avec toutes ses dames.

Quand le roi eut appris que Madame avait quitté ses appartements pour se rendre à la promenade, il recueillit tous les gentilshommes qu'il put trouver sous sa main et les convia à le suivre aux jardins.

Madame faisait la chasse aux papillons sur une grande pelouse bordée d'héliotropes et de genêts.

Elle regardait courir les plus intrépides et les plus jeunes de ses dames, et, le dos tourné à la charmille, attendait fort impatiemment l'arrivée du roi, auquel elle avait assigné ce rendez-vous.

Le craquement de plusieurs pas sur le sable la fit retourner. Louis XIV était nu-tête ; il avait abattu de sa canne un papillon petit-paon, que M. de Saint-Aignan avait ramassé tout étourdi sur l'herbe.

— Vous voyez, madame, dit le roi, que, moi aussi, je chasse pour vous.

Et il s'approcha.

---

1. « Le bruit s'en augmenta fort, et la reine mère et Monsieur en parlèrent si fortement au roi et à Madame, qu'ils commencèrent à ouvrir les yeux et à faire peut-être des réflexions qu'ils n'avaient point encore faites », Mme de La Fayette, *op. cit.*

— Messieurs, dit-il en se tournant vers les gentilshommes qui formaient sa suite, rapportez-en chacun autant à ces dames.

C'était congédier tout le monde.

On vit alors un spectacle assez curieux ; les vieux courtisans, les courtisans obèses, coururent après les papillons en perdant leurs chapeaux et en chargeant, canne levée, les myrtes et les genêts comme ils eussent fait des Espagnols.

Le roi offrit la main à Madame, choisit avec elle pour centre d'observation un banc couvert d'une toiture de mousse, sorte de chalet ébauché par le génie timide de quelque jardinier qui avait inauguré le pittoresque et la fantaisie dans le style sévère du jardinage d'alors.

Cet auvent, garni de capucines et de rosiers grimpants, recouvrait un banc sans dossier, de manière que les spectateurs, isolés au milieu de la pelouse, voyaient et étaient vus de tous côtés, mais ne pouvaient être entendus sans voir eux-mêmes ceux qui se fussent approchés pour entendre.

De ce siège, sur lequel les deux intéressés se placèrent, le roi fit un signe d'encouragement aux chasseurs ; puis, comme s'il eût disserté avec Madame sur le papillon traversé d'une épingle d'or et fixé à son chapeau :

— Ne sommes-nous pas bien ici pour causer ? dit-il.

— Oui, sire, car j'avais besoin d'être entendue de vous seul et vue de tout le monde.

— Et moi aussi, dit Louis.

— Mon billet vous a surpris ?

— Épouvanté ! Mais ce que j'ai à vous dire est plus important.

— Oh ! non pas. Savez-vous que Monsieur m'a fermé sa porte ?

— A vous ! et pourquoi ?

— Ne le devinez-vous pas ?

— Ah ! madame ! mais alors nous avions tous les deux la même chose à nous dire ?

— Que vous est-il donc arrivé, à vous ?

— Vous voulez que je commence ?

— Oui. Moi, j'ai tout dit.

— A mon tour, alors. Sachez qu'en arrivant j'ai trouvé ma mère qui m'a entraîné chez elle.

— Oh ! la reine mère ! fit Madame avec inquiétude, c'est sérieux.

— Je le crois bien. Voici ce qu'elle m'a dit... Mais, d'abord, permettez-moi un préambule.

— Parlez, sire.

— Est-ce que Monsieur vous a jamais parlé de moi ?

— Souvent.

— Est-ce que Monsieur vous a jamais parlé de sa jalousie ?

— Oh ! plus souvent encore.

— A mon égard ?

— Non pas, mais à l'égard...

— Oui, je sais, de Buckingham, de Guiche.

— Précisément.

— Eh bien ! madame, voilà que Monsieur s'avise à présent d'être jaloux de moi.

— Voyez ! répliqua en souriant malicieusement la princesse.

— Enfin, ce me semble, nous n'avons jamais donné lieu...

— Jamais ! moi du moins... Mais comment avez-vous su la jalousie de Monsieur ?

— Ma mère m'a représenté que Monsieur était entré chez elle comme un furieux, qu'il avait exhalé mille plaintes contre votre... Pardonnez-moi...

— Dites, dites.

— Sur votre coquetterie. Il paraît que Monsieur se mêle aussi d'injustice.

— Vous êtes bien bon, sire.

— Ma mère l'a rassuré ; mais il a prétendu qu'on le rassurait trop souvent et qu'il ne voulait plus l'être.

— N'eût-il pas mieux fait de ne pas s'inquiéter du tout ?

— C'est ce que j'ai dit.

— Avouez, sire, que le monde est bien méchant. Quoi ! un frère, une sœur ne peuvent causer ensemble, se plaire dans la société l'un de l'autre sans donner lieu à des commentaires, à des soupçons ? Car enfin, sire, nous ne faisons pas mal, nous n'avons nulle envie de faire mal.

Et elle regardait le roi de cet œil fier et provocateur qui allume les flammes du désir chez les plus froids et les plus sages.

— Non, c'est vrai, soupira Louis.

— Savez-vous bien, sire, que, si cela continuait, je serais forcée de faire un éclat ? Voyons, jugez notre conduite : est-elle ou n'est-elle pas régulière ?

— Oh ! certes, elle est régulière.

— Seuls souvent, car nous nous plaisons aux mêmes choses, nous pourrions nous égarer aux mauvaises ; l'avons-nous fait ?... Pour moi vous êtes un frère, rien de plus.

Le roi fronça le sourcil. Elle continua.

— Votre main, qui rencontre souvent la mienne, ne me produit pas ces tressaillements, cette émotion... que des amants, par exemple...

— Oh ! assez, assez, je vous en conjure ! dit le roi au supplice. Vous êtes impitoyable et vous me ferez mourir.

— Quoi donc ?

— Enfin... vous dites clairement que vous n'éprouvez rien auprès de moi.

— Oh ! sire... je ne dis pas cela... mon affection...

— Henriette... assez, je vous le demande encore. Si vous me croyez de marbre comme vous, détrompez-vous.

— Je ne vous comprends pas.

— C'est bien, soupira le roi en baissant les yeux. Ainsi nos rencontres... nos serrements de mains... nos regards échangés... Pardon, pardon... Oui, vous avez raison, et je sais ce que vous voulez dire.

Il cacha sa tête dans ses mains.

— Prenez garde, sire, dit vivement Madame, voici que M. de Saint-Aignan vous regarde.

— C'est vrai ! s'écria Louis en fureur ; jamais l'ombre de la liberté, jamais de sincérité dans les relations... On croit trouver un ami, l'on n'a qu'un espion... une amie, l'on n'a qu'une... sœur.

Madame se tut, elle baissa les yeux.

— Monsieur est jaloux ! murmura-t-elle avec un accent dont rien ne saurait rendre la douceur et le charme.

— Oh ! s'écria soudain le roi, vous avez raison.

— Vous voyez bien, fit-elle en le regardant de manière à lui brûler le cœur, vous êtes libre ; on ne vous soupçonne pas ; on n'empoisonne pas toute la joie de votre maison.

— Hélas ! vous ne savez encore rien : c'est que la reine est jalouse.

— Marie-Thérèse ?

— Jusqu'à la folie. Cette jalousie de Monsieur est née de la sienne ; elle pleurait, elle se plaignait à ma mère, elle nous reprochait ces parties de bains si douces pour moi.

« Pour moi », fit le regard de Madame.

— Tout à coup, Monsieur, aux écoutes, surprit le mot *baños*, que prononçait la reine avec amertume ; cela l'éclaira. Il entra effaré, se mêla aux entretiens et querella ma mère si âprement, qu'elle dut fuir sa présence ; en sorte que vous avez affaire à un mari jaloux, et que je vais voir se dresser devant moi perpétuellement, inexorablement, le spectre de la jalousie aux yeux gonflés, aux joues amaigries, à la bouche sinistre.

— Pauvre roi ! murmura Madame en laissant sa main effleurer celle de Louis.

Il retint cette main, et, pour la serrer sans donner d'ombrage aux spectateurs qui ne cherchaient pas si bien les papillons qu'ils ne cherchassent aussi les nouvelles et à comprendre quelque mystère dans l'entretien du roi et de Madame, Louis rapprocha de sa belle-sœur le papillon expirant : tous deux se penchèrent comme pour compter les mille yeux de ses ailes ou les grains de leur poussière d'or.

Seulement, ni l'un ni l'autre ne parla ; leurs cheveux se touchaient, leurs haleines se mêlaient, leurs mains brûlaient l'une dans l'autre.

Cinq minutes s'écoulèrent ainsi.

CXII

CE QUE L'ON PREND EN CHASSANT AUX PAPILLONS

Les deux jeunes gens restèrent un instant la tête inclinée sous cette double pensée d'amour naissant qui fait naître tant de fleurs dans les imaginations de vingt ans.

Madame Henriette regardait Louis de côté. C'était une de ces natures bien organisées qui savent à la fois regarder en elles-mêmes et dans les autres. Elle voyait l'amour au fond du cœur de Louis, comme un plongeur habile voit une perle au fond de la mer.

Elle comprit que Louis était dans l'hésitation, sinon dans le doute, et qu'il fallait pousser en avant ce cœur paresseux ou timide.

— Ainsi ?... dit-elle, interrogeant en même temps qu'elle rompait le silence.

— Que voulez-vous dire ? demanda Louis après avoir attendu un instant.

— Je veux dire qu'il me faudra revenir à la résolution que j'avais prise.

— A laquelle ?

— A celle que j'avais déjà soumise à Votre Majesté.

— Quand cela ?

— Le jour où nous nous expliquâmes à propos des jalousies de Monsieur.

— Que me disiez-vous donc ce jour-là ? demanda Louis, inquiet.

— Vous ne vous en souvenez plus, sire ?

— Hélas ! si c'est un malheur encore, je m'en souviendrai toujours assez tôt.

— Oh ! ce n'est un malheur que pour moi, sire, répondit Madame Henriette ; mais c'est un malheur nécessaire.

— Mon Dieu !

— Et je le subirai.

— Enfin, dites, quel est ce malheur ?

— L'absence !

— Oh ! encore cette méchante résolution ?

— Sire, croyez que je ne l'ai point prise sans lutter violemment contre moi-même... Sire, il me faut, croyez-moi, retourner en Angleterre.

— Oh ! jamais, jamais, je ne permettrai que vous quittiez la France ! s'écria le roi.

— Et cependant, dit Madame en affectant une douce et triste fermeté, cependant, sire, rien n'est plus urgent ; et, il y a plus, je suis persuadée que telle est la volonté de votre mère.

— La volonté ! s'écria le roi. Oh ! oh ! chère sœur, vous avez dit là un singulier mot devant moi.

— Mais, répondit en souriant Madame Henriette, n'êtes-vous pas heureux de subir les volontés d'une bonne mère ?

— Assez, je vous en conjure ; vous me déchirez le cœur.

— Moi ?

— Sans doute, vous parlez de ce départ avec une tranquillité.

— Je ne suis pas née pour être heureuse, sire, répondit mélancoliquement la princesse, et j'ai pris, toute jeune, l'habitude de voir mes plus chères pensées contrariées.

— Dites-vous vrai ? Et votre départ contrarierait-il une pensée qui vous soit chère ?

— Si je vous répondais oui, n'est-il pas vrai, sire, que vous prendriez déjà votre mal en patience ?

— Cruelle !

— Prenez garde, sire, on se rapproche de nous.

Le roi regarda autour de lui.

— Non, dit-il.

Puis, revenant à Madame :

— Voyons, Henriette, au lieu de chercher à combattre la jalousie de Monsieur par un départ qui me tuerait...

Henriette haussa légèrement les épaules, en femme qui doute.

— Oui, qui me tuerait, répondit Louis. Voyons, au lieu de vous arrêter à ce départ, est-ce que votre imagination... ou plutôt est-ce que votre cœur ne vous suggérerait rien ?

— Et que voulez-vous que mon cœur me suggère, mon Dieu ?

— Mais enfin, dites, comment prouve-t-on à quelqu'un qu'il a tort d'être jaloux ?

— D'abord, sire, en ne lui donnant aucun motif de jalousie, c'est-à-dire en n'aimant que lui.

— Oh ! j'attendais mieux.

— Qu'attendiez-vous ?

— Que vous répondiez tout simplement qu'on tranquillise les jaloux en dissimulant l'affection que l'on porte à l'objet de leur jalousie.

— Dissimuler est difficile, sire.

— C'est pourtant par les difficultés vaincues qu'on arrive à tout bonheur. Quant à moi, je vous jure que je démentirai mes jaloux, s'il le faut, en affectant de vous traiter comme toutes les autres femmes.

— Mauvais moyen, faible moyen, dit la jeune femme en secouant sa charmante tête.

— Vous trouvez tout mauvais, chère Henriette, dit Louis mécontent. Vous détruisez tout ce que je propose. Mettez donc au moins quelque chose à la place. Voyons, cherchez. Je me fie beaucoup aux inventions des femmes. Inventez à votre tour.

— Eh bien ! je trouve ceci. Écoutez-vous, sire ?

— Vous me le demandez ! Vous parlez de ma vie ou de ma mort, et vous me demandez si j'écoute !

— Eh bien ! j'en juge par moi-même. S'il s'agissait de me donner le change sur les intentions de mon mari à l'égard d'une autre femme, une chose me rassurerait par-dessus tout.

— Laquelle ?

— Ce serait de voir, d'abord, qu'il ne s'occupe pas de cette femme.

— Eh bien ! voilà précisément ce que je vous disais tout à l'heure.

— Soit. Mais je voudrais, pour être pleinement rassurée, le voir encore s'occuper d'une autre[1].

— Ah ! je vous comprends, répondit Louis en souriant. Mais, dites-moi, chère Henriette...

— Quoi ?

— Si le moyen est ingénieux, il n'est guère charitable.

— Pourquoi ?

— En guérissant l'appréhension de la blessure dans l'esprit du jaloux, vous lui en faites une au cœur. Il n'a plus la peur, c'est vrai ; mais il a le mal, ce qui me semble bien pis.

— D'accord ; mais au moins il ne surprend pas, il ne soupçonne pas l'ennemi réel, il ne nuit pas à l'amour ; il concentre toutes ses forces du côté où ses forces ne feront tort à rien ni à personne. En un mot, sire, mon système, que je m'étonne de vous voir combattre, je l'avoue, fait du mal aux jaloux, c'est vrai, mais fait du bien aux amants. Or, je vous le demande, sire, excepté vous peut-être, qui a jamais songé à plaindre les jaloux ? Ne sont-ce pas des bêtes mélancoliques, toujours aussi malheureuses sans sujet qu'avec sujet ? Otez le sujet, vous ne détruirez pas leur affliction. Cette maladie gît dans l'imagination, et, comme toutes les maladies imaginaires, elle est incurable. Tenez, il me souvient à ce propos, très cher sire, d'un aphorisme de mon pauvre médecin Dawley, savant et spirituel docteur, que, sans mon frère, qui ne peut se passer de lui, j'aurais maintenant près de moi : « Lorsque vous souffrirez de deux affections, me disait-il, choisissez celle qui vous gêne le moins, je vous laisserai celle-là ; car, par Dieu ! disait-il, celle-là m'est souverainement utile pour que j'arrive à vous extirper l'autre. »

— Bien dit, bien jugé, chère Henriette, répondit le roi en souriant.

— Oh ! nous avons d'habiles gens à Londres, sire.

1. « Ils résolurent de faire cesser ce grand bruit, et par quelque motif que ce pût être, ils convinrent entre eux que le roi ferait l'amoureux de quelque personne de la cour. Ils jetèrent les yeux sur celles qui paraissaient les plus propres à ce dessein, et choisirent entre autres mademoiselle de Pons [...] ; ils jetèrent aussi les yeux sur Chemerault, une des filles de la reine, fort coquette, et sur La Vallière, qui était une fille de Madame, fort jolie, fort douce et fort naïve », Mme de La Fayette, *op. cit.*

— Et ces habiles gens font d'adorables élèves ; ce Daley, Darley... comment l'appelez-vous ?

— Dawley[1].

— Eh bien ! je lui ferai pension dès demain pour son aphorisme ; vous, Henriette, commencez, je vous prie, par choisir le moindre de vos maux. Vous ne répondez pas, vous souriez ; je devine, le moindre de vos maux, n'est-ce pas, c'est votre séjour en France ? Je vous laisserai ce mal-là, et, pour débuter dans la cure de l'autre, je veux chercher dès aujourd'hui un sujet de divagation pour les jaloux de tout sexe qui nous persécutent.

— Chut ! cette fois-ci, on vient bien réellement, dit Madame.

Et elle se baissa pour cueillir une pervenche dans le gazon touffu.

On venait, en effet, car soudain se précipitèrent, par le sommet du monticule, une foule de jeunes femmes que suivaient les cavaliers ; la cause de toute cette irruption était un magnifique sphinx des vignes aux ailes supérieures semblables au plumage du chat-huant, aux ailes inférieures pareilles à des feuilles de rose.

Cette proie opime était tombée dans les filets de Mlle de Tonnay-Charente, qui la montrait avec fierté à ses rivales, moins bonnes chercheuses qu'elle.

La reine de la chasse s'assit à vingt pas à peu près du banc où se tenaient Louis et Madame Henriette, s'adossa à un magnifique chêne enlacé de lierres, et piqua le papillon sur le jonc de sa longue canne.

Mlle de Tonnay-Charente était fort belle ; aussi les hommes désertèrent-ils les autres femmes pour venir, sous prétexte de lui faire compliment sur son adresse, se presser en cercle autour d'elle.

Le roi et la princesse regardaient sournoisement cette scène comme les spectateurs d'un autre âge regardent les jeux des petits enfants.

— On s'amuse là-bas, dit le roi.

— Beaucoup, sire ; j'ai toujours remarqué qu'on s'amusait là où étaient la jeunesse et la beauté.

— Que dites-vous de Mlle de Tonnay-Charente, Henriette ? demanda le roi.

— Je dis qu'elle est un peu blonde, répondit Madame, tombant du premier coup sur le seul défaut que l'on pût reprocher à la beauté presque parfaite de la future Mme de Montespan.

— Un peu blonde, soit ; mais belle, ce me semble, malgré cela.

— Est-ce votre avis, sire ?

— Mais oui.

— Eh bien ! alors, c'est le mien aussi.

— Et recherchée, vous voyez.

— Oh ! pour cela, oui : les amants voltigent. Si nous faisions la chasse

1. Voir Dictionnaire. Contemporains.

aux amants, au lieu de faire la chasse aux papillons, voyez donc la belle capture que nous ferions autour d'elle.

— Voyons, Henriette, que dirait-on si le roi se mêlait à tous ces amants et laissait tomber son regard de ce côté ? Serait-on encore jaloux là-bas ?

— Oh ! sire, Mlle de Tonnay-Charente est un remède bien efficace, dit Madame avec un soupir ; elle guérirait le jaloux, c'est vrai, mais elle pourrait bien faire une jalouse.

— Henriette ! Henriette ! s'écria Louis, vous m'emplissez le cœur de joie ! Oui, oui, vous avez raison, Mlle de Tonnay-Charente est trop belle pour servir de manteau.

— Manteau de roi, dit en souriant Madame Henriette ; manteau de roi doit être beau.

— Me le conseillez-vous ? demanda Louis.

— Oh ! moi, que vous dirais-je, sire, sinon que donner un pareil conseil serait donner des armes contre moi ? Ce serait folie ou orgueil que vous conseiller de prendre pour héroïne d'un faux amour une femme plus belle que celle pour laquelle vous prétendez éprouver un amour vrai.

Le roi chercha la main de Madame avec la main, les yeux avec les yeux, puis il balbutia quelques mots si tendres, mais en même temps prononcés si bas, que l'historien, qui doit tout entendre, ne les entendit point.

Puis tout haut :

— Eh bien ! dit-il, choisissez-moi vous-même celle qui devra guérir nos jaloux. A celle-là tous mes soins, toutes mes attentions, tout le temps que je vole aux affaires ; à celle-là, Henriette, la fleur que je cueillerai pour vous, les pensées de tendresse que vous ferez naître en moi ; à celle-là le regard que je n'oserai vous adresser, et qui devrait aller vous éveiller dans votre insouciance. Mais choisissez-la bien, de peur qu'en voulant songer à elle, de peur qu'en lui offrant la rose détachée par mes doigts, je ne me trouve vaincu par vous-même, et que l'œil, la main, les lèvres ne retournent sur-le-champ à vous, dût l'univers tout entier deviner mon secret.

Pendant que ces paroles s'échappaient de la bouche du roi, comme un flot d'amour, Madame rougissait, palpitait, heureuse, fière, enivrée ; elle ne trouva rien à répondre, son orgueil et sa soif des hommages étaient satisfaits.

— J'échouerai, dit-elle en relevant ses beaux yeux, mais non pas comme vous m'en priez, car tout cet encens que vous voulez brûler sur l'autel d'une autre déesse, ah ! sire, j'en suis jalouse aussi et je veux qu'il me revienne, et je ne veux pas qu'il s'en égare un atome en chemin. Donc, sire, je choisirai, avec votre royale permission, ce qui me paraîtra le moins capable de vous distraire, et qui laissera mon image bien intacte dans votre âme.

— Heureusement, dit le roi, que votre cœur n'est point mal composé, sans cela je frémirais de la menace que vous me faites ; nous avons pris sur ce point nos précautions, et autour de vous, comme autour de moi, il serait difficile de rencontrer un fâcheux visage.

Pendant que le roi parlait ainsi, Madame s'était levée, avait parcouru des yeux toute la pelouse, et, après un examen détaillé et silencieux, appelant à elle le roi :

— Tenez, sire, dit-elle, voyez-vous sur le penchant de la colline, près de ce massif de boules-de-neige, cette belle arriérée qui va seule, tête baissée, bras pendants, cherchant dans les fleurs qu'elle foule aux pieds, comme tous ceux qui ont perdu leur pensée.

— Mlle de La Vallière ? fit le roi.

— Oui.

— Oh !

— Ne vous convient-elle pas, sire ?

— Mais voyez donc la pauvre enfant, elle est maigre, presque décharnée !

— Bon ! suis-je grasse, moi ?

— Mais elle est triste à mourir !

— Cela fera contraste avec moi, que l'on accuse d'être trop gaie.

— Mais elle boite !

— Vous croyez ?

— Sans doute. Voyez donc, elle a laissé passer tout le monde de peur que sa disgrâce ne soit remarquée.

— Eh bien ! elle courra moins vite que Daphné et ne pourra pas fuir Apollon.

— Henriette ! Henriette ! fit le roi tout maussade, vous avez été justement me chercher la plus défectueuse de vos filles d'honneur.

— Oui, mais c'est une de mes filles d'honneur, notez cela.

— Sans doute. Que voulez-vous dire ?

— Je veux dire que, pour visiter cette divinité nouvelle, vous ne pourrez vous dispenser de venir chez moi, et que, la décence interdisant à votre flamme d'entretenir particulièrement la déesse, vous serez contraint de la voir à mon cercle, de me parler en lui parlant. Je veux dire, enfin, que les jaloux auront tort s'ils croient que vous venez chez moi pour moi, puisque vous y viendrez pour Mlle de La Vallière.

— Qui boite.

— A peine.

— Qui n'ouvre jamais la bouche.

— Mais qui, quand elle l'ouvre, montre des dents charmantes.

— Qui peut servir de modèle aux ostéologistes.

— Votre faveur l'engraissera.

— Henriette !

— Enfin, vous m'avez laissée maîtresse ?

— Hélas ! oui.

— Eh bien ! c'est mon choix ; je vous l'impose. Subissez-le.

— Oh ! je subirais une des Furies, si vous me l'imposiez.

— La Vallière est douce comme un agneau ; ne craignez pas qu'elle vous contredise jamais quand vous lui direz que vous l'aimez.

Et Madame se mit à rire.

— Oh ! vous n'avez pas peur que je lui en dise trop, n'est-ce pas ?

— C'était dans mon droit.

— Soit.

— C'est donc un traité fait ?

— Signé.

— Vous me conserverez une amitié de frère, une assiduité de frère, une galanterie de roi, n'est-ce pas ?

— Je vous conserverai un cœur qui n'a déjà plus l'habitude de battre qu'à votre commandement.

— Eh bien ! voyez-vous l'avenir assuré de cette façon ?

— Je l'espère.

— Votre mère cessera-t-elle de me regarder en ennemie ?

— Oui.

— Marie-Thérèse cessera-t-elle de parler en espagnol devant Monsieur, qui a horreur des colloques faits en langue étrangère, parce qu'il croit toujours qu'on l'y maltraite ?

— Hélas ! a-t-il tort ? murmura le roi tendrement.

— Et pour terminer, fit la princesse, accusera-t-on encore le roi de songer à des affections illégitimes, quand il est vrai que nous n'éprouvons rien l'un pour l'autre, si ce n'est des sympathies pures de toute arrière-pensée ?

— Oui, oui, balbutia le roi. Mais on dira encore autre chose.

— Et que dira-t-on, sire ? En vérité, nous ne serons donc jamais en repos ?

— On dira, continua le roi, que j'ai bien mauvais goût ; mais qu'est-ce que mon amour-propre auprès de votre tranquillité ?

— De mon honneur, sire, et de celui de notre famille, voulez-vous dire. D'ailleurs, croyez-moi, ne vous hâtez point ainsi de vous piquer contre La Vallière ; elle boite, c'est vrai, mais elle ne manque pas d'un certain bon sens. Tout ce que le roi touche, d'ailleurs, se convertit en or.

— Enfin, madame, soyez certaine d'une chose, c'est que je vous suis encore reconnaissant ; vous pouviez me faire payer plus cher encore votre séjour en France.

— Sire, on vient à nous.

— Eh bien ?

— Un dernier mot.

— Lequel ?

— Vous êtes prudent et sage, sire, mais c'est ici qu'il faudra appeler à votre secours toute votre prudence, toute votre sagesse.

— Oh ! s'écria Louis en riant, je commence dès ce soir à jouer mon rôle, et vous verrez si j'ai de la vocation pour représenter les bergers. Nous avons grande promenade dans la forêt après le goûter, puis nous avons souper et ballet à dix heures.

— Je le sais bien.

— Or, ma flamme va ce soir même éclater plus haut que les feux d'artifice, briller plus clairement que les lampions de notre ami Colbert ; cela resplendira de telle sorte que les reines et Monsieur auront les yeux brûlés.

— Prenez garde, sire, prenez garde !

— Eh ! mon Dieu, qu'ai-je donc fait ?

— Voilà que je vais rentrer mes compliments de tout à l'heure... Vous, prudent ! vous, sage ! ai-je dit... Mais vous débutez par d'abominables folies ! Est-ce qu'une passion s'allume ainsi, comme une torche, en une seconde ? Est-ce que, sans préparation aucune, un roi fait comme vous tombe aux pieds d'une fille comme La Vallière ?

— Oh ! Henriette ! Henriette ! Henriette ! je vous y prends... Nous n'avons pas encore commencé la campagne et vous me pillez !

— Non, mais je vous rappelle aux idées saines. Allumez progressivement votre flamme, au lieu de la faire éclater ainsi tout à coup. Jupiter tonne et fait briller l'éclair avant d'incendier les palais. Toute chose a son prélude. Si vous vous échauffez ainsi, nul ne vous croira épris, et tout le monde vous croira fou. A moins toutefois qu'on ne vous devine. Les gens sont moins sots parfois qu'ils n'en ont l'air.

Le roi fut obligé de convenir que Madame était un ange de savoir et un diable d'esprit.

— Eh bien ! soit, dit-il, je ruminerai mon plan d'attaque ; les généraux, mon cousin de Condé, par exemple, pâlissent sur leurs cartes stratégiques avant de faire mouvoir un seul de ces pions qu'on appelle des corps d'armée ; moi, je veux dresser tout un plan d'attaque. Vous savez que le Tendre[1] est subdivisé en toutes sortes de circonscriptions. Eh bien ! je m'arrêterai au village de Petits-Soins, au hameau de Billets-Doux, avant de prendre la route de Visible-Amour ; le chemin est tout tracé, vous le savez, et cette pauvre Mlle de Scudéry ne me pardonnerait point de brûler ainsi les étapes.

— Nous voilà revenus en bon chemin, sire. Maintenant, vous plaît-il que nous nous séparions ?

— Hélas ! il le faut bien ; car, tenez, on nous sépare.

1. La Carte de Tendre est représentée et commentée au vol. II de *Clélie. Histoire romaine* de Mlle de Scudéry, dont la publication était récente (1654-1660) : Petits-Soins et Billets-Doux sont situés de part et d'autre du fleuve Inclinaison.

— Ah ! dit Madame Henriette, en effet, voilà qu'on nous apporte le sphinx de Mlle de Tonnay-Charente, avec les sons de trompe en usage chez les grands veneurs.

— C'est donc bien entendu : ce soir, pendant la promenade, je me glisserai dans la forêt, et trouvant La Vallière sans vous...

— Je l'éloignerai. Cela me regarde.

— Très bien ! Je l'aborderai au milieu de ses compagnes, et lancerai le premier trait.

— Soyez adroit, dit Madame en riant, ne manquez pas le cœur.

Et la princesse prit congé du roi pour aller au-devant de la troupe joyeuse, qui accourait avec force cérémonies et fanfares de chasse entonnées par toutes les bouches.

CXIII

LE BALLET DES SAISONS

Après la collation, qui eut lieu vers cinq heures, le roi entra dans son cabinet, où l'attendaient les tailleurs.

Il s'agissait d'essayer enfin ce fameux habit du Printemps qui avait coûté tant d'imagination, tant d'efforts de pensée aux dessinateurs et aux ornementistes de la cour.

Quant au ballet lui-même, tout le monde savait son pas et pouvait figurer.

Le roi avait résolu d'en faire l'objet d'une surprise. Aussi à peine eut-il terminé sa conférence et fut-il rentré chez lui, qu'il manda ses deux maîtres de cérémonies, Villeroy et Saint-Aignan.

Tous deux lui répondirent qu'on n'attendait que son ordre, et qu'on était prêt à commencer ; mais cet ordre, pour qu'il le donnât, il fallait du beau temps et une nuit propice.

Le roi ouvrit sa fenêtre ; la poudre d'or du soir tombait à l'horizon par les déchirures du bois ; blanche comme une neige, la lune se dessinait déjà au ciel.

Pas un pli sur la surface des eaux vertes ; les cygnes eux-mêmes, reposant sur leurs ailes fermées comme des navires à l'ancre, semblaient se pénétrer de la chaleur de l'air, de la fraîcheur de l'eau, et du silence d'une admirable soirée.

Le roi, ayant vu toutes ces choses, contemplé ce magnifique tableau, donna l'ordre que demandaient MM. de Villeroy et de Saint-Aignan.

Pour que cet ordre fût exécuté royalement, une dernière question était nécessaire ; Louis XIV la posa à ces deux gentilshommes.

La question avait quatre mots :

— Avez-vous de l'argent ?

— Sire, répondit Saint-Aignan, nous nous sommes entendus avec M. Colbert.

— Ah ! fort bien.

— Oui, sire, et M. Colbert a dit qu'il serait auprès de Votre Majesté aussitôt que Votre Majesté manifesterait l'intention de donner suite aux fêtes dont elle a donné le programme.

— Qu'il vienne alors.

Comme si Colbert eût écouté aux portes pour se maintenir au courant de la conversation, il entra dès que le roi eut prononcé son nom devant les deux courtisans.

— Ah ! fort bien, monsieur Colbert, dit Sa Majesté. A vos postes donc, messieurs !

Saint-Aignan et Villeroy prirent congé.

Le roi s'assit dans un fauteuil près de la fenêtre.

— Je danse ce soir mon ballet, monsieur Colbert, dit-il.

— Alors, sire, c'est demain que je paie les notes ?

— Comment cela ?

— J'ai promis aux fournisseurs de solder leurs comptes le lendemain du jour où le ballet aurait eu lieu.

— Soit, monsieur Colbert, vous avez promis, payez.

— Très bien, sire ; mais, pour payer, comme disait M. de Lesdiguières, il faut de l'argent.

— Quoi ! les quatre millions promis par M. Fouquet n'ont-ils donc pas été remis ? J'avais oublié de vous en demander compte.

— Sire, ils étaient chez Votre Majesté à l'heure dite.

— Eh bien ?

— Eh bien ! sire, les verres de couleur, les feux d'artifice, les violons et les cuisiniers ont mangé quatre millions en huit jours.

— Entièrement ?

— Jusqu'au dernier sou. Chaque fois que Votre Majesté a ordonné d'illuminer les bords du grand canal, cela a brûlé autant d'huile qu'il y a d'eau dans les bassins.

— Bien, bien, monsieur Colbert. Enfin, vous n'avez plus d'argent ?

— Oh ! je n'en ai plus, mais M. Fouquet en a.

Et le visage de Colbert s'éclaira d'une joie sinistre.

— Que voulez-vous dire ? demanda Louis.

— Sire, nous avons déjà fait donner six millions à M. Fouquet. Il les a donnés de trop bonne grâce pour n'en pas donner encore d'autres si besoin était. Besoin est aujourd'hui ; donc, il faut qu'il s'exécute.

Le roi fronça le sourcil.

— Monsieur Colbert, dit-il en accentuant le nom du financier, ce n'est point ainsi que je l'entends, je ne veux pas employer contre un de mes serviteurs des moyens de pression qui le gênent et qui entravent son service. M. Fouquet a donné six millions en huit jours, c'est une somme.

Colbert pâlit.

— Cependant, fit-il, Votre Majesté ne parlait pas ce langage il y a quelque temps ; lorsque les nouvelles de Belle-Ile arrivèrent, par exemple.

— Vous avez raison, monsieur Colbert.

— Rien n'est changé depuis cependant, bien au contraire.

— Dans ma pensée, monsieur, tout est changé.

— Comment, sire, Votre Majesté ne croit plus aux tentatives ?

— Mes affaires me regardent, monsieur le sous-intendant, et je vous ai déjà dit que je les faisais moi-même.

— Alors, je vois que j'ai eu le malheur, dit Colbert en tremblant de rage et de peur, de tomber dans la disgrâce de Votre Majesté.

— Nullement ; vous m'êtes, au contraire, fort agréable.

— Eh ! sire, dit le ministre avec cette brusquerie affectée et habile quand il s'agissait de flatter l'amour-propre de Louis, à quoi bon être agréable à Votre Majesté si on ne lui est plus utile ?

— Je réserve vos services pour une occasion meilleure, et, croyez-moi, ils n'en vaudront que mieux.

— Ainsi le plan de Votre Majesté en cette affaire ?...

— Vous avez besoin d'argent, monsieur Colbert ?

— De sept cent mille livres, sire.

— Vous les prendrez dans mon trésor particulier.

Colbert s'inclina.

— Et, ajouta Louis, comme il me paraît difficile que, malgré votre économie, vous satisfassiez avec une somme aussi exiguë aux dépenses que je veux faire, je vais vous signer une cédule[1] de trois millions.

Le roi prit une plume et signa aussitôt. Puis, remettant le papier à Colbert :

— Soyez tranquille, dit-il, le plan que j'ai adopté est un plan de roi, monsieur Colbert.

Et sur ces mots, prononcés avec toute la majesté que le jeune prince savait prendre dans ces circonstances, il congédia Colbert pour donner audience aux tailleurs.

L'ordre donné par le roi était connu dans tout Fontainebleau ; on savait déjà que le roi essayait son habit et que le ballet serait dansé le soir.

Cette nouvelle courut avec la rapidité de l'éclair, et sur son passage elle alluma toutes les coquetteries, tous les désirs, toutes les folles ambitions.

---

1. *Cédule* : reconnaissance d'un engagement.

A l'instant même, et comme par enchantement, tout ce qui savait tenir une aiguille, tout ce qui savait distinguer un pourpoint d'avec un haut-de-chausses, comme dit Molière[1], fut convoqué pour servir d'auxiliaire aux élégants et aux dames.

Le roi eut achevé sa toilette à neuf heures ; il parut dans son carrosse découvert et orné de feuillages et de fleurs.

Les reines avaient pris place sur une magnifique estrade disposée, sur les bords de l'étang, dans un théâtre d'une merveilleuse élégance.

En cinq heures, les ouvriers charpentiers avaient assemblé toutes les pièces de rapport de ce théâtre; les tapissiers avaient tendu leurs tapisseries, dressé leurs sièges, et, comme au signal d'une baguette d'enchanteur, mille bras, s'aidant les uns les autres au lieu de se gêner, avaient construit l'édifice dans ce lieu au son des musiques, pendant que déjà les artificiers illuminaient le théâtre et les bords de l'étang par un nombre incalculable de bougies.

Comme le ciel s'étoilait et n'avait pas un nuage, comme on n'entendait pas un souffle d'air dans les grands bois, comme si la nature elle-même s'était accommodée à la fantaisie du prince, on avait laissé ouvert le fond de ce théâtre. En sorte que, derrière les premiers plans du décor, on apercevait pour fond ce beau ciel ruisselant d'étoiles, cette nappe d'eau embrasée de feux qui s'y réfléchissaient, et les silhouettes bleuâtres des grandes masses de bois aux cimes arrondies[2].

Quand le roi parut, toute la salle était pleine, et présentait un groupe étincelant de pierreries et d'or, dans lequel le premier regard ne pouvait distinguer aucune physionomie.

Peu à peu, quand la vue s'accoutumait à tant d'éclat, les plus rares beautés apparaissaient, comme dans le ciel du soir les étoiles, une à une, pour celui qui a fermé les yeux et qui les rouvre.

Le théâtre représentait un bocage ; quelques faunes levant leurs pieds fourchus sautillaient çà et là ; une dryade, apparaissant, les excitait à la poursuite ; d'autres se joignaient à elle pour la défendre, et l'on se querellait en dansant.

Soudain devaient paraître, pour ramener l'ordre et la paix, le Printemps et toute sa cour.

Les éléments, les puissances subalternes et la mythologie avec leurs attributs, se précipitaient sur les traces de leur gracieux souverain.

Les Saisons, alliées du Printemps, venaient à ses côtés former un

1. *Les Femmes savantes*, acte II, scène VII, vers 580 : « Chrysale. — [...] une femme en sait toujours assez / Quand la capacité de son esprit se hausse / A connaître un pourpoint d'avec un haut-de-chausse. »

2. « [Le ballet] fut le plus agréable qui ait jamais été, soit par le lieu où il se dansait, qui était le bord de l'étang, ou par l'invention qu'on avait trouvée de faire venir du bout d'une allée le théâtre tout entier, chargé d'une infinité de personnages qui s'approchaient insensiblement et qui faisaient une entrée en dansant devant le théâtre », Mme de La Fayette, *op. cit.*

quadrille, qui, sur des paroles plus ou moins flatteuses, entamait la danse. La musique, hautbois, flûtes et violes, peignait les plaisirs champêtres.

Déjà le roi entrait au milieu d'un tonnerre d'applaudissements.

Il était vêtu d'une tunique de fleurs, qui dégageait, au lieu de l'alourdir, sa taille svelte et bien prise. Sa jambe, une des plus élégantes de la cour, paraissait avec avantage dans un bas de soie couleur chair, soie si fine et si transparente que l'on eût dit la chair elle-même.

Les plus charmants souliers de satin lilas clair, à bouffettes de fleurs et de feuilles, emprisonnaient son petit pied.

Le buste était en harmonie avec cette base; de beaux cheveux ondoyants, un air de fraîcheur rehaussé par l'éclat de beaux yeux bleus qui brûlaient doucement les cœurs, une bouche aux lèvres appétissantes, qui daignait s'ouvrir pour sourire : tel était le prince de l'année, qu'on eût, et à juste titre ce soir-là, nommé le roi de tous les Amours.

Il y avait dans sa démarche quelque chose de la légère majesté d'un dieu. Il ne dansait pas, il planait.

Cette entrée fit donc l'effet le plus brillant. Soudain, comme nous l'avons dit, on aperçut le comte de Saint-Aignan qui cherchait à s'approcher du roi ou de Madame.

La princesse, vêtue d'une robe longue, diaphane et légère comme les plus fines résilles que tissent les savantes Malinoises, le genou parfois dessiné sous les plis de la tunique, son petit pied chaussé de soie, s'avançait radieuse avec son cortège de bacchantes, et touchait déjà la place qui lui était assignée pour danser.

Les applaudissements durèrent si longtemps, que le comte eut tout le loisir de joindre le roi arrêté sur une pointe.

— Qu'y a-t-il, Saint-Aignan ? fit le Printemps.

— Mon Dieu, sire, répliqua le courtisan tout pâle, il y a que Votre Majesté n'a pas songé au pas des Fruits.

— Si fait ; il est supprimé.

— Non pas, sire. Votre Majesté n'en a point donné l'ordre, et la musique l'a conservé.

— Voilà qui est fâcheux ! murmura le roi. Ce pas n'est point exécutable, puisque M. de Guiche est absent. Il faudra le supprimer.

— Oh ! sire, un quart d'heure de musique sans danses, ce sera froid à tuer le ballet.

— Mais, comte, alors...

— Oh ! sire, le grand malheur n'est pas là ; car, après tout, l'orchestre couperait encore tant bien que mal, s'il était nécessaire ; mais...

— Mais quoi ?

— C'est que M. de Guiche est ici.

— Ici ? répliqua le roi en fronçant le sourcil, ici ?... Vous êtes sûr ?...

— Tout habillé pour le ballet, sire.

Le roi sentit le rouge lui monter au visage.

— Vous vous serez trompé, dit-il.

— Si peu, sire, que Votre Majesté peut regarder à sa droite. Le comte attend.

Louis se tourna vivement de ce côté ; et, en effet, à sa droite, éclatant de beauté sous son habit de Vertumne, de Guiche attendait que le roi le regardât pour lui adresser la parole.

Dire la stupéfaction du roi, celle de Monsieur qui s'agita dans sa loge, dire les chuchotements, l'oscillation des têtes dans la salle, dire l'étrange saisissement de Madame à la vue de son partner, c'est une tâche que nous laissons à de plus habiles.

Le roi était resté bouche béante et regardait le comte.

Celui-ci s'approcha, respectueux, courbé :

— Sire, dit-il, le plus humble serviteur de Votre Majesté vient lui faire service en ce jour, comme il a fait au jour de bataille. Le roi, en manquant ce pas des Fruits, perdait la plus belle scène de son ballet. Je n'ai pas voulu qu'un semblable dommage résultât par moi, pour la beauté, l'adresse et la bonne grâce du roi ; j'ai quitté mes fermiers, afin de venir en aide à mon prince.

Chacun de ces mots tombait, mesuré, harmonieux, éloquent, dans l'oreille de Louis XIV. La flatterie lui plut autant que le courage l'étonna. Il se contenta de répondre :

— Je ne vous avais pas dit de revenir, comte.

— Assurément, sire ; mais Votre Majesté ne m'avait pas dit de rester.

Le roi sentait le temps courir. La scène, en se prolongeant, pouvait tout brouiller. Une seule ombre à ce tableau le gâtait sans ressource.

Le roi, d'ailleurs, avait le cœur tout plein de bonnes idées ; il venait de puiser dans les yeux si éloquents de Madame une inspiration nouvelle.

Ce regard d'Henriette lui avait dit :

— Puisqu'on est jaloux de vous, divisez les soupçons ; qui se défie de deux rivaux ne se défie d'aucun.

Madame, avec cette habile diversion, l'emporta.

Le roi sourit à de Guiche.

De Guiche ne comprit pas un mot au langage muet de Madame. Seulement, il vit bien qu'elle affectait de ne le point regarder. Sa grâce obtenue, il l'attribua au cœur de la princesse. Le roi en sut gré à tout le monde.

Monsieur seul ne comprit pas.

Le ballet commença ; il fut splendide.

Quand les violons enlevèrent, par leurs élans, ces illustres danseurs, quand la pantomime naïve de cette époque, bien plus naïve encore par le jeu, fort médiocre, des augustes histrions, fut parvenue à son point culminant de triomphe, la salle faillit crouler sous les applaudissements.

De Guiche brilla comme un soleil, mais comme un soleil courtisan qui se résigne au deuxième rôle.

Dédaigneux de ce succès, dont Madame ne lui témoignait aucune reconnaissance, il ne songea plus qu'à reconquérir bravement la préférence ostensible de la princesse.

Elle ne lui donna pas un seul regard.

Peu à peu toute sa joie, tout son brillant s'éteignirent dans la douleur et l'inquiétude : en sorte que ses jambes devinrent molles, ses bras lourds, sa tête hébétée.

Le roi, dès ce moment, fut réellement le premier danseur du quadrille.

Il jeta un regard de côté sur son rival vaincu.

De Guiche n'était même plus courtisan ; il dansait mal, sans adulation ; bientôt il ne dansa plus du tout.

Le roi et Madame triomphèrent.

CXIV

LES NYMPHES DU PARC DE FONTAINEBLEAU

Le roi demeura un instant à jouir de son triomphe, qui, nous l'avons dit, était aussi complet que possible.

Puis il se retourna vers Madame pour l'admirer aussi un peu à son tour.

Les jeunes gens aiment peut-être avec plus de vivacité, plus d'ardeur, plus de passion que les gens d'un âge mûr ; mais ils ont en même temps tous les autres sentiments développés dans la proportion de leur jeunesse et de leur vigueur, en sorte que l'amour-propre étant presque toujours, chez eux, l'équivalent de l'amour, ce dernier sentiment, combattu par les lois de la pondération, n'atteint jamais le degré de perfection qu'il acquiert chez les hommes et les femmes de trente à trente-cinq ans.

Louis pensait donc à Madame, mais seulement après avoir bien pensé à lui-même, et Madame pensait beaucoup à elle-même, peut-être sans penser le moins du monde au roi.

Mais la victime, au milieu de tous ces amours et amours-propres royaux, c'était de Guiche.

Aussi tout le monde put-il remarquer à la fois l'agitation et la prostration du pauvre gentilhomme, et cette prostration, surtout, était d'autant plus remarquable que l'on n'avait pas l'habitude de voir ses bras tomber, sa tête s'alourdir, ses yeux perdre leur flamme. On n'était pas d'ordinaire inquiet sur son compte quand il s'agissait d'une question d'élégance et de goût.

Aussi la défaite de Guiche fut-elle attribuée, par le plus grand nombre, à son habileté de courtisan.

Mais d'autres aussi — les yeux clairvoyants sont à la cour — mais d'autres aussi remarquèrent sa pâleur et son atonie, pâleur et atonie qu'il ne pouvait ni feindre ni cacher, et ils en conclurent, avec raison, que de Guiche ne jouait pas une comédie d'adulation.

Ces souffrances, ces succès, ces commentaires furent enveloppés, confondus, perdus dans le bruit des applaudissements.

Mais, quand les reines eurent témoigné leur satisfaction, les spectateurs leur enthousiasme, quand le roi se fut rendu à sa loge pour changer de costume, tandis que Monsieur, habillé en femme, selon son habitude, dansait à son tour, de Guiche, rendu à lui-même, s'approcha de Madame, qui, assise au fond du théâtre, attendait la deuxième entrée, et s'était fait une solitude au milieu de la foule, comme pour méditer à l'avance ses effets chorégraphiques.

On comprend que, absorbée par cette grave méditation, elle ne vît point ou fît semblant de ne pas voir ce qui se passait autour d'elle.

De Guiche, la trouvant donc seule auprès d'un buisson de toile peinte, s'approcha de Madame.

Deux de ses demoiselles d'honneur, vêtues en hamadryades, voyant de Guiche s'approcher, se reculèrent par respect.

De Guiche s'avança donc au milieu du cercle et salua Son Altesse Royale.

Mais Son Altesse Royale, qu'elle eût remarqué ou non le salut, ne tourna même point la tête.

Un frisson passa dans les veines du malheureux ; il ne s'attendait point à une aussi complète indifférence, lui qui n'avait rien vu, lui qui n'avait rien appris, lui qui, par conséquent, ne pouvait rien deviner.

Donc, voyant que son salut n'obtenait aucune réponse, il fit un pas de plus, et, d'une voix qu'il s'efforçait, mais inutilement, de rendre calme :

— J'ai l'honneur, dit-il, de présenter mes bien humbles respects à Madame.

Cette fois Son Altesse Royale daigna tourner ses yeux languissants vers le comte.

— Ah ! monsieur de Guiche, dit-elle, c'est vous ; bonjour !

Et elle se retourna.

La patience faillit manquer au comte.

— Votre Altesse Royale a dansé à ravir tout à l'heure, dit-il.

— Vous trouvez ? fit négligemment Madame.

— Oui, le personnage est tout à fait celui qui convient au caractère de Son Altesse Royale.

Madame se retourna tout à fait, et, regardant de Guiche avec son œil clair et fixe :

— Comment cela ? dit-elle.

— Sans doute.

— Expliquez-vous.

— Vous représentez une divinité, belle, dédaigneuse et légère, fit-il.

— Vous voulez parler de Pomone, monsieur le comte ?

— Je parle de la déesse que représente Votre Altesse Royale.

Madame demeura un instant les lèvres crispées.

— Mais vous-même, monsieur, dit-elle, n'êtes-vous pas aussi un danseur parfait ?

— Oh ! moi, madame, je suis de ceux qu'on ne distingue point, et qu'on oublie si par hasard on les a distingués.

Et sur ces paroles, accompagnées d'un de ces soupirs profonds qui font tressaillir les dernières fibres de l'être, le cœur plein d'angoisses et de palpitations, la tête en feu, l'œil vacillant, il salua, haletant, et se retira derrière le buisson de toile.

Madame, pour toute réponse, haussa légèrement les épaules.

Et comme ses dames d'honneur s'étaient, ainsi que nous l'avons dit, retirées par discrétion durant le colloque, elle les rappela du regard.

C'étaient Mlles de Tonnay-Charente et de Montalais.

Toutes deux, à ce signe de Madame, s'approchèrent avec empressement.

— Avez-vous entendu, mesdemoiselles ? demanda la princesse.

— Quoi, madame ?

— Ce que M. le comte de Guiche a dit.

— Non.

— En vérité, c'est une chose remarquable, continua la princesse avec l'accent de la compassion, combien l'exil a fatigué l'esprit de ce pauvre M. de Guiche.

Et plus haut encore, de peur que le malheureux ne perdît une parole :

— Il a mal dansé d'abord, continua-t-elle ; puis, ensuite, il n'a dit que des pauvretés.

Puis elle se leva, fredonnant l'air sur lequel elle allait danser.

Guiche avait tout entendu. Le trait pénétra au plus profond de son cœur et le déchira.

Alors, au risque d'interrompre tout l'ordre de la fête par son dépit, il s'enfuit, mettant en lambeaux son bel habit de Vertumne, et semant sur son chemin les pampres, les mûres, les feuilles d'amandier et tous les petits attributs artificiels de sa divinité.

Un quart d'heure après, il était de retour sur le théâtre. Mais il était facile de comprendre qu'il n'y avait qu'un puissant effort de la raison sur la folie qui avait pu le ramener, ou peut-être, le cœur est ainsi fait, l'impossibilité même de rester plus longtemps éloigné de celle qui lui brisait le cœur.

Madame achevait son pas.

Elle le vit, mais ne le regarda point ; et lui, irrité, furieux, lui tourna le dos à son tour lorsqu'elle passa escortée de ses nymphes et suivie de cent flatteurs.

Pendant ce temps, à l'autre bout du théâtre, près de l'étang, une femme était assise, les yeux fixés sur une des fenêtres du théâtre.

De cette fenêtre s'échappaient des flots de lumière.

Cette fenêtre, c'était celle de la loge royale.

De Guiche en quittant le théâtre, de Guiche en allant chercher l'air dont il avait si grand besoin, de Guiche passa près de cette femme et la salua.

Elle, de son côté, en apercevant le jeune homme, s'était levée comme une femme surprise au milieu d'idées qu'elle voudrait se cacher à elle-même.

Guiche la reconnut. Il s'arrêta.

— Bonsoir, mademoiselle ! dit-il vivement.

— Bonsoir, monsieur le comte !

— Ah ! mademoiselle de La Vallière, continua de Guiche, que je suis heureux de vous rencontrer !

— Et moi aussi, monsieur le comte, je suis heureuse de ce hasard, dit la jeune fille en faisant un mouvement pour se retirer.

— Oh ! non ! non ! ne me quittez pas, dit de Guiche en étendant la main vers elle ; car vous démentiriez ainsi les bonnes paroles que vous venez de dire. Restez, je vous en supplie, il fait la plus belle soirée du monde. Vous fuyez le bruit, vous ! Vous aimez votre société à vous seule, vous ! Eh bien ! oui, je comprends cela ; toutes les femmes qui ont du cœur sont ainsi. Jamais on n'en verra une s'ennuyer loin du tourbillon de tous ces plaisirs bruyants ! Oh ! mademoiselle ! mademoiselle !

— Mais qu'avez-vous donc, monsieur le comte ? demanda La Vallière avec un certain effroi. Vous semblez agité.

— Moi ? Non pas ; non.

— Alors, monsieur de Guiche, permettez-moi de vous faire ici le remerciement que je me proposais de vous faire à la première occasion. C'est à votre protection, je le sais, que je dois d'avoir été admise parmi les filles d'honneur de Madame.

— Ah ! oui, vraiment, je m'en souviens et je m'en félicite, mademoiselle. Aimez-vous quelqu'un, vous ?

— Moi ?

— Oh ! pardon, je ne sais ce que je dis ; pardon mille fois. Madame avait raison, bien raison ; cet exil brutal a complètement bouleversé mon esprit.

— Mais le roi vous a bien reçu, ce me semble, monsieur le comte ?

— Trouvez-vous ?... Bien reçu... peut-être... oui...

— Sans doute, bien reçu ; car, enfin, vous revenez sans congé de lui ?

— C'est vrai, et je crois que vous avez raison, mademoiselle. Mais n'avez-vous point vu par ici M. le vicomte de Bragelonne ?

La Vallière tressaillit à ce nom.

— Pourquoi cette question ? demanda-t-elle.

— Oh ! mon Dieu ! vous blesserais-je encore ? fit de Guiche. En ce cas, je suis bien malheureux, bien à plaindre !

— Oui, bien malheureux, bien à plaindre, monsieur de Guiche, car vous paraissez horriblement souffrir.

— Oh ! mademoiselle, que n'ai-je une sœur dévouée[1], une amie véritable !

— Vous avez des amis, monsieur de Guiche, et M. le vicomte de Bragelonne, dont vous parliez tout à l'heure, est, il me semble, un de ces bons amis.

— Oui, oui, en effet, c'est un de mes bons amis. Adieu, mademoiselle, adieu ! recevez tous mes respects.

Et il s'enfuit comme un fou du côté de l'étang.

Son ombre noire glissait grandissante parmi les ifs lumineux et les larges moires resplendissantes de l'eau.

La Vallière le regarda quelque temps avec compassion.

— Oh ! oui, oui, dit-elle, il souffre et je commence à comprendre pourquoi.

Elle achevait à peine, lorsque ses compagnes, Mlles de Montalais et de Tonnay-Charente, accoururent.

Elles avaient fini leur service, dépouillé leurs habits de nymphes, et, joyeuses de cette belle nuit, du succès de la soirée, elles revenaient trouver leur compagne.

— Eh quoi ! déjà ! lui dirent-elles. Nous croyions arriver les premières au rendez-vous.

— J'y suis depuis un quart d'heure, répondit La Vallière.

— Est-ce que la danse ne vous a point amusée ?

— Non.

— Et tout le spectacle ?

— Non plus. En fait de spectacle, j'aime bien mieux celui de ces bois noirs au fond desquels brille çà et là une lumière qui passe comme un œil rouge, tantôt ouvert, tantôt fermé.

— Elle est poète, cette La Vallière, dit Tonnay-Charente.

— C'est-à-dire insupportable, fit Montalais. Toutes les fois qu'il s'agit de rire un peu ou de s'amuser de quelque chose, La Vallière pleure ; toutes

1. Guiche avait une sœur, Mme de Valentinois « que Monsieur aimait fort à cause de son frère et à cause d'elle-même (car il avait pour elle toute l'inclinaison dont il était capable) », Mme de La Fayette (*op. cit.*) qui note par ailleurs que « Guiche s'était attaché [à La Vallière] plus que les autres. »

les fois qu'il s'agit de pleurer, pour nous autres femmes, chiffons perdus, amour-propre piqué, parure sans effet, La Vallière rit.

— Oh ! quant à moi, je ne puis être de ce caractère, dit Mlle de Tonnay-Charente. Je suis femme, et femme comme on ne l'est pas ; qui m'aime me flatte, qui me flatte me plaît par sa flatterie, et qui me plaît...

— Eh bien ! tu n'achèves pas ? dit Montalais.

— C'est trop difficile, répliqua Mlle de Tonnay-Charente en riant aux éclats. Achève pour moi, toi qui as tant d'esprit.

— Et vous, Louise, dit Montalais, vous plaît-on ?

— Cela ne regarde personne, dit la jeune fille en se levant du banc de mousse où elle était restée étendue pendant tout le temps qu'avait duré le ballet. Maintenant, mesdemoiselles, nous avons formé le projet de nous divertir cette nuit sans surveillants et sans escorte. Nous sommes trois, nous nous plaisons l'une à l'autre, il fait un temps superbe ; regardez là-bas, voyez la lune qui monte doucement au ciel et argente les cimes des marronniers et des chênes. Oh ! la belle promenade ! oh ! la belle liberté ! la belle herbe fine des bois, la belle faveur que me fait votre amitié ; prenons-nous par le bras et gagnons les grands arbres. Ils sont tous, en ce moment, attablés et actifs là-bas, occupés à se parer pour une promenade d'apparat ; on selle les chevaux, on attelle les voitures, les mules de la reine ou les quatre cavales blanches de Madame. Nous, gagnons vite un endroit où nul œil ne vous devine, où nul pas ne marche dans notre pas. Vous rappelez-vous, Montalais, les bois de Cheverny et de Chambord, les peupliers sans fin de Blois ? nous avons échangé là-bas bien des espérances.

— Bien des confidences aussi.

— Oui.

— Moi, dit Mlle de Tonnay-Charente, je pense beaucoup aussi ; mais prenez garde...

— Elle ne dit rien, fit Montalais, de sorte que ce que pense Mlle de Tonnay-Charente, Athénaïs seule le sait.

— Chut ! s'écria Mlle de La Vallière, j'entends des pas qui viennent de ce côté.

— Eh ! vite ! vite ! dans les roseaux, dit Montalais ; baissez-vous, Athénaïs, vous qui êtes si grande.

Mlle de Tonnay-Charente se baissa effectivement.

Presque aussitôt on vit, en effet, deux gentilshommes s'avancer, la tête inclinée, les bras entrelacés et marchant sur le sable fin de l'allée parallèle au rivage.

Les femmes se firent petites, imperceptibles.

— C'est M. de Guiche, dit Montalais à l'oreille de Mlle de Tonnay-Charente.

— C'est M. de Bragelonne, dit celle-ci à l'oreille de La Vallière.

Les deux jeunes gens continuaient de s'approcher en causant d'une voix animée.

— C'est par ici qu'elle était tout à l'heure, dit le comte. Si je n'avais fait que la voir, je dirais que c'est une apparition ; mais je lui ai parlé.

— Ainsi, vous êtes sûr ?

— Oui ; mais peut-être aussi lui ai-je fait peur.

— Comment cela ?

— Eh ! mon Dieu ! j'étais encore fou de ce que vous savez, de sorte qu'elle n'aura rien compris à mes discours et aura pris peur.

— Oh ! dit Bragelonne, ne vous inquiétez pas, mon ami. Elle est bonne, elle excusera ; elle a de l'esprit, elle comprendra.

— Oui ; mais si elle a compris, trop bien compris.

— Après ?

— Et qu'elle parle.

— Oh ! vous ne connaissez pas Louise, comte, dit Raoul. Louise a toutes les vertus, et n'a pas un seul défaut.

Et les jeunes gens passèrent là-dessus, et, comme ils s'éloignaient, leurs voix se perdirent peu à peu.

— Comment ! La Vallière, dit Mlle de Tonnay-Charente. M. le vicomte de Bragelonne a dit « Louise » en parlant de vous. Comment cela se fait-il ?

— Nous avons été élevés ensemble, répondit Mlle de La Vallière ; tout enfants, nous nous connaissions.

— Et puis M. de Bragelonne est ton fiancé, chacun sait cela.

— Oh ! je ne le savais pas, moi. Est-ce vrai, mademoiselle ?

— C'est-à-dire, répondit Louise en rougissant, c'est-à-dire que M. de Bragelonne m'a fait l'honneur de me demander ma main... mais...

— Mais quoi ?

— Mais il paraît que le roi...

— Eh bien ?

— Que le roi ne veut pas consentir à ce mariage.

— Eh ! pourquoi le roi ? et qu'est-ce que le roi ? s'écria Aure avec aigreur. Le roi a-t-il donc le droit de se mêler de ces choses-là, bon Dieu ?... « La *poulitique* est la *poulitique*, comme disait M. de Mazarin ; *ma l'amor*, il est *l'amor*. » Si donc tu aimes M. de Bragelonne, et, s'il t'aime, épousez-vous. Je vous donne mon consentement, moi.

Athénaïs se mit à rire.

— Oh ! je parle sérieusement, répondit Montalais, et mon avis en ce cas vaut bien l'avis du roi, je suppose. N'est-ce pas, Louise ?

— Voyons, voyons, ces messieurs sont passés, dit La Vallière ; profitons donc de la solitude pour traverser la prairie et nous jeter dans le bois.

— D'autant mieux, dit Athénaïs, que voilà des lumières qui partent du château et du théâtre, et qui me font l'effet de précéder quelque illustre compagnie.

— Courons, dirent-elles toutes trois.

Et relevant gracieusement les longs plis de leurs robes de soie, elles franchirent lestement l'espace qui s'étendait entre l'étang et la partie la plus ombragée du parc.

Montalais, légère comme une biche, Athénaïs, ardente comme une jeune louve, bondissaient dans l'herbe sèche, et parfois un Actéon téméraire eût pu apercevoir dans la pénombre leur jambe pure et hardie se dessinant sous l'épais contour des jupes de satin.

La Vallière, plus délicate et plus pudique, laissa flotter ses robes ; retardée ainsi par la faiblesse de son pied, elle ne tarda point à demander sa grâce.

Et, demeurée en arrière, elle força ses deux compagnes à l'attendre.

En ce moment, un homme, caché dans un fossé plein de jeunes pousses de saules, remonta vivement sur le talus de ce fossé et se mit à courir dans la direction du château.

Les trois femmes, de leur côté, atteignirent les lisières du parc, dont toutes les allées leur étaient connues.

De grandes allées fleuries s'élevaient autour des fossés ; des barrières fermées protégeaient de ce côté les promeneurs contre l'envahissement des chevaux et des calèches.

En effet, on entendait rouler dans le lointain, sur le sol ferme des chemins, les carrosses des reines et de Madame. Plusieurs cavaliers les suivaient avec le bruit si bien imité par les vers cadencés de Virgile[1].

Quelques musiques lointaines répondaient au bruit, et, quand les harmonies cessaient, le rossignol, chanteur plein d'orgueil, envoyait à la compagnie qu'il sentait rassemblée sous les ombrages les chants les plus compliqués, les plus suaves et les plus savants.

Autour du chanteur, brillaient, dans le fond noir des gros arbres, les yeux de quelque chat-huant sensible à l'harmonie.

De sorte que cette fête de toute la cour était aussi la fête des hôtes mystérieux des bois ; car assurément la biche écoutait dans sa fougère, le faisan sur sa branche, le renard dans son terrier.

On devinait la vie de toute cette population nocturne et invisible, aux brusques mouvements qui s'opéraient tout à coup dans les feuilles.

Alors les nymphes des bois poussaient un petit cri ; puis, rassurées à l'instant même, riaient et reprenaient leur marche.

Et elles arrivèrent ainsi au chêne royal, vénérable reste d'un chêne, qui, dans sa jeunesse, avait entendu les soupirs de Henri II pour la belle

1. L'*Énéide*, chant VIII, vers 516.

Diane de Poitiers, et plus tard ceux de Henri IV pour la belle Gabrielle d'Estrées.

Sous ce chêne, les jardiniers avaient accumulé la mousse et le gazon, de telle sorte que jamais siège circulaire n'avait mieux reposé les membres fatigués d'un roi.

Le tronc de l'arbre formait un dossier rugueux, mais suffisamment large pour quatre personnes.

Sous les rameaux qui obliquaient vers le tronc, les voix se perdaient en filtrant vers les cieux.

CXV

CE QUI SE DISAIT SOUS LE CHÊNE ROYAL

Il y avait dans la douceur de l'air, dans le silence du feuillage, un muet engagement pour ces jeunes femmes à changer tout de suite la conversation badine en une conversation plus sérieuse.

Celle même dont le caractère était le plus enjoué, Montalais, par exemple, y penchait la première.

Elle débuta par un gros soupir.

— Quelle joie, dit-elle, de nous sentir ici, libres, seules, et en droit d'être franches, surtout envers nous-mêmes !

— Oui, dit Mlle de Tonnay-Charente ; car la cour, si brillante qu'elle soit, cache toujours un mensonge sous les plis du velours ou sous les feux des diamants.

— Moi, répliqua La Vallière, je ne mens jamais ; quand je ne puis dire la vérité, je me tais.

— Vous ne serez pas longtemps en faveur, ma chère, dit Montalais ; ce n'est point ici comme à Blois, où nous disions à la vieille Madame tous nos dépits et toutes nos envies. Madame avait ses jours où elle se souvenait d'avoir été jeune. Ces jours-là, quiconque causait avec Madame trouvait une amie sincère. Madame nous contait ses amours avec Monsieur, et nous, nous lui contions ses amours avec d'autres, ou du moins les bruits qu'on avait fait courir sur ses galanteries. Pauvre femme ! si innocente ! elle en riait, nous aussi ; où est-elle à présent ?

— Ah ! Montalais, rieuse Montalais, s'écria La Vallière, voilà que tu soupires encore ; les bois t'inspirent, et tu es presque raisonnable ce soir.

— Mesdemoiselles, dit Athénaïs, vous ne devez pas tellement regretter la cour de Blois, que vous ne vous trouviez heureuses chez nous. Une cour, c'est l'endroit où viennent les hommes et les femmes pour causer de choses que les mères et les tuteurs, que les confesseurs surtout, défendent avec sévérité. A la cour, on se dit ces choses sous privilège du roi et des reines, n'est-ce pas agréable ?

— Oh ! Athénaïs, dit Louise en rougissant.

— Athénaïs est franche ce soir, dit Montalais, profitons-en.

— Oui, profitons-en, car on m'arracherait ce soir les plus intimes secrets de mon cœur.

— Ah ! si M. de Montespan était là[1] ! dit Montalais.

— Vous croyez que j'aime M. de Montespan ? murmura la belle jeune fille.

— Il est beau, je suppose ?

— Oui, et ce n'est pas un mince avantage à mes yeux.

— Vous voyez bien.

— Je dirai plus, il est, de tous les hommes qu'on voit ici, le plus beau et le plus...

— Qu'entend-on là ? dit La Vallière en faisant sur le banc de mousse un brusque mouvement.

— Quelque daim qui fuit dans les branches.

— Je n'ai peur que des hommes, dit Athénaïs.

— Quand ils ne ressemblent pas à M. de Montespan ?

— Finissez cette raillerie... M. de Montespan est aux petits soins pour moi ; mais cela n'engage à rien. N'avons-nous pas ici M. de Guiche qui est aux petits soins pour Madame ?

— Pauvre, pauvre garçon ! dit La Vallière.

— Pourquoi pauvre ?... Madame est assez belle et assez grande dame, je suppose.

La Vallière secoua douloureusement la tête.

— Quand on aime, dit-elle, ce n'est ni la belle ni la grande dame ; mes chères amies, quand on aime, ce doit être le cœur et les yeux seuls de celui ou de celle qu'on aime.

Montalais se mit à rire bruyamment.

— Cœur, yeux, oh ! sucrerie ! dit-elle.

— Je parle pour moi, répliqua La Vallière.

— Nobles sentiments ! dit Athénaïs d'un air protecteur, mais froid.

— Ne les avez-vous pas, mademoiselle ? dit Louise.

— Parfaitement, mademoiselle ; mais je continue. Comment peut-on plaindre un homme qui rend des soins à une femme comme Madame ? S'il y a disproportion, c'est du côté du comte.

— Oh ! non, non, fit La Vallière, c'est du côté de Madame.

— Expliquez-vous.

— Je m'explique. Madame n'a pas même le désir de savoir ce que

1. Mlle de Tonnay-Charente, nous apprend Mme de La Fayette, « aimait le marquis de Noirmoutier » et « souhaitait fort l'épouser ».

c'est que l'amour. Elle joue avec ce sentiment comme les enfants avec les artifices dont une étincelle embraserait un palais. Cela brille, voilà tout ce qu'il lui faut. Or, joie et amour sont le tissu dont elle veut que soit tramée sa vie. M. de Guiche aimera cette dame illustre ; elle ne l'aimera pas.

Athénaïs partit d'un éclat de rire dédaigneux.

— Est-ce qu'on aime ? dit-elle. Où sont vos nobles sentiments de tout à l'heure ? la vertu d'une femme n'est-elle point dans le courageux refus de toute intrigue à conséquence. Une femme bien organisée et douée d'un cœur généreux doit regarder les hommes, s'en faire aimer, adorer même, et dire une fois au plus dans sa vie : « Tiens ! il me semble que, si je n'eusse pas été ce que je suis, j'eusse moins détesté celui-là que les autres. »

— Alors, s'écria La Vallière en joignant les mains, voilà ce que vous promettez à M. de Montespan ?

— Eh ! certes, à lui comme à tout autre. Quoi ! je vous ai dit que je lui reconnaissais une certaine supériorité, et cela ne suffirait pas ! Ma chère, on est femme, c'est-à-dire reine dans tout le temps que nous donne la nature pour occuper cette royauté, de quinze à trente-cinq ans. Libre à vous d'avoir du cœur après, quand vous n'aurez plus que cela.

— Oh ! oh ! murmura La Vallière.

— Parfait ! s'écria Montalais, voilà une maîtresse femme. Athénaïs, vous irez loin !

— Ne m'approuvez-vous point ?

— Oh ! des pieds et des mains ! dit la railleuse.

— Vous plaisantez, n'est-ce pas, Montalais ? dit Louise.

— Non, non, j'approuve tout ce que vient de dire Athénaïs ; seulement...

— Seulement quoi ?

— Eh bien ! je ne puis le mettre en action. J'ai les plus complets principes ; je me fais des résolutions, près desquelles les projets du stathouder[1] et ceux du roi d'Espagne sont des jeux d'enfants ; puis, le jour de la mise à exécution, rien.

— Vous faiblissez ? dit Athénaïs avec dédain.

— Indignement.

— Malheureuse nature, reprit Athénaïs. Mais, au moins, vous choisissez ?

— Ma foi !... ma foi, non ! Le sort se plaît à me contrarier en tout ; je rêve des empereurs et je trouve des...

— Aure ! Aure ! s'écria La Vallière, par pitié, ne sacrifiez pas, au plaisir de dire un mot, ceux qui vous aiment d'une affection si dévouée.

— Oh ! pour cela, je m'en embarrasse peu : ceux qui m'aiment sont

1. Voir ci-dessus, chap. XVI, p. 97, note 1.

assez heureux que je ne les chasse point, ma chère. Tant pis pour moi si j'ai une faiblesse ; mais tant pis pour eux si je m'en venge sur eux. Ma foi ! je m'en venge !

— Aure !

— Vous avez raison, dit Athénaïs, et peut-être aussi arriverez-vous au même but. Cela s'appelle être coquette, voyez-vous, mesdemoiselles. Les hommes, qui sont des sots en beaucoup de choses, le sont surtout en celle-ci, qu'ils confondent sous ce mot de coquetterie la fierté d'une femme et sa variabilité. Moi, je suis fière, c'est-à-dire imprenable, je rudoie les prétendants, mais sans aucune espèce de prétention à les retenir. Les hommes disent que je suis coquette, parce qu'ils ont l'amour-propre de croire que je les désire. D'autres femmes, Montalais, par exemple, se sont laissé entamer par les adulations ; elles seraient perdues sans le bienheureux ressort de l'instinct qui les pousse à changer soudain et à châtier celui dont elles acceptaient naguère l'hommage.

— Savante dissertation ! dit Montalais d'un ton de gourmet qui se délecte.

— Odieux ! murmura Louise.

— Grâce à cette coquetterie, car voilà la véritable coquetterie, poursuivit Mlle de Tonnay-Charente, l'amant bouffi d'orgueil, il y a une heure, maigrit en une minute de toute l'enflure de son amour-propre. Il prenait déjà des airs vainqueurs, il recule ; il allait nous protéger, il se prosterne de nouveau. Il en résulte qu'au lieu d'avoir un mari jaloux, incommode, habitué, nous avons un amant toujours tremblant, toujours convoiteux, toujours soumis, par cette seule raison qu'il trouve, lui, une maîtresse toujours nouvelle. Voilà, et soyez-en persuadées, mesdemoiselles, ce que vaut la coquetterie. C'est avec cela qu'on est reine entre les femmes, quand on n'a pas reçu de Dieu la faculté si précieuse de tenir en bride son cœur et son esprit.

— Oh ! que vous êtes habile ! dit Montalais, et que vous comprenez bien le devoir des femmes !

— Je m'arrange un bonheur particulier, dit Athénaïs avec modestie ; je me défends, comme tous les amoureux faibles, contre l'oppression des plus forts.

— La Vallière ne dit pas un mot.

— Est-ce qu'elle ne nous approuve point ?

— Moi, je ne comprends seulement pas, dit Louise. Vous parlez comme des êtres qui ne seraient point appelés à vivre sur cette terre.

— Elle est jolie, votre terre ! dit Montalais.

— Une terre, reprit Athénaïs, où l'homme encense la femme pour la faire tomber étourdie, où il l'insulte quand elle est tombée ?

— Qui vous parle de tomber ? dit Louise.

— Ah ! voilà une théorie nouvelle, ma chère ; indiquez-moi, s'il vous plaît, votre moyen pour ne pas être vaincue, si vous vous laissez entraîner par l'amour ?

— Oh ! s'écria la jeune fille en levant au ciel noir ses beaux yeux humides, oh ! si vous saviez ce que c'est qu'un cœur ; je vous expliquerais et je vous convaincrais ; un cœur aimant est plus fort que toute votre coquetterie et plus que toute votre fierté. Jamais une femme n'est aimée, je le crois, et Dieu m'entend ; jamais un homme n'aime avec idolâtrie que s'il se sent aimé. Laissez aux vieillards de la comédie de se croire adorés par des coquettes[1]. Le jeune homme s'y connaît, lui, il ne s'abuse point ; s'il a pour la coquette un désir, une effervescence, une rage, vous voyez que je vous fais le champ libre et vaste ; en un mot, la coquette peut le rendre fou, jamais elle ne le rendra amoureux. L'amour, voyez-vous, tel que je le conçois, c'est un sacrifice incessant, absolu, entier ; mais ce n'est pas le sacrifice d'une seule des deux parties unies. C'est l'abnégation complète de deux âmes qui veulent se fondre en une seule. Si j'aime jamais, je supplierai mon amant de me laisser libre et pure ; je lui dirai, ce qu'il comprendra, que mon âme est déchirée par le refus que je lui fais ; et lui ! lui qui m'aimera, sentant la douloureuse grandeur de mon sacrifice, à son tour il se dévouera comme moi, il me respectera, il ne cherchera point à me faire tomber pour m'insulter quand je serai tombée, ainsi que vous le disiez tout à l'heure en blasphémant contre l'amour que je comprends. Voilà, moi, comment j'aime. Maintenant, venez me dire que mon amant me méprisera ; je l'en défie, à moins qu'il ne soit le plus vil des hommes, et mon cœur m'est garant que je ne choisirai pas ces gens-là. Mon regard lui paiera ses sacrifices ou lui imposera des vertus qu'il n'eût jamais cru avoir.

— Mais, Louise, s'écria Montalais, vous nous dites cela et vous ne le pratiquez point !

— Que voulez-vous dire ?

— Vous êtes adorée de Raoul de Bragelonne, aimée à deux genoux. Le pauvre garçon est victime de votre vertu, comme il le serait, plus qu'il ne le serait même de ma coquetterie ou de la fierté d'Athénaïs.

— Ceci est tout simplement une subdivision de la coquetterie, dit Athénaïs, et Mademoiselle, à ce que je vois, la pratique sans s'en douter.

— Oh ! fit La Vallière.

— Oui, cela s'appelle l'instinct : parfaite sensibilité, exquise recherche de sentiments, montre perpétuelle d'élans passionnés qui n'aboutissent jamais. Oh ! c'est fort habile aussi et très efficace. J'eusse même, maintenant que j'y réfléchis, préféré cette tactique à ma fierté pour combattre les hommes, parce qu'elle offre l'avantage de faire croire parfois à la conviction ; mais, dès à présent, sans passer condamnation

1. Allusion probable à la Dorimène du *Bourgeois gentilhomme* qui ne fut créé à Chambord qu'en 1670.

tout à fait pour moi-même, je la déclare supérieure à la simple coquetterie de Montalais.

Les deux jeunes filles se mirent à rire.

La Vallière seule garda le silence et secoua la tête.

Puis, après un instant :

— Si vous me disiez le quart de ce que vous venez de me dire devant un homme, fit-elle, ou même que je fusse persuadée que vous le pensez, je mourrais de honte et de douleur sur cette place.

— Eh bien ! mourez, tendre petite, répondit Mlle de Tonnay-Charente : car, s'il n'y a pas d'hommes ici, il y a au moins deux femmes, vos amies, qui vous déclarent atteinte et convaincue d'être une coquette d'instinct, une coquette naïve ; c'est-à-dire la plus dangereuse espèce de coquette qui existe au monde.

— Oh ! mesdemoiselles ! répondit La Vallière rougissante et près de pleurer.

Les deux compagnes éclatèrent de rire sur de nouveaux frais.

— Eh bien ! je demanderai des renseignements à Bragelonne.

— A Bragelonne ? fit Athénaïs.

— Eh ! oui, à ce grand garçon courageux comme César, fin et spirituel comme M. Fouquet, à ce pauvre garçon qui depuis douze ans te connaît, t'aime, et qui cependant, s'il faut t'en croire, n'a jamais baisé le bout de tes doigts.

— Expliquez-nous cette cruauté, vous la femme de cœur ? dit Athénaïs à La Vallière.

— Je l'expliquerai par un seul mot : la vertu. Nierez-vous la vertu, par hasard ?

— Voyons, Louise, ne mens pas, dit Aure en lui prenant la main.

— Mais que voulez-vous donc que je vous dise ? s'écria La Vallière.

— Ce que vous voudrez. Mais vous aurez beau dire, je persiste dans mon opinion sur vous. Coquette d'instinct, coquette naïve, c'est-à-dire, je l'ai dit et je le redis, la plus dangereuse de toutes les coquettes.

— Oh ! non, non, par grâce ! ne croyez pas cela.

— Comment ! douze ans de rigueur absolue !

— Oh ! il y a douze ans, j'en avais cinq. L'abandon d'un enfant ne peut pas être compté à la jeune fille.

— Eh bien ! vous avez dix-sept ans ; trois ans au lieu de douze. Depuis trois ans, vous avez été constamment et entièrement cruelle. Vous avez contre vous les muets ombrages de Blois, les rendez-vous où l'on compte les étoiles, les séances nocturnes sous les platanes, ses vingt ans parlant à vos quatorze ans, le feu de ses yeux vous parlant à vous-même.

— Soit, soit ; mais il en est ainsi !

— Allons donc, impossible !

— Mais, mon Dieu, pourquoi donc impossible !

— Dis-nous des choses croyables, ma chère, et nous te croirons.

— Mais enfin, supposez une chose.

— Laquelle ? Voyons.

— Achevez, ou nous supposerons bien plus que vous ne voudrez.

— Supposons, alors ; supposons que je croyais aimer, et que je n'aime pas.

— Comment, tu n'aimes pas ?

— Que voulez-vous ! si j'ai été autrement que ne sont les autres quand elles aiment, c'est que je n'aime pas ; c'est que mon heure n'est pas encore venue.

— Louise ! Louise ! dit Montalais, prends garde, je vais te retourner ton mot de tout à l'heure. Raoul n'est pas là, ne l'accable pas en son absence ; sois charitable, et si, en y regardant de bien près, tu penses ne pas l'aimer, dis-le-lui à lui-même. Pauvre garçon !

Et elle se mit à rire.

— Mademoiselle plaignait tout à l'heure M. de Guiche, dit Athénaïs ; ne pourrait-on pas trouver l'explication de cette indifférence pour l'un dans cette compassion pour l'autre ?

— Accablez-moi, mesdemoiselles, fit tristement La Vallière, accablez-moi, puisque vous ne me comprenez pas.

— Oh ! oh ! répondit Montalais, de l'humeur, du chagrin, des larmes ; nous rions, Louise, et ne sommes pas, je t'assure, tout à fait les monstres que tu crois ; regarde Athénaïs la fière, comme on l'appelle, elle n'aime pas M. de Montespan, c'est vrai, mais elle serait au désespoir que M. de Montespan ne l'aimât pas... Regarde-moi, je ris de M. Malicorne, mais ce pauvre Malicorne dont je ris sait bien quand il veut faire aller ma main sur ses lèvres. Et puis la plus âgée de nous n'a pas vingt ans... quel avenir !

— Folles ! folles que vous êtes ! murmura Louise.

— C'est vrai, fit Montalais, et toi seule as dit des paroles de sagesse.

— Certes !

— Accordé, répondit Athénaïs. Ainsi, décidément, vous n'aimez pas ce pauvre M. de Bragelonne ?

— Peut-être ! dit Montalais ; elle n'en est pas encore bien sûre. Mais, en tout cas, écoute, Athénaïs : si M. de Bragelonne devient libre, je te donne un conseil d'amie.

— Lequel ?

— C'est de bien le regarder avant de te décider pour M. de Montespan.

— Oh ! si vous le prenez par là, ma chère, M. de Bragelonne n'est pas le seul que l'on puisse trouver du plaisir à regarder. Et, par exemple, M. de Guiche a bien son prix.

— Il n'a pas brillé ce soir, dit Montalais, et je sais de bonne part que Madame l'a trouvé odieux.

— Mais M. de Saint-Aignan, il a brillé, lui, et, j'en suis certaine, plus d'une de celles qui l'ont vu danser ne l'oublieront pas de sitôt. N'est-ce pas, La Vallière ?

— Pourquoi m'adressez-vous cette question, à moi ? Je ne l'ai pas vu, je ne le connais pas.

— Vous n'avez pas vu M. de Saint-Aignan ? Vous ne le connaissez pas ?

— Non.

— Voyons, voyons, n'affectez pas cette vertu plus farouche que nos fiertés ; vous avez des yeux, n'est-ce pas ?

— Excellents.

— Alors vous avez vu tous nos danseurs ce soir ?

— Oui, à peu près.

— Voilà un à-peu-près bien impertinent pour eux.

— Je vous le donne pour ce qu'il est.

— Eh bien ! voyons, parmi tous ces gentilshommes que vous avez à peu près vus, lequel préférez-vous ?

— Oui, dit Montalais, oui, de M. de Saint-Aignan, de M. de Guiche, de M...

— Je ne préfère personne, mesdemoiselles, je les trouve également bien.

— Alors dans toute cette brillante assemblée, au milieu de cette cour, la première du monde, personne ne vous a plu ?

— Je ne dis pas cela.

— Parlez donc, alors. Voyons, faites-nous part de votre idéal.

— Ce n'est pas un idéal.

— Alors, cela existe ?

— En vérité, mesdemoiselles, s'écria La Vallière poussée à bout, je n'y comprends rien. Quoi ! comme moi vous avez un cœur, comme moi vous avez des yeux, et vous parlez de M. de Guiche, de M. de Saint-Aignan, de M... qui sais-je ? quand le roi était là.

Ces mots, jetés avec précipitation par une voix troublée, ardente, firent à l'instant même éclater aux deux côtés de la jeune fille une exclamation dont elle eut peur.

— Le roi ! s'écrièrent à la fois Montalais et Athénaïs.

La Vallière laissa tomber sa tête dans ses deux mains.

— Oh ! oui, le roi ! le roi ! murmura-t-elle ; avez-vous donc jamais vu quelque chose de pareil au roi ?

— Vous aviez raison de dire tout à l'heure que vous aviez des yeux excellents, mademoiselle ; car vous voyez loin, trop loin. Hélas ! le roi n'est pas de ceux sur lesquels nos pauvres yeux, à nous, ont le droit de se fixer.

— Oh ! c'est vrai, c'est vrai ! s'écria La Vallière ; il n'est pas donné à tous les yeux de regarder en face le soleil ; mais je le regarderai, moi, dussé-je en être aveuglée.

En ce moment, et comme s'il eût été causé par les paroles qui venaient de s'échapper de la bouche de La Vallière, un bruit de feuilles et de froissements soyeux retentit derrière le buisson voisin.

Les jeunes filles se levèrent effrayées. Elles virent distinctement remuer les feuilles, mais sans voir l'objet qui les faisait remuer.

— Oh ! un loup ou un sanglier ! s'écria Montalais. Fuyons, mesdemoiselles, fuyons !

Et les trois jeunes filles se levèrent en proie à une terreur indicible, et s'enfuirent par la première allée qui s'offrit à elles, et ne s'arrêtèrent qu'à la lisière du bois.

Là, hors d'haleine, appuyées les unes aux autres, sentant mutuellement palpiter leurs cœurs, elles essayèrent de se remettre, mais elles n'y réussirent qu'au bout de quelques instants. Enfin, apercevant des lumières du côté du château, elles se décidèrent à marcher vers les lumières.

La Vallière était épuisée de fatigue.

— Oh ! nous l'avons échappé belle, dit Montalais.

— Mesdemoiselles ! Mesdemoiselles ! dit La Vallière, j'ai bien peur que ce ne soit pis qu'un loup. Quant à moi, je le dis comme je le pense, j'aimerais mieux avoir couru le risque d'être dévorée toute vive par un animal féroce, que d'avoir été écoutée et entendue. Oh ! folle ! folle que je suis ! Comment ai-je pu penser, comment ai-je pu dire de pareilles choses !

Et là-dessus son front plia comme la tête d'un roseau ; elle sentit ses jambes fléchir, et, toutes ses forces l'abandonnant, elle glissa, presque inanimée, des bras de ses compagnes sur l'herbe de l'allée.

CXVI

L'INQUIÉTUDE DU ROI

Laissons la pauvre La Vallière à moitié évanouie entre ses deux compagnes, et revenons aux environs du chêne royal.

Les trois jeunes filles n'avaient pas fait vingt pas en fuyant, que le bruit qui les avait si fort épouvantées redoubla dans le feuillage.

La forme, se dessinant plus distincte en écartant les branches du massif, apparut sur la lisière du bois, et, voyant la place vide, partit d'un éclat de rire.

Il est inutile de dire que cette forme était celle d'un jeune et beau gentilhomme, lequel incontinent fit signe à un autre qui parut à son tour.

— Eh bien ! sire, dit la seconde forme en s'avançant avec timidité, est-ce que Votre Majesté aurait fait fuir nos jeunes amoureuses ?

— Eh ! mon Dieu, oui, dit le roi ; tu peux te montrer en toute liberté, Saint-Aignan.

— Mais, sire, prenez garde, vous serez reconnu.

— Puisque je te dis qu'elles ont fui.

— Voilà une rencontre heureuse, sire, et, si j'osais donner un conseil à Votre Majesté, nous devrions les poursuivre.

— Elles sont loin.

— Bah ! elles se laisseraient facilement rejoindre, surtout si elles savent quels sont ceux qui les poursuivent.

— Comment cela, monsieur le fat ?

— Dame ! il y en a une qui me trouve de son goût, et l'autre qui vous a comparé au soleil.

— Raison de plus pour que nous demeurions cachés, Saint-Aignan. Le soleil ne se montre pas la nuit.

— Par ma foi ! sire, Votre Majesté n'est pas curieuse. A sa place, moi, je voudrais connaître quelles sont les deux nymphes, les deux dryades, les deux hamadryades qui ont si bonne opinion de nous.

— Oh ! je les reconnaîtrai bien sans courir après elles, je t'en réponds.

— Et comment cela ?

— Parbleu ! à la voix. Elles sont de la cour ; et celle qui parlait de moi avait une voix charmante.

— Ah ! voilà Votre Majesté qui se laisse influencer par la flatterie.

— On ne dira pas que c'est le moyen que tu emploies, toi.

— Oh ! pardon, sire, je suis un niais.

— Voyons, viens, et cherchons où je t'ai dit...

— Et cette passion dont vous m'aviez fait confidence, sire, est-elle donc déjà oubliée ?

— Oh ! par exemple, non. Comment veux-tu qu'on oublie des yeux comme ceux de Mlle de La Vallière ?

— Oh ! l'autre a une si charmante voix !

— Laquelle ?

— Celle qui aime le soleil.

— Monsieur de Saint-Aignan !

— Pardon, sire.

— D'ailleurs, je ne suis pas fâché que tu croies que j'aime autant les douces voix que les beaux yeux. Je te connais, tu es un affreux bavard, et demain je paierai la confiance que j'ai eue en toi.

— Comment cela ?

— Je dis que demain tout le monde saura que j'ai des idées sur cette petite La Vallière ; mais, prends garde, Saint-Aignan, je n'ai confié mon secret qu'à toi, et, si une seule personne m'en parle, je saurai qui a trahi mon secret.

— Oh ! quelle chaleur, sire !

— Non, mais, tu comprends, je ne veux pas compromettre cette pauvre fille.

— Sire, ne craignez rien.

— Tu me promets ?

— Sire, je vous engage ma parole.

« Bon ! pensa le roi riant en lui-même, tout le monde saura demain que j'ai couru cette nuit après La Vallière. »

Puis, essayant de s'orienter :

— Ah ! çà, mais nous sommes perdus, dit-il.

— Oh ! pas bien dangereusement.

— Où va-t-on par cette porte ?

— Au Rond-Point, sire.

— Où nous nous rendions quand nous avons entendu des voix de femmes ?

— Oui, sire, et cette fin de conversation où j'ai eu l'honneur d'entendre prononcer mon nom à côté du nom de Votre Majesté.

— Tu reviens bien souvent là-dessus, Saint-Aignan.

— Que Votre Majesté me pardonne, mais je suis enchanté de savoir qu'il y a une femme occupée de moi, sans que je le sache et sans que j'aie rien fait pour cela. Votre Majesté ne comprend pas cette satisfaction, elle dont le rang et le mérite attirent l'attention et forcent l'amour.

— Eh bien ! non, Saint-Aignan, tu me croiras si tu veux, dit le roi en s'appuyant familièrement sur le bras de Saint-Aignan, et prenant le chemin qu'il croyait devoir le conduire du côté du château, mais cette naïve confidence, cette préférence toute désintéressée d'une femme qui peut-être n'attirera jamais mes yeux... en un mot, le mystère de cette aventure me pique, et, en vérité, si je n'étais pas si occupé de La Vallière...

— Oh ! que cela n'arrête point Votre Majesté, elle a du temps devant elle.

— Comment cela ?

— On dit La Vallière fort rigoureuse.

— Tu me piques, Saint-Aignan, il me tarde de la retrouver. Allons, allons.

Le roi mentait, rien au contraire ne lui tardait moins ; mais il avait un rôle à jouer.

Et il se mit à marcher vivement. Saint-Aignan le suivit en conservant une légère distance.

Tout à coup, le roi s'arrêtant, le courtisan imita son exemple.

— Saint-Aignan, dit-il, n'entends-tu pas des soupirs ?

— Moi ?

— Oui, écoute.

— En effet, et même des cris, ce me semble.

— C'est de ce côté, dit le roi en indiquant une direction.

— On dirait des larmes, des sanglots de femme, fit M. de Saint-Aignan.

— Courons !

Et le roi et le favori, prenant un petit chemin de traverse, coururent dans l'herbe.

A mesure qu'ils avançaient, les cris devenaient plus distincts.

— Au secours ! au secours ! disaient deux voix.

Les deux jeunes gens redoublèrent de vitesse.

Au fur et à mesure qu'ils approchaient, les soupirs devenaient des cris.

— Au secours ! au secours ! répétait-on.

Et ces cris doublaient la rapidité de la course du roi et de son compagnon.

Tout à coup, au revers d'un fossé, sous des saules aux branches échevelées, ils aperçurent une femme à genoux tenant une autre femme évanouie.

A quelques pas de là, une troisième appelait au secours au milieu du chemin.

En apercevant les deux gentilshommes dont elle ignorait la qualité, les cris de la femme qui appelait au secours redoublèrent.

Le roi devança son compagnon, franchit le fossé, et se trouva auprès du groupe au moment où, par l'extrémité de l'allée qui donnait du côté du château, s'avançaient une douzaine de personnes attirées par les mêmes cris qui avaient attiré le roi et M. de Saint-Aignan.

— Qu'y a-t-il donc, mesdemoiselles ? demanda Louis.

— Le roi ! s'écria Mlle de Montalais en abandonnant dans son étonnement la tête de La Vallière, qui tomba entièrement couchée sur le gazon.

— Oui, le roi. Mais ce n'est pas une raison pour abandonner votre compagne. Qui est-elle ?

— C'est Mlle de La Vallière, sire.

— Mlle de La Vallière !

— Qui vient de s'évanouir...

— Ah ! mon Dieu, dit le roi, pauvre enfant ! Et vite, vite un chirurgien !

Mais, avec quelque empressement que le roi eût prononcé ces paroles, il n'avait pas si bien veillé sur lui-même qu'elles ne dussent paraître, ainsi que le geste qui les accompagnait, un peu froides à M. de Saint-Aignan, qui avait reçu la confidence de ce grand amour dont le roi était atteint.

— Saint-Aignan, continua le roi, veillez sur Mlle de La Vallière, je vous prie. Appelez un chirurgien. Moi, je cours prévenir Madame de l'accident qui vient d'arriver à sa demoiselle d'honneur.

En effet, tandis que M. de Saint-Aignan s'occupait de faire transporter Mlle de La Vallière au château, le roi s'élançait en avant, heureux de trouver cette occasion de se rapprocher de Madame et d'avoir à lui parler sous un prétexte spécieux.

Heureusement, un carrosse passait ; on fit arrêter le cocher, et les personnes qui le montaient, ayant appris l'accident, s'empressèrent de céder la place à Mlle de La Vallière.

Le courant d'air provoqué par la rapidité de la course rappela promptement la malade à l'existence.

Arrivée au château, elle put, quoique très faible, descendre du carrosse, et gagner, avec l'aide d'Athénaïs et de Montalais, l'intérieur des appartements.

On la fit asseoir dans une chambre attenante aux salons du rez-de-chaussée.

Ensuite, comme cet accident n'avait pas produit beaucoup d'effet sur les promeneurs, la promenade fut reprise.

Pendant ce temps, le roi avait retrouvé Madame sous un quinconce ; il s'était assis près d'elle, et son pied cherchait doucement celui de la princesse sous la chaise de celle-ci.

— Prenez garde, sire, lui dit Henriette tout bas, vous ne paraissez pas un homme indifférent.

— Hélas ! répondit Louis XIV sur le même diapason, j'ai bien peur que nous n'ayons fait une convention au-dessus de nos forces.

Puis, tout haut :

— Savez-vous l'accident ? dit-il.

— Quel accident ?

— Oh ! mon Dieu ! en vous voyant, j'oubliais que j'étais venu tout exprès pour vous le raconter. J'en suis pourtant affecté douloureusement ; une de vos demoiselles d'honneur, la pauvre La Vallière, vient de perdre connaissance.

— Ah ! pauvre enfant, dit tranquillement la princesse ; et à quel propos ?

Puis, tout bas :

— Mais vous n'y pensez pas, sire, vous prétendez faire croire à une passion pour cette fille, et vous demeurez ici quand elle se meurt là-bas.

— Ah ! madame, madame, dit en soupirant le roi, que vous êtes bien mieux que moi dans votre rôle, et comme vous pensez à tout !

Et il se leva.

— Madame, dit-il assez haut pour que tout le monde l'entendît, permettez que je vous quitte ; mon inquiétude est grande, et je veux m'assurer par moi-même si les soins ont été donnés convenablement.

Et le roi partit pour se rendre de nouveau près de La Vallière, tandis que tous les assistants commentaient ce mot du roi : « Mon inquiétude est grande. »

CXVII

LE SECRET DU ROI

En chemin, Louis rencontra le comte de Saint-Aignan.

— Eh bien ! Saint-Aignan, demanda-t-il avec affectation, comment se trouve la malade ?

— Mais, sire, balbutia Saint-Aignan, j'avoue à ma honte que je l'ignore.

— Comment, vous l'ignorez ? fit le roi feignant de prendre au sérieux ce manque d'égards pour l'objet de sa prédilection.

— Sire, pardonnez-moi ; mais je venais de rencontrer une de nos trois causeuses, et j'avoue que cela m'a distrait.

— Ah ! vous avez trouvé ? dit vivement le roi.

— Celle qui daignait parler si avantageusement de moi, et, ayant trouvé la mienne, je cherchais la vôtre, sire, lorsque j'ai eu le bonheur de rencontrer Votre Majesté.

— C'est bien ; mais, avant tout, Mlle de La Vallière, dit le roi, fidèle à son rôle.

— Oh ! que voilà une belle intéressante, dit Saint-Aignan, et comme son évanouissement était de luxe, puisque Votre Majesté s'occupait d'elle avant cela.

— Et le nom de votre belle, à vous, Saint-Aignan, est-ce un secret ?

— Sire, ce devrait être un secret, et un très grand même ; mais pour vous, Votre Majesté sait bien qu'il n'existe pas de secrets.

— Son nom alors ?

— C'est Mlle de Tonnay-Charente.

— Elle est belle ?

— Par-dessus tout, oui, sire, et j'ai reconnu la voix qui disait si tendrement mon nom. Alors je l'ai abordée, questionnée autant que j'ai pu le faire au milieu de la foule, et elle m'a dit, sans se douter de rien, que tout à l'heure elle était au grand chêne avec deux amies, lorsque l'apparition d'un loup ou d'un voleur les avait épouvantées et mises en fuite.

— Mais, demanda vivement le roi, le nom de ses deux amies ?

— Sire, dit Saint-Aignan, que Votre Majesté me fasse mettre à la Bastille.

— Pourquoi cela ?

— Parce que je suis un égoïste et un sot. Ma surprise était si grande d'une pareille conquête et d'une si heureuse découverte, que j'en suis resté là. D'ailleurs, je n'ai pas cru que, préoccupée comme elle l'était de Mlle de La Vallière, Votre Majesté attachât une très grande importance à ce qu'elle avait entendu ; puis Mlle de Tonnay-Charente m'a quitté précipitamment pour retourner près de Mlle de La Vallière.

— Allons, espérons que j'aurai une chance égale à la tienne. Viens, Saint-Aignan.

— Mon roi a de l'ambition, à ce que je vois, et il ne veut permettre à aucune conquête de lui échapper. Eh bien ! je lui promets que je vais chercher consciencieusement, et, d'ailleurs, par l'une des trois grâces, on saura le nom des autres, et, par le nom, le secret.

— Oh ! moi aussi, dit le roi ; je n'ai besoin que d'entendre sa voix pour la reconnaître. Allons, brisons là-dessus et conduis-moi près de cette pauvre La Vallière.

« Eh ! mais, pensa Saint-Aignan, voilà en vérité une passion qui se dessine, et pour cette petite fille, c'est extraordinaire ; je ne l'eusse jamais cru. »

Et comme, en pensant cela, il avait montré au roi la salle dans laquelle on avait conduit La Vallière, le roi était entré.

Saint-Aignan le suivit.

Dans une salle basse, auprès d'une grande fenêtre donnant sur les parterres, La Vallière, placée dans un vaste fauteuil, aspirait à longs traits l'air embaumé de la nuit.

De sa poitrine desserrée, les dentelles tombaient froissées parmi les boucles de ses beaux cheveux blonds épars sur ses épaules.

L'œil languissant, chargé de feux mal éteints, noyé dans de grosses larmes, elle ne vivait plus que comme ces belles visions de nos rêves qui passent toutes pâles et toutes poétiques devant les yeux fermés du dormeur, entrouvrant leurs ailes sans les mouvoir, leurs lèvres sans faire entendre un son.

Cette pâleur nacrée de La Vallière avait un charme que rien ne saurait rendre ; la souffrance d'esprit et du corps avait fait à cette douce physionomie une harmonie de noble douleur ; l'inertie absolue de ses bras et de son buste la rendait plus semblable à une trépassée qu'à un être vivant ; elle semblait n'entendre ni les chuchotements de ses compagnes ni le bruit lointain qui montait des environs. Elle s'entretenait avec elle-même, et ses belles mains longues et fines tressaillaient de temps en temps comme au contact d'invisibles pressions. Le roi entra sans qu'elle s'aperçût de son arrivée, tant elle était absorbée dans sa rêverie.

Il vit de loin cette figure adorable sur laquelle la lune ardente versait la pure lumière de sa lampe d'argent.

— Mon Dieu ! s'écria-t-il avec un involontaire effroi, elle est morte !

— Non, non, sire, dit tout bas Montalais, elle va mieux, au contraire. N'est-ce pas, Louise, que tu vas mieux ?

La Vallière ne répondit point.

— Louise, continua Montalais, c'est le roi qui daigne s'inquiéter de ta santé.

— Le roi ! s'écria Louise en se redressant soudain, comme si une source de flamme eût remonté des extrémités à son cœur, le roi s'inquiète de ma santé ?

— Oui, dit Montalais.

— Le roi est donc ici ? dit La Vallière sans oser regarder autour d'elle.

— Cette voix ! cette voix ! dit vivement Louis à l'oreille de Saint-Aignan.

— Eh ! mais, répliqua Saint-Aignan, Votre Majesté a raison, c'est l'amoureuse du soleil.

— Chut ! dit le roi.

Puis, s'approchant de La Vallière :

— Vous êtes indisposée, mademoiselle ? Tout à l'heure, dans le parc, je vous ai même vue évanouie. Comment cela vous a-t-il pris ?

— Sire, balbutia la pauvre enfant tremblante et sans couleur, en vérité, je ne saurais le dire.

— Vous avez trop marché, dit le roi, et peut-être la fatigue...

— Non, sire, répliqua vivement Montalais répondant pour son amie, ce ne peut être la fatigue, car nous avons passé une partie de la soirée assises sous le chêne royal.

— Sous le chêne royal ? reprit le roi en tressaillant. Je ne m'étais pas trompé, et c'est bien cela.

Et il adressa au comte un coup d'œil d'intelligence.

— Ah ! oui, dit Saint-Aignan, sous le chêne royal, avec Mlle de Tonnay-Charente.

— Comment savez-vous cela ? demanda Montalais.

— Mais je le sais d'une façon bien simple ; Mlle de Tonnay-Charente me l'a dit.

— Alors elle a dû vous apprendre aussi la cause de l'évanouissement de La Vallière ?

— Dame ! elle m'a parlé d'un loup ou d'un voleur, je ne sais plus trop.

La Vallière écoutait les yeux fixes, la poitrine haletante comme si elle eût pressenti une partie de la vérité, grâce à un redoublement d'intelligence. Louis prit cette attitude et cette agitation pour la suite d'un effroi mal éteint.

— Ne craignez rien, mademoiselle, dit-il avec un commencement d'émotion qu'il ne pouvait cacher ; ce loup qui vous a fait si grand-peur était tout simplement un loup à deux pieds.

— C'était un homme ! c'était un homme ! s'écria Louise ; il y avait là un homme aux écoutes ?

— Eh bien ! mademoiselle, quel grand mal voyez-vous donc à avoir été écoutée ? Auriez-vous dit, selon vous, des choses qui ne pouvaient être entendues ?

La Vallière frappa ses deux mains l'une contre l'autre et les porta vivement à son front dont elle essaya de cacher ainsi la rougeur.

— Oh ! demanda-t-elle, au nom du Ciel, qui donc était caché ? qui donc a entendu ?

Le roi s'avança pour prendre une de ses mains.

— C'était moi, mademoiselle, dit-il en s'inclinant avec un doux respect ; vous ferais-je peur, par hasard ?

La Vallière poussa un grand cri ; pour la seconde fois, ses forces l'abandonnèrent, et froide, gémissante, désespérée, elle retomba tout d'une pièce dans son fauteuil.

Le roi eut le temps d'étendre le bras, de sorte qu'elle se trouva à moitié soutenue par lui.

A deux pas du roi et de La Vallière, Mlles de Tonnay-Charente et de Montalais, immobiles et comme pétrifiées au souvenir de leur conversation avec La Vallière, ne songeaient même pas à lui porter secours, retenues qu'elles étaient par la présence du roi, qui, un genou en terre, tenait La Vallière à bras-le-corps.

— Vous avez entendu, sire ? murmura Athénaïs.

Mais le roi ne répondit pas ; il avait les yeux fixés sur les yeux à moitié fermés de La Vallière ; il tenait sa main pendante dans sa main.

— Parbleu ! répliqua Saint-Aignan, qui espérait de son côté l'évanouissement de Mlle de Tonnay-Charente, et qui s'avançait les bras ouverts, nous n'en avons même pas perdu un mot.

Mais la fière Athénaïs n'était pas femme à s'évanouir ainsi ; elle lança un regard terrible à Saint-Aignan et s'enfuit.

Montalais, plus courageuse, s'avança vivement vers Louise et la reçut des mains du roi, qui déjà perdait la tête en se sentant le visage inondé des cheveux parfumés de la mourante.

— A la bonne heure, dit Saint-Aignan, voilà une aventure, et, si je ne suis pas le premier à la raconter, j'aurai du malheur.

Le roi s'approcha de lui, la voix tremblante, la main furieuse.

— Comte, dit-il, pas un mot.

Le pauvre roi oubliait qu'une heure auparavant il faisait au même homme la même recommandation, avec le désir tout opposé, c'est-à-dire que cet homme fût indiscret.

Aussi cette recommandation fut-elle aussi superflue que la première.

Une demi-heure après, tout Fontainebleau savait que Mlle de La Vallière avait eu sous le chêne royal une conversation avec Montalais et Tonnay-Charente, et que dans cette conversation elle avait avoué son amour pour le roi.

On savait aussi que le roi, après avoir manifesté toute l'inquiétude que lui inspirait l'état de Mlle de La Vallière, avait pâli et tremblé en recevant dans ses bras la belle évanouie ; de sorte qu'il fut bien arrêté, chez tous les courtisans, que le plus grand événement de l'époque venait de se révéler ; que Sa Majesté aimait Mlle de La Vallière, et que, par conséquent, Monsieur pouvait dormir parfaitement tranquille.

C'est, au reste, ce que la reine mère, aussi surprise que les autres de ce brusque revirement, se hâta de déclarer à la jeune reine et à Philippe d'Orléans.

Seulement, elle opéra d'une façon bien différente en s'attaquant à ces deux intérêts. A sa bru :

— Voyez, Thérèse, dit-elle, si vous n'aviez pas grandement tort d'accuser le roi ; voilà qu'on lui donne aujourd'hui une nouvelle maîtresse ; pourquoi celle d'aujourd'hui serait-elle plus vraie que celle d'hier, et celle d'hier que celle d'aujourd'hui ?

Et à Monsieur, en lui racontant l'aventure du chêne royal :

— Êtes-vous absurde dans vos jalousies, mon cher Philippe ? Il est avéré que le roi perd la tête pour cette petite La Vallière. N'allez pas en parler à votre femme : la reine le saurait tout de suite.

Cette dernière confidence eut son ricochet immédiat.

Monsieur, rasséréné, triomphant, vint retrouver sa femme, et, comme il n'était pas encore minuit et que la fête devait durer jusqu'à deux heures du matin, il lui offrit la main pour la promenade.

Mais, au bout de quelques pas, la première chose qu'il fit fut de désobéir à sa mère.

— N'allez pas dire à la reine, au moins, tout ce que l'on raconte du roi, fit-il mystérieusement.

— Et que raconte-t-on ? demanda Madame.

— Que mon frère s'était épris tout à coup d'une passion étrange.

— Pour qui ?

— Pour cette petite La Vallière.

Il faisait nuit, Madame put sourire à son aise.

— Ah ! dit-elle, et depuis quand cela le tient-il ?

— Depuis quelques jours, à ce qu'il paraît. Mais ce n'était que fumée, et c'est seulement ce soir que la flamme s'est révélée.

— Le roi a bon goût, dit Madame, et à mon avis la petite est charmante.

— Vous m'avez l'air de vous moquer, ma toute chère.

— Moi ! et comment cela ?

— En tout cas, cette passion fera toujours le bonheur de quelqu'un, ne fût-ce que celui de La Vallière.

— Mais, reprit la princesse, en vérité, vous parlez, monsieur, comme si vous aviez lu au fond de l'âme de ma fille d'honneur. Qui vous a dit qu'elle consent à répondre à la passion du roi ?

— Et qui vous dit, à vous, qu'elle n'y répondra pas ?

— Elle aime le vicomte de Bragelonne.

— Ah ! vous croyez ?

— Elle est même sa fiancée.

— Elle l'était.

— Comment cela ?

— Mais, quand on est venu demander au roi la permission de conclure le mariage, il a refusé cette permission.

— Refusé ?

— Oui, quoique ce fût au comte de La Fère lui-même, que le roi honore, vous le savez, d'une grande estime pour le rôle qu'il a joué dans la restauration de votre frère, et dans quelques autres événements encore, arrivés depuis longtemps.

— Eh bien ! les pauvres amoureux attendront qu'il plaise au roi de changer d'avis ; ils sont jeunes, ils ont le temps.

— Ah ! ma mie, dit Philippe en riant à son tour, je vois que vous ne savez pas le plus beau de l'affaire.

— Non.

— Ce qui a le plus profondément touché le roi.

— Le roi a été profondément touché ?

— Au cœur.

— Mais de quoi ? Dites vite, voyons !

— D'une aventure on ne peut plus romanesque.

— Vous savez combien j'aime ces aventures-là, et vous me faites attendre, dit la princesse avec impatience.

— Eh bien ! voici...

Et Monsieur fit une pause.

— J'écoute.

— Sous le chêne royal... Vous savez où est le chêne royal ?

— Peu importe : sous le chêne royal, dites-vous ?

— Eh bien ! Mlle de La Vallière, se croyant seule avec deux amies, leur a fait confidence de sa passion pour le roi.

— Ah ! fit Madame avec un commencement d'inquiétude, de sa passion pour le roi ?

— Oui.

— Et quand cela ?

— Il y a une heure.

Madame tressaillit.

— Et cette passion, personne ne la connaissait ?

— Personne.

— Pas même Sa Majesté ?

— Pas même Sa Majesté. La petite personne gardait son secret entre cuir et chair, quand tout à coup son secret a été plus fort qu'elle et lui a échappé.

— Et de qui la tenez-vous, cette absurdité ?

— Mais comme tout le monde.

— De qui la tient tout le monde, alors ?

— De La Vallière elle-même, qui avouait cet amour à Montalais et à Tonnay-Charente, ses compagnes.

Madame s'arrêta, et, par un brusque mouvement, lâcha la main de son mari.

— Il y a une heure qu'elle faisait cet aveu ? demanda Madame.

— A peu près.

— Et le roi en a-t-il connaissance ?

— Mais voilà où est justement le romanesque de la chose, c'est que le roi était avec Saint-Aignan derrière le chêne royal, et qu'il a entendu toute cette intéressante conversation sans en perdre un seul mot.

Madame se sentit frappée d'un coup au cœur.

— Mais j'ai vu le roi depuis, dit-elle étourdiment, et il ne m'a pas dit un mot de tout cela.

— Parbleu ! dit Monsieur, naïf comme un mari qui triomphe, il n'avait garde de vous en parler lui-même, puisqu'il recommandait à tout le monde de ne pas vous en parler.

— Plaît-il ? s'écria Madame irritée.

— Je dis qu'on voulait vous escamoter la chose.

— Et pourquoi donc se cacherait-on de moi ?

— Dans la crainte que votre amitié ne vous entraîne à révéler quelque chose à la jeune reine, voilà tout.

Madame baissa la tête ; elle était blessée mortellement.

Alors elle n'eut plus de repos qu'elle n'eût rencontré le roi.

Comme un roi est tout naturellement le dernier du royaume qui sache ce que l'on dit de lui, comme un amant est le seul qui ne sache point ce que l'on dit de sa maîtresse, quand le roi aperçut Madame qui le cherchait, il vint à elle un peu troublé, mais toujours empressé et gracieux.

Madame attendit qu'il parlât le premier de La Vallière.

Puis, comme il n'en parlait pas :

— Et cette petite ? demanda-t-elle.

— Quelle petite ? fit le roi.

— La Vallière... Ne m'avez-vous pas dit, sire, qu'elle avait perdu connaissance ?

— Elle est toujours fort mal, dit le roi en affectant la plus grande indifférence.

— Mais voilà qui va nuire au bruit que vous deviez répandre, sire.

— A quel bruit ?

— Que vous vous occupiez d'elle.

— Oh ! j'espère qu'il se répandra la même chose, répondit le roi distraitement.

Madame attendit encore ; elle voulait savoir si le roi lui parlerait de l'aventure du chêne royal.

Mais le roi n'en dit pas un mot.

Madame, de son côté, n'ouvrit pas la bouche de l'aventure de sorte que le roi prit congé d'elle, sans lui avoir fait la moindre confidence.

A peine eut-elle vu le roi s'éloigner, qu'elle chercha Saint-Aignan. Saint-Aignan était facile à trouver, il était comme les bâtiments de suite qui marchent toujours de conserve avec les gros vaisseaux.

Saint-Aignan était bien l'homme qu'il fallait à Madame dans la disposition d'esprit où Madame se trouvait.

Il ne cherchait qu'une oreille un peu plus digne que les autres pour y raconter l'événement dans tous ses détails.

Aussi ne fit-il pas grâce à Madame d'un seul mot. Puis, quand il eut fini :

— Avouez, dit Madame, que voilà un charmant conte.

— Conte, non ; histoire, oui.

— Avouez, conte ou histoire, qu'on vous l'a dit comme vous me le dites à moi, mais que vous n'y étiez pas ?

— Madame, sur l'honneur, j'y étais.

— Et vous croyez que ces aveux auraient fait impression sur le roi ?

— Comme ceux de Mlle de Tonnay-Charente sur moi, répliqua Saint-Aignan ; écoutez donc, madame, Mlle de La Vallière a comparé le roi au soleil, c'est flatteur !

— Le roi ne se laisse pas prendre à de pareilles flatteries.

— Madame, le roi est au moins autant homme que soleil et je l'ai bien vu tout à l'heure quand La Vallière est tombée dans ses bras.

— La Vallière est tombée dans les bras du roi ?

— Oh ! c'était un tableau des plus gracieux ; imaginez-vous que La Vallière était renversée et que...

— Eh bien ! qu'avez-vous vu ? Dites, parlez.

— J'ai vu ce que dix autres personnes ont vu en même temps que moi, j'ai vu que, lorsque La Vallière est tombée dans ses bras, le roi a failli s'évanouir.

Madame poussa un petit cri, seul indice de sa sourde colère.

— Merci, dit-elle en riant convulsivement, vous êtes un charmant conteur, monsieur de Saint-Aignan.

Et elle s'enfuit seule et étouffant vers le château.

CXVIII

COURSES DE NUIT

Monsieur avait quitté la princesse de la plus belle humeur du monde, et comme il avait beaucoup fatigué dans la journée, il était rentré chez lui, laissant chacun achever la nuit comme il lui plairait.

En rentrant, Monsieur s'était mis à sa toilette de nuit avec un soin qui redoublait encore dans ses paroxysmes de satisfaction.

Aussi chanta-t-il, pendant tout le travail de ses valets de chambre, les principaux airs du ballet que les violons avaient joué et que le roi avait dansé.

Puis il appela ses tailleurs, se fit montrer ses habits du lendemain, et, comme il était très satisfait d'eux, il leur distribua quelques gratifications.

Enfin, comme le chevalier de Lorraine, l'ayant vu rentrer, rentrait à son tour, Monsieur combla d'amitiés le chevalier de Lorraine.

Celui-ci, après avoir salué le prince, garda un instant le silence, comme un chef de tirailleurs qui étudie pour savoir sur quel point il commencera le feu ; puis, paraissant se décider :

— Avez-vous remarqué une chose singulière, monseigneur ? dit-il.

— Non, laquelle ?

— C'est la mauvaise réception que Sa Majesté a faite en apparence au comte de Guiche.

— En apparence ?

— Oui, sans doute, puisque, en réalité, il lui a rendu sa faveur.

— Mais je n'ai pas vu cela, moi, dit le prince.

— Comment ! vous n'avez pas vu qu'au lieu de le renvoyer dans son exil, comme cela était naturel, il l'a autorisé dans son étrange résistance en lui permettant de reprendre sa place au ballet.

— Et vous trouvez que le roi a eu tort, chevalier ? demanda Monsieur.

— N'êtes-vous point de mon avis, prince ?

— Pas tout à fait, mon cher chevalier, et j'approuve le roi de n'avoir point fait rage contre un malheureux plus fou que mal-intentionné.

— Ma foi ! dit le chevalier, quant à moi, j'avoue que cette magnanimité m'étonne au plus haut point.

— Et pourquoi cela ? demanda Philippe.

— Parce que j'eusse cru le roi plus jaloux, répliqua méchamment le chevalier.

Depuis quelques instants, Monsieur sentait quelque chose d'irritant remuer sous les paroles de son favori ; ce dernier mot mit le feu aux poudres.

— Jaloux ! s'écria le prince ; jaloux ! Que veut dire ce mot-là ? Jaloux de quoi, s'il vous plaît, ou jaloux de qui ?

Le chevalier s'aperçut qu'il venait de laisser échapper un de ces mots méchants comme parfois il en faisait. Il essaya donc de le rattraper, tandis qu'il était encore à portée de sa main.

— Jaloux de son autorité, dit-il avec une naïveté affectée ; de quoi voulez-vous que le roi soit jaloux !

— Ah ! fit Monseigneur, très bien.

— Est-ce que, continua le chevalier, Votre Altesse Royale aurait demandé la grâce de ce cher comte de Guiche ?

— Ma foi, non ! dit Monsieur. Guiche est un garçon d'esprit et de courage, mais il a été léger avec Madame, et je ne lui veux ni mal ni bien.

Le chevalier avait envenimé sur de Guiche comme il avait essayé d'envenimer sur le roi ; mais il crut s'apercevoir que le temps était à l'indulgence, et même à l'indifférence la plus absolue, et que, pour éclairer la question, force lui serait de mettre la lampe sous le nez même du mari.

Avec ce jeu on brûle quelquefois les autres, mais souvent l'on se brûle soi-même.

« C'est bien, c'est bien, se dit en lui-même le chevalier, j'attendrai de Wardes ; il fera plus en un jour que moi en un mois, car je crois, Dieu me pardonne ! ou plutôt Dieu lui pardonne ! qu'il est encore plus jaloux que je ne le suis. Et puis ce n'est pas de Wardes qui m'est nécessaire, c'est un événement, et dans tout cela je n'en vois point. Que de Guiche soit revenu lorsqu'on l'avait chassé, certes, cela est grave ; mais toute gravité disparaît quand on réfléchit que de Guiche est revenu au moment où Madame ne s'occupe plus de lui. En effet, Madame s'occupe du roi, c'est clair. Mais, outre que mes dents ne sauraient mordre et n'ont pas besoin de mordre sur le roi, voilà que Madame ne pourra plus longtemps s'occuper du roi si, comme on le dit, le roi ne s'occupe plus de Madame. Il résulte de tout ceci que nous devons demeurer tranquille et attendre la venue d'un nouveau caprice, et celui-là déterminera le résultat. »

Et là-dessus le chevalier s'étendit avec résignation dans le fauteuil où Monsieur lui permettait de s'asseoir en sa présence, et, n'ayant plus de méchancetés à dire, il se trouva que le chevalier n'eut plus d'esprit.

Fort heureusement, Monsieur avait sa provision de bonne humeur, comme nous avons dit, et il en avait pour deux jusqu'au moment où, congédiant valets et officiers, il passa dans sa chambre à coucher.

En se retirant, il chargea le chevalier de faire ses compliments à Madame et de lui dire que, la lune étant fraîche, Monsieur, qui craignait pour ses dents, ne descendrait plus dans le parc de tout le reste de la nuit.

Le chevalier entra précisément chez la princesse au moment où celle-ci rentrait elle-même.

Il s'acquitta de cette commission en fidèle messager, et remarqua d'abord l'indifférence, le trouble même avec lesquels Madame accueillit la communication de son époux.

Cela lui parut renfermer quelque nouveauté.

Si Madame fût sortie de chez elle avec cet air étrange, il l'eût suivie.

Mais Madame rentrait, rien donc à faire ; il pirouetta sur ses talons comme un héron désœuvré, interrogea l'air, la terre et l'eau, secoua la tête et s'orienta machinalement, de manière à se diriger vers les parterres.

Il n'eut pas fait cent pas qu'il rencontra deux jeunes gens qui se tenaient par le bras et qui marchaient, tête baissée, en crossant du pied les petits cailloux qui se trouvaient devant eux, et qui de ce vague amusement accompagnaient leurs pensées. C'étaient MM. de Guiche et de Bragelonne.

Leur vue opéra comme toujours sur le chevalier de Lorraine un effet d'instinctive répulsion. Il ne leur en fit pas moins un grand salut, qui lui fut rendu avec les intérêts.

Puis, voyant que le parc se dépeuplait, que les illuminations commençaient à s'éteindre, que la brise du matin commençait à souffler, il prit à gauche et rentra au château par la petite cour. Eux tirèrent à droite et continuèrent leur chemin vers le grand parc.

Au moment où le chevalier montait le petit escalier qui conduisait à l'entrée dérobée, il vit une femme, suivie d'une autre femme, apparaître sous l'arcade qui donnait passage de la petite dans la grande cour.

Ces deux femmes accéléraient leur marche que le froissement de leurs robes de soie trahissait dans la nuit déjà sombre.

Cette forme de mantelet, cette taille élégante, cette allure mystérieuse et hautaine à la fois qui distinguaient ces deux femmes, et surtout celle qui marchait la première, frappèrent le chevalier.

« Voilà deux femmes que je connais certainement », se dit-il en s'arrêtant sur la dernière marche du perron.

Puis, comme avec son instinct de limier il s'apprêtait à les suivre, un de ses laquais, qui courait après lui depuis quelques instants, l'arrêta.

— Monsieur, dit-il, le courrier est arrivé.

— Bon ! bon ! fit le chevalier. Nous avons le temps ; à demain.

— C'est qu'il y a des lettres pressées que Monsieur le chevalier sera peut-être bien aise de lire.

— Ah ! fit le chevalier ; et d'où viennent-elles ?

— Une vient d'Angleterre, et l'autre de Calais ; cette dernière arrive par estafette, et paraît être fort importante.

— De Calais ! Et qui diable m'écrit de Calais ?

— J'ai cru reconnaître l'écriture de votre ami le comte de Wardes.

— Oh ! je monte en ce cas, s'écria le chevalier oubliant à l'instant même son projet d'espionnage.

Et il monta, en effet, tandis que les deux dames inconnues disparaissaient à l'extrémité de la cour opposée à celle par laquelle elles venaient d'entrer.

Ce sont elles que nous suivrons, laissant le chevalier tout entier à sa correspondance.

Arrivée au quinconce, la première s'arrêta un peu essoufflée, et, relevant avec précaution sa coiffe :

— Sommes-nous encore loin de cet arbre ? dit-elle.

— Oh ! oui, madame, à plus de cinq cents pas ; mais que Madame s'arrête un instant : elle ne pourrait marcher longtemps de ce pas.

— Vous avez raison.

Et la princesse, car c'était elle, s'appuya contre un arbre.

— Voyons, mademoiselle, reprit-elle après avoir soufflé un instant, ne me cachez rien, dites-moi la vérité.

— Oh ! madame, vous voilà déjà sévère, dit la jeune fille d'une voix émue.

— Non, ma chère Athénaïs ; rassurez-vous donc, car je ne vous en veux nullement. Ce ne sont pas mes affaires, après tout. Vous êtes inquiète de ce que vous avez pu dire sous ce chêne ; vous craignez d'avoir blessé le roi, et je veux vous tranquilliser en m'assurant par moi-même si vous pouvez avoir été entendue.

— Oh ! oui, madame, le roi était si près de nous.

— Mais, enfin, vous ne parliez pas tellement haut que quelques paroles n'aient pu se perdre ?

— Madame, nous nous croyions absolument seules.

— Et vous étiez trois ?

— Oui, La Vallière, Montalais et moi.

— De sorte que vous avez, vous personnellement, parlé légèrement du roi ?

— J'en ai peur. Mais, en ce cas, Votre Altesse aurait la bonté de faire ma paix avec Sa Majesté, n'est-ce pas, Madame ?

— Si besoin est, je vous le promets. Cependant, comme je vous le disais, mieux vaut ne pas aller au-devant du mal et se bien assurer surtout si le mal a été fait. Il fait nuit sombre, et plus sombre encore sous ces grands bois. Vous n'aurez pas été reconnue du roi. Le prévenir en parlant la première, c'est vous dénoncer vous-même.

— Oh ! madame ! madame ! si l'on a reconnu Mlle de La Vallière, on m'aura reconnue aussi. D'ailleurs, M. de Saint-Aignan ne m'a point laissé de doute à ce sujet.

— Mais, enfin, vous disiez donc des choses bien désobligeantes pour le roi ?

— Nullement, madame, nullement. C'est une autre qui disait des choses trop obligeantes, et alors mes paroles auront fait contraste avec les siennes.

— Cette Montalais est si folle ! dit Madame.

— Oh ! ce n'est pas Montalais. Montalais n'a rien dit, elle, c'est La Vallière.

Madame tressaillit comme si elle ne l'eût pas déjà su parfaitement.

— Oh ! non, non, dit-elle, le roi n'aura pas entendu. D'ailleurs, nous allons faire l'épreuve pour laquelle nous sommes sorties. Montrez-moi le chêne.

Et Madame se remit en marche.

— Savez-vous où il est ? continua-t-elle.

— Hélas ! oui, madame.

— Et vous le retrouverez ?

— Je le retrouverais les yeux fermés.

— Alors c'est à merveille ; vous vous assiérez sur le banc où vous étiez, sur le banc où était La Vallière, et vous parlerez du même ton et dans le même sens ; moi, je me cacherai dans le buisson, et, si l'on entend, je vous le dirai bien.

— Oui, madame.

— Il s'ensuit que, si vous avez effectivement parlé assez haut pour que le roi vous ait entendues, eh bien…

Athénaïs parut attendre avec anxiété la fin de la phrase commencée.

— Eh bien ! dit Madame d'une voix étouffée sans doute par la rapidité de sa course, eh bien, je vous défendrai…

Et Madame doubla encore le pas.

Tout à coup elle s'arrêta.

— Il me vient une idée, dit-elle.

— Oh ! une bonne idée, assurément, répondit Mlle de Tonnay-Charente.

— Montalais doit être aussi embarrassée que vous deux ?

— Moins ; car elle est moins compromise, ayant moins dit.

— N'importe, elle vous aidera bien par un petit mensonge.

— Oh ! surtout si elle sait que Madame veut bien s'intéresser à moi.

— Bien ! j'ai, je crois, trouvé ce qu'il nous faut, mon enfant.

— Quel bonheur !

— Vous direz que vous saviez parfaitement toutes trois la présence du roi derrière cet arbre, ou derrière ce buisson, je ne sais plus bien, ainsi que celle de M. de Saint-Aignan.

— Oui, madame.

— Car, vous ne vous le dissimulez pas, Athénaïs, Saint-Aignan prend avantage de quelques mots très flatteurs pour lui que vous auriez prononcés.

— Eh ! madame, vous voyez bien qu'on entend, s'écria Athénaïs, puisque M. de Saint-Aignan a entendu.

Madame avait dit une légèreté, elle se mordit les lèvres.

— Oh ! vous savez bien comme est Saint-Aignan ! dit elle ; la faveur du roi le rend fou, et il dit, il dit à tort et à travers ; souvent même il invente. Là, d'ailleurs, n'est point la question. Le roi a-t-il entendu ou n'a-t-il pas entendu ? Voilà le fait.

— Eh bien ! oui, madame, il a entendu ! fit Athénaïs désespérée.

— Alors, faites ce que je disais : soutenez hardiment que vous connaissiez toutes trois, entendez-vous, toutes trois, car, si l'on doute pour l'une, on doutera pour les autres ; soutenez, dis-je, que vous connaissiez toutes trois la présence du roi et de M. de Saint-Aignan, et que vous avez voulu vous divertir aux dépens des écouteurs.

— Ah ! madame, aux dépens du roi ! jamais nous n'oserons dire cela !

— Mais, plaisanterie, plaisanterie pure ; raillerie innocente et bien permise à des femmes que des hommes veulent surprendre. De cette façon tout s'explique. Ce que Montalais a dit de Malicorne, raillerie ; ce que vous avez dit de M. de Saint-Aignan, raillerie ; ce que La Vallière a pu dire...

— Et qu'elle voudrait bien rattraper.

— En êtes-vous sûre ?

— Oh ! oui, j'en réponds.

— Eh bien ! raison de plus, raillerie que tout cela ; M. de Malicorne n'aura point à se fâcher. M. de Saint-Aignan sera confondu, on rira de lui au lieu de rire de vous. Enfin, le roi sera puni de sa curiosité peu digne de son rang. Que l'on rie un peu du roi en cette circonstance, et je ne crois pas qu'il s'en plaigne.

— Ah ! madame, vous êtes en vérité un ange de bonté et d'esprit.

— C'est mon intérêt.

— Comment cela ?

— Vous me demandez comment c'est mon intérêt d'épargner à mes demoiselles d'honneur des quolibets, des désagréments, des calomnies peut-être ! Hélas ! vous le savez, mon enfant, la cour n'a pas d'indulgence pour ces sortes de peccadilles. Mais voilà déjà longtemps que nous marchons ; ne sommes-nous donc point bientôt arrivées ?

— Encore cinquante ou soixante pas. Tournons à gauche, madame, s'il vous plaît.

— Ainsi, vous êtes sûre de Montalais ? dit Madame.

— Oh ! oui.

— Elle fera tout ce que vous voudrez ?

— Tout. Elle sera enchantée.

— Quant à La Vallière ?... hasarda la princesse.

— Oh ! pour elle ce sera plus difficile, madame ; elle répugne à mentir.

— Cependant, lorsqu'elle y trouvera son intérêt...

— J'ai peur que cela ne change absolument rien à ses idées.

— Oui, oui, dit Madame, on m'avait déjà prévenue de cela ; c'est une personne très précieuse, une de ces mijaurées qui mettent Dieu en avant pour se cacher derrière lui. Mais, si elle ne veut pas mentir, comme elle s'exposera aux railleries de toute la cour, comme elle aura provoqué le roi par un aveu aussi ridicule qu'indécent, Mlle de La Baume Le Blanc de La Vallière trouvera bon que je la renvoie à ses pigeons, afin que là-bas, en Touraine, ou dans le Blaisois, je ne sais où, elle puisse tout à son aise faire du sentiment et de la bergerie.

Ces paroles furent dites avec une véhémence et même une dureté qui effrayèrent Mlle de Tonnay-Charente.

En conséquence, elle se promit, quant à elle, de mentir autant qu'il le faudrait.

Ce fut dans ces bonnes dispositions que Madame et sa compagne arrivèrent aux environs du chêne royal.

— Nous y voilà, dit Tonnay-Charente.

— Nous allons bien voir si l'on entend, répondit Madame.

— Chut ! fit la jeune fille en retenant Madame avec une rapidité assez oublieuse de l'étiquette.

Madame s'arrêta.

— Voyez-vous que l'on entend, dit Athénaïs.

— Comment cela ?

— Écoutez.

Madame retint son souffle, et l'on entendit, en effet, ces mots, prononcés par une voix suave et triste, flotter dans l'air :

— Oh ! je te dis, vicomte, je te dis que je l'aime éperdument ; je te dis que je l'aime à en mourir.

A cette voix, Madame tressaillit, et sous sa mante un rayon joyeux illumina son visage.

Elle arrêta sa compagne à son tour, et, d'un pas léger, la reconduisant à vingt pas en arrière, c'est-à-dire hors de la portée de la voix :

— Demeurez là, lui dit-elle, ma chère Athénaïs et que nul ne puisse nous surprendre. Je pense qu'il est question de vous dans cet entretien.

— De moi, madame ?

— De vous, oui, ou plutôt de votre aventure. Je vais écouter ; à deux, nous serions découvertes. Allez chercher Montalais et revenez m'attendre avec elle sur la lisière du bois.

Puis, comme Athénaïs hésitait :

— Allez ! dit la princesse d'une voix qui n'admettait pas d'observations.

Elle rangea donc ses jupes bruyantes, et, par un sentier qui coupait le massif, elle regagna le parterre.

Quant à Madame, elle se blottit dans le buisson, adossée à un gigantesque châtaignier, dont une des tiges avait été coupée à la hauteur d'un siège.

Et là, pleine d'anxiété et de crainte :

« Voyons, dit-elle, voyons, puisque l'on entend d'ici, écoutons ce que va dire de moi à M. de Bragelonne cet autre fou amoureux qu'on appelle le comte de Guiche. »

CXIX

OÙ MADAME ACQUIERT LA PREUVE QUE L'ON PEUT, EN ÉCOUTANT, ENTENDRE CE QUI SE DIT

Il se fit un instant de silence comme si tous les bruits mystérieux de la nuit s'étaient tus pour écouter en même temps que Madame cette juvénile et amoureuse confidence. C'était à Raoul de parler. Il s'appuya paresseusement au tronc du grand chêne et répondit de sa voix douce et harmonieuse :

— Hélas ! mon cher de Guiche, c'est un grand malheur.

— Oh ! oui, s'écria celui-ci, bien grand !

— Vous ne m'entendez pas, de Guiche, ou plutôt vous ne me comprenez pas. Je dis qu'il vous arrive un grand malheur, non pas d'aimer, mais de ne savoir point cacher votre amour.

— Comment cela ? s'écria de Guiche.

— Oui, vous ne vous apercevez point d'une chose, c'est que maintenant ce n'est plus à votre seul ami, c'est-à-dire à un homme qui se ferait tuer plutôt que de vous trahir ; vous ne vous apercevez point, dis-je, que ce n'est plus à votre seul ami que vous faites confidence de vos amours, mais au premier venu.

— Au premier venu ! s'écria de Guiche ; êtes-vous fou, Bragelonne, de me dire de pareilles choses ?

— Il en est ainsi.

— Impossible ! Comment et de quelle façon serais-je donc devenu indiscret à ce point ?

— Je veux dire, mon ami, que vos yeux, vos gestes, vos soupirs parlent malgré vous ; que toute passion exagérée conduit et entraîne l'homme hors de lui-même. Alors cet homme ne s'appartient plus ; il est en proie à une folie qui lui fait raconter sa peine aux arbres, aux chevaux, à l'air, du moment où il n'a aucun être intelligent à la portée de sa voix. Or, mon pauvre ami, rappelez-vous ceci : qu'il est bien rare qu'il n'y ait pas toujours là quelqu'un pour entendre particulièrement les choses qui ne doivent pas être entendues.

De Guiche poussa un profond soupir.

— Tenez, continua Bragelonne, en ce moment vous me faites peine ; depuis votre retour ici, vous avez cent fois et de cent manières différentes raconté votre amour pour elle ; et cependant, n'eussiez-vous rien dit, votre retour seul était déjà une indiscrétion terrible. J'en reviens donc à conclure ceci : que, si vous ne vous observez mieux que vous ne le faites, un jour ou l'autre arrivera qui amènera une explosion. Qui vous sauvera alors ? Dites, répondez-moi. Qui la sauvera elle-même ? Car, toute innocente qu'elle sera de votre amour, votre amour sera aux mains de ses ennemis une accusation contre elle.

— Hélas ! mon Dieu ! murmura de Guiche.

Et un profond soupir accompagna ces paroles.

— Ce n'est point répondre, cela, de Guiche.

— Si fait.

— Eh bien ! voyons, que répondez-vous ?

— Je réponds que, ce jour-là, mon ami, je ne serai pas plus mort que je ne le suis aujourd'hui.

— Je ne comprends pas.

— Oui ; tant d'alternatives m'ont usé ! Aujourd'hui, je ne suis plus un être pensant, agissant ; aujourd'hui, je ne vaux plus un homme, si médiocre qu'il soit ; aussi, vois-tu, aujourd'hui mes dernières forces se sont éteintes, mes dernières résolutions se sont évanouies, et je renonce à lutter. Quand on est au camp, comme nous y avons été ensemble[1], et qu'on part seul pour escarmoucher, parfois on rencontre un parti de cinq ou six fourrageurs, et, quoique seul, on se défend ; alors, il en survient six autres, on s'irrite et l'on persévère ; mais, s'il en arrive encore, six, huit, dix autres à la traverse, on se met à piquer son cheval, si l'on a encore un cheval, ou bien on se fait tuer pour ne pas fuir. Eh bien ! j'en suis là : j'ai d'abord lutté contre moi-même ; puis contre Buckingham. Maintenant, le roi est venu ; je ne lutterai pas contre le roi, ni même, je me hâte de te le dire, le roi se retirât-il, ni même contre le caractère tout seul de cette femme. Oh ! je ne m'abuse point : entré au service de cet amour, je m'y ferai tuer.

— Ce n'est point à elle qu'il faut faire des reproches, répondit Raoul, c'est à toi.

— Pourquoi cela ?

— Comment, tu connais la princesse un peu légère, fort éprise de nouveauté, sensible à la louange, dût la louange lui venir d'un aveugle ou d'un enfant, et tu prends feu au point de te consumer toi-même ? Regarde la femme, aime-la ; car quiconque n'a pas le cœur pris ailleurs ne peut la voir sans l'aimer. Mais, tout en l'aimant, respecte en elle, d'abord, le rang de son mari, puis lui-même, puis, enfin, ta propre sûreté.

— Merci, Raoul.

---

1. Guiche — que nous avons vu effectuer, fictivement, ses premières armes à la bataille de Lens —, avait participé au siège de Landrecies (1655), à celui de Valenciennes (1656), à la prise de Dunkerque (1658).

— Et de quoi ?

— De ce que, voyant que je souffre par cette femme, tu me consoles, de ce que tu me dis d'elle tout le bien que tu en penses et peut-être même celui que tu ne penses pas.

— Oh ! fit Raoul, tu te trompes, de Guiche, ce que je pense je ne le dis pas toujours, et alors je ne dis rien ; mais, quand je parle, je ne sais ni feindre ni tromper, et qui m'écoute peut me croire.

Pendant ce temps, Madame, le cou tendu, l'oreille avide, l'œil dilaté et cherchant à voir dans l'obscurité, pendant ce temps, Madame aspirait avidement jusqu'au moindre souffle qui bruissait dans les branches.

— Oh ! je la connais mieux que toi, alors ! s'écria de Guiche. Elle n'est pas légère, elle est frivole ; elle n'est pas éprise de nouveauté, elle est sans mémoire et sans foi ; elle n'est pas purement et simplement sensible aux louanges, mais elle est coquette avec raffinement et cruauté. Mortellement coquette ! oh ! oui, je le sais. Tiens, crois-moi, Bragelonne, je souffre tous les tourments de l'enfer ; brave, aimant passionnément le danger, je trouve un danger plus grand que ma force et mon courage. Mais, vois-tu, Raoul, je me réserve une victoire qui lui coûtera bien des larmes.

Raoul regarda son ami, et, comme celui-ci, presque étouffé par l'émotion, renversait sa tête contre le tronc du chêne :

— Une victoire ! demanda-t-il, et laquelle ?

— Laquelle ?

— Oui.

— Un jour, je l'aborderai ; un jour, je lui dirai : « J'étais jeune, j'étais fou d'amour ; j'avais pourtant assez de respect pour tomber à vos pieds et y demeurer le front dans la poussière si vos regards ne m'eussent relevé jusqu'à votre main. Je crus comprendre vos regards, je me relevai, et, alors, sans que je vous eusse rien fait que vous aimer davantage encore, si c'était possible, alors vous m'avez, de gaieté de cœur, terrassé par un caprice, femme sans cœur, femme sans foi, femme sans amour ! Vous n'êtes pas digne, toute princesse de sang royal que vous êtes, vous n'êtes pas digne de l'amour d'un honnête homme ; et je me punis de mort pour vous avoir trop aimée, et je meurs en vous haïssant. »

— Oh ! s'écria Raoul épouvanté de l'accent de profonde vérité qui perçait dans les paroles du jeune homme, oh ! je te l'avais bien dit, de Guiche, que tu étais un fou.

— Oui, oui, s'écria de Guiche poursuivant son idée, puisque nous n'avons plus de guerres ici, j'irai là-bas, dans le Nord, demander du service à l'Empire, et quelque Hongrois, quelque Croate, quelque Turc me fera bien la charité d'une balle[1].

1. Lors de son second exil, en 1662-1663, Guiche se battra en Pologne contre les Turcs.

De Guiche n'acheva point, ou plutôt, comme il achevait, un bruit le fit tressaillir qui mit sur pied Raoul au même moment.

Quant à de Guiche, absorbé dans sa parole et dans sa pensée, il resta assis, la tête comprimée entre ses deux mains.

Les buissons s'ouvrirent, et une femme apparut devant les deux jeunes gens, pâle, en désordre. D'une main, elle écartait les branches qui eussent fouetté son visage, et, de l'autre, elle relevait le capuchon de la mante dont ses épaules étaient couvertes.

A cet œil humide et flamboyant, à cette démarche royale, à la hauteur de ce geste souverain, et, bien plus encore qu'à tout cela, au battement de son cœur, de Guiche reconnut Madame, et, poussant un cri, il ramena ses mains de ses tempes sur ses yeux.

Raoul, tremblant, décontenancé, roulait son chapeau dans ses mains, balbutiant quelques vagues formules de respect.

— Monsieur de Bragelonne, dit la princesse, veuillez, je vous prie, voir si mes femmes ne sont point quelque part là-bas dans les allées ou dans les quinconces. Et vous, monsieur le comte, demeurez, je suis lasse, vous me donnerez votre bras.

La foudre tombant aux pieds du malheureux jeune homme l'eût moins épouvanté que cette froide et sévère parole.

Néanmoins, comme, ainsi qu'il venait de le dire, il était brave, comme il venait, au fond du cœur, de prendre toutes ses résolutions, de Guiche se redressa, et, voyant l'hésitation de Bragelonne, lui adressa un coup d'œil plein de résignation et de suprême remerciement.

Au lieu de répondre à l'instant même à Madame, il fit un pas vers le vicomte, et, lui tendant la main que la princesse lui avait demandée, il serra la main toute loyale de son ami avec un soupir, dans lequel il semblait donner à l'amitié tout ce qui restait de vie au fond de son cœur.

Madame attendit, elle si fière, elle qui ne savait pas attendre, Madame attendit que ce colloque muet fût achevé.

Sa main, sa royale main demeura suspendue en l'air, et, quand Raoul fut parti, retomba sans colère, mais non sans émotion, dans celle de Guiche.

Ils étaient seuls au milieu de la forêt sombre et muette, et l'on n'entendait plus que le pas de Raoul s'éloignant avec précipitation par les sentiers ombreux.

Sur leur tête s'étendait la voûte épaisse et odorante du feuillage de la forêt, par les déchirures duquel on voyait briller çà et là quelques étoiles.

Madame entraîna doucement de Guiche à une centaine de pas de cet arbre indiscret qui avait entendu et laissé entendre tant de choses dans cette soirée, et, le conduisant à une clairière voisine qui permettait de voir à une certaine distance autour de soi :

— Je vous amène ici, dit-elle toute frémissante, parce que là-bas où nous étions, toute parole s'entend.

— Toute parole s'entend, dites-vous, madame ? répéta machinalement le jeune homme.

— Oui.

— Ce qui veut dire ? murmura de Guiche.

— Ce qui veut dire que j'ai entendu toutes vos paroles.

— Oh ! mon Dieu ! mon Dieu ! il me manquait encore cela ! balbutia de Guiche.

Et il baissa la tête comme fait le nageur fatigué sous le flot qui l'engloutit.

— Alors, dit-elle, vous me jugez comme vous avez dit ?

De Guiche pâlit, détourna la tête et ne répondit rien ; il se sentait près de s'évanouir.

— C'est fort bien, continua la princesse d'un son de voix plein de douceur ; j'aime mieux cette franchise qui doit me blesser qu'une flatterie qui me tromperait. Soit ! selon vous, monsieur de Guiche, je suis donc coquette et vile.

— Vile ! s'écria le jeune homme, vile, vous ? Oh ! je n'ai certes pas dit, je n'ai certes pas pu dire que ce qu'il y a au monde de plus précieux pour moi fût une chose vile ; non, non, je n'ai pas dit cela.

— Une femme qui voit périr un homme consumé du feu qu'elle a allumé et qui n'éteint pas ce feu est, à mon avis, une femme vile.

— Oh ! que vous importe ce que j'ai dit ? reprit le comte. Que suis-je, mon Dieu ! près de vous, et comment vous inquiétez-vous même si j'existe ou si je n'existe pas ?

— Monsieur de Guiche, vous êtes un homme comme je suis une femme, et, vous connaissant ainsi que je vous connais, je ne veux point vous exposer à mourir ; je change avec vous de conduite et de caractère. Je serai, non pas franche, je le suis toujours, mais vraie. Je vous supplie donc, monsieur le comte, de ne plus m'aimer et d'oublier tout à fait que je vous aie jamais adressé une parole ou un regard.

De Guiche se retourna, couvrant Madame d'un regard passionné.

— Vous, dit-il, vous vous excusez ; vous me suppliez, vous !

— Oui, sans doute ; puisque j'ai fait le mal, je dois réparer le mal. Ainsi, monsieur le comte, voilà qui est convenu. Vous me pardonnerez ma frivolité, ma coquetterie. Ne m'interrompez pas. Je vous pardonnerai, moi, d'avoir dit que j'étais frivole et coquette, quelque chose de pis, peut-être ; et vous renoncerez à votre idée de mort, et vous conserverez à votre famille, au roi et aux dames un cavalier que tout le monde estime et que beaucoup chérissent.

Et Madame prononça ce dernier mot avec un tel accent de franchise et même de tendresse, que le cœur du jeune homme sembla prêt à s'élancer de sa poitrine.

— Oh ! madame, madame !... balbutia-t-il.

— Écoutez encore, continua-t-elle. Quand vous aurez renoncé à moi, par nécessité d'abord, puis pour vous rendre à ma prière, alors vous me jugerez mieux, et, j'en suis sûre, vous remplacerez cet amour, pardon de cette folie, par une sincère amitié que vous viendrez m'offrir, et qui, je vous le jure, sera cordialement acceptée.

De Guiche, la sueur au front, la mort au cœur, le frisson dans les veines, se mordait les lèvres, frappait du pied, dévorait, en un mot, toutes ses douleurs.

— Madame, dit-il, ce que vous m'offrez là est impossible et je n'accepte point un pareil marché.

— Eh quoi ! dit Madame, vous refusez mon amitié ?...

— Non ! non ! pas d'amitié, madame, j'aime mieux mourir d'amour que vivre d'amitié.

— Monsieur le comte !

— Oh ! madame, s'écria de Guiche, j'en suis arrivé à ce moment suprême où il n'y a plus d'autre considération, d'autre respect que la considération et le respect d'un honnête homme envers une femme adorée. Chassez-moi, maudissez-moi, dénoncez-moi, vous serez juste ; je me suis plaint de vous, mais je ne m'en suis plaint si amèrement que parce que je vous aime ; je vous ai dit que je mourrai, je mourrai ; vivant, vous m'oublierez ; mort, vous ne m'oublierez point, j'en suis sûr.

Et cependant, elle, qui se tenait debout et toute rêveuse, aussi agitée que le jeune homme, détourna un moment la tête, comme un instant auparavant il venait de la détourner lui-même.

Puis après un silence :

— Vous m'aimez donc bien ? demanda-t-elle.

— Oh ! follement. Au point d'en mourir, comme vous le disiez. Au point d'en mourir, soit que vous me chassiez, soit que vous m'écoutiez encore.

— Alors, c'est un mal sans espoir, dit-elle d'un air enjoué ; un mal qu'il convient de traiter par les adoucissants. Çà ! donnez-moi votre main... Elle est glacée !

De Guiche s'agenouilla, collant sa bouche, non pas sur l'une, mais sur les deux mains brûlantes de Madame.

— Allons, aimez-moi donc, dit la princesse, puisqu'il n'en saurait être autrement.

Et elle lui serra les doigts presque imperceptiblement, le relevant ainsi, moitié comme eût fait une reine, et moitié comme eût fait une amante.

De Guiche frissonna par tout le corps.

Madame sentit courir ce frisson dans les veines du jeune homme, et comprit que celui-là aimait véritablement.

— Votre bras, comte, dit-elle, et rentrons.

— Ah ! madame, lui dit le comte chancelant, ébloui, un nuage de flamme sur les yeux. Ah ! vous avez trouvé un troisième moyen de me tuer.

— Heureusement que c'est le plus long, n'est-ce pas ? répliqua-t-elle.

Et elle l'entraîna vers le quinconce.

CXX

LA CORRESPONDANCE D'ARAMIS

Tandis que les affaires de de Guiche, raccommodées ainsi tout à coup sans qu'il pût deviner la cause de cette amélioration, prenaient cette tournure inespérée que nous leur avons vu prendre, Raoul, ayant compris l'invitation de Madame, s'était éloigné pour ne pas troubler cette explication dont il était loin de deviner les résultats, et il avait rejoint les dames d'honneur éparses dans le parterre.

Pendant ce temps, le chevalier de Lorraine, remonté dans sa chambre, lisait avec surprise la lettre de de Wardes, laquelle lui racontait ou plutôt lui faisait raconter, par la main de son valet de chambre, le coup d'épée reçu à Calais et tous les détails de cette aventure avec invitation d'en communiquer à de Guiche et à Monsieur ce qui, dans cet événement, pouvait être particulièrement désagréable à chacun d'eux.

De Wardes s'attachait surtout à démontrer au chevalier la violence de cet amour de Buckingham pour Madame, et il terminait sa lettre en annonçant qu'il croyait cette passion payée de retour.

A la lecture de ce dernier paragraphe, le chevalier haussa les épaules ; en effet, de Wardes était fort arriéré, comme on a pu le voir.

De Wardes n'en était encore qu'à Buckingham.

Le chevalier jeta par-dessus son épaule le papier sur une table voisine, et, d'un ton dédaigneux :

— En vérité, dit-il, c'est incroyable ; ce pauvre de Wardes est pourtant un garçon d'esprit ; mais, en vérité, il n'y paraît pas, tant on s'encroûte en province. Que le diable emporte ce benêt, qui devait m'écrire des choses importantes et qui m'écrit de pareilles niaiseries ! Au lieu de cette pauvreté de lettre qui ne signifie rien, j'eusse trouvé là-bas, dans les quinconces, une bonne petite intrigue qui eût compromis une femme, valu peut-être un coup d'épée à un homme et diverti Monsieur pendant trois jours.

Il regarda sa montre.

— Maintenant, fit-il, il est trop tard. Une heure du matin : tout le monde doit être rentré chez le roi, où l'on achève la nuit ; allons, c'est une piste perdue, et à moins de chance extraordinaire...

— Et, en disant ces mots, comme pour en appeler à sa bonne étoile, le chevalier s'approcha avec dépit de la fenêtre qui donnait sur une portion assez solitaire du jardin.

Aussitôt, et comme si un mauvais génie eût été à ses ordres, il aperçut, revenant vers le château en compagnie d'un homme, une mante de soie de couleur sombre, et reconnut cette tournure qui l'avait frappé une demi-heure auparavant.

« Eh ! mon Dieu ! pensa-t-il en frappant des mains, Dieu me damne ! comme dit notre ami Buckingham[1], voici mon mystère. »

Et il s'élança précipitamment à travers les degrés dans l'espérance d'arriver à temps dans la cour pour reconnaître la femme à la mante et son compagnon.

Mais, en arrivant à la porte de la petite cour, il se heurta presque avec Madame, dont le visage radieux apparaissait plein de révélations charmantes sous cette mante qui l'abritait sans la cacher. Malheureusement, Madame était seule.

Le chevalier comprit que, puisqu'il l'avait vue, il n'y avait pas cinq minutes, avec un gentilhomme, le gentilhomme ne devait pas être bien loin.

En conséquence, il prit à peine le temps de saluer la princesse, tout en se rangeant pour la laisser passer ; puis, lorsqu'elle eut fait quelques pas avec la rapidité d'une femme qui craint d'être reconnue, lorsque le chevalier vit qu'elle était trop préoccupée d'elle-même pour s'inquiéter de lui, il s'élança dans le jardin, regardant rapidement de tous côtés et embrassant le plus d'horizon qu'il pouvait dans son regard.

Il arrivait à temps : le gentilhomme qui avait accompagné Madame était encore à portée de la vue ; seulement, il s'avançait rapidement vers une des ailes du château derrière laquelle il allait disparaître.

Il n'y avait pas une minute à perdre ; le chevalier s'élança à sa poursuite, quitte à ralentir le pas en s'approchant de l'inconnu ; mais, quelque diligence qu'il fît, l'inconnu avait tourné le perron avant lui.

Cependant, il était évident que comme celui que le chevalier poursuivait marchait doucement, tout pensif, et la tête inclinée sous le poids du chagrin ou du bonheur, une fois l'angle tourné, à moins qu'il ne fût entré par quelque porte, le chevalier ne pouvait manquer de le rejoindre.

C'est ce qui fût certainement arrivé si, au moment où il tournait cet angle, le chevalier ne se fût jeté dans deux personnes qui le tournaient elles-mêmes dans le sens opposé.

Le chevalier était tout prêt à faire un assez mauvais parti à ces deux fâcheux, lorsqu'en relevant la tête il reconnut M. le surintendant.

Fouquet était accompagné d'une personne que le chevalier voyait pour la première fois.

1. Le fameux « *Goddam* » anglais.

Cette personne, c'était Sa Grandeur l'évêque de Vannes.

Arrêté par l'importance du personnage, et forcé par les convenances à faire des excuses là où il s'attendait à en recevoir, le chevalier fit un pas en arrière ; et comme M. Fouquet avait sinon l'amitié, du moins les respects de tout le monde, comme le roi lui-même, quoiqu'il fût plutôt son ennemi que son ami, traitait M. Fouquet en homme considérable, le chevalier fit ce que le roi eût fait, il salua M. Fouquet, qui le saluait avec une bienveillante politesse, voyant que ce gentilhomme l'avait heurté par mégarde et sans mauvaise intention aucune.

Puis, presque aussitôt, ayant reconnu le chevalier de Lorraine, il lui fit quelques compliments auxquels force fut au chevalier de répondre.

Si court que fût ce dialogue, le chevalier de Lorraine vit peu à peu avec un déplaisir mortel son inconnu diminuer et s'effacer dans l'ombre.

Le chevalier se résigna, et, une fois résigné, revint complètement à M. Fouquet.

— Ah ! monsieur, dit-il, vous arrivez bien tard. On s'est fort occupé ici de votre absence, et j'ai entendu Monsieur s'étonner de ce qu'ayant été invité par le roi, vous n'étiez pas venu.

— La chose m'a été impossible, monsieur, et, aussitôt libre, j'arrive.

— Paris est tranquille ?

— Parfaitement. Paris a fort bien reçu sa dernière taxe.

— Ah ! je comprends que vous ayez voulu vous assurer de ce bon vouloir avant de venir prendre part à nos fêtes.

— Je n'en arrive pas moins un peu tard. Je m'adresserai donc à vous, monsieur, pour vous demander si le roi est dehors ou au château, si je pourrai le voir ce soir ou si je dois attendre à demain.

— Nous avons perdu de vue le roi depuis une demi-heure à peu près, dit le chevalier.

— Il sera peut-être chez Madame ? demanda Fouquet.

— Chez Madame, je ne crois pas, car je viens de rencontrer Madame qui rentrait par le petit escalier ; et à moins que ce gentilhomme que vous venez de croiser tout à l'heure ne fût le roi en personne...

Et le chevalier attendit, espérant qu'il saurait ainsi le nom de celui qu'il avait poursuivi.

Mais Fouquet, qu'il eût reconnu ou non de Guiche, se contenta de répondre :

— Non, monsieur, ce n'était pas lui.

Le chevalier, désappointé, salua ; mais, tout en saluant, ayant jeté un dernier coup d'œil autour de lui et ayant aperçu M. Colbert au milieu d'un groupe :

— Tenez, monsieur, dit-il au surintendant, voici là-bas, sous les arbres, quelqu'un qui vous renseignera mieux que moi.

— Qui ? demanda Fouquet, dont la vue faible ne perçait pas les ombres.

— M. Colbert, répondit le chevalier.

— Ah ! fort bien. Cette personne qui parle là-bas à ces hommes portant des torches, c'est M. Colbert ?

— Lui-même. Il donne ses ordres pour demain aux dresseurs d'illuminations.

— Merci, monsieur.

Et Fouquet fit un mouvement de tête qui indiquait qu'il avait appris tout ce qu'il désirait savoir.

De son côté, le chevalier, qui, tout au contraire, n'avait rien appris, se retira sur un profond salut.

A peine fut-il éloigné, que Fouquet, fronçant le sourcil, tomba dans une profonde rêverie.

Aramis le regarda un instant avec une espèce de compassion pleine de tristesse.

— Eh bien, lui dit-il, vous voilà ému au seul nom de cet homme. Eh quoi ! triomphant et joyeux tout à l'heure, voilà que vous vous rembrunissez à l'aspect de ce médiocre fantôme. Voyons, monsieur, croyez-vous en votre fortune ?

— Non, répondit tristement Fouquet.

— Et pourquoi ?

— Parce que je suis trop heureux en ce moment, répliqua-t-il d'une voix tremblante. Ah ! mon cher d'Herblay, vous qui êtes si savant, vous devez connaître l'histoire d'un certain tyran de Samos[1]. Que puis-je jeter à la mer qui désarme le malheur à venir ? Oh ! je vous le répète, mon ami, je suis trop heureux ! si heureux que je ne désire plus rien au-delà de ce que j'ai... Je suis monté si haut... Vous savez ma devise : *Quo non ascendam*[2] ? Je suis monté si haut, que je n'ai plus qu'à descendre. Il m'est donc impossible de croire au progrès d'une fortune qui est déjà plus qu'humaine.

Aramis sourit en fixant sur Fouquet son œil si caressant et si fin.

— Si je connaissais votre bonheur, dit-il, je craindrais peut-être votre disgrâce ; mais vous me jugez en véritable ami, c'est-à-dire que vous me trouvez bon pour l'infortune, voilà tout. C'est déjà immense et précieux, je le sais ; mais, en vérité, j'ai bien le droit de vous demander de me confier de temps en temps les choses heureuses qui vous arrivent et auxquelles je prendrais part, vous le savez, plus qu'à celles qui m'arriveraient à moi-même.

— Mon cher prélat, dit en riant Fouquet, mes secrets sont par trop profanes pour que je les confie à un évêque, si mondain qu'il soit.

— Bah ! en confession ?

1. Polycrate. Voir Dictionnaire. Antiquité.

2. « Où ne monterai-je pas ? » La devise de Fouquet, qui était placée au-dessous d'un écureuil, était : « *Quo non ascendet ?* »

— Oh ! je rougirais trop si vous étiez mon confesseur.

Et Fouquet se mit à soupirer.

Aramis le regarda encore sans autre manifestation de sa pensée que son muet sourire.

— Allons, dit-il, c'est une grande vertu que la discrétion.

— Silence ! dit Fouquet. Voici cette venimeuse bête qui m'a reconnu et qui s'approche de nous.

— Colbert ?

— Oui ; écartez-vous, mon cher d'Herblay ; je ne veux pas que ce cuistre vous voie avec moi, il vous prendrait en aversion.

Aramis lui serra la main.

— Qu'ai-je besoin de son amitié ? dit-il ; n'êtes-vous pas là ?

— Oui ; mais peut-être n'y serai-je pas toujours, répondit mélancoliquement Fouquet.

— Ce jour-là, si ce jour-là vient jamais, dit tranquillement Aramis, nous aviserons à nous passer de l'amitié ou à braver l'aversion de M. Colbert. Mais dites-moi, cher monsieur Fouquet, au lieu de vous entretenir avec ce cuistre, comme vous lui faites l'honneur de l'appeler, conversation dont je ne sens pas l'utilité, que ne vous rendez-vous, sinon auprès du roi, du moins auprès de Madame ?

— De Madame ? fit le surintendant distrait par ses souvenirs. Oui, sans doute, près de Madame.

— Vous vous rappelez, continua Aramis, qu'on nous a appris la grande faveur dont Madame jouit depuis deux ou trois jours. Il entre, je crois, dans votre politique et dans nos plans que vous fassiez assidûment votre cour aux amies de Sa Majesté. C'est le moyen de balancer l'autorité naissante de M. Colbert. Rendez-vous donc le plus tôt possible près de Madame et ménagez-vous cette alliée.

— Mais, dit Fouquet, êtes-vous bien sûr que c'est véritablement sur elle que le roi a les yeux fixés en ce moment ?

— Si l'aiguille avait tourné, ce serait depuis ce matin. Vous savez que j'ai ma police.

— Bien ! j'y vais de ce pas, et à tout hasard j'aurai mon moyen d'introduction : c'est une magnifique paire de camées antiques enchâssés dans des diamants.

— Je l'ai vue ; rien de plus riche et de plus royal.

Ils furent interrompus en ce moment par un laquais conduisant un courrier.

— Pour Monsieur le surintendant, dit tout haut ce courrier en présentant à Fouquet une lettre.

— Pour Monseigneur l'évêque de Vannes, dit tout bas le laquais en remettant une lettre à Aramis.

Et, comme le laquais portait une torche, il se plaça entre le surintendant et l'évêque, afin que tous deux pussent lire en même temps.

A l'aspect de l'écriture fine et serrée de l'enveloppe, Fouquet tressaillit de joie ; ceux-là seuls qui aiment ou qui ont aimé comprendront son inquiétude d'abord, puis son bonheur ensuite.

Il décacheta vivement la lettre, qui ne renfermait que ces seuls mots :

Il y a une heure que je t'ai quitté, il y a un siècle que je ne t'ai dit : « Je t'aime. »

C'était tout.

Mme de Bellière avait, en effet, quitté Fouquet depuis une heure, après avoir passé deux jours avec lui ; et de peur que son souvenir ne s'écartât trop longtemps du cœur qu'elle regrettait, elle lui envoyait le courrier porteur de cette importante missive.

Fouquet baisa la lettre et la paya d'une poignée d'or.

Quant à Aramis, il lisait, comme nous avons dit, de son côté, mais avec plus de froideur et de réflexion, le billet suivant :

Le roi a été frappé ce soir d'un coup étrange : une femme l'aime. Il l'a su par hasard en écoutant la conversation de cette jeune fille avec ses compagnes. De sorte que le roi est tout entier à ce nouveau caprice. La femme s'appelle Mlle de La Vallière et est d'une assez médiocre beauté pour que ce caprice devienne une grande passion.

Prenez garde à Mlle de La Vallière.

Pas un mot de Madame.

Aramis replia lentement le billet et le mit dans sa poche.

Quant à Fouquet, il savourait toujours les parfums de sa lettre.

— Monseigneur ! dit Aramis touchant le bras de Fouquet.

— Hein ! demanda celui-ci.

— Il me vient une idée. Connaissez-vous une petite fille qu'on appelle La Vallière ?

— Ma foi ! non.

— Cherchez bien.

— Ah ! oui, je crois, une des filles d'honneur de Madame.

— Ce doit être cela.

— Eh bien ! après ?

— Eh bien ! monseigneur, c'est à cette petite fille qu'il faut que vous rendiez une visite ce soir.

— Bah ! et comment ?

— Et, de plus, c'est à cette petite fille qu'il faut que vous donniez vos camées.

— Allons donc !

— Vous savez, monseigneur, que je suis de bon conseil.

— Mais cet imprévu...

— C'est mon affaire. Vite une cour en règle à la petite La Vallière, monseigneur. Je me ferai garant près de Mme de Bellière que c'est une cour toute politique.

— Que dites-vous là, mon ami, s'écria vivement Fouquet, et quel nom avez-vous prononcé ?

— Un nom qui doit vous prouver, monsieur le surintendant, que, bien instruit pour vous, je puis être aussi bien instruit pour les autres. Faites la cour à la petite La Vallière.

— Je ferai la cour à qui vous voudrez, répondit Fouquet avec le paradis dans le cœur.

— Voyons, voyons, redescendez sur la terre, voyageur du septième ciel, dit Aramis ; voici M. de Colbert. Oh ! mais il a recruté tandis que nous lisions ; il est entouré, loué, congratulé ; décidément, c'est une puissance.

En effet, Colbert s'avançait escorté de tout ce qui restait de courtisans dans les jardins, et chacun lui faisait, sur l'ordonnance de la fête, des compliments dont il s'enflait à éclater.

— Si La Fontaine était là, dit en souriant Fouquet, quelle belle occasion pour lui de réciter la fable de la grenouille qui veut se faire aussi grosse qu'un bœuf[1].

Colbert arriva dans un cercle éblouissant de lumière ; Fouquet l'attendit impassible et légèrement railleur.

Colbert lui souriait aussi ; il avait vu son ennemi déjà depuis près d'un quart d'heure, il s'approchait tortueusement.

Le sourire de Colbert présageait quelque hostilité.

— Oh ! oh ! dit Aramis tout bas au surintendant, le coquin va vous demander encore quelques millions pour payer ses artifices et ses verres de couleur.

Colbert salua le premier d'un air qu'il s'efforçait de rendre respectueux.

Fouquet remua la tête à peine.

— Eh bien ! monseigneur, demanda Colbert, que disent vos yeux ? Avons-nous eu bon goût ?

— Un goût parfait, répondit Fouquet, sans qu'on pût remarquer dans ces paroles la moindre raillerie.

— Oh ! dit Colbert méchamment, vous y mettez de l'indulgence... Nous sommes pauvres, nous autres gens du roi, et Fontainebleau n'est pas un séjour comparable à Vaux.

— C'est vrai, répondit flegmatiquement Fouquet, qui dominait tous les acteurs de cette scène.

— Que voulez-vous, monseigneur ! continua Colbert, nous avons agi selon nos petites ressources.

Fouquet fit un geste d'assentiment.

— Mais, poursuivit Colbert, il serait digne de votre magnificence,

1. *La Grenouille qui se veut faire aussi grosse qu'un bœuf*, *Fables*, livre I, III. Les *Fables choisies* (actuels livres I à 6) ne furent publiées qu'en 1668.

monseigneur, d'offrir à Sa Majesté une fête dans vos merveilleux jardins... dans ces jardins qui vous ont coûté soixante millions.

— Soixante-douze, dit Fouquet.

— Raison de plus, reprit Colbert. Voilà qui serait vraiment magnifique.

— Mais, croyez-vous, monsieur, dit Fouquet, que Sa Majesté daigne accepter mon invitation ?

— Oh ! je n'en doute pas, s'écria vivement Colbert, et je m'en porterai caution.

— C'est fort aimable à vous, dit Fouquet. J'y puis donc compter ?

— Oui, monseigneur, oui, certainement.

— Alors, je me consulterai, dit Fouquet.

— Acceptez, acceptez, dit tout bas et vivement Aramis.

— Vous vous consulterez ? répéta Colbert.

— Oui, répondit Fouquet, pour savoir quel jour je pourrai faire mon invitation au roi.

— Oh ! dès ce soir, monseigneur, dès ce soir.

— Accepté, fit le surintendant. Messieurs, je voudrais vous faire mes invitations ; mais vous savez que, partout où va le roi, le roi est chez lui, c'est donc à vous de vous faire inviter par Sa Majesté.

Il y eut une rumeur joyeuse dans la foule.

Fouquet salua et partit.

— Misérable orgueilleux ! dit Colbert, tu acceptes, et tu sais que cela te coûtera dix millions.

— Vous m'avez ruiné, dit tout bas Fouquet à Aramis.

— Je vous ai sauvé, répliqua celui-ci, tandis que Fouquet montait les degrés du perron et faisait demander au roi s'il était encore visible.

CXXI

LE COMMIS D'ORDRE

Le roi, pressé de se retrouver seul avec lui-même pour étudier ce qui se passait dans son propre cœur, s'était retiré chez lui, où M. de Saint-Aignan était venu le retrouver après sa conversation avec Madame.

Nous avons rapporté la conversation.

Le favori, fier de sa double importance, et sentant que, depuis deux heures, il était devenu le confident du roi, commençait, tout respectueux qu'il était, à traiter d'un peu haut les affaires de cour, et, du point où il s'était mis, ou plutôt où le hasard l'avait placé, il ne voyait qu'amour et guirlandes autour de lui.

L'amour du roi pour Madame, celui de Madame pour le roi, celui de de Guiche pour Madame, celui de La Vallière pour le roi, celui de Malicorne pour Montalais, celui de Mlle de Tonnay-Charente pour lui, Saint-Aignan, n'était-ce pas véritablement plus qu'il n'en fallait pour faire tourner une tête de courtisan ?

Or, Saint-Aignan était le modèle des courtisans passés, présents et futurs.

Au reste, Saint-Aignan se montra si bon narrateur et appréciateur si subtil, que le roi l'écouta en marquant beaucoup d'intérêt, surtout quand il conta la façon passionnée avec laquelle Madame avait recherché sa conversation à propos des affaires de Mlle de La Vallière.

Quand le roi n'eût plus rien ressenti pour Madame Henriette de ce qu'il avait éprouvé, il y avait dans cette ardeur de Madame à se faire donner ces renseignements une satisfaction d'amour-propre qui ne pouvait échapper au roi. Il éprouva donc cette satisfaction, mais voilà tout, et son cœur ne fut point un seul instant alarmé de ce que Madame pouvait penser ou ne point penser de toute cette aventure.

Seulement, lorsque Saint-Aignan eut fini, le roi, tout en se préparant à sa toilette de nuit, demanda :

— Maintenant, Saint-Aignan, tu sais ce que c'est que Mlle de La Vallière, n'est-ce pas ?

— Non seulement ce qu'elle est, mais ce qu'elle sera.

— Que veux-tu dire ?

— Je veux dire qu'elle est tout ce qu'une femme peut désirer d'être, c'est-à-dire aimée de Votre Majesté ; je veux dire qu'elle sera tout ce que Votre Majesté voudra qu'elle soit.

— Ce n'est pas cela que je demande... Je ne veux pas savoir ce qu'elle est aujourd'hui ni ce qu'elle sera demain : tu l'as dit, cela me regarde, mais ce qu'elle était hier. Répète-moi donc ce qu'on dit d'elle.

— On dit qu'elle est sage.

— Oh ! fit le roi en souriant, c'est un bruit.

— Assez rare à la cour, sire, pour qu'il soit cru quand on le répand.

— Vous avez peut-être raison, mon cher... Et de bonne naissance ?

— Excellente ; fille du marquis de La Vallière et belle-fille de cet excellent M. de Saint-Remy.

— Ah ! oui, le majordome de ma tante... Je me rappelle cela, et je me souviens maintenant : je l'ai vue en passant à Blois. Elle a été présentée aux reines. J'ai même à me reprocher, à cette époque, de n'avoir pas fait à elle toute l'attention qu'elle méritait.

— Oh ! sire, je m'en rapporte à Votre Majesté pour réparer le temps perdu.

— Et le bruit serait donc, dites-vous, que Mlle de La Vallière n'aurait pas d'amant ?

— En tout cas, je ne crois pas que Votre Majesté s'effrayât beaucoup de la rivalité.

— Attends donc, s'écria tout à coup le roi avec un accent des plus sérieux.

— Plaît-il, sire ?

— Je me souviens.

— Ah !

— Si elle n'a pas d'amant, elle a un fiancé.

— Un fiancé !

— Comment ! tu ne sais pas cela, comte ?

— Non.

— Toi, l'homme aux nouvelles.

— Votre Majesté m'excusera. Et le roi connaît ce fiancé ?

— Pardieu ! son père est venu me demander de signer au contrat : c'est...

Le roi allait sans doute prononcer le nom du vicomte de Bragelonne, quand il s'arrêta en fronçant le sourcil.

— C'est ?... répéta Saint-Aignan.

— Je ne me rappelle plus, répondit Louis XIV, essayant de cacher une émotion qu'il dissimulait avec peine.

— Puis-je mettre Votre Majesté sur la voie ? demanda le comte de Saint-Aignan.

— Non ; car je ne sais plus moi-même de qui je voulais parler, non, en vérité ; je me rappelle bien vaguement qu'une des filles d'honneur devait épouser... mais le nom m'échappe.

— Était-ce Mlle de Tonnay-Charente qu'il devait épouser ? demanda Saint-Aignan.

— Peut-être, fit le roi.

— Alors le futur était de M. de Montespan ; mais Mlle de Tonnay-Charente n'en a point parlé, ce me semble, de manière à effrayer les prétentions.

— Enfin, dit le roi, je ne sais rien, ou presque rien, sur Mlle de La Vallière. Saint-Aignan, je te charge d'avoir des renseignements sur elle.

— Oui, sire, et quand aurai-je l'honneur de revoir Votre Majesté pour les lui fournir ?

— Quand tu les auras.

— Je les aurai vite, si les renseignements vont aussi vite que mon désir de revoir le roi.

— Bien parlé ! A propos, est-ce que Madame a témoigné quelque chose contre cette pauvre fille ?

— Rien, sire.

— Madame ne s'est point fâchée ?

— Je ne sais ; seulement, elle a toujours ri.

— Très bien ; mais j'entends du bruit dans les antichambres, ce me semble ; on me vient sans doute annoncer quelque courrier.

— En effet, sire.

— Informe-toi, Saint-Aignan.

Le comte courut à la porte et échangea quelques mots avec l'huissier.

— Sire, dit-il en revenant, c'est M. Fouquet qui arrive à l'instant même sur un ordre du roi à ce qu'il dit. Il s'est présenté, mais l'heure avancée fait qu'il n'insiste pas même pour avoir audience ce soir ; il se contente de constater sa présence.

— M. Fouquet ! Je lui ai écrit à trois heures en l'invitant à être à Fontainebleau le lendemain matin ; il arrive à Fontainebleau à deux heures, c'est du zèle ! s'écria le roi radieux de se voir si bien obéi. Eh bien ! au contraire, M. Fouquet aura son audience. Je l'ai mandé, je le recevrai. Qu'on l'introduise. Toi, comte, aux recherches, et à demain !

Le roi mit un doigt sur ses lèvres, et Saint-Aignan s'esquiva la joie dans le cœur, en donnant l'ordre à l'huissier d'introduire M. Fouquet.

Fouquet fit alors son entrée dans la chambre royale. Louis XIV se leva pour le recevoir.

— Bonsoir, monsieur Fouquet, dit-il avec un aimable sourire. Je vous félicite de votre ponctualité ; mon message a dû vous arriver tard cependant ?

— A neuf heures du soir, sire.

— Vous avez beaucoup travaillé ces jours-ci, monsieur Fouquet, car on m'a assuré que vous n'aviez pas quitté votre cabinet de Saint-Mandé depuis trois ou quatre jours.

— Je me suis, en effet, enfermé trois jours, sire, répliqua Fouquet en s'inclinant.

— Savez-vous, monsieur Fouquet, que j'avais beaucoup de choses à vous dire ? continua le roi de son air le plus gracieux.

— Votre Majesté me comble, et, puisqu'elle est si bonne pour moi, me permet-elle de lui rappeler une promesse d'audience qu'elle m'avait faite ?

— Ah ! oui, quelqu'un d'Église qui croit avoir à me remercier, n'est-ce pas ?

— Justement, sire. L'heure est peut-être mal choisie, mais le temps de celui que j'amène est précieux, et comme Fontainebleau est sur la route de son diocèse...

— Qui donc déjà ?

— Le dernier évêque de Vannes, que Votre Majesté, à ma recommandation, a daigné investir il y a trois mois.

— C'est possible, dit le roi, qui avait signé sans lire, et il est là ?

— Oui, sire ; Vannes est un diocèse important : les ouailles de ce pasteur ont besoin de sa parole divine ; ce sont des sauvages qu'il importe de toujours polir en les instruisant, et M. d'Herblay n'a pas son égal pour ces sortes de missions.

— M. d'Herblay ! dit le roi en cherchant au fond de ses souvenirs, comme si ce nom, entendu depuis longtemps, ne lui était cependant pas inconnu.

— Oh ! fit vivement Fouquet, Votre Majesté ne connaît pas ce nom obscur d'un de ses plus fidèles et de ses plus précieux serviteurs ?

— Non, je l'avoue... Et il veut repartir ?

— C'est-à-dire qu'il a reçu aujourd'hui des lettres qui nécessiteront peut-être son départ ; de sorte qu'avant de se remettre en route pour le pays perdu qu'on appelle la Bretagne, il désirerait présenter ses respects à Votre Majesté.

— Et il attend ?

— Il est là, sire.

— Faites-le entrer.

Fouquet fit un signe à l'huissier, qui attendait derrière la tapisserie.

La porte s'ouvrit, Aramis entra.

Le roi lui laissa dire son compliment, et attacha un long regard sur cette physionomie que nul ne pouvait oublier après l'avoir vue.

— Vannes ! dit-il : vous êtes évêque de Vannes, monsieur ?

— Oui, sire.

— Vannes est en Bretagne ?

Aramis s'inclina.

— Près de la mer ?

Aramis s'inclina encore.

— A quelques lieues de Belle-Ile ?

— Oui, sire, répondit Aramis ; à six lieues, je crois.

— Six lieues, c'est un pas, fit Louis XIV.

— Non pas pour nous autres, pauvres Bretons, sire, dit Aramis ; six lieues, au contraire, c'est une distance, si ce sont six lieues de terre ; si ce sont six lieues de mer, c'est une immensité. Or, j'ai eu l'honneur de le dire au roi, on compte six lieues de mer de la rivière à Belle-Ile.

— On dit que M. Fouquet a là une fort belle maison ? demanda le roi.

— Oui, on le dit, répondit Aramis en regardant tranquillement Fouquet.

— Comment, on le dit ? s'écria le roi.

— Oui, sire.

— En vérité, monsieur Fouquet, une chose m'étonne, je vous l'avoue.

— Laquelle ?

— Comment, vous avez à la tête de vos paroisses un homme tel que M. d'Herblay, et vous ne lui avez pas montré Belle-Ile ?

— Oh ! sire, répliqua l'évêque sans donner à Fouquet le temps de répondre, nous autres, pauvres prélats bretons, nous pratiquons la résidence.

— Monsieur de Vannes, dit le roi, je punirai M. Fouquet de son insouciance.

— Et comment cela, sire ?

— Je vous changerai.

Fouquet se mordit la lèvre. Aramis sourit.

— Combien rapporte Vannes ? continua le roi.

— Six mille livres, sire, dit Aramis.

— Ah ! mon Dieu ! si peu de chose ! Mais vous avez du bien, monsieur de Vannes ?

— Je n'ai rien, sire ; seulement, M. Fouquet me compte douze cents livres par an pour son banc d'œuvre.

— Allons, allons, monsieur d'Herblay, je vous promets mieux que cela.

— Sire...

— Je songerai à vous.

Aramis s'inclina.

De son côté, le roi le salua presque respectueusement, comme c'était, au reste, son habitude de faire avec les femmes et avec les gens d'Église.

Aramis comprit que son audience était finie ; il prit congé par une phrase des plus simples, par une véritable phrase de pasteur campagnard, et disparut.

— Voilà une remarquable figure, dit le roi en le suivant des yeux aussi longtemps qu'il put le voir, et même en quelque sorte lorsqu'il ne le voyait plus.

— Sire, répondit Fouquet, si cet évêque avait l'instruction première, nul prélat en ce royaume ne mériterait comme lui les premières distinctions.

— Il n'est pas savant ?

— Il a changé l'épée pour la chasuble, et cela un peu tard. Mais n'importe, si Votre Majesté me permet de lui reparler de M. de Vannes en temps et lieu...

— Je vous en prie. Mais, avant de parler de lui, parlons de vous, monsieur Fouquet.

— De moi, sire ?

— Oui, j'ai mille compliments à vous faire.

— Je ne saurais, en vérité, exprimer à Votre Majesté la joie dont elle me comble.

— Oui, monsieur Fouquet, je comprends. Oui, j'ai eu contre vous des préventions.

— Alors j'étais bien malheureux, sire.

— Mais elles sont passées. Ne vous êtes-vous pas aperçu ?...

— Si fait, sire ; mais j'attendais avec résignation le jour de la vérité. Il paraît que ce jour est venu ?

— Ah ! vous saviez être en ma disgrâce ?

— Hélas ! oui, sire.

— Et savez-vous pourquoi ?

— Parfaitement ; le roi me croyait un dilapidateur.

— Oh ! non.

— Ou plutôt un administrateur médiocre. Enfin, Votre Majesté croyait que, les peuples n'ayant pas d'argent, le roi n'en aurait pas non plus.

— Oui, je l'ai cru ; mais je suis détrompé.

— Et pas de rébellions, pas de plaintes ?

— Et de l'argent, dit Fouquet.

— Le fait est que vous m'en avez prodigué le mois dernier.

— J'en ai encore, non seulement pour tous les besoins, mais pour tous les caprices de Votre Majesté.

— Dieu merci ! monsieur Fouquet, répliqua le roi sérieusement, je ne vous mettrai point à l'épreuve. D'ici à deux mois, je ne veux rien vous demander.

— J'en profiterai pour amasser au roi cinq ou six millions qui lui serviront de premiers fonds en cas de guerre.

— Cinq ou six millions !

— Pour sa maison seulement, bien entendu.

— Vous croyez donc à la guerre, monsieur Fouquet ?

— Je crois que, si Dieu a donné à l'aigle un bec et des serres, c'est pour qu'il s'en serve à montrer sa royauté.

Le roi rougit de plaisir.

— Nous avons beaucoup dépensé tous ces jours-ci, monsieur Fouquet ; ne me gronderez-vous pas ?

— Sire, Votre Majesté a encore vingt ans de jeunesse et un milliard à dépenser pendant ces vingt ans.

— Un milliard ! c'est beaucoup, monsieur Fouquet, dit le roi.

— J'économiserai, sire... D'ailleurs, Votre Majesté a en M. Colbert et en moi deux hommes précieux. L'un lui fera dépenser son argent, et ce sera moi, si toutefois mon service agrée toujours à Sa Majesté ; l'autre le lui économisera, et ce sera M. Colbert.

— M. Colbert ? reprit le roi étonné.

— Sans doute, sire ; M. Colbert compte parfaitement bien.

A cet éloge fait de l'ennemi par l'ennemi lui-même, le roi se sentit pénétré de confiance et d'admiration.

C'est qu'en effet il n'y avait ni dans la voix ni dans le regard de Fouquet rien qui détruisît une lettre des paroles qu'il avait prononcées ; il ne faisait point un éloge pour avoir le droit de placer deux reproches.

Le roi comprit, et, rendant les armes à tant de générosité et d'esprit :

— Vous louez M. Colbert ? dit-il.

— Oui, sire, je le loue ; car, outre que c'est un homme de mérite, je le crois très dévoué aux intérêts de Votre Majesté.

— Est-ce parce que souvent il a heurté vos vues ? dit le roi en souriant.

— Précisément, sire.

— Expliquez-moi cela ?

— C'est bien simple. Moi, je suis l'homme qu'il faut pour faire entrer l'argent, lui l'homme qu'il faut pour l'empêcher de sortir.

— Allons, allons, monsieur le surintendant, que diable ! vous me direz bien quelque chose qui corrige toute cette bonne opinion ?

— Administrativement, sire ?

— Oui.

— Pas le moins du monde, sire.

— Vraiment ?

— Sur l'honneur, je ne connais pas en France un meilleur commis que M. Colbert.

Ce mot commis n'avait pas, en 1661, la signification un peu subalterne qu'on lui donne aujourd'hui ; mais, en passant par la bouche de Fouquet que le roi venait d'appeler M. le surintendant, il prit quelque chose d'humble et de petit qui mettait admirablement Fouquet à sa place et Colbert à la sienne.

— Eh bien ! dit Louis XIV, c'est cependant lui qui, tout économe qu'il est, a ordonné mes fêtes de Fontainebleau ; et je vous assure, monsieur Fouquet, qu'il n'a pas du tout empêché mon argent de sortir.

Fouquet s'inclina, mais sans répondre.

— N'est-ce pas votre avis ? dit le roi.

— Je trouve, sire, répondit-il, que M. Colbert a fait les choses avec infiniment d'ordre, et mérite, sous ce rapport, toutes les louanges de Votre Majesté.

Ce mot *ordre* fit le pendant du mot *commis*.

Nulle organisation, plus que celle du roi, n'avait cette vive sensibilité, cette finesse de tact qui perçoit et saisit l'ordre des sensations avant les sensations mêmes.

Louis XIV comprit donc que le commis avait eu pour Fouquet trop d'ordre, c'est-à-dire que les fêtes si splendides de Fontainebleau eussent pu être plus splendides encore.

Le roi sentit, en conséquence, que quelqu'un pouvait reprocher quelque chose à ses divertissements ; il éprouva un peu de dépit de ce provincial qui, paré des plus sublimes habits de sa garde-robe, arrive à Paris, où l'homme élégant le regarde trop ou trop peu.

Cette partie de la conversation, si sobre, mais si fine de Fouquet, donna encore au roi plus d'estime pour le caractère de l'homme et la capacité du ministre.

Fouquet prit congé à deux heures du matin, et le roi se mit au lit un peu inquiet, un peu confus de la leçon voilée qu'il venait de recevoir ; et deux bons quarts d'heure furent employés par lui à se remémorer les broderies, les tapisseries, les menus des collations, les architectures des arcs de triomphe, les dispositions d'illuminations et d'artifices imaginés par l'ordre du commis Colbert.

Il résulta que le roi, repassant sur tout ce qui s'était passé depuis huit jours, trouva quelques taches à ses fêtes.

Mais Fouquet, par sa politesse, par sa bonne grâce et par sa générosité, venait d'entamer Colbert plus profondément que celui-ci, avec sa fourbe, sa méchanceté, sa persévérante haine, n'avait jamais réussi à entamer Fouquet.

CXXII

FONTAINEBLEAU A DEUX HEURES DU MATIN

Comme nous l'avons vu, de Saint-Aignan avait quitté la chambre du roi au moment où le surintendant y faisait son entrée.

De Saint-Aignan était chargé d'une mission pressée ; c'est dire que de Saint-Aignan allait faire tout son possible pour tirer bon parti de son temps.

C'était un homme rare que celui que nous avons introduit comme l'ami du roi ; un de ces courtisans précieux dont la vigilance et la netteté d'intention faisaient dès cette époque ombrage à tout favori passé ou futur, et balançait par son exactitude la servilité de Dangeau.

Aussi Dangeau n'était-il pas le favori, c'était le complaisant du roi.

De Saint-Aignan s'orienta donc.

Il pensa que les premiers renseignements qu'il avait à recevoir lui devaient venir de de Guiche.

Il courut donc après de Guiche.

De Guiche, que nous avons vu disparaître à l'aile du château et qui avait tout l'air de rentrer chez lui, de Guiche n'était pas rentré.

De Saint-Aignan se mit en quête de de Guiche.

Après avoir bien tourné, viré, cherché, de Saint-Aignan aperçut quelque chose comme une forme humaine appuyée à un arbre.

Cette forme avait l'immobilité d'une statue et paraissait fort occupée à regarder une fenêtre, quoique les rideaux de cette fenêtre fussent hermétiquement fermés.

Comme cette fenêtre était celle de Madame, de Saint-Aignan pensa que cette forme devait être celle de de Guiche.

Il s'approcha doucement et vit qu'il ne se trompait point.

De Guiche avait emporté de son entretien avec Madame une telle charge de bonheur, que toute sa force d'âme ne pouvait suffire à la porter.

De son côté, de Saint-Aignan savait que de Guiche avait été pour quelque chose dans l'introduction de La Vallière chez Madame ; un courtisan sait tout et se souvient de tout. Seulement, il avait toujours ignoré à quel titre et à quelles conditions de Guiche avait accordé sa protection à La Vallière. Mais comme, en questionnant beaucoup, il est rare que l'on n'apprenne point un peu, de Saint-Aignan comptait apprendre peu ou prou en questionnant de Guiche avec toute la délicatesse et en même temps avec toute l'insistance dont il était capable.

Le plan de Saint-Aignan était celui-ci :

Si les renseignements étaient bons, dire avec effusion au roi qu'il avait mis la main sur une perle, et réclamer le privilège d'enchâsser cette perle dans la couronne royale.

Si les renseignements étaient mauvais, chose possible après tout, examiner à quel point le roi tenait à La Vallière, et diriger le compte rendu de façon à expulser la petite fille pour se faire un mérite de cette expulsion près de toutes les femmes qui pouvaient avoir des prétentions sur le cœur du roi, à commencer par Madame et à finir par la reine.

Au cas où le roi se montrerait tenace dans son désir, dissimuler les mauvaises notes ; faire savoir à La Vallière que ces mauvaises notes, sans aucune exception, habitent un tiroir secret de la mémoire du confident ; étaler ainsi de la générosité aux yeux de la malheureuse fille, et la tenir perpétuellement suspendue par la reconnaissance et la crainte de manière à s'en faire une amie de cour, intéressée comme une complice à faire la fortune de son complice tout en faisant sa propre fortune.

Quant au jour où la bombe du passé éclaterait, en supposant que cette bombe éclatât jamais, de Saint-Aignan se promettait bien d'avoir pris toutes les précautions et de faire l'ignorant près du roi.

Auprès de La Vallière, il aurait encore ce jour-là même un superbe rôle de générosité.

C'est avec toutes ces idées, écloses en une demi-heure au feu de la convoitise, que de Saint-Aignan, le meilleur fils du monde, comme eût dit La Fontaine[1], s'en allait avec l'intention bien arrêtée de faire parler de Guiche, c'est-à-dire de le troubler dans son bonheur qu'au reste de Saint-Aignan ignorait.

Il était une heure du matin quand de Saint-Aignan aperçut de Guiche debout, immobile, appuyé au tronc d'un arbre, et les yeux cloués sur cette fenêtre lumineuse.

Une heure du matin : c'est-à-dire l'heure la plus douce de la nuit, celle que les peintres couronnent de myrtes et de pavots naissants, l'heure aux yeux battus, au cœur palpitant, à la tête alourdie, qui jette sur le

1. Le vers : « Au demeurant, le meilleur fils du monde » est de Marot, *Espitres*, XXIII, « Au roi, pour avoir esté derobé ».

jour écoulé un regard de regret, qui adresse un salut amoureux au jour nouveau.

Pour de Guiche, c'était l'aurore d'un ineffable bonheur : il eût donné un trésor au mendiant dressé sur son chemin pour obtenir qu'il ne le dérangeât point en ses rêves.

Ce fut justement à cette heure que Saint-Aignan, mal conseillé, l'égoïsme conseille toujours mal, vint lui frapper sur l'épaule au moment où il murmurait un mot ou plutôt un nom.

— Ah ! s'écria-t-il lourdement, je vous cherchais.

— Moi ? dit de Guiche tressaillant.

— Oui, et je vous trouve rêvant à la lune. Seriez-vous atteint, par hasard, du mal de poésie, mon cher comte, et feriez-vous des vers ?

Le jeune homme força sa physionomie à sourire, tandis que mille et mille contradictions grondaient contre Saint-Aignan au plus profond de son cœur.

— Peut-être, dit-il. Mais quel heureux hasard ?

— Ah ! voilà qui me prouve que vous m'avez mal entendu.

— Comment cela ?

— Oui, j'ai débuté par vous dire que je vous cherchais.

— Vous me cherchiez ?

— Oui, et je vous y prends.

— A quoi, je vous prie ?

— Mais à chanter Philis[1].

— C'est vrai, je n'en disconviens pas, dit de Guiche en riant ; oui, mon cher comte, je chante Philis.

— Cela vous est acquis.

— A moi ?

— Sans doute, à vous. A vous, l'intrépide protecteur de toute femme belle et spirituelle.

— Que diable me venez-vous conter là.

— Des vérités reconnues, je le sais bien. Mais attendez, je suis amoureux.

— Vous ?

— Oui.

— Tant mieux, cher comte. Venez et contez-moi cela.

Et de Guiche, craignant un peu tard peut-être que Saint-Aignan ne remarquât cette fenêtre éclairée, prit le bras du comte et essaya de l'entraîner.

— Oh ! dit celui-ci en résistant, ne me menez point du côté de ces bois noirs, il fait trop humide par là. Restons à la lune, voulez-vous ?

---

1. Prénom de bergère dans la convention de la pastorale et la comédie galante, comme *La Princesse d'Élide* de Molière, dans laquelle Philis est la suivante de la princesse. Phyllis est une bergère de Virgile, *Bucoliques*, chant III, vers 48.

Et, tout en cédant à la pression du bras de de Guiche, il demeura dans les parterres qui avoisinaient le château.

— Voyons, dit de Guiche résigné, conduisez-moi où il vous plaira, et demandez-moi ce qui vous est agréable.

— On n'est pas plus charmant.

Puis, après une seconde de silence :

— Cher comte, continua de Saint-Aignan, je voudrais que vous me disiez deux mots sur une certaine personne que vous avez protégée.

— Et que vous aimez ?

— Je ne dis ni oui ni non, très cher... Vous comprenez qu'on ne place pas ainsi son cœur à fonds perdu, et qu'il faut bien prendre à l'avance ses sûretés.

— Vous avez raison, dit de Guiche avec un soupir ; c'est précieux, un cœur.

— Le mien surtout, il est tendre, et je vous le donne comme tel.

— Oh ! vous êtes connu, comte. Après ?

— Voici. Il s'agit tout simplement de Mlle de Tonnay-Charente.

— Ah çà ! mon cher Saint-Aignan, vous devenez fou, je présume !

— Pourquoi cela ?

— Je n'ai jamais protégé Mlle de Tonnay-Charente, moi !

— Bah !

— Jamais !

— Ce n'est pas vous qui avez fait entrer Mlle de Tonnay-Charente chez Madame ?

— Mlle de Tonnay-Charente, et vous devez savoir cela mieux que personne, mon cher comte, est d'assez bonne maison pour qu'on la désire, à plus forte raison pour qu'on l'admette.

— Vous me raillez.

— Non, sur l'honneur, je ne sais ce que vous voulez dire.

— Ainsi, vous n'êtes pour rien dans son admission ?

— Non.

— Vous ne la connaissez pas ?

— Je l'ai vue pour la première fois le jour de sa présentation à Madame. Ainsi, comme je ne l'ai pas protégée, comme je ne la connais pas, je ne saurais vous donner sur elle, mon cher comte, les éclaircissements que vous désirez.

Et de Guiche fit un mouvement pour quitter son interlocuteur.

— Là ! là ! dit Saint-Aignan, un instant, mon cher comte ; vous ne m'échapperez point ainsi.

— Pardon, mais il me semblait qu'il était l'heure de rentrer chez soi.

— Vous ne rentriez pas cependant, quand je vous ai, non pas rencontré, mais trouvé.

— Aussi, mon cher comte, du moment où vous avez encore quelque chose à me dire, je me mets à votre disposition.

— Et vous faites bien, pardieu ! Une demi-heure de plus ou de moins, vos dentelles n'en seront ni plus ni moins fripées. Jurez-moi que vous n'aviez pas de mauvais rapports à me faire sur son compte, et que ces mauvais rapports que vous eussiez pu me faire ne sont point la cause de votre silence.

— Oh ! la chère enfant, je la crois pure comme un cristal.

— Vous me comblez de joie. Cependant, je ne veux pas avoir l'air près de vous d'un homme si mal renseigné que je parais. Il est certain que vous avez fourni la maison de la princesse de dames d'honneur. On a même fait une chanson sur cette fourniture.

— Vous savez, mon cher ami, que l'on fait des chansons sur tout.

— Vous la connaissez ?

— Non ; mais chantez-la-moi, je ferai sa connaissance.

— Je ne saurais vous dire comment elle commence, mais je me rappelle comment elle finit.

— Bon ! c'est déjà quelque chose.

Des demoiselles d'honneur,
Guiche est nommé fournisseur.

— L'idée est faible et la rime pauvre.

— Ah ! que voulez-vous, mon cher, ce n'est ni de Racine ni de Molière, c'est de La Feuillade, et un grand seigneur ne peut pas rimer comme un croquant.

— C'est fâcheux, en vérité, que vous ne vous souveniez que de la fin.

— Attendez, attendez, voilà le commencement du second couplet qui me revient.

— J'écoute.

Il a rempli la volière,
Montalais et...

— Pardieu ! et La Vallière ! s'écria de Guiche impatienté et surtout ignorant complètement où Saint-Aignan en voulait venir.

— Oui, oui, c'est cela, La Vallière. Vous avez trouvé la rime, mon cher.

— Belle trouvaille, ma foi !

— Montalais et La Vallière, c'est cela. Ce sont ces deux petites filles que vous avez protégées.

Et Saint-Aignan se mit à rire.

— Donc, vous ne trouvez pas dans la chanson Mlle de Tonnay-Charente ? dit de Guiche.

— Non, ma foi !

— Vous êtes satisfait, alors ?

— Sans doute ; mais j'y trouve Montalais, dit Saint-Aignan en riant toujours.

— Oh ! vous la trouverez partout. C'est une demoiselle fort remuante.

— Vous la connaissez ?

— Par intermédiaire. Elle était protégée par un certain Malicorne que protège Manicamp ; Manicamp m'a fait demander un poste de demoiselle d'honneur pour Montalais dans la maison de Madame, et une place d'officier pour Malicorne dans la maison de Monsieur. J'ai demandé ; vous savez bien que j'ai un faible pour ce drôle de Manicamp.

— Et vous avez obtenu ?

— Pour Montalais, oui ; pour Malicorne, oui et non, il n'est encore que toléré. Est-ce tout ce que vous vouliez savoir ?

— Reste la rime.

— Quelle rime ?

— La rime que vous avez trouvée.

— La Vallière ?

— Oui.

Et de Saint-Aignan reprit son air qui agaçait tant de Guiche.

— Eh bien ! dit ce dernier, je l'ai fait entrer chez Madame, c'est vrai.

— Ah ! ah ! ah ! fit de Saint-Aignan.

— Mais, continua de Guiche de son air le plus froid, vous me ferez très heureux, cher comte, si vous ne plaisantez point sur ce nom. Mlle La Baume Le Blanc de La Vallière est une personne parfaitement sage.

— Parfaitement sage ?

— Oui.

— Mais vous ne savez donc pas le nouveau bruit ? s'écria Saint-Aignan.

— Non, et même vous me rendrez service, mon cher comte, en gardant ce bruit pour vous et pour ceux qui le font courir.

— Ah ! bah, vous prenez la chose si sérieusement ?

— Oui ; Mlle de La Vallière est aimée par un de mes bons amis.

Saint-Aignan tressaillit.

— Oh ! oh ! fit-il.

— Oui, comte, continua de Guiche. Par conséquent, vous comprenez, vous l'homme le plus poli de France, je ne puis laisser faire à mon ami une position ridicule.

— Oh ! à merveille.

Et Saint-Aignan se rongeait les doigts, moitié dépit, moitié curiosité déçue.

De Guiche lui fit un beau salut.

— Vous me chassez, dit Saint-Aignan qui mourait d'envie de savoir le nom de l'ami.

— Je ne vous chasse point, très cher... J'achève mes vers à Philis.

— Et ces vers ?...

— Sont un quatrain. Vous comprenez, n'est-ce pas ? un quatrain, c'est sacré.

— Ma foi ! oui.

— Et comme, sur quatre vers dont il doit naturellement se composer, il me reste encore trois vers et un hémistiche à faire, j'ai besoin de toute ma tête.

— Cela se comprend. Adieu, comte !

— Adieu !

— A propos...

— Quoi ?

— Avez-vous de la facilité ?

— Énormément.

— Aurez-vous bien fini vos trois vers et demi demain matin ?

— Je l'espère.

— Eh bien ! à demain.

— A demain ; adieu !

Force était à Saint-Aignan d'accepter le congé ; il l'accepta et disparut derrière la charmille.

La conversation avait entraîné de Guiche et Saint-Aignan assez loin du château.

Tout mathématicien, tout poète et tout rêveur a ses distractions ; Saint-Aignan se trouvait donc, quand le quitta de Guiche, aux limites du quinconce, à l'endroit où les communes commencent et où, derrière de grands bouquets d'acacias et de marronniers croisant leurs grappes sous des monceaux de clématite et de vigne vierge, s'élève le mur de séparation entre les bois et la cour des communs.

Saint-Aignan, laissé seul, prit le chemin de ces bâtiments ; de Guiche tourna en sens inverse. L'un revenait donc vers les parterres, tandis que l'autre allait aux murs.

Saint-Aignan marchait sous une impénétrable voûte de sorbiers, de lilas et d'aubépines gigantesques, les pieds sur un sable mou, enfoui dans l'ombre.

Il ruminait une revanche qui lui paraissait difficile à prendre, tout déferré, comme eût dit Tallemant des Réaux[1], de n'en avoir pas appris davantage sur La Vallière, malgré l'ingénieuse tactique qu'il avait employée pour arriver jusqu'à elle.

Tout à coup un gazouillement de voix humaines parvint à son oreille. C'était comme des chuchotements, comme des plaintes féminines mêlées d'interpellations ; c'étaient de petits rires, des soupirs, des cris de surprise étouffés ; mais, par-dessus tout, la voix féminine dominait.

Saint-Aignan s'arrêta pour s'orienter ; il reconnut avec la plus vive surprise que les voix venaient, non pas de la terre, mais du sommet des arbres.

Il leva la tête en se glissant sous l'allée, et aperçut à la crête du mur

1. Voir ci-dessus, chap. LXXVIII, p. 489, note 1.

une femme juchée sur une grande échelle, en grande communication de gestes et de paroles avec un homme perché sur un arbre, et dont on ne voyait que la tête, perdu qu'était le corps dans l'ombre d'un marronnier.

La femme était en deçà du mur ; l'homme au-delà.

CXXIII

LE LABYRINTHE

De Saint-Aignan ne cherchait que des renseignements et trouvait une aventure. C'était du bonheur.

Curieux de savoir pourquoi et surtout de quoi cet homme et cette femme causaient à une pareille heure et dans une si singulière situation, de Saint-Aignan se fit tout petit et arriva presque sous les bâtons de l'échelle.

Alors, prenant ses mesures pour être le plus confortablement possible, il s'appuya contre un arbre et écouta.

Il entendit le dialogue suivant.

C'était la femme qui parlait.

— En vérité, monsieur Manicamp, disait-elle d'une voix qui, au milieu des reproches qu'elle articulait, conservait un singulier accent de coquetterie, en vérité, vous êtes de la plus dangereuse indiscrétion. Nous ne pouvons causer longtemps ainsi sans être surpris.

— C'est très probable, interrompit l'homme du ton le plus calme et le plus flegmatique.

— Eh bien ! alors, que dira-t-on ? Oh ! si quelqu'un me voyait, je vous déclare que j'en mourrais de honte.

— Oh ! ce serait un grand enfantillage et dont je vous crois incapable.

— Passe encore s'il y avait quelque chose entre nous ; mais se faire tort gratuitement, en vérité, je suis bien sotte. Adieu, monsieur de Manicamp !

« Bon ! je connais l'homme ; à présent, je vais voir la femme » se dit de Saint-Aignan guettant aux bâtons de l'échelle l'extrémité de deux jambes élégamment chaussées dans des souliers de satin bleu de ciel et dans des bas couleur de chair.

— Oh ! voyons, voyons ; par grâce, ma chère Montalais, s'écria de Manicamp, ne fuyez pas, que diable ! j'ai encore des choses de la plus haute importance à vous dire.

« Montalais ! pensa tout bas de Saint-Aignan ; et de trois ! Les trois commères ont chacune leur aventure ; seulement il m'avait semblé que l'aventure de celle-ci s'appelait M. Malicorne et non de Manicamp. »

A cet appel de son interlocuteur, Montalais s'arrêta au milieu de sa descente.

On vit alors l'infortuné de Manicamp grimper d'un étage dans son marronnier, soit pour s'avantager, soit pour combattre la lassitude de sa mauvaise position.

— Voyons, dit-il, écoutez-moi ; vous savez bien, je l'espère, que je n'ai aucun mauvais dessein.

— Sans doute... Mais, enfin, pourquoi cette lettre que vous m'écrivez, en stimulant ma reconnaissance ? Pourquoi ce rendez-vous que vous me demandez à une pareille heure et dans un pareil lieu ?

— J'ai stimulé votre reconnaissance en vous rappelant que c'était moi qui vous avais fait entrer chez Madame, parce que, désirant vivement l'entrevue que vous avez bien voulu m'accorder ; j'ai employé, pour l'obtenir, le moyen le plus sûr. Pourquoi je vous l'ai demandée à pareille heure et dans un pareil lieu ? C'est que l'heure m'a paru discrète et le lieu solitaire. Or, j'avais à vous demander de ces choses qui réclament à la fois la discrétion et la solitude.

— Monsieur de Manicamp !

— En tout bien tout honneur, chère demoiselle.

— Monsieur de Manicamp, je crois qu'il serait plus convenable que je me retirasse.

— Écoutez-moi ou je saute de mon nid dans le vôtre, et prenez garde de me défier, car il y a juste, en ce moment, une branche de marronnier qui m'est gênante et qui me provoque à des excès. N'imitez pas cette branche et écoutez-moi.

— Je vous écoute, j'y consens ; mais soyez bref, car, si vous avez une branche qui vous provoque, j'ai, moi, un échelon triangulaire qui s'introduit dans la plante de mes pieds. Mes souliers sont minés, je vous en préviens.

— Faites-moi l'amitié de me donner la main, mademoiselle.

— Et pourquoi ?

— Donnez toujours.

— Voici ma main ; mais que faites-vous donc ?

— Je vous tire à moi.

— Dans quel but ? Vous ne voulez pas que j'aille vous rejoindre dans votre arbre, j'espère ?

— Non ; mais je désire que vous vous asseyiez sur le mur ; là, bien ! la place est large et belle et je donnerais beaucoup pour que vous me permissiez de m'y asseoir à côté de vous.

— Non pas ! vous êtes bien où vous êtes ; on vous verrait.

— Croyez-vous ? demanda Manicamp d'une voix insinuante.

— J'en suis sûre.

— Soit ! je reste sur mon marronnier, quoique j'y sois on ne peut plus mal.

— Monsieur Manicamp ! monsieur Manicamp ! nous nous éloignons du fait.

— C'est juste.

— Vous m'avez écrit ?

— Très bien.

— Mais pourquoi m'avez-vous écrit ?

— Imaginez-vous qu'aujourd'hui, à deux heures, de Guiche est parti.

— Après ?

— Le voyant partir, je l'ai suivi, comme c'est mon habitude.

— Je le vois bien, puisque vous voilà.

— Attendez donc... Vous savez, n'est-ce pas, que ce pauvre de Guiche était jusqu'au cou dans la disgrâce ?

— Hélas ! oui.

— C'était donc le comble de l'imprudence à lui de venir trouver à Fontainebleau ceux qui l'avaient exilé à Paris, et surtout ceux dont on l'éloignait.

— Vous raisonnez comme feu Pythagore, monsieur Manicamp.

— Or, de Guiche est têtu comme un amoureux ; il n'écouta donc aucune de mes remontrances. Je le priai, je le suppliai, il ne voulut rien entendre à rien... Ah ! diable !

— Qu'avez-vous ?

— Pardon, mademoiselle, mais c'est cette maudite branche dont j'ai déjà eu l'honneur de vous entretenir et qui vient de déchirer mon haut-de-chausses.

— Il fait nuit, répliqua Montalais en riant : continuons, monsieur Manicamp.

— De Guiche partit donc à cheval tout courant, et moi, je le suivis, mais au pas. Vous comprenez, s'aller jeter à l'eau avec un ami aussi vite qu'il y va lui-même, c'est d'un sot ou d'un insensé. Je laissai donc de Guiche prendre les devants et cheminai avec une sage lenteur, persuadé que j'étais que le malheureux ne serait pas reçu, ou, s'il l'était, tournerait bride au premier coup de boutoir, et que je le verrais revenir encore plus vite qu'il n'était allé, sans avoir été plus loin, moi, que Ris ou Melun[1], et c'était déjà trop, vous en conviendrez, que onze lieues pour aller et autant pour revenir.

Montalais haussa les épaules.

— Riez tant qu'il vous plaira, mademoiselle ; mais si, au lieu d'être carrément assise sur la tablette d'un mur comme vous êtes, vous vous trouviez à cheval sur la branche que voici, vous aspireriez à descendre[2].

---

1. Melun est à 18 km de Fontainebleau ; Ris-Orangis à une trentaine de kilomètres de Melun.

2. « Et monté sur le faîte, il aspire à descendre », Corneille, *Cinna*, acte II, scène I, vers 370.

— Un peu de patience, mon cher monsieur Manicamp ! un instant est bientôt passé : vous disiez donc que vous aviez dépassé Ris et Melun.

— Oui, j'ai dépassé Ris et Melun ; j'ai continué de marcher, toujours étonné de ne point le voir revenir ; enfin, me voici à Fontainebleau, je m'informe, je m'enquiers partout de de Guiche ; personne ne l'a vu, personne ne lui a parlé dans la ville : il est arrivé au grand galop, est entré dans le château et a disparu. Depuis huit heures du soir, je suis à Fontainebleau, demandant de Guiche à tous les échos ; pas de de Guiche. Je meurs d'inquiétude ! vous comprenez que je n'ai pas été me jeter dans la gueule du loup, en entrant moi-même au château, comme a fait mon imprudent ami : je suis venu droit aux communs, et je vous ai fait parvenir une lettre. Maintenant, mademoiselle, au nom du Ciel, tirez-moi d'inquiétude.

— Ce ne sera pas difficile, mon cher monsieur Manicamp : votre ami de Guiche a été reçu admirablement.

— Bah !

— Le roi lui a fait fête.

— Le roi, qui l'avait exilé !

— Madame lui a souri ; Monsieur paraît l'aimer plus que devant !

— Ah ! ah ! fit Manicamp, cela m'explique pourquoi et comment il est resté. Et il n'a point parlé de moi ?

— Il n'en a pas dit un mot.

— C'est mal à lui. Que fait-il en ce moment ?

— Selon toute probabilité, il dort, ou, s'il ne dort pas, il rêve.

— Et qu'a-t-on fait pendant toute la soirée ?

— On a dansé.

— Le fameux ballet ? Comment a été de Guiche ?

— Superbe.

— Ce cher ami ! Maintenant, pardon, mademoiselle, mais il me reste à passer de chez moi chez vous.

— Comment cela ?

— Vous comprenez : je ne présume pas que l'on m'ouvre la porte du château à cette heure, et, quant à coucher sur cette branche, je le voudrais bien, mais je déclare la chose impossible à tout autre animal qu'un papegai.

— Mais moi, monsieur Manicamp, je ne puis pas comme cela introduire un homme par-dessus un mur ?

— Deux, mademoiselle, dit une seconde voix, mais avec un accent si timide, que l'on comprenait que son propriétaire sentait toute l'inconvenance d'une pareille demande.

— Bon Dieu ! s'écria Montalais essayant de plonger son regard jusqu'au pied du marronnier ; qui me parle ?

— Moi, mademoiselle.

— Qui vous ?

— Malicorne, votre très humble serviteur.

Et Malicorne, tout en disant ces paroles, se hissa de la tête aux premières branches, et des premières branches à la hauteur du mur.

— M. Malicorne !... Bonté divine ! mais vous êtes enragés tous deux !

— Comment vous portez-vous, mademoiselle, demanda Malicorne avec force civilités.

— Celui-là me manquait ! s'écria Montalais désespérée.

— Oh ! mademoiselle, murmura Malicorne, ne soyez pas si rude, je vous en supplie !

— Enfin, mademoiselle, dit Manicamp, nous sommes vos amis, et l'on ne peut désirer la mort de ses amis. Or, nous laisser passer la nuit où nous sommes, c'est nous condamner à mort.

— Oh ! fit Montalais, M. Malicorne est robuste, et il ne mourra pas pour une nuit passée à la belle étoile.

— Mademoiselle !

— Ce sera une juste punition de son escapade.

— Soit ! Que Malicorne s'arrange donc comme il voudra avec vous ; moi, je passe, dit Manicamp.

Et, courbant cette fameuse branche contre laquelle il avait porté des plaintes si amères, il finit, en s'aidant de ses mains et de ses pieds, par s'asseoir côte à côte de Montalais.

Montalais voulut repousser Manicamp, Manicamp chercha à se maintenir.

Ce conflit, qui dura quelques secondes, eut son côté pittoresque, côté auquel l'œil de M. de Saint-Aignan trouva certainement son compte.

Mais Manicamp l'emporta. Maître de l'échelle, il y posa le pied, puis il offrit galamment la main à son ennemie.

Pendant ce temps, Malicorne s'installait dans le marronnier, à la place qu'avait occupée Manicamp, se promettant en lui-même de lui succéder en celle qu'il occupait.

Manicamp et Montalais descendirent quelques échelons, Manicamp insistant, Montalais riant et se défendant.

On entendit alors la voix de Malicorne qui suppliait.

— Mademoiselle, disait Malicorne, ne m'abandonnez pas, je vous en supplie ! Ma position est fausse, et je ne puis sans accident parvenir seul de l'autre côté du mur ; que Manicamp déchire ses habits, très bien : il a ceux de M. de Guiche ; mais, moi, je n'aurai pas même ceux de Manicamp, puisqu'ils seront déchirés.

— M'est avis, dit Manicamp, sans s'occuper des lamentations de Malicorne, m'est avis que le mieux est que j'aille trouver de Guiche à l'instant même. Plus tard peut-être ne pourrais-je plus pénétrer chez lui.

— C'est mon avis aussi, répliqua Montalais ; allez donc, monsieur Manicamp.

— Mille grâces ! Au revoir, mademoiselle, dit Manicamp en sautant à terre, on n'est pas plus aimable que vous.

— Monsieur de Manicamp, votre servante ; je vais maintenant me débarrasser de M. Malicorne.

Malicorne poussa un soupir.

— Allez, allez, continua Montalais.

Manicamp fit quelques pas ; puis, revenant au pied de l'échelle :

— A propos, mademoiselle, dit-il, par où va-t-on chez M. de Guiche ?

— Ah ! c'est vrai... Rien de plus simple. Vous suivez la charmille...

— Oh ! très bien.

— Vous arrivez au carrefour vert.

— Bon !

— Vous y trouvez quatre allées...

— A merveille.

— Vous en prenez une...

— Laquelle ?

— Celle de droite.

— Celle de droite ?

— Non, celle de gauche.

— Ah ! diable !

— Non, non... attendez donc...

— Vous ne paraissez pas très sûre. Remémorez-vous, je vous prie, mademoiselle.

— Celle du milieu.

— Il y en a quatre.

— C'est vrai. Tout ce que je sais, c'est que, sur les quatre, il y en a une qui mène tout droit chez Madame ; celle-là, je la connais.

— Mais M. de Guiche n'est point chez Madame, n'est-ce pas ?

— Dieu merci ! non.

— Celle qui mène chez Madame m'est donc inutile, et je désirerais la troquer contre celle qui mène chez M. de Guiche.

— Oui, certainement, celle-là, je la connais aussi ; mais quant à l'indiquer ici, la chose me paraît impossible.

— Mais, enfin, mademoiselle, supposons que j'aie trouvé cette bienheureuse allée.

— Alors, vous êtes arrivé.

— Bien.

— Oui, vous n'avez plus à traverser que le labyrinthe.

— Plus que cela ? Diable ! il y a donc un labyrinthe ?

— Assez compliqué, oui ; le jour même, on s'y trompe parfois ; ce sont des tours et des détours sans fin ; il faut d'abord faire trois tours à droite, puis deux tours à gauche, puis un tour... Est-ce un tour ou deux tours ? Attendez donc ! Enfin, en sortant du labyrinthe, vous trouvez une allée de sycomores, et cette allée de sycomores vous conduit droit au pavillon qu'habite M. de Guiche.

— Mademoiselle, dit Manicamp, voilà une admirable indication, et je ne doute pas que, guidé par elle, je ne me perde à l'instant même. J'ai, en conséquence, un petit service à vous demander.

— Lequel ?

— C'est de m'offrir votre bras et de me guider vous-même comme une autre... comme une autre...[1]. Je savais cependant ma mythologie, mademoiselle ; mais la gravité des événements me l'a fait oublier. Venez donc, je vous en supplie.

— Et moi ! s'écria Malicorne, et moi, l'on m'abandonne donc !

— Eh ! monsieur, impossible !... dit Montalais à Manicamp ; on peut me voir avec vous à une pareille heure, et jugez donc ce que l'on dira.

— Vous aurez votre conscience pour vous, mademoiselle, dit sentencieusement Manicamp.

— Impossible, monsieur, impossible !

— Alors, laissez-moi aider Malicorne à descendre ; c'est un garçon très intelligent et qui a beaucoup de flair ; il me guidera, et, si nous nous perdons, nous nous perdrons à deux et nous nous sauverons l'un et l'autre. A deux, si nous sommes rencontrés, nous aurons l'air de quelque chose ; tandis que, seul, j'aurais l'air d'un amant ou d'un voleur. Venez, Malicorne, voici l'échelle.

— Monsieur Malicorne, s'écria Montalais, je vous défends de quitter votre arbre, et cela sous peine d'encourir toute ma colère.

Malicorne avait déjà allongé vers le faîte du mur une jambe qu'il retira tristement.

— Chut ! dit tout bas Manicamp.

— Qu'y a-t-il ? demanda Montalais.

— J'entends des pas.

— Oh ! mon Dieu !

En effet, les pas soupçonnés devinrent un bruit manifeste, le feuillage s'ouvrit, et de Saint-Aignan parut, l'œil riant et la main tendue, surprenant chacun dans la position où il était : c'est-à-dire Malicorne sur son arbre et le cou tendu, Montalais sur son échelon et collée à l'échelle, Manicamp à terre et le pied en avant, prêt à se mettre en route.

— Eh ! bonsoir, Manicamp, dit le comte, soyez le bienvenu, cher ami ; vous nous manquiez ce soir, et l'on vous demandait. Mademoiselle de Montalais, votre... très humble serviteur !

Montalais rougit.

— Ah ! mon Dieu ! balbutia-t-elle en cachant sa tête dans ses deux mains.

— Mademoiselle, dit de Saint-Aignan, rassurez-vous, je connais toute

1. Il s'agit d'Ariane puisque le chapitre est intitulé « Le labyrinthe ».

votre innocence et j'en rendrai bon compte. Manicamp, suivez-moi. Charmille, carrefour et labyrinthe me connaissent ; je serai votre Ariane. Hein ! voilà votre nom mythologique retrouvé.

— C'est ma foi ! vrai, comte, merci !

— Mais, par la même occasion, comte, dit Montalais, emmenez aussi M. Malicorne.

— Non pas, non pas, dit Malicorne. M. Manicamp a causé avec vous tant qu'il a voulu ; à mon tour, s'il vous plaît, mademoiselle ; j'ai, de mon côté, une multitude de choses à vous dire concernant notre avenir.

— Vous entendez, dit le comte en riant ; demeurez avec lui, mademoiselle. Ne savez-vous pas que cette nuit est la nuit aux secrets ?

Et, prenant le bras de Manicamp, le comte l'emmena d'un pas rapide dans la direction du chemin que Montalais connaissait si bien et indiquait si mal.

Montalais les suivit des yeux aussi longtemps qu'elle put les apercevoir.

CXXIV

COMMENT MALICORNE AVAIT ÉTÉ DÉLOGÉ DE L'HÔTEL DU BEAU-PAON

Pendant que Montalais suivait des yeux le comte et Manicamp, Malicorne avait profité de la distraction de la jeune fille pour se faire une position plus tolérable.

Quand elle se retourna, cette différence qui s'était faite dans la position de Malicorne frappa donc immédiatement ses yeux.

Malicorne était assis comme une manière de singe, le derrière sur le mur, les pieds sur le premier échelon.

Les pampres sauvages et les chèvrefeuilles le coiffaient comme un faune, les torsades de la vigne vierge figuraient assez bien ses pieds de bouc.

Quant à Montalais, rien ne lui manquait pour qu'on pût la prendre pour une dryade accomplie.

— Çà ! dit-elle en remontant un échelon, me rendez-vous malheureuse, me persécutez-vous assez, tyran que vous êtes !

— Moi ? fit Malicorne, moi, un tyran ?

— Oui, vous me compromettez sans cesse, monsieur Malicorne ; vous êtes un monstre de méchanceté.

— Moi ?

— Qu'aviez-vous à faire à Fontainebleau ? Dites ! est-ce que votre domicile n'est point à Orléans ?

— Ce que j'ai à faire ici, demandez-vous ? Mais j'ai affaire de vous voir.

— Ah ! la belle nécessité.

— Pas pour vous, peut-être, mademoiselle, mais bien certainement pour moi. Quant à mon domicile, vous savez bien que je l'ai abandonné, et que je n'ai plus dans l'avenir d'autre domicile que celui que vous avez vous-même. Donc, votre domicile étant pour le moment à Fontainebleau, à Fontainebleau je suis venu.

Montalais haussa les épaules.

— Vous voulez me voir, n'est-ce pas ?

— Sans doute.

— Eh bien ! vous m'avez vue, vous êtes content, partez !

— Oh ! non, fit Malicorne.

— Comment ! oh ! non ?

— Je ne suis pas venu seulement pour vous voir ; je suis venu pour causer avec vous.

— Eh bien ! nous causerons plus tard et dans un autre endroit.

— Plus tard ! Dieu sait si je vous rencontrerai plus tard dans un autre endroit ! Nous n'en trouverons jamais de plus favorable que celui-ci.

— Mais je ne puis ce soir, je ne puis en ce moment.

— Pourquoi cela ?

— Parce qu'il est arrivé cette nuit mille choses.

— Eh bien ! ma chose, à moi, fera mille et une.

— Non, non, Mlle de Tonnay-Charente m'attend dans notre chambre pour une communication de la plus haute importance.

— Depuis longtemps ?

— Depuis une heure au moins.

— Alors, dit tranquillement Malicorne, elle attendra quelques minutes de plus.

— Monsieur Malicorne, dit Montalais, vous vous oubliez.

— C'est-à-dire que vous m'oubliez, mademoiselle, et que, moi, je m'impatiente du rôle que vous me faites jouer ici. Mordieu ! mademoiselle, depuis huit jours, je rôde parmi vous toutes, sans que vous ayez daigné une seule fois vous apercevoir que j'étais là.

— Vous rôdez ici, vous, depuis huit jours ?

— Comme un loup-garou ; brûlé ici par les feux d'artifice qui m'ont roussi deux perruques, noyé là dans les osiers par l'humidité du soir ou la vapeur des jets d'eau, toujours affamé, toujours échiné, avec la perspective d'un mur ou la nécessité d'une escalade. Morbleu ! ce n'est pas un sort cela, mademoiselle, pour une créature qui n'est ni écureuil, ni salamandre, ni loutre ; mais, puisque vous poussez l'inhumanité jusqu'à vouloir me faire renier ma condition d'homme, je l'arbore. Homme je suis, mordieu ! et homme je resterai, à moins d'ordres supérieurs.

— Eh bien ! voyons, que désirez-vous, que voulez-vous, qu'exigez-vous ? dit Montalais soumise.

— N'allez-vous pas me dire que vous ignoriez que j'étais à Fontainebleau ?

— Je...

— Soyez franche.

— Je m'en doutais.

— Eh bien ! depuis huit jours, ne pouviez-vous pas me voir une fois par jour au moins ?

— J'ai toujours été empêchée, monsieur Malicorne.

— Tarare[1] !

— Demandez à ces demoiselles, si vous ne me croyez pas.

— Je ne demande jamais d'explication sur les choses que je sais mieux que personne.

— Calmez-vous, monsieur Malicorne, cela changera.

— Il le faudra bien.

— Vous savez, qu'on vous voie ou qu'on ne vous voie point, vous savez que l'on pense à vous, dit Montalais avec son air câlin.

— Oh ! l'on pense à moi...

— Parole d'honneur.

— Et rien de nouveau ?

— Sur quoi ?

— Sur ma charge dans la maison de Monsieur.

— Ah ! mon cher monsieur Malicorne, on n'abordait pas Son Altesse Royale pendant ces jours passés.

— Et maintenant ?

— Maintenant, c'est autre chose : depuis hier, il n'est plus jaloux.

— Bah ! Et comment la jalousie lui est-elle passée ?

— Il y a eu diversion.

— Contez-moi cela.

— On a répandu le bruit que le roi avait jeté les yeux sur une autre femme, et Monsieur s'en est trouvé calmé tout d'un coup.

— Et qui a répandu ce bruit ?

Montalais baissa la voix.

— Entre nous, dit-elle, je crois que Madame et le roi s'entendent.

— Ah ! ah ! fit Malicorne, c'était le seul moyen. Mais M. de Guiche, le pauvre soupirant ?

— Oh ! celui-là, il est tout à fait délogé.

— S'est-on écrit ?

— Mon Dieu, non ; je ne leur ai pas vu tenir une plume aux uns ni aux autres depuis huit jours.

— Comment êtes-vous avec Madame ?

1. *Tarare !* : onomatopée exprimant le doute, le dédain, l'ironie.

— Au mieux.

— Et avec le roi ?

— Le roi me fait des sourires quand je passe.

— Bien ! Maintenant, sur quelle femme les deux amants ont-ils jeté leur dévolu pour leur servir de paravent ?

— Sur La Vallière.

— Oh ! oh ! pauvre fille ! Mais il faudrait empêcher cela, ma mie !

— Pourquoi ?

— Parce que M. Raoul de Bragelonne la tuera ou se tuera s'il a un soupçon.

— Raoul ! ce bon Raoul ! Vous croyez ?

— Les femmes ont la prétention de se connaître en passions, dit Malicorne, et les femmes ne savent pas seulement lire elles-mêmes ce qu'elles pensent dans leurs propres yeux ou dans leur propre cœur. Eh bien ! je vous dis, moi, que M. de Bragelonne aime La Vallière à tel point, que, si elle fait mine de le tromper, il se tuera ou la tuera.

— Le roi est là pour la défendre, dit Montalais.

— Le roi ! s'écria Malicorne.

— Sans doute.

— Eh ! Raoul tuera le roi comme un reître !

— Bonté divine ! fit Montalais, mais vous devenez fou, monsieur Malicorne !

— Non pas ; tout ce que je vous dis est, au contraire, du plus grand sérieux, ma mie, et, pour mon compte je sais une chose.

— Laquelle ?

— C'est que je préviendrai tout doucement Raoul de la plaisanterie.

— Chut ! malheureux ! fit Montalais en remontant encore un échelon pour se rapprocher d'autant de Malicorne, n'ouvrez point la bouche à ce pauvre Bragelonne.

— Pourquoi cela ?

— Parce que vous ne savez rien encore.

— Qu'y a-t-il donc ?

— Il y a que ce soir... Personne ne nous écoute ?

— Non.

— Il y a que ce soir, sous le chêne royal, La Vallière a dit tout haut et tout naïvement ces paroles : « Je ne conçois pas que, lorsqu'on a vu le roi, on puisse jamais aimer un autre homme. »

Malicorne fit un bond sur son mur.

— Ah ! mon Dieu ! dit-il, elle a dit cela, la malheureuse ?

— Mot pour mot.

— Et elle le pense ?

— La Vallière pense toujours ce qu'elle dit.

— Mais cela crie vengeance ! mais les femmes sont des serpents ! dit Malicorne.

— Calmez-vous, mon cher Malicorne, calmez-vous !

— Non pas ! Coupons le mal dans sa racine, au contraire. Prévenons Raoul, il est temps.

— Maladroit ! c'est qu'au contraire il n'est plus temps, répondit Montalais.

— Comment cela ?

— Ce mot de La Vallière...

— Oui.

— Ce mot à l'adresse du roi...

— Eh bien ?

— Eh bien ! il est arrivé à son adresse.

— Le roi le connaît ? Il a été rapporté au roi ?

— Le roi l'a entendu.

— « *Ahimé !* » comme disait M. le cardinal[1].

— Le roi était précisément caché dans le massif le plus voisin du chêne royal.

— Il en résulte, dit Malicorne, que dorénavant le plan du roi et de Madame va marcher sur des roulettes, en passant sur le corps du pauvre Bragelonne.

— Vous l'avez dit.

— C'est affreux.

— C'est comme cela.

— Ma foi ! dit Malicorne après une minute de silence donnée à la méditation, entre un gros chêne et un grand roi, ne mettons pas notre pauvre personne, nous y serions broyés, ma mie.

— C'est ce que je voulais vous dire.

— Songeons à nous.

— C'est ce que je pensais.

— Ouvrez donc vos jolis yeux.

— Et vous, vos grandes oreilles.

— Approchez votre petite bouche pour un bon gros baiser.

— Voici, dit Montalais, qui paya sur-le-champ en espèces sonnantes.

— Maintenant, voyons. Voici M. de Guiche qui aime Madame ; voilà La Vallière qui aime le roi ; voilà le roi qui aime Madame et La Vallière ; voilà Monsieur qui n'aime personne que lui. Entre toutes ces amours, un imbécile ferait sa fortune, à plus forte raison des personnes de sens comme nous.

— Vous voilà encore avec vos rêves.

— C'est-à-dire avec mes réalités. Laissez-vous conduire par moi, ma mie, vous ne vous en êtes pas trop mal trouvée jusqu'à présent, n'est-ce pas ?

1. Texte : « Ohimé ! » ; en italien : « Hélas ! »

— Non.

— Eh bien ! l'avenir vous répond du passé. Seulement, puisque chacun pense à soi ici, pensons à nous.

— C'est trop juste.

— Mais à nous seuls.

— Soit !

— Alliance offensive et défensive !

— Je suis prête à la jurer.

— Étendez la main ; c'est cela : Tout pour Malicorne !

— Tout pour Malicorne !

— Tout pour Montalais ! répondit Malicorne en étendant la main à son tour.

— Maintenant, que faut-il faire ?

— Avoir incessamment les yeux ouverts, les oreilles ouvertes, amasser des armes contre les autres, n'en jamais laisser traîner qui puissent servir contre nous-mêmes.

— Convenu.

— Arrêté.

— Juré. Et maintenant que le pacte est fait, adieu.

— Comment, adieu ?

— Sans doute. Retournez à votre auberge.

— A mon auberge ?

— Oui ; n'êtes-vous pas logé à l'auberge du Beau-Paon ?

— Montalais ! Montalais ! vous le voyez bien, que vous connaissiez ma présence à Fontainebleau.

— Qu'est-ce que cela prouve ? Qu'on s'occupe de vous au-delà de vos mérites, ingrat !

— Hum !

— Retournez donc au Beau-Paon.

— Eh bien ! voilà justement !

— Quoi ?

— C'est devenu chose impossible.

— N'aviez-vous point une chambre ?

— Oui, mais je ne l'ai plus.

— Vous ne l'avez plus ? et qui vous l'a prise ?

— Attendez... Tantôt je revenais de courir après vous, j'arrive tout essoufflé à l'hôtel, lorsque j'aperçois une civière sur laquelle quatre paysans apportaient un moine malade.

— Un moine ?

— Oui, un vieux franciscain à barbe grise. Comme je regardais ce moine malade, on l'entre dans l'auberge. Comme on lui faisait monter l'escalier, je le suis, et, comme j'arrive au haut de l'escalier, je m'aperçois qu'on le fait entrer dans ma chambre.

— Dans votre chambre ?

— Oui, dans ma propre chambre. Je crois que c'est une erreur, j'interpelle l'hôte : l'hôte me déclare que la chambre louée par moi depuis huit jours était louée à ce franciscain pour le neuvième.

— Oh ! oh !

— C'est justement ce que je fis : Oh ! oh ! Je fis même plus encore, je voulus me fâcher. Je remontai. Je m'adressai au franciscain lui-même. Je voulus lui remontrer l'inconvenance de son procédé ; mais ce moine, tout moribond qu'il paraissait être, se souleva sur son coude, fixa sur moi deux yeux flamboyants, et, d'une voix qui eût avantageusement commandé une charge de cavalerie : « Jetez-moi ce drôle à la porte », dit-il. Ce qui fut à l'instant même exécuté par l'hôte et par les quatre porteurs, qui me firent descendre l'escalier un peu plus vite qu'il n'était convenable. Voilà comment il se fait, ma mie, que je n'ai plus de gîte.

— Mais qu'est-ce que c'est que ce franciscain ? demanda Montalais. C'est donc un général ?

— Justement ; il me semble que c'est là le titre qu'un des porteurs lui a donné en lui parlant à demi-voix.

— De sorte que ?... dit Montalais.

— De sorte que je n'ai plus de chambre, plus d'auberge, plus de gîte, et que je suis aussi décidé que l'était tout à l'heure mon ami Manicamp à ne pas coucher dehors.

— Comment faire ? s'écria Montalais.

— Voilà ! dit Malicorne.

— Mais rien de plus simple, dit une troisième voix.

Montalais et Malicorne poussèrent un cri simultané.

De Saint-Aignan parut.

— Cher monsieur Malicorne, dit de Saint-Aignan, un heureux hasard me ramène ici pour vous tirer d'embarras. Venez, je vous offre une chambre chez moi, et celle-là, je vous le jure, nul franciscain ne vous l'ôtera. Quant à vous, ma chère demoiselle, rassurez-vous ; j'ai déjà le secret de Mlle de La Vallière, celui de Mlle de Tonnay-Charente ; vous venez d'avoir la bonté de me confier le vôtre, merci : j'en garderai aussi bien trois qu'un seul.

Malicorne et Montalais se regardèrent comme deux écoliers pris en maraude ; mais, comme au bout du compte Malicorne voyait un grand avantage dans la proposition qui lui était faite, il fit à Montalais un signe de résignation que celle-ci lui rendit.

Puis Malicorne descendit l'échelle échelon par échelon, réfléchissant à chaque degré au moyen d'arracher bribe par bribe à M. de Saint-Aignan tout ce qu'il pourrait savoir sur le fameux secret.

Montalais était déjà partie légère comme une biche, et ni carrefour ni labyrinthe n'eurent le pouvoir de la tromper.

Quant à de Saint-Aignan, il ramena en effet Malicorne chez lui, en lui faisant mille politesses, enchanté qu'il était de tenir sous sa main les deux hommes qui, en supposant que de Guiche restât muet, pouvaient le mieux renseigner sur le compte des filles d'honneur.

CXXV

CE QUI S'ÉTAIT PASSÉ EN RÉALITÉ A L'AUBERGE DU BEAU-PAON

D'abord, donnons à nos lecteurs quelques détails sur l'auberge du Beau-Paon ; puis nous passerons au signalement des voyageurs qui l'habitaient.

L'auberge du Beau-Paon, comme toute auberge, devait son nom à son enseigne. Cette enseigne représentait un paon qui faisait la roue.

Seulement, à l'instar de quelques peintres qui ont donné la figure d'un joli garçon au serpent qui tente Ève, le peintre de l'enseigne avait donné au beau paon une figure de femme.

Cette auberge, épigramme vivante contre cette moitié du genre humain qui fait le charme de la vie, dit M. Legouvé[1], s'élevait à Fontainebleau dans la première rue latérale de gauche, laquelle coupait, en venant de Paris, cette grande artère qui forme à elle seule la ville tout entière de Fontainebleau[2].

La rue latérale s'appelait alors la rue de Lyon, sans doute parce que, géographiquement, elle s'avançait dans la direction de la seconde capitale du royaume. Cette rue se composait de deux maisons habitées par des bourgeois, maisons séparées l'une de l'autre par deux grands jardins bordés de haies. En apparence, il semblait y avoir cependant trois maisons

---

1. *Le Mérite des femmes*, vers 8 : « Mais j'ose [...] / Célébrer des humains la plus belle moitié. »

2. La topographie de Fontainebleau est bien incertaine : les ouvrages de Félix Herbet, *L'Ancien Fontainebleau, Histoire de la ville, rues, maisons, habitants au XVIIe siècle* (Fontainebleau, impr. Bauges, 1912) et *Dictionnaire historique et artistique de Fontainebleau* (*ibid.*, 1903), ignorent les toponymes utilisés par Dumas. La rue de Paris pourrait être l'actuelle rue Royale, anciennement rue de la Charité-Royale, puis rue de la Vieille-Poste, qui rejoignait la route de Paris ; la route de Lyon, vieille route de Bourgogne, ne traversait pas Fontainebleau, mais Avon ; cependant il existait, presque perpendiculaire à la rue de la Charité-Royale, la route de Nemours (actuel boulevard Magenta) qui pourrait convenir à la description du roman.

Aucune auberge du *Beau-Paon* ne semble avoir existé. Une enseigne portait au XVIIe siècle un paon, mais c'était celle d'un cordonnier. Le cimetière où Dumas fait se rencontrer Aramis et Mme de Chevreuse sous le regard de d'Artagnan est de pure invention : les Bellifontains enterraient leurs morts dans le cimetière paroissial d'Avon, jusqu'à ce qu'en 1661 la paroisse Saint-Louis fût fondée à la demande d'Anne d'Autriche ; on créa un cimetière en dehors de Fontainebleau qui occupait un quadrilatère le long de l'actuelle rue Béranger. (Note rédigée grâce aux renseignements fournis par Mme Grand-Mesnil.)

dans la rue ; expliquons comment, malgré ce semblant, il n'y en avait que deux.

L'auberge du Beau-Paon avait sa façade principale sur la grande rue ; mais, en retour, sur la rue de Lyon, deux corps de bâtiments, divisés par des cours, renfermaient de grands logements propres à recevoir tous voyageurs, soit à pied, soit à cheval, soit même en carrosse, et à fournir non seulement logis et table, mais encore promenade et solitude aux plus riches courtisans, lorsque, après un échec à la cour, ils désiraient se renfermer avec eux-mêmes pour dévorer l'affront ou méditer la vengeance.

Des fenêtres de ce corps de bâtiment en retour, les voyageurs apercevaient la rue d'abord, avec son herbe croissant entre les pavés, qu'elle disjoignait peu à peu. Ensuite les belles haies de sureau et d'aubépine qui enfermaient, comme entre deux bras verts et fleuris, ces maisons bourgeoises dont nous avons parlé. Puis, dans les intervalles de ces maisons, formant fond de tableau et se dessinant comme un horizon infranchissable, une ligne de bois touffus, plantureux, premières sentinelles de la vaste forêt qui se déroule en avant de Fontainebleau.

On pouvait donc, pour peu qu'on eût un appartement faisant angle par la grande rue de Paris, participer à la vue et au bruit des passants et des fêtes, et, par la rue de Lyon, à la vue et au calme de la campagne.

Sans compter qu'en cas d'urgence, au moment où l'on frappait à la grande porte de la rue de Paris, on pouvait s'esquiver par la petite porte de la rue de Lyon, et, longeant les jardins des maisons bourgeoises, gagner les premiers taillis de la forêt.

Malicorne, qui, le premier, on se le rappelle, nous a parlé de cette auberge du Beau-Paon, pour en déplorer son expulsion, Malicorne, préoccupé de ses propres affaires, était bien loin d'avoir dit à Montalais tout ce qu'il y avait à dire sur cette curieuse auberge.

Nous allons essayer de remplir cette fâcheuse lacune laissée par Malicorne.

Malicorne avait oublié de dire, par exemple, de quelle façon il était entré dans l'auberge du Beau-Paon.

En outre, à part le franciscain dont il avait dit un mot, il n'avait donné aucun renseignement sur les voyageurs qui habitaient cette auberge.

La façon dont ils étaient entrés, la façon dont ils vivaient, la difficulté qu'il y avait pour toute autre personne que les voyageurs privilégiés d'entrer dans l'hôtel sans mot d'ordre, et d'y séjourner sans certaines précautions préparatoires, avaient cependant dû frapper, et avaient même, nous oserions en répondre, frappé certainement Malicorne.

Mais, comme nous l'avons dit, Malicorne avait des préoccupations personnelles qui l'empêchaient de remarquer bien des choses.

En effet, tous les appartements de l'hôtel du Beau-Paon étaient occupés et retenus par des étrangers sédentaires et d'un commerce fort calme, porteurs de visages prévenants, dont aucun n'était connu de Malicorne.

Tous ces voyageurs étaient arrivés à l'hôtel depuis qu'il y était arrivé lui-même, chacun y était entré avec une espèce de mot d'ordre qui avait d'abord préoccupé Malicorne ; mais il s'était informé directement, et il avait su que l'hôte donnait pour raison de cette espèce de surveillance que la ville, pleine comme elle l'était de riches seigneurs, devait l'être aussi d'adroits et d'ardents filous.

Il allait donc de la réputation d'une maison honnête comme celle du Beau-Paon de ne pas laisser voler les voyageurs.

Aussi, Malicorne se demandait-il parfois, lorsqu'il rentrait en lui-même et sondait sa position à l'hôtel du Beau-Paon, comment on l'avait laissé entrer dans cette hôtellerie, tandis que, depuis qu'il y était entré, il avait vu refuser la porte à tant d'autres.

Il se demandait surtout comment Manicamp, qui, selon lui, devait être un seigneur en vénération à tout le monde, ayant voulu faire manger son cheval au Beau-Paon, dès son arrivée, cheval et cavalier avaient été éconduits avec un *nescio vos*[1] des plus intraitables.

C'était donc pour Malicorne un problème que, du reste, occupé comme il l'était d'intrigue amoureuse et ambitieuse, il ne s'était point appliqué à approfondir. L'eût-il voulu que, malgré l'intelligence que nous lui avons accordée, nous n'oserions dire qu'il eût réussi.

Quelques mots prouveront au lecteur qu'il n'eût pas fallu moins qu'Œdipe en personne pour résoudre une pareille énigme.

Depuis huit jours étaient entrés dans cette hôtellerie sept voyageurs, tous arrivés le lendemain du bienheureux jour où Malicorne avait jeté son dévolu sur le Beau-Paon.

Ces sept personnages, venus, avec un train raisonnable, étaient :

d'abord, un brigadier des armées allemandes, son secrétaire, son médecin, trois laquais, sept chevaux. Ce brigadier se nommait le baron[2] de Wostpur.

Un cardinal espagnol avec deux neveux, deux secrétaires, un officier de sa maison et douze chevaux. Ce cardinal se nommait Mgr Herrebia[3].

Un riche négociant de Brême avec son laquais et deux chevaux. Ce négociant se nommait meinherr Bonstett.

Un sénateur vénitien avec sa femme et sa fille, toutes deux d'une parfaite beauté. Ce sénateur se nommait il signor Marini.

Un laird d'Écosse avec sept montagnards de son clan ; tous à pied. Le laird se nommait Mac Cumnor.

Un Autrichien de Vienne, sans titre ni blason, venu en carrosse ; il

---

1. « Je ne vous connais pas. » Voir ci-dessus, chap. XX, p. 126, note 1.
2. Texte : « comte » ; nous unifions en « baron » qu'on retrouve par la suite (chap. CXXVII).
3. Ce nom rappelle l'abbé Carlos Herrera des *Illusions perdues*.

avait beaucoup du prêtre, un peu du soldat. On l'appelait le conseiller.

Enfin une dame flamande, avec un laquais, une femme de chambre et une demoiselle de compagnie. Grand train, grande mine, grands chevaux. On l'appelait la dame flamande.

Tous ces voyageurs étaient arrivés le même jour, comme nous avons dit, et cependant leur arrivée n'avait causé aucun embarras dans l'auberge, aucun encombrement dans la rue, leurs logements ayant été marqués d'avance sur la demande de leurs courriers ou de leurs secrétaires, arrivés la veille ou le matin même.

Malicorne, arrivé un jour avant eux et voyageant sur un maigre cheval chargé d'une mince valise, s'était annoncé à l'hôtel du Beau-Paon comme l'ami d'un seigneur curieux de voir les fêtes, et qui lui, à son tour, devait arriver incessamment.

L'hôte, à ces paroles, avait souri comme s'il connaissait beaucoup, soit Malicorne, soit le seigneur son ami, et il lui avait dit :

— Choisissez, monsieur, tel appartement qui vous conviendra, puisque vous arrivez le premier.

Et cela avec cette obséquiosité significative chez les aubergistes, et qui veut dire : « Soyez tranquille, monsieur, on sait à qui l'on a affaire, et l'on vous traitera en conséquence. »

Ces mots et le geste qui les accompagnait avaient paru bienveillants, mais peu clairs à Malicorne. Or, comme il ne voulait pas faire une grosse dépense, et que, demandant une petite chambre, il eût sans doute été refusé à cause de son peu d'importance même, il se hâta de ramasser au bond les paroles de l'aubergiste, et de le duper avec sa propre finesse.

Aussi, souriant en homme pour lequel on ne fait qu'absolument ce que l'on doit faire :

— Mon cher hôte, dit-il, je prendrai l'appartement le meilleur et le plus gai.

— Avec écurie ?

— Avec écurie.

— Pour quel jour ?

— Pour tout de suite, si c'est possible.

— A merveille.

— Seulement, se hâta d'ajouter Malicorne, je n'occuperai pas incontinent le grand appartement.

— Bon ! fit l'hôte avec un air d'intelligence.

— Certaines raisons, que vous comprendrez plus tard, me forcent de ne mettre à mon compte que cette petite chambre.

— Oui, oui, oui, fit l'hôte.

— Mon ami, quand il viendra, prendra le grand appartement, et naturellement, comme ce grand appartement sera le sien, il réglera directement.

— Très bien ! fit l'hôte, très bien ! c'était convenu ainsi.

— C'était convenu ainsi ?

— Mot pour mot.

— C'est extraordinaire, murmura Malicorne. Ainsi, vous comprenez ?

— Oui.

— C'est tout ce qu'il faut. Maintenant que vous comprenez... car vous comprenez bien, n'est-ce pas ?

— Parfaitement.

— Eh bien ! vous allez me conduire à ma chambre.

L'hôte du Beau-Paon marcha devant Malicorne, son bonnet à la main.

Malicorne s'installa dans sa chambre et y demeura tout surpris de voir l'hôte, à chaque ascension ou à chaque descente, lui faire de ces petits clignements d'yeux qui indiquent la meilleure intelligence entre deux correspondants.

« Il y a quelque méprise là-dessous, se disait Malicorne ; mais, en attendant qu'elle s'éclaircisse, j'en profite, et c'est ce qu'il y a de mieux à faire. »

Et de sa chambre il s'élançait comme un chien de chasse à la piste des nouvelles et des curiosités de la cour, se faisant rôtir ici et noyer là, comme il avait dit à Mlle de Montalais.

Le lendemain de son installation, il avait vu arriver successivement les sept voyageurs qui remplissaient toute l'hôtellerie.

A l'aspect de tout ce monde, de tous ces équipages, de tout ce train, Malicorne se frotta les mains, en songeant que, faute d'un jour, il n'eût pas trouvé un lit pour se reposer au retour de ses explorations.

Après que tous les étrangers se furent casés, l'hôte entra dans sa chambre, et, avec sa gracieuseté habituelle :

— Mon cher monsieur, lui dit-il, il vous reste le grand appartement du troisième corps de logis ; vous savez cela ?

— Sans doute, je le sais.

— Et c'est un véritable cadeau que je vous fais.

— Merci !

— De sorte que, lorsque votre ami viendra...

— Eh bien ?

— Eh bien ! il sera content de moi, ou, dans le cas contraire, c'est qu'il sera bien difficile.

— Pardon ! voulez-vous me permettre de dire quelques mots à propos de mon ami ?

— Dites, pardieu ! vous êtes bien le maître.

— Il devait venir, comme vous savez...

— Et il le doit toujours.

— C'est qu'il pourrait avoir changé d'avis.

— Non.

— Vous en êtes sûr ?

— J'en suis sûr.

— C'est que, dans le cas où vous auriez quelque doute...

— Après ?

— Je vous dirais, moi : je ne vous réponds pas qu'il vienne.

— Mais il vous a dit cependant...

— Certainement il m'a dit ; mais vous savez ; l'homme propose et Dieu dispose, *verba volant, scripta manent*[1].

— Ce qui veut dire ?

— Les mots s'envolent, les écrits restent, et, comme il ne m'a pas écrit, qu'il s'est contenté de me dire, je vous autoriserai donc, sans cependant vous y inviter... vous sentez, c'est fort embarrassant.

— A quoi m'autorisez-vous ?

— Dame ! à louer son appartement, si vous en trouvez un bon prix.

— Moi ?

— Oui, vous.

— Jamais, monsieur, jamais je ne ferai une pareille chose. S'il ne vous a pas écrit, à vous...

— Non.

— Il m'a écrit, à moi.

— Ah !

— Oui.

— Et dans quels termes ? Voyons si sa lettre s'accorde avec ses paroles.

— En voici à peu près le texte :

Monsieur le propriétaire de l'hôtel du Beau-Paon,

Vous devez être prévenu du rendez-vous pris dans votre hôtel par quelques personnages d'importance ; je fais partie de la société qui se réunit à Fontainebleau. Retenez donc à la fois, et une petite chambre pour un ami qui arrivera avant moi ou après moi...

— C'est vous cet ami, n'est-ce pas ? fit en s'interrompant l'hôte du Beau-Paon.

Malicorne s'inclina modestement.

L'hôte reprit :

... et un grand appartement pour moi. Le grand appartement me regarde ; mais je désire que le prix de la chambre soit modique, cette chambre étant destinée à un pauvre diable.

— C'est toujours bien vous, n'est-ce pas ? dit l'hôte.

— Oui, certes, dit Malicorne.

— Alors, nous sommes d'accord : votre ami soldera le prix de son appartement, et vous solderez le prix du vôtre.

« Je veux être roué vif, se dit en lui-même Malicorne, si je comprends quelque chose à ce qui m'arrive. »

1. « Les paroles s'envolent, les écrits restent. »

Puis, tout haut :

— Et, dites-moi, vous avez été content du nom ?

— De quel nom ?

— Du nom qui terminait la lettre. Il vous a présenté toute garantie ?

— J'allais vous le demander, dit l'hôte.

— Comment ! la lettre n'était pas signée ?

— Non, fit l'hôte en écarquillant des yeux pleins de mystère et de curiosité.

— Alors, répliqua Malicorne imitant ce geste et ce mystère, s'il ne s'est pas nommé...

— Eh bien ?

— Vous comprendrez qu'il doit avoir ses raisons pour cela.

— Sans doute.

— Et que je n'irai pas, moi, son ami, moi, son confident, trahir son incognito.

— C'est juste, monsieur, répondit l'hôte ; aussi je n'insiste pas.

— J'apprécie cette délicatesse. Quant à moi, comme l'a dit mon ami, ma chambre est à part, convenons-en bien.

— Monsieur, c'est tout convenu.

— Vous comprenez, les bons comptes font les bons amis. Comptons donc.

— Ce n'est pas pressé.

— Comptons toujours. Chambre, nourriture, pour moi, place à la mangeoire et nourriture de mon cheval : combien par jour ?

— Quatre livres, monsieur.

— Cela fait donc douze livres pour les trois jours écoulés ?

— Douze livres ; oui, monsieur.

— Voici vos douze livres.

— Eh ! monsieur, à quoi bon payer tout de suite ?

— Parce que, dit Malicorne en baissant la voix et en recourant au mystérieux, puisqu'il voyait le mystérieux réussir, parce que, si l'on avait à partir soudain, à décamper d'un moment à l'autre, ce serait tout compte fait.

— Monsieur, vous avez raison.

— Donc, je suis chez moi.

— Vous êtes chez vous.

— Eh bien ! à la bonne heure. Adieu !

L'hôte se retira.

Resté seul, Malicorne se fit le raisonnement suivant : « Il n'y a que M. de Guiche ou Manicamp capables d'avoir écrit à mon hôte ; M. de Guiche, parce qu'il veut se ménager un logement hors de cour, en cas de succès ou d'insuccès ; Manicamp, parce qu'il aura été chargé de cette commission par M. de Guiche.

« Voici donc ce que M. de Guiche ou Manicamp auront imaginé : le grand appartement pour recevoir d'une façon convenable quelque dame épais voilée, avec réserve, pour la susdite dame, d'une double sortie sur une rue à peu près déserte et aboutissant à la forêt.

« La chambre pour abriter momentanément soit Manicamp, confident de M. de Guiche et vigilant gardien de la porte, soit M. de Guiche lui-même, jouant à la fois pour plus de sûreté le rôle du maître et celui du confident.

« Mais cette réunion qui doit avoir lieu, qui a eu effectivement lieu dans l'hôtel ?

« Ce sont sans doute gens qui doivent être présentés au roi.

« Mais le pauvre diable à qui la chambre est destinée ?

« Ruse pour mieux cacher de Guiche ou Manicamp.

« S'il en est ainsi, comme c'est chose probable, il n'y a que demi-mal : et de Manicamp à Malicorne, il n'y a que la bourse. »

Depuis ce raisonnement, Malicorne avait dormi sur les deux oreilles, laissant les sept étrangers occuper et arpenter en tous sens les sept logements de l'hôtellerie du Beau-Paon.

Lorsque rien ne l'inquiétait à la cour, lorsqu'il était las d'excursions et d'inquisitions, las d'écrire des billets que jamais il n'avait l'occasion de remettre à leur adresse, alors il rentrait dans sa bienheureuse petite chambre, et, accoudé sur le balcon garni de capucines et d'œillets palissés, il s'occupait de ces étranges voyageurs pour qui Fontainebleau semblait n'avoir ni lumières, ni joies, ni fêtes.

Cela dura ainsi jusqu'au septième jour, jour que nous avons détaillé longuement avec sa nuit dans les précédents chapitres.

Cette nuit-là, Malicorne prenait le frais à sa fenêtre vers une heure du matin, quand Manicamp parut à cheval, le nez au vent, l'air soucieux et ennuyé.

« Bon ! se dit Malicorne en le reconnaissant du premier coup, voilà mon homme qui vient réclamer son appartement, c'est-à-dire ma chambre. »

Et il appela Manicamp.

Manicamp leva la tête, et à son tour reconnut Malicorne.

— Ah ! pardieu ! dit celui-ci en se déridant, soyez le bienvenu, Malicorne. Je rôde dans Fontainebleau, cherchant trois choses que je ne puis trouver : de Guiche, une chambre et une écurie.

— Quant à M. de Guiche, je ne puis vous en donner ni bonnes ni mauvaises nouvelles, car je ne l'ai point vu ; mais, quant à votre chambre et à une écurie, c'est autre chose.

— Ah !

— Oui ; c'est ici qu'elles ont été retenues ?

— Retenues, et par qui ?

— Par vous, ce me semble.

— Par moi ?

— N'avez-vous donc point retenu un logement ?

— Pas le moins du monde.

L'hôte, en ce moment, parut sur le seuil.

— Une chambre ? demanda Manicamp.

— L'avez-vous retenue, monsieur ?

— Non.

— Alors, pas de chambre.

— S'il en est ainsi, j'ai retenu une chambre, dit Manicamp.

— Une chambre ou un logement ?

— Tout ce que vous voudrez.

— Par lettre ? demanda l'hôte.

Malicorne fit de la tête un signe affirmatif à Manicamp.

— Eh ! sans doute par lettre, fit Manicamp. N'avez-vous pas reçu une lettre de moi ?

— En date de quel jour ? demanda l'hôte, à qui les hésitations de Manicamp donnaient du soupçon.

Manicamp se gratta l'oreille et regarda à la fenêtre de Malicorne ; mais Malicorne avait quitté sa fenêtre et descendait l'escalier pour venir en aide à son ami.

Juste au même moment, un voyageur, enveloppé dans une longue cape à l'espagnole, apparaissait sous le porche, à portée d'entendre le colloque.

— Je vous demande à quelle date vous m'avez écrit cette lettre pour retenir un logement chez moi ? répéta l'hôte en insistant.

— A la date de mercredi dernier, dit d'une voix douce et polie l'étranger mystérieux en touchant l'épaule de l'hôte.

Manicamp se recula, et Malicorne, qui apparaissait sur le seuil, se gratta l'oreille à son tour. L'hôte salua le nouveau venu en homme qui reconnaît son véritable voyageur.

— Monsieur, lui dit-il civilement, votre appartement vous attend, ainsi que vos écuries. Seulement...

Il regarda autour de lui.

— Vos chevaux ? demanda-t-il.

— Mes chevaux arriveront ou n'arriveront pas. La chose vous importe peu, n'est-ce pas ? pourvu qu'on vous paie ce qui a été retenu.

L'hôte salua plus bas.

— Vous m'avez, en outre, continua le voyageur inconnu, gardé la petite chambre que je vous ai demandée ?

— Aïe ! fit Malicorne, en essayant de se dissimuler.

— Monsieur, votre ami l'occupe depuis huit jours, dit l'hôte en montrant Malicorne qui se faisait le plus petit qu'il lui était possible.

Le voyageur, en ramenant son manteau jusqu'à la hauteur de son nez, jeta un coup d'œil rapide sur Malicorne.

— Monsieur n'est pas mon ami, dit-il.

L'hôte fit un bond.

— Je ne connais pas Monsieur, continua le voyageur.

— Comment ! s'écria l'aubergiste s'adressant à Malicorne, comment ! vous n'êtes pas l'ami de Monsieur ?

— Que vous importe, pourvu que l'on vous paie ? dit Malicorne parodiant majestueusement l'étranger.

— Il importe si bien, dit l'hôte, qui commençait à s'apercevoir qu'il y avait substitution de personnage, que je vous prie, monsieur, de vider les lieux retenus d'avance et par un autre que vous.

— Mais enfin, dit Malicorne, Monsieur n'a pas besoin tout à la fois d'une chambre au premier et d'un appartement au second... Si Monsieur prend la chambre, je prends, moi, l'appartement ; si Monsieur choisit l'appartement, je garde la chambre.

— Je suis désespéré, monsieur, dit le voyageur de sa voix douce ; mais j'ai besoin à la fois de la chambre et de l'appartement.

— Mais enfin pour qui ? demanda Malicorne.

— De l'appartement, pour moi.

— Soit ; mais de la chambre ?

— Regardez, dit le voyageur en étendant la main vers une espèce de cortège qui s'avançait.

Malicorne suivit du regard la direction indiquée et vit arriver sur une civière ce franciscain dont il avait, avec quelques détails ajoutés par lui, raconté à Montalais l'installation dans sa chambre, et qu'il avait si inutilement essayé de convertir à de plus humbles vues.

Le résultat de l'arrivée du voyageur inconnu et du franciscain malade fut l'expulsion de Malicorne, maintenu sans aucun égard hors de l'auberge du Beau-Paon par l'hôte et les paysans qui servaient de porteurs au franciscain.

Il a été donné connaissance au lecteur des suites de cette expulsion, de la conversation de Manicamp, avec Montalais, que Manicamp, plus adroit que Malicorne, avait su trouver pour avoir des nouvelles de de Guiche ; de la conversation subséquente de Montalais avec Malicorne ; enfin du double billet de logement fourni à Manicamp et à Malicorne, par le comte de Saint-Aignan.

Il nous reste à apprendre à nos lecteurs ce qu'étaient le voyageur au manteau, principal locataire du double appartement dont Malicorne avait occupé une portion, et le franciscain, tout aussi mystérieux, dont l'arrivée, combinée avec celle du voyageur au manteau, avait eu le malheur de déranger les combinaisons des deux amis.

CXXVI

UN JÉSUITE DE LA ONZIÈME ANNÉE

Et d'abord, pour ne point faire languir le lecteur, nous nous hâterons de répondre à la première question.

Le voyageur au manteau rabattu sur le nez était Aramis, qui, après avoir quitté Fouquet et tiré d'un porte-manteau ouvert par son laquais un costume complet de cavalier, était sorti du château et s'était rendu à l'hôtellerie du Beau-Paon, où, par lettre, depuis sept jours, il avait bien, ainsi que l'avait annoncé l'hôte, commandé une chambre et un appartement.

Aramis, aussitôt après l'expulsion de Malicorne et de Manicamp, s'approcha du franciscain et lui demanda lequel il préférait de l'appartement ou de la chambre.

Le franciscain demanda où étaient placés l'un et l'autre.

On lui répondit que la chambre était au premier et l'appartement au second.

— Alors, la chambre, dit-il.

Aramis n'insista point, et, avec une entière soumission :

— La chambre, dit-il à l'hôte.

Et, saluant avec respect, il se retira dans l'appartement.

Le franciscain fut aussitôt porté dans la chambre.

Maintenant, n'est-ce pas une chose étonnante que ce respect d'un prélat pour un simple moine, et pour un moine d'un ordre mendiant, auquel on donnait ainsi, sans même qu'il l'eût demandée, une chambre qui faisait l'ambition de tant de voyageurs.

Comment expliquer aussi cette arrivée inattendue d'Aramis à l'hôtel du Beau-Paon, lui qui, entré avec M. Fouquet au château, pouvait loger au château avec M. Fouquet ?

Le franciscain supporta le transport dans l'escalier sans pousser une plainte, quoique l'on vît que sa souffrance était grande, et qu'à chaque heurt de la civière contre la muraille ou contre la rampe de l'escalier, il éprouvait par tout son corps une secousse terrible.

Enfin, lorsqu'il fut arrivé dans la chambre :

— Aidez-moi à me mettre sur ce fauteuil, dit-il aux porteurs.

Ceux-ci déposèrent la civière sur le sol, et, soulevant le plus doucement qu'il leur fut possible le malade, ils le déposèrent sur le fauteuil qu'il avait désigné et qui était placé à la tête du lit.

— Maintenant, ajouta-t-il avec une grande douceur de gestes et de paroles, faites-moi monter l'hôte.

Ils obéirent.

Cinq minutes après, l'hôte du Beau-Paon apparaissait sur le seuil de la porte.

— Mon ami, lui dit le franciscain, congédiez, je vous prie, ces braves gens ; ce sont des vassaux de la vicomté de Melun. Ils m'ont trouvé évanoui de chaleur sur la route, et, sans se demander si leur peine serait payée, ils m'ont voulu porter chez eux. Mais je sais ce que coûte aux pauvres l'hospitalité qu'ils donnent à un malade, et j'ai préféré l'hôtellerie, où, d'ailleurs, j'étais attendu.

L'hôte regarda le franciscain avec étonnement.

Le franciscain fit avec son pouce et d'une certaine façon le signe de croix sur sa poitrine.

L'hôte répondit en faisant le même signe sur son épaule gauche.

— Oui, c'est vrai, dit-il, vous étiez attendu, mon père ; mais nous espérions que vous arriveriez en meilleur état.

Et, comme les paysans regardaient avec étonnement cet hôtelier si fier, devenu tout à coup respectueux en présence d'un pauvre moine, le franciscain tira de sa longue poche deux ou trois pièces d'or, qu'il montra.

— Voilà, mes amis, dit-il, de quoi payer les soins qu'on me donnera. Ainsi tranquillisez-vous et ne craignez pas de me laisser ici. Ma compagnie, pour laquelle je voyage, ne veut pas que je mendie ; seulement, comme les soins qui m'ont été donnés par vous méritent aussi récompense, prenez ces deux louis et retirez-vous en paix.

Les paysans n'osaient accepter ; l'hôte prit les deux louis de la main du moine, et les mit dans celle d'un paysan.

Les quatre porteurs se retirèrent en ouvrant des yeux plus grands que jamais.

La porte refermée, et tandis que l'hôte se tenait respectueusement debout près de cette porte, le franciscain se recueillit un instant.

Puis il passa sur son front jauni une main sèche de fièvre, et de ses doigts crispés frotta en tremblant les boucles grisonnantes de sa barbe.

Ses grands yeux, creusés par la maladie et l'agitation, semblaient suivre dans le vague une idée douloureuse et inflexible.

— Quels médecins avez-vous à Fontainebleau ? demanda-t-il enfin.

— Nous en avons trois, mon père.

— Comment les nommez-vous ?

— Luiniguet d'abord.

— Ensuite ?

— Puis un frère carme nommé Frère Hubert.

— Ensuite ?

— Ensuite un séculier nommé Grisart.

— Ah ! Grisart ! murmura le moine. Appelez vite M. Grisart.

L'hôte fit un mouvement d'obéissance empressée.

— A propos, quels prêtres a-t-on sous la main ici ?

— Quels prêtres ?

— Oui, de quels ordres ?

— Il y a des jésuites, des augustins et des cordeliers ; mais, mon père, les jésuites sont les plus près d'ici. J'appellerai donc un confesseur jésuite, n'est-ce pas ?

— Oui, allez.

L'hôte sortit.

On devine qu'au signe de croix échangé entre eux l'hôte et le malade s'étaient reconnus pour deux affiliés de la redoutable Compagnie de Jésus.

Resté seul, le franciscain tira de sa poche une liasse de papiers dont il parcourut quelques-uns avec une attention scrupuleuse. Cependant la force du mal vainquit son courage : ses yeux tournèrent, une sueur froide coula de son front, et il se laissa aller presque évanoui, la tête renversée en arrière, les bras pendants aux deux côtés de son fauteuil.

Il était depuis cinq minutes sans mouvement aucun, lorsque l'hôte rentra, conduisant le médecin, auquel il avait à peine donné le temps de s'habiller.

Le bruit de leur entrée, le courant d'air qu'occasionna l'ouverture de la porte réveillèrent les sens du malade. Il saisit à la hâte ses papiers épars, et de sa main longue et décharnée les cacha sous les coussins du fauteuil.

L'hôte sortit, laissant ensemble le malade et le médecin.

— Voyons, dit le franciscain au docteur, voyons, monsieur Grisart, approchez-vous, car il n'y a pas de temps à perdre ; palpez, auscultez, jugez et prononcez la sentence.

— Notre hôte, répondit le médecin, m'a assuré que j'avais le bonheur de donner mes soins à un affilié.

— A un affilié, oui, répondit le franciscain. Dites-moi donc la vérité ; je me sens bien mal ; il me semble que je vais mourir.

Le médecin prit la main du moine et lui tâta le pouls.

— Oh ! oh ! dit-il, fièvre dangereuse.

— Qu'appelez-vous une fièvre dangereuse ? demanda le malade avec un regard impérieux.

— A un affilié de la première ou de la seconde année, répondit le médecin en interrogeant le moine des yeux, je dirais fièvre curable.

— Mais à moi ? dit le franciscain.

Le médecin hésita.

— Regardez mon poil gris et mon front bourré de pensées, continua-t-il ; regardez les rides par lesquelles je compte mes épreuves ; je suis un jésuite de la onzième année, monsieur Grisart.

Le médecin tressaillit.

En effet, un jésuite de la onzième année, c'était un des ces hommes initiés à tous les secrets de l'ordre, un de ces hommes pour lesquels la science n'a plus de secrets, la société plus de barrières, l'obéissance temporelle plus de liens.

— Ainsi, dit Grisart en saluant avec respect, je me trouve en face d'un maître ?

— Oui, agissez donc en conséquence.

— Et vous voulez savoir ?...

— Ma situation réelle.

— Eh bien ! dit le médecin, c'est une fièvre cérébrale, autrement dit une méningite aiguë, arrivée à son plus haut point d'intensité.

— Alors, il n'y a pas d'espoir, n'est-ce pas ? demanda le franciscain d'un ton bref.

— Je ne dis pas cela, répondit le docteur ; cependant, eu égard au désordre du cerveau, à la brièveté du souffle, à la précipitation du pouls, à l'incandescence de la terrible fièvre qui vous dévore...

— Et qui m'a terrassé trois fois depuis ce matin, dit le frère.

— Aussi l'appelai-je terrible. Mais comment n'êtes-vous pas demeuré en route ?

— J'étais attendu ici, il fallait que j'arrivasse.

— Dussiez-vous mourir ?

— Dussé-je mourir.

— Eh bien ! eu égard à tous ces symptômes, je vous dirai que la situation est presque désespérée.

Le franciscain sourit d'une façon étrange.

— Ce que vous me dites là est peut-être assez pour ce qu'on doit à un affilié, même de la onzième année, mais pour ce qu'on me doit à moi, maître Grisart, c'est trop peu, et j'ai le droit d'exiger davantage. Voyons, soyons encore plus vrai que cela, soyons franc, comme s'il s'agissait de parler à Dieu. D'ailleurs, j'ai déjà fait appeler un confesseur.

— Oh ! j'espère cependant, balbutia le docteur.

— Répondez, dit le malade en montrant avec un geste de dignité un anneau d'or dont le chaton avait jusque-là été tourné en dedans, et qui portait gravé le signe représentatif de la Société de Jésus.

Grisart poussa une exclamation.

— Le général ! s'écria-t-il.

— Silence ! dit le franciscain ; vous comprenez qu'il s'agit d'être vrai.

— Seigneur, seigneur, appelez le confesseur, murmura Grisart ; car, dans deux heures, au premier redoublement, vous serez pris du délire, et vous passerez dans la crise.

— A la bonne heure, dit le malade, dont les sourcils se froncèrent un moment ; j'ai donc deux heures ?

— Oui, surtout si vous prenez la potion que je vais vous envoyer.

— Et elle me donnera deux heures ?

— Deux heures.

— Je la prendrai, fût-elle du poison, car ces deux heures sont nécessaires non seulement à moi, mais à la gloire de l'ordre.

— Oh ! quelle perte ! murmura le médecin, quelle catastrophe pour nous !

— C'est la perte d'un homme, voilà tout, répondit le franciscain, et Dieu pourvoira à ce que le pauvre moine qui vous quitte trouve un digne successeur. Adieu, monsieur Grisart ; c'est déjà une permission du Seigneur que je vous aie rencontré. Un médecin qui n'eût point été affilié à notre sainte congrégation m'eût laissé ignorer mon état, et, comptant encore sur des jours d'existence, je n'eusse pu prendre les précautions nécessaires. Vous êtes savant, monsieur Grisart, cela nous fait honneur à tous : il m'eût répugné de voir un des nôtres médiocre dans sa profession. Adieu, maître Grisart, adieu ! et envoyez-moi vite votre cordial.

— Bénissez-moi, du moins, monseigneur !

— D'esprit, oui... allez... d'esprit, vous dis-je... *Animo* maître Grisart... *viribus impossibile*[1].

Et il retomba sur son fauteuil, presque évanoui de nouveau.

Maître Grisart balança pour savoir s'il lui porterait un secours momentané, ou s'il courrait lui préparer le cordial promis. Sans doute se décida-t-il en faveur du cordial, car il s'élança hors de la chambre et disparut dans l'escalier.

CXXVII

LE SECRET DE L'ÉTAT

Quelques moments après la sortie du docteur Grisart, le confesseur arriva.

A peine eut-il dépassé le seuil de la porte, que le franciscain attacha sur lui son regard profond.

Puis, secouant sa tête pâle :

— Voilà un pauvre esprit, murmura-t-il, et j'espère que Dieu me pardonnera de mourir sans le secours de cette infirmité vivante.

Le confesseur, de son côté, regardait avec étonnement, presque avec

1. « D'esprit [...] c'est physiquement impossible. »

terreur, le moribond. Il n'avait jamais vu yeux si ardents au moment de se fermer, regards si terribles au moment de s'éteindre.

Le franciscain fit de la main un signe rapide et impératif.

— Asseyez-vous là, mon père, dit-il, et m'écoutez.

Le confesseur jésuite, bon prêtre, simple et naïf initié, qui des mystères de l'ordre n'avait vu que l'initiation, obéit à la supériorité du pénitent.

— Il y a dans cette hôtellerie plusieurs personnes, continua le franciscain.

— Mais, demanda le jésuite, je croyais être venu pour une confession. Est-ce une confession que vous me faites là ?

— Pourquoi cette question ?

— Pour savoir si je dois garder secrètes vos paroles.

— Mes paroles sont termes de confession ; je les fie à votre devoir de confesseur.

— Très bien ! dit le prêtre s'installant dans le fauteuil que le franciscain venait de quitter à grand-peine pour s'étendre sur le lit.

Le franciscain continua.

— Il y a, vous disais-je, plusieurs personnes dans cette hôtellerie.

— Je l'ai entendu dire.

— Ces personnes doivent être au nombre de huit.

Le jésuite fit un signe qu'il comprenait.

— La première à laquelle je veux parler, dit le moribond, est un Allemand de Vienne, et s'appelle le baron de Wostpur. Vous me ferez le plaisir de l'aller trouver, et de lui dire que celui qu'il attendait est arrivé.

Le confesseur, étonné, regarda son pénitent ; la confession lui paraissait singulière.

— Obéissez, dit le franciscain avec le ton irrésistible du commandement.

Le bon jésuite, entièrement subjugué, se leva et quitta la chambre.

Une fois le jésuite sorti, le franciscain reprit les papiers qu'une crise de fièvre l'avait forcé déjà de quitter une première fois.

— Le baron de Wostpur ? Bon ! dit-il : ambitieux, sot, étroit.

Il replia les papiers qu'il poussa sous son traversin.

Des pas rapides se faisaient entendre au bout du corridor.

Le confesseur rentra, suivi du baron de Wostpur, lequel marchait tête levée, comme s'il se fût agi de crever le plafond avec son plumet.

Aussi, à l'aspect de ce franciscain au regard sombre, et de cette simplicité dans la chambre :

— Qui m'appelle ? demanda l'Allemand.

— Moi ! fit le franciscain.

Puis, se tournant vers le confesseur :

— Bon père, lui dit-il, laissez-nous un instant seuls ; quand Monsieur sortira, vous rentrerez.

Le jésuite sortit, et sans doute profita de cet exil momentané de la chambre de son moribond pour demander à l'hôte quelques explications sur cet étrange pénitent, qui traitait son confesseur comme on traite un valet de chambre.

Le baron s'approcha du lit et voulut parler, mais de la main le franciscain lui imposa silence.

— Les moments sont précieux, dit ce dernier à la hâte. Vous êtes venu ici pour le concours, n'est-ce pas ?

— Oui, mon père.

— Vous espérez être élu général ?

— Je l'espère.

— Vous savez à quelles conditions seulement on peut parvenir à ce haut grade, qui fait un homme le maître des rois, l'égal des papes ?

— Qui êtes-vous, demanda le baron, pour me faire subir cet interrogatoire ?

— Je suis celui que vous attendez.

— L'électeur général ?

— Je suis l'élu.

— Vous êtes...

Le franciscain ne lui donna point le temps d'achever ; il étendit sa main amaigrie : à sa main brillait l'anneau du généralat.

Le baron recula de surprise ; puis, tout aussitôt, s'inclinant avec un profond respect :

— Quoi ! s'écria-t-il, vous ici, monseigneur ? vous dans cette pauvre chambre, vous sur ce misérable lit, vous cherchant et choisissant le général futur, c'est-à-dire votre successeur ?

— Ne vous inquiétez point de cela, monsieur ; remplissez vite la condition principale, qui est de fournir à l'ordre un secret d'une importance telle, que l'une des plus grandes cours de l'Europe soit, par votre entremise, à jamais inféodée à l'ordre. Eh bien ! avez-vous ce secret, comme vous avez promis de l'avoir dans votre demande adressée au Grand Conseil ?

— Monseigneur...

— Mais procédons par ordre... Vous êtes bien le baron de Wostpur ?

— Oui, monseigneur.

— Cette lettre est bien de vous ?

Le général des jésuites tira un papier de sa liasse et le présenta au baron.

Le baron y jeta les yeux, et avec un signe affirmatif :

— Oui, monseigneur, cette lettre est bien de moi, dit-il.

— Et vous pouvez me montrer la réponse faite par le secrétaire du Grand Conseil ?

— La voici, monseigneur.

Le baron tendit au franciscain une lettre portant cette simple adresse :

A Son Excellence le baron de Wostpur.

Et contenant cette seule phrase :

Du 15 au 22 mai, Fontainebleau, hôtel du Beau-Paon.

A M D G[1].

— Bien ! dit le franciscain, nous voici en présence, parlez.

— J'ai un corps de troupes composé de cinquante mille hommes ; tous les officiers sont gagnés. Je campe sur le Danube. Je puis en quatre jours renverser l'empereur, opposé, comme vous savez, au progrès de notre ordre, et le remplacer par celui des princes de sa famille que l'ordre nous désignera.

Le franciscain écoutait sans donner signe d'existence.

— C'est tout ? dit-il.

— Il y a une révolution européenne dans mon plan, dit le baron.

— C'est bien, monsieur de Wostpur, vous recevrez la réponse ; rentrez chez vous, et soyez parti de Fontainebleau dans un quart d'heure.

Le baron sortit à reculons, et aussi obséquieux que s'il eût pris congé de cet empereur qu'il allait trahir[2].

— Ce n'est pas là un secret, murmura le franciscain, c'est un complot... D'ailleurs, ajouta-t-il après un moment de réflexion, l'avenir de l'Europe n'est plus aujourd'hui dans la maison d'Autriche.

Et, d'un crayon rouge qu'il tenait à la main, il raya sur la liste le nom du baron de Wostpur.

— Au cardinal, maintenant, dit-il ; du côté de l'Espagne, nous devons avoir quelque chose de plus sérieux.

Levant les yeux, il aperçut le confesseur qui attendait ses ordres, soumis comme un écolier.

— Ah ! ah ! dit-il, remarquant cette soumission, vous avez parlé à l'hôte ?

— Oui, monseigneur, et au médecin.

— A Grisart.

— Oui.

— Il est donc là ?

— Il attend, avec la potion promise.

— C'est bien ! si besoin est, j'appellerai ; maintenant, vous comprenez toute l'importance de ma confession, n'est-ce pas ?

— Oui, monseigneur.

— Alors, allez me quérir le cardinal espagnol Herrebia. Hâtez-vous. Cette fois seulement, comme vous savez ce dont il s'agit, vous resterez près de moi, car j'éprouve des défaillances.

1. *Ad majorem Dei gloriam* (N.d.A.).
2. Léopold Ier, empereur depuis 1657.

— Faut-il appeler le médecin ?

— Pas encore, pas encore... Le cardinal espagnol, voilà tout... Allez.

Cinq minutes après, le cardinal entrait, pâle et inquiet, dans la petite chambre.

— J'apprends, monseigneur... balbutia le cardinal.

— Au fait, dit le franciscain d'une voix éteinte.

Et il montra au cardinal une lettre écrite par ce dernier au Grand Conseil.

— Est-ce votre écriture ? demanda-t-il.

— Oui ; mais...

— Et votre convocation ?...

Le cardinal hésitait à répondre. Sa pourpre se révoltait contre la bure du pauvre franciscain.

Le moribond étendit la main et montra l'anneau.

L'anneau fit son effet, plus grand à mesure que grandissait le personnage sur lequel le franciscain s'exerçait.

— Le secret, le secret, vite ! demanda le malade en s'appuyant sur son confesseur.

— *Coram isti*[1] ? demanda le cardinal, inquiet.

— Parlez espagnol, dit le franciscain en prêtant la plus vive attention.

— Vous savez, monseigneur, dit le cardinal continuant la conversation en castillan, que la condition du mariage de l'infante avec le roi de France est une renonciation absolue des droits de ladite infante, comme aussi du roi Louis, à tout apanage de la couronne d'Espagne ?

Le franciscain fit un signe affirmatif.

— Il en résulte, continua le cardinal, que la paix et l'alliance entre les deux royaumes dépendent de l'observation de cette clause du contrat.

Même signe du franciscain.

— Non seulement la France et l'Espagne, dit le cardinal, mais encore l'Europe tout entière seraient ébranlées par l'infidélité d'une des parties.

Nouveau mouvement de tête du malade.

— Il en résulte, continua l'orateur, que celui qui pourrait prévoir les événements et donner comme certain ce qui n'est jamais qu'un nuage dans l'esprit de l'homme, c'est-à-dire l'idée du bien ou du mal à venir, préserverait le monde d'une immense catastrophe ; on ferait tourner au profit de l'ordre l'événement deviné dans le cerveau même de celui qui le prépare.

— *Pronto ! pronto !* murmura le franciscain, qui pâlit et se pencha sur le prêtre.

Le cardinal s'approcha de l'oreille du moribond.

— Eh bien ! monseigneur, dit-il, je sais que le roi de France a décidé

1. « En présence de celui-là. »

qu'au premier prétexte, une mort par exemple, soit celle du roi d'Espagne, soit celle d'un frère de l'infante[1], la France revendiquera, les armes à la main, l'héritage, et je tiens tout préparé le plan politique arrêté par Louis XIV à cette occasion.

— Ce plan ? dit le franciscain.

— Le voici, dit le cardinal.

— De quelle main est-il écrit ?

— De la mienne.

— N'avez-vous rien de plus à dire ?

— Je crois avoir dit beaucoup, monseigneur, répondit le cardinal.

— C'est vrai, vous avez rendu un grand service à l'ordre. Mais comment vous êtes-vous procuré les détails à l'aide desquels vous avez bâti ce plan ?

— J'ai à ma solde les bas valets du roi de France, et je tiens d'eux tous les papiers de rebut que la cheminée a épargnés.

— C'est ingénieux, murmura le franciscain en essayant de sourire. Monsieur le cardinal, vous partirez de cette hôtellerie dans un quart d'heure ; réponse vous sera faite, allez !

Le cardinal se retira.

— Appelez-moi Grisart, et allez me chercher le Vénitien Marini, dit le malade.

Pendant que le confesseur obéissait, le franciscain, au lieu de biffer le nom du cardinal comme il avait fait de celui du baron, traça une croix à côté de ce nom.

Puis, épuisé par l'effort, il tomba sur son lit en murmurant le nom du docteur Grisart.

Quand il revint à lui, il avait bu la moitié d'une potion dont le reste attendait dans un verre, et il était soutenu par le médecin, tandis que le Vénitien et le confesseur se tenaient près de la porte.

Le Vénitien passa par les mêmes formalités que ses deux concurrents, hésita comme eux à la vue des deux étrangers, et, rassuré par l'ordre du général, révéla que le pape[2], effrayé de la puissance de l'ordre, ourdissait un plan d'expulsion générale des jésuites, et pratiquait les cours de l'Europe à l'effet d'obtenir leur aide. Il indiqua les auxiliaires du pontife, ses moyens d'action, et désigna l'endroit de l'archipel où, par un coup de main, deux cardinaux adeptes de la onzième année, et par conséquent chefs supérieurs, devaient être déportés avec trente-deux des principaux affiliés de Rome.

1. L'infante était le seul enfant survivant du premier mariage de Philippe IV avec Isabelle de Bourbon, fille de Henri IV et de Marie de Médicis, l'infant Balthasar étant mort en 1649. De son second mariage avec Marie-Anne d'Autriche, il eut cinq enfants dont trois fils : Philippe-Prosper (1655-1661), Fernand-Thomas (1658-1659) et le débile Charles, né le 6 novembre 1661 qui régna sous le nom de Charles II. A l'époque de l'action du roman, le seul infant vivant est Philippe-Prosper.

2. Alexandre VII.

Le franciscain remercia le signor Marini. Ce n'était pas un mince service rendu à la société que la dénonciation de ce projet pontifical.

Après quoi, le Vénitien reçut l'ordre de partir dans un quart d'heure, et s'en alla radieux, comme s'il tenait déjà l'anneau, insigne du commandement de la société.

Mais, tandis qu'il s'éloignait, le franciscain murmurait sur son lit :

— Tous ces hommes sont des espions ou des sbires, pas un n'est général ; tous ont découvert un complot, pas un n'a un secret. Ce n'est point avec la ruine, avec la guerre, avec la force que l'on doit gouverner la Société de Jésus, c'est avec l'influence mystérieuse que donne une supériorité morale. Non, l'homme n'est pas trouvé, et, pour comble de malheur, Dieu me frappe, et je meurs. Oh ! faudra-t-il que la société tombe avec moi faute d'une colonne ; faut-il que la mort qui m'attend dévore avec moi l'avenir de l'ordre ? Cet avenir que dix ans de ma vie eussent éternisé, car il s'ouvre radieux et splendide, cet avenir, avec le règne du nouveau roi !

Ces mots à demi pensés, à demi prononcés, le bon jésuite les écoutait avec épouvante comme on écoute les divagations d'un fiévreux, tandis que Grisart, esprit plus élevé, les dévorait comme les révélations d'un monde inconnu où son regard plongeait sans que sa main pût y atteindre.

Soudain le franciscain se releva.

— Terminons, dit-il, la mort me gagne. Oh ! tout à l'heure, je mourais tranquille, j'espérais... Maintenant je tombe désespéré, à moins que dans ceux qui restent... Grisart ! Grisart, faites-moi vivre une heure encore !

Grisart s'approcha du moribond et lui fit avaler quelques gouttes, non pas de la potion qui était dans le verre, mais du contenu d'un flacon qu'il portait sur lui.

— Appelez l'Écossais ! s'écria le franciscain ; appelez le marchand de Brême ! Appelez ! appelez ! Jésus ! je me meurs ! Jésus ! j'étouffe !

Le confesseur s'élança pour aller chercher du secours, comme s'il y eût eu une force humaine qui pût soulever le doigt de la mort qui s'appesantissait sur le malade ; mais sur le seuil de la porte, il trouva Aramis, qui, un doigt sur les lèvres, comme la statue d'Harpocrate, dieu du silence, le repoussa du regard jusqu'au fond de la chambre.

Le médecin et le confesseur firent cependant un mouvement, après s'être consultés des yeux, pour écarter Aramis. Mais celui-ci, avec deux signes de croix faits chacun d'une façon différente, les cloua tous deux à leur place.

— Un chef ! murmurèrent-ils tous deux.

Aramis pénétra lentement dans la chambre où le moribond luttait contre les premières atteintes de l'agonie.

Quant au franciscain, soit que l'élixir fît son effet, soit que cette apparition d'Aramis lui rendît des forces, il fit un mouvement, et, l'œil ardent, la bouche entrouverte, les cheveux humides de sueur, il se dressa sur le lit.

Aramis sentit que l'air de cette chambre était étouffant ; toutes les fenêtres étaient closes, du feu brûlait dans l'âtre, deux bougies de cire jaune se répandaient en nappe sur les chandeliers de cuivre et chauffaient encore l'atmosphère de leur vapeur épaisse.

Aramis ouvrit la fenêtre, et, fixant sur le moribond un regard plein d'intelligence et de respect :

— Monseigneur, lui dit-il, je vous demande pardon d'arriver ainsi sans que vous m'ayez mandé, mais votre état m'effraie, et j'ai pensé que vous pouviez être mort avant de m'avoir vu, car je ne venais que le sixième sur votre liste.

Le moribond tressaillit et regarda sa liste.

— Vous êtes donc celui qu'on a appelé autrefois Aramis et depuis le chevalier d'Herblay ? Vous êtes donc l'évêque de Vannes.

— Oui, monseigneur.

— Je vous connais, je vous ai vu.

— Au jubilé dernier, nous nous sommes trouvés ensemble chez le Saint-Père.

— Ah ! oui, c'est vrai, je me rappelle. Et vous vous mettez sur les rangs ?

— Monseigneur, j'ai ouï dire que l'ordre avait besoin de posséder un grand secret d'État, et, sachant que par modestie vous aviez résigné d'avance vos fonctions en faveur de celui qui apporterait ce secret, j'ai écrit que j'étais prêt à concourir, possédant seul un secret que je crois important.

— Parlez, dit le franciscain ; je suis prêt à vous entendre et à juger de l'importance de ce secret.

— Monseigneur, un secret de la valeur de celui que je vais avoir l'honneur de vous confier ne se dit point avec la parole. Toute idée qui est sortie une fois des limbes de la pensée et s'est manifestée par une manifestation quelconque n'appartient plus même à celui qui l'a enfantée. La parole peut être récoltée par une oreille attentive et ennemie ; il ne faut donc point la semer au hasard, car, alors, le secret ne s'appelle plus un secret.

— Comment donc alors comptez-vous transmettre votre secret ? demanda le moribond.

Aramis fit d'une main signe au médecin et au confesseur de s'éloigner, et, de l'autre, il tendit au franciscain un papier qu'une double enveloppe recouvrait.

— Et l'écriture, demanda le franciscain, n'est-elle pas plus dangereuse encore que la parole, dites ?

— Non, monseigneur, dit Aramis, car vous trouverez dans cette enveloppe des caractères que vous seul et moi pouvons comprendre.

Le franciscain regardait Aramis avec un étonnement toujours croissant.

— C'est, continua celui-ci, le chiffre que vous aviez en 1655, et que votre secrétaire, Juan Jujan, qui est mort, pourrait seul déchiffrer s'il revenait au monde.

— Vous connaissiez donc ce chiffre, vous ?

— C'est moi qui le lui avais donné.

Et Aramis, s'inclinant avec une grâce pleine de respect, s'avança vers la porte comme pour sortir.

Mais un geste du franciscain, accompagné d'un cri d'appel, le retint.

— Jésus ! dit-il ; *ecce homo !*

Puis, relisant une seconde fois le papier :

— Venez vite, dit-il, venez.

Aramis se rapprocha du franciscain avec le même visage calme et le même air respectueux.

Le franciscain, le bras étendu, brûlait à la bougie le papier que lui avait remis Aramis.

Alors, prenant la main d'Aramis et l'attirant à lui :

— Comment et par qui avez-vous pu savoir un pareil secret ? demanda-t-il.

— Par Mme de Chevreuse, l'amie intime, la confidente de la reine.

— Et Mme de Chevreuse ?

— Elle est morte[1].

— Et d'autres, d'autres savaient-ils ?...

— Un homme et une femme du peuple seulement.

— Quels étaient-ils ?

— Ceux qui l'avaient élevée.

— Que sont-ils devenus ?

— Morts aussi... Ce secret brûle comme le feu.

— Et vous avez survécu ?

— Tout le monde ignore que je le connaisse.

— Depuis combien de temps avez-vous ce secret ?

— Depuis quinze ans.

— Et vous l'avez gardé ?

— Je voulais vivre.

— Et vous le donnez à l'ordre, sans ambition, sans retour ?

— Je le donne à l'ordre avec ambition et avec retour, dit Aramis ; car, si vous vivez, monseigneur, vous ferez de moi, maintenant que vous me connaissez, ce que je puis, ce que je dois être.

— Et comme je meurs, s'écria le franciscain, je fais de toi mon successeur... Tiens !

Et, arrachant la bague, il la passa au doigt d'Aramis.

1. Affirmation étonnante, d'autant que Mme de Chevreuse apparaît plus loin.

Puis, se retournant vers les deux spectateurs de cette scène :

— Soyez témoins, dit-il, et attestez dans l'occasion que, malade de corps, mais sain d'esprit, j'ai librement et volontairement remis cet anneau, marque de la toute-puissance, à Mgr d'Herblay, évêque de Vannes, que je nomme mon successeur, et devant lequel, moi, humble pécheur, prêt à paraître devant Dieu, je m'incline le premier, pour donner l'exemple à tous.

Et le franciscain s'inclina effectivement, tandis que le médecin et le jésuite tombaient à genoux.

Aramis, tout en devenant plus pâle que le moribond lui-même, étendit successivement son regard sur tous les acteurs de cette scène. L'ambition satisfaite affluait avec le sang vers son cœur.

— Hâtons-nous, dit le franciscain ; ce que j'avais à faire ici me presse, me dévore ! Je n'y parviendrai jamais.

— Je le ferai, moi, dit Aramis.

— C'est bien, dit le franciscain.

Puis, s'adressant au jésuite et au médecin :

— Laissez-nous seuls, dit-il.

Tous deux obéirent.

— Avec ce signe, dit-il, vous êtes l'homme qu'il faut pour remuer la terre ; avec ce signe vous renverserez ; avec ce signe vous édifierez : *In hoc signo vinces*[1] ! Fermez la porte, dit le franciscain à Aramis.

Aramis poussa les verrous et revint près du franciscain.

— Le pape a conspiré contre l'ordre, dit le franciscain, le pape doit mourir.

— Il mourra[2], dit tranquillement Aramis.

— Il est dû sept cent mille livres à un marchand, à Brême, nommé Bonstett, qui venait ici chercher la garantie de ma signature.

— Il sera payé, dit Aramis.

— Six chevaliers de Malte, dont voici les noms, ont découvert, par l'indiscrétion d'un affilié de onzième année, les troisièmes mystères ; il faut savoir ce que ces hommes ont fait du secret, le reprendre et l'éteindre.

— Cela sera fait.

— Trois affiliés dangereux doivent être renvoyés dans le Thibet pour y périr ; ils sont condamnés. Voici leurs noms.

— Je ferai exécuter la sentence.

— Enfin, il y a une dame d'Anvers, petite-nièce de Ravaillac ; elle a entre les mains certains papiers qui compromettent l'ordre. Il y a dans

1. « Tu vaincras par ce signe » : inscription qui aurait été inscrite sur une croix apparue dans les airs à Constantin.

2. Alexandre VII ne mourut qu'en 1667.

la famille, depuis cinquante et un ans, une pension de cinquante mille livres. La pension est lourde ; l'ordre n'est pas riche... Racheter les papiers pour une somme d'argent une fois donnée, ou, en cas de refus, supprimer la pension... sans risque.

— J'aviserai, dit Aramis.

— Un navire venant de Lima a dû entrer la semaine dernière dans le port de Lisbonne ; il est chargé ostensiblement de chocolat, en réalité d'or. Chaque lingot est caché sous une couche de chocolat. Ce navire est à l'ordre ; il vaut dix-sept millions de livres, vous le ferez réclamer : voici les lettres de charge.

— Dans quel port le ferai-je venir ?

— A Bayonne.

— Sauf vents contraires, avant trois semaines il y sera. Est-ce tout ?

Le franciscain fit de la tête un signe affirmatif, car il ne pouvait plus parler ; le sang envahissait sa gorge et sa tête et jaillit par la bouche, par les narines et par les yeux. Le malheureux n'eut que le temps de presser la main d'Aramis et tomba tout crispé de son lit sur le plancher.

Aramis lui mit la main sur le cœur ; le cœur avait cessé de battre.

En se baissant, Aramis remarqua qu'un fragment du papier qu'il avait remis au franciscain avait échappé aux flammes.

Il le ramassa et le brûla jusqu'au dernier atome.

Puis, rappelant le confesseur et le médecin :

— Votre pénitent est avec Dieu, dit-il au confesseur ; il n'a plus besoin que des prières et de la sépulture des morts. Allez tout préparer pour un enterrement simple, et tel qu'il convient de le faire à un pauvre moine... Allez.

Le jésuite sortit.

Alors, se tournant vers le médecin, et voyant sa figure pâle et anxieuse :

— Monsieur Grisart, dit-il tout bas, videz ce verre et le nettoyez ; il y reste trop de ce que le Grand Conseil vous avait commandé d'y mettre.

Grisart, étourdi, atterré, écrasé, faillit tomber à la renverse.

Aramis haussa les épaules en signe de pitié, prit le verre, et en vida le contenu dans les cendres du foyer.

Puis il sortit, emportant les papiers du mort.

CXXVIII

MISSION

Le lendemain, ou plutôt le jour même, car les événements que nous venons de raconter avaient pris fin à trois heures du matin seulement, avant le déjeuner, et comme le roi partait pour la messe avec les deux reines, comme Monsieur, avec le chevalier de Lorraine et quelques autres familiers, montait à cheval pour se rendre à la rivière, afin d'y prendre un de ces fameux bains dont les dames étaient folles, comme il ne restait enfin au château que Madame, qui, sous prétexte d'indisposition, ne voulut pas sortir, on vit, ou plutôt on ne vit pas, Montalais se glisser hors de la chambre des filles d'honneur, attirant après elle La Vallière, qui se cachait le plus possible ; et toutes deux, s'esquivant par les jardins, parvinrent, tout en regardant autour d'elles, à gagner les quinconces.

Le temps était nuageux ; un vent de flamme courbait les fleurs et les arbustes ; la poussière brûlante, arrachée aux chemins, montait par tourbillons sur les arbres.

Montalais, qui, pendant toute la marche, avait rempli les fonctions d'un éclaireur habile, Montalais fit quelques pas encore, et, se retournant pour être bien sûre que personne n'écoutait ni ne venait :

— Allons, dit-elle, Dieu merci ! nous sommes bien seules. Depuis hier, tout le monde espionne ici, et l'on forme un cercle autour de nous comme si vraiment nous étions pestiférées.

La Vallière baissa la tête et poussa un soupir.

— Enfin, c'est inouï, continua Montalais ; depuis M. Malicorne jusqu'à M. de Saint-Aignan, tout le monde en veut à notre secret. Voyons, Louise, recordons-nous un peu, que je sache à quoi m'en tenir.

La Vallière leva sur sa compagne ses beaux yeux purs et profonds comme l'azur d'un ciel de printemps.

— Et moi, dit-elle, je te demanderai pourquoi nous avons été appelées chez Madame ; pourquoi nous avons couché chez elle au lieu de coucher comme d'habitude chez nous ; pourquoi tu es rentrée si tard, et d'où viennent les mesures de surveillance qui ont été prises ce matin à notre égard ?

— Ma chère Louise, tu réponds à ma question par une question, ou plutôt par dix questions, ce qui n'est pas répondre. Je te dirai cela plus tard, et, comme ce sont choses de secondaire importance, tu peux attendre. Ce que je te demande, car tout découlera de là, c'est s'il y a ou s'il n'y a pas secret.

— Je ne sais s'il y a secret, dit La Vallière, mais ce que je sais, de ma part du moins, c'est qu'il y a eu imprudence depuis ma sotte parole et mon plus sot évanouissement d'hier ; chacun ici fait ses commentaires sur nous.

— Parle pour toi, ma chère, dit Montalais en riant, pour toi et pour Tonnay-Charente, qui avez fait chacune hier vos déclarations aux nuages, déclarations qui malheureusement ont été interceptées.

La Vallière baissa la tête.

— En vérité, dit-elle, tu m'accables.

— Moi ?

— Oui, ces plaisanteries me font mourir.

— Écoute, écoute, Louise. Ce ne sont point des plaisanteries, et rien n'est plus sérieux, au contraire. Je ne t'ai pas arrachée au château, je n'ai pas manqué la messe, je n'ai pas feint une migraine comme Madame, migraine que Madame n'avait pas plus que moi ; je n'ai pas enfin déployé dix fois plus de diplomatie que M. Colbert n'en a hérité de M. de Mazarin et n'en pratique vis-à-vis de M. Fouquet, pour parvenir à te confier mes quatre douleurs, à cette seule fin que, lorsque nous sommes seules, que personne ne nous écoute, tu viennes jouer au fin avec moi. Non, non, crois-le bien, quand je t'interroge, ce n'est pas seulement par curiosité, c'est parce qu'en vérité la situation est critique. On sait ce que tu as dit hier, on jase sur ce texte. Chacun brode de son mieux et des fleurs de sa fantaisie ; tu as eu l'honneur cette nuit, et tu as encore l'honneur ce matin d'occuper toute la cour, ma chère, et le nombre des choses tendres et spirituelles qu'on te prête ferait crever de dépit Mlle de Scudéry et son frère, si elles leur étaient fidèlement rapportées.

— Eh ! ma bonne Montalais, dit la pauvre enfant, tu sais mieux que personne ce que j'ai dit, puisque c'est devant toi que je le disais.

— Oui, je le sais. Mon Dieu ! la question n'est pas là. Je n'ai même pas oublié une seule des paroles que tu as dites ; mais pensais-tu ce que tu disais ?

Louise se troubla.

— Encore des questions ? s'écria-t-elle. Mon Dieu ! quand je donnerais tout au monde pour oublier ce que j'ai dit... comment se fait-il donc que chacun se donne le mot pour m'en faire souvenir ? Oh ! voilà une chose affreuse.

— Laquelle ? voyons.

— C'est d'avoir une amie qui me devrait épargner, qui pourrait me conseiller, m'aider à me sauver, et qui me tue, qui m'assassine !

— Là ! là ! fit Montalais, voilà qu'après avoir dit trop peu, tu dis trop maintenant. Personne ne songe à te tuer, pas même à te voler, même ton secret : on veut l'avoir de bonne volonté, et non pas autrement ; car ce n'est pas seulement de tes affaires qu'il s'agit, c'est des nôtres ; et Tonnay-Charente te le dirait comme moi si elle était là. Car enfin, hier au soir, elle m'avait demandé un entretien dans notre chambre, et je m'y rendais après les colloques manicampiens et malicorniens, quand j'apprends à mon retour, un peu attardé, c'est vrai, que Madame a séquestré les filles d'honneur, et que nous couchons chez elle, au lieu de coucher chez nous. Or, Madame a séquestré les filles d'honneur pour qu'elles n'aient pas le temps de se recorder, et, ce matin, elle s'est enfermée avec Tonnay-Charente dans ce même but. Dis-moi donc, chère amie, quel fond Athénaïs et moi pouvons faire sur toi, comme nous te dirons quel fond tu peux faire sur nous.

— Je ne comprends pas bien la question que tu me fais, dit Louise très agitée.

— Hum ! tu m'as l'air, au contraire, de très bien comprendre. Mais je veux préciser mes questions, afin que tu n'aies pas la ressource du moindre faux-fuyant. Écoute donc. *Aimes-tu M. de Bragelonne ?* C'est clair, cela, hein ?

A cette question, qui tomba comme le premier projectile d'une armée assiégeante dans une place assiégée, Louise fit un mouvement.

— Si j'aime Raoul ! s'écria-t-elle, mon ami d'enfance, mon frère !

— Eh ! non, non, non ! Voilà encore que tu m'échappes, ou que plutôt tu veux m'échapper. Je ne te demande pas si tu aimes Raoul, ton ami d'enfance et ton frère ; je te demande si tu aimes M. le vicomte de Bragelonne, ton fiancé ?

— Oh ! mon Dieu, ma chère, dit Louise, quelle sévérité dans la parole !

— Pas de rémission, je ne suis ni plus ni moins sévère que de coutume. Je t'adresse une question ; réponds à cette question.

— Assurément, dit Louise d'une voix étranglée, tu ne me parles pas en amie, mais je te répondrai, moi, en amie sincère.

— Réponds.

— Eh bien ! je porte un cœur plein de scrupule et de ridicules fiertés à l'endroit de tout ce qu'une femme doit garder secret, et nul n'a jamais lu sous ce rapport jusqu'au fond de mon âme.

— Je le sais bien. Si j'y avais lu, je ne t'interrogerais pas, je te dirais simplement : « Ma bonne Louise, tu as le bonheur de connaître M. de Bragelonne, qui est un gentil garçon et un parti avantageux pour une fille sans fortune. M. de La Fère laissera quelque chose comme quinze mille livres de rente à son fils. Tu auras donc un jour quinze mille livres de rente comme la femme de ce fils ; c'est admirable. Ne va donc ni à droite ni à gauche, va franchement à M. de Bragelonne, c'est-à-dire à l'autel où il doit te conduire. Après ? Eh bien ! après, selon son caractère, tu seras ou émancipée ou esclave, c'est-à-dire que tu auras le droit de faire toutes les folies que font les gens trop libres ou trop esclaves. » Voilà donc, ma chère Louise, ce que je te dirais d'abord, si j'avais lu au fond de ton cœur.

— Et je te remercierais, balbutia Louise, quoique le conseil ne me paraisse pas complètement bon.

— Attends, attends... Mais, tout de suite après te l'avoir donné, j'ajouterais : « Louise, il est dangereux de passer des journées entières la tête inclinée sur son sein, les mains inertes, l'œil vague ; il est dangereux de chercher les allées sombres et de ne plus sourire aux divertissements qui épanouissent tous les cœurs de jeunes filles ; il est dangereux, Louise, d'écrire avec le bout du pied, comme tu le fais, sur le sable, des lettres que tu as beau effacer, mais qui paraissent encore sous le talon, surtout quand ces lettres ressemblent plus à des L qu'à des B ; il est dangereux enfin de se mettre dans l'esprit mille imaginations bizarres, fruits de la solitude et de la migraine ; ces imaginations creusent les joues d'une pauvre fille en même temps qu'elles creusent sa cervelle ; de sorte qu'il n'est point rare, en ces occasions, de voir la plus agréable personne du monde en devenir la plus maussade, de voir la plus spirituelle en devenir la plus niaise. »

— Merci, mon Aure chérie, répondit doucement La Vallière ; il est dans ton caractère de me parler ainsi, et je te remercie de me parler selon ton caractère.

— Et c'est pour les songe-creux que je parle ; ne prends donc de mes paroles que ce que tu croiras devoir en prendre. Tiens, je ne sais plus quel conte me revient à la mémoire d'une fille vaporeuse ou mélancolique, car M. Dangeau m'expliquait l'autre jour que mélancolie devait, grammaticalement, s'écrire *mélancholie*, avec un *h*, attendu que le mot français est formé de deux mots grecs, dont l'un veut dire *noir* et l'autre *bile*. Je rêvais donc à cette jeune personne qui mourut de *bile noire*, pour s'être imaginée que le prince, que le roi ou que l'empereur... ma foi ! n'importe lequel, s'en allait l'adorant ; tandis que le prince, le roi ou l'empereur... comme tu voudras, aimait visiblement ailleurs, et, chose singulière, chose dont elle ne s'apercevait pas, tandis que tout le monde s'en apercevait autour d'elle, la prenait pour paravent d'amour. Tu ris, comme moi, de cette pauvre folle, n'est-ce pas, La Vallière ?

— Je ris, balbutia Louise, pâle comme une morte ; oui, certainement je ris.

— Et tu as raison, car la chose est divertissante. L'histoire ou le conte, comme tu voudras, m'a plu ; voilà pourquoi je l'ai retenu et te le raconte. Te figures-tu, ma bonne Louise, le ravage que ferait dans ta cervelle, par exemple, une mélancholie, avec un *h*, de cette espèce-là ? Quant à moi, j'ai résolu de te raconter la chose ; car, si la chose arrivait à l'une de nous, il faudrait qu'elle fût bien convaincue de cette vérité : aujourd'hui c'est un leurre ; demain, ce sera une risée ; après-demain, ce sera la mort.

La Vallière tressaillit et pâlit encore, si c'était possible.

— Quand un roi s'occupe de nous, continua Montalais, il nous le fait bien voir, et, si nous sommes le bien qu'il convoite, il sait se ménager son bien. Tu vois donc, Louise, qu'en pareilles circonstances, entre jeunes filles exposées à un semblable danger, il faut se faire toutes confidences, afin que les cœurs non mélancoliques surveillent les cœurs qui le peuvent devenir.

— Silence ! silence ! s'écria La Vallière, on vient.

— On vient en effet, dit Montalais ; mais qui peut venir ? Tout le monde est à la messe avec le roi, ou au bain avec Monsieur.

Au bout de l'allée, les jeunes filles aperçurent presque aussitôt sous l'arcade verdoyante la démarche gracieuse et la riche stature d'un jeune homme qui, son épée sous le bras et un manteau dessus, tout botté et tout éperonné, les saluait de loin avec un doux sourire.

— Raoul ! s'écria Montalais.

— M. de Bragelonne ! murmura Louise.

— C'est un juge tout naturel qui nous vient pour notre différend, dit Montalais.

— Oh ! Montalais ! Montalais, par pitié ! s'écria La Vallière, après avoir été cruelle, ne sois point inexorable !

Ces mots, prononcés avec toute l'ardeur d'une prière, effacèrent du visage, sinon du cœur de Montalais, toute trace d'ironie.

— Oh ! vous voilà beau comme Amadis, monsieur de Bragelonne ! cria-t-elle à Raoul, et tout armé, tout botté comme lui.

— Mille respects, mesdemoiselles, répondit Bragelonne en s'inclinant.

— Mais enfin, pourquoi ces bottes ? répéta Montalais, tandis que La Vallière, tout en regardant Raoul avec un étonnement pareil à celui de sa compagne, gardait néanmoins le silence.

— Pourquoi ? demanda Raoul.

— Oui, hasarda La Vallière à son tour.

— Parce que je pars, dit Bragelonne en regardant Louise.

La jeune fille se sentit frappée d'une superstitieuse terreur et chancela.

— Vous partez, Raoul ! s'écria-t-elle ; et où donc allez-vous ?

— Ma chère Louise, dit le jeune homme avec cette placidité qui lui était naturelle, je vais en Angleterre.

— Et qu'allez-vous faire en Angleterre ?

— Le roi m'y envoie.

— Le roi ! s'exclamèrent à la fois Louise et Aure, qui involontairement échangèrent un coup d'œil, se rappelant l'une et l'autre l'entretien qui venait d'être interrompu.

Ce coup d'œil, Raoul l'intercepta, mais il ne pouvait le comprendre. Il l'attribua donc tout naturellement à l'intérêt que lui portaient les deux jeunes filles.

— Sa Majesté, dit-il, a bien voulu se souvenir que M. le comte de La Fère est bien vu du roi Charles II. Ce matin donc, au départ pour la messe, le roi, me voyant sur son chemin, m'a fait un signe de tête. Alors, je me suis approché. « Monsieur de Bragelonne, m'a-t-il dit, vous passerez chez M. Fouquet, qui a reçu de moi des lettres pour le roi de la Grande-Bretagne ; ces lettres, vous les porterez. » Je m'inclinai. « Ah ! auparavant que de partir, ajouta-t-il, vous voudrez bien prendre les commissions de Madame pour le roi son frère. »

— Mon Dieu ! murmura Louise toute nerveuse et toute pensive à la fois.

— Si vite ! on vous ordonne de partir si vite ? dit Montalais paralysée par cet événement étrange.

— Pour bien obéir à ceux qu'on respecte, dit Raoul, il faut obéir vite. Dix minutes après l'ordre reçu, j'étais prêt. Madame, prévenue, écrit la lettre dont elle veut bien me faire l'honneur de me charger. Pendant ce temps, sachant de Mlle de Tonnay-Charente que vous deviez être du côté des quinconces, j'y suis venu, et je vous trouve toutes deux.

— Et toutes deux assez souffrantes, comme vous voyez, dit Montalais pour venir en aide à Louise, dont la physionomie s'altérait visiblement.

— Souffrantes ! répéta Raoul en pressant avec une tendre curiosité la main de Louise de La Vallière. Oh ! en effet, votre main est glacée.

— Ce n'est rien.

— Ce froid ne va pas jusqu'au cœur, n'est-ce pas, Louise ? demanda le jeune homme avec un doux sourire.

Louise releva vivement la tête, comme si cette question eût été inspirée par un soupçon et eût provoqué un remords.

— Oh ! vous savez, dit-elle avec effort, que jamais mon cœur ne sera froid pour un ami tel que vous, monsieur de Bragelonne.

— Merci, Louise. Je connais et votre cœur et votre âme, et ce n'est point au contact de la main, je le sais, que l'on juge une tendresse comme la vôtre. Louise, vous savez combien je vous aime, avec quelle confiance et quel abandon je vous ai donné ma vie ; vous me pardonnerez donc, n'est-ce pas, de vous parler un peu en enfant ?

— Parlez, monsieur Raoul, dit Louise toute tremblante ; je vous écoute.

— Je ne puis m'éloigner de vous en emportant un tourment, absurde, je le sais, mais qui cependant me déchire.

— Vous éloignez-vous donc pour longtemps ? demanda La Vallière d'une voix oppressée, tandis que Montalais détournait la tête.

— Non, et je ne serai probablement pas même quinze jours absent.

La Vallière appuya une main sur son cœur, qui se brisait.

— C'est étrange, poursuivit Raoul en regardant mélancoliquement la jeune fille ; souvent je vous ai quittée pour aller en des rencontres périlleuses, je partais joyeux alors, le cœur libre, l'esprit tout enivré de joies à venir, de futures espérances, et cependant alors il s'agissait pour moi d'affronter les balles des Espagnols ou les dures hallebardes des Wallons. Aujourd'hui, je vais, sans nul danger, sans nulle inquiétude, chercher par le plus facile chemin du monde une belle récompense que me promet cette faveur du roi, je vais vous conquérir peut-être ; car quelle autre faveur plus précieuse que vous-même le roi pourrait-il m'accorder ? Eh bien ! Louise, je ne sais en vérité comment cela se fait, mais tout ce bonheur, tout cet avenir fuit devant mes yeux comme une vaine fumée, comme un rêve chimérique, et j'ai là, j'ai là au fond du cœur, voyez-vous, un grand chagrin, un inexprimable abattement, quelque chose de morne, d'inerte et de mort, comme un cadavre. Oh ! je sais bien pourquoi, Louise ; c'est parce que je ne vous ai jamais tant aimée que je le fais en ce moment. Oh ! mon Dieu ! mon Dieu !

A cette dernière exclamation sortie d'un cœur brisé, Louise fondit en larmes et se renversa dans les bras de Montalais.

Celle-ci, qui cependant n'était pas des plus tendres, sentit ses yeux se mouiller et son cœur se serrer dans un cercle de fer.

Raoul vit les pleurs de sa fiancée. Son regard ne pénétra point, ne chercha pas même à pénétrer au-delà de ses pleurs. Il fléchit un genou devant elle et lui baisa tendrement la main.

On voyait que, dans ce baiser, il mettait tout son cœur.

— Relevez-vous, relevez-vous, lui dit Montalais, près de pleurer elle-même, car voici Athénaïs qui nous arrive.

Raoul essuya son genou du revers de sa manche, sourit encore une fois à Louise, qui ne le regardait plus, et, ayant serré la main de Montalais avec effusion, il se retourna pour saluer Mlle de Tonnay-Charente, dont on commençait à entendre la robe soyeuse effleurant le sable des allées.

— Madame a-t-elle achevé sa lettre ? lui demanda-t-il lorsque la jeune fille fut à la portée de sa voix.

— Oui, monsieur le vicomte, la lettre est achevée, cachetée, et Son Altesse Royale vous attend.

Raoul, à ce mot, prit à peine le temps de saluer Athénaïs, jeta un dernier regard à Louise, fit un dernier signe à Montalais, et s'éloigna dans la direction du château.

Mais, tout en s'éloignant, il se retournait encore.

Enfin, au détour de la grande allée, il eut beau se retourner, il ne vit plus rien.

De leur côté, les trois jeunes filles, avec des sentiments bien divers, l'avaient regardé disparaître.

— Enfin, dit Athénaïs, rompant la première le silence, enfin, nous voilà seules, libres de causer de la grande affaire d'hier, et de nous expliquer sur la conduite qu'il importe que nous suivions. Or, si vous voulez me prêter attention, continua-t-elle en regardant de tous côtés, je vais vous expliquer, le plus brièvement possible, d'abord notre devoir comme je l'entends, et, si vous ne me comprenez pas à demi-mot, la volonté de Madame.

Et Mlle de Tonnay-Charente appuya sur ces derniers mots, de manière à ne pas laisser de doute à ses compagnes sur le caractère officiel dont elle était revêtue.

— La volonté de Madame ! s'écrièrent à la fois Montalais et Louise.

— Ultimatum ! répliqua diplomatiquement Mlle de Tonnay-Charente.

— Mais, mon Dieu ! mademoiselle, murmura La Vallière, Madame sait donc ?...

— Madame en sait plus que nous n'en avons dit, articula nettement Athénaïs. Ainsi, mesdemoiselles, tenons-nous bien.

— Oh ! oui, fit Montalais. Aussi j'écoute de toutes mes oreilles. Parle, Athénaïs.

— Mon Dieu ! mon Dieu ! murmura Louise toute tremblante, survivrai-je à cette cruelle soirée ?

— Oh ! ne vous effarouchez point ainsi, dit Athénaïs, nous avons le remède.

Et, s'asseyant entre ses deux compagnes, à chacune desquelles elle prit une main qu'elle réunit dans les siennes, elle commença.

Sur le chuchotement de ses premières paroles, on eût pu entendre le bruit d'un cheval qui galopait sur le pavé de la grande route, hors des grilles du château.

CXXIX

HEUREUX COMME UN PRINCE

Au moment où il allait entrer au château, Bragelonne avait rencontré de Guiche.

Mais, avant d'être rencontré par Raoul, de Guiche avait rencontré Manicamp, lequel avait rencontré Malicorne.

Comment Malicorne avait-il rencontré Manicamp ? Rien de plus simple : il l'avait attendu à son retour de la messe, à laquelle il avait été en compagnie de M. de Saint-Aignan.

Réunis, ils s'étaient félicités sur cette bonne fortune, et Manicamp avait profité de la circonstance pour demander à son ami si quelques écus n'étaient pas restés au fond de sa poche.

Celui-ci, sans s'étonner de la question, à laquelle il s'attendait peut-être, avait répondu que toute poche dans laquelle on puise toujours sans jamais y rien mettre ressemble aux puits, qui fournissent encore de l'eau pendant l'hiver, mais que les jardiniers finissent par épuiser l'été ; que sa poche, à lui, Malicorne, avait certainement de la profondeur, et qu'il y aurait plaisir à y puiser en temps d'abondance, mais que, malheureusement, l'abus avait amené la stérilité.

Ce à quoi Manicamp, tout rêveur, avait répliqué :

— C'est juste.

— Il s'agirait donc de la remplir, avait ajouté Malicorne.

— Sans doute ; mais comment ?

— Mais rien de plus facile, cher monsieur Manicamp.

— Bon ! Dites.

— Un office chez Monsieur, et la poche est pleine.

— Cet office, vous l'avez ?

— C'est-à-dire que j'en ai le titre.

— Eh bien ?

— Oui ; mais le titre sans l'office, c'est la bourse sans l'argent.

— C'est juste, avait répondu une seconde fois Manicamp.

— Poursuivons donc l'office, avait insisté le titulaire.

— Cher, très cher, soupira Manicamp, un office chez Monsieur, c'est une des graves difficultés de notre situation.

— Oh ! oh !

— Sans doute, nous ne pouvons rien demander à Monsieur en ce moment-ci.

— Pourquoi donc ?

— Parce que nous sommes en froid avec lui.

— Chose absurde, articula nettement Malicorne.

— Bah ! Et si nous faisons la cour à Madame, dit Manicamp, est-ce que, franchement, nous pouvons agréer à Monsieur ?

— Justement, si nous faisons la cour à Madame et que nous soyons adroits, nous devons être adorés de Monsieur.

— Hum !

— Ou nous sommes des sots ! Dépêchez-vous donc, monsieur Manicamp, vous qui êtes un grand politique, de raccommoder M. de Guiche avec Son Altesse Royale.

— Voyons, que vous a appris M. de Saint-Aignan, à vous, Malicorne ?

— A moi ? Rien ; il m'a questionné, voilà tout.

— Eh bien ! il a été moins discret avec moi.

— Il vous a appris, à vous ?

— Que le roi est amoureux fou de Mlle de La Vallière.

— Nous savions cela, pardieu ! répliqua ironiquement Malicorne, et chacun le crie assez haut pour que tous le sachent ; mais, en attendant, faites, je vous prie, comme je vous conseille : parlez à M. de Guiche, et tâchez d'obtenir de lui qu'il fasse une démarche vers Monsieur. Que diable ! il doit bien cela à Son Altesse Royale.

— Mais il faudrait voir de Guiche.

— Il me semble qu'il n'y a point là une grande difficulté. Faites pour le voir, vous, ce que j'ai fait pour vous voir, moi ; attendez-le, vous savez qu'il est promeneur de son naturel.

— Oui, mais où se promène-t-il ?

— La belle demande, par ma foi ! Il est amoureux de Madame, n'est-ce pas ?

— On le dit.

— Eh bien ! il se promène du côté des appartements de Madame.

— Eh ! tenez, mon cher Malicorne, vous ne vous trompiez pas, le voici qui vient.

— Et pourquoi voulez-vous que je me trompe ? Avez-vous remarqué que ce soit mon habitude ? Dites. Voyons, il n'est tel que de s'entendre. Voyons, vous avez besoin d'argent ?

— Ah ! fit lamentablement Manicamp.

— Moi, j'ai besoin de mon office. Que Malicorne ait l'office, Malicorne aura de l'argent. Ce n'est pas plus difficile que cela.

— Eh bien ! alors, soyez tranquille. Je vais faire de mon mieux.

— Faites.

De Guiche s'avançait ; Malicorne tira de son côté, Manicamp happa de Guiche.

Le comte était rêveur et sombre.

— Dites-moi quelle rime vous cherchez, mon cher comte, dit Manicamp. J'en tiens une excellente pour faire le pendant de la vôtre, surtout si la vôtre est en *ame*.

De Guiche secoua la tête, et, reconnaissant un ami, il lui prit le bras.

— Mon cher Manicamp, dit-il, je cherche autre chose qu'une rime.

— Que cherchez-vous ?

— Et vous allez m'aider à trouver ce que je cherche, continua le comte, vous qui êtes un paresseux, c'est-à-dire un esprit d'ingéniosité.

— J'apprête mon ingéniosité, cher comte.

— Voilà le fait : je veux me rapprocher d'une maison où j'ai affaire.

— Il faut aller du côté de cette maison, dit Manicamp.

— Bon. Mais cette maison est habitée par un mari jaloux.

— Est-il plus jaloux que le chien *Cerberus* ?

— Non, pas plus, mais autant.

— A-t-il trois gueules, comme ce désespérant gardien des enfers ? Oh ! ne haussez pas les épaules, mon cher comte ; je fais cette question avec une raison parfaite, attendu que les poètes prétendent que, pour fléchir mon *Cerberus*, il faut que le voyageur apporte un gâteau[1]. Or, moi qui vois la chose du côté de la prose, c'est-à-dire du côté de la réalité, je dis : « Un gâteau, c'est bien peu pour trois gueules. Si votre jaloux a trois gueules, comte, demandez trois gâteaux. »

— Manicamp, des conseils comme celui-là, j'en irai chercher chez M. Beautru.

— Pour en avoir de meilleurs, monsieur le comte, dit Manicamp avec un sérieux comique, vous adopterez alors une formule plus nette que celle que vous m'avez exposée.

— Ah ! si Raoul était là, dit de Guiche, il me comprendrait, lui.

— Je le crois, surtout si vous lui disiez : « J'aimerais fort à voir *Madame* de plus près, mais je crains *Monsieur* qui est jaloux. »

1. Virgile, *L'Énéide*, livre sixième : « La prêtresse lui jette un gâteau soporifique, composé de miel et de graines préparées ; l'animal, dans sa faim enragée, ouvre ses trois gueules, engloutit ce qu'on lui jette. »

— Manicamp ! s'écria le comte avec colère et en essayant d'écraser le railleur sous son regard.

Mais le railleur ne parut pas ressentir la plus petite émotion.

— Qu'y a-t-il donc, mon cher comte ? demanda Manicamp.

— Comment ! c'est ainsi que vous blasphémez les noms les plus sacrés ! s'écria de Guiche.

— Quels noms ?

— Monsieur ! Madame ! les premiers noms du royaume.

— Mon cher comte, vous vous trompez étrangement, et je ne vous ai pas nommé les premiers noms du royaume. Je vous ai répondu à propos d'un mari jaloux que vous ne me nommiez pas, mais qui nécessairement a une femme ; je vous ai répondu : « Pour voir *Madame*, rapprochez-vous de *Monsieur*. »

— Mauvais plaisant, dit en souriant le comte, est-ce cela que tu as dit ?

— Pas autre chose.

— Bien ! alors.

— Maintenant, ajouta Manicamp, voulez-vous qu'il s'agisse de Mme la duchesse... et de M. le duc... soit, je vous dirai : « Rapprochons-nous de cette maison quelle qu'elle soit ; car c'est une tactique qui, dans aucun cas, ne peut être défavorable à votre amour. »

— Ah ! Manicamp, un prétexte, un bon prétexte, trouve-le-moi ?

— Un prétexte, pardieu ! cent prétextes, mille prétextes. Si Malicorne était là, c'est lui qui vous aurait déjà trouvé cinquante mille prétextes excellents !

— Qu'est-ce que Malicorne ? dit de Guiche en clignant des yeux comme un homme qui cherche. Il me semble que je connais ce nom-là...

— Si vous le connaissez ! je crois bien ; vous devez trente mille écus à son père.

— Ah ! oui ; c'est ce digne garçon d'Orléans...

— A qui vous avez promis un office chez Monsieur ; pas le mari jaloux, l'autre.

— Eh bien ! puisqu'il a tant d'esprit, ton ami Malicorne, qu'il me trouve donc un moyen d'être adoré de Monsieur, qu'il me trouve un prétexte pour faire ma paix avec lui.

— Soit, je lui en parlerai.

— Mais qui nous arrive là ?

— C'est le vicomte de Bragelonne.

— Raoul ! Oui, en effet.

Et de Guiche marcha rapidement au-devant du jeune homme.

— C'est vous, mon cher Raoul ? dit de Guiche.

— Oui, je vous cherchais pour vous faire mes adieux, cher ami ! répliqua Raoul en serrant la main du comte. Bonjour, monsieur Manicamp.

— Comment ! tu pars, vicomte ?

— Oui, je pars... Mission du roi.

— Où vas-tu ?

— Je vais à Londres. De ce pas, je vais chez Madame ; elle doit me remettre une lettre pour Sa Majesté le roi Charles II.

— Tu la trouveras seule, car Monsieur est sorti.

— Pour aller ?...

— Pour aller au bain.

— Alors, cher ami, toi qui es des gentilshommes de Monsieur, charge-toi de lui faire mes excuses. Je l'eusse attendu pour prendre ses ordres, si le désir de mon prompt départ ne m'avait été manifesté par M. Fouquet, et de la part de Sa Majesté.

Manicamp poussa de Guiche du coude.

— Voilà le prétexte, dit-il.

— Lequel ?

— Les excuses de M. de Bragelonne.

— Faible prétexte, dit de Guiche.

— Excellent, si Monsieur ne vous en veut pas ; méchant comme tout autre, si Monsieur vous en veut.

— Vous avez raison, Manicamp ; un prétexte, quel qu'il soit, c'est tout ce qu'il me faut. Ainsi donc, bon voyage, cher Raoul !

Et là-dessus les deux amis s'embrassèrent.

Cinq minutes après, Raoul entrait chez Madame, comme l'y avait invité Mlle de Montalais.

Madame était encore à la table où elle avait écrit sa lettre. Devant elle brûlait la bougie de cire rose qui lui avait servi à la cacheter. Seulement, dans sa préoccupation, car Madame paraissait fort préoccupée, elle avait oublié de souffler cette bougie.

Bragelonne était attendu : on l'annonça aussitôt qu'il parut.

Bragelonne était l'élégance même : il était impossible de le voir une fois sans se le rappeler toujours ; et non seulement Madame l'avait vu une fois, mais encore, on se le rappelle, c'était un des premiers qui eussent été au-devant d'elle, et il l'avait accompagnée du Havre à Paris.

Madame avait donc conservé un excellent souvenir de Bragelonne.

— Ah ! lui dit-elle, vous voilà, monsieur ; vous allez voir mon frère, qui sera heureux de payer au fils une portion de la dette de reconnaissance qu'il a contractée avec le père.

— Le comte de La Fère, madame, a été largement récompensé du peu qu'il a eu le bonheur de faire pour le roi par les bontés que le roi a eues pour lui, et c'est moi qui vais lui porter l'assurance du respect, du dévouement et de la reconnaissance du père et du fils.

— Connaissez-vous mon frère, monsieur le vicomte ?

— Non, Votre Altesse ; c'est la première fois que j'aurai le bonheur de voir Sa Majesté.

— Vous n'avez pas besoin d'être recommandé près de lui. Mais enfin, si vous doutez de votre valeur personnelle, prenez-moi hardiment pour votre répondant, je ne vous démentirai point.

— Oh ! Votre Altesse est trop bonne.

— Non, monsieur de Bragelonne. Je me souviens que nous avons fait route ensemble, et que j'ai remarqué votre grande sagesse au milieu des suprêmes folies que faisaient, à votre droite et à votre gauche, deux des plus grands fous de ce monde, MM. de Guiche et de Buckingham. Mais ne parlons pas d'eux ; parlons de vous. Allez-vous en Angleterre pour y chercher un établissement ? Excusez ma question : ce n'est point la curiosité, c'est le désir de vous être bonne à quelque chose qui me la dicte.

— Non, madame ; je vais en Angleterre pour remplir une mission qu'a bien voulu me confier Sa Majesté, voilà tout.

— Et vous comptez revenir en France ?

— Aussitôt cette mission remplie, à moins que Sa Majesté le roi Charles II ne me donne d'autres ordres.

— Il vous fera tout au moins la prière, j'en suis sûre, de rester près de lui le plus longtemps possible.

— Alors, comme je ne saurai pas refuser, je prierai d'avance Votre Altesse Royale de vouloir bien rappeler au roi de France qu'il a loin de lui un de ses serviteurs les plus dévoués.

— Prenez garde que, lorsqu'il vous rappellera, vous ne regardiez son ordre comme un abus de pouvoir.

— Je ne comprends pas, Madame.

— La cour de France est incomparable, je le sais bien ; mais nous avons quelques jolies femmes aussi à la cour d'Angleterre.

Raoul sourit.

— Oh ! dit Madame, voilà un sourire qui ne présage rien de bon à mes compatriotes. C'est comme si vous leur disiez, monsieur de Bragelonne : « Je viens à vous, mais je laisse mon cœur de l'autre côté du détroit. » N'est-ce point cela que signifiait votre sourire ?

— Votre Altesse a le don de lire jusqu'au plus profond des âmes ; elle comprendra donc pourquoi maintenant tout séjour prolongé à la cour d'Angleterre serait une douleur pour moi.

— Et je n'ai pas besoin de m'informer si un si brave cavalier est payé de retour ?

— Madame, j'ai été élevé avec celle que j'aime, et je crois qu'elle a pour moi les mêmes sentiments que j'ai pour elle.

— Eh bien ! partez vite, monsieur de Bragelonne, revenez vite, et, à votre retour, nous verrons deux heureux, car j'espère qu'il n'y a aucun obstacle à votre bonheur ?

— Il y en a un grand, madame.

— Bah ! et lequel ?

— La volonté du roi.

— La volonté du roi !... Le roi s'oppose à votre mariage ?

— Ou du moins il le diffère. J'ai fait demander au roi son agrément par le comte de La Fère, et, sans le refuser tout à fait, il a au moins dit positivement qu'il le lui ferait attendre.

— La personne que vous aimez est-elle donc indigne de vous ?

— Elle est digne de l'amour d'un roi, madame.

— Je veux dire : peut-être n'est-elle point d'une noblesse égale à la vôtre ?

— Elle est d'excellente famille.

— Jeune, belle ?

— Dix-sept ans, et pour moi belle à ravir !

— Est-elle en province ou à Paris ?

— Elle est à Fontainebleau, madame.

— A la cour ?

— Oui.

— Je la connais ?

— Elle a l'honneur de faire partie de la maison de Votre Altesse Royale.

— Son nom ? demanda la princesse avec anxiété, si toutefois, ajouta-t-elle en se reprenant vivement, son nom n'est pas un secret ?

— Non, madame ; mon amour est assez pur pour que je n'en fasse de secret à personne, et à plus forte raison à Votre Altesse, si parfaitement bonne pour moi. C'est Mlle Louise de La Vallière.

Madame ne put retenir un cri, dans lequel il y avait plus que de l'étonnement.

— Ah ! dit-elle, La Vallière... celle qui hier...

Elle s'arrêta.

— Celle qui, hier, s'est trouvée indisposée, je crois, continua-t-elle.

— Oui, madame, j'ai appris l'accident qui lui était arrivé ce matin seulement.

— Et vous l'avez vue avant que de venir ici ?

— J'ai eu l'honneur de lui faire mes adieux.

— Et vous dites, reprit Madame en faisant un effort sur elle-même, que le roi a... ajourné votre mariage avec cette enfant ?

— Oui, madame, ajourné.

— Et a-t-il donné quelque raison à cet ajournement ?

— Aucune.

— Il y a longtemps que le comte de La Fère lui a fait cette demande ?

— Il y a plus d'un mois, madame.

— C'est étrange, fit la princesse.

Et quelque chose comme un nuage passa sur ses yeux.

— Un mois ? répéta-t-elle.

— A peu près.

— Vous avez raison, monsieur le vicomte, dit la princesse avec un sourire dans lequel Bragelonne eût pu remarquer quelque contrainte, il ne faut pas que mon frère vous garde trop longtemps là-bas ; partez donc vite, et, dans la première lettre que j'écrirai en Angleterre, je vous réclamerai au nom du roi.

Et Madame se leva pour remettre sa lettre aux mains de Bragelonne. Raoul comprit que son audience était finie ; il prit la lettre, s'inclina devant la princesse et sortit.

— Un mois ! murmura la princesse ; aurais-je donc été aveugle à ce point, et l'aimerait-il depuis un mois ?

Et, comme Madame n'avait rien à faire, elle se mit à commencer pour son frère la lettre dont le post-scriptum devait rappeler Bragelonne.

Le comte de Guiche avait, comme nous l'avons vu, cédé aux insistances de Manicamp, et s'était laissé entraîner par lui jusqu'aux écuries, où ils firent seller leurs chevaux ; après quoi, par la petite allée dont nous avons déjà donné la description à nos lecteurs, ils s'avancèrent au-devant de Monsieur, qui, sortant du bain, s'en revenait tout frais vers le château, ayant sur le visage un voile de femme, afin que le soleil, déjà chaud, ne hâlât pas son teint.

Monsieur était dans un de ces accès de belle humeur qui lui inspiraient parfois l'admiration de sa propre beauté. Il avait, dans l'eau, pu comparer la blancheur de son corps à celle du corps de ses courtisans, et, grâce au soin que Son Altesse Royale prenait d'elle-même, nul n'avait pu, même le chevalier de Lorraine, soutenir la concurrence.

Monsieur avait de plus nagé avec un certain succès, et tous ses nerfs tendus dans une sage mesure par cette salutaire immersion dans l'eau fraîche, tenaient son corps et son esprit dans un heureux équilibre.

Aussi, à la vue de de Guiche, qui venait au petit galop au-devant de lui sur un magnifique cheval blanc, le prince ne put-il retenir une joyeuse exclamation.

— Il me semble que cela va bien, dit Manicamp, qui crut lire cette bienveillance sur la physionomie de Son Altesse Royale.

— Ah ! bonjour, Guiche, bonjour, mon pauvre Guiche, s'écria le prince.

— Salut à Monseigneur ! répondit de Guiche, encouragé par le ton de voix de Philippe ; santé, joie, bonheur et prospérité à Votre Altesse !

— Sois le bienvenu, Guiche, et prends ma droite, mais tiens ton cheval en bride, car je veux revenir au pas sous ces voûtes fraîches.

— A vos ordres, monseigneur.

Et de Guiche se rangea à la droite du prince comme il venait d'y être invité.

— Voyons, mon cher de Guiche, dit le prince, voyons, donne-moi un peu des nouvelles de ce de Guiche que j'ai connu autrefois et qui faisait la cour à ma femme ?

De Guiche rougit jusqu'au blanc des yeux, tandis que Monsieur éclatait de rire comme s'il eût fait la plus spirituelle plaisanterie du monde.

Les quelques privilégiés qui entouraient Monsieur crurent devoir l'imiter, quoiqu'ils n'eussent pas entendu ses paroles, et ils poussèrent un bruyant éclat de rire qui prit au premier, traversa le cortège et ne s'éteignit qu'au dernier. De Guiche, tout rougissant qu'il était, fit cependant bonne contenance : Manicamp le regardait.

— Ah ! monseigneur, répondit de Guiche, soyez charitable à un malheureux ; ne m'immolez pas à M. le chevalier de Lorraine !

— Comment cela ?

— S'il vous entend me railler, il renchérira sur Votre Altesse et me raillera sans pitié.

— Sur ton amour pour la princesse ?

— Oh ! monseigneur, par pitié !

— Voyons, voyons, de Guiche, avoue que tu as fait les yeux doux à Madame.

— Jamais je n'avouerai une pareille chose, monseigneur.

— Par respect pour moi ? Eh bien ! je t'affranchis du respect, de Guiche. Avoue, comme s'il s'agissait de Mme de Chalais[1], ou de Mlle de La Vallière.

Puis, s'interrompant :

— Allons, bon ! dit-il en recommençant à rire, voilà que je joue avec une épée à deux tranchants, moi. Je frappe sur toi et je frappe sur mon frère, Chalais et La Vallière, ta fiancée à toi, et sa future à lui.

— En vérité, monseigneur, dit le comte, vous êtes aujourd'hui d'une adorable humeur.

— Ma foi, oui ! je me sens bien, et puis ta vue me fait plaisir.

— Merci, monseigneur.

— Tu m'en voulais donc ?

— Moi, monseigneur ?

— Oui.

— Et de quoi, mon Dieu ?

— De ce que j'avais interrompu tes sarabandes et tes espagnoleries.

— Oh ! Votre Altesse !

— Voyons, ne nie point. Tu es sorti ce jour-là de chez la princesse avec des yeux furibonds ; cela t'a porté malheur, mon cher, et tu as dansé le ballet d'hier d'une pitoyable façon. Ne boude pas, de Guiche ; cela te nuit en ce que tu prends l'air d'un ours. Si la princesse t'a regardé hier, je suis sûr d'une chose...

— De laquelle, monseigneur ? Votre Altesse m'effraie.

---

1. Sur Mme de Chalais, voir ci-dessus, chap. LXXXIX, p. 558, note 1. Le texte porte « Mlle de Chalais », sans doute pour répondre à « fiancée » qui suit.

— Elle t'aura tout à fait renié.

Et le prince de rire de plus belle.

« Décidément, pensa Manicamp, le rang n'y fait rien, et ils sont tous pareils. »

Le prince continua.

— Enfin, te voilà revenu ; il y a espoir que le chevalier redevienne aimable.

— Comment, cela, monseigneur, et par quel miracle puis-je avoir cette influence sur M. de Lorraine ?

— C'est tout simple, il est jaloux de toi.

— Ah bah ! vraiment ?

— C'est comme je te le dis.

— Il me fait trop d'honneur.

— Tu comprends, quand tu es là, il me caresse ; quand tu es parti, il me martyrise. Je règne par bascule. Et puis tu ne sais pas l'idée qui m'est venue ?

— Je ne m'en doute pas, monseigneur.

— Eh bien ! quand tu étais en exil, car tu as été exilé, mon pauvre Guiche...

— Pardieu ! monseigneur, à qui la faute ? dit de Guiche en affectant un air bourru.

— Oh ! ce n'est certainement pas à moi, cher comte, répliqua Son Altesse Royale. Je n'ai pas demandé au roi de t'exiler, foi de prince !

— Non pas vous, monseigneur, je le sais bien ; mais...

— Mais Madame ? Oh ! quant à cela, je ne dis pas non. Que diable lui as-tu donc fait, à Madame ?

— En vérité, monseigneur...

— Les femmes ont leur rancune, je le sais bien, et la mienne n'est pas exempte de ce travers. Mais, si elle t'a fait exiler, elle, je ne t'en veux pas, moi.

— Alors, monseigneur, dit de Guiche, je ne suis qu'à moitié malheureux.

Manicamp, qui venait derrière de Guiche et qui ne perdait pas une parole de ce que disait le prince, plia les épaules jusque sur le cou de son cheval pour cacher le rire qu'il ne pouvait réprimer.

— D'ailleurs, ton exil m'a fait pousser un projet dans la tête.

— Bon !

— Quand le chevalier, ne te voyant plus là et sûr de régner seul, me malmenait, voyant, au contraire de ce méchant garçon, ma femme si aimable et si bonne pour moi qui la néglige, j'eus l'idée de me faire un mari modèle, une rareté, une curiosité de cour ; j'eus l'idée d'aimer ma femme.

De Guiche regarda le prince avec un air de stupéfaction qui n'avait rien de joué.

— Oh ! balbutia de Guiche tremblant, cette idée-là, monseigneur, elle ne vous est pas venue sérieusement ?

— Ma foi, si ! J'ai du bien que mon frère m'a donné au moment de mon mariage ; elle a de l'argent, elle, et beaucoup, puisqu'elle en tire tout à la fois de son frère et de son beau-frère, d'Angleterre et de France. Eh bien ! nous eussions quitté la cour. Je me fusse retiré au château de Villers-Cotterets[1], qui est de mon apanage, au milieu d'une forêt, dans laquelle nous eussions filé le parfait amour aux mêmes endroits que faisait mon grand-père Henri IV avec la belle Gabrielle... Que dis-tu de cette idée, de Guiche ?

— Je dis que c'est à faire frémir, monseigneur, répondit de Guiche, qui frémissait réellement.

— Ah ! je vois que tu ne supporterais pas d'être exilé une seconde fois.

— Moi, monseigneur ?

— Je ne t'emmènerai donc pas avec nous comme j'en avais eu le dessein d'abord.

— Comment, avec vous, monseigneur ?

— Oui, si par hasard l'idée me reprend de bouder la cour.

— Oh ! monseigneur, qu'à cela ne tienne, je suivrai Votre Altesse jusqu'au bout du monde.

— Maladroit que vous êtes ! grommela Manicamp en poussant son cheval sur de Guiche, de façon à le désarçonner.

Puis, en passant près de lui comme s'il n'était pas maître de son cheval :

— Mais pensez donc à ce que vous dites, lui glissa-t-il tout bas.

— Alors, dit le prince, c'est convenu ; puisque tu m'es si dévoué, je t'emmène.

— Partout, monseigneur, partout, répliqua joyeusement de Guiche ; partout, à l'instant même. Êtes-vous prêt ?

Et de Guiche rendit en riant la main à son cheval, qui fit deux bonds en avant.

— Un instant, un instant, dit le prince ; passons par le château.

— Pour quoi faire ?

— Pour prendre ma femme, parbleu !

— Comment ? demanda de Guiche.

— Sans doute, puisque je te dis que c'est un projet d'amour conjugal ; il faut bien que j'emmène ma femme.

— Alors, monseigneur, répondit le comte, j'en suis désespéré, mais pas de de Guiche pour vous.

— Bah !

---

1. « Ce château faisait partie des apanages de la famille [d'Orléans] depuis le mariage de Monsieur, frère du roi Louis XIV, avec Madame Henriette d'Angleterre. Le bâtiment [...] n'offre rien de bien remarquable comme architecture, à part un coin de l'ancienne chapelle [...]. Commencé par François Ier, le château a été achevé par Henri II », A. Dumas, *Mes Mémoires*, chap. I.

— Oui. Pourquoi emmenez-vous Madame ?

— Tiens ! parce que je m'aperçois que je l'aime.

De Guiche pâlit légèrement, en essayant toutefois de conserver son apparente gaieté.

— Si vous aimez Madame, monseigneur, dit-il, cet amour doit vous suffire, et vous n'avez plus besoin de vos amis.

— Pas mal, pas mal, murmura Manicamp.

— Allons, voilà la peur de Madame qui te reprend, répliqua le prince.

— Écoutez donc, monseigneur, je suis payé pour cela ; une femme qui m'a fait exiler.

— Oh ! mon Dieu ! le vilain caractère que tu as, de Guiche ; comme tu es rancunier, mon ami.

— Je voudrais bien vous y voir, vous, monseigneur.

— Décidément, c'est à cause de cela que tu as si mal dansé hier ; tu voulais te venger en faisant faire à Madame de fausses figures ; ah ! de Guiche, ceci est mesquin, et je le dirai à Madame.

— Oh ! vous pouvez lui dire tout ce que vous voudrez, monseigneur. Son Altesse ne me haïra point plus qu'elle ne le fait.

— Là ! là ! tu exagères, pour quinze pauvres jours de campagne forcée qu'elle t'a imposés.

— Monseigneur, quinze jours sont quinze jours, et, quand on les passe à s'ennuyer, quinze jours sont une éternité.

— De sorte que tu ne lui pardonneras pas ?

— Jamais.

— Allons, allons, de Guiche, sois meilleur garçon, je veux faire ta paix avec elle ; tu reconnaîtras, en la fréquentant, qu'elle n'a point de méchanceté et qu'elle est pleine d'esprit.

— Monseigneur...

— Tu verras qu'elle sait recevoir comme une princesse et rire comme une bourgeoise ; tu verras qu'elle fait, quand elle le veut, que les heures s'écoulent comme des minutes. De Guiche, mon ami, il faut que tu reviennes sur le compte de ma femme.

« Décidément, se dit Manicamp, voilà un mari à qui le nom de sa femme portera malheur, et feu le roi Candaule[1] était un véritable tigre auprès de monseigneur. »

— Enfin, ajouta le prince, tu reviendras sur le compte de ma femme, de Guiche ; je te le garantis. Seulement, il faut que je te montre le chemin. Elle n'est point banale, et ne parvient pas qui veut à son cœur.

— Monseigneur...

— Pas de résistance, de Guiche, ou nous nous fâcherons, répliqua le prince.

1. Voir Dictionnaire. Antiquité.

— Mais puisqu'il le veut, murmura Manicamp à l'oreille de de Guiche, satisfaites-le donc.

— Monseigneur, dit le comte, j'obéirai.

— Et pour commencer, reprit Monseigneur, on joue ce soir chez Madame ; tu dîneras avec moi et je te conduirai chez elle.

— Oh ! pour cela, monseigneur, objecta de Guiche, vous me permettrez de résister.

— Encore ! mais c'est de la rébellion.

— Madame m'a trop mal reçu hier devant tout le monde.

— Vraiment ! dit le prince en riant.

— A ce point qu'elle ne m'a pas même répondu quand je lui ai parlé ; il peut être bon de n'avoir pas d'amour-propre, mais trop peu, c'est trop peu, comme on dit.

— Comte, après le dîner, tu iras t'habiller chez toi et tu viendras me reprendre, je t'attendrai.

— Puisque Votre Altesse le commande absolument…

— Absolument.

— Il n'en démordra point, dit Manicamp, et ces sortes de choses sont celles qui tiennent le plus obstinément à la tête des maris. Ah ! pourquoi donc M. Molière n'a-t-il pas entendu celui-là, il l'aurait mis en vers.

Le prince et sa cour, ainsi devisant, rentrèrent dans les plus frais appartements du château.

— A propos, dit de Guiche sur le seuil de la porte, j'avais une commission pour Votre Altesse Royale.

— Fais ta commission.

— M. de Bragelonne est parti pour Londres avec un ordre du roi, et il m'a chargé de tous ses respects pour Monseigneur.

— Bien ! bon voyage au vicomte, que j'aime fort. Allons, va t'habiller, de Guiche, et reviens-nous. Et si tu ne reviens pas…

— Qu'arrivera-t-il, monseigneur ?

— Il arrivera que je te fais jeter à la Bastille.

— Allons, décidément, dit de Guiche en riant, Son Altesse Royale Monsieur est la contrepartie de Son Altesse Royale Madame. Madame me fait exiler parce qu'elle ne m'aime pas assez, Monsieur me fait emprisonner parce qu'il m'aime trop. Merci, monsieur ! Merci, madame !

— Allons, allons, dit le prince, tu es un charmant ami, et tu sais bien que je ne puis me passer de toi. Reviens vite.

— Soit, mais il me plaît de faire de la coquetterie à mon tour, monseigneur.

— Bah ?

— Aussi je ne rentre chez Votre Altesse qu'à une seule condition.

— Laquelle ?

— J'ai l'ami d'un de mes amis à obliger.

— Tu l'appelles ?

— Malicorne.

— Vilain nom.

— Très bien porté, monseigneur.

— Soit. Eh bien ?

— Eh bien ! je dois à M. Malicorne une place chez vous, monseigneur.

— Une place de quoi ?

— Une place quelconque ; une surveillance, par exemple.

— Parbleu ! cela se trouve bien, j'ai congédié hier le maître des appartements.

— Va pour le maître des appartements, monseigneur. Qu'a-t-il à faire ?

— Rien, sinon à regarder et à rapporter.

— Police intérieure ?

— Justement.

— Oh ! comme cela va bien à Malicorne, se hasarda de dire Manicamp.

— Vous connaissez celui dont il s'agit, monsieur Manicamp ? demanda le prince.

— Intimement, monseigneur. C'est mon ami.

— Et votre opinion est ?

— Que Monseigneur n'aura jamais un maître des appartements pareil à celui-là.

— Combien rapporte l'office ? demanda le comte au prince.

— Je l'ignore ; seulement, on m'a toujours dit qu'il ne pouvait assez se payer quand il était bien occupé.

— Qu'appelez-vous bien occupé, prince ?

— Cela va sans dire, quand le fonctionnaire est homme d'esprit.

— Alors, je crois que Monseigneur sera content, car Malicorne a de l'esprit comme un diable.

— Bon ! l'office me coûtera cher en ce cas, répliqua le prince en riant. Tu me fais là un véritable cadeau, comte.

— Je le crois, monseigneur.

— Eh bien ! va donc annoncer à ton M. Mélicorne...

— Malicorne, monseigneur.

— Je ne me ferai jamais à ce nom-là.

— Vous dites bien Manicamp, monseigneur.

— Oh ! je dirais très bien aussi Manicorne. L'habitude m'aiderait.

— Dites, dites, monseigneur, je vous promets que votre inspecteur des appartements ne se fâchera point ; il est du plus heureux caractère qui se puisse voir.

— Eh bien ! alors, mon cher de Guiche, annoncez-lui sa nomination... Mais, attendez...

— Quoi, monseigneur ?

— Je veux le voir auparavant. S'il est aussi laid que son nom, je me dédis.

— Monseigneur le connaît.

— Moi ?

— Sans doute. Monseigneur l'a déjà vu au Palais-Royal ; à telles enseignes que c'est même moi qui le lui ai présenté.

— Ah ! fort bien, je me rappelle... Peste ! c'est un charmant garçon !

— Je savais bien que Monseigneur avait dû le remarquer.

— Oui, oui, oui ! Vois-tu, de Guiche, je ne veux pas que, ma femme ni moi, nous ayons des laideurs devant les yeux. Ma femme prendra pour demoiselles d'honneur toutes filles jolies ; je prendrai, moi, tous gentilshommes bien faits. De cette façon, vois-tu, de Guiche, si je fais des enfants, ils seront d'une bonne inspiration, et, si ma femme en fait, elle aura vu de beaux modèles.

— C'est puissamment raisonné, monseigneur, dit Manicamp approuvant de l'œil et de la voix.

Quant à de Guiche, sans doute ne trouva-t-il pas le raisonnement aussi heureux, car il opina seulement du geste, et encore le geste garda-t-il un caractère marqué d'indécision. Manicamp s'en alla prévenir Malicorne de la bonne nouvelle qu'il venait d'apprendre.

De Guiche parut s'en aller à contrecœur faire sa toilette de cour.

Monsieur, chantant, riant et se mirant, atteignit l'heure du dîner dans des dispositions qui eussent justifié ce proverbe : « Heureux comme un prince. »

CXXX

HISTOIRE D'UNE NAIADE ET D'UNE DRYADE

Tout le monde avait fait la collation au château, et, après la collation, toilette de cour.

La collation avait lieu d'habitude à cinq heures.

Mettons une heure de collation et deux heures de toilette. Chacun était donc prêt vers les huit heures du soir.

Aussi vers huit heures du soir commençait-on à se présenter chez Madame.

Car, ainsi que nous l'avons dit, c'était Madame qui recevait ce soir-là.

Et aux soirées de Madame nul n'avait garde de manquer ; car les soirées passaient chez elle avec tout le charme que la reine, cette pieuse et excellente princesse, n'avait pu, elle, donner à ses réunions. C'est malheureusement un des avantages de la bonté d'amuser moins qu'un méchant esprit.

Et cependant, hâtons-nous de le dire, méchant esprit n'était pas une épithète que l'on pût appliquer à Madame.

Cette nature toute d'élite renfermait trop de générosité véritable, trop d'élans nobles et de réflexions distinguées pour qu'on pût l'appeler une méchante nature.

Mais Madame avait le don de la résistance, don si souvent fatal à celui qui le possède, car il se brise où un autre eût plié ; il en résultait que les coups ne s'émoussaient point sur elle comme sur cette conscience ouatée de Marie-Thérèse.

Son cœur rebondissait à chaque attaque, et, pareille aux quintaines agressives des jeux de bagues, Madame, si on ne la frappait pas de manière à l'étourdir, rendait coup pour coup à l'imprudent quel qu'il fût qui osait jouter contre elle.

Était-ce méchanceté ? était-ce tout simplement malice ? Nous estimons, nous, que les riches et puissantes natures sont celles qui, pareilles à l'arbre de science, produisent à la fois le bien et le mal, double rameau toujours fleuri, toujours fécond, dont savent distinguer le bon fruit ceux qui en ont faim, dont meurent pour avoir trop mangé le mauvais les inutiles et les parasites, ce qui n'est pas un mal.

Donc, Madame, qui avait son plan de seconde reine, ou même de première reine, bien arrêté dans son esprit, Madame, disons-nous, rendait sa maison agréable par la conversation, par les rencontres, par la liberté parfaite qu'elle laissait à chacun de placer son mot, à la condition, toutefois, que le mot fût joli ou utile. Et, le croira-t-on, par cela même, on parlait peut-être moins chez Madame qu'ailleurs.

Madame haïssait les bavards et se vengeait cruellement d'eux.

Elle les laissait parler.

Elle haïssait aussi la prétention et ne passait pas même ce défaut au roi.

C'était la maladie de Monsieur, et la princesse avait entrepris cette tâche exorbitante de l'en guérir.

Au reste, poètes, hommes d'esprit, femmes belles, elle accueillait tout en maîtresse supérieure à ses esclaves. Assez rêveuse au milieu de toutes ses espiègleries pour faire rêver les poètes ; assez forte de ses charmes pour briller même au milieu des plus jolies ; assez spirituelle pour que les plus remarquables l'écoutassent avec plaisir.

On conçoit ce que des réunions pareilles à celles qui se tenaient chez Madame devaient attirer de monde : la jeunesse y affluait. Quand le roi est jeune, tout est jeune à la cour.

Aussi voyait-on bouder les vieilles dames, têtes fortes de la Régence ou du dernier règne ; mais on répondait à leurs bouderies en riant de ces vénérables personnes qui avaient poussé l'esprit de domination jusqu'à commander des partis de soldats dans la guerre de la Fronde, afin, disait Madame, de ne pas perdre tout empire sur les hommes.

A huit heures sonnant, Son Altesse Royale entra dans le grand salon avec ses dames d'honneur, et trouva plusieurs courtisans qui attendaient déjà depuis plus de dix minutes.

Parmi tous ces précurseurs de l'heure dite, elle chercha celui qu'elle croyait devoir être arrivé le premier de tous. Elle ne le trouva point.

Mais presque au même instant où elle achevait cette investigation, on annonça Monsieur.

Monsieur était splendide à voir. Toutes les pierreries du cardinal Mazarin, celles bien entendu que le ministre n'avait pu faire autrement que de laisser, toutes les pierreries de la reine mère, quelques-unes même de sa femme, Monsieur les portait ce jour-là. Aussi Monsieur brillait-il comme un soleil.

Derrière lui, à pas lents et avec un air de componction parfaitement joué, venait de Guiche, vêtu d'un habit de velours gris perle, brodé d'argent et à rubans bleus.

De Guiche portait, en outre, des malines aussi belles dans leur genre que les pierreries de Monsieur l'étaient dans le leur.

La plume de son chapeau était rouge.

Madame avait plusieurs couleurs.

Elle aimait le rouge en tentures, le gris en vêtements, le bleu en fleurs.

M. de Guiche, ainsi vêtu, était d'une beauté que tout le monde pouvait remarquer. Certaine pâleur intéressante, certaine langueur d'yeux, des mains mates de blancheur sous de grandes dentelles, la bouche mélancolique ; il ne fallait, en vérité, que voir M. de Guiche pour avouer que peu d'hommes à la cour de France valaient celui-là.

Il en résulta que Monsieur, qui eût eu la prétention d'éclipser une étoile, si une étoile se fût mise en parallèle avec lui, fut, au contraire, complètement éclipsé dans toutes les imaginations, lesquelles sont des juges fort silencieux, certes, mais aussi fort altiers dans leur jugement.

Madame avait regardé vaguement de Guiche ; mais, si vague que fût ce regard, il amena une charmante rougeur sur son front. Madame, en effet, avait trouvé de Guiche si beau et si élégant, qu'elle en était presque à ne plus regretter la conquête royale qu'elle sentait être sur le point de lui échapper.

Son cœur laissa donc, malgré lui, refluer tout son sang jusqu'à ses joues.

Monsieur, prenant son air mutin, s'approcha d'elle. Il n'avait pas vu la rougeur de la princesse, ou, s'il l'avait vue, il était bien loin de l'attribuer à sa véritable cause.

— Madame, dit-il en baisant la main de sa femme, il y a ici un disgracié, un malheureux exilé que je prends sur moi de vous recommander. Faites bien attention, je vous prie, qu'il est de mes meilleurs amis, et que votre accueil me touchera beaucoup.

— Quel exilé ? quel disgracié ? demanda Madame, regardant tout autour d'elle et sans plus s'arrêter au comte qu'aux autres.

C'était le moment de pousser son protégé. Le prince s'effaça et laissa passer de Guiche, qui, d'un air assez maussade, s'approcha de Madame et lui fit sa révérence.

— Eh quoi ! demanda Madame, comme si elle éprouvait le plus vif étonnement, c'est M. le comte de Guiche qui est le disgracié, l'exilé ?

— Oui-da ! reprit le duc.

— Eh ! dit Madame, on ne voit que lui ici.

— Ah ! madame, vous êtes injuste, fit le prince.

— Moi ?

— Sans doute. Voyons, pardonnez-lui, à ce pauvre garçon.

— Lui pardonner quoi ? Qu'ai-je donc à pardonner à M. de Guiche, moi ?

— Mais, au fait, explique-toi, de Guiche. Que veux-tu qu'on te pardonne ? demanda le prince.

— Hélas ! Son Altesse Royale le sait bien, répliqua celui-ci hypocritement.

— Allons, allons, donnez-lui votre main, Madame, dit Philippe.

— Si cela vous fait plaisir, monsieur.

Et, avec un indescriptible mouvement des yeux et des épaules, Madame tendit sa belle main parfumée au jeune homme, qui y appuya ses lèvres.

Il faut croire qu'il les appuya longtemps et que Madame ne retira pas trop vite sa main, car le duc ajouta :

— De Guiche n'est point méchant, madame, et il ne vous mordra certainement pas.

On prit prétexte, dans la galerie, de ce mot, qui n'était peut-être pas fort risible, pour rire à l'excès.

En effet, la situation était remarquable, et quelques bonnes âmes l'avaient remarqué.

Monsieur jouissait donc encore de l'effet de son mot quand on annonça le roi.

En ce moment, l'aspect du salon était celui que nous allons essayer de décrire.

Au centre, devant la cheminée encombrée de fleurs, se tenait Madame, avec ses demoiselles d'honneur formées en deux ailes, sur les lignes desquelles voltigeaient les papillons de cour.

D'autres groupes occupaient les embrasures des fenêtres, comme font dans leurs tours réciproques les postes d'une même garnison, et, de leurs places respectives, percevaient les mots partis du groupe principal.

De l'un de ces groupes, le plus rapproché de la cheminée, Malicorne, promu, séance tenante, par Manicamp et de Guiche, au poste de maître des appartements ; Malicorne, dont l'habit d'officier était prêt depuis tantôt deux mois, flamboyait dans ses dorures et rayonnait sur Montalais, extrême gauche de Madame, avec tout le feu de ses yeux et tout le reflet de son velours.

Madame causait avec Mme de Châtillon et Mme de Créqui[1], ses deux voisines, et renvoyait quelques paroles à Monsieur, qui s'effaça aussitôt que cette annonce fut faite :

— Le roi !

Mlle de La Vallière était, comme Montalais, à la gauche de Madame, c'est-à-dire l'avant-dernière de la ligne ; à sa droite, on avait placé Mlle de Tonnay-Charente. Elle se trouvait donc dans la situation de ces corps de troupe dont on soupçonne la faiblesse, et que l'on place entre deux forces éprouvées.

Ainsi flanquée de ses deux compagnes d'aventures, La Vallière, soit qu'elle fût chagrine de voir partir Raoul, soit qu'elle fût encore émue des événements récents qui commençaient à populariser son nom dans le monde des courtisans, La Vallière, disons-nous, cachait derrière son éventail ses yeux un peu rougis, et paraissait prêter une grande attention aux paroles que Montalais et Athénaïs lui glissaient alternativement dans l'une et l'autre oreille.

Lorsque le nom du roi retentit, un grand mouvement se fit dans le salon.

Madame, comme la maîtresse du logis, se leva pour recevoir le royal visiteur ; mais, en se levant, si préoccupée qu'elle dût être, elle lança un regard à sa droite, et ce regard que le présomptueux de Guiche interpréta comme envoyé à son adresse, s'arrêta pourtant en faisant le tour du cercle sur La Vallière, dont il put remarquer la vive rougeur et l'inquiète émotion.

Le roi entra au milieu du groupe, devenu général par un mouvement qui s'opéra naturellement de la circonférence au centre.

Tous les fronts s'abaissaient devant Sa Majesté, les femmes ployant, comme de frêles et magnifiques lis devant le roi Aquilo.

Sa Majesté n'avait rien de farouche, nous pourrions même dire rien de royal ce soir-là, n'étaient cependant sa jeunesse et sa beauté.

Certain air de joie vive et de bonne disposition mit en éveil toutes les cervelles ; et voilà que chacun se promit une charmante soirée, rien qu'à voir le désir qu'avait Sa Majesté de s'amuser chez Madame.

Si quelqu'un pouvait, par sa joie et sa belle humeur, balancer le roi, c'était M. de Saint-Aignan, rose d'habits, de figure et de rubans, rose

1. Voir ci-dessus, chap. LXXXIX, p. 558, note 2. Le texte imprime « Mlle de Châtillon et Mlle de Créquy ».

d'idées surtout, et, ce soir-là, M. de Saint-Aignan avait beaucoup d'idées.

Ce qui avait donné une floraison nouvelle à toutes ces idées qui germaient dans son esprit riant, c'est qu'il venait de s'apercevoir que Mlle de Tonnay-Charente était comme lui vêtue de rose. Nous ne voudrions pas dire cependant que le rusé courtisan ne sût pas d'avance que la belle Athénaïs dût revêtir cette couleur : il connaissait très bien l'art de faire jaser un tailleur ou une femme de chambre sur les projets de sa maîtresse.

Il envoya tout autant d'œillades assassines à Mlle Athénaïs qu'il avait de nœuds de rubans aux chausses et au pourpoint, c'est-à-dire qu'il en décocha une quantité furieuse. Le roi ayant fait ses compliments à Madame, et Madame ayant été invitée à s'asseoir, le cercle se forma aussitôt.

Louis demanda à Monsieur des nouvelles du bain ; il raconta, tout en regardant les dames, que des poètes s'occupaient de mettre en vers ce galant divertissement des bains de Vulaines, et que l'un d'eux, surtout, M. Loret, semblait avoir reçu les confidences d'une nymphe des eaux, tant il avait dit de vérités dans ses rimes[1].

Plus d'une dame crut devoir rougir.

Le roi profita de ce moment pour regarder à son aise ; Montalais seule ne rougissait pas assez pour ne pas regarder le roi, et elle le vit dévorer du regard Mlle de La Vallière.

Cette hardie fille d'honneur, que l'on nommait la Montalais, fit baisser les yeux au roi, et sauva ainsi Louise de La Vallière d'un feu sympathique qui lui fût peut-être arrivé par ce regard ! Louis était pris par Madame, qui l'accablait de questions, et nulle personne au monde ne savait questionner comme elle.

Mais lui cherchait à rendre la conversation générale, et pour y réussir, il redoubla d'esprit et de galanterie.

Madame voulait des compliments ; elle se résolut à en arracher à tout prix, et, s'adressant au roi :

— Sire, dit-elle, Votre Majesté, qui sait tout ce qui se passe en son royaume, doit savoir d'avance les vers contés à M. Loret par cette nymphe ; Votre Majesté veut-elle bien nous en faire part ?

— Madame, répliqua le roi avec une grâce parfaite, je n'ose... Il est certain que, pour vous personnellement, il y aurait de la confusion à écouter certains détails... Mais de Saint-Aignan conte assez bien et retient parfaitement les vers ; s'il ne les retient pas, il en improvise. Je vous le certifie poète renforcé.

De Saint-Aignan, mis en scène, fut contraint de se produire le moins désavantageusement possible. Malheureusement pour Madame, il ne

1. *La Muze historique* de Loret est muette sur ces bains.

songea qu'à ses affaires particulières, c'est-à-dire qu'au lieu de rendre à Madame les compliments dont elle se faisait fête, il s'ingéra de se prélasser un peu lui-même dans sa bonne fortune.

Lançant donc un centième coup d'œil à la belle Athénaïs, qui pratiquait tout au long sa théorie de la veille, c'est-à-dire qui ne daignait pas regarder son adorateur :

— Sire, dit-il, Votre Majesté me pardonnera sans doute d'avoir trop peu retenu les vers dictés à Loret par la nymphe ; mais où le roi n'a rien retenu, qu'eussé-je fait, moi chétif ?

Madame accueillit avec peu de faveur cette défaite de courtisans.

— Ah ! madame, ajouta de Saint-Aignan, c'est qu'il ne s'agit plus aujourd'hui de ce que disent les nymphes d'eau douce. En vérité, on serait tenté de croire qu'il ne se fait plus rien d'intéressant dans les royaumes liquides. C'est sur terre, madame, que les grands événements arrivent. Ah ! sur terre, madame, que de récits pleins de...

— Bon ! fit Madame, et que se passe-t-il donc sur terre ?

— C'est aux dryades qu'il faut le demander, répliqua le comte ; les dryades habitent les bois, comme Votre Altesse Royale le sait.

— Je sais même qu'elles sont naturellement bavardes, monsieur de Saint-Aignan.

— C'est vrai, madame ; mais, quand elles ne rapportent que de jolies choses, on aurait mauvaise grâce à les accuser de bavardage.

— Elles rapportent donc de jolies choses ? demanda nonchalamment la princesse. En vérité, monsieur de Saint-Aignan, vous piquez ma curiosité, et, si j'étais le roi, je vous sommerais sur-le-champ de nous raconter les jolies choses que disent Mmes les dryades, puisque vous seul ici semblez connaître leur langage.

— Oh ! pour cela, madame, je suis bien aux ordres de Sa Majesté, répliqua vivement le comte.

— Il comprend le langage des dryades ? dit Monsieur. Est-il heureux, ce Saint-Aignan !

— Comme le français, monseigneur.

— Contez alors, dit Madame.

Le roi se sentit embarrassé ; nul doute que son confident ne l'allât embarquer dans une affaire difficile.

Il le sentait bien à l'attention universelle excitée par le préambule de Saint-Aignan, excitée aussi par l'attitude particulière de Madame. Les plus discrets semblaient prêts à dévorer chaque parole que le comte allait prononcer.

On toussa, on se rapprocha, on regarda du coin de l'œil certaines dames d'honneur qui elles-mêmes, pour soutenir plus décemment ou avec plus de fermeté ce regard inquisiteur si pesant, arrangèrent leurs éventails, et se composèrent un maintien de duelliste qui va essuyer le feu de son adversaire.

En ce temps, on avait tellement l'habitude des conversations ingénieuses et des récits épineux, que là où tout un salon moderne flairerait scandale, éclat, tragédie, et s'enfuirait d'effroi, le salon de Madame s'accommodait à ses places, afin de ne pas perdre un mot, un geste, de la comédie composée à son profit par M. de Saint-Aignan, et dont le dénouement, quels que fussent le style et l'intrigue, devait nécessairement être parfait de calme et d'observation.

Le comte était connu pour un homme poli et un parfait conteur. Il commença donc bravement au milieu d'un silence profond et partant redoutable pour tout autre que lui.

— Madame, le roi permet que je m'adresse d'abord à Votre Altesse Royale, puisqu'elle se proclame la plus curieuse de son cercle ; j'aurai donc l'honneur de dire à Votre Altesse Royale que la dryade habite plus particulièrement le creux des chênes et, comme les dryades sont de belles créatures mythologiques, elles habitent de très beaux arbres, c'est-à-dire les plus gros qu'elles puissent trouver.

A cet exorde, qui rappelait sous un voile transparent la fameuse histoire du chêne royal, qui avait joué un si grand rôle dans la dernière soirée, tant de cœurs battirent de joie ou d'inquiétude, que, si de Saint-Aignan n'eût pas eu la voix bonne et sonore, ce battement des cœurs eût été entendu par-dessus sa voix.

— Il doit y avoir des dryades à Fontainebleau, dit Madame d'un ton parfaitement calme, car jamais de ma vie je n'ai vu de plus beaux chênes que dans le parc royal.

Et, en disant ces mots, elle envoya droit à l'adresse de de Guiche un regard dont celui-ci n'eut pas à se plaindre comme du précédent, qui, nous l'avons dit, avait conservé certaine nuance de vague bien pénible pour un cœur aussi aimant.

— Précisément, madame, c'est de Fontainebleau que j'allais parler à Votre Altesse Royale, dit de Saint-Aignan, car la dryade dont le récit nous occupe habite le parc du château de Sa Majesté.

L'affaire était engagée ; l'action commençait : auditeurs et narrateur, personne ne pouvait plus reculer.

— Écoutons, dit Madame, car l'histoire m'a l'air d'avoir non seulement tout le charme d'un récit national, mais encore celui d'une chronique très contemporaine.

— Je dois commencer par le commencement, dit le comte. Donc, à Fontainebleau, dans une chaumière de belle apparence, habitent des bergers.

« L'un est le berger Tircis, auquel appartiennent les plus riches domaines, transmis par l'héritage de ses parents.

« Tircis est jeune et beau, et ses qualités en font le premier des bergers de la contrée. On peut donc dire hardiment qu'il en est le roi.

Un léger murmure d'approbation encouragea le narrateur, qui continua :

— Sa force égale son courage ; nul n'a plus d'adresse à la chasse des bêtes sauvages, nul n'a plus de sagesse dans les conseils. Manœuvre-t-il un cheval dans les belles plaines de son héritage, conduit-il aux jeux d'adresse et de vigueur les bergers qui lui obéissent, on dirait le dieu Mars agitant sa lance dans les plaines de la Thrace, ou mieux encore Apollon, dieu du jour, lorsqu'il rayonne sur la terre avec ses dards enflammés.

Chacun comprend que ce portrait allégorique du roi n'était pas le pire exorde que le conteur eût pu choisir. Aussi ne manqua-t-il son effet ni sur les assistants, qui, par devoir et par plaisir, y applaudirent à tout rompre ; ni sur le roi lui-même, à qui la louange plaisait fort lorsqu'elle était délicate, et ne déplaisait pas toujours lors même qu'elle était un peu outrée. De Saint-Aignan poursuivit :

— Ce n'est pas seulement, mesdames, aux jeux de gloire que le berger Tircis a acquis cette renommée qui en a fait le roi des bergers.

— Des bergers de Fontainebleau, dit le roi en souriant à Madame.

— Oh ! s'écria Madame, Fontainebleau est pris arbitrairement par le poète ; moi, je dis : des bergers du monde entier.

Le roi oublia son rôle d'auditeur passif et s'inclina.

— C'est, poursuivi de Saint-Aignan au milieu d'un murmure flatteur, c'est auprès des belles surtout que le mérite de ce roi des bergers éclate le plus manifestement. C'est un berger dont l'esprit est fin comme le cœur est pur ; il sait débiter un compliment avec une grâce qui charme invinciblement, il sait aimer avec une discrétion qui promet à ses aimables et heureuses conquêtes le sort le plus digne d'envie. Jamais un éclat, jamais un oubli. Quiconque a vu Tircis et l'a entendu doit l'aimer ; quiconque l'aime et est aimé de lui a rencontré le bonheur.

De Saint-Aignan fit là une pause ; il savourait le plaisir des compliments, et ce portrait, si grotesquement ampoulé qu'il fût, avait trouvé grâce devant de certaines oreilles surtout, pour qui les mérites du berger ne semblaient point avoir été exagérés. Madame engagea l'orateur à continuer.

— Tircis, dit le comte, avait un fidèle compagnon, ou plutôt un serviteur dévoué qui s'appelait… Amyntas.

— Ah ! voyons le portrait d'Amyntas ! dit malicieusement Madame ; vous êtes si bon peintre, monsieur de Saint-Aignan !

— Madame…

— Oh ! comte de Saint-Aignan, n'allez pas, je vous prie, sacrifier ce pauvre Amyntas ! je ne vous le pardonnerais jamais.

— Madame, Amyntas est de condition trop inférieure, surtout près de Tircis, pour que sa personne puisse avoir l'honneur d'un parallèle. Il en est de certains amis comme de ces serviteurs de l'Antiquité, qui se faisaient enterrer vivants aux pieds de leur maître. Aux pieds de Tircis, là est la place d'Amyntas ; il n'en réclame pas d'autre, et si quelquefois l'illustre héros...

— Illustre berger, voulez-vous dire ? fit Madame feignant de reprendre M. de Saint-Aignan.

— Votre Altesse Royale a raison, je me trompais, reprit le courtisan : si, dis-je, le berger Tircis daigne parfois appeler Amyntas son ami et lui ouvrir son cœur, c'est une faveur non pareille, dont le dernier fait cas comme de la plus insigne félicité.

— Tout cela, interrompit Madame, établit le dévouement absolu d'Amyntas à Tircis, mais ne nous donne pas le portrait d'Amyntas. Comte, ne le flattez pas si vous voulez, mais peignez-nous-le ; je veux le portrait d'Amyntas.

De Saint-Aignan s'exécuta, après s'être incliné profondément devant la belle-sœur de Sa Majesté :

— Amyntas, dit-il, est un peu plus âgé que Tircis ; ce n'est pas un berger tout à fait disgracié de la nature ; même on dit que les Muses ont daigné sourire à sa naissance comme Hébé sourit à la jeunesse. Il n'a point l'ambition de briller ; il a celle d'être aimé, et peut-être n'en serait-il pas indigne s'il était bien connu.

Ce dernier paragraphe, renforcé d'une œillade meurtrière, fut envoyé droit à Mlle de Tonnay-Charente, qui supporta le choc sans s'émouvoir.

Mais la modestie et l'adresse de l'allusion avaient produit un bon effet ; Amyntas en recueillit le fruit en applaudissements ; la tête de Tircis lui-même en donna le signal par un consentement plein de bienveillance.

— Or, continua de Saint-Aignan, Tircis et Amyntas se promenaient un soir dans la forêt en causant de leurs chagrins amoureux. Notez que c'est déjà le récit de la dryade, mesdames ; autrement eût-on pu savoir ce que disaient Tircis et Amyntas, les deux plus discrets de tous les bergers de la terre ? Ils gagnaient donc l'endroit le plus touffu de la forêt pour s'isoler et se confier plus librement leurs peines, lorsque tout à coup leurs oreilles furent frappées d'un bruit de voix.

— Ah ! ah ! fit-on autour du narrateur. Voilà qui devient on ne peut plus intéressant.

Ici, Madame, semblable au général vigilant qui inspecte son armée, redressa d'un coup d'œil Montalais et Tonnay-Charente, qui pliaient sous l'effort.

— Ces voix harmonieuses, reprit de Saint-Aignan, étaient celles de quelques bergères qui avaient voulu, elles aussi, jouir de la fraîcheur des ombrages, et qui, sachant l'endroit écarté, presque inabordable, s'y étaient réunies pour mettre en commun quelques idées sur la bergerie.

Un immense éclat de rire, soulevé par cette phrase de Saint-Aignan, un imperceptible sourire du roi en regardant Tonnay-Charente, tels furent les résultats de la sortie.

— La dryade assure, continua Saint-Aignan, que les bergères étaient trois, et que toutes trois étaient jeunes et belles.

— Leurs noms ? dit Madame tranquillement.

— Leurs noms ! fit de Saint-Aignan, qui se cabra contre cette indiscrétion.

— Sans doute. Vous avez appelé vos bergers Tircis et Amyntas : appelez vos bergères d'une façon quelconque.

— Oh ! madame, je ne suis pas un inventeur, un trouvère, comme on disait autrefois ; je raconte sous la dictée de la dryade.

— Comment votre dryade nommait-elle ces bergères ? En vérité, voilà une mémoire bien rebelle. Cette dryade-là était donc brouillée avec la déesse Mnémosyne ?

— Madame, ces bergères... Faites bien attention que révéler des noms de femmes est un crime !

— Dont une femme vous absout, comte, à la condition que vous nous révélerez le nom des bergères.

— Elles se nommaient Philis, Amaryllis et Galatée[1].

— A la bonne heure ! elles n'ont pas perdu pour attendre, dit Madame, et voilà trois noms charmants. Maintenant, les portraits ?

De Saint-Aignan fit encore un mouvement.

— Oh ! procédons par ordre, je vous prie, comte, reprit Madame. N'est-ce pas, sire, qu'il nous faut les portraits des bergères ?

Le roi, qui s'attendait à cette insistance, et qui commençait à ressentir quelques inquiétudes, ne crut pas devoir piquer une aussi dangereuse interrogatrice. Il pensait d'ailleurs que de Saint-Aignan, dans ses portraits, trouverait le moyen de glisser quelques traits délicats dont feraient leur profit les oreilles que Sa Majesté avait intérêt à charmer. C'est dans cet espoir, c'est avec cette crainte, que Louis autorisa de Saint-Aignan à tracer le portrait des bergères Philis, Amaryllis et Galatée.

— Eh bien ! donc, soit ! dit de Saint-Aignan comme un homme qui prend son parti.

Et il commença.

---

1. Noms des bergers et bergères qui appartiennent à l'œuvre virgilienne, *Bucoliques* (Galatée : chant I, vers 31 ; Amaryllis : chant I, vers 36 ; Amyntas : chant I, vers 66 ; Philis : chant III, vers 78) et *Églogues* (Tircis : 7).

CXXXI

FIN DE L'HISTOIRE D'UNE NAIADE ET D'UNE DRYADE

— Philis, dit Saint-Aignan en jetant un coup d'œil provocateur à Montalais, à peu près comme fait dans un assaut un maître d'armes qui invite un rival digne de lui à se mettre en garde, Philis n'est ni brune ni blonde, ni grande ni petite, ni froide ni exaltée ; elle est, toute bergère qu'elle est, spirituelle comme une princesse et coquette comme un démon.

« Sa vue est excellente. Tout ce qu'embrasse sa vue, son cœur le désire. C'est comme un oiseau qui, gazouillant toujours, tantôt rase l'herbe, tantôt s'enlève voletant à la poursuite d'un papillon, tantôt se perche au plus haut d'un arbre, et de là défie tous les oiseleurs, ou de venir le prendre, ou de le faire tomber dans leurs filets.

Le portrait était si ressemblant, que tous les yeux se tournèrent sur Montalais, qui, l'œil éveillé, le nez au vent, écoutait M. de Saint-Aignan comme s'il était question d'une personne qui lui fût tout à fait étrangère.

— Est-ce tout, monsieur de Saint-Aignan ? demanda la princesse.

— Oh ! Votre Altesse Royale, le portrait n'est qu'esquissé, et il y aurait bien des choses à dire. Mais je crains de lasser la patience de Votre Altesse ou de blesser la modestie de la bergère, de sorte que je passe à sa compagne Amaryllis.

— C'est cela, dit Madame, passez à Amaryllis, monsieur de Saint-Aignan, nous vous suivons.

— Amaryllis est la plus âgée des trois ; et cependant, se hâta de dire Saint-Aignan, ce grand âge n'atteint pas vingt ans.

Le sourcil de Mlle de Tonnay-Charente, qui s'était froncé au début du récit, se défronça avec un léger sourire.

— Elle est grande, avec d'immenses cheveux qu'elle renoue à la manière des statues de la Grèce ; elle a la démarche majestueuse et le geste altier : aussi a-t-elle bien plutôt l'air d'une déesse que d'une simple mortelle, et, parmi les déesses, celle à qui elle ressemble le plus, c'est Diane chasseresse ; avec cette seule différence que la cruelle bergère, ayant un jour dérobé le carquois de l'Amour tandis que le pauvre Cupidon dormait dans un buisson de roses, au lieu de diriger ses traits sur les hôtes des forêts, les décoche impitoyablement sur tous les pauvres bergers qui passent à la portée de son arc et de ses yeux.

— Oh ! la méchante bergère ! dit Madame ; ne se piquera-t-elle point quelque jour avec un de ces traits qu'elle lance si impitoyablement à droite et à gauche ?

— C'est l'espoir de tous les bergers en général, dit de Saint-Aignan.

— Et celui du berger Amyntas en particulier, n'est-ce pas ? dit Madame.

— Le berger Amyntas est si timide, reprit de Saint-Aignan de l'air le plus modeste qu'il put prendre, que, s'il a cet espoir, nul n'en a jamais rien su, car il le cache au plus profond de son cœur.

Un murmure des plus flatteurs accueillit cette profession de foi du narrateur à propos du berger.

— Et Galatée ? demanda Madame. Je suis impatiente de voir une main aussi habile reprendre le portrait où Virgile l'a laissé[1], et l'achever à nos yeux.

— Madame, dit de Saint-Aignan, près du grand poète Virgilius Maro, votre humble serviteur n'est qu'un bien pauvre poète ; cependant, encouragé par votre ordre, je ferai de mon mieux.

— Nous écoutons, dit Madame.

Saint-Aignan allongea le pied, la main et les lèvres.

— Blanche comme le lait, dit-il, dorée comme les épis, elle secoue dans l'air les parfums de sa blonde chevelure. Alors on se demande si ce n'est point cette belle Europe qui donna de l'amour à Jupiter, lorsqu'elle se jouait avec ses compagnes dans les prés en fleurs.

« De ses yeux, bleus comme l'azur du ciel dans les plus beaux jours d'été, tombe une douce flamme ; la rêverie l'alimente, l'amour la dispense. Quand elle fronce le sourcil ou qu'elle penche son front vers la terre, le soleil se voile en signe de deuil.

« Lorsqu'elle sourit, au contraire, toute la nature reprend sa joie, et les oiseaux, un moment muets, recommencent leurs chants au sein des arbres.

« Celle-là surtout, dit de Saint-Aignan pour en finir, celle-là est digne des adorations du monde ; et, si jamais son cœur se donne, heureux le mortel dont son amour virginal consentira à faire un dieu !

Madame, en écoutant ce portrait, que chacun écouta comme elle, se contenta de marquer son approbation aux endroits les plus poétiques par quelques hochements de tête ; mais il était impossible de dire si ces marques d'assentiment étaient données au talent du narrateur ou à la ressemblance du portrait.

Il en résulta que, Madame n'applaudissant pas ouvertement, personne ne se permit d'applaudir, pas même Monsieur, qui trouvait au fond du cœur que de Saint-Aignan s'appesantissait trop sur les portraits des bergères, après avoir passé un peu vivement sur les portraits des bergers.

L'assemblée parut donc glacée.

De Saint-Aignan, qui avait épuisé sa rhétorique et ses pinceaux à nuancer le portrait de Galatée, et qui pensait, d'après la faveur qui avait

1. Description de Galatée dans Virgile, *Bucoliques*, chant I, vers 31.

accueilli les autres morceaux, entendre des trépignements pour le dernier, de Saint-Aignan fut encore plus glacé que le roi et toute la compagnie.

Il y eut un instant de silence qui enfin fut rompu par Madame.

— Eh bien ! sire, demanda-t-elle, que dit Votre Majesté de ces trois portraits ?

Le roi voulut venir au secours de Saint-Aignan sans se compromettre.

— Mais Amaryllis est belle, dit-il, à mon avis.

— Moi, j'aime mieux Philis, dit Monsieur ; c'est une bonne fille, ou plutôt un bon garçon de nymphe.

Et chacun de rire.

Cette fois, les regards furent si directs, que Montalais sentit le rouge lui monter au visage en flammes violettes.

— Donc, reprit Madame, ces bergères se disaient ?...

Mais de Saint-Aignan, frappé dans son amour-propre, n'était pas en état de soutenir une attaque de troupes fraîches et reposées.

— Madame, dit-il, ces bergères s'avouaient réciproquement leurs petits penchants.

— Allez, allez, monsieur de Saint-Aignan, vous êtes un fleuve de poésie pastorale, dit Madame avec un aimable sourire qui réconforta un peu le narrateur.

— Elles se dirent que l'amour est un danger, mais que l'absence de l'amour est la mort du cœur.

— De sorte qu'elles conclurent ?... demanda Madame.

— De sorte qu'elles conclurent qu'on devait aimer.

— Très bien ! Y mettaient-elles des conditions ?

— La condition de choisir, dit de Saint-Aignan. Je dois même ajouter, c'est la dryade qui parle, qu'une des bergères, Amaryllis, je crois, s'opposait complètement à ce qu'on aimât, et cependant elle ne se défendait pas trop d'avoir laissé pénétrer jusqu'à son cœur l'image de certain berger.

— Amyntas ou Tircis ?

— Amyntas, madame, dit modestement de Saint-Aignan. Mais aussitôt Galatée, la douce Galatée aux yeux purs, répondit que ni Amyntas, ni Alphésibée, ni Tityre[1], ni aucun des bergers les plus beaux de la contrée ne pourraient être comparés à Tircis, que Tircis effaçait tous les hommes, de même que le chêne efface en grandeur tous les arbres, le lis en majesté toutes les fleurs. Elle fit même de Tircis un tel portrait que Tircis, qui l'écoutait, dut véritablement être flatté malgré sa grandeur. Ainsi Tircis et Amyntas avaient été distingués par Amaryllis et Galatée. Ainsi le secret des deux cœurs avait été révélé sous l'ombre de la nuit et dans le secret des bois.

1. Alphesibœus et Tityrus appartiennent au monde des *Bucoliques* de Virgile, chants I et V.

« Voilà, madame, ce que la dryade m'a raconté, elle qui sait tout ce qui se passe dans le creux des chênes et dans les touffes de l'herbe ; elle qui connaît les amours des oiseaux, qui sait ce que veulent dire leurs chants ; elle qui comprend enfin le langage du vent dans les branches et le bourdonnement des insectes d'or ou d'émeraude dans la corolle des fleurs sauvages ; elle me l'a redit, je le répète.

— Et maintenant vous avez fini, n'est-ce pas, monsieur de Saint-Aignan ? dit Madame avec un sourire qui fit trembler le roi.

— J'ai fini, oui, madame, répondit de Saint-Aignan ; heureux si j'ai pu distraire Votre Altesse pendant quelques instants.

— Instants trop courts, répondit la princesse, car vous avez parfaitement raconté tout ce que vous saviez ; mais, mon cher monsieur de Saint-Aignan, vous avez eu le malheur de ne vous renseigner qu'à une seule dryade, n'est-ce pas ?

— Oui, madame, à une seule, je l'avoue.

— Il en résulte que vous êtes passé près d'une petite naïade qui n'avait l'air de rien, et qui en savait autrement long que votre dryade, mon cher comte.

— Une naïade ? répétèrent plusieurs voix qui commençaient à se douter que l'histoire allait avoir une suite.

— Sans doute : à côté de ce chêne dont vous parlez, et qui s'appelle le chêne royal, à ce que je crois du moins, n'est-ce pas, monsieur de Saint-Aignan ?

Saint-Aignan et le roi se regardèrent.

— Oui, madame, répondit de Saint-Aignan.

— Eh bien ! il y a une jolie petite source qui gazouille sur des cailloux, au milieu des myosotis et des pâquerettes.

— Je crois que Madame a raison, dit le roi toujours inquiet et suspendu aux lèvres de sa belle-sœur.

— Oh ! il y en a une, c'est moi qui vous en réponds, dit Madame ; et la preuve, c'est que la naïade qui règne sur cette source m'a arrêtée au passage, moi qui vous parle.

— Bah ! fit Saint-Aignan.

— Oui, continua la princesse, et cela pour me conter une quantité de choses que M. de Saint-Aignan n'a pas mises dans son récit.

— Oh ! racontez vous-même, dit Monsieur, vous racontez d'une façon charmante.

La princesse s'inclina devant le compliment conjugal.

— Je n'aurai pas la poésie du comte et son talent pour faire ressortir tous les détails.

— Vous ne serez pas écoutée avec moins d'intérêt, dit le roi, qui sentait d'avance quelque chose d'hostile dans le récit de sa belle-sœur.

— Je parle d'ailleurs, continua Madame, au nom de cette pauvre petite naïade, qui est bien la plus charmante demi-déesse que j'aie jamais rencontrée. Or, elle riait tant pendant le récit qu'elle m'a fait, qu'en vertu de cet axiome médical : « Le rire est contagieux », je vous demande la permission de rire un peu moi-même quand je me rappelle ses paroles.

Le roi et de Saint-Aignan, qui virent sur beaucoup de physionomies s'épanouir un commencement d'hilarité pareille à celle que Madame annonçait, finirent par se regarder entre eux et se demander du regard s'il n'y aurait pas là-dessous quelque petite conspiration.

Mais Madame était bien décidée à tourner et à retourner le couteau dans la plaie ; aussi reprit-elle avec son air de naïve candeur, c'est-à-dire avec le plus dangereux de tous ses airs :

— Donc, je passais par là, dit-elle, et, comme je trouvais sous mes pas beaucoup de fleurs fraîches écloses, nul doute que Philis, Amaryllis, Galatée, et toutes vos bergères, n'eussent passé sur le chemin avant moi.

Le roi se mordit les lèvres. Le récit devenait de plus en plus menaçant.

— Ma petite naïade, continua Madame, roucoulait sa petite chanson sur le lit de son ruisselet ; comme je vis qu'elle m'accostait en touchant le bas de ma robe, je ne songeai pas à lui faire un mauvais accueil, et cela d'autant mieux, après tout, qu'une divinité, fût-elle de second ordre, vaut toujours mieux qu'une princesse mortelle. Donc, j'abordai la naïade, et voici ce qu'elle me dit en éclatant de rire : « Figurez-vous, princesse... »

« Vous comprenez, sire, c'est la naïade qui parle.

Le roi fit un signe d'assentiment ; Madame reprit :

— « Figurez-vous, princesse, que les rives de mon ruisseau viennent d'être témoins d'un spectacle des plus amusants. Deux bergers, curieux jusqu'à l'indiscrétion, se sont fait mystifier d'une façon réjouissante par trois nymphes ou trois bergères... » Je vous demande pardon, mais je ne me rappelle plus si c'est nymphes ou bergères qu'elle a dit. Mais il importe peu, n'est-ce pas ? Passons donc.

A ce préambule, le roi rougit visiblement, et de Saint-Aignan, perdant toute contenance, se mit à écarquiller les yeux le plus anxieusement du monde.

— « Les deux bergers, poursuivit ma petite naïade en riant toujours, suivaient la trace des trois demoiselles... » Non, je veux dire des trois nymphes ; pardon, je me trompe, des trois bergères. Cela n'est pas toujours sensé, cela peut gêner celles que l'on suit. J'en appelle à toutes ces dames, et pas une de celles qui sont ici ne me démentira, j'en suis certaine.

Le roi, fort en peine de ce qui allait suivre, opina du geste.

— « Mais, continua la naïade, les bergères avaient vu Tircis et Amyntas se glisser dans le bois ; et, la lune aidant, elles les avaient reconnus à travers les quinconces... » Ah ! vous riez, interrompit Madame. Attendez, attendez, vous n'êtes pas au bout.

Le roi pâlit ; de Saint-Aignan essuya son front humide de sueur.

Il y avait dans les groupes des femmes de petits rires étouffés, des chuchotements furtifs.

— Les bergères, disais-je, voyant l'indiscrétion des deux bergers, les bergères s'allèrent asseoir au pied du chêne royal, et, lorsqu'elles sentirent leurs indiscrets écouteurs à portée de ne pas perdre un mot de ce qui allait se dire, elles leur adressèrent innocemment, le plus innocemment du monde, une déclaration incendiaire dont l'amour-propre naturel à tous les hommes, et même aux bergers les plus sentimentaux, fit paraître aux deux auditeurs les termes doux comme des rayons de miel.

Le roi, à ces mots que l'assemblée ne put écouter sans rire, laissa échapper un éclair de ses yeux.

Quant à de Saint-Aignan, il laissa tomber sa tête sur sa poitrine, et voila, sous un amer éclat de rire, le dépit profond qu'il ressentait.

— Oh ! fit le roi en se redressant de toute sa taille, voilà, sur ma parole, une plaisanterie charmante assurément et, racontée par vous, madame, d'une façon non moins charmante : mais réellement, bien réellement, avez-vous compris la langue des naïades ?

— Mais le comte prétend bien avoir compris celle des dryades, repartit vivement Madame.

— Sans doute, dit le roi. Mais, vous le savez, le comte a la faiblesse de viser à l'Académie[1], de sorte qu'il a appris, dans ce but, toutes sortes de choses que bien heureusement vous ignorez, et il se serait pu que la langue de la nymphe des eaux fût au nombre des choses que vous n'avez pas étudiées.

— Vous comprenez, sire, répondit Madame, que pour de pareils faits on ne s'en fie pas à soi toute seule ; l'oreille d'une femme n'est pas chose infaillible, a dit saint Augustin ; aussi ai-je voulu m'éclairer d'autres opinions que la mienne, et, comme ma naïade, qui, en qualité de déesse, est polyglotte... n'est-ce point ainsi que cela se dit, monsieur de Saint-Aignan ?

— Oui, madame, dit de Saint-Aignan tout déferré.

— Et, continua la princesse, comme ma naïade, qui, en qualité de déesse, est polyglotte, m'avait d'abord parlé en anglais, je craignis, comme vous dites, d'avoir mal entendu et fis venir Mlles de Montalais, de Tonnay-Charente et La Vallière, priant ma naïade de me refaire en langue française le récit qu'elle m'avait déjà fait en anglais.

— Et elle le fit ? demanda le roi.

— Oh ! c'est la plus complaisante divinité qui existe... Oui, sire, elle le refit. De sorte qu'il n'y a aucun doute à conserver. N'est-ce pas,

1. Saint-Aignan n'a jamais fait partie de l'Académie malgré son amour des Belles-Lettres (voir son éloge par Moréri, 1749) ; la gloire d'être immortel fut réservée à son petit-fils, Paul-Hippolyte (1732).

mesdemoiselles, dit la princesse en se tournant vers la gauche de son armée, n'est-ce pas que la naïade a parlé absolument comme je raconte, et que je n'ai en aucune façon failli à la vérité ?... Philis ?... Pardon ! je me trompe... mademoiselle Aure de Montalais, est-ce vrai ?

— Oh ! absolument, madame, articula nettement Mlle de Montalais.

— Est-ce vrai, mademoiselle de Tonnay-Charente ?

— Vérité pure, répondit Athénaïs d'une voix non moins ferme, mais cependant moins intelligible.

— Et vous, La Vallière ? demanda Madame.

La pauvre enfant sentait le regard ardent du roi dirigé sur elle ; elle n'osait pas nier, elle n'osait pas mentir ; elle baissa la tête en signe d'acquiescement.

Seulement sa tête ne se releva point, à demi glacée qu'elle était par un froid plus douloureux que celui de la mort.

Ce triplc témoignage écrasa le roi. Quant à Saint-Aignan, il n'essayait même pas de dissimuler son désespoir, et sans savoir ce qu'il disait, il bégayait :

— Excellente plaisanterie ! bien joué, mesdames les bergères !

— Juste punition de la curiosité, dit le roi d'une voix rauque. Oh ! qui s'aviserait, après le châtiment de Tircis et d'Amyntas, qui s'aviserait de chercher à surprendre ce qui se passe dans le cœur des bergères ? Certes, ce ne sera pas moi... Et vous, messieurs ?

— Ni moi ! ni moi ! répéta en chœur le groupe des courtisans.

Madame triomphait de ce dépit du roi ; elle se délectait, croyant que son récit avait été ou devait être le dénouement de tout.

Quant à Monsieur, qui avait ri de ce double récit sans y rien comprendre, il se tourna vers de Guiche :

— Eh ! comte, lui dit-il, tu ne dis rien ; tu ne trouves donc rien à dire ? Est-ce que tu plaindrais MM. Tircis et Amyntas, par hasard ?

— Je les plains de toute mon âme, répondit de Guiche ; car, en vérité, l'amour est une si douce chimère, que le perdre, toute chimère qu'il est, c'est perdre plus que la vie. Donc, si ces deux bergers ont cru être aimés, s'ils s'en sont trouvés heureux, et qu'au lieu de ce bonheur ils rencontrent non seulement le vide qui égale la mort, mais une raillerie de l'amour qui vaut cent mille morts... eh bien ! je dis que Tircis et Amyntas sont les deux hommes les plus malheureux que je connaisse.

— Et vous avez raison, monsieur de Guiche, dit le roi ; car enfin, la mort, c'est bien dur pour un peu de curiosité.

— Alors, c'est donc à dire que l'histoire de ma naïade a déplu au roi ? demanda naïvement Madame.

— Oh ! madame, détrompez-vous, dit Louis en prenant la main de la princesse ; votre naïade m'a plu d'autant mieux qu'elle a été plus véridique, et que son récit, je dois le dire, est appuyé par d'irrécusables témoignages.

Et ces mots tombèrent sur La Vallière avec un regard que nul, depuis Socrate jusqu'à Montaigne, n'eût pu définir parfaitement.

Ce regard et ces mots achevèrent d'accabler la malheureuse jeune fille, qui, appuyée sur l'épaule de Montalais, semblait avoir perdu connaissance.

Le roi se leva sans remarquer cet incident, auquel nul, au reste, ne prit garde ; et contre sa coutume, car d'ordinaire il demeurait tard chez Madame, il prit congé pour entrer dans ses appartements.

De Saint-Aignan le suivit, tout aussi désespéré à sa sortie qu'il s'était montré joyeux à son entrée.

Mlle de Tonnay-Charente, moins sensible que La Vallière aux émotions, ne s'effraya guère et ne s'évanouit point.

Cependant le coup d'œil suprême de Saint-Aignan avait été bien autrement majestueux que le dernier regard du roi.

CXXXII

PSYCHOLOGIE ROYALE

Le roi entra dans ses appartements d'un pas rapide.

Peut-être Louis XIV marchait-il si vite pour ne pas chanceler. Il laissait derrière lui comme la trace d'un deuil mystérieux.

Cette gaieté, que chacun avait remarquée dans son attitude à son arrivée, et dont chacun s'était réjoui, nul ne l'avait peut-être approfondie dans son véritable sens ; mais ce départ si orageux, ce visage si bouleversé, chacun le comprit, ou du moins le crut comprendre facilement.

La légèreté de Madame, ses plaisanteries un peu rudes pour un caractère ombrageux, et surtout pour un caractère de roi ; l'assimilation trop familière, sans doute, de ce roi à un homme ordinaire ; voilà les raisons que l'assemblée donna du départ précipité et inattendu de Louis XIV.

Madame, plus clairvoyante d'ailleurs, n'y vit cependant point d'abord autre chose. C'était assez pour elle d'avoir rendu quelque petite torture d'amour-propre à celui qui, oubliant si promptement des engagements contractés, semblait avoir pris à tâche de dédaigner sans cause les plus nobles et les plus illustres conquêtes.

Il n'était pas sans une certaine importance pour Madame, dans la situation où se trouvaient les choses, de faire voir au roi la différence qu'il y avait à aimer en haut lieu ou à courir l'amourette comme un cadet de province.

Avec ces grandes amours, sentant leur loyauté et leur toute-puissance, ayant en quelque sorte leur étiquette et leur ostentation, un roi, non seulement ne dérogeait point, mais encore trouvait repos, sécurité, mystère et respect général.

Dans l'abaissement des vulgaires amours, au contraire, il rencontrait, même chez les plus humbles sujets, la glose et le sarcasme ; il perdait son caractère d'infaillible et d'inviolable. Descendu dans la région des petites misères humaines, il en subissait les pauvres orages.

En un mot, faire du roi-dieu un simple mortel en le touchant au cœur, ou plutôt même au visage, comme le dernier de ses sujets, c'était porter un coup terrible à l'orgueil de ce sang généreux : on captivait Louis plus encore par l'amour-propre que par l'amour. Madame avait sagement calculé sa vengeance ; aussi, comme on l'a vu, s'était-elle vengée.

Qu'on n'aille pas croire cependant que Madame eût les passions terribles des héroïnes du Moyen Age et qu'elle vît les choses sous leur aspect sombre ; Madame, au contraire, jeune, gracieuse, spirituelle, coquette, amoureuse, plutôt de fantaisie, d'imagination ou d'ambition que de cœur ; Madame, au contraire, inaugurait cette époque de plaisirs faciles et passagers qui signala les cent vingt ans qui s'écoulèrent entre la moitié du XVIIe siècle et les trois quarts du XVIIIe.

Madame voyait donc, ou plutôt croyait voir les choses sous leur véritable aspect ; elle savait que le roi, son auguste beau-frère, avait ri le premier de l'humble La Vallière, et que, selon ses habitudes, il n'était pas probable qu'il adorât jamais la personne dont il avait pu rire, ne fût-ce qu'un instant.

D'ailleurs, l'amour-propre n'était-il pas là, ce démon souffleur qui joue un si grand rôle dans cette comédie dramatique qu'on appelle la vie d'une femme ; l'amour-propre ne disait-il point tout haut, tout bas, à demi-voix, sur tous les tons possibles, qu'elle ne pouvait véritablement, elle, princesse, jeune, belle, riche, être comparée à la pauvre La Vallière, aussi jeune qu'elle, c'est vrai, mais bien moins jolie, mais tout à fait pauvre ? Et que cela n'étonne point de la part de Madame ; on le sait, les plus grands caractères sont ceux qui se flattent le plus dans la comparaison qu'ils font d'eux aux autres, des autres à eux.

Peut-être demandera-t-on ce que voulait Madame avec cette attaque si savamment combinée ? Pourquoi tant de forces déployées, s'il ne s'agissait de débusquer sérieusement le roi d'un cœur tout neuf dans lequel il comptait se loger ! Madame avait-elle donc besoin de donner une pareille importance à La Vallière, si elle ne redoutait pas La Vallière ?

Non, Madame ne redoutait pas La Vallière, au point de vue où un historien qui sait les choses voit l'avenir, ou plutôt le passé ; Madame n'était point un prophète ou une sibylle ; Madame ne pouvait pas plus qu'un autre lire dans ce terrible et fatal livre de l'avenir qui garde en ses plus secrètes pages les plus sérieux événements.

Non, Madame voulait purement et simplement punir le roi de lui avoir fait une cachotterie toute féminine ; elle voulait lui prouver clairement que s'il usait de ce genre d'armes offensives, elle, femme d'esprit et de race, trouverait certainement dans l'arsenal de son imagination des armes défensives à l'épreuve même des coups d'un roi.

Et d'ailleurs, elle voulait lui prouver que, dans ces sortes de guerre, il n'y a plus de rois, ou tout au moins que les rois, combattant pour leur propre compte comme des hommes ordinaires, peuvent voir leur couronne tomber au premier choc ; qu'enfin, s'il avait espéré être adoré tout d'abord, de confiance, à son seul aspect, par toutes les femmes de sa cour, c'était une prétention humaine, téméraire, insultante pour certaines plus haut placées que les autres, et que la leçon, tombant à propos sur cette tête royale, trop haute et trop fière, serait efficace.

Voilà certainement quelles étaient les réflexions de Madame à l'égard du roi.

L'événement restait en dehors.

Ainsi, l'on voit qu'elle avait agi sur l'esprit de ses filles d'honneur et avait préparé dans tous ses détails la comédie qui venait de se jouer.

Le roi en fut tout étourdi. Depuis qu'il avait échappé à M. de Mazarin, il se voyait pour la première fois traité en homme.

Une pareille sévérité, de la part de ses sujets, lui eût fourni matière à résistance. Les pouvoirs croissent dans la lutte.

Mais s'attaquer à des femmes, être attaqué par elles, avoir été joué par de petites provinciales arrivées de Blois tout exprès pour cela, c'était le comble du déshonneur pour un jeune roi plein de la vanité que lui inspiraient à la fois et ses avantages personnels et son pouvoir royal.

Rien à faire, ni reproches, ni exil, ni même bouderies.

Bouder, c'eût été avouer qu'on avait été touché, comme Hamlet, par une arme démouchetée[1], l'arme du ridicule.

Bouder des femmes ! quelle humiliation ! surtout quand ces femmes ont le rire pour vengeance.

Oh ! si, au lieu d'en laisser toute la responsabilité à des femmes, quelque courtisan se fût mêlé à cette intrigue, avec quelle joie Louis XIV eût saisi cette occasion d'utiliser la Bastille !

Mais là encore la colère royale s'arrêtait, repoussée par le raisonnement.

Avoir une armée, des prisons, une puissance presque divine, et mettre cette toute-puissance au service d'une misérable rancune, c'était indigne, non seulement d'un roi, mais même d'un homme.

Il s'agissait donc purement et simplement de dévorer en silence cet

---

1. Shakespeare, acte V, scène II : « Laerte. — *The treacherous instrument is in thy hand, / Unbated and envenim'd...* » Traduction de Dumas : *Hamlet, prince de Danemark*, acte V, huitième tableau, scène III : « Laerte. — Tout secours serait vain, ma vie est condamnée ! / Et l'arme est dans tes mains, regarde, empoisonnée ! »

affront et d'afficher sur son visage la même mansuétude, la même urbanité.

Il s'agissait de traiter Madame en amie. En amie !... Et pourquoi pas ?

Ou Madame était l'instigatrice de l'événement, ou l'événement l'avait trouvée passive.

Si elle avait été l'instigatrice, c'était bien hardi à elle, mais enfin n'était-ce pas son rôle naturel ?

Qui l'avait été chercher dans le plus doux moment de la lune conjugale pour lui parler un langage amoureux ? Qui avait osé calculer les chances de l'adultère, bien plus de l'inceste ? Qui, retranché derrière son omnipotence royale, avait dit à cette jeune femme : « Ne craignez rien, aimez le roi de France, il est au-dessus de tous, et un geste de son bras armé du sceptre vous protégera contre tous, même contre vos remords ? »

Donc, la jeune femme avait obéi à cette parole royale, avait cédé à cette voix corruptrice, et maintenant qu'elle avait fait le sacrifice moral de son honneur, elle se voyait payée de ce sacrifice par une infidélité d'autant plus humiliante qu'elle avait pour cause une femme bien inférieure à celle qui avait d'abord cru être aimée.

Ainsi, Madame eût-elle été l'instigatrice de la vengeance, Madame eût eu raison.

Si, au contraire, elle était passive dans tout cet événement, quel sujet avait le roi de lui en vouloir ?

Devait-elle, ou plutôt pouvait-elle arrêter l'essor de quelques langues provinciales ? devait-elle, par un excès de zèle mal entendu, réprimer, au risque de l'envenimer, l'impertinence de ces trois petites filles ?

Tous ces raisonnements étaient autant de piqûres sensibles à l'orgueil du roi ; mais, quand il avait bien repassé tous ces griefs dans son esprit, Louis XIV s'étonnait, réflexions faites, c'est-à-dire après la plaie pansée, de sentir d'autres douleurs sourdes, insupportables, inconnues.

Et voilà ce qu'il n'osait s'avouer à lui-même, c'est que ces lancinantes atteintes avaient leur siège au cœur.

Et, en effet, il faut bien que l'historien l'avoue aux lecteurs, comme le roi se l'avouait à lui-même : il s'était laissé chatouiller le cœur par cette naïve déclaration de La Vallière ; il avait cru à l'amour pur, à de l'amour pour l'homme, à de l'amour dépouillé de tout intérêt ; et son âme, plus jeune et surtout plus naïve qu'il ne le supposait, avait bondi au-devant de cette autre âme qui venait de se révéler à lui par ses aspirations.

La chose la moins ordinaire dans l'histoire si complexe de l'amour, c'est la double inoculation de l'amour dans deux cœurs : pas plus de simultanéité que d'égalité ; l'un aime presque toujours avant l'autre, comme l'un finit presque toujours d'aimer après l'autre. Aussi le courant électrique s'établit-il en raison de l'intensité de la première passion qui s'allume. Plus Mlle de La Vallière avait montré d'amour, plus le roi en avait ressenti.

Et voilà justement ce qui étonnait le roi.

Car il lui était bien démontré qu'aucun courant sympathique n'avait pu entraîner son cœur, puisque cet aveu n'était pas de l'amour, puisque cet aveu n'était qu'une insulte faite à l'homme et au roi, puisque enfin c'était, et le mot surtout brûlait comme un fer rouge, puisque enfin c'était une mystification.

Ainsi cette petite fille à laquelle, à la rigueur, on pouvait tout refuser, beauté, naissance, esprit, ainsi cette petite fille, choisie par Madame elle-même en raison de son humilité, avait non seulement provoqué le roi, mais encore dédaigné le roi, c'est-à-dire un homme qui, comme un sultan d'Asie, n'avait qu'à chercher des yeux, qu'à étendre la main, qu'à laisser tomber le mouchoir.

Et, depuis la veille, il avait été préoccupé de cette petite fille au point de ne penser qu'à elle, de ne rêver que d'elle ; depuis la veille, son imagination s'était amusée à parer son image de tous les charmes qu'elle n'avait point ; il avait enfin, lui que tant d'affaires réclamaient, que tant de femmes appelaient, il avait, depuis la veille, consacré toutes les minutes de sa vie, tous les battements de son cœur, à cette unique rêverie.

En vérité, c'était trop ou trop peu.

Et l'indignation du roi lui faisant oublier toutes choses, et entre autres que de Saint-Aignan était là, l'indignation du roi s'exhalait dans les plus violentes imprécations.

Il est vrai que Saint-Aignan était tapi dans un coin, et de ce coin regardait passer la tempête.

Son désappointement à lui paraissait misérable à côté de la colère royale.

Il comparait à son petit amour-propre l'immense orgueil de ce roi offensé, et, connaissant le cœur des rois en général et celui des puissants en particulier, il se demandait si bientôt ce poids de fureur, suspendu jusque-là sur le vide, ne finirait point par tomber sur lui, par cela même que d'autres étaient coupables et lui innocent.

En effet, tout à coup le roi s'arrêta dans sa marche immodérée, et, fixant sur de Saint-Aignan un regard courroucé,

— Et toi, de Saint-Aignan ? s'écria-t-il.

De Saint-Aignan fit un mouvement qui signifiait :

— Eh bien ! sire ?

— Oui, tu as été aussi sot que moi, n'est-ce pas ?

— Sire, balbutia de Saint-Aignan.

— Tu t'es laissé prendre à cette grossière plaisanterie.

— Sire, dit de Saint-Aignan, dont le frisson commençait à secouer les membres, que Votre Majesté ne se mette point en colère : les femmes, elle le sait, sont des créatures imparfaites créées pour le mal ; donc, leur demander le bien c'est exiger d'elles la chose impossible.

Le roi, qui avait un profond respect de lui-même, et qui commençait à prendre sur ses passions cette puissance qu'il conserva sur elles toute sa vie, le roi sentit qu'il se déconsidérait à montrer tant d'ardeur pour un si mince objet.

— Non, dit-il vivement, non, tu te trompes, Saint-Aignan, je ne me mets pas en colère ; j'admire seulement que nous ayons été joués avec tant d'adresse et d'audace par ces deux petites filles. J'admire surtout que, pouvant nous instruire, nous ayons fait la folie de nous en rapporter à notre propre cœur.

— Oh ! le cœur, sire, le cœur, c'est un organe qu'il faut absolument réduire à ses fonctions physiques, mais qu'il faut destituer de toutes fonctions morales. J'avoue, quant à moi, que, lorsque j'ai vu le cœur de Votre Majesté si fort préoccupé de cette petite...

— Préoccupé, moi ? mon cœur préoccupé ? Mon esprit, peut-être ; mais quant à mon cœur... il était...

Louis s'aperçut, cette fois encore, que pour couvrir un vide, il en allait découvrir un autre.

— Au reste, ajouta-t-il, je n'ai rien à reprocher à cette enfant. Je savais qu'elle en aimait un autre.

— Le vicomte de Bragelonne, oui. J'en avais prévenu Votre Majesté.

— Sans doute. Mais tu n'étais pas le premier. Le comte de La Fère m'avait demandé la main de Mlle de La Vallière pour son fils. Eh bien ! à son retour d'Angleterre, je les marierai puisqu'ils s'aiment.

— En vérité, je reconnais là toute la générosité du roi.

— Tiens, Saint-Aignan, crois-moi, ne nous occupons plus de ces sortes de choses, dit Louis.

— Oui, digérons l'affront, sire, dit le courtisan résigné.

— Au reste, ce sera chose facile, fit le roi en modulant un soupir.

— Et pour commencer, moi... dit Saint-Aignan.

— Eh bien ?

— Eh bien ! je vais faire quelque bonne épigramme sur le trio. J'appellerai cela : *Naïade et Dryade* ; cela fera plaisir à Madame.

— Fais, Saint-Aignan, fais, murmura le roi. Tu me liras tes vers, cela me distraira. Ah ! n'importe, n'importe, Saint-Aignan, ajouta le roi comme un homme qui respire avec peine, le coup demande une force surhumaine pour être dignement soutenu.

Et, comme le roi achevait ainsi en se donnant les airs de la plus angélique patience, un des valets de service vint gratter à la porte de la chambre.

De Saint-Aignan s'écarta par respect.

— Entrez, fit le roi.

Le valet entrebâilla la porte.

— Que veut-on ? demanda Louis.

Le valet montra une lettre pliée en forme de triangle.

— Pour Sa Majesté, dit-il.

— De quelle part ?

— Je l'ignore ; il a été remis par un des officiers de service.

Le roi fit signe, le valet apporta le billet.

Le roi s'approcha des bougies, ouvrit le billet, lut la signature et laissa échapper un cri.

Saint-Aignan était assez respectueux pour ne pas regarder ; mais, sans regarder, il voyait et entendait.

Il accourut.

Le roi, d'un geste, congédia le valet.

— Oh ! mon Dieu ! fit le roi en lisant.

— Votre Majesté se trouve-t-elle indisposée ? demanda Saint-Aignan les bras étendus.

— Non, non, Saint-Aignan ; lis !

Et il lui passa le billet.

Les yeux de Saint-Aignan se portèrent à la signature.

— La Vallière ! s'écria-t-il. Oh ! sire !

— Lis ! lis !

Et Saint-Aignan lut :

Sire, pardonnez-moi mon importunité, pardonnez-moi surtout le défaut de formalités qui accompagne cette lettre ; un billet me semble plus pressé et plus pressant qu'une dépêche ; je me permets donc d'adresser un billet à Votre Majesté.

Je rentre chez moi brisée de douleur et de fatigue, sire, et j'implore de Votre Majesté la faveur d'une audience dans laquelle je pourrai dire la vérité à mon roi.

Signé : LOUISE DE LA VALLIÈRE

— Eh bien ? demanda le roi en reprenant la lettre des mains de Saint-Aignan tout étourdi de ce qu'il venait de lire.

— Eh bien ? répéta Saint-Aignan.

— Que penses-tu de cela ?

— Je ne sais trop.

— Mais enfin ?

— Sire, la petite aura entendu gronder la foudre, et elle aura eu peur.

— Peur de quoi ? demanda noblement Louis.

— Dame ! que voulez-vous, sire ! Votre Majesté a mille raisons d'en vouloir à l'auteur ou aux auteurs d'une si méchante plaisanterie, et la mémoire de Votre Majesté, ouverte dans le mauvais sens, est une éternelle menace pour l'imprudente.

— Saint-Aignan, je ne vois pas comme vous.

— Le roi doit voir mieux que moi.

— Eh bien ! je vois dans ces lignes : de la douleur, de la contrainte, et maintenant surtout que je me rappelle certaines particularités de la scène qui s'est passée ce soir chez Madame... Enfin...

Le roi s'arrêta sur ce sens suspendu.

— Enfin, reprit Saint-Aignan, Votre Majesté va donner audience, voilà ce qu'il y a de plus clair dans tout cela.

— Je ferai mieux, Saint-Aignan.

— Que ferez-vous, sire ?

— Prends ton manteau.

— Mais, sire...

— Tu sais où est la chambre des filles de Madame ?

— Certes.

— Tu sais un moyen d'y pénétrer ?

— Oh ! quant à cela, non.

— Mais enfin tu dois connaître quelqu'un par là ?

— En vérité, Votre Majesté est la source de toute bonne idée.

— Tu connais quelqu'un ?

— Oui.

— Qui connais-tu ? Voyons.

— Je connais certain garçon qui est au mieux avec certaine fille.

— D'honneur ?

— Oui, d'honneur, sire.

— Avec Tonnay-Charente ? demanda Louis en riant.

— Non, malheureusement ; avec Montalais.

— Il s'appelle ?

— Malicorne.

— Bon ! Et tu peux compter sur lui ?

— Je le crois, sire. Il doit bien avoir quelque clef... Et s'il en a une, comme je lui ai rendu service... il m'en fera part.

— C'est au mieux. Partons !

— Je suis aux ordres de Votre Majesté.

Le roi jeta son propre manteau sur les épaules de Saint-Aignan et lui demanda le sien. Puis tous deux gagnèrent le vestibule.

CXXXIII

CE QUE N'AVAIENT PRÉVU NI NAIADE NI DRYADE

De Saint-Aignan s'arrêta au pied de l'escalier qui conduisait aux entresols chez les filles d'honneur, au premier chez Madame.

De là, par un valet qui passait, il fit prévenir Malicorne, qui était encore chez Monsieur.

Au bout de dix minutes, Malicorne arriva le nez au vent et flairant dans l'ombre.

Le roi se recula, gagnant la partie la plus obscure du vestibule.

Au contraire, de Saint-Aignan s'avança.

Mais, aux premiers mots par lesquels il formula son désir, Malicorne recula tout net.

— Oh ! oh ! dit-il, vous me demandez à être introduit dans les chambres des filles d'honneur ?

— Oui.

— Vous comprenez que je ne puis faire une pareille chose sans savoir dans quel but vous la désirez.

— Malheureusement, cher monsieur Malicorne, il m'est impossible de donner aucune explication ; il faut donc que vous vous fiiez à moi comme un ami qui vous a tiré d'embarras hier et qui vous prie de l'en tirer aujourd'hui.

— Mais moi, monsieur, je vous disais ce que je voulais ; ce que je voulais, c'était ne point coucher à la belle étoile, et tout honnête homme peut avouer un pareil désir ; tandis que vous, vous n'avouez rien.

— Croyez, mon cher monsieur Malicorne, insista de Saint-Aignan, que, s'il m'était permis de m'expliquer, je m'expliquerais.

— Alors, mon cher monsieur, impossible que je vous permette d'entrer chez Mlle de Montalais.

— Pourquoi ?

— Vous le savez mieux que personne, puisque vous m'avez pris sur un mur, faisant la cour à Mlle de Montalais ; or, ce serait complaisant à moi, vous en conviendrez, lui faisant la cour, de vous ouvrir la porte de sa chambre.

— Eh ! qui vous dit que ce soit pour elle que je vous demande la clef ?

— Pour qui donc alors ?

— Elle ne loge pas seule, ce me semble ?

— Non, sans doute.

— Elle loge avec Mlle de La Vallière ?

— Oui, mais vous n'avez pas plus affaire réellement à Mlle de La Vallière qu'à Mlle de Montalais, et il n'y a que deux hommes à qui je donnerais cette clef : c'est à M. de Bragelonne, s'il me priait de la lui donner ; c'est au roi, s'il me l'ordonnait.

— Eh bien ! donnez-moi donc cette clef, monsieur, je vous l'ordonne, dit le roi en s'avançant hors de l'obscurité et en entrouvrant son manteau. Mlle de Montalais descendra près de vous, tandis que nous monterons près de Mlle de La Vallière : c'est, en effet, à elle seule que nous avons affaire.

— Le roi ! s'écria Malicorne en se courbant jusqu'aux genoux du roi.

— Oui, le roi, dit Louis en souriant, le roi qui vous sait aussi bon gré de votre résistance que de votre capitulation. Relevez-vous, monsieur ; rendez-nous le service que nous vous demandons.

— Sire, à vos ordres, dit Malicorne en montant l'escalier.

— Faites descendre Mlle de Montalais, dit le roi, et ne lui sonnez mot de ma visite.

Malicorne s'inclina en signe d'obéissance et continua de monter.

Mais le roi, par une vive réflexion, le suivit, et cela avec une rapidité si grande, que, quoique Malicorne eût déjà la moitié des escaliers d'avance, il arriva en même temps que lui à la chambre.

Il vit alors, par la porte demeurée entrouverte derrière Malicorne, La Vallière toute renversée dans un fauteuil, et à l'autre coin Montalais, qui peignait ses cheveux, en robe de chambre, debout devant une grande glace et tout en parlementant avec Malicorne.

Le roi ouvrit brusquement la porte et entra.

Montalais poussa un cri au bruit que fit la porte, et, reconnaissant le roi, elle s'esquiva.

A cette vue, La Vallière, de son côté, se redressa comme une morte galvanisée[1] et retomba sur son fauteuil.

Le roi s'avança lentement vers elle.

— Vous voulez une audience, mademoiselle, lui dit-il avec froideur, me voici prêt à vous entendre. Parlez.

De Saint-Aignan, fidèle à son rôle de sourd, d'aveugle et de muet, de Saint-Aignan s'était placé, lui, dans une encoignure de porte, sur un escabeau que le hasard lui avait procuré tout exprès.

Abrité sous la tapisserie qui servait de portière, adossé à la muraille même, il écouta ainsi sans être vu, se résignant au rôle de bon chien de garde qui attend et qui veille sans jamais gêner le maître. La Vallière, frappée de terreur à l'aspect du roi irrité, se leva une seconde fois, et, demeurant dans une posture humble et suppliante :

— Sire, balbutia-t-elle, pardonnez-moi.

— Eh ! mademoiselle, que voulez-vous que je vous pardonne ? demanda Louis XIV.

— Sire, j'ai commis une grande faute, plus qu'une grande faute, un grand crime.

— Vous ?

— Sire, j'ai offensé Votre Majesté.

— Pas le moins du monde, répondit Louis XIV.

— Sire, je vous en supplie, ne gardez point vis-à-vis de moi cette terrible gravité qui décèle la colère bien légitime du roi. Je sens que je vous ai offensé, sire ; mais j'ai besoin de vous expliquer comment je ne vous ai point offensé de mon plein gré.

---

1. Les expériences de Luigi Galvani n'eurent lieu qu'à la fin du XVIIIe siècle.

— Et d'abord, mademoiselle, dit le roi, en quoi m'auriez-vous offensé ? Je ne le vois pas. Est-ce par une plaisanterie de jeune fille, plaisanterie fort innocente ? Vous vous êtes raillée d'un jeune homme crédule : c'est bien naturel ; toute autre femme à votre place eût fait ce que vous avez fait.

— Oh ! Votre Majesté m'écrase avec ces paroles.

— Et pourquoi donc ?

— Parce que, si la plaisanterie fût venue de moi, elle n'eût pas été innocente.

— Enfin, mademoiselle, reprit le roi, est-ce là tout ce que vous aviez à me dire en me demandant une audience ?

Et le roi fit presque un pas en arrière.

Alors La Vallière, avec une voix brève et entrecoupée, avec des yeux desséchés par le feu des larmes, fit à son tour un pas vers le roi.

— Votre Majesté a tout entendu ? dit-elle.

— Tout, quoi ?

— Tout ce qui a été dit par moi au chêne royal ?

— Je n'en ai pas perdu une seule parole, mademoiselle.

— Et Votre Majesté, lorsqu'elle m'eut entendue, a pu croire que j'avais abusé de sa crédulité.

— Oui, crédulité, c'est bien cela, vous avez dit le mot.

— Et Votre Majesté n'a pas soupçonné qu'une pauvre fille comme moi peut être forcée quelquefois de subir la volonté d'autrui ?

— Pardon, mais je ne comprendrai jamais que celle dont la volonté semblait s'exprimer si librement sous le chêne royal se laissât influencer à ce point par la volonté d'autrui.

— Oh ! mais la menace, sire !

— La menace !... Qui vous menaçait ? qui osait vous menacer ?

— Ceux qui ont le droit de le faire, sire.

— Je ne reconnais à personne le droit de menace dans mon royaume.

— Pardonnez-moi, sire, il y a près de Votre Majesté même des personnes assez haut placées pour avoir ou pour se croire le droit de perdre une jeune fille sans avenir, sans fortune, et n'ayant que sa réputation.

— Et comment la perdre ?

— En lui faisant perdre cette réputation par une honteuse expulsion.

— Oh ! mademoiselle, dit le roi avec une amertume profonde, j'aime fort les gens qui se disculpent sans incriminer les autres.

— Sire !

— Oui, et il m'est pénible, je l'avoue, de voir qu'une justification facile, comme pourrait l'être la vôtre, se vienne compliquer devant moi d'un tissu de reproches et d'imputations.

— Auxquelles vous n'ajoutez pas foi alors ? s'écria La Vallière.

Le roi garda le silence.

— Oh ! dites-le donc ! répéta La Vallière avec véhémence.

— Je regrette de vous l'avouer, répéta le roi en s'inclinant avec froideur.

— La jeune fille poussa une profonde exclamation, et, frappant ses mains l'une dans l'autre :

— Ainsi vous ne me croyez pas ? dit-elle.

Le roi ne répondit rien.

Les traits de La Vallière s'altérèrent à ce silence.

— Ainsi vous supposez que moi, moi ! dit-elle, j'ai ourdi ce ridicule, cet infâme complot de me jouer aussi imprudemment de Votre Majesté ?

— Eh ! mon Dieu ! ce n'est ni ridicule ni infâme, dit le roi ; ce n'est pas même un complot : c'est une raillerie plus ou moins plaisante, voilà tout.

— Oh ! murmura la jeune fille désespérée, le roi ne me croit pas, le roi ne veut pas me croire.

— Mais non, je ne veux pas vous croire.

— Mon Dieu ! mon Dieu !

— Écoutez : quoi de plus naturel, en effet ? Le roi me suit, m'écoute, me guette ; le roi veut peut-être s'amuser à mes dépens, amusons-nous aux siens, et, comme le roi est un homme de cœur, prenons-le par le cœur.

La Vallière cacha sa tête dans ses mains en étouffant un sanglot. Le roi continua impitoyablement ; il se vengeait sur la pauvre victime de tout ce qu'il avait souffert.

— Supposons donc cette fable — que je l'aime et que je l'aie distingué. Le roi est si naïf et si orgueilleux à la fois, qu'il me croira, et alors nous irons raconter cette naïveté du roi, et nous rirons.

— Oh ! s'écria La Vallière, penser cela, penser cela, c'est affreux !

— Et, poursuivit le roi, ce n'est pas tout : si ce prince orgueilleux vient à prendre au sérieux la plaisanterie, s'il a l'imprudence d'en témoigner publiquement quelque chose comme de la joie, eh bien ! devant toute la cour, le roi sera humilié ; or, ce sera, un jour, un récit charmant à faire à mon amant, une part de dot à apporter à mon mari, que cette aventure d'un roi joué par une malicieuse jeune fille.

— Sire ! s'écria La Vallière égarée, délirante, pas un mot de plus, je vous en supplie ; vous ne voyez donc pas que vous me tuez ?

— Oh ! raillerie, murmura le roi, qui commençait cependant à s'émouvoir.

La Vallière tomba à genoux, et cela si rudement, que ses genoux résonnèrent sur le parquet.

Puis, joignant les mains :

— Sire, dit-elle, je préfère la honte à la trahison.

— Que faites-vous ? demanda le roi, mais sans faire un mouvement pour relever la jeune fille.

— Sire, quand je vous aurai sacrifié mon honneur et ma raison, vous croirez peut-être à ma loyauté. Le récit qui vous a été fait chez Madame et par Madame est un mensonge ; ce que j'ai dit sous le grand chêne...

— Eh bien ?

— Cela seulement, c'était la vérité.

— Mademoiselle ! s'écria le roi.

— Sire, s'écria La Vallière entraînée par la violence de ses sensations, sire, dussé-je mourir de honte à cette place où sont enracinés mes deux genoux, je vous le répéterai jusqu'à ce que la voix me manque : j'ai dit que je vous aimais... eh bien ! je vous aime !

— Vous ?

— Je vous aime, sire, depuis le jour où je vous ai vu, depuis qu'à Blois, où je languissais, votre regard royal est tombé sur moi, lumineux et vivifiant ; je vous aime ! sire. C'est un crime de lèse-majesté, je le sais, qu'une pauvre fille comme moi aime son roi et le lui dise. Punissez-moi de cette audace, méprisez-moi pour cette imprudence ; mais ne dites jamais, mais ne croyez jamais que je vous ai raillé, que je vous ai trahi. Je suis d'un sang fidèle à la royauté, sire ; et j'aime... j'aime mon roi !... Oh ! je me meurs !

Et tout à coup, épuisée de force, de voix, d'haleine, elle tomba pliée en deux, pareille à cette fleur dont parle Virgile et qu'a touchée la faux du moissonneur[1].

Le roi, à ces mots, à cette véhémente supplique, n'avait gardé ni rancune, ni doute ; son cœur tout entier s'était ouvert au souffle ardent de cet amour qui parlait un si noble et si courageux langage.

Aussi, lorsqu'il entendit l'aveu passionné de cet amour, il faiblit, et voila son visage dans ses deux mains.

Mais, lorsqu'il sentit les mains de La Vallière cramponnées à ses mains, lorsque la tiède pression de l'amoureuse jeune fille eut gagné ses artères, il s'embrasa à son tour, et, saisissant La Vallière à bras-le-corps, il la releva et la serra contre son cœur.

Mais elle, mourante, laissant aller sa tête vacillante sur ses épaules, ne vivait plus.

Alors le roi, effrayé, appela de Saint-Aignan.

De Saint-Aignan, qui avait poussé la discrétion jusqu'à rester immobile dans son coin en feignant d'essuyer une larme, accourut à cet appel du roi.

Alors il aida Louis à faire asseoir la jeune fille sur un fauteuil, lui frappa dans les mains, lui répandit de l'eau de la reine de Hongrie[2] en lui répétant :

1. La faux du moissonneur.
2. Appelée aussi eau de romarin.

— Mademoiselle, allons, mademoiselle, c'est fini, le roi vous croit, le roi vous pardonne. Eh ! là, là ! prenez garde, vous allez émouvoir trop violemment le roi, mademoiselle ; Sa Majesté est sensible, Sa Majesté a un cœur. Ah ! diable ! mademoiselle, faites-y attention, le roi est fort pâle.

En effet, le roi pâlissait visiblement.

Quant à La Vallière, elle ne bougeait pas.

— Mademoiselle ! mademoiselle ! en vérité, continuait de Saint-Aignan, revenez à vous, je vous en prie, je vous en supplie, il est temps ; songez à une chose, c'est que si le roi se trouvait mal, je serais obligé d'appeler son médecin. Ah ! quelle extrémité, mon Dieu ! Mademoiselle, chère mademoiselle, revenez à vous, faites un effort, vite, vite !

Il était difficile de déployer plus d'éloquence persuasive que ne le faisait Saint-Aignan ; mais quelque chose de plus énergique et de plus actif encore que cette éloquence réveilla La Vallière.

Le roi s'était agenouillé devant elle, et lui imprimait dans la paume de la main ces baisers brûlants qui sont aux mains ce que le baiser des lèvres est au visage. Elle revint enfin à elle, rouvrit languissamment les yeux, et, avec un mourant regard :

— Oh ! sire, murmura-t-elle, Votre Majesté m'a donc pardonné ?

Le roi ne répondit pas... il était encore trop ému.

De Saint-Aignan crut devoir s'éloigner de nouveau... Il avait deviné la flamme qui jaillissait des yeux de Sa Majesté.

La Vallière se leva.

— Et maintenant, sire, dit-elle avec courage, maintenant que je me suis justifiée, je l'espère du moins, aux yeux de Votre Majesté, accordez-moi de me retirer dans un couvent. J'y bénirai mon roi toute ma vie, et j'y mourrai en aimant Dieu, qui m'a fait un jour de bonheur.

— Non, non, répondit le roi, non, vous vivrez ici en bénissant Dieu, au contraire, mais en aimant Louis, qui vous fera toute une existence de félicité, Louis qui vous aime, Louis qui vous le jure !

— Oh ! sire, sire !...

Et sur ce doute de La Vallière, les baisers du roi devinrent si brûlants, que de Saint-Aignan crut qu'il était de son devoir de passer de l'autre côté de la tapisserie.

Mais ces baisers, qu'elle n'avait pas eu la force de repousser d'abord, commencèrent à brûler la jeune fille.

— Oh ! sire, s'écria-t-elle alors, ne me faites pas repentir d'avoir été si loyale, car ce serait me prouver que Votre Majesté me méprise encore.

— Mademoiselle, dit soudain le roi en se reculant plein de respect, je n'aime et n'honore rien au monde plus que vous, et rien à ma cour ne sera, j'en jure Dieu, aussi estimé que vous ne le serez désormais ; je vous demande donc pardon de mon emportement, mademoiselle, il venait d'un excès d'amour ; mais je puis vous prouver que j'aimerai encore davantage, en vous respectant autant que vous pourrez le désirer.

Puis, s'inclinant devant elle et lui prenant la main :

— Mademoiselle, lui dit-il, voulez-vous me faire cet honneur d'agréer le baiser que je dépose sur votre main ?

Et la lèvre du roi se posa respectueuse et légère sur la main frissonnante de la jeune fille.

— Désormais, ajouta Louis en se relevant et en couvrant La Vallière de son regard, désormais vous êtes sous ma protection. Ne parlez à personne du mal que je vous ai fait, pardonnez aux autres celui qu'ils ont pu vous faire. A l'avenir, vous serez tellement au-dessus de ceux-là, que, loin de vous inspirer de la crainte, ils ne vous feront plus même pitié.

Et il salua religieusement comme au sortir d'un temple.

Puis, appelant de Saint-Aignan, qui s'approcha tout humble :

— Comte, dit-il, j'espère que Mademoiselle voudra bien vous accorder un peu de son amitié en retour de celle que je lui ai vouée à jamais.

De Saint-Aignan fléchit le genou devant La Vallière.

— Quelle joie pour moi, murmura-t-il, si Mademoiselle me fait un pareil honneur !

— Je vais vous renvoyer votre compagne, dit le roi. Adieu, mademoiselle, ou plutôt au revoir : faites-moi la grâce de ne pas m'oublier dans votre prière.

— Oh ! sire, dit La Vallière, soyez tranquille : vous êtes avec Dieu dans mon cœur.

Ce dernier mot enivra le roi, qui, tout joyeux, entraîna de Saint-Aignan par les degrés.

Madame n'avait pas prévu ce dénouement-là : ni naïade ni dryade n'en avaient parlé.

TABLE DES MATIÈRES

LES MOUSQUETAIRES

TROISIÈME PARTIE
LE VICOMTE DE BRAGELONNE

Dumas baroque par Dominique Fernandez III

I. La lettre 1
II. Le messager 8
III. L'entrevue 15
IV. Le père et le fils 21
V. Où il sera parlé de Cropoli, de Cropole et d'un grand peintre inconnu 26
VI. L'inconnu 30
VII. Parry 36
VIII. Ce qu'était Sa Majesté Louis XIV à l'âge de vingt-deux ans 40
IX. Où l'inconnu de l'hôtellerie des Médicis perd son incognito 50
X. L'arithmétique de M. de Mazarin 59
XI. La politique de M. de Mazarin 66
XII. Le roi et le lieutenant 73
XIII. Marie de Mancini 77
XIV. Où le roi et le lieutenant font chacun preuve de mémoire 82
XV. Le proscrit 90
XVI. *Remember!* 94
XVII. Où l'on cherche Aramis, et où l'on ne retrouve que Bazin 103
XVIII. Où d'Artagnan cherche Porthos et ne trouve que Mousqueton 110
XIX. Ce que d'Artagnan venait faire à Paris 117
XX. De la société qui se forme rue des Lombards à l'enseigne du Pilon-d'Or, pour exploiter l'idée de M. d'Artagnan . 121
XXI. Où d'Artagnan se prépare à voyager pour la maison Planchet et Compagnie 130

XXII. D'Artagnan voyage pour la maison Planchet et Compagnie 135
XXIII. Où l'auteur est forcé, bien malgré lui, de faire un peu d'histoire 141
XXIV. Le trésor 151
XXV. Le marais 157
XXVI. Le cœur et l'esprit 165
XXVII. Le lendemain 172
XXVIII. La marchandise de contrebande 178
XXIX. Où d'Artagnan commence à craindre d'avoir placé son argent et celui de Planchet à fonds perdu 183
XXX. Les actions de la société Planchet et Compagnie remontent au pair 190
XXXI. Monck se dessine 195
XXXII. Comment Athos et d'Artagnan se retrouvèrent encore une fois à l'hôtellerie de la Corne-du-Cerf 198
XXXIII. L'audience 208
XXXIV. De l'embarras des richesses 214
XXXV. Sur le canal 219
XXXVI. Comment d'Artagnan tira, comme eût fait une fée, une maison de plaisance d'une boîte de sapin 226
XXXVII. Comment d'Artagnan régla le passif de la société avant d'établir son actif 233
XXXVIII. Où l'on voit que l'épicier français s'était déjà réhabilité au XVIIe siècle 238
XXXIX. Le jeu de M. de Mazarin 243
XL. Affaire d'État 247
XLI. Le récit 251
XLII. Où M. de Mazarin se fait prodigue 256
XLIII. Guénaud 260
XLIV. Colbert 263
XLV. Confession d'un homme de bien 267
XLVI. La donation 272
XLVII. Comment Anne d'Autriche donna un conseil à Louis XIV, et comment M. Fouquet lui en donna un autre 276
XLVIII. Agonie 283
XLIX. La première apparition de Colbert 291
L. Le premier jour de la royauté de Louis XIV 299
LI. Une passion 303
LII. La leçon de d'Artagnan 308
LIII. Le roi 315
LIV. Les maisons de M. Fouquet 329
LV. L'abbé Fouquet 339
LVI. Le vin de M. de La Fontaine 345

LVII. La galerie de Saint-Mandé 348
LVIII. Les épicuriens 353
LIX. Un quart d'heure de retard 357
LX. Plan de bataille 362
LXI. Le Cabaret de l'Image-de-Notre-Dame 366
LXII. Vive Colbert ! 373
LXIII. Comment le diamant de M. d'Emerys passa entre les mains de d'Artagnan 378
LXIV. La différence notable que d'Artagnan trouva entre M. l'intendant et Mgr le surintendant 385
LXV. Philosophie du cœur et de l'esprit 391
LXVI. Voyage 395
LXVII. Comment d'Artagnan fit connaissance d'un poète qui s'était fait imprimeur pour que ses vers fussent imprimés 400
LXVIII. D'Artagnan continue ses investigations 408
LXIX. Où le lecteur sera sans doute aussi étonné que le fut d'Artagnan de retrouver une ancienne connaissance 415
LXX. Où les idées de d'Artagnan, d'abord fort troublées, commencent à s'éclaircir un peu 421
LXXI. Une procession à Vannes 429
LXXII. La grandeur de l'évêque de Vannes 436
LXXIII. Où Porthos commence à être fâché d'être venu avec d'Artagnan 445
LXXIV. Où d'Artagnan court, où Porthos ronfle, où Aramis conseille 456
LXXV. Où M. Fouquet agit 462
LXXVI. Où d'Artagnan finit par mettre enfin la main sur son brevet de capitaine 470
LXXVII. Un amoureux et une maîtresse 476
LXXVIII. Où l'on voit enfin reparaître la véritable héroïne de cette histoire 482
LXXIX. Malicorne et Manicamp 489
LXXX. Manicamp et Malicorne 494
LXXXI. La cour de l'hôtel Grammont 501
LXXXII. Le portrait de Madame 508
LXXXIII. Au Havre 514
LXXXIV. En mer 519
LXXXV. Les tentes 525
LXXXVI. La nuit 534
LXXXVII. Du Havre à Paris 538
LXXXVIII. Ce que le chevalier de Lorraine pensait de Madame 546
LXXXIX. La surprise de Mademoiselle de Montalais 554
XC. Le consentement d'Athos 562
XCI. Monsieur est jaloux du duc de Buckingham 567
XCII. *For ever* 575

XCIII. Où Sa Majesté Louis XIV ne trouve Mlle de La Vallière ni assez riche ni assez jolie pour un gentilhomme du rang du vicomte de Bragelonne 581
XCIV. Une foule de coups d'épée dans l'eau 587
XCV. M. Baisemeaux de Montlezun 602
XCVI. Le jeu du roi 609
XCVII. Les petits comptes de M. Baisemeaux de Montlezun . 619
XCVIII. Le déjeuner de M. de Baisemeaux 629
XCIX. Le deuxième de la Bertaudière 635
C. Les deux amies 643
CI. L'argenterie de Mme de Bellière 650
CII. La dot 655
CIII. Le terrain de Dieu 661
CIV. Triple amour 668
CV. La jalousie de M. de Lorraine 673
CVI. Monsieur est jaloux de Guiche 679
CVII. Le médiateur 686
CVIII. Les conseilleurs 694
CIX. Fontainebleau 704
CX. Le bain 709
CXI. La chasse aux papillons 712
CXII. Ce que l'on prend en chassant aux papillons 716
CXIII. Le ballet des Saisons 724
CXIV. Les nymphes du parc de Fontainebleau 730
CXV. Ce qui se disait sous le chêne royal 738
CXVI. L'inquiétude du roi 746
CXVII. Le secret du roi 751
CXVIII. Courses de nuit 759
CXIX. Où Madame acquiert la preuve que l'on peut, en écoutant, entendre ce qui se dit 766
CXX. La correspondance d'Aramis 772
CXXI. Le commis d'ordre 779
CXXII. Fontainebleau à deux heures du matin 787
CXXIII. Le labyrinthe 794
CXXIV. Comment Malicorne avait été délogé de l'hôtel du Beau-Paon 801
CXXV. Ce qui s'était passé en réalité à l'auberge du Beau-Paon 808
CXXVI. Un jésuite de la onzième année 818
CXXVII. Le secret de l'État 822
CXXVIII. Mission 832
CXXIX. Heureux comme un prince 840
CXXX. Histoire d'une naïade et d'une dryade 854
CXXXI. Fin de l'histoire d'une naïade et d'une dryade 865
CXXXII. Psychologie royale 872
CXXXIII. Ce que n'avaient prévu ni naïade ni dryade 879

ACHEVÉ D'IMPRIMER POUR
LES ÉDITIONS ROBERT LAFFONT
SUR BOOKOMATIC
MAURY EUROLIVRES S.A.
45300 MANCHECOURT

Imprimé en France

DÉPÔT LÉGAL : JUIN 1998

N° D'ÉDITEUR : L 06453 (E03)